KU-242-592

LES INSPIRATIONS ET LES SOURCES DE L'ŒUVRE D'HONORÉ D'URFÉ

Maxime GAUME
Docteur ès Lettres

LES INSPIRATIONS ET LES SOURCES DE L'ŒUVRE D'HONORÉ D'URFÉ

Ouvrage publié avec le concours
du Secrétariat d'Etat aux Universités

CENTRE D'ÉTUDES FOREZIENNES
1, rue de la Convention - SAINT-ETIENNE
1977

ISBN - 2 - 85145 - 032 - 8

A Georgette et Isabelle

AVANT-PROPOS

Il y a quelque dix années, Monsieur Antoine Adam avait accepté de diriger ce travail. Ses conseils m'ont permis d'en établir les grandes lignes. Qu'il veuille bien accepter l'expression de ma gratitude pour avoir guidé mes premiers pas dans le domaine de la recherche.

Ma reconnaissance s'adresse tout particulièrement à Monsieur Robert Garapon, professeur à la Sorbonne, qui, pendant six ans, a dirigé mes recherches. Il s'est penché avec soin sur les états successifs de cet ouvrage et il en a méticuleusement relevé les défaillances. Il m'a guidé de ses conseils, il m'a imposé des aménagements et il m'a constamment aidé de ses encouragements et de son attentive sollicitude. Sans lui, cette étude n'aurait pas été menée aussi rapidement à sa fin. Qu'il veuille bien agréer mes très vifs remerciements.

Tous ceux auxquels je me suis adressé pour solliciter des renseignements nécessaires à l'accomplissement de cet ouvrage ont accepté avec bienveillance de me faire profiter de leur science. Il serait trop long de les nommer tous et je ne voudrais oublier aucun d'entre eux. Que tous, professeurs, historiens, érudits foréziens et lyonnais, trouvent ici mes remerciements pour leur aide efficace.

Mes collègues de l'U.E.R. des Lettres de l'Université de Saint-Etienne m'ont témoigné la chaleur de leur amitié qui m'a été précieuse. Ils m'ont fait bénéficier de leur savoir et m'ont encouragé quand je désespérais. Je tiens à leur dire ma reconnaissance.

Mes remerciements s'adressent encore aux Conservateurs des Bibliothèques où j'ai travaillé, au personnel administratif et aux techniciens de l'U.E.R. des Lettres de Saint-Etienne qui m'ont prêté secours dans les tâches matérielles.

Enfin, sans la subvention du Secrétariat d'Etat aux Universités et sans l'aide financière de l'Université de Saint-Etienne, cette étude n'aurait pas été imprimée. Le Centre d'Etudes foréziennes a bien voulu accepter cet ouvrage dans ses collections et prendre en charge une part importante des frais d'impression. Je tiens à le remercier de la confiance qui m'a été ainsi témoignée.

INTRODUCTION

« Enfin si parmi les mortels,
Quelqu'un merite des autels,
Urfé seul a droit d'y pretendre. »

Ces trois vers extraits de la préface d'*Ibrahim* expriment l'engouement du XVIIe siècle pour *L'Astrée*. Malgré quelques voix discordantes comme celle de l'auteur du *Berger extravagant*, un concert d'éloges ne cessa de s'élever au long du siècle. La critique moderne, habituellement réticente aux louanges sans réserve, s'accorde à reconnaître que le roman d'Honoré d'Urfé est si important que le reléguer en marge du mouvement littéraire conduirait à donner une image fausse du XVIIe siècle. Après un long silence qui a succédé à un renouveau d'enthousiasme marqué par les importantes études du Chanoine Reure, de Maurice Germa, de Maurice Magendie, d'Henri Bochet, ou manifesté par des articles et des analyses plus limités, depuis quelques années l'intérêt se porte à nouveau sur *L'Astrée*. L'oubli semble cependant résolu à ensevelir pour jamais les autres ouvrages d'Honoré d'Urfé. Notre intention est de les exhumer de la poussière qui persiste à les recouvrir, sans toutefois minimiser l'importance de *L'Astrée*. A considérer la diversité des sujets développés par Honoré d'Urfé et la masse des connaissances variées qu'il étale dans son œuvre, il apparaît sans doute prétentieux d'avoir décidé d'en rechercher les sources. Nous avouons avoir maintes fois éprouvé le découragement, mais la joie provoquée par la lecture de l'œuvre et de modestes découvertes nous ont octroyé le privilège d'oublier nos peines. Malgré les difficultés rencontrées et, au risque d'être trop superficiel, à notre gré, nous avons persisté dans le refus d'isoler *L'Astrée* du reste de l'œuvre d'Honoré d'Urfé. Est-il possible de privilégier un ouvrage au détriment des autres ? Peut-on isoler les actes d'une vie, sans courir le risque d'en dessiner une caricature ?

La vie d'Honoré d'Urfé est jalonnée d'événements malheureux et de quelques instants de bonheur, d'activités militaires, diplomatiques et littéraires. Selon le mot d'Estienne Pasquier, il fut un seigneur qui a su « mesler les bonnes lettres avec les armes » (1). Il a connu les honneurs et les flatteries mensongères de la vie de cour, les joies et les peines de l'amour, les plaisirs et la tristesse de la solitude. Sa vie fut courte, mais bien remplie. Il a tout juste seize ans, quand il signe la *Triomphante Entrée*. Nous ne revendiquons pas pour lui la paternité de tout le spectacle qui fut offert au collège de Tournon en l'honneur de Magdeleine de la Rochefoucauld, nous retenons du moins que les Jésuites ses maîtres, conscients de ses mérites, lui ont confié un rôle de poète, d'acteur,

(1) E. Pasquier, *Recherches de la France*, l. VII, ch. 14.

d'organisateur de spectacle et de rédacteur. La tâche dont il s'est acquitté avec bonheur permet de déceler le talent naissant du futur auteur de *L'Astrée*. Après quelques années sur lesquelles plane un mystère que jusqu'à maintenant personne n'a réussi à percer, il prend résolument part aux batailles qui déchirent le pays, sans jamais manquer à la fidélité promise au duc de Nemours. Est-il arrêté et emprisonné, condamné à la solitude et à l'inaction ? Un besoin invincible de consigner par écrit l'état de son âme et le fruit de ses réflexions s'empare de lui. Il compose le premier livre des *Epistres Morales*. La paix revenue, il le reprend, le gonfle de méditations nouvelles qu'ont fait germer en lui ses lectures ; pendant plusieurs années il concentre sa pensée sur l'homme et sa condition. Deux autres livres viennent se joindre au premier pour former un important volume qui ne cessera d'intéresser les lecteurs pendant de nombreuses années du XVIIe siècle. La guerre n'a pas définitivement étouffé ses premiers émois de jeune homme. Dans les premières années de la paix, il reprend la composition du *Sireine* probablement interrompue par les batailles et il songe à écrire le roman qui assurera sa renommée. Quand les années qui suivent le mariage avec Diane de Chateaumorand l'éloignent du château de La Bastie pour un séjour aux confins du Bourbonnais, il continue la composition de la première partie de *L'Astrée* et il entame celle de la *Savoysiade* en l'honneur de la Maison de Savoie à laquelle il est apparenté. Cette épopée ne sera jamais publiée, mais Honoré d'Urfé y consacre, pendant longtemps, une partie de ses loisirs. Les années qui suivent la publication de la première partie de *L'Astrée* sont ponctuées par des séjours à la cour de France et à la cour de Charles Emmanuel, par des interventions diplomatiques et des loisirs prolongés en Savoie où il écrit la suite de son roman. Les lecteurs enthousiasmés attendent impatiemment le récit des amours d'Astrée et de Céladon. Les années 1610 et 1619 sont marquées par la publication de la deuxième et de la troisième partie. La quatrième partie composée à Virieu, à Chateaumorand et à Turin, suscite les complications de publication que l'on sait. En 1625, il met la dernière main à *La Sylvanire* dont le privilège est du 12 avril 1625, quand, encore une fois, il répond à l'appel du roi de France et du duc de Savoie pour prendre part à la guerre de la Valteline. Sa mort prématurée ne lui permit pas de connaître la publication de sa pastorale dramatique. A son œuvre romanesque, poétique, théâtrale et philosophique, il faut encore ajouter celle du critique et du théoricien représentée par le *Jugement sur l'Amadéide* et par la préface de *La Sylvanire*.

Le champ d'études est vaste et complexe. A cause de cela, nous n'avons pas jugé utile d'entrer dans le débat qui s'est élevé à propos de la quatrième partie de *L'Astrée* (2). Nous n'en avons écarté

---

(2) Ce problème a été étudié par P. Koch, « Encore du nouveau sur l'*Astrée* », in *RHLF*, n° 3, mai-juin 1972, pp. 385-399, et surtout par B. Yon, *Une autre fin de l'Astrée, la quatrième partie de 1624, les cinquième et sixième parties de 1625 et 1626*, Thèse de troisième cycle, Lyon, 1972. A ces études, il faut ajouter l'article de B. Yon, « Les deux versions de la *Sylvanire* d'Honoré d'Urfé », à paraître dans la *RHLF*.

aucun livre, puisque l'authenticité des récits les plus importants est maintenant reconnue. Malgré ses défauts de style, d'imagination et d'analyse, la quatrième partie de *L'Astrée* présente un intérêt certain pour la connaissance de la pensée et de l'art d'Honoré d'Urfé. Nous n'avons évidemment pas retenu l'étude de la cinquième partie. Nous ne nous sommes pas non plus longuement attardé à l'analyse des *Tristes Amours de Floridon* parce que, comme nous le verrons, les défauts de composition et de style nous font douter de l'authenticité.

A considérer une œuvre aussi importante, aux aspects si divers et aux sujets si variés qui vont de l'histoire aux exposés de philosophie et de théologie ou de critique littéraire et artistique et dont l'expression intéresse tous les genres littéraires, il apparaît probablement comme vain d'avoir formé le dessein d'en rechercher les sources. Leur découverte en est malaisée et, pour quelques résultats indiscutables, la plupart sont souvent hypothétiques. D'autres, après nous, ne manqueront pas de les contester. Peut-on d'ailleurs assigner avec certitude telle ou telle source à tel ou tel passage d'une œuvre ? A supposer que cela soit possible, un seul homme est-il capable de mener à bien une telle entreprise quand il s'agit d'un roman comme *L'Astrée* ? Conscient de ces difficultés, nous avons élaboré ce travail en nous fixant des règles auxquelles nous nous sommes efforcé de rester fidèle.

Nous avons considéré que les lectures d'un auteur, à supposer même qu'on puisse toutes les déceler, étaient loin d'éclairer à elles seules la genèse de son œuvre. Celle-ci s'explique d'abord par l'éducation et le milieu social de l'écrivain, par son histoire qui a donné naissance et développement à sa sensibilité et formé sa pensée. N'envisager que les sources livresques, c'est oublier l'essentiel l'homme qui écrit. Depuis que la critique renie la biographie, nous prenons l'habitude d'analyser les œuvres en elles-mêmes, comme si elles n'étaient pas les fruits lentement mûris d'esprits marqués définitivement d'innombrables impressions et d'indélébiles souvenirs. Proust a eu raison d'écrire qu'un livre est le « produit d'un autre moi que celui que nous manifestons dans nos habitudes, dans la société, dans nos vices. » Mais, ce moi qui se manifeste dans une œuvre, qui guide la main de l'auteur et dicte les phrases, n'est-il pas pour partie le résultat du milieu social, de l'éducation, de la société ? Il est vrai qu'une œuvre d'art n'est jamais totalement la vie : elle la transforme, la métamorphose en quelque sorte. Mais il faut rechercher la réalité pour en déceler la défiguration. Voilà pourquoi nous avons tenté de découvrir dans l'œuvre d'Honoré d'Urfé les traces de son milieu social et de son éducation, la marque des pays où il a vécu, ce que les événements importants de sa vie lui ont en quelque manière dicté. Si d'Urfé n'avait jamais vécu à La Bastie et ne s'était attaché au Forez, s'il n'avait été éduqué par les Jésuites de Tournon, s'il n'avait combattu dans les rangs de la Ligue, s'il n'avait vécu loin du Forez, s'il n'avait aimé et souffert, son œuvre serait-elle ce qu'elle est ? Il est des événements de la vie d'un écrivain qui le poussent à la confidence. La douleur est parfois si vive qu'elle arrache des cris dont l'œuvre porte la trace. Ne fallut-il pas une trahison, un emprisonnement et la mort du duc de Nemours, pour qu'Honoré d'Urfé entreprît la composition des *Epistres Morales* ? Un roman comme *L'Astrée* aurait-il vu le jour sans l'amour de son auteur pour Diane de Chateaumorand ? Nous avons donc tenté de cueillir les confidences d'Honoré d'Urfé dans son œuvre, afin de découvrir comment sa vie a inspiré sa création littéraire.

Toute œuvre est encore influencée par les courants d'idées, les goûts, les choix, les interrogations de la société qui la voit naître. Nous nous sommes donc attaché à l'étude et aux sources livresques de la pensée d'Honoré d'Urfé, aux lectures qui ont pu lui suggérer des thèmes romanesques, les situations ou les répliques de *La Sylvanire*. Nos recherches n'ont pas toujours été récompensées. Quand des rapprochements de textes nous sont apparus contestables, nous avons préféré montrer comment l'œuvre d'Honoré d'Urfé s'insérait dans un courant d'idées. Etait-il possible de cerner toutes les sources d'une telle œuvre ? La notion de source littéraire n'a d'ailleurs rien d'absolu. Parfois ce sont seulement des analogies, ou des éléments d'un récit qui sont utilisés dans un ouvrage romanesque. Le danger est donc de considérer comme source directe ce qui appartient à une tradition ou a été puisé dans un ouvrage qui en a déjà été influencé. A vouloir proposer trop de sources livresques, on court le danger de considérer comme authentiques celles qui ne le sont pas. Nous avons essayé d'éviter ce défaut.

La quête des sources n'est intéressante que dans la mesure où elle met en lumière comment un auteur les a utilisées. Des réflexions personnelles et des images se superposent, se mêlent aux souvenirs de lectures et les transforment ; l'imagination joue son rôle créateur. A tous ces éléments disparates, l'auteur impose l'unité et la marque de son originalité. Nous avons donc tenté de noter l'originalité d'Honoré d'Urfé, chaque fois que cela s'imposait, mais, à notre gré, trop rapidement. Les dimensions que prenait notre étude nous ont contraint à nous limiter et à passer sous silence de nombreuses remarques qui ne trouvent légitimement place que dans une édition critique des œuvres de notre auteur.

Afin de déterminer les inspirations et les sources de l'œuvre d'Honoré d'Urfé telles que nous venons de les caractériser, nous avons d'abord recherché dans *L'Astrée*, *Le Sireine*, *Les Epistres Morales* et la *Savoysiade*, le reflet de l'homme et du milieu où il s'est formé et où il a vécu. Cette étude nous a conduit, pour des raisons purement pratiques, à établir les sources livresques des épisodes historiques de *L'Astrée* et celles de la *Savoysiade*. Nous avons ensuite tenté de découvrir celles de la pensée politique, philosophique et morale exposée dans l'œuvre. Dans la dernière partie de cette étude, nous avons déterminé les sources livresques des ouvrages pastoraux, *Le Sireine*, *L'Astrée* et *La Sylvanire*, et des poésies.

PREMIERE PARTIE

L'ŒUVRE, REFLET DE L'ECRIVAIN ET DE SON MILIEU

« Aupres de l'ancienne ville de Lyon, du costé du soleil couchant, il y a un pays nommé Forests, qui en sa petitesse contient ce qui est de plus rare au reste des Gaules... »

(*Astrée*, I, I, 9)

CHAPITRE I

LE CHATEAU DE LA BASTIE ET SON ENTOURAGE

« Nous devons cela au lieu de nostre naissance (1) et de nostre demeure, de le rendre le plus honoré et renommé qu'il nous est possible », c'est ainsi qu'Honoré d'Urfé, s'adressant à la bergère Astrée dans la préface de la première partie de son roman, justifie son choix du Forez comme cadre aux amours de Céladon et d'Astrée et aux aventures de ses autres personnages. Il a voulu assurer la réputation de la région de France où ceux dont il « est descendu, depuis leur sortie de Suobe (2) ont vescu si honorablement par tant de siècles. » (3) *L'Astrée* a permis à Honoré d'Urfé d'atteindre le but qu'il s'était fixé : célébrer le Forez et perpétuer dans les mémoires le nom et les splendeurs du château de La Bastie où vécurent plusieurs de ses ancêtres. Qui pourra jamais analyser avec minutie l'influence de la maison et du lieu où se sont déroulées l'enfance et l'adolescence de chacun ? La sensibilité de l'enfant y reçoit des empreintes indélébiles, facteurs de vocation. Celle d'Honoré d'Urfé, écrivain, poète, historien, moraliste et philosophe, s'éveilla en Forez, au château de La Bastie. Quand les circonstances l'en eurent quasi définitivement éloigné, les chers paysages du Forez affluèrent à son esprit, il se remémora le château où il « passa si heureusement son enfance », et, d'instinct, l'évoqua dans *L'Astrée.*

Il ne semble faire aucun doute que ce château exerça sur l'imagination du jeune Honoré son influence à laquelle on ne saurait donner trop d'importance. *L'Astrée* en révèle les traces à qui sait lire de près. Jusqu'à l'âge de sept ans, il y vécut. Ce fut le berceau de sa première enfance. En 1574, suivit-il sa mère, Renée de Savoie, en Provence, quand elle disputa à Honorat l'héritage d'Honoré de Savoie, en occupant de force les terres provençales et niçoises qu'elle revendiquait ? Resta-t-il auprès d'elle avec les autres enfants, jusqu'en 1575 ? Aucun document ne peut le prouver d'une

(1) Honoré d'Urfé n'est pas né en Forez, mais à Marseille, ainsi qu'en fait foi l'acte de baptême du 11 février 1567. Voir O.C. Reure, *La vie et les œuvres d'Honoré d'Urfé,* Paris, Plon, 1910, p. 1.

(2) La famille d'Urfé prétendait se rattacher aux Wulfs de Souabe, dès l'an 750. Voir Anne d'Urfé, B.N., Ms. frs 25464, f. 87 sq., *C'est la genealogie de l'illustre maison et ancienne race des Urfez...* » Cette généalogie a pu être dressée par Flory du Vent, secrétaire d'Anne d'Urfé. Voir, à ce propos, O.C. Reure, *op. cit.,* p. 5, et A. Bernard, *Les D'Urfé,* pp. 4 sq.

(3) *Astrée,* Préface de la première partie, *L'Autheur à la bergere Astrée,* éd. Vaganay, p. 7.

façon certaine (4). Si, d'autre part, entre 1575 et 1577, date possible de son entrée au collège de Tournon, Honoré d'Urfé, une fois terminée l'affaire de la succession de Savoie, revint en Forez et vécut à Montbrison aux côtés de son frère aîné Anne, devenu Bailli de Forez, cela n'exclut pas des séjours à La Bastie. Quand il fut écolier au collège de Tournon, il revint au château pour y passer des vacances, rares sans doute, mais suffisantes pour apprécier le charme de la campagne forézienne et, surtout, pour graver en sa mémoire les splendeurs artistiques de cette prestigieuse demeure qui apparaît, à certains égards, comme le premier aiguillon de son imagination romanesque. Ces images de la petite enfance, puis de l'adolescence, enfin de l'âge adulte (5) au cours d'un séjour prolongé en Forez au temps de la Ligue, chez une nature aussi sensible que la sienne, ont exercé pour toute la vie comme une sorte d'attrait permanent. Il se remémorera avec précision certains faits, son imagination en transformera d'autres en les embellissant ou en donnant de l'importance aux détails.

***

I. — La Bastie et *L'Astree*.

Selon Anne d'Urfé, le château de La Bastie était, parmi les maisons construites dans la plaine du Forez, la plus belle après le château de Bouthéon (6). Bâti dès le XIIIe siècle, il fut surtout embelli par Claude d'Urfé (7), ambassadeur de François Ier, puis de Henri II, auprès du Saint-Siège, et gouverneur des Enfants de France. Il avait aménagé sa maison à l'italienne, au point d'en faire une des plus belles demeures de France. Elle s'élève sur les bords du Lignon, à trois lieues environ de Saint-Germain-Laval.

Honoré d'Urfé ne manqua pas de l'évoquer dans *L'Astrée*, au point que l'identification en est aisée. Pour ce faire, voici d'abord la description qu'en donne Anne d'Urfé :

> « Ceste maison cédant beaucoup à Bouteon quant au bâtiment la surpasse bien autant en beaulté de jardin, belles allées et promenoirs, estant accommodée comme à souhait d'un bois d'haulte futaye, aboutissant au jardin, d'une belle rivière qui est

---

(4) Voir la discussion qui suivit la communication de M. Debesse, « Le pays de l'Astrée », au *Colloque du quatrième centenaire de la naissance d'Honoré d'Urfé*, in *BD*, année 1970, n° spécial, pp. 154-155 ; N. Bonafous, *Etudes sur l'Astrée et sur Honoré d'Urfé*, pp. 21-23.

(5) Honoré d'Urfé avait sans doute tracé une ébauche de *L'Astrée*, à La Bastie, entre 1584 et 1589, avant de s'engager dans les aventures de la Ligue (O.C. Reure, *op. cit.*, p. 29). D'autre part, le Chanoine Reure a établi d'une façon, semble-t-il, définitive, les lieux et les dates de composition de chacune des parties de *L'Astrée*. La première partie a dû être commencée à La Bastie, et le reste du roman à Senoy, Chateaumorand, Paris, Virieu le Grand et Paris (*op. cit.*, pp. 204 sq.).

(6) Anne d'Urfé, *Description du païs de Forez*, in A. Bernard, *op. cit.*, p. 448. Sur le château de La Bastie, voir « Les origines de la Bastie d'Urfé », in *CEF*, I, *Mélanges*, 1968, pp. 46 sq. ; de Soultrait, *Le château de La Bâtie et ses seigneurs*.

(7) Sur Claude d'Urfé et les embellissements qu'il a apportés au château de La Bastie d'Urfé, voir O.C. Reure, *op. cit.*, pp. 10-13.

Lignon, de cantité de beaux et clairs ruisseaux, de belles et grandes prairies, et de force belles fontaines ; de façon qu'il n'i manque rien qui puisse randre une assiette de maison belle et agreable que la veue. » (8)

L'emplacement même de La Bastie devient, dans *L'Astrée,* le hameau de Phocion (9), oncle d'Astrée. Céladon y a connu les plus heureux instants de sa vie, car « c'est bien... icy le lieu où si souvent Astrée [m']a juré que son amitié seroit éternelle ! » (10) La demeure de Phocion est entourée d'un « grand jardin, duquel un petit bras de la rivière de Lignon va baignant des quatre costez ». (11) Près de là, s'étend « un petit bois de coudres, où les divers destours des chemins entrelassez faisoient fourvoyer l'œil aussi bien que les pas de ceux qui s'y alloient promener. » (12) Une grande allée y conduit (13) toute proche d'un « grand bois de haute fustaye qui la touche. » (14) « Un petit bras du Lignon... costoye d'un bout à l'autre ce beau promenoir... » (15)

Les précisions abondent sous la plume de l'auteur de *L'Astrée.* Chaque détail surgit à sa mémoire, car ce sont les lieux mêmes qu'enfant, il a tant de fois parcourus ou que, jeune homme, il a foulés en rêvant à la femme aimée : cette grande allée est « un lieu... frais et agreable », à cause du petit bras de Lignon « qui la suit d'un bout à l'autre ». Le bois est situé « à main gauche » (16) et le « petit ruisseau... accompagne cette allée jusques dans Lignon. » (17) Le bois de haute futaie, dont parle Anne d'Urfé, est cité par Honoré, le Lignon est situé. Papire Masson, lui aussi, l'évoque, passant tout près des jardins de La Bastie : « il longe... les jardins magnifiques de la Bâtie (Bastie) aux charmes si grands, ainsi que bien d'autres merveilles ». (18)

---

(8) Cité par A. Bernard, *op. cit.*, pp. 449-450, d'après le Ms. frs 12487 de la Bibliothèque nationale.

(9) *Astrée,* III, 10, 540. Phocion est l'oncle d'Astrée (*Astrée,* I, 4, 142 ; II, 11, 429 ; voir la généalogie des personnages de l'*Astrée,* Appendice IV). Phocion est présenté comme le plus sage berger des environs (*Astrée,* III, 5, 277) et il veut marier Astrée à Calidon qui possède une fortune (*Astrée,* III, 6, 297 sq.).

(10) Ce sont les paroles de Céladon déguisé en Alexis et qui, ayant passé la nuit dans la demeure de Phocion, quitte sa chambre au petit matin pour se promener aux alentours (*Astrée,* III, 10, 553).

(11) *Astrée,* III, 10, 552. Le P. Fodéré décrivant le couvent de La Bastie note le dédale des allées du jardin : « parterre, d'un dedale, belles allées, espailliers, ruisseaux » (*Narration historique et topographique des couvents de l'ordre de St François et monasteres Ste Claire erigez en la province anciennement appelee de Bourgongne a present de s. bonaventure enrichie de singularitez plus remarquables des villes et les lieux où les dicts couvans sont situez,* Lyon, s.d., p. 983, cité par de Soultrait, *op. cit.*, p. 14.

(12) *Astrée,* III, 10, 554.

(13) *Ibid.*, III, 11, 599.

(14) *Ibid.*, III, 11, 606 ; cf. *Lettre de Monsieur de la Goutte,* publiée par C. Longeon, « Une visite au château de la Bastie en 1683 », in *BD,* t. XL (1968), n° 6, p. 254.

(15) *Astrée,* IV, 2, 66-67 ; IV, 2, 76.

(16) *Ibid.*, IV, 2, 76.

(17) *Ibid.*, IV, 2, 94.

(18) Papire Masson, « Description du pays de Forez », extraite de la *Descriptio fluminum Galliae,* trad. et notes de C. Longeon, in *BD,* t. XXXIX (1966), n° 6, p. 237, « Linio... in Ligerim flumen labitur praecursis ante Bastiae amoenissimae villae hortis daedalo, et aliis preciosis rebus... »

Dans ces jardins, où le Lignon se répand en plusieurs canaux (19), se dresse une fontaine. Près d'elle, se rend Alexis ; elle regarde cette « fontaine qui paroist dans le milieu », et « la déesse Céres qui s'eslève sur le haut de la voûte soustenue sur de grandes colonnes qui, les unes rondes, et les autres carrées, font comme une couronne à l'entour du bassin qui reçoit ceste belle source. » (20) Cette fontaine est décrite par de la Goutte en 1683, au milieu du jardin, remarquable par « son bassin de marbre blanc, et par le grand dôme qui la couvre, soutenue de plusieurs pilliers à double rang. » (21) Elle subsiste encore au milieu des jardins, mais le système d'arrivée d'eau ne fonctionnant plus depuis le XVIIIe siècle, la tradition populaire en fit un « Temple d'amour ». La description d'Honoré d'Urfé est cependant beaucoup plus proche de la réalité que celle du sieur de la Goutte. Ainsi qu'on peut encore le constater, les colonnes qui soutiennent la voûte sont les unes rondes, les autres carrées (22). Seule, la déesse Cérès a disparu. C'était, sans doute, l'un des macarons qui décoraient le haut de l'édifice et dont deux seulement sont encore en place (23).

Aménagé à l'italienne, le château de La Bastie comporte une grotte, « laquelle estoit estimée la plus belle de ce royaume au temps qu'elle fut faicte », écrit Anne d'Urfé. (24) Tous ceux qui la virent, contemporains ou hommes du début du XVIIe siècle, furent séduits par sa bizarrerie. Elle correspondait à un goût de l'époque. Claude d'Urfé en avait admiré de semblables au cours de son séjour en Italie, et peut-être a-t-il été encore influencé par un projet de 1545 pour la grotte artificielle de Fontainebleau (25). Le besoin de créer de nouveaux paysages, rêve d'un Eden, ou besoin mêlé de curiosité et d'effroi, explique ce goût nouveau (26).

Comment cette construction n'aurait-elle pas frappé l'imagination du jeune Honoré d'Urfé ? Des nymphes, des naïades, des êtres étranges figés ou grimaçants, des entrelacs de cailloux aux couleurs ocre pâle, bleu cendré ou vieux rose, font surgir dans l'imagination un univers étrange. Nous ressentons cette même impression, dès le premier livre de *L'Astrée*, au récit des Amours de Damon et Fortune dont Adamas fait visiter le tombeau (27) Honoré d'Urfé situe cette grotte dans les jardins de la maison de Galathée, mais les détails coïncident, parfois, si bien avec ceux de la grotte de La Bastie que l'identification s'impose. Il suffit de suivre pas

---

(19) Voir *Lettre de Monsieur de la Goutte*, in *BD*, t. XL (1968), pp. 251 sq.

(20) *Astrée*, III, 10, 552-553.

(21) *Lettre de Monsieur de la Goutte*, p. 253, n. 7.

(22) C. de Soultrait, *op. cit.*, planche 32.

(23) Des macarons décoraient l'édifice et l'un d'entre eux qui se trouve au Musée de Lyon pourrait correspondre à celui de la déesse Cérès (de Soultrait, *op. cit.*, planches 32 bis et 33). Au centre de cette construction s'élève maintenant une statue de Vertumne qui provient de la grotte du château ; voir, à ce propos, B. Ceysson, « Le château de la Bastie d'Urfé : la grotte et la chapelle », in *CEF*, I, *Mélanges*, p. 92 et n. II.

(24) Cité par A. Bernard, *op. cit.*, p. 450. Le P. Fodéré a laissé une description très détaillée de cette grotte (*op. cit.*, p. 983).

(25) Voir B. Ceysson, *art. cit.*, p. 93.

(26) A. Chastel, *La crise de la Renaissance 1520-1600*, Genève, 1968, pp. 134 sq.

(27) *Astrée*, I, 11, 440 sq.

à pas la description que nous lisons dans *L'Astrée.* L'auteur donne peu d'indications sur l'entrée (« l'entrée estoit fort haute et spacieuse »), quitte à y revenir plus loin. Comme lui, le spectateur, dans la hâte de sa curiosité, est d'abord frappé par l'étrange spectacle qui s'offre à l'intérieur :

> « ...Aux deux costez, au lieu de pilliers estoient deux termes qui sur leur teste soustenoient les bouts de la voute du portail. »

La grotte est une salle barlongue que deux arcs en anse de panier, reposant au centre sur un pilier carré et sur les côtés sur des piliers engagés, divisent dans le sens de la largeur en deux parties. Des piedroits, des arcades, émergent des êtres étranges de coquillages et de cailloux de couleur et qui semblent soutenir la voûte. En fait, ce ne sont point des cariatides. L'un de ces deux termes

> « figuroit Pan et l'autre Syringue, qui estoient fort industrieusement revestus de petites pierres de diverses couleurs. »

Pan subsiste encore dans la grotte de La Bastie, identifié couramment, mais à tort, comme un sauvage barbu (28) :

> « Les cheveux, les sourcils, les moustaches, la barbe et les deux cornes de Pan estoient de coquille de mer, si proprement mise que le ciment n'y paraissoit point. »

Tout, en effet, est de coquillages, à un détail près : les cornes de Pan sont faites de pierres noires. La mythologie rapporte que Syrinx, nymphe d'Arcadie poursuivie par Pan, fut changée en roseaux. Honoré d'Urfé l'associe donc à Pan :

> « Syringue qui estoit de l'autre costé avoit les cheveux de roseaux, et en quelques lieux depuis le nombril, on les voyoit comme croistre peu à peu. »

Aucun des personnages que l'on voit actuellement dans cette grotte ne semble correspondre à cette description. Est-ce pure imagination influencée par l'érudition mythologique ? Pourtant, un emplacement réservé à une figure en cailloux et coquillages, comme celle de Pan, apparaît sur le deuxième piedroit de l'arcade. Tout porte à croire que Syrinx était représenté à cet endroit. D'Urfé semble ici faire appel à sa mémoire plus qu'à son imagination, tant la grotte est décrite avec des détails minutieux et précis :

> « Le tour de la porte, estoit par le dehors à la rustique, et pendoient des festons de coquilles rattachez en quatre endroits finissant auprès de la teste des deux termes. »

C'est, en effet, un double feston de coquilles de moules qui vient se rattacher au sommet de la tête des termes, partant du premier arc pour se terminer au second. Ainsi, la présence de Syrinx se justifie bien sur le deuxième piedroit. La suite de la description se révèle tout aussi exacte, puisque le « dedans de la voûte » est « en

---

(28) De Soultrait, *op. cit.*, p. 24.

pointe de rocher », elle semble « en plusieurs lieux degoutter de salpestre », et, sur le milieu, s'entr'ouvre en ovale pour faire entrer la clarté. Honoré d'Urfé note que ce lieu était enrichi d'un grand nombre de statues, « tant par dehors que par dedans », qui « faisoient diverses fontaines » et « toutes representoient quelque effect de la puissance d'Amour. » Les niches, où étaient logées ces statues, sont maintenant vides. Mais, Anne d'Urfé a indiqué que, dans la grotte, il y avait « plusieurs belles et grandes estatues de marbre apportées d'Itallie. » (29) De son côté, le Père Fodéré avait remarqué

> « quatre statues de marbre qui représentent les quatre saisons de l'année dont celle qui représente l'Automne est en forme d'un grand géant qui a bien neuf pieds de hauteur. » (30)

En fait, l'eau tombait de la voûte garnie de stalactites et les figures en cailloutage étaient munies de petits tuyaux de plomb destinés à faire jaillir de l'eau (31). Dans une œuvre placée sous le signe de l'Amour, Honoré d'Urfé ne pouvait éviter de situer en cet endroit des statues évoquant les puissances de l'Amour. L'histoire de Damon et Fortune en est une émouvante démonstration.

Ce lieu, autrefois salle de fraîcheur, abrite, dans *L'Astrée,* le tombeau de Damon, « eslevé de la hauteur de dix ou douze pieds, qui par le haut se fermoit en couronne. » Ici, l'imagination d'Honoré d'Urfé reprend ses droits. Pourtant, derrière les arcades, s'ouvrent deux niches, ou plutôt, deux réduits, qui sont comme un « sacrarium », et dans lesquels se voient deux massifs de maçonnerie actuellement informes qui furent peut-être les supports de statues. Une imagination aussi vive que celle d'Honoré d'Urfé pouvait s'y figurer l'emplacement d'un tombeau, puisque tout se prête à évoquer le mystère et il ne semble pas étrange de penser que cette grotte fut créée par les enchantements de Mandrague. Quoi qu'il en soit, les « demy pilliers » et leurs « bazes et chapiteaux » ne paraissent pas avoir été recouverts de marbre ; ils sont en pierre rayée. Il est bien évident que, dans une telle salle où l'eau jaillissait, des tableaux ne pouvaient être accrochés. L'auteur de *L'Astrée* place ici des peintures allégoriques qui lui servent à illustrer d'une façon variée une histoire d'amour.

Sur le pourtour de cette grotte, des masques de stuc peints sont placés au-dessus des niches. Ils sont d'une laideur grimaçante et fixent le visiteur de leurs yeux démesurément ouverts. L'un d'eux, surtout, yeux écarquillés, cheveux de coquillage et barbe largement étalée sous une bouche béante, visage de vieillard, n'est pas sans évoquer l'esprit de la Sorgues, vu par Alcidon errant une nuit dans les campagnes de Provence. Il avait

> « la barbe jusques à l'estomac, et les cheveux longs flottants sur ses espaules, et le long de son visage, qui, tous mouillez, sembloient autant de sources. » (32)

---

(29) Anne d'Urfé, *op. cit.,* in A. Bernard, *op. cit.,* p. 450.
(30) P. Fodéré, *op. cit.,* p. 983, cité par A. Bernard, *op. cit.,* p. 471.
(31) De Soultrait, *op. cit.,* p. 24.
(32) *Astrée,* III, 3, 133. Voir, à ce propos, E. Montégut, *En Bourbonnais et en Forez,* Paris, Hachette, 1888, p. 257.

Le vieillard de la grotte de La Bastie n'est pas couronné d'algues et de joncs, mais, sur les piliers, émergent des naïades, comme celles de l'eau de la Sorgues, et des motifs d'herbes variées, en coquillages ou coraux, ornent la voûte de l'un des réduits. Sur la paroi ouest est représenté, dans un paysage aquatique, et portant son trident, Neptune, dieu barbu, qui n'est pas non plus sans ressemblance avec l'esprit de la Sorgues. Une pièce aussi « bizarre » que la grotte a marqué de son empreinte l'imagination d'Honoré d'Urfé. Enfant, il parcourut cette salle, il y rêva sans doute et y éprouva crainte, respect et satisfaction à son goût du mystère et du rêve que l'on découvre dans *L'Astrée.*

Papire Masson, qui avait vu cette grotte, ne s'y attache cependant pas dans la description qu'il nous donne du château de La Bastie. Pour lui, comme pour tous ceux qui la virent, le chef-d'œuvre était la chapelle, « sacellum mirabile » (33). Anne d'Urfé dit que

> « le plus excellant qui soit en ceste maison est sa chapelle, estimée à bonne raison la plus belle de France, et qui seroit pour ses singullaritez trop longue à décrire. » (34)

Quant au Père Fodéré, il s'étend à plaisir sur la description de ce chef-d'œuvre. Apparemment, rien ne semble rappeler cette chapelle dans *L'Astrée.* Honoré d'Urfé aurait-il négligé son évocation ? Dans une telle œuvre où abondent les temples et les cérémonies religieuses, druidiques ou romaines, n'y aurait-il aucun rappel de ce sanctuaire qui avait provoqué l'admiration de tous les contemporains ? Montégut fait le rapprochement suivant :

> « ...et lorsque les eubages vêtus de blanc, précédés par le druide Adamas, procèdent à l'immolation des victimes, on revoit le bas-relief de la chapelle qui représente le sacrifice de Noé. » (35)

Cette longue description du sacrifice a certainement un lien étroit avec ce qu'Honoré a pu lire à ce propos. Il se souvient des récits de sacrifice que l'on trouve dans les œuvres latines et grecques commentées pendant ses années de collège, ou dans les ouvrages d'histoire lus ensuite. Pourtant, les personnages ont l'attitude noble, quasi figée, des prêtres qui entourent Noé sur le bas-relief de l'autel de La Bastie. Le sage Adamas vient « avec une gravité digne de celle de grand druide comme il estoit », semblable à celle de Noé. Là aussi, flambe un grand brasier. L'influence est possible, mais nous ne trouvons, dans la description de *L'Astrée,* ni le miracle, ni le symbole religieux représentés par le bas-relief.

Le temple d'Astrée, tout de verdure, en pleine forêt, permet des rapprochements plus nets avec la chapelle de La Bastie. Certes, ce temple est rond (36), mais un certain nombre de symboles permet-

---

(33) P. Ronzy, *Un humaniste italianisant : Papire Masson,* Paris, Champion, 1924, p. 31.

(34) Anne d'Urfé, *op. cit.,* in A. Bernard, *op. cit.,* p. 450.

(35) E. Montégut, *op. cit.,* p. 257. Le sacrifice évoqué par Montégut est décrit dans *L'Astrée,* III, 8, 458 et III, 9, 474 sq.

(36) *Astrée,* II, 5, 176 sq.

tent de découvrir que la chapelle de La Bastie n'est pas étrangère à sa conception. En effet, un tableau, représentant la Cène, était placé au-dessus de l'autel : toute l'iconographie de ce lieu saint indiquait l'influence du Concile de Trente et se résumait dans la défense du Saint-Sacrement. Le Temple de verdure est construit par Céladon à la gloire d'Astrée ; il n'est donc pas étonnant que le tableau placé au-dessus de l'autel représente Astrée (37). Ce sont les mêmes symboles du triangle que nous retrouvons ici et là. Le carrelage et la voûte de la chapelle de La Bastie sont décorés de triangles. Certains contiennent la devise « Uni » (38). Par ailleurs, en plusieurs endroits et sur les boiseries mêmes, se voit un I entre deux C, chiffre du nom de Claude d'Urfé et de celui de Jeanne de Balsac, son épouse. Céladon a représenté Astrée avec sa houlette, gravée de doubles C et de doubles A entrelacés (39). L'un des autels « estoit fait en triangle » et Honoré d'Urfé livre ici la signification de cette forme, éclairant du même coup le sens des triangles remarqués dans la décoration de la chapelle de La Bastie. En effet, du milieu de l'autel du Temple d'Astrée,

> « sortoit un gros chesne qui, se poussant un pied par dessus les gazons avec un tronc seulement, se separoit en trois branches d'une esgale grosseur, et se haussant de ceste sorte plus de quatre pieds, ces branches venoient d'elles-mesmes à se remettre ensemble et n'en faisoient plus qu'une qui s'eslevoit plus haut qu'aucun arbre de tout ce boccage sacré. » (40)

L'une des trois branches porte gravé dans son écorce le nom de Hésus, l'autre celui de Tharamis et la troisième celui de Belenus. Le nom de Tautatès est gravé au départ de ces branches « et en haut où elles se reunissoient ». Adamas explique à Céladon le sens symbolique de cette représentation : « ...Ces trois noms signifient trois personnes qui ne sont qu'un Dieu. » (41) Le mystère de la Trinité se trouve signifié ici et là. Il y a donc dans *L'Astrée* une transposition de l'allégorie chrétienne dans la religion duidique et même une transformation en signification profane. Car l'amour et l'amour divin se trouvent unis, selon les théories mêmes du néoplatonisme. N'est-ce pas cette doctrine qui peut expliquer le sens de la devise « Uni » ? Sur le tableau placé au-dessus de l'autel central du temple d'Astrée sont peints deux Amours dont les flambeaux unissent leurs flammes dans une clarté accrue, avec ce mot : « Nos volontés de mesme ne sont qu'une. » (42) C'est la volonté de définir l'amour par l'unité, semblable à celle de Dieu, et fin suprê-

---

(37) *Ibid.*, II, 5, 185. Astrée ainsi représentée est honorée « comme l'un des plus parfaits ouvrages » que Dieu « ayt jamais faict voir aux hommes ».

(38) Cette même devise figure sur certains ouvrages ayant appartenu à Claude d'Urfé. Sur la signification de ce mot, voir B. Ceysson, *art. cit.*, p. 99.

(39) *Astrée*, II, 5, 185.

(40) *Ibid.*

(41) *Ibid.*, II, 8, 327. La Trinité a été chantée plusieurs fois par Honoré d'Urfé. Voir, notamment, *La Savoysiade*, Manuscrit de la Bibliothèque nationale, f. 166, et *Le second livre des Delices de la poesie françoise*, 1620, *Du mistere de la Tres-Saincte Trinité*, p. 1.

(42) *Astrée*, II, 5, 178-179.

me de l'attirance de deux cœurs, qui est ainsi exprimée. La présence d'un art qui est l'expression d'une pensée néo-platonicienne explique, en partie, la préférence d'Honoré d'Urfé pour cette philosophie.

Dans cette chapelle, tout invite à la contemplation et à l'élévation de l'âme. L'art italien s'y étale avec toute sa finesse et sa richesse. Tableaux et boiseries ornent la chapelle, œuvre d'un caractère italien fortement marqué (43). Les boiseries étaient l'œuvre d'un marqueteur célèbre, Fra Damiano da Bergamo, qui composa un décor d'architectures imaginaires, d'après des dessins de Giorgio et de Botticelli. Des tableaux comme celui de la Cène, dans le goût des compositions de Léonard, des marqueteries comme celles encore de Francesco Orlandini, des peintures dues au talent d'artistes sortis des meilleurs ateliers italiens, comme Innocento Francucci d'Imola, produit de l'atelier de Raphaël, faisaient de cette chapelle un chef-d'œuvre inégalé en France. Tout y était d'une beauté incomparable et les somptuosités de l'art italien s'y donnaient rendez-vous.

N'est-ce pas en contemplant ces œuvres d'art religieux et celles qui décoraient le château, boiseries, sculptures, peintures, qu'a pris naissance le goût artistique d'Honoré d'Urfé ? L'auteur de *L'Astrée* n'est pas seulement un romancier, il est aussi un peintre et un critique d'art. Il est peintre, car il imagine une série de tableaux dont les uns ont pour thème un récit mythologique, d'autres illustrent les amours malheureuses de Damon et de Fortune, ainsi que les maléfices de la magicienne Mandrague ; certains, enfin, préparent une histoire ou bien un enseignement d'histoire par l'image, comme ceux qui décorent les murs de la galerie de la maison d'Adamas. Dans le premier livre de *L'Astrée,* Honoré d'Urfé commente les tableaux du palais d'Isoure et de la grotte de Damon et Fortune; pour donner vie aux explications, il précise l'attitude des personnages, vante l'habileté du peintre et tente de mettre en lumière la valeur symbolique du sujet (44).

Les thèmes de nombreux tableaux sont empruntés à la mythologie et l'auteur de *L'Astrée* continue ainsi la tradition de la Renaissance. L'amateur d'art qu'il est se substitue au romancier ou plutôt le prolonge, et le lecteur passe du récit et de l'analyse psychologique au rêve et au merveilleux. N'est-ce pas Honoré enfant qui, dans ce décor de La Bastie, passait constamment du rêve à la réalité et de la réalité au rêve ? Cette illusion causée par les peintures, nous la rencontrons dans la première partie de *L'Astrée.* Céladon, recueilli par Galathée et ses nymphes, s'éveille dans une

(43) Voir, à ce propos, B. Ceysson, *art. cit.*, pp. 96 sq.

(44) Voici les références des principales peintures décrites dans *L'Astrée* : I, 2, 41 sq, Les peintures « esclatantes » de Saturne, Jupiter et Ganymède, Vénus, dans la chambre du palais d'Isoure où Céladon est retenu prisonnier. I, 11, 440 sq., l'histoire de Damon et de Fortune. II, 5, 178, les deux Amours. II, 8, 321, le tableau de l'amitié réciproque et le portrait d'Astrée. II, 12, 560 et III, 3, 82, la galerie d'Adamas où sont peints les portraits d'Eudoxe et de Placidie, des frises, des cartes et divers autres portraits parmi lesquels celui d'Euric. Sur ces peintures, voir B. Germa, *L'Astrée d'Honoré d'Urfé,* pp. 179 sq.

chambre du palais d'Isoure. Il contemple sur les murs les peintures « esclattantes » qui représentent Saturne, Jupiter, Ganymède, Vénus, Cupidon. Honoré d'Urfé analyse avec minutie ce passage de la confusion à la reconnaissance. Ces tableaux sont comme une irruption de l'ailleurs qui se confond avec la réalité ; la caractéristique de la peinture semble être, pour Honoré d'Urfé, ce pouvoir d'illusion qu'il essaie de créer dans son roman. Du même coup, se découvrent en lui à la fois le peintre, le romancier, le critique d'art et, presque partout, le peintre et le romancier sont inséparables. Prétextes à narrations poétiques, les descriptions de tableaux sont un élément de variété.

Céladon ouvre les yeux d'abord sur un effrayant tableau, celui de Saturne. Celui-ci est représenté à la manière traditionnelle du Moyen Age : il est appuyé sur sa faux et il a un visage hideux (45). Sa main gauche tient un enfant à demi-dévoré, représentation qui se perpétue dans l'art de la Renaissance et dans l'art baroque (46). Mais, comme à plaisir, Honoré d'Urfé multiplie les détails qui effraient et mettent en relief la cruauté de Saturne : barbe tachée de sang, ossements entassés sous ses pieds, attitude de l'enfant qu'il dévore et dont le sang coule..., « veue à la vérité pleine de cruauté », ajoute-t-il. Il semble bien qu'il ait cherché à accuser davantage les traits de ce dieu dont le Moyen Age avait déjà si fortement marqué le caractère terrifiant. Saturne est à la fois le cannibale porte-faux et la représentation de la mort et du temps. Céladon revient à la vie dans l'angoisse de la mort et ses sentiments coïncident avec le spectacle qui s'offre à lui sur les murs de sa chambre. Saturne-mort est en même temps Saturne-temps. Il détruit tout, mais il finit aussi par tout arranger (47). Une promesse d'espoir luit : Ganymède et l'extase, Vénus et l'amour.

L'histoire de Ganymède, l'un des épisodes les plus célèbres de la légende de Jupiter, à la Renaissance, n'est pas peinte à la manière classique. Ganymède n'est pas arraché à la forêt du Mont Ida par le bec crochu ou les serres d'un aigle. Celui-ci l'emporte sur son dos et l'enfant ne se défend pas ; il a l'air de ne pas être importuné, puisqu'il tente avec une main de prendre le foudre que tient Jupiter, tandis qu'avec l'autre il caresse la tête de l'oiseau. En peignant ainsi Ganymède, Honoré d'Urfé adopte l'explication néo-platonicienne du mythe, selon laquelle l'enfant emporté près

---

(45) Voir, à ce propos, E. Panofsky, *Essais d'Iconologie. Les thèmes humanistes dans l'art de la Renaissance*, Paris, Gallimard, 1967, pp. 113-114. Le portrait qu'en trace H. d'Urfé est d'un réalisme repoussant ; Saturne a « les cheveux longs, le front ridé, les yeux chassieux, le nez aquilin et la bouche degouttante de sang ». (*Astrée*, I, 2, 41.)

(46) Voir E. Panofsky, *op. cit.*, p. 115.

(47) Honoré d'Urfé écrit ailleurs : « ...le grand Saturne conduit les heures, le temps et les saisons » (*Astrée*, III, 3, 128). Cette interprétation de Saturne est également celle proposée par les *Epistres Morales*, I, 2, 9, « En cela il n'en faut chercher autre raison : ...sinon que comme l'eau coule tousjours en bas, et le feu s'esleve tousjours en haut d'un estre naturel, poussé de mesme puissance, elle (la fortune) refait ce que peu auparavant elle a desfait : et ne le void plustost en estre qu'elle ne coure à le destruire. C'est ce Saturne malicieux, qui mange et devore ses propres enfans aussi tost qu'ils sont nais. »

de Jupiter symbolise l'essor de l'intellect jusqu'aux extases de la contemplation. C'est une illustration de cette devise peinte sur l'un des plafonds du château de La Bastie : « Plus que cela », qui est une allusion aux connaissances humaines et à la puissance qui les dépasse (48).

Jupiter, roi des dieux et des hommes, est le justicier aux pieds duquel reposent les deux tonneaux du bien et du mal, à droite celui du bien, à gauche celui du mal, comme les réprouvés sont toujours à gauche du Christ justicier et les bons à sa droite. Il est celui vers qui montent les hommages des hommes sous la forme de fumée, symbole, selon la Bible, des vœux et sacrifices agréés de Dieu.

Peu à peu, Céladon reprend confiance et contact avec la vie. Il est d'abord ébloui par la lumière et croit qu'Amour l'a « ravi au ciel pour récompense de sa fidélité ». Et, ajoute d'Urfé,

> « ce qui l'abusa davantage en ceste opinion, fut que quand sa veue commença de se renforcer, il ne veid autour de luy que des enrichisseurs d'or et des peintures esclattantes, dont la chambre estoit toute parée, et que son œil foible encore ne pouvoit recognoistre pour contrefaites. » (49)

Honoré d'Urfé a créé une atmosphère de rêve et d'illusion devenant réalité. Céladon avait essayé de se séparer du monde avec, au fond de son cœur, un amour désespéré pour Astrée et, par la magie de ces peintures, il se croit en la félicité du ciel, récompense accordée par l'Amour. Ganymède, avec en contraste Saturne destructeur, Jupiter justicier dans son Ciel et Vénus naissant de la conque marine, illustrent les sentiments de Céladon. Ici, la mythologie vient au secours de la psychologie, du rêve et de l'inconscient.

Les critiques, qui ne voient dans ces tableaux qu'un souvenir de scènes lues dans les *Métamorphoses* d'Ovide, les poèmes d'Hésiode ou le roman grec, ne donnent pas une explication suffisante à la présence de ces pages dans *L'Astrée* (50). Certes, ces œuvres ont pu aider Honoré d'Urfé à prendre conscience de son goût pour la peinture, mais l'ont-elles nécessairement convié à introduire dans son roman des descriptions de ce genre ? D'ailleurs, ni chez Ovide, ni chez Tatius, il n'a trouvé avec exactitude les sujets qu'il développe. Pourquoi faudrait-il recourir à la peinture du paysan par Tatius, pour donner raison du réalisme du tableau de Saturne dévorant ses enfants ? Cela correspond à un goût de l'époque et Honoré d'Urfé y était préparé par les fresques de la salle de fraîcheur de La Bastie, par exemple. D'autre part, chaque maison

---

(48) Pour les diverses interprétations de ce mythe, voir E. Panofsky, *op. cit.*, pp. 297 sq. L'inscription « plus que cela » peut se lire sur une poutre du premier étage de La Bastie, dans une pièce qui semble avoir été une partie de la bibliothèque de Claude d'Urfé. Sur cette inscription, voir un art. de J. Dupont, in *Bulletin des Monuments historiques,* Avril-Mai 1963 ; A. Cholat, « De quelques inscriptions dans les châteaux de la Renaissance au pays de l'Astrée », in *BD,* t. XXXIX (1966), n° 8, p. 328. Sous l'impulsion de Claude d'Urfé la pensée néo-platonicienne a donc pénétré à La Bastie et, par le fait, elle a caractérisé les œuvres d'art du château (B. Ceysson, *art. cit.*, p. 99).

(49) *Astrée,* I, 2, 41.

(50) M. Magendie, *Du nouveau sur l'Astrée,* p. 114.

importante du Forez et, plus que nul autre, le château de Claude d'Urfé possédait une collection d'œuvres d'art. N'en était-il pas ainsi à Chateaumorand, où ce même univers artistique, moins riche, sans doute, qu'à La Bastie, offrait aux yeux d'Honoré d'Urfé, devenu l'époux de Diane, une galerie décorée de portraits, de grands et petits tableaux (51) ? Les souvenirs de toutes ces œuvres d'art, joints à ceux rapportés plus tard d'Italie, se sont superposés, mêlés, confondus et ont donné à l'imagination d'Urfé l'élan nécessaire à la création d'une peinture originale, quoique imprégnée des thèmes et des procédés chers à la Renaissance (52). Il est donc inutile de recourir aux œuvres littéraires de l'Antiquité pour expliquer l'origine des « salons » de *L'Astrée*. D'autres romans du XVIe siècle présentent des commentaires de tableaux (53). Aucun romancier de cette époque n'a cependant le talent artistique d'Honoré d'Urfé et beaucoup se contentent, comme Nicolas de Montreux, par exemple, de formules vagues dans le genre de : « ...l'on pouvait voir les parois enrichies de mille belles et antiques peintures. » (54)

Si, au onzième livre de la première partie de *L'Astrée*, nous sommes enchantés par le merveilleux créé par la magicienne Mandrague et les tableaux qui décorent la grotte de Damon et Fortune, nous n'y trouvons ni le laconisme, ni la sècheresse des *Bergeries de Juliette*. Rien, ici, n'est artificiel et les tableaux participent à l'atmosphère du roman tout entier. Au cours d'une promenade en compagnie de quatre nymphes, Céladon découvre la grotte qui abrite le tombeau de Damon et Fortune. Le commentaire que les tableaux évoquent à Adamas remplace les histoires habituellement insérées dans *L'Astrée*, comme dans les autres romans pastoraux. Il confère variété, merveilleux, à cet épisode, en même temps qu'un caractère de vérité, puisque Adamas prétend avoir connu Damon et Fortune et que la scène se passe en Forez, sur les bords du Lignon. Dès le début, le grand druide précise le sens symbolique de cette histoire peinte en six tableaux :

> « Tout ainsi que l'ouvrier se joue de son œuvre et en fait comme il luy plaist, de mesme les grands dieux, de la main desquels nous sommes formés, prennent plaisir à nous faire jouer sur le théatre du monde, le personnage qu'ils nous ont esleu. Mais entre tous il n'y en a point qui ait des imaginations si bigearres qu'Amour, car il rajeunit les vieux, et envieillit les jeunes, en aussi peu de temps que dure l'esclair d'un bel œil ; et ceste histoire, qui est plus véritable que je ne le voudrois, en rend une preuve que malheureusement peut-on contredire... » (55)

---

(51) Voir, O.C. Reure, *Histoire du château et des Seigneurs de Chateaumorand*, Roanne, 1888.

(52) Sister Marie MacMahon, *Aesthetics and Art in the Astrée of Honoré d'Urfé*, pp. 61-81.

(53) M. Magendie, *op. cit.*, p. 115.

(54) Nicolas de Montreux, *Les Bergeries de Juliette*, 1re partie, Paris, Gilles Beys, 1588, f. 128 v°.

(55) *Astrée*, I, 11, 441-442. Adamas est d'une érudition remarquable. Il possède en sa maison une galerie de tableaux qu'Honoré d'Urfé énumère plus qu'il ne les décrit (*Astrée*, II, 11, 467 ; II, 12, 500 ; II, 3, 81).

Les personnages principaux sont donc Damon, Fortune, la magicienne Mandrague et Amour. C'est une histoire tragique racontée en images, un enseignement illustré en quelque sorte, où la philosophie de l'amour se concrétise.

Ici, la mythologie se résume dans la présentation du dieu Amour, qui permet de connaître la pensée d'Honoré d'Urfé sur cette passion dont l'analyse domine tout le roman de *L'Astrée*. Comme dans la tradition classique, Amour est le « petit enfant nud, avec l'arc et le flambeau en la main, ...le dos aislé, l'espaule chargée d'un carquois ». Cependant, il a les yeux bandés ; or, ce dieu n'était jamais aveugle dans la littérature et dans le classicisme gréco-latins. Cupidon, aveugle aux yeux bandés, apparaît dès le Moyen-Age. Les interprétations de ce détail furent nombreuses et, là encore, il semble bien qu'Honoré d'Urfé se rallie à l'explication des humanistes platonisants de la Renaissance, selon laquelle l'Amour aux yeux bandés symbolise l'amour sensuel, toujours aveugle dans son choix, et qui rend aveugles ses victimes : ce sera le cas de Mandrague vieille et hideuse, amoureuse du jeune et beau Damon (56). A la fin du deuxième tableau, à l'opposé de Cupidon et plus grand que lui, est représenté Antéros. Est-il le symbole de l'amour vertueux dégagé des sens ? Prêtons attention aux propos d'Adamas :

> « ...voyez cet Anteros, qui avec des chaisnes de roses et de fleurs, lie les bras et le col de la belle bergere Fortune, et puis la remet aux mains du berger : c'est pour nous faire entendre que les merites, l'amour, et les services de ce beau berger, qui sont figurez par ces fleurs, obligerent Fortune à une amour reciproque envers luy. Que si vous trouvez estrange qu'Anteros soit ici représenté plus grand que Cupidon, sçachez que c'est pour vous faire entendre que l'amour qui naist de l'Amour est tousjours plus grande que celle dont elle procede. » (57)

Deux remarques sont à retenir pour interpréter sainement le rôle attribué à Antéros. Il provoque chez Fortune un amour réciproque pour Damon. Encore une fois, Honoré d'Urfé s'écartant de l'explication des moralistes se rallie à l'interprétation érudite qui considère à juste raison — car elle s'appuie sur le sens étymologique du nom de ce dieu — Antéros comme la divinité qui garantit la réciprocité de l'amour. D'autre part, Adamas fait remarquer « que l'amour qui naist de l'Amour est tousjours plus grande que celle dont elle procède ». Nous retrouvons ici l'interprétation de Platon,

(56) *Astrée*, I, 11, 442. Sur les diverses interprétations de l'Amour ainsi représenté, voir E. Panofsky, *op. cit.*, pp. 151 sq. Dans *L'Astrée*, Silvandre semble exprimer l'interprétation d'Honoré d'Urfé : « Et pourquoy ne dirions que Amour, qui est le premier et le plus vieil de tous les dieux, n'ait, par une longue coustume, apris d'atteindre les hommes au cœur ? Et pour monstrer que c'est plus par coustume, que par justesse, prenez garde qu'il ne vous vise qu'aux yeux, et qu'il ne nous atteint qu'au cœur. Que s'il n'estoit point aveugle, quelle apparence y a-t-il qu'il blessast d'un reciproque amour des personnes qui les surpassent de tant, et aux autres, pour d'autres qui leur sont tant inferieures ? ».

(57) *Astrée*, I, 11, 444.

pour qui Antéros fait monter l'amour vers des sphères plus élevées (58). Des Amours avaient joué avec la chevelure de Fortune pour la rendre amoureuse de Damon : Amour voulait s'en servir « pour faire la vengeance contre Damon » qui restait indifférent à la beauté des bergères. L'intervention d'Antéros contrebalance l'influence d'Amour : il crée la réciprocité d'amour, mais en élevant celui-ci. Ce thème est aussi celui du tableau placé au-dessus de l'autel du temple d'Astrée (59). Deux amours y sont peints « gras et potelez » et « tenant à deux mains les branches de palme et de mirte entortillées » et s'efforçant de se les arracher. L'explication de Silvandre rejoint le sens symbolique d'Eros et d'Antéros : « Ces deux amours... signifient l'Amant et l'Aymé... l'Amant et l'Aymé s'efforcent à qui sera victorieux, c'est à dire à qui sera plus amant. » Honoré d'Urfé, par la bouche de Silvandre, expose sa conception de l'amour qui doit convier les amants à s'élever, pour n'avoir plus qu'une seule volonté :

> « Ce tableau, ne nous veut représenter que les efforts de deux amants pour emporter la victoire l'un sur l'autre, non pas d'estre le mieux aymé, mais le plus remply d'amour, nous faisant entendre que la perfection de l'amour n'est pas d'estre aimé, mais d'estre amant. »

Le tableau du temple d'Astrée, comme l'histoire peinte de Damon et Fortune, transpose dans la religion de l'amour la devise platonicienne « UNI » de la chapelle et illustre encore le « Plus que cela » de la bibliothèque de Claude d'Urfé (60). La peinture, dans *L'Astrée*, concrétise la philosophie néo-platonicienne, comme l'art du château de La Bastie en était le reflet. Cependant, les personnages qui jouent un rôle dans l'histoire peinte sur les murs de la grotte ne sont pas négligés. Ils sont représentés à la manière traditionnelle soit des légendes, comme Mandrague la magicienne, soit des bergeries, comme Fortune et Damon dont la beauté est parfaite.

Honoré d'Urfé a imaginé des tableaux où l'équilibre de la composition, qui met en relief avec sobriété les personnages principaux, et l'art des ombres et des lumières révèlent un grand peintre et des qualités de critique d'art. Le sens allégorique des tableaux est tantôt exposé, tantôt passé sous silence pour être livré à la perspicacité du lecteur. Mais là n'est qu'un aspect de cette critique d'art qui ne laisse pas d'être tout à fait dans la ligne de la Renaissance. Au XVIe siècle, on se soucie moins de la théorie que de la pratique, comme en témoigne l'œuvre de Blaise de Vigenère (61).

(58) Voir E. Panofsky, *op. cit.*, p. 184. Un tableau de Cranach l'Ancien montre un Cupidon s'arrachant le bandeau qui couvrait ses yeux et ayant près de lui les œuvres de Platon (E. Panofsky, *op. cit.*, figure 106).

(59) *Astrée,* II, 5, 178 sq.

(60) Ces Amours gras et potelés ressemblent aux petits anges peints sur la frise de la chapelle de La Bastie, voir de Soultrait, *op. cit.*, planches 72 et 74.

(61) Sur Blaise de Vigenère, voir l'important ouvrage de Denyse Métral, *Blaise de Vigenère, archéologue et critique d'art* (1523-1596), Paris, Droz, 1939. Il est né à Saint-Pourçain-sur-Sioule le 5 avril 1523. Après avoir séjourné à la cour de 1540 à 1545, il voyagea en Allemagne et dans les Pays-Bas. Envoyé en 1566 à Rome, comme secrétaire d'Ambassade, il s'initia à la Kabbale. En

Celui-ci, dont les ouvrages figuraient probablement dans la bibliothèque des d'Urfé, puisque écrivain bourbonnais et célèbre en son temps, fait preuve d'observations originales qui ne permettent pas de lui décerner le titre de « critique d'art », mais nous aident à mieux juger le goût moyen de la Renaissance, qui préfère aux compositions charmantes et précieuses les œuvres puissamment construites. Il s'intéresse — et nous découvrirons cette tendance chez Honoré d'Urfé — à ce qu'il y a de matériel et de manuel dans le travail de l'artiste. Dans le premier essor de la doctrine d'art, la prédominance de l'Italie reste certaine : ses théories se répandirent notamment par les livres d'Alberti, d'Armenini, de Lomozzo. Les biographies de Vasari, quant à elles, firent connaître le goût italien de la perfection en art. Ces diverses théories se retrouvaient mises en pratique dans les œuvres artistiques qui ornaient le château de La Bastie. Le goût d'Honoré d'Urfé s'y est éveillé et, du même coup, se sont élaborées les bases de sa critique d'art. Des lectures ont parfait son goût et ses connaissances théoriques ; son séjour en Italie a permis à sa sensibilité artistique déjà bien éveillée de se développer par la contemplation des œuvres d'art. A tout cela contribuèrent aussi son séjour à la cour et sa fréquentation au château de Fontainebleau.

Si nous voulons découvrir l'origine du goût artistique d'Honoré d'Urfé, il importe d'établir les grandes lignes de la critique d'art italienne. Celle-ci se préoccupa de voir dans l'art l'interprétation de la réalité (62). Alberti déclare que la peinture doit surgir « dalle radici entro dalla natura. » (63) L'œuvre d'art sera donc essentiellement une imitation de la nature. Ce sera le principe de l'esthétique de Ghiberti. Les mouvements du corps seront rendus, car ils sont l'expression des mouvements de l'âme. Nous pensons aux poses des personnages du tableau de la Cène dans la chapelle de La Bastie, jusqu'à la limite de la rupture d'équilibre. Elles furent empruntées à Michel-Ange par l'intermédiaire de Giulo Romano (64). Ghiberti

---

1584, il fut nommé secrétaire de la Chambre du roi Henri III. Il mourut en 1596, réputé comme l'un des hommes les plus doctes de son temps. Sur Blaise de Vigenère, on peut également consulter E. Bouchard, *Poètes bourbonnais* (*XIVe au XVIIe siècle*), Moulins, Desrosiers, 1870 ; du même auteur, un art., in *BSEB*, vol. VIII. Les œuvres les plus importantes de Blaise de Vigenère et qui révèlent ses connaissances en art sont les suivantes : *Les images ou Tableaux de platte peinture de Philostrate, lemmien, sophiste grec, mis en François par Blaise de Vigenere, avec les arguments et annotations sur chascun d'iceux*, Paris, N. Chesneau, 1578, 2 vol. in 4° ; *La suite de Philostrate.* Ces images de Philostrate furent écrites pour les peintres et les gens doctes. Dans les annotations du tableau de Pelops et Hippodamie, Vigenère expose le but de son ouvrage, qui est de « servir à l'ordonnance des tableaux », et, pour cela, il pense qu'il est nécessaire de traiter des peintures et de ce qui en dépend.

(62) Voir Lionello Venturi, *Storia della critica dell'Arte,* pp. 94 sq. : « Nel rinascimento lo studio della natura deviene lo scopo fondamentale cui mira l'artista... I trattaci d'arte del secolo XV non hanno più nulla ricettario, essi si occupano sopra tutto dell'interpretazione della realtà e suggeriscono le norme per reppresentare la realtà. »

(63) Cité par L. Venturi, *op. cit.*, p. 96.

(64) Voir B. Ceysson, *art. cit.*, p. 99. A La Bastie, on peut trouver matière à l'établissement d'un répertoire de gestes qui ont été utilisés par les artistes du Cinquecento. Ils ont leurs sources dans les œuvres de Raphaël et de Michel-Ange.

rattachera aux mouvements du corps les mouvements de l'âme, car la réalité n'est pas seulement matérielle ; fruit d'une observation précise, la peinture vise à la réalité psychologique. C'est pourquoi, la Renaissance italienne donne une grande importance au relief, aux degrés de luminosité, à la gradation des ombres, au clair-obscur, et la critique semble accorder peu d'importance aux couleurs. Il ne s'agira pas d'améliorer la nature, mais de fuir tout idéalisme en ce domaine, au point que tout est objet de peinture, même la laideur. Le contraste entre le beau et le laid permet de faire ressortir ces parties respectives avec plus d'intensité : l'essentiel repose sur la recherche des rapports harmonieux. Léonard de Vinci est en cela beaucoup plus précis que les autres artistes de son temps. Il écrit notamment :

> « La première tâche du peintre, c'est de faire en sorte qu'une surface plane ait l'apparence d'un corps dressé et saillant par rapport à cette surface et quiconque dépasse les autres sous ce rapport est digne du plus grand éloge. Cette science, ou plutôt ce sommet, de notre savoir, dépend des ombres et de la lumière. » (65)

La critique d'art s'attachera donc plus à ce que voit l'œil qu'au goût. C'est pourquoi, elle tendra à être pratique comme un guide de musée et prendra souvent la forme du récit. L'ouvrage de Vasari, par exemple, décrit le tableau souvent d'une façon poétique, plutôt qu'il n'en fait une véritable étude critique. Aussi, au cours de son étude, utilise-t-il nombre de formules toute faites comme : « tel qu'on aurait dit la vie même... », « il ne lui manque que le souffle... » (66) Ce goût pour la peinture naturaliste se retrouve sous la plume de Blaise de Vigenère quand, par exemple, il étudie la « salle des chevaux » au palais du Té. Comme Vasari, il loue la science de l'artiste plus que le dessin ou la qualité poétique. Cette imitation de la nature, due à d'incontestables qualités d'observation chez le peintre, ne peut se faire sans choix. De ce fait, Blaise de Vigenère, dont Honoré d'Urfé suit les principes qui sont ceux de Léonard et des peintres italiens, représente un stade antérieur aux préceptes de l'Académisme bolonais, de Lomazzo et Armenini, connus en France, plus tard, au XVIe siècle ; il illustre le maniérisme romain et florentin. Ce qui est matériel et manuel dans le travail de l'artiste attire son attention. Il loue l'habileté, mais il saura aussi, en artiste qu'il est lui-même, dépasser cette critique, pour participer à l'émotion du peintre et nous la communiquer.

Dans la ligne même d'Alberti (67) et de Ghiberti, Blaise de

---

(65) Cité par A. Blunt, *La théorie des arts en Italie de 1540 à 1600,* Paris, Gallimard, 1966, p. 59.

(66) Vasari, *Les peintres toscans,* présentation par A. Chastel, Paris, Hermann, 1966, p. 14. André Chastel écrit que ces formules « répondent aux critères du naturalisme naïf... », et que la description poétique apparaît comme « recette courante de la culture manièriste. »

(67) A. Blunt cite cette phrase d'Alberti : « La fonction du peintre consiste à conscrire et à peindre sur un panneau ou un mur donnés, au moyen de lignes et de couleurs, la surface visible de toute espèce de corps, de sorte que, vu à une certaine distance et sous un certain angle, tout ce qui sera représenté apparaisse en relief et ait exactement l'apparence du corps même. » (*op. cit.*, p. 27.)

Vigenère considère le relief comme la principale qualité d'une bonne peinture. Le dessin n'est que « l'ombre à manière de parler, de relief, et la platte peinture un dessein accompagné de ses couleurs, par conséquent le relief sera estimé à bon droit estre le principal fondement de l'un et de l'autre ». Le bon peintre est celui qui connaît l'art des raccourcis et sait représenter les volumes sur la surface plane « qui est l'une des grandes perfections de cest art et la plus grand'louange qu'on puisse donner à la platte peinture » (68). Par Blaise de Vigenère a pénétré en France la critique italienne.

Honoré d'Urfé entendit louer la peinture italienne au château de son père, il y lut peut-être les traités de Blaise de Vigenère dont nous retrouvons dans *L'Astrée* les principes d'art. En cela, assez proche des peintres italiens, il s'attache à mettre en valeur l'art et la technique du peintre, dont l'idéal est de se rapprocher des modèles fournis par la nature et même de les dépasser. Par là, il fait preuve d'originalité, car jamais, avant lui, un romancier n'avait essayé d'intéresser son lecteur à l'art de peindre.

La première impression que nous éprouvons est que, comme Vasari par exemple, il est un critique qui décrit, ou, plus exactement, qui raconte, en faisant vivre le tableau sous la forme d'une histoire où s'animent les personnages. En humaniste de la Renaissance, il s'en tient surtout à ce qui frappe la vue. Mais il n'hésitera pas à faire parler les personnages : la présentation du tableau devient récit. N'est-ce pas d'ailleurs le terme de « raconter » qu'utilise l'auteur de *L'Astrée* : « Ce serait un trop long discours de raconter toutes ces peintures particulièrement » (69) ? Mais, surtout, le tableau se déroule sous nos yeux, comme si nous étions dans la chambre de Céladon, ou avec lui dans la grotte de Damon : « voyez », « considérez », « voicy », « prenez garde »... « un peu plus loing », « assez près », « regardez un peu de l'autre costé et voyez », « regardez un peu plus bas », « jettez l'œil de l'autre costé », sont les expressions qui reviennent couramment sous la plume d'Honoré d'Urfé. Le peintre, dit-il souvent, « fait voir ». Ainsi, pour lui, la qualité d'un tableau consiste dans la reproduction parfaite de la réalité, afin de créer illusion de vie : Céladon s'éveillant découvre sur les murs de sa chambre des « peintures esclattantes que son œil foible encore ne pouvoit recognoistre pour contrefaites ». Il est sans doute aveuglé par la lumière, mais les peintures sont une imitation du réel, tant et si bien qu'Honoré d'Urfé écrit : « Et cela si bien représenté, que le berger ne le pouvoit discerner pour contrefait. » La peinture est si parfaite que Céladon, toujours sous le coup de l'illusion créée par la beauté des peintures, se croit mort ; en voyant les trois nymphes qui viennent près de lui, il les prend pour les trois Grâces, et « la hauteur, la jeunesse, la beauté, les cheveux frisez, et la jolie facon du petit Meril luy firent juger que c'estoit Amour » (70). Ce souci de

(68) Cité par D. Métral, *op. cit.*, p. 179.
(69) *Astrée*, I, 2, 42.
(70) *Ibid.*, I, 2, 43.

l'exactitude pousse Honoré d'Urfé à faire préciser par Adamas que si les bords du Lignon ne semblent pas correspondre à ce qu'ils sont à ce moment-là,

> « c'est que quelques arbres depuis ce temps-là sont morts, et d'autres creus, que la riviere en des lieux s'est advancée, et reculée en d'autres, et toutefois il n'y a guiere de changement. » (71)

Cette description ne se borne pas à présenter les êtres et les objets dans leur immobilité. Le bon peintre sait suggérer à l'imagination le mouvement, sans quoi, plus rien ne paraît vrai (72). Le commentaire du tableau s'efforce, par conséquent, de composer une scène vivante où les objets, les personnages et les animaux s'animent. Ganymède, cherchant à atteindre la main de Jupiter, frôle les objets de l'un de ses pieds : « la couppe et l'esguière, si bien représentée, que d'autant que ce petit importun s'efforçant d'atteindre à la main de Jupiter, l'avoit touchée d'un pied, *il sembloit qu'elle chancelast pour tomber,* et que le petit eust expressement tourné la teste pour voir ce qui adviendroit. » (73) Et un peu plus haut : « le foudre à trois poinctes, qui estoit si bien représenté, qu'il *sembloit mesme voler* des-ja par l'air. » (74)

Le peintre, en s'attachant à l'imitation de la nature, est un observateur minutieux à qui n'échappent ni les attitudes ni les traits des visages qui révèlent les sentiments. La critique d'art consiste alors à déceler ces moindres détails révélateurs d'une psychologie et à les mettre en valeur. Tantôt une attitude est notée, sans commentaire. Voici, par exemple, Fortune endormie :

> « ...elle est dans le lict où le soleil qui entre par la fenestre ouverte par mesgarde luy donne sur le sein à demy descouvert. Elle a un bras *negligemment* estendu sur le bois du lict... » (75)

Tantôt les gestes sont analysés. Le peintre a voulu suggérer le désespoir de Mandrague : elle

> « maudit son art, déteste ses démons, s'arrache les cheveux, et se meurtrit la poitrine de coups. Ce geste d'eslever les bras en haut par dessus la teste, y tenant les mains joinctes, et au contraire de baisser le col et se cacher presque le menton dans le sein, pliant et s'amoncelant le corps dans son giron, sont *signes de son violent desplaisir, et du regret* qu'elle a de la perte de deux si fidelles et parfaicts amants, outre celle de tout son contentement. » (76)

---

(71) *Ibid.*, I, 11, 445.

(72) A. Chastel fait remarquer qu'au XVIe siècle, « il faut des figures en actions et non des personnages qui se contemplent en silence » (*op. cit.*, p. 25).

(73) *Astrée*, I, 2, 42.

(74) Honoré d'Urfé montre encore combien le peintre s'est efforcé d'imiter la réalité, quand il décrit le mouvement du sang qui jaillit de la plaie : « Or considerons le jaillissement du sang en sortant de la plaie ; il semble à la fontaine... car voyez ces rayons de sang comme ils sont bien representez ! Considerez ces bouillons qui mesme semblent se soulever à eslans ! » (*Astrée*, I, 2, 42).

(75) *Astrée*, I, 11, 451.

(76) *Ibid.*, I, 11, 452.

Honoré d'Urfé s'attache surtout à l'expression des visages, et cela n'est pas sans importance, quand on sait quel intérêt la Renaissance a porté à la physiognomonie et avec quel art les peintres ont reproduit les traits des personnages, témoins précieux du caractère et des sentiments (77). Une psychologie, fruit d'une subtile observation des hommes, émane de cette critique d'art élaborée par l'auteur de *L'Astrée.* Chacun des principaux personnages est ainsi mis en valeur et, par le fait, l'histoire dramatique illustrée par les tableaux prend de la profondeur. S'agit-il de Damon ? « Prenez garde comme ce visage, outre qu'il est beau, représente bien naïvement une personne qui n'a soucy que de se contenter ; car vous y voyez je ne sçay quoy d'ouvert et de serain, sans trouble ny nuage de fascheuses imaginations ». Quant aux bergères : « vous jugerez bien à la façon de leur visage qu'elles ne sont pas sans peine » (78). Damon, se rendant à la Fontaine de Vérité, est troublé ; apparemment rien n'est changé en son visage, mais il faut savoir être perspicace : « car si vous comparez les visages des autres tableaux à cestuy-ci, vous y verrez bien les mesmes traits, quoy que le trouble en quoy il est peint le change de beaucoup. » (79) Ces nuances ont leur importance, tant elles peuvent trahir les sentiments. Mandrague est magicienne, cependant, « le meilleur est que pensant sousrire, elle fait la moue » (80). Honoré d'Urfé nous fait participer à son admiration devant ces tableaux imaginés, et, ainsi, il inaugure une esthétique émotionnelle. Voici, par exemple, Adamas qui partage le trouble de Fortune :

> « Voyez comme ce *visage triste* par sa douceur *esmeut à pitié* et fait *participer* à son desplaisir, parce qu'elle n'eust si tost jetté la veue dans l'eau, qu'elle apperceut Damon, mais hélas ! près de luy la bergere Melide. » (81)

Par conséquent, le bon peintre est celui qui sait nous émouvoir, parce qu'il sait observer et peindre tout ce qui l'entoure. Honoré d'Urfé insiste sur l'habileté de l'artiste qui ne se borne pas à représenter des dieux ou des hommes, mais complète son tableau en y peignant les animaux, notamment les chiens. Leurs attitudes sont saisies sur le vif :

> « Au lieu que les chiens qui dorment sans soucy, ont accoustumé de se mettre en rond et bien souvent se cachent la teste sous les pattes, presque pour se desrober la clarté, ceux qui sont peints icy sont couchez d'une autre sorte, pour monstrer qu'ils ne dorment pas, mais reposent seulement. » (82)

Le regard des chiens peut révéler leurs sentiments :

---

(77) Sur l'importance des traités de physiognomonie, voir A. Chastel, *op. cit.*, p. 145.

(78) *Astrée,* I, 11, 443. On trouve encore cette notation qui ajoute du piquant à ce tableau : « Venus et Cupidon... semblent esclater de rire. » (I, 11, 446).

(79) *Astrée,* I, 11, 449.

(80) *Ibid.*, I, 11, 446.

(81) *Ibid.*, I, 11, 451.

(82) *Ibid.*, I, 11, 443.

« que si vous considerez l'estonnement qui est peint en son visage, vous jugerez bien qu'il en doit avoir une grande occasion. » (83)

L'artiste est un créateur conscient. La critique d'Honoré d'Urfé est admirative (84). Le peintre doit posséder une excellente habileté technique. Celle-ci est, avant tout, constituée par la connaissance de la perspective, l'art des raccourcis, le sens du relief et de l'harmonie, l'aptitude à rendre le jeu des ombres et des lumières. Ce dernier point est inséparable de la perspective que la Renaissance a considérée comme l'élément le plus important d'une peinture. Sans elle, en effet, comment un tableau serait-il une reproduction fidèle de la nature, critère de la qualité artistique ? Voilà pourquoi, Honoré d'Urfé, en admiration devant les peintures, ne peut séparer l'éloge du talent du peintre de celui de son habileté dans l'art de la perspective, des raccourcis et des proportions techniques :

« ...Prenez garde, [dit Adamas], comme l'art de la peinture y est bien observé, soit aux *raccourcissements,* soit aux ombrages ou aux *proportions.* Voyez comme il semble que le bras du berger s'enfonce un peu dans l'enfleure de cet instrument... Regardez à main gauche comme ses brebis paissent : voyez-en les unes couchées à l'ombre, les autres qui se lechent la jambe, les autres comme estonnées... Prenez garde au tour que cestuy-cy fait du col, car il baisse la teste en sorte, que l'autre l'attaquant rencontre seulement ses cornes, mais le *raccourcissement* du dos de l'autre est bien aussi artificiel, car la nature qui luy apprend que la vertu unie a plus de force, le fait tellement resserer en un monceau, qu'il semble presque rond. » (85)

La proportion est notée à propos des constellations peintes dans le ciel :

« Voyez la petite ourse et considerez que d'autant que jamais ses sept estoilles ne se cachent, encores qu'il y en ait une de la troisiesme grandeur, et quatre de la quatriesme, toutesfois il nous les fait voir toutes, observant *leur proportion.* » (86)

Le relief est mis en valeur par la plus ou moins grande clarté de la peinture :

« ...que ces nuages sont bien représentez, qui en quelques lieux

---

(83) *Ibid.,* I, 11, 449.

(84) Voir, par exemple, *Astrée,* I, 11, 440 : « Le berger demeure ravy en la consideration de l'ouvrage. » ; I, 11, 441, Céladon « louoit l'invention et l'artifice de l'ouvrier » ; I, 11, 443 : « Mais considerez la soigneuse industrie du peintre. » ; I, 11, 450 : « Mais quelle a esté la diligence du peintre ! »

(85) *Astrée,* I, 11, 442. Blaise de Vigenère, quant à lui, considère qu'un tableau n'a de valeur que si l'artiste a été capable de suggérer la profondeur. C'est pourquoi, à son avis, la sculpture est supérieure à la peinture (*La suitte de Philostrate,* éd. de 1602, f. 103 r°v°).

(86) *Astrée,* I, 11, 447. Honoré d'Urfé note encore la proportion et la perspective dans cet autre passage : « Or voicy un autre grand artifice de la peinture, qui est cest eloignement, car la perspective y est si bien observée, que vous diriez que cest autre accident qu'il veut representer deça est hors de ce tableau et bien esloigné d'icy. » (*Astrée,* I, 11, 448.) Et encore : « Voyez comme la continuation de ceste caverne est bien faicte et comme il semble que vrayement cela soit plus enfoncé. » (I, 11, 449.)

couvrent le ciel avec espaisseur, en d'autres seulement comme une legere fumée, et ailleurs point du tout, et selon qu'ils sont plus ou moins eslevez, ils sont plus ou moins clairs ! » (87)

Honoré d'Urfé est très sensible à ces jeux des ombres et des lumières et, à son avis, le peintre qui sait les rendre est supérieur à tous les autres. Peindre l'ombre et la lumière est une preuve de grâce, c'est-à-dire d'habileté telle que la nature est imitée sans qu'on sente la peine de l'ouvrier (88). Représenter une nuit est donc le comble de la technique picturale :

> « Voicy une nuict fort bien représentée. Voyez comme sous l'obscur de ses ombres, ces montaignes paroissent en sorte qu'elles se montrent un peu, et si en effet on ne sçauroit bien juger que c'est. » (89)

L'auteur de *L'Astrée* compose un portrait de Mandrague, dont la lumière d'une chandelle met en valeur certains traits, en jouant avec l'ombre. Aucun portrait n'est plus saisissant que celui-là, et, nulle part ailleurs, ne se sentent mieux les qualités d'une peinture, à tel point que le critique d'art finit ici par rejoindre le poète :

> « Considérez un peu l'artifice de ceste peinture. Voyez les effets de la chandelle de Mandrague, entre les obscuritez de la nuict. Elle a tout le costé gauche du visage fort clair, et le reste tellement obscur qu'il semble d'un visage différent ; la bouche entr'ouverte paroist par le dedans claire, autant que l'ouverture peut permettre à la clarté d'y entrer, et le bras qui tient la chandelle, vous le voyez auprès de la main, fort obscur, à cause que le livre qu'elle tient y fait ombre, et le reste est si clair par dessus qu'il fait plus paroistre la noirceur du dessous. Et de mesme avec combien de considération ont estez observez les effets que ceste chandelle fait en ces démons, car les uns et les autres selon qu'ils sont tournez, sont esclairés ou obscurcis. » (90)

De ce portrait tout en contraste d'ombre et de lumière se dégage une harmonie, élément déterminant de la beauté. Ainsi, la grâce de Damon réside dans la proportion de ses traits :

> « Considérez les traits delicats et proportionnez de son visage, sa taille droitte et longue, ce flanc arrondy, cest estomac relevé, et voyez s'il y a rien qui ne soit en perfection. » (91)

Comment mieux découvrir la perfection d'un corps qu'en l'opposant à la laideur ? Voilà pourquoi, le portrait de Damon contraste avec celui de Mandrague :

---

(87) *Ibid.*, I, 11, 447.

(88) *Ibid.*, I, 11, 445 : « Prenez garde (dit Adamas), comme ceste ombre et ceste clarté y sont bien representées. »

(89) *Ibid.*, I, 11, 446. Voici encore la peinture d'un lever de soleil : « Voicy le lever de soleil : prenez garde à la longueur de ses ombres, et comme d'un costé le ciel est encore un peu moins clair. Voyez ces nues qui sont à moitié air, comme il semble que peu à peu elles s'aillent eslevans ! » (*Astrée*, I, 11, 450.)

(90) *Ibid.*, I, 11, 447. On lit encore l'évocation des jeux de lumière à travers le feuillage (I, 11, 445).

(91) *Ibid.*, I, 11, 445.

« or jettez l'œil de l'autre costé du rivage, si vous ne craignez d'y voir le *laid en sa perfection,* comme en la sienne vous avez veu le beau, car entre ces ronces effroyables vous verrez la magicienne Mandrague contemplant le berger en son bain. La voicy vestue presque en despit de ceux qui la regardent, eschevelée, un bras nud, et la robbe d'un costé retroussée plus haut que le genouil.., maigre, petite, toute chenue, les cheveux à moitié tondus... » (92)

Description, à la vérité, pleine de laideur comme celle de Saturne ! En revanche, tout est harmonie et beauté, mouvement et grâce dans cette esquisse de Fortune où l'art du dessin se laisse facilement découvrir :

« regardez ceste bergere assise contre ce buisson, comme elle est belle, et proprement vestue : ses cheveux relevez par devant, s'en vont folastrant en liberté sur ses espaules, et semble que le vent, à l'envy de la nature, par son souffle les aille recrespant en onde... » (93)

La perfection de la peinture est atteinte dans la mesure où, comme c'est le cas ici, la nature ne peut faire mieux (94). Aux yeux d'Honoré d'Urfé prime le dessin dont la qualité se découvre dans l'harmonie des traits, des ombres et des lumières. Il manifeste peu d'attention pour les couleurs. Nous savons seulement que sur les parois de la chambre où repose Céladon, il y a des « enrichisseures d'or, et des peintures esclattantes », mais nous n'avons aucune précision supplémentaire, sinon que Saturne a une « bouche degouttante de sang, et une barbe chenue », que les jambes de l'enfant sont « toutes rougissantes de sang », qu'au pied du dieu cruel gisent des os qui « blanchissoient » (95). Antéros lie le bras et le cou de Fortune avec des « chaisnes de roses et de fleurs » (96), mais de quelle couleur sont ces fleurs ? Nous l'ignorons. Ce domaine des couleurs est laissé à notre libre imagination. Cet aspect de la critique d'art est celui de la Renaissance italienne. Sans doute cette conception de la peinture n'a-t-elle pas beaucoup d'originalité, puisqu'elle est, dans son ensemble, le reflet des doctrines italiennes. Cependant, marquée au coin de la sensibilité, elle reste un document intéressant sur l'état de la question au début du XVIIe siècle français, et sur le goût contracté pour les arts par Honoré d'Urfé,

---

(92) *Ibid.,* I, 11, 446.

(93) *Ibid.,* I, 11, 443.

(94) Le canon suprême de la beauté d'un tableau pour le critique d'art de la Renaissance italienne et française est d'atteindre à l'imitation parfaite de la nature et même de la dépasser. A propos du sang qui coule d'une plaie, Honoré d'Urfé déclare : « je croy que la nature ne sçauroit rien representer de plus naïf. » (I, 11, 450.)

(95) *Astrée,* I, 2. 41. Honoré d'Urfé n'ignore pourtant rien des ressources que le peintre peut tirer de la technique de la couleur. Hylas dit à Thamyre : « Si le peintre en son ouvrage change non seulement de couleurs, mais aussi de pinceau, est-ce à dire qu'il meprise la premiere couleur, et le premier pinceau pour le dernier ? Au contraire, c'est quelquefois afin de rehausser et faire mieux paroistre la couleur de laquelle il s'est servy au commencement ou pour tirer des traicts plus delicats. » (*Astrée,* IV, 5, 231.)

(96) *Ibid.,* I, 11, 444.

au contact des chefs-d'œuvre réunis au château de La Bastie et appréciés par les intellectuels du Forez.

II. — Le milieu intellectuel.

Les familiers du château de La Bastie constituèrent un foyer intellectuel qui ne fut pas sans influence sur le jeune Honoré d'Urfé :

> « Afin que vous ne soyez trompé par le nom, [écrit Anne d'Urfé], il m'a semblé que je vous devois faire entendre qu'à sa mort notre Père nous laissa cinq frères dont nous sommes trois qui nous délectames à mettre par écrit. » (97)

Tout porte à croire que le milieu familial, ceux qui fréquentèrent La Bastie et vécurent près d'Anne d'Urfé, ont déposé les germes de ce goût pour les belles lettres. Anne nous apprend, en effet, que, s'il n'alla pas au collège ni en classe, il ne fut jamais si jeune que son esprit « ne se montrat merveilleusement amateur de la lecture ». Il ajoute :

> « Tellement, que le meilleur moyen qu'on pouvoit trouver pour me tenir en place, avant que je susse ni a ni b, estoit de me lire un livre, lequel je retenois très bien... Despuis j'ay continué cela jusques en mon an treizieme, que, me voulant mettre à escrire en prose, je fus persuadé par le sieur de Maucune, lors mon gouverneur, de m'adosner plustot à la poesie ; à quoy me fortifia Loïs Papon prieur de Marcilly, un des plus grands poetes de nostre siecle, duquel j'apris les reigles, et connaissant cella estre fort agreable à feu mes pere et mere, je continuay depuis... » (98)

De cette confession nous pouvons retenir quelques points importants : les lectures qu'on faisait au jeune Anne d'Urfé, dès sa première enfance, et le rôle joué par Loys Papon, sous l'œil bienveillant des parents. Pourquoi n'en aurait-il pas été ainsi pour Honoré d'Urfé ? Comment ne pas imaginer avec vraisemblance que les premières années de son enfance furent bercées par la lecture ? Le Chanoine Reure nous révèle que son précepteur fut Flory du Vent, archiviste des d'Urfé (99), qui dut l'initier à l'histoire de sa famille. En outre, les parents de notre écrivain étaient exceptionnellement cultivés et il n'est pas étonnant que trois des enfants se soient délectés à écrire.

Parvenu à l'âge de lire, Honoré d'Urfé dut abondamment puiser

---

(97) Préface aux *Œuvres Morales et spirituelles,* cité par A. Bernard, *op. cit.,* p. 92.

(98) *Ibid.,* p. 93.

(99) O.C. Reure, *op. cit.,* p. 18. Sur Flory du Vent, voir C. Longeon, *Les Ecrivains foréziens du XVIe siècle,* p. 242. Le P. Fodéré révèle que Flory du Vent « a toujours eu le maniement des papiers de l'illustre maison d'Urfé et... a plus sçavoir de son estat que les propres seigneurs ». Selon A. Bernard, il aurait été l'auteur de la *Genealogie de la tres illustre et tres ancienne race des Vulfs... et maintenant Urphé* (*op. cit.,* p. 122).

dans la riche bibliothèque du château ; il y trouva nourriture à son imagination et à sa réflexion. Par son mariage avec Jeanne de Balsac, fille de Pierre de Balsac, baron d'Entragues, et d'Anne Malet de Graville, Claude d'Urfé obtint, dès 1532, une partie de l'importante collection de livres et manuscrits qui appartenaient aux Malet-Graville et l'installa au château de La Bastie. Amoureux passionné des beaux livres, il ne cessa d'augmenter sa bibliothèque qui fut réputée l'une des plus riches du XVIe siècle (100). Parmi les livres de cet homme du monde épris de lettres, on ne peut être surpris de découvrir surtout des ouvrages d'enseignement et de délassement. Ils reflètent cette culture dont Honoré d'Urfé témoigne maintes fois. Il y avait peu de livres de théologie pure, mais des ouvrages de morale, d'histoire, des chroniques en prose et en vers, des armoriaux, des traductions d'auteurs grecs, latins et italiens, des recueils de poésie, des contes, des romans de chevalerie, des pièces facétieuses, des compilations, peut-être des ouvrages néo-platoniciens (101). Ne peut-on voir ici l'une des sources décisives de l'œuvre d'Honoré d'Urfé et, notamment, de *L'Astrée* ? Œuvres latines ou grecques, romans de chevalerie, traités de morale..., toutes ces lectures ont laissé leur marque sur le roman. Il est l'aboutissement d'un faisceau d'influences qui sont déjà plus ou moins représentées dans cette bibliothèque. Honoré d'Urfé n'a sûrement pas lu tous ces ouvrages pendant son adolescence. Comment l'eût-il pu ? Mais la présence même de cette bibliothèque, les titres des ouvrages, les réflexions entendues à propos de telle ou telle œuvre, les volumes qu'il a seulement feuilletés, ceux à la lecture desquels il s'est attardé, tout cela contribua à former son esprit cultivé et à le mettre en appétit de curiosités qu'il a assouvies dans l'âge mûr, au moment où il composait son roman.

Si le milieu familial dans lequel se déroula l'enfance d'Honoré d'Urfé fut marqué par l'amour des lettres et des arts, que dire des familiers de la Maison d'Urfé, tous gens exceptionnellement cultivés ? Comme beaucoup de provinces françaises, le Forez connut au XVIe siècle une vie littéraire très intense. De la fin du XVe siècle jusqu'à la mort de Henri IV plus de soixante hommes de lettres y virent le jour. Certains ont été déracinés du sol natal, d'autres se fixèrent en Forez ou y revinrent (102). La deuxième moitié du XVIe siècle surtout fut pour cette province, plus que pour d'autres, propice aux exercices littéraires. Le groupe de Montbrison, avec lequel Honoré d'Urfé fut en contact le plus direct, a été l'un des plus florissants. Une véritable école poétique a fleuri autour de Loys Papon. Anne d'Urfé devint l'un des plus brillants poètes de ce groupe, d'autres s'y pressèrent, comme Benoît et Frédéric Blan-

---

(100) Voir O.C. Reure, *op. cit.*, p. 12. Selon le P. Louis Jacob, la bibliothèque possédait 4.600 volumes parmi lesquels 200 manuscrits (*Traitté des plus belles bibliothèques*, Paris, 1655, p. 671). Sur les ouvrages qui ont été retrouvés, voir *infra*, Appendice I.

(101) O.C. Reure, *op. cit.*, p. 14.

(102) *Ibid.* Voir également, du même auteur, *Bibliothèque des Ecrivains Foréziens jusqu'en 1835*, *Mémoires et documents de la Diana*, t. XIII-XV (1913-1914) ; C. Longeon, *op. cit.*

chet poussés par l'émulation poétique, ou Gaspard Paparin, chanoine de Notre-Dame de Montbrison. Appartenant à une famille où régnait l'amour pour les lettres, Etienne du Tronchet, l'auteur des *Lettres missives et familières,* venait souvent en Forez dans sa métairie du Gazilhan et appartenait à la société lettrée qui fréquentait le château de La Bastie. Il faudrait citer Antoine et Claude du Verdier, Jean Perrin, Claude Dupuy (103). Poètes ou hommes de sciences et lettres font partie du cercle intime du château de La Bastie. Claude de la Roue, « pharmacien » d'Anne d'Urfé, était, quant à lui, un digne représentant des érudits locaux. En 1588, il exerçait la médecine à Montbrison et Honoré dut le connaître, du moins pendant la Ligue (104). Quant à Jean Ducroset, auteur de *La Philocalie,* il était un voisin, puisque son père possédait un château à Cezay, à trois lieues de La Bastie. Il eut l'occasion de lire le manuscrit d'un premier dessein de *L'Astrée* et composa sa *Philocalie* sur ce modèle (105). Nous ne saurions oublier Jean Papon.

Nous découvrons surtout, dans ce monde provincial des lettres, un attachement à la poésie et une curiosité pour les antiquités. Tous sont lettrés, presque tous poètes à leurs heures et la vocation poétique d'Honoré s'est confirmée dans ce milieu (106). Parce qu'une insatiable soif de connaissances anime ces gens, nous ne pouvons nous étonner de l'érudition d'Honoré d'Urfé, auditeur attentif de leurs conversations ou même de leur enseignement.

Il est tout d'abord facile d'expliquer l'influence italienne qui s'exerça sur son œuvre, quand on sait que la littérature forézienne fut riche en italianisants (107). Si cette influence se saisit dans *La Philocalie* de Ducroset, elle est encore beaucoup plus évidente dans l'œuvre d'Antoine du Verdier qui insère dans ses *Diverses leçons* (108) un nombre important de passages traduits de l'italien. Il publie en français les *Doctes et subtiles réponses* de Bartolomeo Toegio (109), une version française des *Images des Dieux des Anciens* de Vincenzo Cartari (110). D'autres traductions ne furent pas publiées, comme la *Description de toute l'Italie* de Leandro Alberti, ou *L'Histoire de Venise* de Sabellio et de Bembo. Son goût pour les œuvres italiennes fut si grand qu'il songea même à écrire une *Bibliothèque italienne* sur le plan de sa *Bibliothèque françoise.* Etienne du Tronchet publiera, en 1575, des *Lettres amoureuses avec soixante-dix sonnets tirés de Pétrarque,* des *Discours académiques florentins appropriez à la langue françoise,* en 1576, et insè-

---

(103) O.C. Reure, *La vie et les œuvres d'Honoré d'Urfé,* pp. 16-17.

(104) C. Longeon, *op. cit.,* pp. 246-247. Né en 1555, Claude de la Roue s'intéressa passionnément au passé du Forez. C'est lui qui, en 1612, redécouvrit la fontaine minérale de Sail sous Couzan, connue pendant la période gallo-romaine. Il effectua également des fouilles à Moingt. Esprit curieux, il possédait une riche bibliothèque. Voir M. Dumoulin, « A travers les vieux livres », in *Roannais illustré,* VIIe série, pp. 25-26.

(105) Voir O.C. Reure, *op. cit.,* pp. 28-31.

(106) Sur les poésies d'Honoré d'Urfé, voir *infra,* IIIe partie, ch. IV.

(107) Voir P. Ronzy, *Un humaniste italianisant : Papire Masson,* (1544-1611), notes additionnelles, II, pp. 621-623.

(108) *Les diverses leçons,* Lyon, Honorat, 1577.

(109) Lyon, Honorat, 1577.

(110) Lyon, Honorat, 1591.

rera, dans certaines éditions de ses *Lettres missives et familières,* « plusieurs lettres amoureuses tirées tant de l'italien de Bembo que de plusieurs autres autheurs ». Anne d'Urfé imite Alciat, dans ses *Emblèmes,* et, surtout, découvre Le Tasse, dont il s'inspirera dans sa *Judic* (111). Antoine de Laval prend l'Arioste pour modèle (112) et Loys Papon ne reste pas étranger à cette mode, en calquant la pastorale italienne, dans la *Pastorelle sur la victoire obtenue contre les Allemands, reytres...,* qui fut jouée à Montbrison en 1588. Important fut donc le rôle d'intermédiaire joué par le Forez entre l'Italie et la France, en littérature. L'érudition, représentée par Jean Papon et les Dupuy, fut marquée, elle aussi, par l'influence italienne.

La famille d'Urfé, surtout, se caractérisait par le goût italien. Claude d'Urfé avait rapporté de Rome l'amour des arts et des lettres et nous découvrons dans l'inventaire de sa bibliothèque des ouvrages italiens. Renée de Savoie contribua à renforcer l'italianisme au sein de la famille. Tout naturellement, donc, Honoré d'Urfé porta sa curiosité vers la littérature de l'Italie. La première partie de *L'Astrée* révèle notamment sa connaissance de l'italien.

Cela n'est pas exceptionnel à cette époque, pas plus d'ailleurs que cette connaissance des antiquités, dont les familiers du château de La Bastie firent leurs délices. N'est-ce pas auprès d'eux que le jeune d'Urfé acquit les rudiments de l'histoire romaine et sa connaissance du passé forézien, qu'à plusieurs reprises il évoque dans *L'Astrée* ? Anne d'Urfé rapporte que son grand-père fit rassembler au château « grande cantité d'antiques, de beaux marbres, et autres singuliaritez qui seroyent trop longues à narrer », tous objets recueillis par ses soins à Rome quand il était ambassadeur (113). Anne lui-même s'était acquis une solide réputation « d'antiquaire ». Il note, en effet, dans sa *Description du païs de Forez,* à propos de Feurs, qu'« il s'y trouve quelquefois, en fouillant la terre, plusieurs choses antiques et singullieres, dont il s'en voit encore beaucoup en la maison de la Bastie d'Urfé, les seigneurs ayant eu curiosité de les recouvrer. » (114) Dès 1595, retiré au château d'Urfé, entre Champoly et Saint Marcel d'Urfé, il fit « dresser... un cabinet où il y a beaucoup d'antiques, de beaux tableaux, belles tables de marbres et de cedres, et plusieurs autres choses fort rares. » (115) Les objets antiques voisinaient ainsi à côté des œuvres de la Renaissance.

Rares semblent les érudits et lettrés foréziens qui ne se soient pas intéressés à l'histoire. Jean Papon, le père de Loys, possédait,

---

(111) Voir à ce propos, C. Longeon, « La genèse des œuvres d'Anne d'Urfé », in *CEF*, I, *Mélanges*, 1968, p. 106.

(112) *Isabelle, imitation de l'Arioste, où sont elegamment descrittes les loyales amours de Zerbin, prince d'Escosse, et, d'Isabelle, fille du roy de Galice, le tout accompagné de 31 sonnets*, Paris, L. Breyer, 1576.

(113) Anne d'Urfé, *Description du païs de Forez*, in A. Bernard, *op. cit.*, p. 449.

(114) *Ibid.*, p. 437.

(115) *Ibid.*, p. 452.

lui aussi, un cabinet d'antiques (116). Devenu lieutenant général du Forez, il fut en rapports constants avec les d'Urfé et ne cacha pas son attachement à la famille quand il écrivit :

> « combien que l'occasion quelquefois se soit offerte pour changer de lieu, et me mettre en repoz de toutes ces fatigues, ce néant-moins me ressentant de l'honneur que ce m'est d'estre lieutenant d'un si grand et vertueux chevalier, qui est Monseigneur d'Urfé, j'ay délibéré de ne bouger et de n'entreprendre davantage. » (117)

Parce qu'il avait la réputation d'un érudit, la tradition n'hésita pas à voir en lui le druide Adamas de *L'Astrée*, homme de science, conseiller plein de bon sens et fin critique d'art (118). Honoré d'Urfé l'a certainement bien connu et fut capable de profiter de ses leçons d'histoire tant universelle que locale, soit à La Bastie, soit à Goutelas, demeure voisine du château des d'Urfé. Huet affirme beaucoup plus, en prétendant, dans sa lettre à Mademoiselle de Scudéry, que Jean Papon a aidé l'auteur de *L'Astrée* pour la partie historique du roman :

> « J'ay appris de Monsieur de Charleval que Jean Papon, célèbre jurisconsulte, homme d'un grand sçavoir, aida M. d'Urfé, dans la composition de son ouvrage, il étoit lieutenant général du Baillage de Montbrison, sa patrie, après avoir été conseiller au parlement de Paris... Ce fut donc par le secours des Mémoires de ce Papon qu'Honoré représente si doctement dans son ouvrage toute l'histoire du tems de ses Bergers, qui est la fin du cinquième siècle, et le commencement du sixième. » (119)

L'Abbé d'Artigny, cependant, fait remarquer que Jean Papon mourut en 1590 et qu'en conséquence, il est impossible qu'il ait fourni à Honoré des documents pour *L'Astrée* (120). Cette assertion, ainsi que celle de Huet, mérite d'être examinée de près. Lorsque Jean Papon mourut, Honoré d'Urfé avait 23 ans. Ne put-il converser longuement et sérieusement avec lui sur l'histoire, notamment sur

---

(116) Sur Jean Papon, voir O.C. Reure, *Bibliothèque des Ecrivains Foréziens,* t. II, pp. 178 sq. ; C. Longeon, *op. cit.*, pp. 35-58. Jean fut lieutenant-général du Forez et fut appelé à remplacer Claude d'Urfé souvent appelé à la cour, puis Jacques d'Urfé souvent à la guerre. Près de La Bastie, il acquit le château de Goutelas, à flanc de colline entre Marcoux et Trelins où il se retira vers 1585.

(117) *Recueil d'Arrestz,* 1556, *Epistre à Antoine de Lévis,* cité par C. Longeon, *op. cit.*, p. 41.

(118) Voir *infra,* ch. V. Jean Papon était comme Adamas collectionneur et s'intéressait aux arts (*Astrée,* I, 11, 441 sq. ; II, 11, 468, III, 3, 81).

(119) *Lettre à Mademoiselle de Scudéry,* in *Traité de l'origine des romans,* Paris, J. Mariette, 1711, p. 229. Le propos de Jean Papon auquel Huet fait allusion se trouve en effet dans la 14e épître à A. de Lévis, qui ouvre le *Recueil d'Arrestz* de 1555. Cette tradition fut reprise au XVIIIe siècle par Duclos dans son *Mémoire sur les Druides,* 1746. Par ailleurs, François du Rozier assure, dans une lettre à Pierre d'Hozier, que Jean Papon « aida beaucoup Honoré d'Urfé dans la composition de son roman de l'Astrée » (Ms. de la B.N., fds frs, 32526, cité par A. Adam, *Histoire de la Littérature française au XVIIe siècle,* t. I, p. 122, n. 2).

(120) Abbé d'Artigny, *Nouveaux Mémoires d'Histoire, de critique et de littérature,* Paris, Debure, 1752, V, pp. 20 sq.

celle du Forez, au cours de ses vacances scolaires ? D'autre part, si comme le pense le Chanoine Reure (121), Honoré traça une première ébauche de *L'Astrée,* entre 1584 et 1589, c'est-à-dire après sa sortie du collège, rien ne s'oppose à ce que Jean Papon lui ait fourni, à ce moment-là, une sorte de résumé des événements historiques, ainsi que des renseignements sur les druides ou l'histoire locale.

Huet est catégorique, trop catégorique, quand il écrit que Jean Papon « aida » Honoré d'Urfé « dans la composition de son roman ». Faut-il entendre une aide directe ? Ou, simplement, s'agit-il de renseignements fournis par ses écrits ou par ses propos en matière d'histoire ? Nous penchons pour la seconde hypothèse. Nous savons, en effet, que Jean Papon était, en même temps qu'un juriste, un érudit historien. Ne correspondait-il pas avec Papire Masson ? Celui-ci, d'ailleurs, lui avait fait parvenir sa « *Vita Caroli IX ad imitationem Suetonii* » (122). Par ailleurs, le prologue du *Troisième Notaire* dresse un catalogue des rois qui ont régné en France par succession et nous prouve que sa science historique était étendue. Fodéré relate que le marquis d'Urfé, devenu alors prieur de Montverdun, lui a communiqué un Mémorial que Jean Papon avait fait « des choses les plus remarquables du païs de Forez » (123). Ce *Mémorial* ne pourrait-il être ces « mémoires » dont parle Huet et dont Honoré d'Urfé se serait servi ? Point n'est besoin, semble-t-il, d'avoir recours à la seule aide de Loys Papon ! Celui-ci, cependant, comme son père, connaissait les antiquités foréziennes et il dut être d'un grand secours pour Honoré d'Urfé.

L'intérêt de plusieurs écrivains se porta sur l'histoire. Entre eux, le plus érudit fut sans conteste Antoine du Verdier, dont l'idéal était celui d'une véritable connaissance encyclopédique. Les écrivains du Lyonnais et des provinces voisines furent en relation avec lui ; il leur donnait des conseils et surtout leur ouvrait sa riche bibliothèque. Dès son retour de Rome, il avait songé à rédiger un abrégé chronologique de l'histoire universelle. Cette œuvre, la *Prosopographie,* est, certes, un ouvrage de jeunesse, mais elle nous laisse deviner que du Verdier put écrire un livre historique plus important. La Mure, au début de son *Histoire des Comtes du Forez,* dit qu'il a consulté l'œuvre du sieur de Valprivas. Cet ouvrage est aujourd'hui perdu (124).

Papire Masson, lui aussi, était originaire du Forez (125). Au moment de la rédaction de la première partie de *L'Astrée,* Honoré d'Urfé ne put connaître la *Descriptio fluminum Galliae,* écrite vers 1608. Dans celle-ci, Masson consacre un long chapitre à la Loire,

---

(121) *Op. cit.,* p. 28. Jean Ducroset déclare en effet qu'il a eu entre les mains une copie des *Bergeries* d'Urfé. La *Philocalie,* qui est une petite *Astrée* transportée sur les bords de l'Aix tout voisins de ceux du Lignon, parut en 1593. Ceci suppose donc que Ducroset, qui écrivit au cours de son séjour en *Forez,* connut cette ébauche de l'*Astrée* vers 1589.

(122) Voir, P. Ronzy, *op. cit.,* p. 221 et n. 4.

(123) Ce fait est rapporté par le P. Fodéré, *op. cit.,* p. 477, cité par A. Bernard, *op. cit.,* p. 452, n. I.

(124) Sur A. du Verdier, voir C. Longeon, *op. cit.,* pp. 218-337.

(125) Sur Papire Masson, voir la thèse de P. Ronzy.

occasion pour lui d'arrêter longuement son attention sur le Forez où il passa sa jeunesse à Saint-Germain-Laval (126). Fruit de matériaux accumulés pendant 25 ans, cet ouvrage ne fut publié qu'après sa mort en 1618. Ce n'est donc vraisemblablement qu'à cette date que d'Urfé aurait pu consulter ce livre, donc trop tardivement pour qu'il eût pu y puiser des renseignements sur le Forez, dont il évoque l'histoire surtout dans la première partie de son roman. Cependant, cette « description » de la Loire nous permet de constater quelles étaient les connaissances de l'époque en matière d'histoire locale. Elles coïncident avec celles d'Honoré d'Urfé et semblent le fruit d'une tradition orale. Ces renseignements historiques étaient déjà connus de Papire Masson, dès 1575, puisqu'alors il répond à François de Belleforest qui l'interrogeait sur le Forez afin de mener à bien son édition française, augmentée, de la *Cosmographie de Sebastien Munster* (127). Cette lettre est un véritable petit mémoire sur la province forézienne, mais sans précision sur les événements historiques.

Il faut donc penser qu'Honoré d'Urfé, quand il évoque l'histoire de sa province, a recours soit à une tradition orale, soit au résumé composé par Jean Papon, soit encore aux divers renseignements qu'il a recueillis auprès de Loys Papon ou d'un autre érudit du groupe de Montbrison. On l'imagine volontiers enfant, puis jeune homme, en train d'interroger au château, ou au cours de promenades, les érudits locaux, écouter avec avidité leurs propos, poser des questions sur les « antiquités » collectionnées dans leurs cabinets, recueillir dans sa mémoire la tradition orale. Les remarques historiques qui concernent le Forez sont nombreuses dans *L'Astrée* et il vaut la peine de les rassembler.

Seules, cependant, nous intéressent ici celles qui purent avoir été recueillies en Forez même par Honoré d'Urfé. Il revenait à la nymphe Galathée de raconter les origines de sa province. Céladon, recueilli chez elle, ignore tout d'Amasis et de Galathée. Celle-ci saisit cette occasion pour lui dire « particulierement, et qui est Amasis, et qui nous sommes » (128). Elle enseigne à Céladon ce qu'elle sait du passé de sa province. Son père, Pimandre, « a esté curieux de rechercher les antiquitez de ceste contrée » (129) ; il incarne ainsi tous les érudits du Forez passionnés d'histoire. Galathée ajoute :

> « ...les plus sçavants druydes luy en discouroyent d'ordinaire durant le repas, et moy qui estois presque tousjours à ses costez, en retenois ce qui me plaisoit le plus. »

Scène bien familière à Honoré d'Urfé lui-même, sans doute, et comme saisie sur le vif ; les lettrés devaient s'entretenir de tels

---

(126) Voir C. Longeon, « Papire Masson, Description du pays de Forez, extraite de la *Descriptio fluminum Galliae* », in *BD,* t. XXXIX (1966), n° 6, pp. 232-243.

(127) Voir O.C. Reure, *Description du Pays de Forez par Papire Masson avant 1575,* in *BD,* t. XIII (1902), pp. 88 sq.

(128) *Astrée,* I, 2, 44.

(129) *Ibid.,* I, 2, 47.

sujets au cours des repas qui les réunissaient à La Bastie. Galathée raconte d'abord à Céladon que

> « de toute ancienneté ceste contrée que l'on nomme à ceste heure Forests, fut couverte de grands abysmes d'eau, et qu'il n'y avoit que les hautes montaignes que vous voyez à l'entour, qui fussent découvertes, hormis quelques pointes dans le milieu de la plaine, comme l'escueil du bois d'Isoure, et de Mont-verdun, de sorte que les habitans demeuroient tous sur le haut des montaignes. »

Il en fut ainsi, selon Galathée, jusqu'à l'arrivée des Romains. Cette conviction, qui repose sur une tradition orale, se retrouve sous la plume d'Anne d'Urfé, dans sa *Description du Païs de Forez* :

> « Or le commun bruict est que ceste plaine estoit encienemant un lac parmy lequel passoit Loire, comme celle du Rosne parmy le lac Léman ou de Genaivre. De contredire ceste opinion, je ne le voudrois pas du tout faire, estant combatu de plusieurs indisses de cella. » (130)

Il apporte d'abord comme preuve que la plaine « est fort remplie d'eau » et qu'on ne peut creuser plus de quatre pieds sans la trouver, puis il évoque « les boucles de fer qu'on voit encore attachées à de grosses pierres, tant en la montagne d'Isore que Marcilly, et aultres lieux relevez aboutissant à la plaine. » N'est-ce pas la même opinion que l'on relève dans le récit de Galathée :

> « ...et pour preuve de ce que je vous dis, vous voyez encore aux coupeaux d'Isoure, de Mont-Verdun et autour du chasteau de Marcilly, de gros anneaux de fer plantez dans le rocher, où les vaisseaux s'attachoient, n'y ayant pas apparence qu'ils peussent servir à autre chose » ?

Anne d'Urfé, comme son frère, rapporte un fait constaté : les boucles de fer attachées « à de grosses pierres ». L'un et l'autre prétendent qu'on les voit encore. Une légende s'était donc créée autour d'elles pour en expliquer la présence, et si tenace qu'elle a persisté en Forez jusqu'à une époque récente. Nous ne pouvons retenir la thèse qui prétend que cette histoire a été inventée de toutes pièces par Honoré d'Urfé (131). Les témoignages des deux

---

(130) In A. Bernard, *op. cit.*, p. 447. Le P. Fodéré en parle aussi, de même que de la légende selon laquelle César fit rompre les montagnes. A ce propos, on trouvera des indications abondantes dans l'ouvrage de Guichard, *Feurs, la plaine du forez*, St-Etienne, s.d., pp. 6 sq.

(131) Mademoiselle Marguerite Gonon, ingénieur au C.N.R.S., nous a communiqué le renseignement suivant à propos de ces anneaux de fer : « C'est une légende qui a cours encore maintenant... Un paysan de Poncins, né en 1880, à Saint Cyr les Vignes, mort actuellement, m'affirmait que son père avait vu ces anneaux vers 1860. » Le témoignage d'A. Bernard nous montre à quel point la légende du lac qui recouvrait la plaine du Forez était persistante : « Beaucoup de personnes vous assurent sérieusement qu'on voit encore à Saint Romain le Puy d'énormes anneaux de fer qui servirent autrefois à attacher au rivage les bateaux qui voguaient sur le lac. » (*Histoire du Forez*, t. I, p. 150, voir également, p. 38). Auguste Bernard prétend que c'est Honoré d'Urfé qui a beaucoup contribué à accréditer cette erreur. Nous ne pouvons

frères concordent. Anne d'Urfé n'a pas puisé cette légende dans l'œuvre de son frère, puisque la « *Description du Païs de Forez* » fut composée après 1601, avant la parution de la première partie de *L'Astrée,* et Honoré n'a pu s'inspirer du texte écrit par Anne, puisque les deux frères vivaient séparés, loin l'un de l'autre, et qu'aucune relation ne devait subsister entre eux. Il s'agit donc bien d'une tradition orale recueillie en Forez par Honoré, pendant ses divers séjours à La Bastie.

Honoré d'Urfé reprend d'ailleurs, un à un, tous les renseignements fournis par la tradition. C'est Jules César, « un estranger Romain, qui en dix ans conquit toutes les Gaules... », qui fit rompre des montagnes par lesquelles les eaux s'écoulèrent dans la plaine. Anne d'Urfé est beaucoup plus précis dans sa *Description du Païs de Forez* et comme troisième preuve de la véracité de ce « commun bruict », au sujet du lac, il cite « se grand rocher auprès du port de Pinay, que chacun juge avoir esté tranché par artifice. » Mais il ajoute :

> « Parquoy je laisse cella indessis pour le presant ; mais que se soit Julles Cesar qui l'ait faict trancher, je le tiens pour une pure fable, d'aultant, comme j'ay dict, qu'il a faict mansion dans ses Commantaires, et presque tout au commancement de son arrivée aux Gaulles, du Forum Segusianorum. » (132)

Pour lui, si cela était vrai, Jules César en eût « fait parade » dans ses *Commentaires.* Voilà une question qui fut contestée et dut alimenter bien des discussions entre érudits.

Galathée continue en précisant que le premier bâtiment édifié par Jules César, dans la plaine ainsi vidée des eaux, porte « le nom de Julius » comme lui. Il s'agit bien sûr, de Jullieu. Anne d'Urfé présente la même tradition : « aucuns lieux de la plaine portent des noms romains comme Jullieu, le sien » (133). La tentation était forte de rapprocher Jullieu de Julius.

Le troisième point de l'exposé historique de Galathée concerne le nom de Segusiens et de Foréziens. Avant l'arrivée des Romains, prétend une tradition que rapporte Galathée, les habitants de la région s'appelaient Ségusiens et, depuis, ils auraient pris le nom de Foréziens, qui a pour origine Foretz, « parce que la plaine humide et limonneuse jetta grande quantité d'arbres » (134). Mais, dit-elle, ceux qui prétendent cela,

> « sont fort déceus, car le nom de Foretz vient de Forum qui est Feurs, petite ville que les Romains firent bastir, et qu'ils nom-

---

partager cette opinion ; *l'Astrée* fut-elle lue par le peuple des campagnes du Forez ? Anne d'Urfé n'affirme-t-il pas qu'on voyait ces boucles ? Celui-ci aurait-il subi l'influence de son frère au point de faire sienne une légende inventée de toutes pièces ? Nous connaissons le sort qu'il a réservé à la légende concernant César.

(132) In A. Bernard, *op. cit.,* pp. 447-448. Le premier à rapporter cette légende selon laquelle César ouvrit les digues du Pinay fut Ducroset (Début de la *Philocalie*).

(133) Voir la même remarque sur Jullieu, *Astrée,* IV, 3, 115.

(134) *Astrée,* I, 2, 45 ; III, 6, 334.

mèrent Forum Segusianorum, comme s'ils eussent voulu dire la place ou le marché des Segusiens qui proprement n'estoit que le lieu où ils tenoient leurs armées, durant le temps qu'ils mirent ordre aux contrées voisines. »

Ces opinions se retrouvent encore chez Anne d'Urfé. Le débat devait être d'importance, si l'on en juge d'après ce que nous dit l'auteur de la *Description du Païs de Forez* :

> « or je n'apreuve point, quant à moy, l'oppinion vulgaire, que se païs ait tiré son nom de Foraigue pour l'evacuassion des eaux du lac (135), ne encore l'oppinion de Tevet (136) qu'il soit ainsy nommé à cause de la cantité de forestz, dont pour sa defanse il ne sauroit aleguer meilleur auteur que le sot roman de Méluzine ; mais bien me veux-je joindre à l'oppinion de Belleforest, instruict par les mémoires de se docte Papirius Masso, enfant de Sainct-Germain la Val, qui, estant du païs, l'a mieux dressé que neul des aultres. Je diray donc avec luy, et apuyé de plusieurs grands indices, qu'il est tiré de Feurs, nommée en latin Forum, seconde ville du païs à présent en ranc, mais la première en ancienneté... Ceste ville est donc le Forum Segusianorum, dont Julles César fait mantion en ses Commentaires. » (137)

La discussion ne devait pas être close rapidement, puisque la Mure la reprit au XVIIe siècle, pour se rallier d'ailleurs à l'opinion d'Anne et d'Honoré d'Urfé, confirmée par la science de Papire Masson (138). Tous s'accordent à identifier Foréziens et Ségusiens, comme le fait Honoré d'Urfé (139). Papire Masson invoque Pline et Ptolémée à l'appui de cette appellation de Ségusiens. Anne d'Urfé se réfère au témoignage du seul Papire Masson et à « plusieurs grands indices ». Honoré d'Urfé affirme seulement. Il est, avant tout, romancier, comme Anne est poète. Il y a tout lieu de croire que ses renseignements ont été recueillis oralement ou dans ce *Mémorial* que Jean Papon avait composé. En eut-il connaissance assez tard ou le complèta-t-il par les renseignements puisés dans l'œuvre de Belleforest documenté par Papire Masson ? Tout porte à le croire. Au moment de la première édition de *L'Astrée,* donnée en 1607,

(135) Honoré d'Urfé ne fait aucune mention de cette étymologie.

(136) Tevet ou Thevet vécut de 1503 ou 1504 à 1592. Moine cordelier et voyageur, il écrivit une *Cosmographie du Levant* (1554), les *Singularitez de la France antarctique* (1557), la *Cosmographie universelle* (1571 et 1575). Voir, sur ces ouvrages, l'étude de P. Gaffarel, in *Bulletin de Géo. hist. et descript. du Comité des travaux historiques,* 1888, pp. 166-201.

(137) In A. Bernard, *op. cit.,* pp. 435-436 ; C. Longeon, « Papire Masson, ... », *art. cit.,* p. 233 ; « Description du pays de Forez par Papire Masson avant 1575 », in *BD,* t. XIII (1902), pp. 88-90.

(138) Jean Marie de la Mure, *Histoire universelle et ecclésiastique du Pays de Forez,* Lyon, J. Poysevel, 1674, p. 61 notamment ; *Astrée Sainte,* à la suite de l'ouvrage précédent, p. 261.

(139) Voir Anne d'Urfé, *Description du païs de Forez,* in A. Bernard, *op. cit.,* p. 435 ; P. Masson, *Descriptio fluminum Galliae,* in *art. cit.* de C. Longeon, p. 233. Dans sa lettre adressée à Belleforest Papire Masson rappelle que « Foresiens sont ainsi appelez a Foro oppido, qui est Feurs, encores aujourd'huy appelé Forum. Ptolémée les appelle Segusiani, et nomme deux villes, l'une Forum, qui est Feurs, l'autre Rodumna, qui est Roanne... » (*BD,* t. XXIII, p. 88) Belleforest reprend ces points dans sa *Cosmographie universelle.*

Honoré d'Urfé n'a pas connaissance de la véritable étymologie du Forez. Il accepte à cette date la tradition qui remontait au Moyen Age et prétendait que le nom de Forez tirait son origine de nombreux bois qui recouvraient le pays. Le roman de Jehan d'Arras, *Mélusine,* en est un témoignage, car nous y lisons : « ...fut le pays en brief temps assez bien peuplé, et appelèrent le pays Foretz, pour ce qu'ils le trouvèrent plein de bocages, et encore aujourd'hui est appelé. » (140) Honoré d'Urfé trouva probablement ce roman dans la bibliothèque du château et le lut ; il devait être bien connu de la famille d'Urfé. Le *roman de Mélusine* confirme une tradition dont d'Urfé se contente dans la première édition de 1607, puisqu'il fait dire à Galathée parlant de Jules César :

> « il fit descendre tous ceux qui vivoient aux montagnes et dans les forests, et parce que la plaine humide et limonneuse jetta quantité d'arbres les peuples voisins nommèrent ceste contrée Foresz, et les peuples foréziens, au lieu qu'auparavant ils estoient appelez ségusiens. » (141)

C'est seulement dans les éditions postérieures que le rectificatif, « *mais ceux-là sont fort deceus,* car le nom de Foretz *vient de Forum, qui est Feurs* », fut ajouté. Un complément d'information lui fut donc apporté au moment où il écrivit la troisième partie, puisqu'il y insiste sur ce point. Damon a mal interprété le mot « Foretz » dicté par l'oracle. Il a compris bois, et Galathée lui explique que le Forez ne tire pas son origine du mot forêt (142). Si, par ailleurs, nous considérons que le rectificatif sur l'étymologie de Forez, dans la première partie, date de l'édition de 1612, il faut penser qu'Honoré d'Urfé en eut connaissance entre 1607 et 1612, plus probablement vers cette dernière date, pour qu'il ait éprouvé le besoin de revenir sur ce sujet dans la troisième partie (143). Il y a coïncidence, alors, avec la *Description du païs de Forez* d'Anne d'Urfé. Nous pensons qu'Honoré d'Urfé lut, seulement à cette époque, la *Cosmographie,* dans l'édition de Belleforest, ou bien connut la *Descriptio fluminum Galliae* de Papire Masson avant sa publication, et que, jusqu'alors, il acceptait l'opinion « vulgaire » ou celle de Tevet. Mais l'on saisit là, encore une fois, l'influence exercée sur le jeune auteur par les préoccupations historiques des habitants de La Bastie et de ses familiers. Il connaissait, pour les avoir étudiés en classe, les *Commentaires* de Jules César, mais avait-il lu Ptolémée ? C'est douteux, et les renseignements qu'il utilise ne peuvent être que de seconde main, du moins à en juger d'après les quelques allusions de Galathée dans son récit historique, et d'après les détails fournis sur l'étymologie et le passé de Montverdun.

---

(140) Ed. de Ch. Brunet, Bibliothèque Elzevirienne, 1854, cité par H. Bochet, *op. cit.*, p. 134. H. Bochet prétend qu'Honoré d'Urfé ne connaissait pas le *Roman de Mélusine*. Il semble ignorer que l'édition de 1607 de la première partie de *L'Astrée* présente la même origine du Forez que le *Roman de Mélusine.*

(141) M. Magendie, *op. cit.*, p. 39.

(142) *Astrée,* III, 6, 334.

(143) M. Magendie, *op. cit.*, p. 29, n. I. Sur les dates et lieux de composition des différentes parties de *L'Astrée,* voir O.C. Reure, *op. cit.*, pp. 204-210.

Les historiens du Forez, lecteurs assidus de César, ne manquèrent pas d'évoquer ce peuple des Boiens émigrés en Gaule, sans doute en Bourbonnais. De là à bâtir l'histoire de Thamire et Calidon, qui eurent des Boiens pour ancêtres, fut tentant pour Honoré d'Urfé. Les renseignements affluèrent à sa mémoire à propos de ces Boiens

> « qui jadis sous le Roy Belovese sortirent de la Gaule et allerent chercher nouvelles habitations delà les Alpes et qui, apres y avoir demeuré plusieurs siecles, furent enfin chassez par un peuple nommé Romain hors des villes basties et fondées par eux. Et parce qu'il y en eut une partie qui estant privez de leurs biens s'en allerent outre la forest Hircinie, où les Boiens leurs parens et amis s'estoient establis du temps de Sigovese, et d'autres choisirent plustost de revenir en leur ancienne patrie, nos ancestres revindrent en Gaule, et en fin par mariage se logerent parmy les Segusiens. » (144)

Une légende circulait en Forez et faisait de Boën, la ville des Boiens, par ressemblance du nom. (145) Honoré d'Urfé lut, sans doute aussi, les *Histoires* de Tite-Live, dont une partie se trouvait sur les rayons de la bibliothèque de La Bastie.

L'histoire du passé forézien, dans *L'Astrée*, se présente comme exempte de grands troubles. Les Foréziens sont privilégiés, car ils jouissent de leur liberté :

> « ...tant y a, [dit Galathée], que par un privilège surnaturel, nous avons esté particulierement maintenues en nos franchises, puis que de tant de peuples, qui comme torrens sont fondus dessus la Gaule il n'y en a point eu qui nous ait troublé en nostre repos. »

Même Alaric, le conquérant de l'Aquitaine, respecta leurs statuts et privilèges (146). Papire Masson cite Pline l'Ancien, qui souligne cette liberté : « les Segusiens libres sur le territoire desquels est la colonie de Lyon » (147). Voilà une situation politique peut-être enseignée à Honoré d'Urfé par les érudits locaux et qui prend, dans *L'Astrée*, une importance capitale : les habitants du Forez ont joui, à ses yeux, de cette situation privilégiée, à tel point que ce sera le pays du repos, du bonheur, de l'indépendance et donc de la paix. A peine découvre-t-on le passage des Barbares, la venue

---

(144) *Astrée*, II, 1, 27-28. Jules César ne donne que très peu de renseignements à ce propos : « Boiosque, qui trans Rhenum incoluerunt et in agrum Noricum transierunt Noreiamque oppugnarunt... » (*Commentaires de la Guerre des Gaules*, I, 5, 4). Il indique aussi la forêt d'Hercynie (VI, 24). Tite-Live parle de Bellovese et de Sigovese (*Histoire romaine*, l. V, ch. 34).

(145) Voir A. Bernard, *Histoire du Forez*, t. I, p. 18 et n. 3. Les Boiens avaient été installés par César entre les Arvernes et les Héduens.

(146) *Astrée*, I, 2, 46.

(147) C. Longeon, *art. cit.*, p. 233 ; Pline d'Ancien, *Naturalis historia*, IV, XXXII, « Segusiani liberi in quorum agro colonia Lugdunum ». Sur le sens du mot « liberi », exempts d'impôts, voir A. Bernard, *Histoire du Forez*, t. I, p. 12. Ce titre de Cité libre accordé aux Ségusiens est aussi confirmé par l'inscription d'une colonne itinéraire trouvée à Feurs. Cette liberté donnait à la ville une autonomie politique et une administration propre (G. et C. Guichard et H. Ramet, *Feurs*, Saint-Etienne, s.d., p. 35, n. 4).

des hommes de Gondebaud et l'établissement des Visigoths d'Alaric à Usson. Ce sont des notations rapides, rendues nécessaires par le récit (148). Un choix s'opère parmi les connaissances historiques, en fonction de cette situation de paix dont l'auteur veut faire le privilège de sa province.

Cette pureté se retrouve dans la religion qui est en honneur, le Forez « n'ayant jamais eu communication avec les peuples estrangers, sinon avec quelques Romains ». Il n'a jamais subi l'influence des Romains, ni des Visigoths, Vandales, Alains, Pictes et Bourguignons (149). A des fins romanesques Honoré d'Urfé déforme consciemment l'histoire, puisque, s'il y a peu de monuments relatifs à la religion gauloise, de nombreux temples romains ont été découverts en Forez. Ceux-ci ne lui étaient pas inconnus, il les cite, rappelant que beaucoup ont été édifiés en l'honneur de Jupiter ou de Minerve (150). Il n'hésite pas à affirmer que Marcilly doit son nom à celui qui la fonda et qui « y establit aussi sa religion » (151). En fait, nous découvrirons que la religion honorée dans le Forez de *L'Astrée* n'est pas pure, car, selon les besoins du récit, les diverses croyances se mêlent. L'impression générale voulue par l'auteur était celle de la paix et de la pureté des origines, mais le récit romanesque oblige à des variations de détails.

Il convenait à Honoré d'Urfé de donner une origine à la lignée de ceux et de celles qui gouvernent le pays. Galathée rapporte une série de légendes qui concernent Diane en Forez, puis ses ancêtres dont l'autorité fut incontestée (152). L'histoire se mêle ainsi au merveilleux, fruit à la fois de textes et d'imagination, plus que de légendes qui se seraient racontées dans le pays. Il n'est pas impossible, cependant, que l'allusion aux géants qui auraient habité les monts Cémene et Gebenne appartienne à un vieux fond de légendes foréziennes : beaucoup de provinces conservent dans leur folklore des récits dont les géants sont les héros. Il était ainsi aisé, pour Honoré d'Urfé, d'insérer dans son roman l'intervention d'Hercule, le grand justicier, mais dont la présence se justifie surtout par un désir de glorification du pays conforme à une tradition (153). L'histoire proprement dite du Forez tient donc une place relative dans l'ensemble de *L'Astrée*, mais prend une signification importante, dans la mesure où elle isole cette province, pour en faire un pays à la destinée heureuse. Nous ne pouvons en tirer la preuve

---

(148) *Astrée*, I, 2, 46 ; I, 2, 59 ; IV, 7, 438. Il semble bien qu'en fait jusqu'en 406 environ, le pays fut assez tranquille. Voir A. Bernard, *Histoire du Forez*, t. I, p. 63. La Mure situe en 724 une irruption de Goths et de Visigoths qui venaient d'Espagne et du Languedoc et se livrèrent à des pillages, et en 735 une seconde irruption des Goths et il cite Belleforest : « environ l'an sept cent trente cinq, les Visigoths joins à une infinie multitude de Mores conduits par Athin lieutenant en Espagne de Miramolin, des Arabes et Sarrazins ravagerent outre plusieurs autres païs, la Provence, le Dauphiné, le Lyonnois, Forest et Beaujolais. » (*op. cit.*, pp. 225-226). La Mure rapporte encore les ravages commis par les Sarrasins à Marcilly (*op. cit.*, p. 228).

(149) *Astrée*, III, 9, 476-477.

(150) *Ibid.*, IV, 5, 235.

(151) *Ibid.*, Marcilly était la ville de Marcellus.

(152) *Ibid.*, I, 2, 46.

(153) Voir *infra*, ch. III, sur l'histoire dans *L'Astrée*.

de l'érudition d'Honoré d'Urfé : il n'a retenu que ce qui était nécessaire à son ouvrage et lui a conféré une teinte de couleur locale. Esprit du XVIe siècle formé par son milieu social à la curiosité du passé, il n'est pas resté indifférent aux sujets d'entretien des lettrés. Son frère Anne avait subi l'influence des Papon, Honoré fut aussi à leur école et, semble-t-il, en ce domaine de l'histoire, surtout à celle de Jean.

N'est-ce pas dans l'œuvre de ce dernier qu'il a acquis les connaissances juridiques dont il fait parfois étalage ? Les procès d'amour mettent en scène un appareil judiciaire qu'il a, certes, connu lui-même, au cours des procès dans lesquels il fut impliqué ou qu'il a intentés (154). Mais, certaines remarques nous inclinent à penser qu'il lut ou parcourut les ouvrages de Jean Papon, ou qu'il entendit celui-ci parler de ces singularités juridiques qui fournissent de curieux détails dans le cours du roman de *L'Astrée*. Ces connaissances, qui peuvent passer parfois pour un vain étalage d'érudition, lui permettent de donner plus de variété et de vie à ces cas d'amour qu'il analyse au long de *L'Astrée*. Son étude est plus minutieuse, plus précise et plus approfondie que celle des cas d'amour que l'on connaissait au XVIe siècle, comme les *Arrets d'amour* de Martial d'Auvergne (155). Il manque à ceux-ci l'appareil judiciaire, la saveur des harangues, les subtilités d'analyse qui donnent vie et précision aux procès, constituent l'un des agréments de *L'Astrée* et s'élèvent parfois jusqu'aux finesses de la pensée philosophique.

Honoré d'Urfé avait lu Valère Maxime, dont l'œuvre figurait dans la bibliothèque de La Bastie. C'est là qu'il a puisé ces renseignements si précis sur le Conseil des 600, qui accorde ou refuse le droit de se donner la mort (156). L'insertion de cette loi donne l'occasion d'une analyse psychologique et morale et, en outre, elle permet de s'interroger sur le suicide, cas de conscience qui est longuement débattu. Mais n'est-ce pas dans l'œuvre de Jean Papon qu'il a glané cette autre loi ? Si une femme revendique pour mari celui qui est condamné à mort, celui-ci est grâcié. Jean Papon cite cette loi dans ses *Arrests notables* (157).

Honoré d'Urfé fait souvent appel au droit, quand il s'agit du mariage, problème débattu au XVIe siècle et dans *L'Astrée* qui est

(154) Les sentences de ces jugements respectent le vocabulaire et le style judiciaires. Voir, par exemple, *Astrée*, III, 9, 520, IV, 3, 155, IV, 6, 347. Adamas se comporte comme un juge qui, pour instruire le procès, pose une série de questions ; voir, par exemple, le jugement d'Alcippe et de Daphnide (III, 4, 217). Chaque fois, l'affaire est instruite avec précision et la sentence est rendue après mûre réflexion. Léonide, chargée de rendre un jugement, commence ainsi sa sentence : « Toutes choses longuement debattues et considerées... » *Astrée*, II, 72).

(155) Martial d'Auvergne, dit de Paris, *Les Arrests d'amour*, 1460. Ils ont été réédités par J. Rychner, Paris, 1951.

(156) *Astrée*, II, 12, 552 sq. Valère Maxime, *Faits et paroles mémorables*, II, 6. Le Conseil des Six cents qui siège chez les Massiliens est appelé à statuer sur le cas d'Ursace et d'Olimbre qui ont demandé le droit de se donner la mort.

(157) *Astrée*, IV, II, 679. Jean Papon, *Recueil des Arrests notables*, éd. de 1685, I, p. 827. Cette même loi est évoquée par Nicolas de Montreux et utilisée de la même façon que par Honoré d'Urfé (*Bergeries de Juliette*, I, f. 276 r°).

un écho des grands débats à la mode. Nous nous apercevons que ce problème est aussi longuement étudié par Jean Papon, dans ses *Notaires* ou ses *Arrests notables*.

Les connaissances juridiques d'Honoré d'Urfé ne relèvent pas d'une érudition, ni même, semble-t-il, d'un enseignement spécial qu'il aurait reçu. Ces problèmes ont pu être évoqués par le juriste Papon, au cours de conversations tenues, soit à Montbrison, soit à La Bastie, soit à Goutelas. Comment, traitant de l'amour et donc du mariage, un sujet d'actualité et qui le touchait profondément, n'aurait-il pas consulté les ouvrages du grand juriste ? Mais, dans *L'Astrée*, le droit cesse d'être étudié pour lui-même, afin d'être utilisé dans un but romanesque : il devient souvent point de départ d'une situation tragique. La formation et les influences subies en Forez ne sauraient être étrangères à toutes ces connaissances juridiques et historiques.

***

Comment un auteur aussi sensible qu'Honoré d'Urfé aurait-il, consciemment ou inconsciemment, composé une œuvre romanesque qui ne fût pas le reflet de son enfance et de son adolescence ? Loin du Forez, les visages de ceux qu'il a aimés, leurs conversations et leurs préoccupations jaillissent à son esprit et se coulent sous sa plume. Des renseignements précis se présentent à sa mémoire, peut-être soutenus par des textes, mais les souvenirs transforment, transfigurent les êtres et les choses qui furent familiers.

Les lieux parcourus dans l'enfance, peut-être plus ou moins longuement, à des âges plus ou moins différents, reviennent, avec certaines précisions, à la mémoire d'Honoré devenu adulte : il a près de quarante ans, quand il compose définitivement la première partie du roman. Ces précisions appartiennent aux visions qui ont frappé son jeune âge : les jardins de La Bastie où il a joué, la salle de fraîcheur avec ses grottes et ses statues. Mais, déjà, son imagination a bâti des histoires fantastiques, frappée qu'elle fut par certaines figures étranges qui décoraient le château. Ce monde du merveilleux et même du fantastique, qu'est celui de l'adolescence (158), n'avait plus qu'à être exploité par l'écrivain, mais il resta profondément enraciné dans le Forez.

Les éléments fournis par l'histoire ou la tradition locale ont permis à l'adolescent de se construire un monde utopique qui deviendra celui de *L'Astrée*. Le Forez que nous propose l'auteur n'est pas historique, mais le sien, construit à partir d'éléments fournis par l'histoire, et chargé d'affectivité. Le Forez libre de l'Antiquité devient ce monde rêvé de paix et de bonheur. Le lecteur se trouve constamment placé ainsi à la frontière du réel et de l'imaginaire.

L'absence, et plus tard, l'exil loin du Forez ont accusé ces traits. Si, comme la plupart des enfants du XVIe siècle, Honoré

---

(158) Voir, à ce propos, la communication de M. Debesse, « Le pays de l'Astrée », in *BD*, 1970, n° spécial, pp. 31 et sq. et pp. 154 sq.

d'Urfé fut frustré de son enfance, si celle-ci ne fut ponctuée que de trop brefs séjours en Forez, nous nous expliquons le rôle de l'imaginaire. Le château de La Bastie et le Forez deviennent l'image du bonheur. Le thème de la maison est « sous-jacent à tout le roman » (159). Son reflet brille en effet dans la maison de l'oncle d'Astrée et dans la grotte de Damon et de Fortune. Les personnes qui fréquentaient La Bastie vont hanter le roman. Quand Honoré d'Urfé évoque le château de son enfance, il ne s'agit pas de littérature. C'est là que s'est développé son regard d'artiste. Plutôt qu'un érudit, il faut voir en lui l'écrivain qui a subi l'influence de ce milieu cultivé du XVIe siècle, pour qui les arts faisaient partie intégrante de la culture. Il a participé à son rêve de jeune homme, à l'illusion qui sera la marque du monde de *L'Astrée*. Ce besoin de créer un tableau ressemblant, le plus proche possible de la vérité, n'est autre qu'une façon de donner naissance à l'illusion. La création et la critique d'art se rejoignent ainsi. Tout tend à nous laisser croire que le « lieu de sa demeure » devint pour d'Urfé un peu comme le paradis ; ou bien il le voulut tel.

---

(159) *Ibid.*, p. 39.

CHAPITRE II

LA FORMATION AU COLLEGE DE TOURNON

La formation d'un esprit comme celui d'Honoré d'Urfé ne peut se comprendre sans un examen approfondi de l'enseignement qu'il reçut au collège de Tournon. Déjà imprégné d'humanisme par le milieu cultivé dans lequel il passa son enfance, d'un esprit sans cesse sollicité par les préoccupations intellectuelles de ceux qui l'éveillent à la culture, il lui manque cette discipline de la volonté et du caractère, cet apport d'érudition, cet assouplissement méthodique de l'intelligence qui ne porte ses fruits que quand elle est soumise à la rigueur du raisonnement, cet enseignement de la morale et la pratique de la spiritualité qui contribuent à former l'homme. Arraché à son milieu, déraciné en quelque sorte, Honoré d'Urfé va s'initier au langage et au monde des idées. Les Jésuites, qui furent ses professeurs, surent en faire une tête bien pleine, mais surtout bien faite. La science qu'il acquit compléta la première formation reçue dans le milieu familial, sans en faire un homme coupé des réalités. Les maîtres de Tournon, comme ceux de tous les autres collèges de Jésuites, cherchaient à mettre leurs élèves en état de tout tenir, à les préparer à tout comprendre et à tout dire et non point à en faire des puits de science. Il ne s'agissait pas pour eux de remplir l'esprit, mais de « faire les fondements », d'« enseigner duement les principes et commencements nécessaires pour les hautes facultés », de provoquer l'étincelle d'un enthousiasme générateur d'effort (1).

Brèves sont les confidences d'Honoré d'Urfé sur son séjour au collège. Tout au plus, Silvandre fait allusion à la formation intellectuelle qu'il reçut « aux escoles des Massiliens ». Mais nombreuses sont les pages qui portent la marque de l'enseignement recu, où l'on découvre l'esprit formé à l'érudition et à la morale, où l'on peut aisément saisir l'influence de maîtres rompus aux subtilités de la logique. Il est assurément impossible de travailler plusieurs années sous la direction de professeurs sans fortement subir l'empreinte de leur enseignement. Des habitudes de pensée et une culture s'acquièrent pour jamais et viennent se superposer, puis se mêler au premier éveil de l'esprit, pour finalement se confondre avec le caractère et composer l'homme. Chez un écrivain, c'est une manière

(1) F. de Dainville, *La naissance de l'humanisme moderne,* t. I, p. 69.

de sentir, d'écrire, de voir le monde, qui se constitue. Honoré d'Urfé et St François de Sales quelques années plus tard sont tributaires de l'éducation reçue chez les Jésuites. Il nous appartiendra de rechercher les grands principes de cet enseignement et de comprendre ainsi les idées qui sollicitèrent l'esprit du jeune Honoré, déterminèrent sa pensée et l'invitèrent à camper les personnages de son roman, à les faire raisonner et agir, à énoncer les principes de sa morale qu'il expose dans ses *Epistres* et dans *L'Astrée*.

***

I. — Le collège de Tournon.

Il est inutile de rappeler ici, par le détail, l'histoire de la fondation du collège de Tournon (2), en 1536, par le Cardinal François de Tournon, ami de François Ier. Celui-ci voulut surtout contribuer à l'épanouissement des « bonnes lettres », combattre les « desseins de la pernicieuse hérésie », en faire un « séminaire de la vraie et docte institution au vrai Christianisme », une académie « dressée en toutes nobles et franches études » (3). Les contemporains ne tarissent pas d'éloges sur ce nouveau collège qui devait être l'honneur de Tournon et grande fut sa réputation, puisque les élèves y furent nombreux, originaires de diverses régions de la France. Une atmosphère assez cosmopolite devait y régner, puisque des Italiens le fréquentèrent et les accents étrangers s'y mêlaient à ceux des provinces françaises. Au fur et à mesure que s'écoulaient les années, le collège ne fit que prendre de l'importance. Tous écoliers « indifféremment » y étaient reçus et « gratuitement enseignés, sans payer aucune chose » (4). L'Université ne prit naissance qu'en 1548 et fut définitivement constituée en 1552. Cependant, ce ne fut jamais une Université entière en toutes facultés, mais de philosophie et d'arts libéraux. Si l'enseignement de la théologie y fut introduit plus tard, celui de la médecine et de la jurisprudence n'y fut jamais autorisé. Les lettres patentes d'Henri II nous indiquent les grandes lignes de l'enseignement : « Lettres latines, grecques, hebraïques, caldes et l'art de grammaire et morale et naturelle philosophie ». La ville de Tournon pouvait s'enorgueillir d'une telle fondation :

---

(2) L'histoire du collège de Tournon a été écrite par M. Massip, *Le Collège de Tournon en Vivarais d'après des documents originaux inédits*, Paris, Alphonse Picard, 1890. Voir également H. Fouqueray, *Histoire de la Compagnie de Jésus en France, des origines à la suppression (1528-1762)*, Paris, Picard, 1910-1925, 5 vol., particulièrement le t. I, *Les origines et les premières luttes (1528-1575)*, pp. 288-304 ; P. Delattre, *Les établissements des Jésuites en France depuis quatre siècles*, Enghien, 1940, 5 vol. ; C. Sommervogel, *Bibliothèque de la Compagnie de Jésus*, Bruxelles-Paris-Toulouse, 1890-1932, 11 vol. ; *Livre d'or du Lycée de Tournon sur Rhône, IVe centenaire 1536-1936*, St-Felicien-en-Vivarais, éd. du Pigeonnier, 1936 ; O.C. Reure, *op. cit.*, pp. 20-21.

(3) *Arch. dép. de l'Ardèche*, E 204, cité par M. Massip, *op. cit.*, p. 5.

(4) M. Massip. *op. cit.*, p. 10.

> « On voit à Tournon, [écrit le Chancelier de l'Hôpital], une école vaste et superbe où les études sont florissantes. L'aîné des Tournon, après l'avoir fondée à ses frais et consacrée aux muses, l'a enrichie de revenus immenses, sur lesquels on paye le traitement des professeurs étrangers et on pourvoit à l'entretien des enfants et des jeunes gens pauvres. C'est là que, du Dauphiné et du fond de la Provence, la jeunesse vient se former aux arts sacrés de Pallas. » (5)

En 1561, la Société de Jésus prit possession de cet établissement qui devint le plus célèbre du Midi de la France. Ce ne fut pas pour très longtemps, car, en 1562, les Pères du collège durent quitter la ville, contraints par le Baron des Adrets. Celui-ci avait mandé au Comte Just, neveu du Cardinal, qu'il épargnerait à Tournon une invasion à main armée à trois conditions : la suppression de la messe, l'expulsion des Jésuites et la reddition du château. Plus ou moins déguisés, les Pères quittèrent la ville et se regroupèrent au collège de Billom (6). Le collège ne devait connaître leur retour qu'en 1563, après l'édit de pacification (7). Ces religieux, qui s'étaient trouvés près du martyre et dont la foi était inébranlable, livrèrent une lutte sévère contre l'hérésie. L'enseignement au collège de Tournon sera, dès lors, marqué par un soin constant apporté à la théologie catholique, afin de préparer les élèves à supporter victorieusement les assauts du protestantisme et les tourments de la vie. En 1564, le collège de Tournon comptait quinze religieux, parmi lesquels quatre prêtres (8). Leurs vicissitudes n'avaient pas pris fin, puisqu'en 1567 ils furent à nouveau contraints d'abandonner leur collège, menacés par les Huguenots résolus à faire des Jésuites les victimes de leur vengeance. Exhortés par le P. Mathieu, alors recteur du collège, à mourir pour leur foi, s'il le fallait, ils se dispersèrent et purent heureusement parvenir à l'abri qui leur avait été assigné. Le collège de Tournon rouvrit ses classes l'année suivante (9). Le nombre des élèves s'accrut et il n'y avait aucune crainte pour les parents de voir leurs enfants « ambabouinés de la secte nouvelle » (10). En 1577, « les escoliers croissent de jour en jour en ce collège, de manière que les trois premières classes sont très bien formées. L'humanité en a environ 50, la rhétorique 34, la logique 14 ou 15, la physique 12 et la theologie aussi laquelle enseigne le P. Balmèse avec plus de contentement de ses auditeurs que son prédécesseur. » (11)

---

(5) *Iter Nicaeum*, in *Epistolarum libri VI*, Paris, 1585, livre V, cité par O.C. Reure, *op. cit.*, p. 20.

(6) H. Fouqueray, *op. cit.*, t. I, pp. 302-303.

(7) M. Massip, *op. cit.*, pp. 31 sq.

(8) H. Fouqueray, *op. cit.*, t. I, p. 328.

(9) Id., *ibid.*, p. 621.

(10) Anne d'Urfé, *Ms. B.N.*, fds frs, 12487, f. 132 r°, *Au lecteur*, cité par C. Longeon, *op. cit.*, p. 177. Renée de Savoie avait, à cause des réponses légères faites par Anne d'Urfé, refusé de le mettre au collège, de crainte qu'il ne subît la contagion des idées nouvelles.

(11) *Arch. Rom. Societatis Jesu, Gal. Aquitan.*, 89, f. 366 v° (le premier chiffre indique le n° du volume). Il s'agit ici d'une lettre du Père Arnaud Voisin au Père Mercurian, du 10 décembre 1577.

Il est possible qu'en cette année-là Honoré d'Urfé fut à Tournon. Mais la question n'est pas simple à résoudre à cause du système pédagogique en vigueur dans les collèges de Jésuites à cette époque. Théoriquement, il y avait cinq « scholae » de lettres : rhétorique, humanités, première, deuxième et troisième années de grammaire, numérotées 1, 2, 3, 4, 5. Mais la « schola » était une entité considérée du point de vue de l'unité de programme. Elle pouvait se diviser en plusieurs classes, si les élèves étaient trop nombreux. Ceux-ci étaient alors répartis en fonction de leur force. La « tertia schola », notamment, était assez souvent coupée en deux classes qui prenaient alors, dans la numérotation générale, les numéros 5 et 6. Tournon semble n'avoir pas connu de sixième à cette époque. Honoré d'Urfé est donc entré en « quinta schola », s'il a accompli à Tournon la totalité de ses études. Il devait alors posséder les rudiments du latin comme ses condisciples. Mais il n'est pas possible de conclure du nombre de classes au nombre d'années d'études, ce qui rend notre tâche délicate (12).

En effet, le passage d'une classe à l'autre n'était pas affaire d'âge mais de savoir. Un examen avait lieu à l'entrée au collège (13) et le Préfet des études plaçait les élèves dans une classe où l'enseignement était du niveau de leur capacité. Des élèves venaient d'autres établissements, certains autres avaient reçu, dans leur famille ou dans les petites écoles, des notions de latin, et ce fut peut-être le cas d'Honoré d'Urfé et de ses frères. D'autre part, au cours des études s'opérait, par voie d'examen, une véritable promotion personnelle : pour qu'un élève pût passer dans la classe supérieure, il devait subir un examen qui fît la preuve de ses connaissances. Ces examens avaient lieu tous les trois mois dans les classes de grammaire, au début de l'année en humanités, deux fois l'an dans les autres classes. Les élèves de la classe d'humanités devaient donc tous obligatoirement suivre un enseignement d'une année. Souvent, l'étude du programme de rhétorique s'étendait sur deux ans, ce qui s'imposait pour des élèves qui n'avaient parfois que 11 ou 12 ans (14). Il en était d'ailleurs ainsi à Tournon. Le Père Claude Mathieu, celui qui fut le « Courrier de la ligue », après avoir visité le Collège en février 1579, laissa, parmi tant d'autres, la consigne de garder les élèves deux ans en classe de rhétorique (15). Quant au cours de philosophie, il était étalé sur deux ans, puis sur trois ans, comme, semble-t-il, ce fut le cas à Tournon (16). Nous pouvons considérer qu'en cas de passage normal d'une classe à l'autre, c'est-à-dire comme devait se comporter un

(12) Voir F. de Dainville, *op. cit.*, pp. 85-89.

(13) Id., *ibid.*, p. 89. L'entrée au collège n'avait jamais lieu avant l'âge de 7 ans.

(14) A propos de ce système pédagogique mis en place dans les collèges de Jésuites, voir F. de Dainville, *op. cit.*, pp. 281-289. Commencées parfois aux alentours de l'âge de 7 ans, les études au collège pouvaient se terminer vers 14 ou 15 ans. Ce n'était pas exceptionnel.

(15) *Gal. Aquitan.*, 58, f. 161 v°, « Retineantur ordinarie scholastici biennium in classe rhetorica. »

(16) Une lettre du 16 septembre 1584 fait remarquer que Guillaume Sardes, professeur de philosophie, a eu de la peine à faire son cours en deux ans.

élève moyen, les études duraient de huit à neuf ans : trois années de grammaire, une d'humanités, deux de rhétorique et deux ou trois années de philosophie.

Nous savons d'une façon certaine qu'Honoré d'Urfé était au collège de Tournon le 24 avril 1583, en compagnie de ses frères Christophe et Antoine, puisqu'il prit une part active aux manifestations qui eurent lieu en l'honneur de l'entrée solennelle de Madeleine de La Rochefoucauld, nouvellement mariée à Just Louis de Tournon. C'est lui qui fut chargé d'écrire une relation de ces fêtes publiée sous le titre, *La Triomphante Entrée de Madame Magdeleine de la Rochefoucauld,* un petit volume de 130 pages (17). Il était encore au collège le 2 juillet 1583, puisque la dédicace de cette première œuvre est ainsi datée : « A Tournon, de nostre estude, ce deuxiesme de Juillet, jour de la Visitation Nostre Dame, mil cinq cens quatre vingts et trois ». Si, comme le fait remarquer le Chanoine Reure, nous admettons que cette année 1583 fut la dernière qu'il passa au collège (18), il faut penser que son inscription eut lieu vers 1574 ou 1575. Il aurait été âgé de 7 ans ou 8 ans environ, ce qui n'est pas impossible. Mais il a pu franchir beaucoup plus rapidement les premiers degrés d'instruction et n'entrer au collège que vers 1576, c'est-à-dire à l'âge de neuf ans, ou plus tard, s'il accomplit quelques années d'études dans une « petite école ». Dès lors, nous ne pouvons absolument rien dire de certain sur l'élève Honoré d'Urfé, sinon, à en juger d'après la *Triomphante Entrée,* qu'il était presque au terme de ses études, en 1583 ; aurait-il été chargé d'un tel travail, s'il ne s'était trouvé qu'au début des études de philosophie ?

Les confidences d'Honoré d'Urfé sur son séjour à Tournon sont inexistantes : une espèce de pudeur semble planer sur cette période. Pourtant, cette vie au collège dut avoir une importance considérable pour l'auteur de *L'Astrée* : là se sont passées son enfance et sa première adolescence, âge plus que tout autre sensible et influençable, au cours duquel se forgent la volonté et la personnalité. Le roman n'a pas permis à notre auteur de livrer à ses lecteurs tous ses souvenirs les plus chers, mais, plusieurs fois, Silvandre rappelle qu'il fut élève aux « Escoles des Massiliens ». S'agirait-il d'allusions au collège de Tournon ? La question vaut la peine d'être examinée. Pour ce faire, il convient d'analyser ce qu'Honoré d'Urfé nous dit de cette école.

Hylas, comme Silvandre, y fut élève (19). L'enseignement reçu rendait « honneste homme » :

(17) Voir O.C. Reure, *op. cit.,* pp. 21 sq.
(18) Id., *ibid.,* p. 27.
(19) *Astrée,* II, 9, 387. Silvandre rappelle à Hylas qu'il a dû apprendre « dans les escoles des Massiliens que l'entendement qui entend, et ce qui est entendu, ne sont qu'une mesme chose. » Silvandre déclare que, quant à lui, il fut envoyé « aux escholes des Phocenses Massiliens », où il demeura jusqu'à ce qu'il eût fini ses études (*Astrée,* II, 12, 487). C'est une sorte de prestige qui s'attache à cette formation reçue, puisque Hylas, au cours d'une dispute, fâché d'être considéré comme inférieur dans l'argumentation, déclare aux bergères qui assistent au débat : « ...vous croyez toutes Silvandre comme un oracle, et sous prétexte, qu'il a esté aux escholes des Massiliens, vous admirez

« L'on a eu tant de soing de moy, [dit Silvandre], que pour me rendre honneste homme j'ay esté nourry en tous les plus beaux exercices où la jeunesse puisse estre employée, si bien qu'il n'a tenu qu'à mon peu d'entendement si je n'ay beaucoup appris. » (20)

Ces exercices n'étaient pas uniquement ceux de l'esprit, mais concernaient le corps, puisque les études s'interrompaient pour laisser place à la détente :

« Et parce qu'il y avoit tousjours fort bonne compagnie, lors que nous n'estions point sur nos livres, nous faisions divers exercices. Quelquefois nous assemblant sur le bord de la mer, nous luttions, nous courions, sautions, ou jettions la pierre; d'autresfois quand il faisoit chaud, nous nagions, chassant de ceste sorte le plus que nous pouvions l'oysiveté qui véritablement est la mère des vices. » (21)

Bouffée de souvenirs embellis, transposés par l'imagination, et qui fait de cette école, non point « une géhenne de jeunesse captive », mais une agréable Académie où se forment l'esprit et le corps, dans un harmonieux équilibre d'exercices intellectuels et physiques.

A en juger d'après les discours subtils et parfois érudits de Silvandre, ces écoles des « Massiliens » ne devaient rien négliger, pour orner de science les esprits des élèves. Il s'agit, d'ailleurs, non point d'une simple école, mais d'une Université : « Aux Universitez des Massiliens en la province des Romains », ce qui laisse entendre qu'elle ne dispensait pas seulement l'enseignement de la grammaire et des humanités, mais encore un enseignement supérieur, celui de la rhétorique et surtout de la philosophie. Des précisions, d'ailleurs, nous sont données par Silvandre. Il déclare qu'il y fut instruit « en toute sorte de doctrine, mais que rien ne lui fut plus agréable que les lettres » (22). La mythologie ne lui est pas étrangère :

« J'ay appris dans les Escoles des Massiliens que Promethée fut d'un esprit si subtil qu'il monta au ciel et déroba le feu des dieux avec lequel il anima la statue qu'il avait faite, et que, pour punition de ce larcin, il fut attaché sur un rocher où un aigle luy dévore continuellement le foye. » (23)

Il se sert de cet exemple pour illustrer sa thèse philosophique, unissant ainsi l'érudition littéraire à l'argumentation. Parmi ces « doctrines » dans lesquelles il fut instruit, figure, en effet, la philosophie. Silvandre aime « disputer », surtout avec Hylas, un

---

tout ce qu'il dit et vous semble qu'il a tousjours raison. » (*Astrée,* II, 9, 385.) Hylas reconnaît que, malgré ses études dans les « escholes des Massiliens », il a des difficultés pour comprendre les propos de Silvandre sur l'amour : « Par Tautatès, vous le prenez bien haut ; encore que j'aye long temps esté dans les Escoles des Massiliens, si ne puis-je qu'à peine vous suivre. » (II, 6, 264) Rien n'indique qu'Hylas fut condisciple de Silvandre ; il semble d'ailleurs plus agé que lui.

(20) *Astrée,* II. 12, 487.

(21) *Ibid.,* II, 12, 487.

(22) *Ibid.,* I, 8, 276.

(23) *Ibid.,* III, 10, 524.

adversaire moins averti et moins subtil, mais plein d'esprit. Le sujet familier de ces longues controverses est l'Amour, celui

> « que ceux qui enseignent dans les escoles des Massiliens disent estre le premier des dieux qui sortit hors du chaos, apres avoir osté la confusion et le désordre de ceste inutile et lourde masse, et separé les choses mortelles des immortelles, voulut esclairer dessus toutes, et en les esclairant leur donner la vie et la perfection. » (24)

Silvandre a reçu une formation au raisonnement rigoureux qui a ses règles, notamment celle, la première de toutes, de ne jamais nier les principes (25).

De quelle école s'agit-il donc ? La première explication qui vient à l'esprit est de considérer les « escoles des Massiliens » comme le collège de Marseille où aurait été élevé Honoré d'Urfé. Calquant la vie de l'auteur de *L'Astrée* sur celle de Silvandre, et forts de ces diverses allusions aux « escoles des Massiliens », des biographes n'ont pas hésité à bâtir une véritable légende : né à Marseille, Honoré y aurait été élevé par son oncle et confié au collège qui fut établi par les Patentes de Charles IX du 16 Août 1571 (26). Mais, cet établissement communal ne comptait que cinq régents et, par conséquent, ne pouvait dispenser un enseignement de philosophie. Cependant, nous avons noté que certains élèves n'entraient au collège qu'une fois accomplies les études dans les « petites écoles ». Rien n'empêche de penser qu'Honoré d'Urfé a été élève du collège de Marseille, puisqu'il a séjourné dans la région en compagnie de ses frères et de sa mère venue y régler ses affaires. Cela, pourtant, n'explique pas l'expression, « Universitez des Massiliens ».

Il convient donc de considérer que ces « escoles » fréquentées par Hylas et Silvandre ne sont autres que le collège de Tournon. Tout semble concorder : un enseignement littéraire et philosophique, des temps de loisirs où les élèves s'adonnent aux jeux. Mais ne peut-on chercher à expliquer pourquoi Honoré d'Urfé a baptisé « escoles des Massiliens » ou « Universitez des Massiliens en la province des Romains », cet établissement où il fit ses études ? Y avait-il à Tournon des maîtres originaires du Midi, de Marseille ? Rien ne permet de soutenir cette affirmation (27). Des élèves originaires de beaucoup de provinces fréquentaient le collège de Tournon. Cent-deux étudiants sont nommés dans la *Triomphante entrée* (28) : 5 Vivarois, 6 Foréziens, 5 Contadins, 10 Dauphinois, 4 écoliers du Velay, 1 du Gévaudan, 10 Lyonnais, 3 Languedociens,

---

(24) *Ibid.*, III, 10, 527. Voir *infra*, IIe partie, ch. IV.

(25) *Astrée*, IV, 3, 112 : « Ceux qui m'ont enseigné dans les escoles des Massiliens, entre les autres preceptes qu'ils m'ont donnez, l'un des premiers a esté de ne disputer jamais contre ceux qui nient les principes. »

(26) Voir, à ce propos, N. Bonafous, *Etudes sur l'Astrée et sur Honoré d'Urfé*, pp. 17 sq., et p. 17, n. 3 ; A. Chagny, *Un ligueur, Honoré d'Urfé*, p. 30, n. 2.

(27) Nous ne possédons pas de renseignements précis sur l'origine des professeurs de Tournon, sauf sur les PP. Valentin et Sardes.

(28) Voir l'article d'A. Le Sourd, « Au Collège de Tournon sous Henri III », in *Revue du Vivarais*, t. XXIV (1929), pp. 107-114.

5 Auvergnats, 9 Savoyards, 3 Italiens, 37 écoliers de diverses autres régions et 4 Provençaux ; ceux-ci, dont nous connaissons le nom, ne sont pas complètement identifiés et il n'est donc pas possible de faire des rapprochements (29). Il faut cependant remarquer que ces 102 noms sont ceux des élèves les meilleurs et qui fréquentaient, sans doute, les classes de rhétorique ou de philosophie. Peut-être la proportion des Provençaux était-elle encore beaucoup plus importante, mais il nous faut renoncer à le savoir, puisqu'aucune liste ne subsiste (30). Il est cependant possible qu'Honoré d'Urfé ait rencontré, parmi ces Provençaux qui furent ses condisciples, celui ou ceux dont il croqua le portrait dans le personnage d'Hylas. Ne peut-on découvrir, ici ou là dans *L'Astrée,* des allusions personnelles aux amitiés de l'auteur au temps de ses études à Tournon, où devaient se trouver des Hylas ou des Silvandres (31) ?

Ces diverses considérations ne sont pas encore suffisantes pour expliquer totalement l'expression « Ecoles des Massiliens ». Ni les professeurs, ni les élèves provençaux n'étaient assez nombreux pour justifier une telle appellation. Le Chanoine Reure écrit que « ce n'est pas cependant sans intention qu'Urfé, dans *L'Astrée,* a pris plaisir à rappeler le pays où une circonstance fortuite avait mis son berceau, et qu'il pouvait considérer comme sa demi-patrie. Hylas, le plus original et le plus amusant des héros du livre, est un provençal, un homme de la Camargue (32), Silvandre, le platonicien du roman, n'est pas né en Provence, mais il fait ses études à l'Université des Massiliens » (33). A cela s'ajoutent d'autres indices : la description de la fontaine de Vaucluse, l'expédition d'Euric au pays d'Arles, et de nombreuses aventures situées en Provence. Qu'Honoré d'Urfé ait voulu ainsi honorer Marseille où il vit le jour, comme il a glorifié le Forez, c'est fort possible. Les considérations affectives ne peuvent être étrangères à cette recherche d'explication : ainsi, l'école des Massiliens serait comme le résultat de souvenirs d'enfance transformés, transposés et, pour ainsi dire, incorporés dans un ensemble qui forme le paradis perdu d'Honoré d'Urfé. L'auteur de *L'Astrée* cherche à dépayser son lecteur. L'ac-

---

(29) Ce sont : Ansel. Achin. de Marseille, I.H. Aïcardus, Massil., L.A. d'Aix en Prov. et Sablatier d'Arles. L'arlésien Sabbatier (et non Sablatier qui semble une erreur d'impression) est un membre de l'illustre famille Sabbatier. L'un est connu comme compagnon d'Henri IV et fit construire le château de l'Armeillière qui existe aux environs d'Arles. Il est difficile d'identifier les autres condisciples provençaux d'Honoré d'Urfé. Parmi les 102 étudiants cités dans la *Triomphante Entrée,* nous relevons les noms de six Foréziens : Honoré d'Urfé, chevalier de Malte, Christofle d'Urfé, Dio. Fromagius, Forisiensis, de la Garde, Foris., An. d'Urfé, Alex. Bolliondus, Forisien. An. d'Urfé est évidemment Antoine d'Urfé. Denis Fromage appartenait à la famille qui devait tenir au XVIIe siècle un rang important à Saint-Etienne.

(30) Les régistres matricules comportant les noms des élèves qui ont fréquenté les collèges des Jésuites existaient au XVIe siècle. Très peu ont été retrouvés. Ils ont sans doute été détruits au fur et à mesure qu'ils devenaient inutiles.

(31) Voir la communication de M. Debesse, « Le Pays de l'Astrée », in *Colloque commémoratif du 4e centenaire de la naissance d'Honoré d'Urfé,* BD, n° spécial, 1970, p. 35.

(32) *Astrée,* III, 7, 351.

(33) O.C. Reure, *op. cit.,* p. 2.

tion se situe au ve siècle, mais se réfère à des faits dont la chronologie est plus ou moins fantaisiste. Il est vrai que *L'Astrée* est un roman et non point un manuel d'histoire. Mais il ne serait pas étonnant que d'Urfé eût été naturellement porté, pour des motifs humanistes, outre des raisons affectives, à évoquer la gloire antique de Marseille, « en la province des Romains ». Au temps de Tacite, elle était la reine de l'éloquence, dans les Gaules, et la maîtresse des études littéraires. Dans *La Galliade,* Guy Le Fèvre de la Boderie vante la gloire de Marseille en ces termes :

> « Et qui ne sçait combien Marseille a eu d'honneur,
> De gloire, d'ornement, de renom, et bon-heur
> Pour ses hommes lettrez, et Escolles publiques,
> Où devant les Cesars les Rommains plus antiques
> Envoyoient leurs enfants pour apprendre les lois,
> Les coustumes et meurs de nos sçavans Gaulois ? » (34)

L'explication est là encore : le collège de Tournon était l'Athènes du XVIe siècle, comme Marseille l'était au temps de Tacite, de Jules César ou de Cicéron ; les élèves de toutes nations et de toutes provinces fréquentaient les Universités Massiliennes comme, au temps d'Honoré d'Urfé, l'Université de Tournon, célèbre, elle aussi, pour son enseignement des lettres et de la philosophie. Des maîtres étrangers venaient enseigner en Vivarais, comme il y avait à Marseille, selon Papon, des « personnages doctes des nations estranges ». Ainsi, l'affectivité d'Honoré d'Urfé se mêle intimement à ses connaissances humanistes, pour colorer le souvenir. Placée en Provence, cette Université des Massiliens permettait à la fois la création du pittoresque personnage d'Hylas et les discussions animées entre celui-ci et Silvandre ; située à Marseille, elle lui donnait la possibilité d'évoquer des jeux et des baignades, une tempête, origine d'un épisode de l'histoire d'Ursace et Eudoxe, prétexte pour mêler Silvandre à des aventures qui accentuent le mystère du personnage. En même temps, Honoré d'Urfé évoquait sa jeunesse, il lui donnait une teinte de bonheur et il rendait hommage à ses anciens maîtres.

Pendant ce séjour au collège, de brèves vacances lui ont permis de revenir en Forez. Les Jésuites avaient su réaliser un harmonieux équilibre qui permettait la formation du corps et de l'âme (35). C'est pourquoi, afin d'éviter un surmenage intellectuel trop important, le travail ralentissait pendant l'été, et les élèves étaient renvoyés dans leur famille, de quinze jours à un mois. D'autres congés rythmaient le travail scolaire, à Noël, Mardi Gras, Pâques, Toussaint, les philosophes bénéficiant de repos plus long que les autres. C'est pendant ces vacances que notre adolescent a parfait sa culture

(34) *La Galliade ou de la revolution des arts et sciences,* f. 71 r°. Dans le Prologue du *Deuxiesme Notaire,* J. Papon fait un éloge semblable de Marseille.

(35) Saint Ignace de Loyola a donné de l'importance aux exercices physiques et l'élève était préparé à devenir le gentilhomme cultivé qui avait une place importante à occuper dans la société. Voir F. de Dainville, *op. cit.,* p. 330.

à La Bastie, profité de la conversation des lettrés et foulé les chemins que ses héros parcourent dans *L'Astrée* (36).

Hors ces temps de repos, les récréations et les rares congés pendant la période scolaire, l'élève était soumis à un dur régime de travail, reflet de cette soif inextinguible de savoir qui marque le XVIe siècle humaniste. Cet enseignement était essentiellement caractérisé par l'étude des œuvres de l'Antiquité, des sciences et de la philosophie et une constante formation morale et spirituelle. Ces caractères se révèlent dans l'œuvre d'Honoré d'Urfé.

II. — La formation de l'humaniste.

Les collèges français dirigés par les Jésuites ont calqué leur programme d'études sur celui du Collège romain qui était comme une sorte de laboratoire pédagogique de l'Ordre. C'est donc d'après le règlement du Collège romain que nous pouvons tenter de reconstituer les études que fit le jeune Honoré à Tournon. Le *Ratio Studiorum,* qui devait faire force de loi-programme dans tous les Collèges de Jésuites, ne fut promulgué qu'en 1586. Cependant, comme il est le fruit d'observations, de réflexions et de directives données par les visiteurs de la Société de Jésus, il fut, semble-t-il, ébauché dès 1575, et Honoré d'Urfé y fut plus ou moins soumis. Tandis que l'étude du grec, des humanités et de la philosophie végétait en France pendant la première moitié du XVIe siècle, au profit de la rhétorique, en Espagne et en Italie fleurissaient les études philosophiques et théologiques, au détriment de l'humanisme (37). Aussi les Jésuites insistèrent-ils sur la nécessité des humanités, de la philosophie et des sciences, en adoptant un programme d'enseignement qui imposait l'étude successive des lettres et de la philosophie. Le Cardinal de Tournon ne faisait que confirmer ce programme dans le plan d'études qu'il remit aux Jésuites en 1560 (38). L'Université de Tournon, définitivement constituée en 1552, était « une université de philosophie et sept arts libéraux » (39), qui enseigna même, plus tard, la théologie et fut habilitée à délivrer le diplôme de maître ès arts (40). L'enseignement y était assuré par des maî-

(36) Sur cette question des vacances, voir de Dainville, *op. cit.*, p. 326 ; P. Porteau, *Montaigne et la vie pédagogique de son temps,* Paris, Droz, 1935, p. 55.

(37) Voir F. de Dainville, *op. cit.*, pp. 48-51. Les Jésuites ont joué un rôle décisif dans la rénovation de la philosophie au cours de la deuxième moitié du XVIe siècle. A leurs yeux, la foi ne pouvait contredire la raison. Les réformés durent à leur tour devenir zélateurs de l'aristotélisme pour ne pas être en reste.

(38) Le Cardinal de Tournon qui n'était pas homme de lettres était cependant fortement attaché à l'étude des humanités et des sciences. Voir *Mémoires de la vie de M. de Thou,* 1711, p. 74, cité par M. Massip, *op. cit.*, pp. 283-284 ; *Arch. dép. de l'Ardèche,* fds Collège de Tournon, 1562.

(39) M. Pelisson, *Antiquité de la Famille de Tournon,* cité par M. Massip, *op. cit.*, p. 17.

(40) Les *Litterae annuae* de 1583-1584 notent que l'on a pour la première fois inauguré le baccalauréat et que la Maîtrise en philosophie a eu lieu « superiore anno ». En janvier 1584, le Recteur du collège, le P.M. Coyssard, écrit au P. Général : « Scholae florent : auditorum numerus ad mille quingentos accedit... coepimus ante studiorum instaurationem gradus litterarios

tres choisis, venus notamment d'Italie (41).

Le but des Jésuites n'était pas tant de meubler l'esprit que d'assurer la connaissance des principes et des fondements nécessaires à des études plus approfondies. Nous comprenons déjà l'origine de la culture d'Honoré d'Urfé, un esprit curieux de tout, dont l'œuvre révèle à chaque page les connaissances littéraires. La culture, dans un tel programme scolaire, s'appuyait sur le latin, langue dans laquelle tout l'enseignement était dispensé. Si une longue désaffection du grec se manifesta en France, les Jésuites surent remettre en honneur son étude, considérant sa nécessité pour une meilleure intelligence de la langue et de la littérature latines. Le *Ratio Studiorum* insistera sur l'importance du grec, nécessaire à la compréhension parfaite de la médecine, de la philosophie ou des mathématiques, puisque les meilleurs auteurs qui en ont traité ont écrit en grec.

Le collège de Tournon ne fut pas en reste dans ce domaine : en butte aux attaques des Réformés, il lui fallait rivaliser avec les hérétiques qui ne négligeaient pas cette étude. Ne jouait-elle pas un rôle prépondérant dans les questions scripturaires et théologiques (42) ? Nous savons, d'après les Lettres Patentes d'Henri II, que les « lettres latines, grecques, hébraïques, caldes et l'art de grammaire » étaient enseignés à Tournon (43). Faute de pouvoir trouver dans l'immédiat « de suffisant lecteur », l'enseignement des langues calde et hébraïque ne fut pas organisé dès la fondation du collège. Cependant, en 1579, avaient lieu « inter privatas parietes » des leçons de grec et d'hébreu (44). Cette expression, « inter parietes », signifie que ces leçons étaient destinées aux Jésuites, mais cela n'exclut pas qu'en pratique certains élèves aient pu en profiter directement ou indirectement. Il est difficile de décider, même d'après une étude précise de ses œuvres, si Honoré d'Urfé a suivi les cours de langue hébraïque qui étaient théoriquement joints à l'enseignement de la théologie. Dans *La Triomphante Entrée,* sont cités des vers en langue « hébraïque et calde », composés en l'honneur de « Dame Magdelaine de la Rochefoucauld ». Ces vers furent déclamés solennellement « à la terrasse de la porte du Doux, devant un eschaffault à reposer Madame pendant les révérances et recognoissance des escolliers et peuples de la ville » (45). Honoré d'Urfé a probablement étudié le grec. Il suffit

---

conferre. » Honoré d'Urfé a-t-il acquis les différents grades conférés par le collège de Tournon ?

(41) *Arch. dép. de l'Ardèche,* D7, lettre du Cardinal de Tournon à son neveu, citée par M. Massip, *op. cit.*, p. 29. Le Cardinal écrit que la plupart des professeurs « viendront de Rome et autres lieux d'Italie, qui seront choisis et envoyés par le Général ; qui ne se fera pas sans grands frais, mais je ne veulx rien épargner pour installer un si bon ordre. »

(42) Voir F. de Dainville, *op. cit.*, pp. 56-57, 61-82.

(43) Massip, *op. cit.*, p. 17.

(44) *Arch. rom., Gal. aquit.*, 53, f. 9 v°, « inter privatas parietes nostris... hebraice, graece praeter eam quae de conscientiae casibus habetur. » « Nostris » désigne les Jésuites. En 1584, il est question d'ouvrir un cours public d'hébreu (*Gal. aquit.*, 91, f. 204 r°v°).

(45) *Triomphante Entrée,* passage cité par le *Livre d'or du Lycée de Tournon,* p. 81.

de feuilleter *Les Epistres Morales,* pour y découvrir des citations d'Hésiode, d'Homère ou de Sophocle. S'il cite en français et en vers, nous ne pouvons en déduire qu'il ignorait la langue grecque ; rares sont les citations en langue latine que notre auteur n'ignorait pourtant pas.

Jamais l'érudition n'était inculquée pour elle-même. L'enseignement du grec et du latin s'appuyait constamment sur les textes. La « prélection » en était la pièce maîtresse. C'était à partir d'un texte lu en classe, puis commenté, que s'élaborait la leçon de grammaire, d'humanités ou de rhétorique. Si, dans les premières classes, le maître, après avoir traduit le texte, insistait sur la phonétique, la morphologie et la syntaxe, en humanités la prélection assurait la formation du goût par le contact direct avec les chefs-d'œuvre de l'Antiquité (46). Le rôle du maître était capital, parce que c'était lui qui, au cours de la prélection, suscitait l'enthousiasme des élèves, leur faisait découvrir la beauté d'une page et leur révélait le bien. En écoutant de telles lectures et leurs commentaires, Honoré d'Urfé dut s'émouvoir à la magie des charmes poétiques dont certaines pages de *L'Astrée* sont tout imprégnées, au point d'être des chefs-d'œuvre qui n'ont rien à envier aux plus belles pages de nos plus grands poètes. Le professeur d'humanités conduisait ses élèves à l'écoute de la poésie, celle, dit Montaigne, qui « est au-dessus des règles et de la raison » (47). La prélection mettait l'accent sur la vertu du mot, sur l'exactitude et la netteté des termes sans lesquelles l'expression est vaine. Ce souci de clarté par la précision est assez frappant aussi bien dans *Les Epistres Morales* que dans *L'Astrée*. Formé à la même discipline des collèges de Jésuites, François de Sales possèdera ces mêmes qualités de poésie et de clarté. Le professeur de rhétorique se préoccupait de l'élocution et du mouvement de la composition, des préceptes oratoires et des forces de conviction de l'argumentation. A force de lectures, la cadence de la phrase latine, surtout celle de Cicéron, imprégnait l'oreille des élèves, à tel point que l'influence de la rhétorique latine se révèle presque partout dans la phrase d'Honoré d'Urfé : énumérations, nombreuses subordonnées, reprises de termes, antithèses (48).

Le but de la prélection n'était pas seulement un enseignement de grammaire, de poésie ou de rhétorique. Elle était l'amorce d'une culture toujours plus approfondie, et d'une érudition. Celle-ci, tout à fait dans la ligne du courant d'idées du XVIe siècle, consistait à exposer toutes les notions d'histoire, de mythologie, de géographie, de droit et d'institutions, nécessaires pour comprendre pleinement le texte. C'était, à cette occasion, un entassement de connaissances que le professeur distribuait à ses élèves. Virgile, Pline, Ovide, Cicé-

---

(46) Voir F. de Dainville, *op. cit.*, pp. 98 et sq. ; A. Schimberg, *L'éducation morale dans les Collèges de la Compagnie de Jésus en France sous l'Ancien Régime (XVIe, XVIIe, XVIIIe siècles)*, Paris, H. Champion, 1913, pp. 141-145.

(47) Montaigne, *Essais,* l. I, ch. XXXVII.

(48) M. Lathuillère, « Aspects précieux du style d'Honoré d'Urfé dans *L'Astrée* », in *Colloque Commémoratif du quatrième centenaire de la naissance d'Honoré d'Urfé, BD,* 1970, n° spécial, pp. 101 sq.

ron, Sénèque, César, faisaient l'objet de ces prélections. Ainsi s'établissait une communion avec les grands auteurs de l'Antiquité. Approfondie de classe en classe, la prélection permettait à l'élève non seulement de lire la langue grecque et de parler la langue latine, mais encore de se pénétrer des beautés des littératures antiques. Peu à peu s'emplissait la tête du futur humaniste qui devait posséder de solides et nombreuses connaissances. Les notes prises en classe étaient étudiées le soir après les cours ; le texte expliqué était lu, relu jusqu'à ce qu'il entrât dans « les entrailles de la mémoire », selon une expression de Richeome. Le lendemain matin, il était récité et même, en classe de rhétorique, déclamé avec gestes (49). Chaque samedi, avait lieu une répétition générale de la semaine, chaque mois, une répétition du mois, et, enfin, une ultime répétition avant les examens du trimestre et du semestre. La culture pénétrait les esprits et la pensée d'autrui les imprégnait, de telle sorte que les textes étudiés finissaient par couler comme de source sous la plume des élèves soumis aux exercices de composition latine. *Les Epistres Morales* nous offrent l'exemple de ces citations latines ou grecques qui viennent d'emblée étayer ou illustrer le fait raconté, l'analyse de sentiments ou la thèse soutenue. Les exemples tirés d'auteurs latins ou grecs abondent et, parfois même, les citations se confondent avec l'expression de la pensée personnelle. Se contentant parfois d'une simple transcription comme dans *Les Epistres Morales,* d'Urfé est capable, ainsi qu'il le fait dans *L'Astrée,* d'adapter l'exemple tiré de l'Antiquité. Dans *Les Epistres Morales,* il n'est pas plus compilateur que ses contemporains, qui visaient à une gloire dépendant de la longueur des citations ou à rehausser le discours par l'autorité d'un Ancien (50).

Cette manière de composer n'est-elle pas le reflet des exercices pratiqués au collège ? L'élève n'était pas seulement formé à l'expression orale, il devait encore savoir formuler sa pensée sur le papier. C'est pourquoi, les travaux écrits étaient nombreux au cours de la semaine. Ces exercices avaient pour sujet, soit des lettres, soit des discours, soit des poésies. Tous cherchaient à entraîner l'esprit, en rendant vivant ce qui avait été appris. Les préceptes, en cette matière, ressemblaient fort à ceux de la Pléiade, puisque, dans les recommandations données aux professeurs, reviennent sans cesse les mêmes mots : « incitari, aemulari, effingere, simulari, assectari, vestigiis insistere, exemplum spectare, ad Ciceronem se componere » (51). Soumis à une telle discipline, l'élève, devenu écrivain, ne pouvait que continuer dans cette voie : ce que fit Honoré d'Urfé. Cela, cependant, ne supprimait pas la part d'originalité qui, plus que dans la mise en œuvre ou dans la forme, rési-

(49) Voir F. de Dainville, *op. cit.,* p. 113.

(50) Sur les citations de Plutarque, voir Sœur M.L. Goudard, *Etudes sur les Epistres Morales d'Honoré d'Urfé,* p. 144. Dans les pages suivantes l'auteur dresse un tableau des faits et dits empruntés aux *Œuvres morales et philosophiques* de Plutarque.

(51) F. de Dainville, *op. cit.,* p. 119 ; voir également, J.B. Herman, *La pédagogie des Jésuites au XVI*[e] *siècle, ses sources, ses caractéristiques,* Université de Louvain, 1914, pp. 305-308.

dait dans les idées. Imiter, pour ces humanistes que furent les Jésuites, devait conduire à dépasser le modèle.

Ces maîtres ne perdaient pas de vue ce que seraient demain les enfants confiés à leurs soins. Beaucoup d'entre eux se destineraient aux professions juridiques. Respectueux entre tous de la parole, ils n'oubliaient certes pas de former à la déclamation, mais, s'appuyant sur les préceptes de Cicéron et de Quintilien, ils savaient que nul ne peut parler en public s'il n'est rompu aux règles de la composition. Parvenu en rhétorique, l'élève devait apprendre à composer des discours dont les thèmes variaient, allant d'un panégyrique à des éloges, du discours prononcé devant le Sénat au sujet d'actualité (52). Composer un exorde, une péroraison, un développement du discours, calqués sur ceux de Cicéron, était un exercice fréquent. On chercherait en vain, dans notre littérature du XVIe siècle, des discours aussi bien construits que ceux de *L'Astrée*. Honoré d'Urfé se complaît dans ce genre de composition : exposés des faits dans les jugements d'amour, harangues de ceux qui défendent ou accusent, plaidoiries. Tout semble correspondre à ces exercices scolaires auxquels il fut soumis pendant son séjour à Tournon. Seuls, les thèmes ont changé, ce sont des cas d'amour, qui prennent vie grâce aux personnages dont l'histoire a été longuement contée. Parfois, la forme est moins scolaire et l'orateur, qui n'a plus en vue que son cas souvent dramatique, emporté par son élan et son besoin de se justifier, oublie les règles de la rhétorique, pour laisser parler son cœur. Néanmoins, souvent ces discours gardent une allure guindée qui tient plus à l'exercice scolaire qu'à la vie. Instruments de variété au milieu des histoires très longues, ils apportent la note d'un style plus ample et plus grave. Ils s'ordonnent selon la rhétorique de Cicéron, d'où l'emphase n'est pas exclue, et ils portent tous la marque d'une logique admirable et du goût dans le choix des arguments à faire valoir.

L'histoire de Childéric, Silviane et Andrimarte offre un exemple de ces discours. Le fils de Mérovée s'est épris de Silviane, une suivante de Méthine. Mais Silviane aime Andrimarte ; la reine et le roi finissent par consentir à leur mariage. Jaloux, Childéric essaie de persuader à son père que ce mariage est une erreur. Ses propos sont des reproches et le discours que Mérovée lui tiendra en réponse est une de ces compositions logiques, nettes et claires, dont les règles étaient enseignées au collège (53). Avant de répondre directement aux reproches de son fils, Mérovée le réprimande : son humeur efféminée est à l'opposé de la vertu guerrière des Francs, Childéric cherche à couvrir son vice sous les voiles de la vertu. Puis, il reprend, point par point, les griefs de Childéric ; le préambule prépare au ton de la harangue : Mérovée n'a point oublié l'amitié qu'il doit à Semnon (le ton est celui de l'interrogation qui manifeste l'indignation) ; le mariage de Childéric et de Silviane est impossible, Andrimarte n'est point récompensé aux dépens de

(52) F. de Dainville analyse des travaux exécutés par un rhétoricien lyonnais dont le cahier est conservé par la Bibliothèque de Lyon (*op. cit.*, p. 129, Ms. 148, 91 pp.)
(53) *Astrée*, III, 12, 675.

Semnon. Cette admonestation se termine par une exhortation à quitter une vie dissolue, faute de quoi Mérovée ne pourra demeurer le père de Childéric par l'affection. Voilà un discours précis, qui n'est pas déplacé sur les lèvres de Mérovée : le ton solennel convient à ce chef d'Etat, dont le courage et la droiture furent la grandeur. Ainsi, le style du discours est toujours en rapport avec le caractère du personnage qui le prononce.

Ces qualités sont celles des harangues prononcées à l'occasion des jugements qui sont rendus par Silvandre, Léonide, Diane ou Cloridamante. Les personnages savent exposer leur cas et leurs griefs, ou répondre aux accusations portées contre eux. Nous sentons que tout leur élan se porte à convaincre par le choix des arguments, la clarté du raisonnement et la composition générale du discours. Il ne peut être question d'examiner toutes ces joutes oratoires dont certaines paraissent plus caractéristiques que d'autres (54). Ainsi en est-il de l'affaire Calidon, Célidée et Thamire. Chacun parle à son tour, pendant une quarantaine de pages. Calidon, après avoir reconnu les bienfaits de Thamire à son égard, — ce qui ne semble être qu'une précaution oratoire —, revendique Célidée pour femme, en exposant les différents arguments : Célidée connaît son amour, elle a sauvé Calidon de la mort. Thamire a donné Célidée à Calidon, comment pourrait-il reprendre ce qu'il a donné ? Célidée, à son tour, prend la parole : elle affirme qu'elle a tant de raisons pour n'aimer ni Calidon ni Thamire que les mots seuls lui manquent, car elle n'est qu'une pauvre bergère ; elle adresse une supplication à Hercule, puis répond point par point aux divers arguments avancés par Calidon. Célidée doit-elle aimer Calidon parce qu'il l'a aimée ? Si celui-ci l'a aimée, elle n'y a point contribué, mais il l'a offensée. Parce que Calidon a été soigné avec tant d'attention pendant sa maladie, doit-elle pour cela l'aimer ? Thamire l'avait priée de dispenser ses soins au nom de l'honnête amitié, elle a répondu à cette demande. Enfin, devrait-elle tenir compte du don de sa personne fait par Thamire à Calidon ? C'est elle-même qui a donné ce pouvoir à Thamire, parce qu'ils s'aimaient ; or, elle n'aime pas Calidon. La réponse se termine par une accusation d'ingratitude à l'encontre de Thamire. Léonide ne ratifiera-t-elle pas ce que, dans les cieux, les dieux « ont déjà jugé sur ce différend » ? Célidée n'est qu'une bergère, mais sa défense est précise, composée comme un plaidoyer classique. Après la ré-

---

(54) Les principaux jugements rendus dans les quatre premiers livres de *L'Astrée* sont les suivants :

— *Tircis/Laonice* - *juge* : Silvandre ; *Avocats* : Hylas pour *Laonice* ,Phillis pour *Tircis* (*Astrée*, I, 7, 262)

— *Thamire/Calidon/Célidée* - *juge* : Léonide (*Astrée*, II, 2, 47 sq.)

— *Palemon/Doris/Adraste* - *juges* : Léonide et Chrysante (*Astrée*, II, 8, 350 et II, 9, 357 sq.)

— *Alcidon/Daphnide* - *juge* : Adamas (*Astrée*, III, 4, 217.)

— *Jugement sur le 13e article* que Stelle et Hylas veulent ajouter à leurs lois d'Amour - *juge* : Adamas. (*Astrée*, III, 9, 493.)

— *Silvandre/Phillis* - *juge* : Diane (*Astrée*, III, 9, 495-520).

— *Fossinde/Tirinte/Silvanire/Aglante* - *juge* : Cloridamante. (*Astrée*, IV, 3, 157.)

— *Delphire/Tomantes* - *juge* : Diane (*Astrée*, IV, 6, 290-347.)

ponse de Thamire, Léonide peut rendre son jugement. Là encore, nous remarquons cet ordre qui préside à l'examen du cas qui lui est soumis. Elle a écouté les requérants et elle conclut :

> « Trois choses se presentent à nos yeux sur le differend de Celidée, Thamire et Calidon : la premiere, l'amour ; la deuxiesme, le devoir ; la derniere, l'offense. En la premiere nous remarquons trois grandes affections ; en la deuxiesme trois grandes obligations ; et en la dernière trois grandes injures ».

Chacun de ces points est ensuite clairement explicité et la sentence est rendue : « toutes ces choses longuement débattues et bien considérées, nous avons cogneu que... » (55). Assurément, ce souci constant de la clarté est le résultat de la formation reçue par Honoré d'Urfé. Tantôt, le style est très juridique comme celui de la sentence rendue par Adamas dans l'affaire Hylas et Stelle, (il s'agit d'un treizième article à ajouter aux lois d'amour auxquelles veulent se soumettre Hylas et Stelle, et ce ton convient au personnage d'Adamas, le grand Druide) (56), tantôt, il devient plus ample, plus oratoire et rappelle les interrogations indignées, les exclamations et les périodes des discours de Cicéron :

> « Or sus, peres de famille sans enfants ! or sus, directeurs du peuple sans avoir affaire ! » [s'écrie Delphire] « Mais pourquoy n'y employez-vous pas celuy que vous perdez en ces particulieres conversations que vous dites avoir de certaines personnes ? Quoy donc ? quand vous ne sçaurez que faire, vous serez aupres de nous... O Tomantes ignorant d'amour ! ne dis plus une si grande absurdité, ...Mais s'ils estoient appelez devant le trosne rigoureux de cet amour et qu'on leur demandast qui leur a donné la permission de se dire amans et de s'attribuer un titre si honorable, puis qu'ils ne sçavent pas mesmes les moindres devoirs de celuy qui veut aymer, que pourroient ils attendre autre chose qu'un tres-rigoureux chastiment d'avoir usurpé un nom qui leur est si peu convenable ? Ah ! que si l'amour estoit un mestier juré... » (57).

Tout cela sent bien l'élève de rhétorique, mais n'est pas déplacé au cours de ce jugement qui a toute la solennité d'une séance de tribunal. L'imitation de Cicéron est parfois beaucoup plus servile. Hylas, irrité par les subtilités de Silvandre, reprend à son compte le début de la première *Catilinaire* :

> « Jusques à quand enfin, Silvandre, abuseras-tu de la patience de ceux qui t'écoutent ? jusques à quand nous rempliras-tu les oreilles de tes vanités et de tes imaginations ? et jusques à quand esperes-tu que je puisse souffrir l'impertinence de tes paroles ? » (58)

Tantôt, Honoré d'Urfé transpose un passage de Cicéron, reprend

---

(55) *Astrée,* II, 2, 72. La même formule de jugement revient chaque fois. Voir la sentence de Silvandre, I, 7, 262, celle de Cloridamante : « Nous disons, declarons et ordonnons... » (IV, 3, 155).

(56) *Astrée,* III, 9, 491.

(57) *Ibid.,* IV, 6, 340-341.

(58) A propos de cette imitation, voir H. Bochet, *op. cit.,* p. 159.

l'idée et l'image et les développe au point d'atteindre à un élan oratoire qui peut rivaliser avec les plus belles indignations de l'orateur romain. Révoltée, Fossinde accable Tirinte :

> « Misérable berger, luy dit-elle ... Toutes choses ne t'accusent-elles pas de trahison et de meschanceté ? Le ciel qui t'a veu, la terre qui t'a soustenu, les antres qui t'ont caché, les arbres qui en ont esté tesmoins, les ruisseaux qui s'en sont fuis en pleurant d'horreur et de compassion d'une trahison tant inhumaine, les hommes et les dieux, bref, toutes choses, ô perfide et misérable berger, t'accusent et demandent vengeance de ton crime. » (59)

Les maîtres de Tournon avaient appris à Honoré d'Urfé qu'imiter ce n'était pas se contenter de calquer, mais tenter de rivaliser avec le modèle. Formé à ces exercices oratoires, Honoré d'Urfé s'élève jusqu'à l'éloquence vraie, à une époque où le mauvais goût conduisait à des excès : ni les exordes insinuants, ni l'enchaînement logique des idées, ni les raisons habilement mises en valeur pour répondre point par point à l'adversaire ou pour porter une accusation convaincante, ni les périodes savamment rythmées, ne manquent à certaines harangues de *L'Astrée*. Certaines d'entre elles, trop longues peut-être, sont fastidieuses à la lecture et ressemblent trop à ces devoirs qu'il composa quand il était élève. Souvent, cependant, les interrogations adressées à la partie adverse coupent la monotonie des discours. Si nous comparons ces plaidoyers à ceux que nous lisons dans les œuvres qui servirent de modèles à Honoré d'Urfé, quelle différence ! La *Diana* de Montemayor fournit des exemples de contestations sous forme de débats judiciaires devant un juge désigné qui, après avoir entendu les parties, rend une sentence résumée et non transcrite. Il y manque le souffle des discours de *L'Astrée* (60). *Les Bergeries de Juliette* (61) présentent des débats sur l'amour, mais nous n'y sentons pas les accents de conviction qui animent les plaidoiries de *L'Astrée* dépouillées de tout pédantisme.

En cette seconde moitié du XVIe siècle, par ce genre d'exercices, les Jésuites avaient assurément le souci de préparer leurs élèves aux études juridiques et à la profession d'avocat à laquelle beaucoup se destinaient. Mais, quiconque allait plus tard briguer quelque office devait posséder l'art épistolaire. C'est pourquoi, nous voyons figurer au nombre des exercices scolaires, dès la classe de troisième, des compositions de lettres, notamment à la manière de Cicéron (62). Il est probable que c'est au collège qu'Honoré d'Urfé acquit

---

(59) *Astrée*, IV, 3, 150. Ce passage peut être une réminiscence de Cicéron : « Tamen omnia muta, atque inanima, tanta et tam rerum atrocitate commoverentur » (*De suppliciis*, LXVII, 171). La chute des interrogations de Fossinde, la reprise par « bref », confèrent à la phrase d'Honoré d'Urfé une beauté digne des meilleures périodes de Cicéron.

(60) Voir, à ce propos, M. Magendie, *op. cit.*, p. 153.

(61) Id., *ibid.*, p. 179.

(62) Voir F. de Dainville, *op. cit.*, p. 128. Le *de conscribendis epistolis* d'Erasme fut longtemps en usage dans les Collèges de Jésuites.

Quelques années après qu'Honoré d'Urfé eut quitté le collège, en 1588, le Père Voelle, professeur à Tournon, publia à l'intention des élèves un *De ratione conscribendi epistolas* qui connut 9 éditions jusqu'en 1612.

cette élégance de style et cette sûreté d'expression que nous décelons dans les nombreuses lettres qu'échangent les personnages de *L'Astrée* et qui contribuèrent, pour une large part, au succès du roman. Elles constituent cependant la partie la moins originale de *L'Astrée,* parce que ce genre littéraire était très à la mode. Entre 1546 et 1597, en Italie, et, à partir de 1556, en France, se multiplièrent les éditions des *Lettres amoureuses* de Girolamo Parabosco (63). Nous verrons, par ailleurs (64), comment, dans *L'Astrée,* sans succomber aux clichés de l'époque, ni au verbiage amphigourique, Honoré d'Urfé a su faire de ses lettres un élément dramatique de son roman. Il nous importe seulement de constater ici leur grâce et leur simplicité, marques originales qui les classent parmi les chefs-d'œuvre du genre. L'enseignement reçu dans ce domaine eut pour mérite d'apprendre à Honoré d'Urfé à se détourner du conventionnel et de former son goût.

La prélection faite en classe apprenait le sens de la beauté. Encore fallait-il tenter de la réaliser. Nul exercice ne convenait mieux à cela que la composition de poésies. Les meilleurs poèmes étaient lus et affichés. Honoré d'Urfé, en écoutant les préceptes de ses maîtres, compléta la formation poétique que lui avait donnée ou que lui donnait encore, au cours des vacances, Loys Papon, celui qui avait révélé la poésie à son frère Anne (65).

Nous pouvons apprécier le talent poétique du futur auteur de *L'Astrée* d'après une œuvre qui fut jouée par ses frères et par lui-même et figure dans *La Triomphante Entrée.* Il s'agit d'une *Moresque,* agréable fantaisie pastorale où entrent en scène des sauvages, des satyres des Montagnes de la Thrace et des Mores. L'influence des études classiques s'y mêle à des impressions laissées par des lectures. « Un vers simple et coulant, propre au sujet et aux personnages », écrit Honoré (66). Certes, le style est aisé, déjà dans la tonalité des poésies de *L'Astrée,* mais, sans aucune élévation ; il est proche encore de l'expression scolaire. Jamais, d'ailleurs, d'Urfé ne sera un grand poète. Ce petit opuscule de *La Triomphante Entrée* se termine par un poème de quarante vers, signé par Honoré d'Urfé, et qui développe des pensées communes exprimées en un style très lâche. Nous pouvons cependant considérer la *Moresque* comme la première pastorale de notre auteur (67). Ce genre n'était pas étranger, semble-t-il, à l'enseignement dispensé à Tournon, puisque, dans ce même ouvrage, nous lisons une bergerie composée en latin, sans doute l'œuvre d'un Jésuite du

---

(63) Voir M. Magendie, *op. cit.*, pp. 196-198.

(64) Voir *infra,* IIIe partie, ch. III.

(65) Dans la *Triomphante Entrée* figure l'*Epithalame* que le Chanoine Reure attribue à Loys Papon (*op. cit.*, p. 25).

(66) Cité par O.C. Reure *op. cit.*, p. 24. Sur le théâtre au collège, voir Herman, *op. cit.*, pp. 8 sq. ; L.V. Gofflot, *Le théâtre au Collège, du Moyen-Age à nos jours avec bibliographie et appendices,* Harvard-Paris, H. Champion, 1907, pp. 88-166 ; A. Schimberg, *op. cit.*, pp. 368-432.

(67) Honorato joue le rôle de maître de chœur. Sur *La Triomphante Entrée,* voir N. Bonafous, *op. cit.*, pp. 99-109 ; notre introduction et nos notes, *La Triomphante Entrée,* réédition, Saint-Etienne, 1976. Sur la vogue des pastorales dans les collèges de Jésuites, voir L.V. Gofflot, *op. cit.*, pp. 108 sq.

collège (68). Epithalames, odes, hymnes, « Epigrammes faicts en œufs, en tours, en balances, en coutelas, en halebardes, lances, aesles, et en autres gentilles inventions en plusieurs langues, principallement en latin et en grec », tapissèrent les murs de la cour du collège et de son église. Tout cela faisait donc partie de l'enseignement poétique. C'est dire qu'il accordait une place relativement importante à la mode, bien que s'appuyant sur les beautés poétiques rencontrées au cours de la lecture de Virgile.

L'érudition n'était pas exclue et nous comprendrions mal l'œuvre d'Honoré d'Urfé, si nous n'attachions de l'importance au cahier de lieux communs qui était constitué par l'élève, de classe en classe, et devait rester ouvert pendant la vie entière. Il était une sorte de cueillette effectuée à travers les textes anciens et appartenait à cette démarche de la pensée qui voulait rivaliser avec les modèles de l'Antiquité. La culture humaniste incitait à butiner les œuvres de ceux qui étaient proposés comme les maîtres et à y recueillir les sentences ou les lieux communs, les histoires ou les fables. Des recueils imprimés avaient paru en nombre important au cours du XVIe siècle : florilèges moraux, recueils d'adages ou d'apophtegmes, anthologies de phrases poétiques (69). Les Jésuites s'efforcèrent de faire comprendre aux élèves qu'ils devaient eux-mêmes composer ces recueils, « sans s'amuser aux lieux communs qui sont colligés par d'autres et imprimés » (70). La prélection était une occasion d'indiquer ces pensées que les élèves recueillaient (71); une histoire, une fable mythologique, une sentence étaient relevées. Ces cahiers, constamment tenus à jour à partir des explications données en classe et des lectures personnelles, étaient méthodiquement composés selon des chapitres classés par lettres alphabétiques et qui avaient trait à la vertu, au vice, à la vie, à la mort, à la bienveillance ou la haine, par exemple. Une méthode souvent conseillée consistait à faire suivre un mot de son contraire, par exemple, vice et vertu (72). Si ces cahiers étaient considérés comme un secours pour la mémoire, ils apparaissaient surtout comme une formation

(68) Voir O.C. Reure, *op. cit.*, p. 26.

(69) Vers 1580 se sont multipliés en langue vulgaire les dits et sentences notables de divers auteurs traduits en français. Il y eut, par exemple, l'ouvrage de Belleforest, *Les sentences illustres de M.T. Ciceron et les apophtegmes, aussi les plus remarquables sentences tant de Terence que de plusieurs autres autheurs, et les sentences de Demosthene de n'agueres tirees du grec et mises en latin. Le tout traduit de latin en françois par Fr. de Belleforest*, s.l., 1582. Les Pères Jésuites publiaient eux-mêmes des ouvrages de ce genre. Le P. Pontanus publia, par exemple, un *Thesaurus phrasium poeticarum* ; le P. Petit, *Pub. Virgilii opera in locos communes digesta.* Pour une liste de ces ouvrages, voir F. Buisson, *Répertoire des ouvrages pédagogiques du XVIe siècle*, Paris, Imprimerie nationale, 1886.

(70) J. Richer, cité par F. de Dainville, p. 134. Sur ces cahiers de lieux communs, voir P. Porteau, *op. cit.*, pp. 178 sq. ; F. de Dainville, *op. cit.*, pp. 134 sq.

(71) Voir *Monumenta Germanica Paedagogica*, t. II, 2, 163, cité par P. Porteau, *op. cit.*, p. 178. Le professeur, après avoir donné le sens grammatical d'une prélection tirée des discours de Cicéron, devait s'attacher aux lieux communs.

(72) Tabourot, *Les Bigarrures du Seigneur des Accords*, 4e livre, Paris, J. Richer, 1585. Tabourot donne le conseil suivant : « En ce mesme âge encore on les peut accoutumer déjà de faire des collections par lieux communs de ce

du jugement par une méditation sur l'homme, puisqu'ils étaient inséparables de l'enseignement de la morale. Un tel travail était envisagé pour la vie au-delà de l'école. Commencés dès la classe de troisième, ces cahiers s'étoffaient, les centres d'intérêt devenant de plus en plus philosophiques et moraux. Tabourot fait remarquer :

> « Et sera bon sur l'âge de dix-huit ans, quand ils auront le jugement ferme, leur faire desgauchir la pluspart de ce qu'ils liront, pour servir à la science de laquelle ils voudront faire principalement profession. » (73)

Sans de tels cahiers, nous n'aurions eu ni *L'Introduction à la vie dévote* de St François de Sales, ni, sans doute, *Les Epistres Morales* (74). Ce moyen de culture encyclopédique explique ces nombreuses citations dont d'Urfé émaille les lettres adressées à Agathon. Une liste très précise des emprunts faits à Plutarque a été dressée (75). Des passages des *Œuvres morales et philosophiques* sont reproduits presque textuellement, d'après la traduction d'Amyot. L'auteur des *Epistres Morales* avait lu l'œuvre de Plutarque ; du moins en connaissait-il certains passages qui lui avaient été expliqués en classe et dont il dut relever les traits importants dans son cahier de lieux communs. Par la suite ou pendant ses études, il lut la traduction d'Amyot. Peut-être est-ce à son cahier de lieux communs qu'il eut recours, quand il composa son ouvrage, peut-être le compléta-t-il grâce aux recueils imprimés, en compilant à son tour les compilateurs (76) ? Sénèque, étudié en classe, est aussi abondamment cité, voisinant avec Xénocrate, Ovide, Cicéron, Platon, Euripide, Chrysippe, Ennius, Caton l'Ancien, Accius, Epictète, Hésiode, Sophocle, Pythagore, Virgile, Homère. Dans le premier livre, s'adjoindront des citations de Perez, de Pibrac, de Pic de la Mirandole ou de Gil Polo ou du Tasse. Peut-être faut-il considérer que ce sont surtout les citations d'auteurs anciens qu'Honoré d'Urfé a relevées dans son cahier de lieux communs ; celles des Italiens ou des Espagnols, faites dans la langue originale, ont été probablement recueillies au cours de lectures postérieures au séjour à Tournon. Par la suite, il est possible qu'un

---

qu'ils liront du commencement selon les simples morales par ordre alphabétique, comme A) Abstinence, Abus, Accusation, Adultere, Acquitté, Affliction... et infinis autres que l'enfant pourra colliger, et y adapter toutes sentences et histoires qu'il aura lu de lui-même... Davantage il s'accoutumera de faire des renvois des opposites les uns aux autres, comme : Vertu (vois : Vice), Jeunesse (vois : vieillesse) ; Avarice (vois : Liberalité) ; dont il s'accoutumera à enrichir son discours. » (f. 18, cité par P. Porteau, *op. cit.*, p. 181).

(73) *Ibid.*, f. 19, cité par F. de Dainville, *op. cit.*, p. 135.

(74) Deux cahiers de lieux communs rédigés par St-François de Sales et qui se présentent sous forme d'essais sur la béatitude, le devoir, la fin de l'homme..., nous font découvrir cette méthode de travail dont le but recherché était d'instruire. Sur cette question et la formation de la pensée de l'auteur de *La Vie dévote*, voir l'ouvrage de F. Strowski, *Saint François de Sales*, Paris, Plon, 1898, pp. 66 sq.

(75) Sœur M.L. Goudard, *op. cit.*, pp. 144-152.

(76) *Ibid.*, pp. 145-157. De nombreuses anecdotes empruntées à Plutarque figurent dans *Les Epistres Morales.*

recueil ait été composé par un secrétaire (77). Honoré d'Urfé aurait trouvé là une documentation importante pour ses ouvrages qui, comme ceux d'autres humanistes du XVIe siècle, nous laissent béats d'admiration devant un tel étalage d'érudition.

Il s'agit souvent d'un besoin de citer un auteur, pour faire preuve de connaissance, sans que l'appui de la citation soit nécessaire pour étayer la thèse. Affirmant que la Fortune frappe aveuglément sans tenir compte de la force de la victime, il écrit :

> « En cela je ne la nomme pas volage, mais imprudente, de ne sçavoir recognoistre ceux qui méritent de jouyr d'elle. Et pouvons avec beaucoup de raison luy reprocher comme Accius en son Philoctète :
>
> « Ah Muleiber, à un homme de peu
> Tu as forgé des armes invincibles. » (78)

Nous pourrions relever de nombreux exemples semblables qui montrent que la citation ne vient ni « pour rehausser ou secourir proprement l'invention », ni pour faire dire mieux par un autre ce qu'Honoré d'Urfé ne peut si bien dire à cause de la faiblesse de son langage ou « de son sens » (79). Parfois, cependant, les exemples interviennent pour illustrer un jugement : en même temps qu'ils ont une importance directe, ils secourent l'invention. Ces exemples, qui appuient et confirment une pensée, sont clairs et sont empruntés à Plutarque. Tantôt, au contraire, ils prennent l'allure d'énigmes et supposent une culture étendue de la part du lecteur pour les identifier :

> « regarde outre cela ce grand sénateur romain qui s'estoit tellement esloigné de cette Fortune... »

Tantôt, la citation se fond dans l'ensemble, au point de pouvoir être difficilement séparée de la phrase d'Honoré d'Urfé, s'il n'écri-

---

(77) La Bibliothèque nationale conserve trois volumes manuscrits in-folio, intitulés, *Recueils de notes et extraits sur divers sujets rangés par ordre alphabétique,* dont l'écriture très lisible est du XVIIe siècle (coll. Dupuy, ms. 859-861). Les volumes sont reliés en maroquin rouge et extérieurement les ouvrages sembleraient avoir été composés pour Honoré d'Urfé, puisque les six plats des trois volumes portent, imprimé en or, un chiffre qui est identique à celui qui est peint sur la cheminée de la galerie des portraits de Chateaumorand et où se reconnaît le chiffre combiné de Diane et d'Honoré (voir O.C. Reure, *op. cit.,* p. 110). Cependant, si nous examinons le contenu de ces trois volumes nous découvrons que des auteurs cités sont postérieurs à la mort d'Honoré d'Urfé, par exemple, M. de Rodez, *Histoire de Henry le Grand,* partie 8, année 1630. Mais certains articles sont intéressants comme Amour et Amitié. Et même si ces volumes n'ont pas été composés pour Honoré d'Urfé, ils nous font découvrir l'importance de ces recueils dont l'habitude a été prise au collège et qui pouvaient ensuite servir à la composition d'ouvrages.

(78) *Epistres Morales,* éd. 1627, livre I, ép. 2, p. 12. (Nous renverrons à cette édition, l'ouvrage sera désigné par l'abréviation *E.M.,* le chiffre romain indiquera le livre et les deux autres chiffres arabes les épîtres concernées et les pages). Parmi les auteurs latins, Honoré d'Urfé cite Ennius, Accius, Virgile sans toujours le nommer (p. ex., I, 9, 81), Sénèque, Ausone, Plaute. Virgile est cité 5 fois. Parmi les auteurs grecs, outre Plutarque et Epictète qui illustrent la pensée stoïcienne, d'Urfé cite 4 fois Euripide, 6 fois les *Travaux et les jours* d'Hésiode et d'après la traduction qu'en avait donnée en 1586 Jacques Le Gras, une fois Sophocle et Homère.

(79) Montaigne, *Essais,* II, 10.

vait « comme dit... », et elle devient, alors, prétexte à développement (80). Tantôt encore, elle est proposée comme objet de méditation, à la façon de Sénèque à la fin de ses *Lettres à Lucilius* (81), ou bien elle permet la présentation d'une doctrine qui sera ensuite examinée pour la confirmer ou la réfuter (82).

Le premier et le deuxième livre des *Epistres Morales,* moins philosophiques que le troisième presque entièrement consacré à l'âme et à la félicité, semblent se répartir selon une classification de cahiers de lieux communs. Nous y trouvons, en effet, le thème de la fortune et de l'adversité, du courage, de la mort, de l'amitié... Les citations illustrent le texte et même, souvent, provoquent un développement ; elles dirigent l'enchaînement des idées. Cela ressemble aux divisions et subdivisions obtenues par l'analyse d'un mot à partir d'idées découvertes au hasard des lectures, un peu comme l'analyse d'une notion qui peut être suggérée par les classifications de nos fichiers modernes. A l'origine, les citations ont imposé un groupement, et, à la rédaction du développement, elles viennent à l'appui de l'idée qu'elles avaient suggérée. S'il développe le thème de l'ambition, des citations indiquent à Honoré d'Urfé le plan de son développement et tout s'organise autour d'elles : l'ambition est un vice qui n'est pas éloigné de la vertu, voilà ce que prouvent la réponse d'Alexandridas au Laconien et l'exemple de Diogène ; l'ambition peut percer à travers une pauvreté trop ostentatoire, c'est le thème indiqué par le philosophe qui s'écrie : « Cache-la bien car je la voy paroistre cette ambition par les trous de ton manteau » ; l'ambition modérée est plutôt un aiguillon dont la vertu excite au bien, cela suppose des efforts et Pic de la Mirandole montre qu'elle est un désir de gloire tout à fait honorable, quand il écrit à un ami :

> « Estre honoré de toy... cest estre rendu glorieux ; car tes honneurs sont des gloires, et quiconque désire mériter telles gloires est ambitieux. » (83)

Il est vrai que, parfois, la présence d'une citation dans le développement ne semble ni aussi logique ni aussi utile que dans l'exemple précédent et entraîne des formules du genre de « comme dit, comme écrit », qui alourdissent le style.

Le goût d'Honoré d'Urfé pour la maxime, l'adage ou le proverbe, provient de cette cueillette des fleurs de l'Antiquité à laquelle il a été accoutumé dès le collège. Il a été recueilli 77 apophtegmes tirés

---

(80) Par exemple, *E.M.*, I, 3, 21 : « parce que l'obligation humaine d'une chaine d'airain, comme dit Crantor, nous lie à cette fatale destinée du trépas. »

(81) *E.M.*, I, 2, 17 : « Je conclurray ceste fois par la sentence de ce grand Prince des Médecins : la plus grande medecine, est ne point user de médecine.» Voir encore la fin de la lettre, I, 5, 37.

(82) *E.M.*, I, 2, 14. Honoré d'Urfé cite Epictète. Au livre III, il cite abondamment Aristote, Averroès, Avicenne. Leurs doctrines de l'âme et de la félicité sont minutieusement examinées et, à partir de ces citations, l'exposé est nettement philosophique.

(83) *E.M.*, I, 21, 200-208.

des *Epistres Morales* (84), qui ne semblent pas être tous des citations. Et une petite anthologie des maximes de *L'Astrée* a pu être composée (85). Habitué à noter les sentences latines et grecques, entraîné par les exercices scolaires à s'exprimer clairement, avec précision et concision, d'Urfé, comme plus tard Corneille, lui aussi élève des Jésuites, a le goût de la phrase nette, de la pensée frappée comme une médaille, à la façon d'une maxime. Nous découvrons des formules du même genre chez Saint François de Sales, souvent construites, comme chez Honoré d'Urfé, sur des antithèses de mots abstraits et des rythmes ternaires (86). Ce style net, parfois sentencieux, fut aussi l'une des causes de l'engouement pour *L'Astrée.* L'expression, presque toujours, s'adapte étroitement à la pensée et explique l'heureuse fortune de phrases devenues de vrais proverbes qui résument toute la doctrine de l'amour :

> « En amour, il n'y a rien de plus insuportable que le desdain », « l'âme vit mieux où elle ayme que où elle anime », « on tient que les premieres amours ne s'effacent jamais », « il n'y a rien que les yeux qui fassent naistre l'amour, ny rien qui le fasse croistre davantage que de s'entrevoir souvent », « la vraye amour est ordinairement sujette à jalousie » (87).

Le cahier de lieux communs rend compte à la fois du goût d'Honoré d'Urfé pour la sentence, de ses procédés de développement et de la vaste érudition que tous les critiques ont remarquée dans *Les Epistres Morales.* Nous ne pouvons, cependant, expliquer uniquement par une mémoire prodigieuse tant de rares connaissances étalées comme à plaisir dans cette œuvre. N'a-t-il pas eu à portée de la main, même en prison, un recueil composé par lui ou imprimé, qui pût venir au secours de sa mémoire et guider sa réflexion ? S'il connaît bien les auteurs italiens et espagnols, s'il cite Marcile Ficin, Pic de la Mirandole, Pibrac, Perez ou le Tasse et Cervantès, nous constatons qu'il est surtout à l'aise dans l'Antiquité classique qui lui était beaucoup plus familière (88). Cette connaissance de l'histoire, des usages, de la mythologie, de la poésie latine et grecque, ne s'explique pas autrement que par cette accumulation de notes à laquelle il avait été astreint à Tournon. Voilà pourquoi la littérature latine et grecque et la philosophie antique lui sont beaucoup plus familières que la littérature française.

Comment cet enseignement reçu à Tournon a-t-il pu conduire Honoré d'Urfé à une telle maîtrise de la langue française ? Dans les collèges de Jésuites, au XVIe siècle, le français était laissé de

---

(84) Sœur M.L. Goudard, *op. cit.*, pp. 156-160.

(85) H. Vaganay, *Les tres veritables Maximes de Messire Honoré d'Urfé nouvellement tirez de l'Astrée,* Lyon, Lardanchet, 1913.

(86) Voir la communication de R. Garapon, « Honoré d'Urfé et Saint François de Sales », in *Colloque commémoratif du quatrième centenaire de la naissance d'Honoré d'Urfé, BD,* 1970, n° spécial, p. 130 ; sur le goût d'Honoré d'Urfé pour les antithèses et les rythmes ternaires, voir la communication de R. Lathuillière, « Aspects précieux du style d'Honoré d'Urfé dans l'Astrée », in *Colloque commémoratif...,* pp. 101-107.

(87) H. Vaganay, *Les tres veritables Maximes...,* pp. 18, 20, 22, 24.

(88) Voir O.C. Reure, *op. cit.,* pp. 85-87.

côté : les cours étaient prononcés en latin, langue obligatoire, même hors du collège. Le maniement de la langue française s'apprenait donc en marge du latin. La rigueur de l'expression latine a conduit Honoré d'Urfé à la précision de l'expression et à la cadence souvent oratoire de sa phrase (89). Les exercices personnels auxquels les élèves se livraient après les heures de cours ou au sein des Académies permettaient un entraînement supplémentaire à la composition. Ainsi se complétait la formation scolaire. Des vers français, dont la *Triomphante Entrée* nous donne des exemples, devaient y être composés sous la direction des maîtres, des discours aussi sans doute. Le cardinal de Tournon avait stipulé l'interdiction des « livres modernes » (90), rejoignant en cela les inquiétudes des Pères Jésuites qui prohibaient la lecture des « petits livres d'amours, de légèreté et corruption des mœurs », *Lancelot du Lac, Amadis, Huon de Bordeaux,* et « tels fatras de livres à quoy l'enfance s'amuse » (91). Pendant les vacances seulement ou, plus tard, à sa sortie du collège, Honoré d'Urfé lut ces romans qui devaient figurer dans la bibliothèque de La Bastie.

Les œuvres italiennes ou espagnoles qu'il utilise si abondamment dans *L'Astrée* et *Les Epistres Morales* lui furent tout autant interdites pendant son séjour à Tournon. D'ailleurs, l'enseignement des langues étrangères n'existait pas, mais les élèves, à l'issue de leurs études de philosophie, partaient en voyage dans les pays voisins, fréquentaient les universités étrangères et apprenaient ainsi les langues vivantes en « frottant et limant leur cervelle contre celle d'autrui », tout « en se mirant dans le grand miroir du monde ». Nous lisons une allusion à cette coutume dans *L'Astrée,* où Alcandre, qui raconte son histoire, déclare que lui-même et son frère furent envoyés dans les Académies, afin d'y apprendre les sciences plus soigneusement et, ajoute-t-il,

> « ...lors que nous fusmes assez forts pour les exercices du corps, il [leur père] nous y fit employer le temps curieusement, et après nous envoya deux ans durant par les pays estrangers pour en apprendre le langage, et pour n'ignorer entierement les mœurs de nos voisins. » (92)

Honoré d'Urfé dut-il ainsi apprendre les langues étrangères ? L'italien lui était familier à en juger d'après les nombreuses citations qui émaillent *Les Epistres Morales.* Même *L'Astrée* cite un passage de l'*Aminta* dans la langue originale (93). Nous avons vu que l'influence italienne était importante en Forez et que l'italien devait être une langue couramment pratiquée dans la famille d'Urfé. Mais le problème est plus délicat, quand il s'agit de savoir où d'Urfé apprit l'espagnol et l'allemand, car Camus, l'évêque de Belley, nous dit « qu'il avoit les mathématiques en un haut point, avec la

---

(89) Voir H. Bochet, *op. cit.*, pp. 160-178. Sur l'absence de l'enseignement du français dans les collèges, voir A. Schimberg, *op. cit.*, pp. 169-170.
(90) M. Massip, *op. cit.*, p. 70.
(91) Cité par F. de Dainville, *op. cit.*, p. 262.
(92) *Astrée,* IV, 9, 490.
(93) *Ibid.*, I, *A la Bergere Astrée,* p. 7.

cognoissance des langues latine, grecque, espagnole et allemande » (94). Faute de preuves certaines, nous ne pouvons en décider ; s'il est net qu'Honoré d'Urfé connaissait les langues italienne et espagnole, nous constatons que jamais il ne fait une citation en allemand, et nous ne pouvons déceler une influence quelconque de la littérature allemande sur son œuvre.

Quoi qu'il en soit, l'enseignement au collège de Tournon semble avoir apporté à Honoré d'Urfé, outre une culture humaniste caractérisée par l'érudition qui parfois s'étale avec un léger pédantisme dans *Les Epistres Morales,* une ouverture de l'esprit à partir de ces textes de l'Antiquité qui constituaient la base de l'enseignement. Les six premières classes ne faisaient cependant que préparer l'intelligence de l'enfant au cycle supérieur, celui de la philosophie et des sciences.

III. — L'ENSEIGNEMENT DE LA PHILOSOPHIE ET LA FORMATION DU RAISONNEMENT.

L'éducation, en effet, ne veillait pas uniquement à l'acquisition de la grammaire ou de la rhétorique, mais cherchait son couronnement dans l'étude de la philosophie inséparable de celle des sciences : celles-ci n'avaient pas de place théorique dans l'enseignement.

La philosophie était la pièce maîtresse du cycle des arts, et son enseignement se répartissait théoriquement sur trois ans, mais, dans la pratique, sans doute sur deux années (95). Nous ne savons d'une façon claire si le collège de Tournon dispensait un enseignement de deux ou trois années. En 1575, le Père Valentin commence son cours de philosophie, cependant qu'en octobre 1576 Maître Richardus entame un second cours (96), ce qui veut dire que Valentin, après avoir enseigné la logique une année, poursuit avec ses élèves, en abordant le commentaire des « physiques » d'Aristote, pendant que le nouveau maître recommence un cours de logique. On prévoit alors un troisième professeur pour l'année suivante (1577-1578), qui ouvrira un troisième cours, pendant que le premier commentera le *de Anima* et le livre de *Métaphysique,* et que le second abordera la *Physique* (97). Il est donc possible qu'Honoré d'Urfé ait reçu une solide formation philosophique en trois ans, dispensée par des maîtres de valeur. Le Père Valentin, qui enseigna peut-être soit la logique, soit la philosophie, à Honoré d'Urfé, fut apprécié des élèves et des parents, puisque le rapport de 1575

---

(94) Camus, *Esprit du Bienheureux St François de Sales,* VI, 119 cité par O.C. Reure, *op. cit.,* p. 21.

(95) En 1566, le P. Nadal écrit : « Videtur hoc etiam conveniens, ut cursus philosophiae abbrevientur et totus cursus absolvatur biennio cum dimidio ; nec tamen legatur logica vel physica per compendia » (*Epistolae,* IV, 284, cité par F. de Dainville, p. 87).

(96) *Arch. rom., Gal. Aquit.,* 87, f. 385 (lettre du P. Creytton au P. Mercurian, du 11 octobre 1575), 87, f. 419 (lettre d'Annibal de Coudret au même, du 22 novembre 1575). Maître Richardus était Anglais.

(97) *Ibid.,* 89, f. 47, Annibal de Coudret au P. Mercurian, lettre du 30 janvier 1577.

déclare que le maître a commencé son cours de philosophie à la plus grande joie de l'auditoire « que n'a oncques heu la philosophie de Tournon. Et par delà est estimé le plus grand philosophe de France comme en la vérité il a soubstenu les conclusions en théologie et philosophie pro dignitate » (98). Ce père Valentin, « le plus grand philosophe de France », semble bien être Jacques Borrasa dit Valentinus, qui a enseigné la philosophie à Paris au collège de Clermont et dont la Bibliothèque municipale de Loches possède des notes de cours (99). Nous n'avons guère de renseignements sur la période qui s'étend de 1580 à 1583, sinon que Guillaume de Sardes aurait eu de la peine à enseigner tout le programme en 1582-1584 (100). Il aurait été intéressant de connaître mieux les professeurs de philosophie de Tournon, car ainsi, il nous eût été plus facile de déterminer les origines de la pensée d'Honoré d'Urfé. Plutôt que de connaître dans le détail l'orientation des cours de philosophie qu'il a suivis, nous en sommes réduits à définir l'enseignement qui était généralement dispensé dans les collèges de Jésuites du XVIe siècle et à tenter d'expliquer quelques-unes des préoccupations de l'auteur des *Epistres Morales*.

La logique précédait la philosophie, car elle était à la philosophie ce qu'est la grammaire aux humanités et à la rhétorique, l'instrument de toute science. La physique était ainsi enseignée avant la métaphysique, puisque les réalités immédiates permettent seules de connaître celles qui sont plus éloignées de l'homme. Les sciences qui ne pouvaient être séparées de la philosophie étaient une vaste encyclopédie qui traitait de mécanique et de physique aussi bien que d'histoire naturelle ou d'astronomie, chimie, botanique, géologie ou même géographie. Il importe, pourtant, de considérer que le mot *science* au sens actuel du terme a toute chance d'entraîner un anachronisme. Pour le XVIe siècle, métaphysique et théologie sont des sciences au même titre, quoique différemment, que ce qui est en train de devenir nos sciences exactes, c'est-à-dire les mathématiques et la physique, par exemple. L'enseignement de la logique comprenait celui des mathématiques et de la physique. A la différence des pédagogues protestants, les Jésuites attachaient une grande importance à ces sciences exactes, et les mathématiques faisaient l'objet d'un soin particulier : sans elles, en effet, comment comprendre la physique, le mouvement des astres, des vents et de la mer

(98) *Ibid.*, 87, f. 385, lettre du P. Creytton au P. Mercurian, du 11 octobre 1575. En 1575, une difficulté avait surgi à Tournon au sujet du cours de philosophie qui n'était pas assuré par un homme assez compétent. A la suite de la nomination du P. Valentin, Annibal de Coudret écrit : « Le cours de philosophie va icy bien, Dieu mercy avec repetitions en classe, et le soir comme à Rome, et disputes le Samedi au contentement et du maistre et des escoliers. » (*Gal. Aquit.*, 87, f. 419, lettre du 22 novembre 1575).

(99) Voir *Catalogue général des manuscrits,* t. XXIV, n° 32.

(100) Lettre du 16 septembre 1584. Une lettre d'Annibal de Coudret au P. Mercurian, du 30 janvier 1577, nous révèle que les Pères Valentin et Richard ne se conforment pas à la méthode que suivaient leurs prédécesseurs et les professeurs romains de philosophie et de théologie. Le Provincial leur reproche de dicter d'emblée sans faire précéder d'une explication suffisante (*Gal. Aquit.*, 89, f. 47).

et quantité de sujets traités par Aristote, Platon et leurs commentateurs (101) ? Camus, nous l'avons vu, rapporte qu'Honoré d'Urfé était compétent en mathématiques (102).

Le troisième livre des *Epistres Morales* nous laisse entrevoir ses connaissances en cette matière et combien l'étude de la philosophie y était liée. S'agit-il de prouver que le désir que « naturellement l'homme a de sçavoir, ne peut aller à l'infini, mais doit avoir un but certain, où parvenant, il sera remply et contenté » ? Honoré d'Urfé s'appuie sur Aristote et nous entraîne à sa suite dans une longue étude du mouvement circulaire et linéaire (103). Une théorie du point physique et mathématique s'ébauche à propos de la connaissance :

> « le corps ne peut rien recevoir, comme nous avons dit, qu'à la façon du corps, il ne peut recevoir l'espèce et la conception intelligible que corporellement, et par ainsi le corps ne peut estre capable de ceste conception, il faut que ce soit par sa largeur, à laquelle il faut qu'elle soit joincte, et comme incorporée. Or, l'on considère deux choses en ceste largeur, à sçavoir le poinct et l'estendue : le poinct aussi de deux sortes... »

Un raisonnement abstrait à propos du point mathématique s'élabore pendant une page (104).

Tout l'enseignement de la logique et de la physique s'appuyait sur la doctrine d'Aristote, par le commentaire de la *Physique*, du *Traité sur les Météores* et des *Parva naturalia* (105). L'Eglise, inquiète des écarts de l'humanisme, qui le conduisaient à l'athéisme, à l'astrologie ou la Kabbale, avait su, par le Concile de Trente, opérer les redressements nécessaires en ramenant les spéculations philosophiques et la physique dans les limites de l'aristotélisme et de la cosmographie de Ptolémée. C'était une époque où l'on ne pouvait concevoir la science sans l'érudition ni un maître qui ne fût un érudit. *L'Histoire naturelle* de Pline apportait de nombreux exemples. Sans doute Honoré d'Urfé a-t-il acquis, grâce à cet enseignement, son goût pour les sciences et peut-être même les connaissances qui agrémentent d'une façon si curieuse le récit de *L'Astrée*. Quand il s'appuie sur un exemple scientifique pour illustrer sa conception philosophique de l'amour, il n'hésite pas à faire appel aux questions qui passionnaient ses contemporains et n'étaient certainement pas restées étrangères aux préoccupations de ses maîtres. Le XVIe siècle s'était intéressé à la question mystérieuse du magnétisme. La « calamite » ne devint-elle pas le sujet d'un poème

---

(101) Les élèves faisaient un apprentissage théorique et concret des mathématiques. La valeur essentielle des mathémathiques était d'apprendre à déterminer la situation des lieux et leurs distances. Les élèves apprenaient à manier l'astrolabe (F. de Dainville, *op. cit.*, p. 88).

(102) Les mathématiques comprenaient l'arithmétique, la musique, la géométrie et la cosmographie (F. de Dainville, *op. cit.*, p. 50).

(103) *E.M.*, III, 2, 407, III, 2, 410-411.

(104) *Ibid.*, III, 6, 483-484.

(105) Voir F. de Dainville, *La Géographie des humanistes*, p. 24. Une lettre du P. Gomez nous apprend que, tout en étudiant la philosophie à Tournon, il en donnait un résumé aux étudiants qui n'étaient pas Jésuites. Il signale qu'ils viennent d'étudier les 4 livres des *Météores* et ceux du *Ciel* (*Gal. Aquit.*, lettre d'Août 1575, f. 295).

de Rémy Belleau (106) ? Certes, l'explication est nulle chez Honoré d'Urfé, seule la constatation du phénomène est relatée. Céladon rappelle que Silvandre « a fort estudié » et passe « pour homme très entendu » et il expose sa théorie sur l'attirance des âmes à l'imitation du fer « entre deux calamites », qui « se laisse tirer à celle qui a plus de force » (107). Ou encore, la boussole que fabrique Silvandre devient symbole des pensées qui se tournent vers l'aimée tout ainsi que

> « l'esguille du quadran estant touchée de l'aimant se tourne toujours de ce costé-là [la Tramontane] parce que les plus sçavans ont opinion que, s'il faut dire ainsi, l'élément de la calamite y est, par ceste puissance naturelle, qui fait que toute partie recherche de se joindre à son tout. » (108)

Honoré d'Urfé se veut précis, fidèle à une méthode scientifique qui fait appel au témoignage des savants. Ceux-ci avaient une idée assez vague du magnétisme et de ses rapports avec l'électricité. La sagacité des physiciens du XVIe siècle était sollicitée par les secousses infligées aux pêcheurs par le poisson-torpille. Rondelet écrivit une *Histoire des poissons,* où il tenta de donner des éclaircissements ; Grévin composa ses *Deux livres des venins* et chercha une explication dans le fluide qui sort du corps de la torpille, tandis que Belleau consacrait plusieurs vers à cet étrange poisson qui jette une vapeur,

> « D'un air empoisonné qui coule à la languette
> de l'hameçon piqueur... »

Le pêcheur blêmit,

> « En voyant sa main gourde, et son bras endormi. » (109)

Honoré d'Urfé se fait l'écho de cette troublante constatation. Alciron a provoqué la léthargie de Silvanire, à l'aide d'un miroir composé d'une pierre memphitique et des

> « os et de la substance d'un poisson qui s'appelle tourpille, le tout extraict avec tant d'art, que comme la tourpille assoupit le bras du pescheur, lors qu'elle touche l'hameçon qui est attaché à la ligne, de mesme, aussi tost que les yeux par la veue touchent cette glace, ils en retirent un poison si subtil que, occupant le cerveau, il s'en espand par tout le corps un assoupissement si general que chacun juge morte la personne qui en est atteinte. » (110)

Il est bien possible qu'Honoré d'Urfé ait été entretenu de ce curieux phénomène par ses maîtres. Certes, son imagination s'empare de

---

(106) Sur ce poème de la *Calamite* écrit par Belleau, voir A.M. Schmidt, *La poésie scientifique au XVIe siècle,* Lausanne, éd. Rencontre, 1970, p. 283.

(107) *Astrée,* I, 10, 387-388.

(108) *Ibid.,* II, 3, 97-98.

(109) Cité par A.M. Schmidt, *op. cit.,* p. 284, n. 3. *Les deux livres des Venins* furent publiés à Anvers en 1568. Il n'est donc pas impossible qu'Honoré d'Urfé ait lu cet ouvrage ainsi que le poème de Belleau.

(110) *Astrée,* IV, 3, 139.

ces connaissances et compose des récits qui peuvent paraître totalement fantaisistes ou, du moins, s'insèrent dans une tradition romanesque. L'histoire repose, alors, sur ce merveilleux qui n'est totalement étranger ni au roman, ni aux préoccupations, ni aux croyances de l'époque. Les études sur la lumière, les miroirs et l'optique étaient importantes au XVIe siècle, au point que, depuis le début du siècle, les tentatives d'explication de la réflexion sur les miroirs furent nombreuses. Honoré d'Urfé utilise ingénieusement le phénomène de la réflexion dans une invention du faux prêtre Climante qui veut acquérir une réputation de sainteté, afin de tromper Léonide et Galathée. Il met en œuvre un système subtil composé d'un fusil, de crins de cheval et d'un miroir. Celui-ci doit réfléchir un paysage peint, placé sur le côté opposé. La féerie de la scène est accrue par une flamme et une fumée provoquée par

> « une mixtion de soulphre et de salpestre, qui s'esprend de sorte au feu qui le touche, qu'il s'en esleve une flamme, avec une si grande promptitude, qu'il n'y a celuy qui n'en demeure en quelque sorte estonné. » (111)

Climante n'a pas acquis une science purement théorique. Il connaît les propriétés de l'air chaud et les utilise pour fabriquer un système de fermeture et d'ouverture des portes du temple, qui paraît miraculeux à des esprits aussi peu avertis que ceux de Léonide et Galathée. L'explication d'Honoré d'Urfé est minutieuse et fait appel aux chiffres afin de rendre vraisemblable cette invention (112). L'auteur de *L'Astrée* a appris au collège la précision de l'expression et la rigueur de la pensée qui, jointes à une imagination parfois débridée, donnent naissance à des descriptions que ne dénieraient point certains de nos modernes romanciers d'aventures.

Beaucoup de ces explications permettent à Honoré d'Urfé de réduire le surnaturel et de l'humaniser. Esprits qui se veulent scientifiques, les Jésuites lui ont appris à se méfier de la magie : *L'Astrée* tente plus d'une fois de la ridiculiser en expliquant scientifiquement les phénomènes qui pouvaient paraître prodigieux. Le sorcier apparaît dans le roman comme un mystificateur et l'alchimie n'échappe pas à la critique, car « pour peu qu'on la frotte, elle rougit et montre incontinent sa fausseté. » (113) Plusieurs passages de *L'Astrée* sont comme un écho aux condamnations de la sorcellerie et aux craintes de l'Eglise (114). Aux yeux d'Honoré d'Urfé,

---

(111) *Ibid.*, I, 5, 158.

(112) *Ibid.*, IV, 1, 28-29.

(113) *Ibid.*, IV, 2, 92. L'aristotélisme conduisait à se méfier de l'alchimie et cependant, vers 1580, nul qui se prend pour un savant ne peut l'ignorer (voir A.M. Schmidt, *op. cit.*, pp. 333, 387-388).

(114) Le récit de l'agonie du duc de Nemours nous est un témoignage de cette réprobation de la sorcellerie par l'Eglise : « Mais une chose des plus loüables de sa maladie, c'est que durant ceste grande saignee, il ne voulut oncques souffrir recepte de parole, parce que tels moyens de guerir sont defendus par l'Eglise. Et comme quelqu'un de ses serviteurs l'en importuna fort, luy representant le danger qu'il y avoit pour sa vie : Et quoy ? respondit-il, s'il n'y avoit point de sorciers, le Duc de Nemours ne vivroit donc point ? » (*E.M.*, I, 9, 94).

ces mises en garde se justifient, car nul mage n'est honnête. Tous trompent, aucun n'est capable de prédire l'avenir ou de guérir. Climante en est la meilleure preuve, puisque son rôle est d'abuser de la crédulité. Aussi le lecteur du XVIIe siècle était conduit à douter de la valeur de pratiques dans le genre de la chiromancie. D'Urfé se livre à une véritable parodie de ces prédictions auxquelles les gens avaient foi. Pour s'en convaincre, il suffit d'écouter les paroles du faux prêtre qui raconte sa tromperie à Polémas : je « luy demandai si elle estoit née de jour ou de nuict, et sçachant que c'estoit de nuit, je pris la main gauche... ». Les détails qui suivent montrent combien notre auteur était au courant de ces pratiques, pour avoir lu des ouvrages de chiromancie, d'astrologie ou de sorcellerie (115). Il est si persuadé du caractère insensé de l'enchantement qu'il lui réserve un résultat contraire à celui qui était espéré. Adélonde a pensé conserver l'amour d'Euric en lui offrant un bracelet de cheveux « où des lions de pierreries servoient de fermoirs ». Ceux-ci avaient été fabriqués « sous de certaines constellations ». Euric,

> « aussi tost qu'il sceut qu'elle usoit de charmes et de magie, ...crut que toute l'affection qu'il luy avoit portée n'estoit procédée que de la force des démons... et dès lors en prit une si grande horreur qu'il s'en retira plus vite qu'il ne s'en estoit pas affectionné. » (116)

Tantôt, donc, Honoré d'Urfé manifeste sa crainte de la sorcellerie qui fait appel aux démons, tantôt il refuse d'y croire au nom d'une explication scientifique.

L'aristotélisme rigide qui constituait le fondement de ces études eut cela pour mérite. Rien n'empêchait les maîtres de se tenir au courant des progrès de la science et d'en enrichir l'esprit de leurs élèves. Or, il est étonnant de constater que les professeurs de Tournon ont laissé Honoré d'Urfé dans l'ignorance de la théorie de Copernic. En effet, la cosmologie de Copernic montre que l'univers n'a point de centre et n'est pas fait pour l'homme. Celle d'Aristote, au contraire, enseigne que le monde est une vaste harmonie autour de l'homme qui est lui-même le centre de la terre. Dans *Les Epistres Morales,* Honoré d'Urfé se réfère toujours à Aristote, quand il parle de l'univers ; jamais il ne cite Copernic (117). La sérénité de la cosmologie aristotélicienne est la conclusion à laquelle il aboutit constamment :

> « ce grand ouvrier de l'Univers » ne l'a-t-il point « remply de tant de merveilles ... pour nous convier à le considerer et le considérant, recognoistre cette grandeur et unie variété faite avec tant de nombre, de poids et de mesure... » (118)

---

(115) *Astrée,* I, 5, 159-160. Les connaissances d'Honoré d'Urfé en matière de magie et d'astrologie font de *L'Astrée* comme une somme des croyances au début du XVIIe s.

(116) *Ibid.*, III, 4, 199-200.

(117) Voir surtout, *E.M.*, III, 2e ép.

(118) *E.M.*, III, 2, 403-404.

Si d'Urfé acceptait la cosmologie de Copernic, une telle quiétude lui serait impossible ; une angoisse semblable à celle de Pascal se manifesterait dans son ouvrage. Toutefois, cette ignorance de Copernic s'explique par ce climat de méfiance créé par l'humanisme qui ne veut s'appuyer que sur l'autorité des Anciens et notamment sur l'aristotélisme, dès qu'il s'agit de philosophie et de science. L'humanisme a incliné les études scientifiques vers l'objet de ses préoccupations, l'homme sur la terre, et sa leçon principale fut : l'homme n'est pas fait pour l'univers, mais l'univers pour l'homme. Dès lors, la pensée d'Honoré d'Urfé en ce domaine est le reflet de cette atmosphère du XVIe siècle, hostile à toute théorie qui évite de considérer l'homme comme un résumé de toutes les harmonies de la création (119). C'est dans ce sens même et par fidélité à la tradition aristotélicienne que pour d'Urfé l'homme est un « *microcosme* », « un petit monde » (120). La diffusion de cette théorie s'est opérée dans les collèges de Jésuites à travers les renouveaux du stoïcisme, peut-être même à travers le néo-platonisme et les courants astrologiques qui en étaient souvent inséparables. Honoré d'Urfé prend à témoin de sa pensée Phavorinus, Pic de la Mirandole chez qui il retrouve la même thèse que chez Aristote (121). Comment ne pas conclure à la précellence de l'homme, quand s'impose une comparaison entre le macrocosme et le microcosme (122) ?

S'appuyant sur une observation du monde, grâce à la physique et à la cosmologie, la logique devait conduire les élèves jusqu'aux arcanes de la métaphysique, domaine propre de la philosophie. A lire *Les Epistres Morales,* plus précisément les livres II et III, ainsi que les propos d'Adamas et de Silvandre sur l'amour et le monde, nous soupçonnons la somme de connaissances philosophiques acquises par Honoré d'Urfé. La fin du XVIe siècle connut un véritable engouement pour la philosophie au point que maîtres et élèves eurent tendance à se perdre dans des spéculations métaphysiques plutôt qu'à s'attacher d'abord aux humanités. La Société de Jésus dut réagir, bien qu'elle attachât tout son prix à la philosophie, rempart contre l'hérésie (123). Il fallait, en ce domaine, un enseignement précis et orthodoxe. C'est pourquoi, les recteurs des collèges recrutèrent des professeurs de valeur et, en cela, Tournon semble avoir été privilégié (124), de telle sorte que les effectifs des classes de philosophie allèrent en augmentant (125). Il n'est pas étonnant de découvrir un philosophe et un dialecticien, dans le personnage de Silvandre, ancien élève des « Universitez des Massiliens ».

---

(119) Voir F. de Dainville, *La géographie des humanistes,* pp. 78-79.
(120) *E.M.*, III, 1, 393.
(121) *Ibid.*, III, 1, 388, 389, 391.
(122) *Ibid.*, III, 1, 396.
(123) Voir de Dainville, *La naissance de l'humanisme moderne,* p. 58.
(124) En 1583-1584, le Collège de Tournon comptait 150 philosophes et presque 100 rhétoriciens (*Arch. rom., Gal. Aquit.*, 53, f. 132).
(125) La Logique comptait 14 ou 15 élèves, la Physique 12 et la Théologie 12 (*Arch. rom., Gal. Aquit.*, 89, f. 366 v°).

Aussi bien au Collège romain que dans les autres collèges de Jésuites du XVIe siècle, les œuvres d'Aristote et la *Somme Théologique* de Saint Thomas constituaient le cadre pédagogique obligatoire pour l'enseignement de la philosophie (126). *Le Ratio Studiorum* de 1586 rappellera que les Constitutions font une obligation de suivre la doctrine d'Aristote en logique, en philosophie naturelle et morale et en métaphysique (127). Une défiance naturelle se manifestait à l'égard de Platon. On ne retenait du platonisme que ce qui pouvait éclairer la pensée d'Aristote. L'œuvre d'Aristote permettait surtout l'étude des questions philosophiques importantes et fournissait un plan et des textes qui étaient examinés au cours des prélections. Les maîtres abordaient ainsi les problèmes agités par le Philosophe, les exposaient et les résolvaient par le jeu d'une dialectique, en montrant la rigueur de la pensée, car, dit Honoré d'Urfé, Aristote, « selon sa coustume veut tousjours prouver tout ce qu'il dit » (128). Un texte d'Aristote était analysé en classe, et, pour ce faire, le professeur ne dédaignait pas de recourir aux commentaires les plus érudits. Tout ceci n'était cependant qu'un point de départ ; il convenait encore de procéder à des mises au point, fruits des recherches philosophiques récentes. Les « quaestiones » se multipliaient en marge d'Aristote et les professeurs ne se privaient pas de donner libre essor à leur pensée (129). Peu à peu, Aristote finit par ne plus fournir qu'un plan d'études, donc des thèmes de raisonnement et de réflexion. Conformément à la technique de la « quaestio », la discussion des adversaires d'Aristote était admise. Ceux-ci d'ailleurs pouvaient fort bien avoir la sympathie et Platon n'était pas exclu (130). Il est possible même que

(126) Voir à ce propos, F. de Dainville, *op. cit.*, p. 93 ; Ronzy, *op. cit.*, p. 52 ; G.M. Pachtler, *Ratio studiorum et institutiones scholasticae Societatis Jesu per Germaniam olim vigentes collectae concinnatae dilucidatae,* Berlin, Hofmann, 1887, t. II, *Ratio Studiorum,* ann. 1586-1599, pp. 125-141.

(127) *Ration studiorum de 1586,* in Pachtler, *op. cit.*, t. II, pp. 129-130 : les ouvrages utilisés par les élèves montrent que l'enseignement avait un caractère nettement aristotélicien. Sur ces ouvrages, voir Sommervogel, *op. cit.*, t. X, col. 733-744. Voir également, à propos de l'importance de l'aristotélisme, F. de Dainville, « Le Liber examinis du Noviciat de Toulouse (1571-1586) », in *Revue hist. Eglise de France,* t. 42 (1956), pp. 48 sq., et, du même auteur, « Le recrutement du Noviciat toulousain des Jésuites de 1571 à 1586 », in *BHR*, t. 9 (1947), pp. 129 sq. Dans les bagages des jeunes étudiants qui, au sortir du collège, se présentent au noviciat, on ne trouve guère que les œuvres d'Aristote et leurs commentaires. Un seul exemplaire des œuvres de Platon fut trouvé.

(128) *E.M.*, III, 1, 389.

(129) Voir F. de Dainville, *op. cit.*, p. 107.

(130) Il n'est pas exclu que tel ou tel dialogue de Platon ait été commenté en classe. Si la place d'Aristote et de St Thomas était importante dans le cours de philosophie du Collège romain, elle n'était pas du tout exclusive et le platonisme et le néo-platonisme y avaient leur part. Ronzy cite du Père Jacobo-Acostal un cours de philosophie conservé à la Bibliothèque communale de Palerme et dont toutes les leçons ont pour objet le platonisme et le néo-platonisme, Platon et Porphyre (*op. cit.*, pp. 52-53). Nous pensons qu'il s'agissait de leçons inaugurales au cours de Dialectique précédant le commentaire de l'*Isagogé* de Porphyre, proposé comme une introduction à la Dialectique. Un dialogue de Platon a pu ainsi être commenté en classe. Voir aussi les chapitres consacrés à Aristote et Platon par Possevin (*Bibliotheca selecta,* Venise, 1593, t. II, pp. 78 sq.). Possevin est d'autant plus intéressant qu'il est homme ouvert et l'un des membres de la commission qui a élaboré le *Ratio.* Il admet que Platon est utile pour la « lecture » d'Aristote qui fut pendant vingt ans son disciple.

parfois un intérêt passionné ait été manifesté pour le platonisme. Il semble bien en effet que les intellectuels du XVIe siècle n'aient pas mis entre aristotélisme et platonisme la même opposition contradictoire que les historiens du XXe siècle (131).

Il n'est donc pas surprenant de découvrir dans l'œuvre d'Honoré d'Urfé une pensée à la fois franchement aristotélicienne et platonicienne, comme nous en donne la preuve le troisième livre des *Epistres morales.* Nous y lisons aussi un exposé de la pensée d'Avicenne et d'Averroès. S'il est probable que d'Urfé approfondit la pensée des philosophes arabes pendant la période qui suivit sa sortie du collège, il est du moins certain qu'il y fut initié pendant les cours de philosophie qu'il suivit à Tournon. En effet, les grands adversaires étaient alors Averroès et les interprètes averroïstes d'Aristote (132). *Le Ratio Studiorum* de 1586, reprenant les remarques des Pères provinciaux au cours des années précédentes, recommande aux professeurs de philosophie de combattre Averroès « et alios hujus farinae philosophos », chaque fois qu'ils s'écartent d'une juste interprétation d'Aristote ou écrivent contre les dogmes de l'Eglise catholique (133). Le cours de philosophie de Tournon fit découvrir à Honoré d'Urfé la pensée d'Aristote, celle de Platon, d'Averroès, d'Avicenne, mais il semble bien, à lire notamment le troisième livre des *Epistres Morales,* que la pensée d'Aristote reste chez lui à l'état de savoir et que celle de Platon ait acquis sa sympathie, comme nous le verrons plus loin.

Les cours de philosophie ne restaient pas lettre morte. Très souvent, trop souvent au dire des Provinciaux, ces cours étaient dictés (134). Les citations y étaient nombreuses, les commentaires, érudits , et l'élève, une fois seul, pouvait réfléchir sur la doctrine ainsi recueillie. Son cours appris, il s'adonnait à la lecture d'ouvrages en rapport avec les questions étudiées (135). L'étude était encore approfondie au cours des séances de l'Académie qui laissaient place aux curiosités et aux lectures. C'est là, sans doute, que les discus-

---

(131) Voir l'œuvre de Lefevre d'Etaples, commentateur d'Aristote. Marsile Ficin dit aussi bien « Thomas noster », que « Plato noster ». Voir, à ce propos, les commentaires du P. de Lubac, *L'exégèse médiévale,* Aubier, coll. Théologie, t. IV, p. 392. On peut également consulter sur cette question, P.O. Kristeller, *Le thomisme et la pensée italienne de la Renaissance,* Paris, Vrin, 1967 ; A. Schimberg, *op. cit.*, p. 118.

(132) On a combattu surtout l'interprétation averroïste de l'Ecole de Padoue et cela a favorisé indirectement l'influence platonicienne. Sur l'influence de l'Ecole de Padoue, voir A. Rivaud, *Histoire de la philosophie,* Paris, P.U.F., 1948, t. II, *De la scolastique à l'époque classique,* pp. 352-354.

(133) Pachtler, *op. cit.*, pp. 132-133. Le *Ratio* fait encore les recommandations suivantes : « Si quando male senserit Averroës, inde sumant occasionem deterendi ejus auctoritatem, sed potius argumentis, quam conviciis. At si quando bene, sine ejus laude id defendatur ; et ne auditores ad eum afficiantur, ostendant, si possunt, id Averroëm aliunde sumpsisse, nec legant ejus digressiones tanquam separatum aliquem tractatum Philosophicum, sed ejus opinionem tantum referant id in ordinariis quaestionibus : ostendant quoque cum a nostris non minus recte intelligi quam ab Averroistis : nec illum esse doctiorem aliis Philosophis, sed ex affectata quadam obscuritate seu barbarie parasse sibi auctoritatem apud multos. »

(134) Voir *Arch. rom., Gal. Aquit.*, 89, f. 47, lettre du 30 janvier 1577.

(135) Voir F. de Dainville, *op. cit.*, p. 297.

sions devaient aller bon train sur le platonisme. Nous relevons un fait assez curieux dans l'histoire du collège de Tournon. En 1575, les Jésuites eurent des difficultés avec les élèves : ceux-ci avaient fondé une « antiacadémie » (136). L'Académie paraissait-elle à leurs yeux comme trop rigide, trop traditionnelle dans sa doctrine ? Cela, du moins, nous laisse soupçonner qu'il y avait parmi les élèves des esprits frondeurs qui n'acceptaient sans doute pas tel quel l'enseignement qui leur était dispensé officiellement. Les intelligences s'éveillaient à la réflexion personnelle, les cours et les lectures apportaient une précieuse documentation, les discussions avec des professeurs venus de Rome et peut-être, parfois, sympathisants des doctrines néo-platoniciennes, créaient un climat favorable à l'éclosion d'une pensée philosophique curieuse d'un autre système que l'aristotélisme. L'ouvrage écrit par Antoine d'Urfé et publié en 1592. *L'honneur,* accompagé de deux épîtres dont l'une traite *de la préférence des Platoniciens aux autres philosophes* nous est une preuve des préoccupations philosophiques des élèves de Tournon (137). Il ébaucha ce travail vers 1586, au sortir du collège, dès l'âge de 15 ans ; alors qu'il se trouvait encore sur les bancs de la classe de philosophie, il composa aussi des dialogues et des discours où se manifestait son goût pour le platonisme. Dans un sonnet placé en tête de *L'Honneur,* Pierre Mathieu vante la maturité précoce de son esprit :

> « Platon discourt de l'âme en son adolescence :
> A trois lustres Urfé produit tant de discours
> Que comme un autre Orphée il fait ouïr les sourds. » (138)

L'ouvrage est une discussion qui sent encore le collège, mais où l'on découvre la révolte du jeune homme contre le siècle qui accepte passivement les idées livrées par la tradition. L'une des deux épîtres jointes à *L'honneur* est adressée à Honoré qu'Antoine fait juge de ses raisons :

> « Je me plains à vous, cher frere, de ce malheureux siecle où nous sommes, qui repreuve comme faux tout ce qu'il n'a pas accoustumé d'ouyr : comme si sa cognoissance estoit la regle de la verité des choses, au lieu que s'il estoit un peu plus modeste, il se contenteroit de prendre la verité au contraire pour regle de sa cognoissance. Je dy cecy parce que j'ay sceu par quelques miens amys que plusieurs, ayant gousté la lecture de mon petit dialogue de l'Honneur, ont trouvé de si mauvaise digestion la préférence que j'y donne à la secte platonique sur toutes les autres, que, pour cet accessoire, ils ont rejeté aussi toute l'œuvre, la condamnant d'opinions extravagantes et fausses. » (139)

---

(136) *Gal. Aquit.*, 87, f. 208 r°.

(137) *L'Honneur. Premier dialogue du Polemophile. Avec deux Epistres appartenantes à ce traicté : l'une de la preference des Platoniciens aux autres Philosophes : l'autre des degrez de perfection. Par Ant. d'Urfé, abbé de la Chaze-Dieu, et Prieur de Montverdun,* A Lyon, par Jacques Roussin, MD.XCII. Voir, à propos de cet ouvrage, C. Longeon, *op. cit.*, p. 227.

(138) Cité par A. Bernard, *op. cit.*, p. 220.

(139) *Epistre liminaire de l'Honneur.* Il faut comprendre qu'une saturation d'aristotélisme devait conduire certains élèves à chercher des idées nouvelles dans le platonisme.

Cela nous paraît un témoignage non négligeable des questions qui alimentaient la conversation des jeunes philosophes.

La forme de l'enseignement philosophique préparait les élèves à ce goût pour la discussion, car la dialectique y occupait une place importante. Au cours de la répétition, le professeur exposait la thèse pendant un quart d'heure au plus, puis il consacrait le reste de l'heure de l'argumentation (140). Les livres II et III des *Epistres Morales* comprennent des chapitres qui sont une illustration de cet enseignement. L'épître VI du troisième livre en est un excellent exemple. Honoré d'Urfé suppose qu'Agathon se plaint du manque de clarté dans l'exposé de la lettre précédente. Les questions sont résumées en quatre articles qui sont repris et examinés un à un sous la forme d'une argumentation rigoureuse, pour aboutir à des conclusions précises. L'auteur ne s'est pas encore détaché du raisonnement scolastique auquel il a été soumis pendant ses années de collège.

Cette dialectique prenait vie au cours des « disputes », dont les *Constitutions,* puis le *Ratio,* n'ont cessé de vanter l'importance. Sans elles, la formation philosophique apparaissait comme incomplète, car apprendre sans discuter, c'est ne pas apprendre à penser. Nous avons déjà noté que l'éducation dispensée par les Jésuites était certes un apprentissage à écrire, mais surtout à parler. Il n'y a donc pas lieu de s'étonner que les bergers de *L'Astrée* soient tous beaux parleurs et raisonneurs subtils. Leurs discours sont nombreux et les discussions sont fréquemment recherchées, reflets de ces exercices oraux qui répondaient dans l'enseignement à une véritable nécessité intellectuelle. Les remarques du *Ratio* de 1586 ne feront que répéter les idées en cours quelques années auparavant :

> « Constitutiones vero nihil gravius commendant, quam disputationes earumque frequentiam et assiduitatem ... Semper vero viri graves sibi persuaserunt addisci Philosophiam ac Theologiam, non tam audiendo, quam disputando. » (141)

Suit une analyse intéressante du profit que l'on peut retirer d'un tel exercice : mise à l'épreuve de la pensée personnelle, une foule d'idées accourent au moment où il faut répondre à l'adversaire, avantages tels qu'une seule dispute vaut mieux que de nombreux cours. Dès les classes de grammaire, les élèves y étaient astreints sous forme de concertation (142). Des élèves de rhétorique s'affrontaient à des élèves d'humanités, mais il s'agissait surtout d'interrogations et de réponses. C'étaient des provocations semblables à celles d'Hylas et de Silvandre dans *L'Astrée*. Les « disputes » obligeaient l'élève à préciser sa pensée, à l'exposer nettement, à écouter l'adversaire, à retourner une question sous toutes ses faces et à acquérir une maîtrise consommée pour mettre ses arguments en valeur. Discernement, subtilité et sang-froid constituaient un

---

(140) Voir F. de Dainville, *op. cit.*, p. 137.
(141) *Ratio,* de 1586, in Pachtler, *op. cit.*, p. 103.
(142) Voir P. Porteau, *op. cit.*, p. 166.

profit que nul ne mettait en doute (143). Comme dans tous les collèges de Jésuites, la « dispute » était en usage à Tournon. Les samedis et une fois par mois, elle avait un caractère solennel, portait sur des thèses différentes et se déroulait devant les élèves et les maîtres de diverses disciplines. Parfois même, au cours de l'année, des argumentations étaient publiques. Des professeurs d'autres collèges, des amis, des notables venaient disputer avec les défendants (144). Ces tournois avaient la forme d'un défi, le philosophe qui présidait les débats animait les adversaires, applaudissait une distinction subtile, encourageait l'un ou l'autre. Mais il faisait respecter les règles de la dispute : « répétition des arguments, discussion, distinctions claires, brèves, point alourdies de raisons et de déclarations » (145).

Dans *L'Astrée*, nous retrouvons un souvenir de ces disputes du collège. Hylas et Silvandre sont souvent aux prises, quand il s'agit de l'amour. Ils ont été, l'un et l'autre, formés aux « Escoles des Massiliens », ils sont tous deux de bons esprits et leur débat prend vite la forme d'une dispute (146). Léonide a rendu un jugement sur l'affaire qui oppose Palémon, Doris et Adraste. Hylas considère que la sentence n'est pas équitable ; Silvandre, quant à lui, soutient le contraire. Une suite d'interrogations posées à Hylas conduit Silvandre à soutenir que « qui n'avoit qu'une partie d'amour n'en avoit rien du tout ». Hylas prend l'assistance à témoin et jette un défi en déclarant : « Car peut-estre Silvandre n'a pas assez de babil pour confondre luy seul tout le reste du monde. » (147) La foule des bergers et des bergères se presse autour des deux combattants et manifeste sa sympathie à Silvandre, ce qui fait dire à Paris, partisan d'Hylas :

> « Il me semble, Hylas, que nous avons la raison de nostre costé, mais que Silvandre par ses discours s'acquiert l'opinion de toute la foule qui le favorise. » (148)

Hylas, conscient de cette situation, s'écrie :

> « Vous croyez toutes Silvandre comme un oracle et sous pretexte qu'il a esté quelque temps aux escholes des Massiliens, vous admirez tout ce qu'il dit et vous semble qu'il a toujours raison. » (149)

C'est une scène pleine de vie qui se déroule ensuite, au cours de laquelle la foule des assistants va suivre avec attention la discussion

---

(143) Sur l'importance des disputes dans les collèges, voir P. Porteau, *op. cit.*, pp. 158-174 ; Herman, *op. cit.*, pp. 79-80.

(144) En janvier 1584, le P. Coyssard, recteur du Collège de Tournon, écrit au P. Général des Jésuites : « Scholae florent... Diebus quinque habitae sunt disputationes solemnes. » Celles-ci eurent lieu en présence du comte de Tournon, de nobles, « aliisque utriusque juris Medicinae et theologiae doctoribus qui docent in Universitate Valenciae... quo fit ut frequenter scholas nostras invisant et disputationes intersint. »

(145) F. de Dainville, *op. cit.*, p. 138.

(146) *Astrée,* II, 9, 381 sq.

(147) *Ibid.*, II, 9, 381.

(148) *Ibid.*, II, 9, 382.

(149) *Ibid.*, II, 9, 385.

et laissera fuser son rire chaque fois qu'Hylas fera preuve d'esprit (150) ; c'est une véritable séance publique, semblable à celles qui se déroulaient au collège.

Une dispute sérieuse s'engage donc ; les deux combattants sont désireux de mettre en évidence l'erreur de l'adversaire, chacun étant persuadé de posséder la vérité (151). Une émulation va naître chez chacun pour convaincre l'autre, mais la forme du récit romanesque n'a pas permis à Honoré d'Urfé de suivre scrupuleusement les règles en vigueur dans la dispute, faute de quoi le roman se serait trouvé singulièrement alourdi et aurait pris une allure trop scolaire. Malgré tout, se découvrent un ton et des formules qui étaient en usage dans les argumentations publiques des collèges. Silvandre rappelle qu'il a appris aux « *Escoles des Massiliens* » de « ne disputer jamais contre ceux qui nient les principes ». Ni Hylas ni Silvandre ne tombent dans ce défaut. La dispute reste sur un plan philosophique, à tel point que Silvandre s'excuse d'employer des termes techniques :

> « Il faut que je vous supplie tres-humblement de m'excuser si pour descouvrir ses subtilitez je suis contraint d'user de quelques termes qui ne sont guieres accoustumez parmy nos champs. Il m'y contrainct, comme vous voyez, et me force, pour soustenir la verité, de parler de ceste sorte ».

Tout ceci annonce un débat philosophique d'où seront bannies les considérations terre à terre. Il était d'usage dans les collèges de répéter, avant de répondre, les principaux points de l'argumentation de l'adversaire, en ne faisant aucune remarque sur chaque proposition. Hylas, qui est l'attaquant, se conforme à cet usage :

> « Tu dis deux choses, Silvandre, l'une que ton affection est parfaicte, et ne peut estre reprise, et l'autre que je ne t'en sçaurois proposer une plus accomplie... »

Puis, chaque proposition était reprise, concédée, niée ou distinguée. N'est-ce pas ainsi que procède Hylas en faisant de chacune de ses remarques un nouveau défi ?

> « Respons moy pour la premiere : A ce qui est parfaict peut-on adjouster quelque chose ? Je m'asseure que tu diras que non, car s'il se pouvoit la chose auroit manqué auparavant de ce qu'on y auroit raporté »

Chaque argument est suivi de sa preuve, la distinction se poursuit ponctuée par un « or ». Puis, le second aspect de la thèse est à son tour passé au crible :

> « Dy moy donc maintenant : qu'est-ce qu'amour ? N'est-ce pas un desir de beauté et du bien qui deffaut ? Mais si ton amour...»

(150) *Ibid.*, II, 9, 388 et 390.

(151) *Ibid.*, II, 9, 385. Silvandre déclare à Hylas : « Mais ne crain rien, berger, car je voy bien qu'il n'y a personne icy qui se dispose à la rigueur, et tout le chastiment que tu dois en attendre, c'est seulement la cognoissance de ton erreur. » S'adressant à Léonide, Hylas avait dit : « Belle nymphe, si ce ne vous est chose ennuyeuse, permettez-moy que je luy montre son erreur. »

et ainsi de suite jusqu'à la conclusion :

> « je ne croy pas que ta presomption soit telle qu'elle te persuade que tu sois aussi parfaict comme tu l'estimes. » (152)

Jamais les raisons ou les déclarations ne sont imposées de force. Silvandre, à son tour, reprend la thèse d'Hylas :

> « Tu dis donc, Hylas, qu'il n'y a point d'amour parfaicte, sans l'acquisition du bien desiré, parce qu'amour n'est qu'un desir du bien qui deffaut ... Or respons-moy donc, berger. Desire-t-on ce que l'on possede ? Tu diras que non, puis que le desir n'est que de ce qui deffaut. Mais si l'amour, comme tu dis, n'est qu'un desir, ne vois-tu pas que posseder ce que l'on desire, c'est faire mourir l'amour puis que personne ne desire ce qu'elle possede ? »

Les réponses rapides d'Hylas vont entrecouper l'argumentation de Silvandre, la faire progresser et la conduire au raisonnement final. Parfois, une proposition est niée : « O ! s'escria Hylas, combien est fausse ceste proposition », et cette négation est immédiatement justifiée par une preuve ; Hylas se réfugie dans son expérience amoureuse pour réfuter la thèse de Silvandre : « nous ne pouvons aimer que nous ne cognoissions la chose que nous aimons. » L'expérience alléguée par Hylas servira de preuve à Silvandre : « Tu aimois ce que tu cognoissois. » (153) L'appel aux comparaisons encadrées par « tout ainsi ... de même ... », permet le départ d'une preuve plus nette qui pourra atteindre à l'abstrait ; ainsi en est-il de l'exemple de l'arc, de la corde et de la flèche (154). Les « Mais », les « Or », rendent l'argumentation de Silvandre rigoureuse, serrée, et réduisent Hylas à quia.

La dispute était un exercice sérieux qui n'avait rien de commun avec une représentation théâtrale ou un discours qui favorise la recherche des effets, Les maîtres se faisaient un devoir de rappeler que les détails oiseux devaient en être bannis et qu'il était nécessaire de rechercher la progression du raisonnement. Silvandre est un exemple du raisonnement précis, il en a la réputation, et nous pouvons, à chaque instant, au cours de la dispute, déceler son goût pour les subtilités ainsi que la vivacité de son esprit (155). Hylas, pourtant formé à la même école, se soumet mal aux règles de la dispute : il est un homme du midi, beau parleur plus que subtil raisonneur. Persuadé qu'il remportera la victoire, il attaque avec arrogance,

> « ...enfonçant son chappeau, et relevant un peu l'aisle qui luy couvroit le front, mettant une main sur les costez, et de l'autre accompagnant par des gestes la violence de sa parole » (156).

---

(152) *Astrée,* II, 9, 383.
(153) *Ibid.,* II, 9, 387.
(154) *Ibid.,* II, 9, 386.
(155) *Ibid.,* II, 7, 293, Léonide dit à Céladon que Silvandre « a l'esprit vif » et que c'est aux « escoles des Massiliens » qu'il a acquis cette qualité.
(156) *Ibid.,* II, 9, 383.

Emporté par sa faconde, Hylas noie son raisonnement dans un flot de paroles ; c'est un discours creux ou des invectives plutôt qu'une argumentation. Silvandre désapprouve un tel procédé :

> « Je pensois ..., devoir parler à un berger, et en presence des dames et des bergeres, mais à ce que je vois, c'est à un de ces orateurs qui haranguent devant les autels de l'Athénée de Lyon, tant Hylas s'est laissé transporter à son bien dire. » (157)

La colère et la violence même s'emparent facilement d'Hylas qui ne peut plus répondre (158). Silvandre, au contraire, reste d'une parfaite civilité, cette qualité à laquelle les Jésuites voulaient former leurs élèves au cours des disputes. Sans doute le sentons-nous parfois exaspéré, mais jamais il ne se départit de son calme, puisqu'il est capable de rire, lui aussi, aux traits d'esprit de son adversaire (159). D'un côté, un modèle parfait du raisonneur, disciple des Jésuites, Silvandre, qui croit à la force des paroles ; de l'autre, Hylas, qui n'a foi qu'en son expérience et s'en targue, l'exemple à éviter (160). Léonide, l'arbitre comme il y en avait dans les disputes du collège, intervient pour mettre fin au débat : « C'est assez disputé pour ceste fois » (161).

Ainsi se clôt une dispute qui rappelle celles auxquelles Honoré d'Urfé a participé pendant ses études. Rien n'y manque, ni la solennité, ni les spectateurs, ni le souvenir des préceptes enseignés en philosophie. Seul, le sujet du débat a ici changé, l'amour et sa conception ont remplacé l'âme et sa nature, ou d'autres thèmes semblables. Le souvenir d'une scène vécue au cours de l'adolescence jaillit à l'esprit d'Honoré d'Urfé, ses talents d'écrivain n'eurent qu'à lui donner vie et supprimer tout ce qui pouvait apparaître comme trop abstrait. Il n'y réussit pas toujours, tant il est, comme Silvandre, épris du maniement des idées. Il nous semble impossible de faire des rapprochements avec d'autres disputes qui figurent dans des œuvres qu'Honoré d'Urfé est censé avoir imitées. Tout au plus, pouvons-nous admettre que le ton de Silvandre rappelle parfois cet accent dogmatique, voire pédantesque, des dialogues de Platon, mais les disputes dont Honoré d'Urfé garde le souvenir étaient souvent très élevées et l'érudition n'en était pas toujours bannie. L'auteur de *L'Astrée* n'en a-t-il pas conscience, quand il présente les excuses de Silvandre obligé d'utiliser des termes techniques ? Admettons, du moins, que les interrogations auxquelles se livre Silvandre ne sont pas sans rappeler la méthode socratique qui n'était pas étrangère aux préoccupations pédagogiques des Jésuites. Magendie fait remarquer que d'Urfé « a pu prendre dans l'*Hepta-*

(157) *Ibid.*, II, 9, 385. Silvandre ne craint pas les attaques d'Hylas, « ses armes », dit-il, « n'ont ny pointe ny tranchant ». (II, 2, 71).

(158) *Ibid.*, II, 9, 390, Hylas ne peut plus patienter, sa colère explose, il parle d'une voix « esclatante », ceci surprend l'assistance qui finit par éclater de rire.

(159) *Ibid.*, II, 9, 388. Par ailleurs, Honoré d'Urfé insiste sur la civilité de Silvandre (II, 9, 304, par exemple).

(160) *Ibid.*, II, 9, 382, « L'expérience est plus certaine que les paroles », dit Hylas.

(161) *Ibid.*, II, 9, 390.

méron, sinon l'idée première, du moins un exemple intéressant d'une rivalité de ce genre. » (162) Ce ne sont, cependant, comme il le note, que « débats indiqués ou esquissés », qui « prennent dans *L'Astrée* une ampleur systématique un peu lourde ».

A nos yeux, Honoré d'Urfé ne peut se détacher totalement de la formation qu'il a subie : un système dialectique qui s'impose à lui, dont, malgré ses efforts, il ne parvient pas à se dégager. Plus proche de sa méthode semble être *Le Monophile* de Pasquier qui oppose plus rigoureusement deux doctrines de l'amour, l'une semblable à celle de Silvandre, un amour unique et pur, l'autre identique à celle d'Hylas, un amour du plaisir et de l'aventure (163). Il ne s'agit pas ici de comparer les propos de Pasquier et d'Honoré d'Urfé, mais de constater si la mise en œuvre est semblable dans les deux œuvres. Or, si Monophile a le ton pédantesque de Silvandre, si les boutades de Philopole font rire l'assistance comme celles d'Hylas, il manque, dans l'œuvre de Pasquier, cette vie qui confère intérêt à la dispute rapportée par d'Urfé. Peut-être certaines idées du *Monophile* ont-elles inspiré l'auteur de *L'Astrée* et s'insèrent-elles dans une tradition, cela méritera réflexion dans une étude sur la conception de l'amour ; mais Hylas et Silvandre nous semblent rappeler ces élèves qui s'affrontaient avec subtilité sur un thème philosophique, dans les séances de disputes au collège de Tournon. Les mêmes réflexions nous viennent à l'esprit à propos de l'imitation possible de la *Galatea* de Cervantès où s'élèvent des discussions sur l'amour (164).

IV. — La formation morale et religieuse.

Dans *L'Astrée,* les analyses psychologiques sont toujours beaucoup plus approfondies que dans les œuvres que d'Urfé a imitées. Voilà ce qui lui confère encore une supériorité. Honoré a participé à des disputes sur des sujets de morale et peut-être de théologie. Il reçut, comme tous les élèves, un enseignement religieux qui, au niveau des classes de théologie, prenait souvent la forme d'une étude de cas de conscience. En effet, plutôt qu'un cours de théologie scolastique, les Jésuites offraient à leurs élèves une formation qui pût leur servir pendant la vie. L'assistance à certaines de ces leçons données « inter privatas parietes » était autorisée aux élèves (165)

(162) M. Magendie, *op. cit.*, p. 123.

(163) E. Pasquier, *Monophile,* Paris, J. Longis, 1554.

(164) Voir M. Magendie, *op. cit.*, pp. 169-170.

(165) Les *Litterae annuae* de 1579 notent qu'il y a des leçons de grec et d'hébreu « inter privatas parietes, praeter eam quae de conscientiae casibus habetur » (*Arch. rom., Gal. Aquit.*, 53, f. 9 v°). Nous trouvons dans *L'Astrée* une trace précise de ces classes de cas de conscience. Il s'agit d'une réflexion sur le mensonge. Quand y a-t-il mensonge ? Ligdamon déclare : « Celuy, madame, qui dit quelque chose qui n'est pas vraye, ne peut pas estre dit menteur, s'il pense toutesfois dire vray, car j'ay tousjours ouy dire que, pour encourir ce blasme, il faut non seulement dire un mensonge, mais sçavoir bien encore qu'on ment. » (*Astrée,* IV, 11, 678).

et, dans ce domaine encore, l'appartenance à l'Académie permettait des recherches approfondies ou des discussions qui ne pouvaient avoir lieu en classe. Depuis le Moyen Age, on s'est plu à disputer sur des cas de conscience. Passionnés pour la conversation et les discussions subtiles qui mettent en valeur la vivacité de l'esprit, les Français ont porté leur goût sur les cas d'amour qui ne sont pas aussi éloignés qu'on pourrait le penser des cas de conscience. Questions d'amour, jeux-partis, tençons, débats en vers et en prose, arrêts d'amour, foisonnent dans notre littérature du Moyen Age (166). Une tradition existait donc en ce domaine, mais chez Honoré d'Urfé elle revêt une nouvelle forme qui n'est pas seulement celle de l'interrogation et de la réponse, mais aussi une analyse souvent davantage approfondie. L'amour tient une place majeure dans les discussions des bergers de *L'Astrée,* mais, en outre, les remarques psychologiques, tout empreintes de finesse et de pénétration, dont le sujet est souvent la jalousie, se multiplient au cours du roman (167). Henri Bochet n'hésite pas à rapprocher quelques cas d'amour exposés dans *L'Astrée* des *Advineaux amoureux* d'Alain Chartier, du *Moys de May* de Guilelme Desaultelz, des *Arts d'amour* imités d'Ovide, ou des jeux-partis du Moyen Age. Ces questions et réponses ou ces tournois poétiques nous surprennent par leur sécheresse ou leur fadeur, en comparaison des remarques ou des analyses de *L'Astrée.* Certes, nous y trouvons des questions d'Hylas et des réponses de Silvandre qui sont aussi sèches, mais la pensée cherche à se préciser à travers questions et réponses, pour permettre ensuite une longue analyse. C'est un procédé qui est plus proche de la méthode socratique que des discussions du Moyen Age, et, en cela, nous ne sommes pas loin de la pédagogie active des Jésuites (168). Là encore, pas plus que dans les jugements d'amour, il ne nous est possible d'accepter sans restriction une comparaison avec des œuvres antérieures dont le sujet seul est semblable dans ses grandes lignes. Les histoires elles-mêmes de *L'Astrée,* qui fournissent matière à analyse, les jugements rendus par Léonide, Adamas ou Diane, diffèrent de tous ceux que nous connaissons tant dans les *Arrests d'Amour* de Martial d'Auvergne que dans les romans pastoraux étrangers ou français, comme celui de Nicolas de Montreux, par leur finesse d'observation psychologique. L'enseignement des humanités, les disputes et les cas de conscience examinés au collège de Tournon ont affirmé et rendu plus méthodique l'acuité d'analyse propre à Honoré d'Urfé. Une étude de la conception de l'amour et de la jalousie qui en est inséparable nous en persuadera.

Les préoccupations morales ne sont jamais absentes de l'œuvre d'Urfé ; elle devient ainsi un véritable enseignement. Si la littérature du XVIIe siècle se définit par un intérêt sans cesse axé sur l'homme, son âme et son cœur, nous pouvons dire que l'œuvre

(166) Voir H. Bochet, *op. cit.,* pp. 92-96.

(167) Il est impossible de faire un relevé complet de tous les passages de *L'Astrée* qui concernent la jalousie, tant ce thème est souvent développé.

(168) Voir, par exemple, I, 8, 287. Hylas et Silvandre se livrent à une série de questions et de réponses qui les conduisent l'un et l'autre à exposer leur conception de l'amour.

d'Honoré d'Urfé y prépara tout autant que l'œuvre de Saint François de Sales. Les études littéraires leur ont permis de découvrir les simples vertus humaines, mais les auteurs païens ont été commentés par des chrétiens (169). A vrai dire, rares sont les passages de l'œuvre d'Honoré d'Urfé qui reflètent la pensée chrétienne de leur auteur. Sa vie seule en est une illustration. Nous découvrons l'amour de la gloire, le culte de la volonté, le goût pour l'émulation et la vertu, un esprit pétri sur le modèle de l'âme antique. Et ceci qui nous est surtout sensible dans *Les Epistres Morales* se révèle aussi dans *L'Astrée* où se dessine une pensée néo-stoïcienne (170). Mais nous nous en tiendrons pour l'instant uniquement aux influences que la pensée de notre auteur a subies de la part de l'enseignement de ses maîtres.

Considérée comme un apprentissage à la vie, cette éducation allie naturalisme et christianisme. Elle s'adresse à de futurs notables et gens du monde et prépare à l'acceptation ou à la recherche de la gloire. C'est pourquoi, elle s'appuie sur une émulation constante qui est l'aiguillon de la volonté. Dans les collèges, blâmes et récompenses jouent un rôle capital, cherchant à faire éprouver le mécontentement ou le contentement de soi. Les Jésuites connaissaient la part à réserver à l'orgueil naturel, à l'ambition et à l'amour-propre qui sont les mobiles du travail de l'élève. Sachant plus que d'autres théologiens qu'il faut, sans les flatter, s'appuyer sur les faiblesses humaines, ils ont multiplié tout ce qui pouvait encourager au travail, donc à la vertu : devises, distributions de prix, affichages ou lecture des meilleurs travaux. Nous retrouvons dans *L'Astrée* ce goût pour l'émulation. Le but en sera l'amour de la bergère aimée. Hylas et Silvandre se piquent au jeu de la dispute ; quand ils s'affrontent, c'est à qui convaincra l'assistance de la supériorité de sa pensée. Silvandre devra rivaliser avec Phillis, afin de remporter la victoire au jugement qui décidera qui des deux a le mieux servi Diane et mérite le chapeau de fleurs (171). L'amour de Silvandre, qui passait pour insensible, trouvera son origine dans cette émulation. Malgré ses moments de tristesse et parfois de désespoir, l'amant saura faire appel à sa volonté ou d'autres bergers le rappelleront à son devoir d'homme.

La dignité humaine est une importante leçon de l'antiquité païenne et point n'est besoin de solliciter les textes latins et grecs pour obtenir des directives de vie. Les humanités ont, en effet, une incomparable valeur pour l'éducation morale : les problèmes y sont posés, incarnés dans l'histoire. L'histoire de l'Antiquité foisonne d'exemples à suivre pour vaincre les passions. Les grands hommes s'imposaient aux yeux des élèves, leur énergie, vantée par les maîtres et devenue souvent sujet de devoirs, ne pouvait plus sortir de leur mémoire. Plutarque avait surtout l'avantage d'être une mine d'exemples de ce genre et il est inutile de s'étendre sur l'uti-

---

(169) Voir A. Schimberg, *op. cit.*, pp. 149-155 ; F. de Dainville, *op. cit.*, p. 222.

(170) Voir *infra*, IIe partie, ch. II.

(171) *Astrée*, III, 9, 520.

lisation qu'en firent Montaigne et de nombreux humanistes. Dans *Les Epistres Morales,* se rencontrent presque à chaque page les emprunts faits aux *Œuvres morales et philosophiques* où se mêlent noms fameux et anecdotes dont l'auteur illustre sa pensée (172). Champions de la nature humaine, les Jésuites enseignent le respect de la raison et de la liberté et mettent en valeur ces deux facultés qui constituent essentiellement l'homme. C'est pourquoi, parmi les auteurs dont les écrits sont mis entre les mains des élèves, Epictète et Sénèque se retrouvent aux côtés de Plutarque. Tous trois sont une affirmation de la raison (173). Le stoïcisme, source de sagesse, se présente en conformité avec le christianisme dont la raison est le fondement. En une époque de crise et de guerre civile, où la mort et les malheurs publics et privés assaillent l'homme à chaque instant, quels meilleurs enseignements pouvait-on trouver que chez ceux-là même qui prônent la volonté ? Ces Jésuites, qui, prêts au martyre comme ceux de Tournon, manifestèrent leur constance et leur foi, ne découvraient pas dans l'Antiquité païenne une pensée qui pût mieux correspondre à leurs actes et mieux apprendre à leurs élèves à bander leurs efforts. Il leur suffisait d'expliquer comment dépasser les stoïciens pour atteindre à la sainteté. Voilà pourquoi, nous lisons dans *Les Epistres Morales* maintes réflexions qui semblent appartenir plus au stoïcisme qu'au christianisme. Dès l'adolescence, notre auteur a médité les thèses morales des stoïciens et les a faites siennes, comme d'autres moralistes du XVIe siècle (174). A leur école, il a appris à affermir sa volonté contre l'inconstance de la Fortune et à regarder la mort en face. Cependant, toute note chrétienne n'est pas absente des *Epistres Morales.* Persuadés de l'importance de la volonté, les Jésuites ne rejettent ni la nécessité du concours divin, ni le rôle de la Providence. Le retour à Dieu, postulé par l'aspiration de l'homme à l'infini, tend à une fidélité surnaturelle qui ne peut, de l'avis d'Urfé, être atteinte sans « une aide survenante de Dieu » (175). D'autre part, contre les malheurs de la vie présente, malgré un premier mouvement de révolte, la pensée de la Providence divine pleine de bienveillance et de sollicitude à l'égard des hommes, est le meilleur secours :

> « Tout ce qui nous advient provient de la main de Dieu » et « ... la terre, et tout ce que nous voyons en cet univers, est disposé et conduit par la particuliere providence de Dieu, et non point du hazard, ny de soy-mesme ... Avoir opinion que

(172) Ces emprunts sont si nombreux et si importants parfois qu'ils ne laissent place à aucun apport personnel (Sœur M.L. Goudard, *op. cit.*, pp. 145-152).

(173) Voir à ce sujet, F. de Dainville, *op. cit.*, p. 245 ; A. Schimberg, *op. cit.*, pp. 57-60 et p. 219.

(174) Le stoïcisme d'Honoré d'Urfé se distingue de celui des moralistes de la fin du XVIe siècle par une note plus nettement chrétienne et par un caractère clairement affirmé de constance et de fermeté.

(175) *E.M.*, III, 8, 514. Tout le 3e livre est consacré au retour à Dieu, à la spiritualité de l'âme et à son origine divine. Voir, à propos de ce livre des *Epistres Morales,* R. Bady, *L'homme et son institution de Montaigne à Berulle,* 1580-1625, pp. 225 sq.

> Dieu vueille mal à ses créatures, ce seroit non moindre ingratitude que tres grande impiété, veu que nous avons tant de tesmoignages de son amitié, que nous ne pouvons ouvrir les yeux que tout à coup nous n'en voyons une infinité se présenter à nous... » (176)

Soutenu par la grâce divine, aidé par la pensée de la Providence, l'homme peut atteindre à la vertu avec sa volonté. Les stoïques illustreront cet aspect volontaire de la vertu acquise par l'effort et rendue plus tenace par la lutte ; la spiritualité de Saint Ignace n'aura qu'à enseigner le rôle de Dieu et le dépassement de la morale païenne pour atteindre à la sainteté. Mais, jamais les Jésuites ne perdent de vue que le jeune élève, dont ils ont pris en charge l'éducation, sera demain un homme qui devra lutter dans le monde. C'est pourquoi, les vertus humaines seront à l'honneur. Un chrétien est un homme fait d'un corps et d'une âme, appelé à vivre en société ; dès lors, le fondement nécessaire des vertus chrétiennes sera constitué par les vertus civiles (177). Cette morale, sans doute inculquée déjà par le milieu familial, mais consolidée à Tournon, sera bien celle d'Honoré d'Urfé dans ses *Epistres,* notamment dans les deux premiers livres, à tel point même que son attitude, n'étaient l'émouvant récit de la mort du Duc de Nemours et les remarques du livre troisième, pourrait apparaître comme totalement dépourvue de caractère chrétien. S'agit-il d'expliquer comment l'homme doit tendre à Dieu, bien suprême ? Honoré d'Urfé proclame que l'homme se rapproche de Dieu, non point par une vertu contemplative, trop éloignée de la nature humaine, mais bien par la vertu morale, la seule qui convienne à l'homme dans sa condition actuelle, parce qu'elle est la domination de la raison sur les appétits (178). Cette morale volontaire était inculquée dans les collèges pendant les classes de grammaire, d'humanités et de rhétorique, au cours de la prélection, et davantage approfondie les dimanches et jours de fête. Le commentaire était illustré de sentences, d'apophtegmes, d'adages tirés des philosophes et des poètes de l'Antiquité (179) et participait ainsi à ce goût de la Renaissance pour les dits moraux. Ceux-ci venaient grossir les cahiers de lieux communs, les apparentant à de véritables « libri sententiarum », qui ne refusaient certainement pas les pensées cueillies, non seulement chez les auteurs de l'Antiquité, mais encore chez les moralistes espagnols (180). C'est pourquoi, *Les Epistres Morales,* à la façon même de l'édition des *Œuvres Morales* du stagirite donnée par Lefèvre d'Etaples au début du siècle, sont farcies de pensées empruntées à Plutarque, Sénèque ou Epictète ou à des auteurs espagnols comme Perez. Loin d'être un cours banal consacré uniquement aux devoirs de l'homme, l'enseignement de la morale s'in-

---

(176) *E.M.*, II, 2, 345-347.

(177) Voir, à ce propos, F. de Dainville, *op. cit.*, pp. 268-272 ; A. Schimberg, *op. cit.*, pp. 219-280.

(178) *E.M.*, III, 10, 537 sq.

(179) Voir F. de Dainville, *op. cit.*, p. 235.

(180) Sur le « Liber sententiarum » tenu par les élèves, voir P. Porteau, *op. cit.*, pp. 178-183 ; F. de Dainville, *op. cit.*, p. 244.

téressait aux problèmes fondamentaux : principes d'Aristote et des philosophes païens sur la béatitude, le devoir et la fin de l'homme (181). A une époque où les craintes de l'averroïsme étaient de plus en plus sérieuses, il importait encore non seulement d'étudier les preuves de l'existence de Dieu, mais d'aborder le problème de la spiritualité et de l'immortalité de l'âme, questions d'actualité dont étaient entretenus les élèves du cycle des Arts (182). Nous constatons, là encore, les mêmes préoccupations d'Honoré d'Urfé dans le troisième livre des *Epistres Morales :* conception de l'âme, béatitude, fin de l'homme, théorie d'Averroès, d'Avicenne, des philosophes arabes, tels en sont les sujets. Depuis la sortie du collège, la réflexion d'Honoré d'Urfé s'est mûrie, sa documentation amplifiée. Cependant, l'enseignement de la morale l'a sensibilisé à ces grandes questions. Il ne lui restait plus qu'à approfondir, car le pli du raisonnement était pris : le troisième livre des *Epistres Morales* rappelle à bien des égards les leçons des maîtres ; la forme en est demeurée sèche et sent l'exercice scolaire ou le cours.

L'ensemble de l'ouvrage reflète, d'ailleurs, pour une très large part, les sujets de composition latine et de philosophie proposés à la réflexion des élèves. Alors même que d'Urfé confie à Agathon ses peines et ses résolutions d'énergie, nous ne pouvons nous empêcher de songer que, quelques années avant de composer cette œuvre, il eut à disserter sur les adversités, les maux du corps et de l'âme et que c'est la même lecon morale de constance que nous retrouvons ici (183). La sensibilité de l'auteur mise à l'épreuve de la souffrance, encore vibrante de la blessure, y apporte seule cette note humaine qui constitue l'intérêt premier de l'ouvrage et souvent nous émeut. Un cœur qui saigne retrouve et vit la leçon de « sapience » qu'il reçut enfant. Les deux premiers livres des *Epistres Morales* illustrent le « non scholae, sed vitae discimus » que les Jésuites avaient fait leur.

Il n'y a aucune coupure entre l'enseignement et la vie, pas plus qu'entre l'étude des lettres gréco-latines et la formation morale et spirituelle. Celle-ci est le but essentiel. Tout semble tendre vers elle. Pour que cet enseignement ne restât pas lettre morte et qu'il apportât le profit escompté par Ignace de Loyola, les Jésuites, qui ne voulurent pas s'en tenir à l'idéal païen de l'homme vertueux, travaillaient à l'éducation spirituelle de leurs élèves. Conscients de leur mission différente de celle des régents laïcs, ils avaient le souci de former une élite d'esprits cultivés et chrétiens. Cette spiritualité, qui s'appuyait sur une volonté forgée pour les épreuves par la discipline rigoureuse du collège et l'appel continuel à l'effort pour apprendre à se vaincre et se dépasser, était consolidée par des lec-

(181) Voir F. de Dainville, *op. cit.*, p. 244.
(182) Voir F. de Dainville, *op. cit.*, pp. 236-237.
(183) Id., *Ibid.*, p. 243. Les sujets des lettres et des discours devaient donc tendre à former les mœurs. Ils avaient pour but de faire disserter sur les passions, le désir, la colère, la haine, la crainte, la douleur, le plaisir, les biens et les maux du corps et de l'âme dans cette vie et dans l'autre. Tous ces sujets sont restés familiers à Honoré d'Urfé dans ses œuvres.

tures d'ouvrages religieux et, chaque année, par une retraite. Comme Honoré d'Urfé était, à n'en pas douter, membre de l'Académie du collège de Tournon, il devait aussi appartenir à la Congrégation où l'on s'efforçait de cultiver les vertus et d'approfondir la foi (184). Nous connaissons, par plus d'un fait, la piété de celui qui fut l'ami de Saint François de Sales (185). Le Chanoine Reure lui attribue des *Poésies religieuses,* paraphrases de psaumes ou prières. La preuve est maintenant faite que ce recueil n'est pas de la main d'Honoré d'Urfé, mais de C. Geuffrin (186). Nous possédons cependant quelques poèmes religieux qui chantent l'unité de Dieu. La Mure, dont nous n'avons aucune raison de mettre en doute le témoignage, rapporte qu'Honoré d'Urfé s'occupait d'ouvrages de dévotion, sur la fin de sa vie, et qu'au cours de sa dernière maladie il dicta une paraphrase en prose sur le *Stabat Mater Dolorosa,* conservée dans les archives de la Maison d'Urfé où il put la lire (187). La spiritualité ignacienne qui s'appuie sur une ascèse conduisant à la maîtrise de la volonté, engage sans retour et peut mener jusqu'aux plus hauts élans mystiques, se retrouve, mais transfigurée assurément, dans la conception de l'amour adoptée par Silvandre, Adamas et Céladon ; ici et là même ambition ascétique, même héroïsme quasi quotidien, même attachement au dépassement de soi, à la fidélité et à la perte de la volonté dans celle de l'aimée ou... de Dieu ; donc, même aboutissement à une mystique. Céladon, retiré dans les bois, loin du monde, sans doute par la force des événements, puisqu'Astrée le croit mort et qu'il veut rester fidèle à la volonté de l'aimée, médite sur son amour ; sous la direction d'Adamas, véritable directeur de conscience, il élabore ses Lois d'Amour et construit le temple d'Astrée. Transposé en un épisode romanesque, tout cela ressemble fort à une retraite, exercice spirituel qui aboutissait à l'élaboration d'une règle de vie prenant appui sur l'ascèse et la volonté.

---

(184) Les Congrégations apportaient à l'élite un supplément de formation spirituelle. Les membres de l'Académie étaient pour la plupart membres de la Congrégation, car on ne concevait guère qu'un élève fît partie de l'élite intellectuelle sans être en même temps d'une piété exemplaire. L'enfant y faisait l'apprentissage d'une spiritualité qui n'était pas orientée vers la contemplation, mais vers l'action. Ainsi se mêlaient heureusement vertus « civiles » et vertus chrétiennes. Sur les lois de l'Académie de Tournon données par le Cardinal et leur insistance sur la piété des élèves, voir H. Fouqueray, *op. cit.*, pp. 288-289.

(185) J.P. Camus, *op. cit.*, t. VI, p. 119 ; voir aussi, O.C. Reure, *op. cit.*, p. 185.

(186) Ces poésies religieuses ont été publiées à la suite d'une édition du *Sireine,* Paris, Jean Micard, 1618. Elles ont été douteusement attribuées à Honoré d'Urfé. Cette publication a d'ailleurs été faite sans la participation d'Honoré d'Urfé. Voir, à ce propos, *Mercure Galant,* Juin 1683 ; P. Leblanc, *Les paraphrases françaises des Psaumes à la fin de la période baroque,* Paris, P.U.F., 1960, p. 143, n. 111. Il faut rendre ces œuvres poétiques religieuses à C. Geuffrin, comme l'a nettement prouvé Ph. Martinon dans son article « Note complémentaire sur Maynard et Urfé », in *RHLF,* XVII (oct. déc. 1910). On peut également consulter à ce propos, O.C. Reure, *Bibliothèque des Ecrivains foréziens,* t. II, pp. 462-463 ; C. Longeon, *op. cit.*, p. 220.

(187) La Mure, *Bibliothèque forézienne,* manuscrit de la Bibliothèque de Montbrison, cité par A. Bernard, *op. cit.*, p. 169. Deux poèmes d'Honoré d'Urfé sont consacrés au mystère de la Trinité, l'un dédié à A. Favre (*Second livre des Delices,* 1620), et un passage de la *Savoysiade* (voir *infra,* ch. VI).

***

Il est hors de doute que la spiritualité des Jésuites a exercé une influence importante sur la pensée d'Honoré d'Urfé et que ses études au collège de Tournon ont orienté d'une façon définitive ses idées. Nous voulons voir ici les germes d'une œuvre qui revêt un caractère singulier au milieu des productions philosophiques et romanesques de la même époque. Les grandes constantes de sa pensée lui ont été dictées par les maîtres de Tournon. S'il est un érudit, il ne fait qu'entrer dans le mouvement humaniste de l'époque. Mais l'enseignement du collège a su lui apprendre à réfléchir sur l'homme à partir des leçons de l'Antiquité païenne. Certes, *Les Epistres Morales* ne sont pas encore débarrassées de la carapace scolaire et demeurent, dans l'ensemble, un exposé moral ou philosophique assez sec où, néanmoins, perce parfois une sensibilité mise à vif ; mais *L'Astrée,* au fur et à mesure de sa publication, atteint à l'expression plus originale d'une pensée qui mûrit. Elle sera à l'origine de cet « honnête homme » que les Jésuites ont le privilège d'avoir façonné. Aux préoccupations encyclopédiques de l'époque, ils ont préféré un enseignement de culture qui conduisait l'élève au culte des vertus morales nécessaires à la conduite de l'homme et du chrétien. Cet homme idéal, réfléchi, courtois, capable de passer aux actes et toujours soucieux de la mesure, s'incarne dans plus d'un berger du Lignon. Un idéal de courtoisie se révèle, qui fait au loin la réputation du Forez. Pieux sans excès, aimables, les bergers savent, quand il le faut, défendre le faible ou l'opprimé, quitter leurs préoccupations amoureuses pour prendre les armes et courir au secours de leur petite patrie en danger, symbolisée par Marcilly. Cet équilibre de vie contemplative et active était le but auquel tendait la spiritualité de Saint Ignace.

CHAPITRE III

L'HISTORIEN

L'histoire tient une place importante dans les œuvres d'Honoré d'Urfé, tant dans *Les Epistres Morales* que dans *L'Astrée.* Ce roman, d'ailleurs, représente le premier essai en France du roman historique. Situé au ve siècle, il ne se contente pas d'évoquer l'histoire des siècles précédents en traçant les origines de la Gaule et du Forez et en présentant une documentation importante sur les druides et leur religion, les Romains, maîtres de la Gaule, leurs dieux et leur culte. Si, parfois, nous ne sentons pas l'intérêt de l'étalage de l'érudition, souvent, l'histoire illustre l'intrigue ou fournit matière au roman lui-même ou aux récits qui y sont insérés.

Tout cela, du moins, permet de déceler chez Honoré d'Urfé cette connaissance précise de l'histoire que Camus nota. Poussé à la curiosité historique par les lettrés qu'il fréquenta en Forez, son goût s'affirma grâce à l'enseignement reçu à Tournon et ses connaissances furent précisées et amplifiées par la lecture des ouvrages d'histoire, nombreux à la fin du XVIe siècle.

*
**

I. — Influence de l'enseignement du collège.

Le collège de Tournon apporta à notre auteur, nous l'avons vu, ce goût répandu au XVIe siècle pour les exemples extraits des œuvres de l'Antiquité classique, notamment des *Œuvres morales et philosophiques* de Plutarque. Les dits et faits des hommes célèbres servaient à illustrer la morale et permettaient des développements, tels ceux des *Epistres Morales.* Les cahiers de lieux communs et les recueils publiés au XVIe siècle ne furent pas étrangers à cette érudition et l'enseignement dispensé par les Jésuites explique en partie les connaissances d'Honoré d'Urfé. En réalité, l'histoire ne donnait pas lieu à un cours spécialisé. Afin que l'élève pût comprendre et assimiler les textes latins, le professeur exposait l'histoire de Rome et son évolution politique, il expliquait les institutions, les cérémonies religieuses, le droit et les magistratures. Malgré les mises en garde contre une érudition trop poussée, celle-ci imprégnait les esprits, cherchant à étancher la soif de connaissances des élèves. La géographie se confondait constamment avec l'histoire.

Les cours qui ont été conservés exposent longuement la vie des rois et des peuples. Quand il s'agit de l'Europe, par exemple, nous découvrons une longue liste des empereurs, des rois et leur chronologie (1). Si les connaissances historiques d'Honoré d'Urfé sont presque toujours de seconde main, nous devons cependant admettre qu'il a puisé nombre de renseignements directement dans l'œuvre de Pomponius Mela, commentée en classe, de même que dans les ouvrages de Valère Maxime, Tite-Live ou Jules César. La note régionale n'était pas toujours absente de ces commentaires, ainsi qu'en témoigne le cours de Papire Masson. La lecture de la *Descriptio fluminum Galliae* nous fait découvrir comment la géographie se mêlait à l'érudition historique (2). *L'Astrée* nous permet de goûter ce mélange de géographie, d'histoire et de topographie. L'érudition, toujours présente dans les commentaires scolaires, embrassait, outre la chronologie historique et les institutions, la mythologie et même la numismatique (3). La précision n'était jamais exclue, parce que, désireux de rendre leur enseignement vivant, les Jésuites avaient recours aux images. Persuadés qu'aucune description ne remplace la vue d'un objet, ils présentaient en classe des dessins ou des gravures, car l'élève, dit Richeome, « en regardant les images apprend convenablement à sa capacité » (4). Des tableaux ornaient les classes, représentant les plus beaux faits de l'histoire de Rome. Le théâtre auquel l'enseignement des collèges s'est tant attaché prenait pour thèmes des événements ou des institutions de Rome (5).

Voilà un enseignement qui parlait aux yeux. Les visages des personnages historiques s'animaient à la contemplation de ces tableaux ou des pièces de monnaie. Ainsi préparé, Honoré d'Urfé n'eut aucune peine à faire revivre les empereurs de l'empire décadent ou les chefs des grandes invasions. Peut-être même cet enseignement par l'image explique-t-il son goût pour les descriptions des cérémonies de la religion druidique ou romaine. Les tableaux qui ornent les murs de la galerie de la maison d'Adamas n'en seraient-ils pas un souvenir ?

> « La voûte qui sembloit estre soustenue sur une grande frise, estoit toute peinte des plus anciennes histoires des Gaulois... »

Les entre-deux des fenêtres étaient

> « remplis des cartes de toutes les provinces particulieres de la Gaule, si fidelement et si justement rapportées, que l'on pouvoit en se promenant apprendre non seulement la distance des lieux, mais les situations des villes, les climats des provinces, les cours des fleuves, les passages des rivieres, et la proprieté de chaque endroit de ce petit monde... A l'entour de ces cartes, on voyoit les portraits au naturel des princes qui avoient dominé ces pro-

(1) Sur l'enseignement de l'histoire dans les collèges de Jésuites, voir F. de Dainville, *op. cit.*, p. 10 ; du même auteur, *La géographie des humanistes*, pp. 65-71.

(2) Voir de Dainville, *La géographie des humanistes*, p. 70 ; P. Ronzy, *op. cit.*, pp. 72 sq.

(3) F. de Dainville, *La naissance de l'humaniste moderne*, p. 140.

(4) Richeome, *Discours des images*, 1597, ch. 16, p. 453.

(5) F. de Dainville, *op. cit.*, p. 140 ; L.V. Gofflot, *op. cit.*, pp. 89-166.

> vinces de temps en temps : de sorte que du costé de la seconde Belgique, l'on voyoit Pharamond, Clodion et Mérovée, et aupres de luy, mais sans couronne, Childeric son fils... » (6)

La maison d'Adamas est celle d'un passionné d'histoire, puisque, dans la même galerie, figurent les portraits de Théodose, de Placidie, d'Isdigerde... ; ils permettent au grand druide une longue leçon d'histoire en images (7).

II. — Les origines de la Gaule et les Gaulois.

Les connaissances historiques de l'auteur de *L'Astrée* ne s'expliquent pas totalement par l'enseignement reçu à Tournon, ni même par les renseignements qui lui ont été communiqués par les érudits foréziens. La plupart proviennent de lectures personnelles et correspondent à une tradition qui s'est établie au XVIe siècle. En effet, ce n'est pas par choix original qu'Honoré d'Urfé situe son roman au Ve siècle après Jésus-Christ, qu'il évoque les mœurs et la religion des druides ou qu'il présente le Forez comme une région privilégiée ou qu'il retrace les origines de la Gaule et de la France. La préoccupation des historiens du XVIe siècle a été, pour établir un passé prestigieux à la Gaule, puis à la France, de s'attacher aux origines de leur pays et à sa religion, cherchant à reprendre, discuter ou accréditer les légendes qui avaient été créées dès le Moyen Age.

La France trouvait ainsi bien établis son passé et les origines de sa monarchie et elle n'était plus en reste avec la Grèce et Rome. Les Gaulois apparaissaient comme les propagateurs de la civilisation occidentale chez ceux-là qui se prétendaient en être les maîtres. Il y a une fierté nationale qui se dégage à la lecture des ouvrages historiques du XVIe siècle. Désireux de rendre « le plus honoré et estimé le lieu de sa naissance et de sa demeure », d'Urfé essaya de montrer que le Forez connut, plus que toute autre province, le privilège d'une civilisation pure.

Quand Galathée retrace l'histoire du Forez, elle insiste sur la liberté et la pureté des institutions qui jamais ne furent contaminées par les Romains. S'agit-il d'expliquer à Céladon les origines du pouvoir dévolu à sa famille ? Elle rapporte « deux opinions contraires », l'une, celle des Romains, l'autre, celle des Druides (8). La première, liée à la légende du lac et à une culture encore très scolaire, repose sur la présence de Diane, de ses « Dryades, Hamadryades et Nayades » en Forez. Lorsque César fit rompre les montagnes et que les eaux s'écoulèrent, la moitié des nymphes les suivirent jusque dans l'Océan et Diane choisit « quelques filles des principaux druydes et chevaliers » pour « continuer ses ordinaires passe-temps ». Mais, fatiguées par la chasse et désireuses de se marier, certaines demandèrent congé, d'autres manquèrent à leurs

---

(6) *Astrée,* III, 3, 81-83.
(7) *Ibid.,* II, 11, 467 sq.
(8) *Ibid.,* I, 2, 45-46. La légende de Diane est rappelée encore dans les deux passages suivants : II, 8, 325 et III, 2, 43.

promesses. Diane bannit celles-là du pays, mais elle élut l'une des nymphes fidèles,

> « à laquelle elle donna la mesme authorité qu'elle avoit sur toute la contrée, et voulut qu'à jamais la race de celle-là y eust toute puissance, et des-lors leur permit se marier, avec deffences toutefois tres-expresse, que les hommes n'y succedassent jamais. »

Ce récit ne manque ni de charme, ni d'ingéniosité, puisqu'à partir de Diane qui tint une si grande place dans la littérature du XVIe siècle, Honoré d'Urfé compose une page d'une logique parfaite: la légende du lac, Diane et ses naïades, la violation des promesses, mais le rétablissement des lois, dès lors, « inviolablement observées ». La légende ainsi composée est pourtant d'une certaine raideur, car elle est le fruit d'une imagination encore trop marquée par la découverte de la mythologie. L'édition de 1607 de *L'Astrée* ne rapporte que ce récit (9). Cela nous laisse entendre que, soit en 1607, soit un peu plus tard, en tous cas avant l'édition suivante de la première partie, Honoré d'Urfé eut connaissance de la légende d'Hercule.

En la relatant, Honoré d'Urfé témoigne de la persistance d'un courant d'idées qui traversa tout le XVIe siècle pour encore fleurir au XVIIe siècle. Galathée raconte à Céladon que, selon les druides, Hercule vint combattre et vainquit les redoutables géants retirés dans les Monts Cémene et Gébenne. Il était suivi de sa femme (10), la « Grande Pincesse Galathée, fille du Roy Celtes », « mère de Galathée, qui donna son nom aux gaulois, qui auparavant estoient appelez Celtes. » Avant de partir, celle-ci « ordonna ce que les Romains disent que la déesse Diane avoit fait ». A l'opinion des Romains Honoré d'Urfé oppose celle des Druides : « Mais nos Druydes... » Il ne tranchera pas en donnant son avis : « Mais que ce soit Galathée ou Diane... » ; cependant tout le roman fait l'apologie des druides et insiste sur le fait que, malgré la présence des Romains, le Forez a gardé ses franchises et la pureté de sa religion. Admettre la présence de Diane en Forez, c'était accepter l'importance de la religion et de la civilisation romaines ; tenir pour plus certaine la légende d'Hercule civilisateur était la preuve d'un nationalisme de bon ton. A une époque où les historiens combattaient de telles légendes, les considérant comme des billevesées, Honoré d'Urfé n'ose prendre délibérément parti ; mais le désir d'honorer son pays le porte à faire état d'une tradition qui, au XVIe siècle, avait visé à l'éveil du nationalisme.

Pendant la Renaissance, en effet, depuis le XVe siècle même et la publication des *Antiquitatum variarum volumina* d'Annius de Viterbe, se poursuit une tradition qui tend à contrecarrer les Italiens présomptueux au point de se considérer comme les seuls héritiers et continuateurs de l'Antiquité classique. Hercule, civili-

---

(9) Voir M. Magendie, *op. cit.*, p. 40. *Astrée*, 1re partie, édition de 1607, f. 29 r° sq.

(10) Le mariage d'Hercule est évoqué dans *L'Astrée*, II, 8, 326 et III, 3, 81.

sateur de la Gaule, homme fort et vertueux et image du chevalier parfait, incarne le rêve d'une caste. *Le Recueil des hystoires de Troyes,* qui figurait parmi les ouvrages de la Bibliothèque de La Bastie, dès 1464 rapportait la venue d'Hercule en Espagne et en Italie, et le présentait comme vertueux, noble et prudent (11). A l'Hercule grec vint se substituer l'Hercule de Libye qui devint par la suite l'Hercule Gaulois (12). Les *Antiquités* d'Annius de Viterbe, publiées à Rome en 1498, rapportant et commentant les textes de Bérose, furent à l'origine de cette tradition (13). Bérose relatait notamment la venue d'Hercule chez les Celtes et son mariage avec Galathée, dont il eut un fils. Annius ajoute ce commentaire :

> « De Galate quoque rege nomen acusat Galates et Galatiam dictos, quos nunc Gallos et Galliam dicimus. Hoc enim tam Berosus quam Diodorus in VI. Libro significat dicens : Celticis olim imperavit vir egregius, ex quo filia corporis magnitudine ultro naturae modum decoreque caetera excellens orta est... »

Venu en Gaule pour combattre contre le géant Géryon, Hercule, époux de Galathée, fonde Alexia et prend rang dans la liste des rois. Ancêtre des Troyens et des Gaulois, il est le dixième roi et le gendre de Jupiter Celte (14). Jean Lemaire de Belges, en 1509, par les *Illustrations des Gaules et Singularitez de Troye,* se fait le propagateur des histoires contées par Annius. De 1509 à 1549, l'ouvrage connaît six éditions et les contemporains lui font de nombreux emprunts (15). Chez les historiens du XVIe siècle, dès lors, Hercule a sa place parmi les premiers rois Gaulois. Mais un débat s'éleva dont les œuvres des historiens les plus réfléchis sont les témoins. On prit parti pour ou contre Annius. Guillaume du Bellay et Robert Céneau suivirent les données du Pseudo-Bérose pour céder à leur sentiment national (16). Noël Taillepied (17) consacra un chapitre entier à Hercule, dans son *Histoire de l'estat et republique des druides,* en 1585 ; Honoré d'Urfé n'avait que le choix. En une demi-page, il résume l'histoire d'Hercule et, ce faisant, il partage le nationalisme de du Bellay et de Céneau. Il rapporte la légende et, par là-même, il établit l'autorité d'Amasis dont la fille Galathée rappelle par son nom celle qu'épousa Hercule. Les Montagnes de

---

(11) Une analyse de ce recueil a été faite par M. R. Jung, *Hercule dans la littérature française du XVIe siècle, de l'Hercule courtois à l'Hercule baroque,* Genève, Droz, 1966, pp. 17 sq. ; voir également l'excellent ouvrage de C.G. Dubois, *Celtes et Gaulois au XVIe siècle. Le développement littéraire d'un mythe nationaliste,* Paris, Vrin, 1972.

(12) L'expression, « Hercule gaulois », se lit trois fois dans *L'Astrée,* II, 8, 326, III, 3, 81 et IV, 3, 104.

(13) Voir M.R. Jung, *op. cit.,* pp. 42 sq. ; C.G. Dubois, *op. cit.,* pp. 24-28.

(14) Voir les textes de Bérose et d'Annius ainsi que le tableau généalogique des rois gaulois, in M.R. Jung, *op. cit.,* pp. 49 et 51.

(15) Sur Jean Lemaire de Belges, voir l'étude de G. Doutrepont, *Jean Lemaire de Belges et la Renaissance,* Bruxelles, 1934, et la bibliographie complète donnée par C.G. Dubois, *op. cit.,* p. 31, n. 1.

(16) Guillaume du Bellay, *Epitome de l'antiquité des Gaules et de France,* Paris, V. Sertenas, 1556 ; Robert Ceneau, *Gallica historia,* Paris, apud Galeotum a Prato, 1557. A propos de ces ouvrages, voir M.R. Jung, *op. cit.,* p. 55 ; C.G. Dubois, *op. cit.,* pp. 42-45.

(17) Noël Taillepied, *Histoire de l'estat et republique des Druides,* Paris, 1585. Sur cet ouvrage, voir C.G. Dubois, *op. cit.,* pp. 45-57.

Cémène et de Gébenne, frontière naturelle du Forez et de l'Auvergne, et qui avaient une certaine notoriété au XVIe siècle, deviennent évidemment le refuge des tyrans (18). Honoré d'Urfé, faisant d'Hercule le fondateur de la Maison d'Amasis, s'inscrit dans la tradition du XVIe siècle : de national qu'il était au début, Hercule devint très vite régional. Les historiens régionaux exploitèrent facilement la fable de l'ancêtre illustre. Ils ne se firent pas faute de le présenter comme l'auteur des villes de leurs provinces. Hercule est le destructeur des tyrans, et, par le fait, il devient le civilisateur .

C'est encore cet aspect de la légende qu'exploite l'auteur de *L'Astrée.* Hercule fonde en Forez, non pas une ville, mais une Maison, et maintient la province dans ses privilèges de franchise que les Romains eux-mêmes respecteront. Il est à remarquer que *L'Astrée,* comme les histoires régionales du XVIe siècle (19), considère les Romains comme des usurpateurs. Notre auteur a le souci de mettre en relief les privilèges dont put jouir le Forez, en en faisant un pays où la religion reste pure. Pour les historiens, être Gaulois devient un titre de gloire : Honoré d'Urfé adopte cette opinion, mais, au centre de la Gaule, il privilégie le Forez. De ce fait, *L'Astrée* est l'éloge de la province de l'auteur.

Hercule apparaît plusieurs fois dans *L'Astrée* et l'ensemble des fables dont il était le héros s'y retrouve. Il ne fut pas seulement le libérateur de la Gaule par les armes ; les humanistes lui donnèrent une vie et une signification qu'il n'avait pas dans l'Antiquité. A la force physique vint s'adjoindre l'éloquence, nouvelle qualité découverte dans le Προλαλία ὁ Ἡρακλῆς de Lucien, dont Geoffroy Tory donna une traduction en 1529, calquée sur une traduction latine d'Erasme. En 1547, dans le *Discours de la religion des Anciens Romains,* du Choul devait en présenter une autre version (20). C'est à travers ces textes qu'apparaît l'Hercule Gaulois, dès la première moitié du XVIe siècle. La supériorité des Gaulois s'affirmait donc par l'éloquence d'Hercule, célébrée même par les humanistes ita-

(18) Claude Fauchet, *Antiquitez et histoires gauloises et françoises,* Genève, P. Marceau, 1611. Le livre I date de 1579 et l'ouvrage comporte en tout douze livres dont 4 parurent après la mort de l'auteur survenue en 1601. Nous renvoyons à l'édition complète de 1611.

Claude Fauchet identifie les monts Cemene et Gebenne avec les Cévennes et le Gévaudan et les considère comme les limites du pays des Celtes : « Les derniers geographes ont retranché des Celtes, ce qui est entre Garonne, la mer Mediterranée, le Rhosne, les monts Cemene et Gebenne (qui est le costé des montagnes d'Auvergne, regardant vers Midy)... » (*op. cit.,* p. 4). Claude Fauchet rapporte encore la légende d'Hercule et des géants, d'après Ammien : « Mais les Gaulois... asseuroyent (ce dit Ammien) et monstroient gravé en tables et autres marques laissées pour servir de memoire qu'Hercules fils d'Amphitrion, vint deçà pour detruire Taurise et Gerion cruels tirans, l'un desquels travailloit la Gaule et l'autre l'Espagne... » (*op. cit.,* p. 5). Ces géants faisaient partie de tous les récits consacrés à Hercule ; voir, par exemple, Lemaire de Belges, *op. cit.,* éd. Louvain, 1882, t. I, p. 72.

(19) Voir M.R. Jung, *op. cit.,* p. 60.

(20) *Discours de la religion des anciens Romains,* Lyon, 1547. Nous renverrons à l'édition de 1581 de cet ouvrage. Du Choul consacre à Hercule un chapitre de son livre, pp. 173-186.

(21) Voir, M.R. Jung, *op. cit.,* pp. 73-81.

liens (21). Vers le milieu du XVIe siècle, cette fable semble bien universellement connue, et vulgarisée grâce aux *Emblèmes* d'Alciat, où l'Hercule Gaulois est « eloquentia fortitudine praestantior » (22). Dans la traduction de Tory, il est l'Hercule éloquent :

> « Certes cedit vieux Hercules tire apres luy une merveilleusement grande multitude d'hommes et femmes, tous attachés l'un à part de l'autre par l'oreille. Les liens estoient petites chaînes d'or et d'ambre bien faictes, et semblables à carquans... Et ce que tu voys que ce vieulx Hercules tire de sa langue tous ces hommes liez par l'oreille ce n'est autre chose en signification que langage aorné, et de ce ne te dois esbahir, quant tu ne ignores que la langue a certaine acointance aux oreilles... » (23)

Du début à la fin du XVIe siècle, l'iconographie présenta Hercule tirant à lui hommes et femmes par des chaînettes qui les relient à sa langue (24). Les *Emblèmes* d'Alciat figurent ainsi Hercule avec sa massue à la main droite, cependant qu'hommes et femmes le suivent, attachés par la langue à la sienne. La gravure est suivie de ces vers :

> « Mais ce qu'il ha marqué de si grand'gloire,
> que mener gens enchainez à sa langue,
> Entendre veult, qu'il fit tant bien harengue,
> Que les François pour ses dits de merveilles,
> Furent ainsi que pris par les oreilles. » (25)

Jean Picard de Toutry, dans son *de Prisca Celtopaedia,* commente une semblable représentation d'Hercule (26).

Dans *L'Astrée,* Honoré d'Urfé dit qu'Hercule était représenté sur les autels

> « avec la massue en la main, l'espaule chargée de la peau du lyon, et avec tant de chaines d'or qui luy sortoient de la bouche, qui tiennent tant d'hommes attachez par les aureilles ».

Il ajoute qu'il fut « jadis un grand héros, qui par sa force et valeur dontoit les monstres et par son bien dire attiroit chacun à la vérité » (27). Nous ne pouvons douter qu'Honoré d'Urfé recueillit cette légende chez Alciat, du Choul et Claude Fauchet qui la rapporte, lui aussi (28). Il est bien difficile de déterminer qui l'a le plus influencé.

---

(22) Cité par M.R. Jung, *op. cit.*, p. 87.

(23) *Ibid.*, pp. 74-75.

(24) Des reproductions de diverses gravures sont présentées par M.R. Jung, *op. cit.*, pp. 74, 82, 84 et 86.

(25) Alciat, *Les Emblèmes,* traduction de Jean Le Fèvre, Lyon, Jean de Tournes, 1555, p. 106.

(26) *Op. cit.*, pp. 85-86 ; Jean Picard conclut que c'est une démonstration que l'éloquence était importante chez les Gaulois : « Isthaec, opinor, satis indicant eloquentiam a nostris plurimi habitam, eamque non a Graecis, ut multae eorum fabulae narrant, profectam, sed a Gallorum potius Hercule, qui virtute et consilio praestans dissipatos unum in locum congregavit, eosque ex ferocitate quadam ad justitiam atque mansuetudinem transtulit. » (*Ibid.*, p. 82).

(27) *Astrée*, II, 2, 57.

(28) C. Fauchet, *op. cit.*, p. 7. Pour Fauchet, cela signifie que « Hercules acheva ses entreprises par un beau langage. »

Voilà donc l'Hercule Gaulois devenu symbole de l'éloquence, considérée au XVIe siècle comme l'art de bien dire et la connaissance des lettres. Ces qualités doivent s'accompagner de la bonté d'âme, sans laquelle l'éloquence ne peut servir de guide dans le réglement des affaires humaines et la conduite d'un Etat (29). Honoré d'Urfé, dans le passage de *L'Astrée* que nous venons de citer, fait remarquer qu'Hercule, « par son bien dire attiroit chacun à la vérité » (30). Sur la voûte de la galerie d'Adamas est peint « le pourtrait du Grand Hercule Gaulois quand il espousa la princesse Galathée, et qu'avec son éloquence et ses armes il attira les Gaulois à la civilité, et à la générosité par son exemple. » (31) C'est « par Hercule » que les bergers de *L'Astrée* jurent pour affirmer qu'ils disent la vérité (32) et, quand Célidée est obligée de plaider sa cause, elle implore son secours, afin, dit-elle, « qu'il délie de sorte ma langue, que je puisse vous déduire mes raisons, ou plutost qu'il les vous die luy-mesme avec ma voix ». Et elle lui adresse cette prière :

> « Par ta valeur doncques, je te prie, par la belle Galathée, nostre princesse, o grand Hercule, je te conjure que tu me délivres de ces monstrueuses amours, et esclaircisses de sorte à ceste grande nymphe la raison que j'ay de me conserver sans aimer ny Thamire, ny Calidon, que j'en puisse recevoir un juste et favorable jugement. » (33)

Célidée avait auparavant rappelé qu'Hercule avait « aymé une de nos Gauloises ». Dans cette prière nous avons la preuve que le nom de Galathée, fille d'Amasis et princesse du Forez, justifiait le récit de la légende d'Hercule dans *L'Astrée*. L'Hercule Gaulois civilisateur pouvait entrer dans des contextes variés. Jusqu'à la fin du XVIe siècle se maintint le désir de montrer que l'institution de la noblesse ne fut due ni au hasard, ni à la tyrannie, mais rendue nécessaire pour la conservation de l'humanité. N'est-ce pas une idée que l'on peut reconnaître dans *L'Astrée,* quand Honoré d'Urfé relate la légende de Diane ou d'Hercule, pour expliquer les franchises qui se maintinrent en Forez ? Hercule, devenu roi de Gaule par son mariage avec Galathée, chassa les géants, gens sans raison dont la tyrannie menaçait la liberté.

C'est pourquoi, beaucoup d'historiens du XVIe siècle, tels Guillaume du Bellay, Corrozet, Postel, Picard, Céneau, Poldo d'Albénas (34), ne se contentant pas de relater la légende d'Hercule civilisateur, remontèrent jusqu'au déluge. Les Français de la Renaissance furent passionnés par les origines des Gaulois, parce que ce sujet

---

(29) Voir, M.R. Jung, *op. cit.*, p. 92.
(30) *Astrée,* II, 2, 57.
(31) *Ibid.*, III, 3, 81.
(32) *Ibid.*, IV, 7, 406 ; IV, 8, 458 ; II, 11, 449.
(33) *Ibid.*, II, 2, 57.
(34) G. Corrozet, *Les antiques erections des Gaules,* Paris, 1535 ; G. Le Rouille, *Le recueil de l'antique preexcellence de Gaule,* Poitiers, 1545 ; G. Postel, *De originibus seu Hebraicae linguae et gentis antiquitate,* Paris, 1538 ; Jean Picard, *De prisca celtopoedia,* Paris, 1556 ; Robert Ceneau, *Gallica historia* ; Jean Poldo d'Albenas, *Discours historial de l'antique et illustre cité de Nismes,* Lyon, 1560.

leur permit d'établir le nationalisme, phénomène de conscience culturelle (35). Un sentiment de supériorité se développa, sous le prétexte que les Gaulois étaient civilisés bien avant les Latins et les Grecs. Ceci explique pourquoi l'Hercule Grec fut supplanté par l'Hercule de Libye qui devint progressivement l'Hercule Gaulois. Le XVIe siècle chercha à réhabiliter la Gaule. Le nombre des ouvrages consacrés à ce sujet le prouve clairement (36). Tous s'efforcent d'appuyer leurs affirmations sur le témoignage de César, Ammien Marcellin, Diodore, Polybe et Strabon. Presque tous donnent une importance aux *Commentaires* de César et commencent par exposer les divisions de la Gaule. Honoré d'Urfé, qui énumère tous les peuples qui occupaient la Gaule, puisa sa documentation directement chez César, ou encore chez l'un ou l'autre des historiens du XVIe siècle. Présenter ainsi un tableau général du pays était donc bien dans la tradition. Il importait surtout au XVIe siècle d'établir l'origine du peuple Gaulois et l'ancienneté de sa civilisation. Dès lors, de véritables généalogies se constituèrent qui remontèrent jusqu'à Noé considéré comme l'ancêtre de Dis Samothès (37). Taillepied, utilisant les dires de Lemaire de Belges, écrit :

> « Or ce Dis Samothes constitué Roy de Gaule par son aïeul Noé, ainsi que dit est, vint d'Arménie audit païs, l'an après le déluge quarantiesme et en print possession ».

Selon Lemaire de Belges, Noé fut le premier qui s'appela Gallus et en « langage Babylonien ou Hebraïc c'est autant à dire, comme sur unde ou sur montant les undes : et de ce prennent denomination une maniere de navires quon dit Galus, ou Galleres. » Taillepied explique de la même manière le mot Gaulois, car on nommait Galliots ceux qui conduisaient les navires appelés galères : « Le premier des hommes qui eut ce nom Gallus fut le bon patriarche Noé qui surmonta les ondes durant le déluge. » (38) Honoré d'Urfé rapporte cette légende et rappelle l'étymologie fantaisiste qu'il a recueillie, soit chez Lemaire de Belges, soit dans l'ouvrage de Taillepied :

> « ... cette petite contrée de Forests, n'ayant jamais eu communication avec les peuples etrangers, sinon avec quelques Romains, a esté plus soigneuse que je ne vous sçaurois dire, de conserver entière et pure celle qu'elle a receue de ces vieux qui, après avoir longuement flotté sur les eaux, et qui à cette occa-

---

(35) M.R. Jung fait remarquer que « la vogue gauloise ne resta pas enfermée dans des traités historiques et polémiques », mais qu'elle se vulgarisa à tel point qu'on s'habillait à la gauloise, ainsi qu'en témoigne le sonnet de Ronsard à Charles IX sur son habillement à la mode des vieux gaulois (*op. cit.*, p. 72, n. 133).

(36) Aux titres indiqués précédemment, il convient d'ajouter les ouvrages suivants : Ramus, *De moribus veterum Gallorum, 1559* ; F. Hotman, *Franco-Gallia*, Genève, 1573 dont une traduction française parut à Cologne en 1574 ; Le Fèvre de La Boderie, *La Galliade*, 1578. Sur les principales œuvres du XVIe siècle, voir C.G. Dubois, *op. cit.*, pp. 180-183.

(37) Voir le tableau généalogique établi par M.R. Jung, *op. cit.*, p. 51. Un tableau généalogique a été dressé par Lemaire de Belges, *op. cit.*, t., p. 2.

(38) N. Taillepied, *op. cit.*, II, 9 r° ; Voir également, Lemaire de Belges, *op. cit.*, I, p. 16.

> sion, furent nommez Gaulois, vindrent descendre par l'Océan Armorique et apportèrent la vraye et pure religion qu'ils avoient apprise de ce grand amy de Tautates qui seul avec sa famille fut sauvé de l'inondation universelle. » (39)

Sans être nommé, Noé est revendiqué comme l'auteur de la science que la Gaule posséda avant tous les autres peuples. Selon Guy Le Fèvre de la Boderie, dans *La Galliade* et *L'Encyclie des Secrets de l'Eternité,* le savoir a été transmis de Janus/Noé à Atlas, et de celui-ci à Gomer le Gaulois, Hercule de la Gaule, donc antérieur à Samothés, Saron, Drius, Bardus (40). Honoré d'Urfé se réfère, quant à lui, à la tradition, ne faisant aucune mention de Gomer. Pour lui, comme pour Lemaire de Belges et Taillepied, c'est Dis Samothès qui révéla les sciences et la religion à nos ancêtres. Premier roi des Gaulois, il donna les lois et, dit Taillepied,

> « avec ces lois il leur enseigna beaucoup de philosophie et spécialement d'Astrologie qu'il avoit apprise de son ayeul Noé et de son père Japhet : et entr'autres articles desquels il imbua ses sujets, celuy de l'immortalité des Ames est fort remarquable... De luy encores proceda la premiere secte des Philosophes de toute l'Europe nommez Samothees ou selon aucuns Semnotees, lesquels estoient sçavans et expers en toutes sciences divines et humaines. » (41)

Adamas, le grand druide, enseigne à Céladon que

> « ...ce grand Dis Samothes, incontinent apres la division des hommes, à cause de la confusion des langues estant bien instruit par son ayeul, fust en la religion du vray Dieu, fust aux sciences plus cachées, s'en vint descendre par l'Océan Armorique en cette terre que jusques à ceste heure nous nommons Gaule, et qui peu à peu changeant ce nom, semble prendre celuy de France pour l'advenir ; et depuis s'avançant et la peuplant, y planta heureusement son sceptre, ensemble y mit la religion de ses peres et donna la cognoissance des sciences à ceux qui plus familiers et de meilleur esprit, sceurent mieux entendre et retenir ses enseignements et qui depuis de son nom furent appellées Samothées. » (42)

Noël Taillepied attribue à la Bretagne le rôle de centre intellectuel de la Gaule, en précisant qu'il ne s'agit nullement de l'Angleterre, comme le prétend César (43). Le roi fondateur, Dis Samothès, est souvent identifié avec Saturne (44). Honoré d'Urfé y fait allusion, et sans doute est-ce là encore une raison qui explique la peinture de ce dieu sur les murs de la chambre du Palais d'Isoure.

---

(39) *Astrée,* III, 9, 477. Sur l'origine de Dis Samothes, II, 8, 321.

(40) *Galliade,* cercle IV, f. 107, r° ; *Encyclie, Discours à François Hercule d'Alençon,* p. 221.

(41) N. Taillepied, *op. cit.,* II, ff. 3-10.

(42) *Astrée,* II, 8, 321-322.

(43) N. Taillepied, *op. cit.,* I, 84 r°.

(44) *Astrée,* II, 8, 326. Claude Fauchet écrit : « Cesar dit que les Gaulois avoyent opinion d'estre issus de Dis, qui est Pluton, qu'aucuns prennent aussi pour Saturne Gaulois, d'autant que c'estoit la coustume du temps passé, d'appeler Saturne le premier Seigneur d'un pays. » (*op. cit.,* p. 6).

Les historiens des origines de la Gaule établirent une chronologie des premiers rois. L'ouvrage de Taillepied, par exemple, s'ouvre sur cette liste de rois énumérés dans les autres livres consacrés au même sujet : Dis Samothès, Magus, Sarron, Dryis, Bardus, Longho, Bardus II, Lucus Celte, dont la fille Galathée épousa Hercule (45). Tous ne sont pas cités par Honoré d'Urfé. Il indique seulement que Galathée, qui fut la femme d'Hercule, était la fille du roi Celte (46), parce qu'il lui apparaissait important d'établir comment Hercule devint roi de la Gaule.

L'Astrée nous livre beaucoup plus de détails sur Dryis ou Dryus, parce que les historiens du XVIe siècle lui attachèrent leur intérêt. Son père, Sarron, donna son nom aux Sarronides, philosophes. Dryis était le quatrième roi de la Gaule et avait une réputation d'homme de science. Bérose, qui avait écrit : « Apud Celtas Dryis peritiae plenus regnabat », fut à l'origine de l'attention que lui portèrent les historiens, faisant de lui l'inventeur de la « philosophie, astrologie, et la science de deviner, comme avoit esté inventee auparavant la sapience par Samothès, et la musique par son successeur nommé Bardus l'ancien » (47). En outre, Dryis aurait été à l'origine du nom de Druides. Taillepied qui ne veut rien ignorer des druides écrit :

> « Ce Dryis donc apprint la science de deviner aux Philosophes Samothees, lesquels pour telles sciences changerent de nom, et furent nommez Druides, du nom de leur Pedagogue Dryis Roy quatriesme de Gaule. Plusieurs ont douté et doutent jusqu'à présent si Dryis, Druis ou Drius, estoit le nom de ce Roy, ou s'il fut ainsi nommé pour l'art et science de deviner sous les chesnes : car Drys en langue grecque signifie chesne. Pour raison aussi que les Druides devinoient sous les chesnes, plusieurs ont estimé qu'ils estoient ainsi appelez des chesnes, et non pas Dryis leur Roy. » (48)

Un peu plus haut, Taillepied avait noté l'opinion de Barthelemy Chasseneux, « au catalogue de la gloire du monde », selon qui,

> « les philosophes premierement nommez Samothees, furent nommez Druides, pour raison de l'abondance des chesnes, arbres consacrez à Jupiter, ainsi que chantent Claudian au ravissement de Proserpine, et Virgile au troisiesme des Georgiques : et de faict, Drys ou Dryos en grec, d'où procede ce mot Druide, signifie chesne : et appelle on celuy qui a charge de quelque forest, gruyer pour dire Druyer. » (49)

---

(45) N. Taillepied, *op. cit.*, feuillets liminaires : « Chronologie des Roys Gaulois, depuis le deluge universel jusques à la nativité de Nostre Seigneur. » Une date figure en face du nom de chaque roi indiquant l'an de la création du monde. Ainsi, Dis Samothès fut roi des Gaulois, l'an 1910.

(46) *Astrée*, I, 2, 46, II, 8, 326.

(47) N. Taillepied, *op. cit.*, II, 18 r°.

(48) Id., *ibid.*, II, 18 v° - 19 r°.

(49) Id., *ibid.*, I, 27 r°. L'ouvrage de Barthelemy de Chasseneux parut à Lyon en 1529 sous le titre, *Catalogus gloriae mundi*. Une définition semblable se lit dans le *De prisca Celtopaedia* de Jean Picard de Toutry : « Quoniam autem in lucis sub quercubus atque arboribus philosophiae secreta rimabatur, et rerum causas perscrutabatur, suos ibidem etiam philosophari docens, Druos cognomine, quasi quernum dicas, aut arboreum. » (Paris, 1556, p. 59).

La question était donc débattue. Honoré d'Urfé ne se range pas du tout à l'avis de Taillepied, qui semble, pourtant, avoir été le plus répandu chez les humanistes, puisqu'il était confirmé par le témoignage de Pline (50). Adamas explique à Céladon le rôle joué par Druys « quatriesme roy qui domina en Gaule », « sage et sçavant », « de qui quelques uns pensent que pour avoir esté instituteur des druides, ils ayent pris leur nom ». Mais, ajoute-t-il, « ceux-là se trompent, autant que ces Grecs outrecuidez qui se vantent que c'est de leur mot Drys, qui signifie chesne ». Pour Adamas, le nom de Druide, « au langage de l'ayeul de Samothes, signifie contemplateur, du mot Drissim... » (51). D'Urfé tient cette étymologie de *La Galliade* de Guy Le Fèvre de la Boderie :

> « Les Gaulois ondoyez, et Diris rechercheur
> Des hauts secrets du ciel et éloquent prescheur. »

Le Fèvre de la Boderie indique en note : « Diris fut Japhet, ainsi dit de Daras qui signifie rechercher et prescher. » Il écrit encore :

> « Si ont ils emprunté leur nom de la Recherche
> D'Escole, pour parler, du discours et du presche
> Suyvant la langue sainte, et les vrays noms gardés
> Entre les saints hebreux et entre les Chaldez. »

Le Fèvre de la Boderie ajoute cette note :

> « Drius, duquel sont dits les Druydes, est nom tiré de Daras, racine commune aux Hebrieux et Chaldez, dont on peut voir les signifiances es dictionnaires. Les Grecs le veulent deduire de δρῦς qui signifie arbre ou chesne. » (52)

Honoré d'Urfé subit l'influence de *La Galliade,* qui revendique pour la Gaule l'apanage de la science. Il ne pouvait retenir l'étymologie grecque. Ces grecs, quand ils prétendent avoir été à l'origine du nom de druide, sont « outrecuidez », selon Adamas, « car avant que les lettres eussent esté portées en Grece, nous estions appelez druides, et les sciences estoient en Gaule avant que ces peuples vains sceussent seulement lire ». Voilà le thème de la « translatio studii », bien cher au XVIe siècle. Ramus, qui écrivit *De moribus veterum Gallorum* (53), prouve que les anciens Gaulois furent les premiers à posséder une philosophie et que leur science a précédé celle des Grecs ; Guy Le Fèvre de la Boderie prétend que les Gaulois, descendants de Noé, furent les inventeurs des arts et des sciences. De la Gaule, la science serait passée chez les Chaldéens et les

---

(50) Pline, XVI, 44.

(51) *Astrée,* II, 8, 322.

(52) Nous empruntons ces renseignements à F. Secret, « Une source oubliée des *Epistres Morales* d'Honoré d'Urfé », in *BHR,* 1968, pp. 696-697. Les citations sont extraites de *La Galliade,* f. 17 v°, 42 et 48 v°.

(53) L'ouvrage de Ramus, publié à Paris en 1559, fut traduit par Michel de Castelnau, *Traicté des façons et coustumes des anciens Gaullois,* Paris, 1559.

Hébreux, puis chez les Grecs, enfin à Rome (54). Semblables sont les affirmations de Taillepied, inspiré de Postel :

> « Mais quant aux Gaulois, qu'ils ayent esté les premiers pedagogues de Philosophie, il est assez notoire par le tesmoignage de Diogenes Laërce, qui dit ainsi au premier mot de son livre de la vie des Philosophes, Philosophia a barbaris initia sumpsisse, plerique autumant. »

Et, ajoute-t-il, ce sont les Gaulois qui ont inventé les lettres et les ont fait connaître aux Grecs (55) .

L'histoire des Gaulois n'est racontée dans *L'Astrée* que dans la mesure où elle corrobore les qualités des ancêtres. Les Romains ont vaincu et occupé la Gaule, mais, auparavant, l'Italie fut envahie par les Gaulois. *L'Astrée* devient ainsi une épopée de la Gaule dont jamais la supériorité n'est mise en doute. C'est pourquoi, les Boiens sont revendiqués comme ancêtres par Thamire et Calidon. Pasquier et Fauchet se plaisent à raconter l'histoire des Boiens, car elle est un épisode de l'épopée gauloise. Sigovèse et Bellovèse, neveux d'Ambigat, roi des Celtes, sortirent de la Gaule avec les Boiens, pour conquérir de nouvelles terres. La forêt d'Hircynie échut à Sigovèse et, à Bellovèse, l'Italie. Ici furent fondées des villes, dont Venise ; mais les Romains en chassèrent les habitants qui rejoignirent les Boiens, établis dans la forêt d'Hircynie (56). Fidèle à ce récit, Honoré d'Urfé prête à Thamire une ascendance boienne et résume ainsi toute cette histoire :

> « Nos peres et ceux d'où ils sont descendus sont de ces Boiens, qui jadis sous le Roy Belovese sortirent de la Gaule et allerent chercher nouvelles habitations delà les Alpes, et qui apres y avoir demeuré plusieurs siecles, furent en fin chassez par un peuple nommé Romain hors des villes basties et fondées par eux. Et parce qu'il y en eut une partie qui estant privez de leurs biens s'en allerent outre la forest Hircinie, où les Boiens leurs parens et amis s'estoient establis du temps de Sigovese, et d'autres choisirent plustost de revenir en leur ancienne patrie, nos ancestres revindrent en Gaule, et en fin par mariage se logerent parmy les Segusiens. » (57)

---

(54) Dans *La Galliade,* Le Fèvre de La Boderie écrit :
« ...Tous les Arts premier en Gaule nez
Apres s'estre en tous lieux du monde pourmenez,
En Gaule retournez le vray lieu de leur source,
Y sont venus fermer la rondeur de leur course. » (f. 30)

Dans son *De prisca Celtopaedia,* Jean Picard a émis l'idée d'une colonisation intellectuelle de la Grèce par la Gaule : « Achaiam primum a majoribus nostris habitatam, et litteras una cum hominibus ipsis ex Gallia nostra illuc translatas fuisse. » (p. 88).

(55) *Op. cit.,* I, 70 v°, 73 r°, 83 r°. Lemaire des Belges affirme la même idée (*op. cit.,* I, f. 66-67). Sur les ouvrages du XVIe siècle qui ont vanté la supériorité des Gaulois, voir l'article d'E. Roy, « Lettre d'un Bourguignon contemporaine de la *Deffence et illustration de la langue françoise* », in *RHLF,* t. II (1895), p. 235 ; voir aussi, C.G. Dubois, *op. cit.*

(56) C. Fauchet, *op. cit.,* pp. 6, 14 et sq. ; E. Pasquier, *op. cit.,* f. 19.

(57) *Astrée,* II, 1, 27-28. Honoré d'Urfé mentionne encore les mêmes faits pour montrer que les Francs sont d'origine gauloise (II, 11, 476).

Parmi les portraits qui ornent la galerie d'Adamas, figurent ceux de Bellovèse et de Sigovèse, et, avec concision, Honoré d'Urfé rapporte ainsi leur histoire :

> « Là se voyoit Sigovesus et Bellovesus, dont l'un, passant les Alpes, vainquit et nomma la Gaule Cisalpine, et l'autre, passant la forest Hircinée, fonda le royaume des Boyens. » (58)

D'Urfé a-t-il l'occasion de parler des Venètes ? Il n'omet pas d'indiquer qu'ils sont « venus des long temps de la Gaule Armorique, (lors, comme je croy, que sous Belovesus un peuple presque infiny de Gaulois passa en Italie)... » (59). Ces Boiens, sous la conduite de chefs valeureux, ont quitté la Gaule, soit « pour quelque conqueste », ou pour la « décharger ». Pasquier expose longuement la même opinion (60). La plus célèbre des victoires est celle qui fut remportée sur les Romains. Brennus figure parmi les portraits de la galerie d'Adamas. Sa victoire, qui se termina par une défaite, est représentée, parce qu'elle fut le point de départ d'autres victoires qui devaient conduire les Gaulois jusqu'en Grèce, où ils pillèrent le temple de Delphes :

> « ...on voyoit les Gaulois sous Brennus triompher dans Rome de ces grands citoyens, et pesant l'or de leur rançon adjouster encor sur le poids l'espée victorieuse de leur vainqueur, et de là passant en Grece, fonder les Galathes, et se mocquans des vaines superstitions de ces idolatres, ravir l'or et les thresors du Temple d'Apollon, et s'en revenir victorieux en leur patrie. » (61)

Ces renseignements furent fournis à Honoré d'Urfé par l'ouvrage de Pasquier ou par celui de Fauchet (62). Celui-ci rapporte l'épisode de la rançon et il affirme que les Gaulois ont été vaincus parce que les « Romains sont gens traîtres ». Il relate encore le sac du temple de Delphes, sans en tirer gloire, et il ne fait aucune mention de la fondation des Galathes. Il revendique pour les Gaulois de Brennus, vainqueurs des Thraces, la gloire d'être allés en Hellespont, et la création, en Asie, de la Gaule grecque. Pasquier, dans les *Recherches de la France,* écrit avec plaisir que les Gaulois

> « continuerent leurs conquestes jusques en la Scytie (comme en font foi les Celtoscythes) ...S'estans veuz mesmement commander à une partie d'Italie, de la Grece, et de la Phrygie... S. Hierosme recognoissoit que le langage des Galathes ou Gallogrecs se conformoit en grande partie avec celuy des Trevires, peuples situez dans nostre Gaule Belgique. » (63)

---

(58) *Ibid.*, III, 3, 81-82.
(59) *Ibid.*, II, 12, 534.
(60) *Ibid.*, II, 11, 476. Pasquier pense que les Gaulois ont franchi leurs frontières non point pour décharger leur pays, mais poussés par leur vertu et leurs lois militaires (*op. cit.*, f. 19 v° et 20 r°). Ici, encore, constatons qu'Honoré d'Urfé rapporte des opinions sans trancher.
(61) *Astrée*, III, 3, 81-82.
(62) C. Fauchet, *op. cit.*, pp. 17-24 ; Pasquier, *op. cit.*, f. 21. La fondation du royaume des Galates est également rapportée par Jean Picard, *op. cit.*, p. 30.
(63) E. Pasquier, *op. cit.*, f. 18 r° et 22 r°v°.

L'auteur de *L'Astrée* n'accuse pas les Romains de traîtrise, mais, pour conserver aux Gaulois un caractère d'honnêteté et sauvegarder leur gloire, il cherche plutôt à justifier le pillage du temple de Delphes, en faisant remarquer que ce n'était que « vaines superstitions de ces idolâtres ». Sous la plume de Claude Fauchet, comme sous celle d'Honoré d'Urfé, l'un et l'autre fidèles à la tradition nationaliste, nous retrouvons les mots qui minimisent ou justifient les défaites ou les fautes, pour les transformer en victoires.

L'épisode le plus délicat de l'histoire de la Gaule était celui de sa conquête par Jules César. Tous les historiens tentèrent de la mettre sur le compte d'une traîtrise des Romains. Noël Taillepied n'hésite pas à écrire :

> « Mais je vous prie, quelle gloire se peuvent attribuer les Romains ayant saisy les Gaules, faignant les vouloir défendre ? Ils doivent plutost estre notez de trahison cauteleuse que de prouesse, plus de casanerie que de noblesse. » (64)

Pour Adamas la domination des Romains est une usurpation et non point une victoire :

> « que si ce peuple que nous nommons Romain, s'est usurpé la domination des Gaulois, ce n'a point esté par les armes, mais plustost par chastiment de nos dissensions qui, estant pleines d'animosité entre nous, ont esté cause de nous le faire appeler, et demander secours à ceux de qui l'ambition nous a depuis devorez, nous apprenant, mais trop tard, qu'il ne faut jamais esperer que les estrangers nous affectionnent plus que nous ne nous aymons nous-mesmes. » (65)

Adamas, homme réfléchi parce que philosophe, donne à son propos un tour volontairement politique et moral, qui permet de découvrir le rôle que joue l'histoire dans *L'Astrée*. Cette explication de la défaite, qui repose à la fois sur les dissensions des Gaulois et l'appel aux Romains qui en profitèrent pour conquérir le pays, est également proposée par Pasquier : « ... Qu'il se faut soigneusement donner garde de prendre tel aide de vostre voisin, que pendant que vous pensez combattre vostre ennemy par son moyen, ceste aide ne retourne à vostre dommage. » Selon lui, la principale cause de la victoire des Romains « est assez solennisée par la bouche du commun peuple, c'est-à-dire les divisions et partialitez qui y regnoient... » (66)

III. — La religion en Gaule.

Honoré d'Urfé insiste plus sur les victoires des Gaulois que sur leur défaite, cela se comprend. Mais, outre l'explication qu'il

---

(64) N. Taillepied, *op. cit.*, II, f. 78 v°. Le récit de la conquête de la Gaule est rapporté par Fauchet, *op. cit.*, pp. 34 sq. Cette idée que les Romains sont des usurpateurs ou des tyrans est reprise par H. d'Urfé, *Astrée,* II, 8, 325 et III, 2, 43.

(65) *Astrée,* II, 8, 321.

(66) E. Pasquier, *op. cit.*, f. 27 r°v°.

cherche à en donner, il veut montrer que la domination romaine n'a pu ni entamer, ni contaminer la religion gauloise. Les historiens du XVIe siècle ont insisté sur la piété de ce peuple (67). C'est pourquoi, dans *L'Astrée,* la religion tient une place importante. Au sein de la Gaule, malgré l'occupation romaine, le peuple du Forez sut se protéger mieux que tous les autres. D'Urfé veut ainsi lui réserver, par un nationalisme qui se restreint au cadre de la province, une place singulière. Il se propose d'expliquer la pureté de la religion, malgré la présence de nombreux témoignages archéologiques du culte des divinités païennes. *L'Astrée,* dans ce domaine, va au-delà des tentatives des historiens du XVIe siècle. Tous, par nationalisme, ont lutté contre la prépondérance culturelle de Rome ; aucun, nous semble-t-il, n'a tenté de montrer que la religion druidique resta pure.

Pour Honoré d'Urfé, le Forez se distingue des autres provinces et notamment de celle des Galloligures. Aucune autre n'a connu ce privilège de garder ses franchises, mais, surtout, aucune n'a su se préserver avec autant de jalousie du contact des étrangers. Adamas l'explique longuement à Daphnide qui avait coutume d'assister à des sacrifices « à la façon des Romains » :

> « Encore que cette contrée des Segusiens que nous appelons FOREST, soit en son estendue des plus petites de la Gaule, si est-ce que le grand Dieu monstre d'en avoir un plus grand soing, car sans parler des autres, les Galloligures qui est ceste contrée que communement l'on nomme à ceste heure la Province des Romains, d'autant qu'elle a eu une si grande affinité avec les Romains, et que ses principales villes sont colonies des Focenses peuples grecs, et adonnez à la pluralité des dieux, encores que dès le commencement, comme Gaulois, ils n'eussent que la religion de nos peres, toutesfois, ainsi que l'abus peu à peu se va coulant en toutes choses, de mesme ont-ils laissé glisser parmy leurs ceremonies et leurs sacrifices les fausses et idolatres opinions de ces divers peuples, et ont faict un meslange de la religion des Gaulois, des Romains et des Grecs, qui les rend non seulement differents de l'ancienne, mais aussi de toutes les autres desquelles elle a esté corrompue. Au contraire, cette petite contrée de Forests, n'ayant jamais communication avec les peuples estrangers, sinon avec quelques Romains, a esté plus soigneuse que je ne vous sçaurois dire, de conserver entiere et pure celle qu'll a receue... » (68)

Et il ajoute :

> « ...et peut-estre nous pouvons nous vanter d'estre le seul peuple des Gaules qui ayt eu ce bonheur, car les uns, par force, les autres, de bonne volonté, et par la communication qu'ils ont eue les uns des Romains, les autres des Visigots, les autres des Vandales, Alains, Pictes et Bourguignons, ont perdu ceste pureté que nous avons tousjours retenue, et en nostre croyance, et en nos sacrifices. »

---

(67) C. Fauchet, *op. cit.*, pp. 6-7, « Les Gaulois furent tres devots et enclins à la religion ».

(68) *Astrée,* III, 9, 476-477. Voir également la même allusion à propos de l'impureté de la religion des Galloligures, *Astrée,* IV, 5, 328.

Plus rien, semble-t-il, n'est ici conforme à la vérité historique, sauf ce qui concerne « les Focenses peuples grecs ». Le Forez devient le pays élu par Tautatès. Plus forts que tous les autres Gaulois, les Ségusiens surent résister à la tyrannie romaine. Ils ont continué à adorer « Dieu comme il faut » et refusé de reconnaître la puissance des « usurpateurs pour le respect qu'ils ont tousjours porté à Diane, de laquelle ils ont pensé que nostre grande nymphe representoit la personne. » (69) Honoré d'Urfé pousse à l'extrême l'accusation de tyrannie portée contre les Romains par les historiens du XVIe siècle :

> « Mais d'autant que le vainqueur donne des loix qu'il luy plaist au vaincu, ils en firent de mesme en Gaule, où s'usurpant avec une extreme tyrannie, non seulement nos biens, mais nos ames aussi, ils voulurent changer nos ceremonies, et nous faire prendre leurs dieux, nous contraignant de leur bastir des temples, de recevoir leurs idoles, et de représenter Teutates, Hesus, Belenus et Tharamis avec des figures de leur Mercure, Mars, Apollon et Juppiter. » (70)

Au lendemain d'une époque où la foi catholique avait été menacée, où les fidèles les plus sincères et les plus ardents connurent le martyre, Honoré d'Urfé n'hésite pas à suggérer que certains druides furent victimes de persécutions :

> « Et parce que les druides s'opposerent vertueusement à leur abus, il y eut un de leurs empereurs qui par édit du Senat, voulut abolir toute nostre religion, chassant et banissant les druides hors de l'Empire. Mais ce grand Teutates a permis que les bons ayent esté persecutez pour esprouver leur vertu, et non pas abolis, afin de donner cognoissance que jamais ils ne sont entierement abandonnez ».

Nous croyons entendre les paroles d'un panégyrique à l'adresse des chrétiens persécutés pour leur foi, comme le furent, peu avant son entrée au collège, les maîtres d'Honoré d'Urfé. Selon lui, la piété des Gaulois a forcé l'admiration des Romains :

> « Et toutesfois, quoy qu'ils ayent voulu ravaler la gloire, non seulement des Gaulois, mais de tous les peuples qui comme des loups affamez, en ont esté engloutis, si ne se sont-ils peu empescher de dire en parlant de nous que les Gaulois sur tout sont tres-religieux, et pleins de devotion envers les dieux. » (71)

Pour rendre compte de la dévotion des bergers du Lignon, Honoré d'Urfé consacre de nombreuses pages à la description des cérémonies religieuses. En de nombreux points, la religion gauloise ressemble à celle des chrétiens. La transposition était aisée et la spiritualité qui baigne *L'Astrée* ne paraissait pas étrange aux lecteurs du XVIIe siècle.

---

(69) *Ibid.*, II, 8, 325.
(70) *Ibid.*
(71) *Ibid.*, II, 8, 325. Auguste avait interdit aux Citoyens la pratique de la religion gauloise, Claude l'abolit complètement.

Les historiens du XVIe siècle fournissent peu de renseignements sur la théologie et la science des druides. Ni Taillepied, ni Fauchet ne s'écartent des détails livrés par César (72). Taillepied se contente d'indiquer que « les vacies adoroient Mercure comme leur dieu principal » (73), et il appuie cette affirmation sur le témoignage de César. Dans le chapitre quatrième de la première partie, *Les dieux qu'avoient les Gaulois...*, reprenant les dires de César, il déclare que la nation gauloise était très adonnée à la dévotion et que les dieux Mercure, Apollon, Mars, Jupiter et Minerve étaient adorés. L'ouvrage de Fauchet présente la liste des dieux Gaulois :

> « Par dessus tous les dieux ils adoroyent Mercure appelé en leur langue Teutates et en tenoyent plusieurs images, le disant inventeur de tous les arts. Après lui Apollon, Mars, Jupiter..., nommez par eux Belenus, Hesus ou Heius, Taramis. »

Comme César et Taillepied, Fauchet rappelle que les Gaulois « se disoyent descendus de Dis (ainsi que les Druides leur avoyent enseigné)... » (74) Pour compléter son étude de la religion gauloise, Taillepied cite l'opinion du Sieur de Chasseneux, qui « se consent à l'ancienne opinion des nostres, qui ont dit, que l'Eglise de Nostre Dame de Chartres fut bastie et édifiée par les Druides, en l'honneur d'une Vierge qui devoit enfanter le sauveur du monde » (75). Selon Fauchet et Taillepied, qui fondent leurs affirmations sur le témoignage de César, de Strabon et de Pomponius Mela, les druides croyaient à l'immortalité de l'âme, à la métempsycose (76) et à l'éternité du monde (77).

---

(72) Cesar, *De bello Gallico*, l. IV, c. 13 à 18.

(73) N. Taillepied, *op. cit.*, I, f. 34 r°.

(74) C. Fauchet, *op. cit.*, pp. 6 et 7. N. Taillepied indique l'origine des Gaulois, *op. cit.*, I, 57 v°.

(75) N. Taillepied, *op. cit.*, I, 62 r°. L'intérêt porté par la Renaissance aux dieux des païens a incité les érudits à imprimer le résultat de leurs recherches sous forme de véritables manuels. Les plus célèbres furent publiés au milieu du XVIe siècle, *De deis gentium varia et multiplex historia de Lilio Gregorio Giraldi* (Bâle, Oporinus, 1548), *Mythologiae sive explicationis fabularum libri decem* de Natale Conti (Venise, Alde, 1551) et *Imagini colla sposizione degli dei antichi* de Vincenzo Cartari (Venise, Marcolini, 1556). Ce répertoire de Cartari fut traduit en latin, puis en français par A. du Verdier, en 1581 (Lyon, B. Honorat). G. du Choul avait formé le projet de composer un *De imaginibus deorum*, mais son entreprise ne fut jamais terminée (*Discours de la religion des Anciens Romains*, p. 133). Sur toute cette question, voir J. Seznec, *La survivance des dieux antiques. Essai sur le rôle de la tradition mythologique dans l'humanisme et dans l'art de la Renaissance*, Londres, The Warburg Institute, 1939, II, 1

(76) N. Taillepied, *op. cit.*, I, 75 r°, II, 9, r°, I, 73 r° ; C. Fauchet, *op. cit.*, p. 9 ; Strabon, l. IV ; Pomponius Mela, *de Gallia*, III, 2 ; César, *De bello Gallico*, VI, 14.

(77) N. Taillepied, *op. cit.*, I, 74 r° et 75 v°. Honoré d'Urfé a pu également s'inspirer des *Recherches de l'antiquité d'Autun*, ce manuscrit en quatre tomes qu'il possédait dans sa bibliothèque de Virieu. Il était peut-être l'ouvrage de Jean Aubery, *Histoire de l'Antique cité d'Autun* dont nous ne connaissons aucun exemplaire. Voir, à ce propos, O.C. Reure, *op. cit.*, p. 183, n. 1 et p. 235 ; R. de Quirielle, *Bio-bibliographie des écrivains anciens du Bourbonnais*, 1899, p. 9.

Cette théologie constitue la croyance des druides de *L'Astrée*. Honoré d'Urfé, à partir des renseignements recueillis dans les œuvres que nous avons citées, élabore une doctrine qui ressemble à celle du christianisme ; une volonté de faire coïncider les deux religions semble l'animer. En effet, le mystère sur lequel repose la foi chrétienne est celui de la Trinité. Honoré d'Urfé a appris que les Gaulois adoraient plusieurs dieux. Il connaît leurs noms, Bélénus, Hésus, Tharamis, Tautatès, pour les avoir lus dans les *Antiquitez* de Claude Fauchet. Cependant, parce qu'il est chrétien et qu'à la chapelle de La Bastie il a eu sous les yeux le symbole trinitaire du triangle et la devise « Uni », il transforme le polythéisme gaulois en monothéisme d'une façon tout à fait conforme à la théologie chrétienne. Dans le temple d'Astrée, les noms des dieux sont inscrits dans l'écorce d'un chêne qui porte, à l'origine de ses branches, le nom de Tautatès ; et « ces choses qui estoient selon la coustume de leur religion » n'étonnèrent point les bergers (78). Adamas, théologien de *L'Astrée,* révèle longuement à Céladon les arcanes de la religion druidique. Il prétend transmettre la foi dans sa pureté, comme le « Grand Dis Samothes » et les « Druys ordonnerent d'adorer Dieu, non pas selon l'erreur des gens, mais ainsi qu'ils l'avoient appris de leurs pères. » (79) L'article de foi le plus important est « qu'il n'y peut avoir qu'un seul Dieu, car s'il n'est toutpuissant, il n'est point Dieu ». Les arguments d'Adamas, pour prouver le monothéisme malgré l'apparente croyance en la pluralité des dieux, sont ceux de la théologie chrétienne. Les objections de Céladon, qui croit que Tautatès est « le Grand Dieu » et les autres, Hésus, Tharamis et Bélénus, « des petits dieux », conduisent progressivement Adamas à préciser sa pensée : il n'y a qu'un Dieu, Tautatès, les autres ne sont que des surnoms, ou plutôt, les branches du chêne, qui se viennent réunir au tronc sur lequel est inscrit le nom de Tautatès, montrent qu'il faut adorer « un Dieu sous ces trois autres paroles ». (80) Auparavant, Adamas a expliqué l'origine et le sens des noms des dieux :

> « L'ignorance du peuple grossier estoit telle qu'il ne pouvoit comprendre ceste supreme bonté et toute puissance, qu'ils nommoient THAU, c'est-à-dire Dieu, sans en apprendre quelques effets, ils luy donnèrent trois noms : JEHUS, qui signifie fort, BELENOS, c'est-à-dire Dieu homme, et TAHARAMIS qui signifie repurgeant, nous voulant enseigner par ces trois noms que Dieu est tout puissant, createur et conservateur des hommes. » (81)

Il est possible qu'Honoré d'Urfé ait emprunté à Guy Le Fèvre de la Boderie l'idée que Taharamis signifie « repurgeant ». La Boderie, en effet, donnant l'étymologie de l'Ange de la Gaule, indique en note : « Le génie de la Gaule répurgée », et il écrit encore : « La

(78) *Astrée,* II, 5, 185.
(79) *Ibid.,* II, 8, 322.
(80) *Ibid.,* II, 8, 327. Sur la religion dans *L'Astrée,* voir l'article de J. Grieder, « Le rôle de la religion dans la société de *L'Astrée* », in RDS, n° 93 (1971), pp. 3-13.
(81) *Astrée,* II, 8, 323.

Gaule ou la France est dite en Hebrieu Zarfath qui signifie la repurgée : ainsi l'a nommée le prophète Abdias. » (82) L'étymologie fournit à d'Urfé l'explication des noms donnés aux dieux : Tharamis au lieu de Thaharamis, Hésus au lieu de Jéhus (à cause de la difficulté de l'aspiration du milieu du mot) ; elle lui permet surtout d'introduire le mystère de la foi trinitaire. Adamas révèle à Céladon « la profondité » des « saints mystères et les secrets plus cachez » de la religion. Clairement, le mystère de la religion druidique devient celui de la foi chrétienne et les révélations d'Adamas sont un cours de théologie :

> « ...ces trois noms signifient trois personnes qui ne sont qu'un Dieu, *le Dieu fort, le Dieu Homme,* et *le Dieu Repurgeant.* Le Dieu fort est le Père, le Dieu Homme est le Fils, et le Dieu Repurgeant c'est l'Amour de tous les deux, et tous trois ne font qu'un Teutates, c'est-à-dire un Dieu. Et c'est la mere de ce Dieu homme, à qui nos druides ont dédié dans l'entrée des Carnutes, il y a plus de vingt siècles, un autel avec une statue d'une pucelle tenant un enfant entre les bras, avec ces mots *« A la Vierge qui enfantera.* » (83)

Nous découvrons ainsi le mystère chrétien de Dieu fait homme, né d'une Vierge, de la Trinité, où Jésus est le Fils, et le Saint-Esprit, Amour. *L'Astrée* est le miroir des grandes idées du XVIe siècle. La légende d'Hercule et de l'origine de la Gaule nous a montré que les historiens de la Renaissance voulaient prouver la supériorité des Gaulois sur les autres peuples. En même temps, un désir de montrer la continuité des connaissances les animait. Si les grands mythes de l'Antiquité sont christianisés, au point de méconnaître ou de feindre d'ignorer les différences fondamentales qui séparent la mythologie païenne de la théologie chrétienne, c'est qu'il existe une philosophie chrétienne de l'histoire. Taillepied voit davantage les différences entre la religion gauloise et la religion chrétienne. D'Urfé ne parle pas du christianisme, mais laisse percevoir sa pensée. Comme Guy le Fèvre de la Boderie, il vante la piété des anciens gaulois. Leur religion, en bref, ne ressemble-t-elle pas étrangement au christianisme ? N'ont-ils pas la foi en un seul Dieu ? N'ont-ils pas placé, eux aussi, sur leurs autels, la statue de la Vierge qui doit enfanter (84) ? La thèse de la continuité des croyances est fort répandue au XVIe siècle ; Dorat la soutient (85), et d'Urfé s'en fait l'écho, en allant même beaucoup plus loin. A ses yeux, les

---

(82) F. Secret, *art. cit.,* p. 699.

(83) *Astrée,* II, 8, 327. Cet exposé théologique est repris par Honoré d'Urfé dans la IIIe partie presque mot pour mot, sauf à propos de Bellenus. D'Urfé ajoute en effet : « pour un mystère caché de la naissance d'un homme-Dieu. »

(84) Le Fèvre de la Boderie, *L'Encyclie des secrets de l'Eternité* et *La Galliade* :

« Pour ce voulurent ils dedans Chartres planter
A celle qui devoit estant vierge enfanter
Un temple consacré dont la grote profonde
Reste encor aujourd'huy... » (*Galliade,* f. 53, cité par F. Secret, *art. cit.,* p. 698).

(85) Dorat, Pièce liminaire à la *Galliade* de Le Fèvre de la Boderie.

Romains, frappés par la ressemblance entre les attributs de leurs dieux et ceux des dieux gaulois, ont fini par commettre des confusions ; ils ont cru que les Gaulois adoraient Mercure sous le nom de Tautatès, Mars, Jupiter, Apollon, sous ceux de Hésus, Tharamis et Bélénus. Ainsi, d'Urfé est en plein désaccord avec la thèse de César (86) et manifeste un nationalisme de bon aloi au XVIe siècle. Les Romains sont polythéistes, les Gaulois monothéistes. Les premiers ont contribué à la perte de la religion dans sa pureté originelle, les druides se sont efforcés de la sauvegarder. Alors que les catholiques furent accusés d'idolâtrie par les protestants, sous prétexte qu'ils adoraient des saints dont les statues ornaient les églises, il n'est pas surprenant de trouver dans *L'Astrée* une justification de cette coutume. Selon les commandements du Grand Samothès, il fut défendu aux Gaulois « de faire image de Dieu », de construire des temples, « semblant que c'estoit une grande ignorance de penser de pouvoir enclorre l'immense deité dans des murailles, et une très grande outrecuidance de luy pouvoir faire une maison digne d'elle ». Ils devaient adorer Dieu « dans des boccages en campagne », et les Romains les ont contraints à construire des temples. Cependant, dit Céladon, quand se font des sacrifices, il y a des statues et des images quelquefois du Grand Dis, et quelquefois d'Hercule. Adamas répond que « Dis et Hercule sont des hommes, et non pas des dieux, et qu'estant hommes, on les peut représenter », et que, s'ils sont sur l'autel, c'est

> « pour faire entendre... qu'ils ont esté entre les hommes comme des dieux pour leurs vertus, et que comme tels, nous les devons honorer, et conserver la memoire, afin que les autres hommes en les voyant, dressent leurs actions sur le patron qu'ils nous ont laissé. Et les estrangers qui ne sçavoient pas nostre intention, ont creu que nous les adorions. » (87)

Si les Gaulois se disent issus de Dis, ils ne l'adorent pas pour autant. Nous croyons retrouver ici le raisonnement des théologiens catholiques qui eurent à justifier le culte des saints.

L'Astrée nous révèle encore la foi des druides en l'immortalité de l'âme (88), en la toute-puissance de Dieu, en sa Providence (89), et en sa grâce sur laquelle l'homme doit compter. Malgré la toute-puissance divine, l'homme a une part active, car les dieux « ne font rien sans un bon sujet » (90) ; mais, dans leur Providence, ils n'envoient jamais « plus d'affliction que nous n'avons la force d'en supporter » (91), et quand « ils commettent quelque personne à une chose, ils luy donnent en mesme temps tout ce qui luy est nécessaire pour l'effectuer » (92). Ce sont les grandes lignes de la

---

(86) César, *op. cit.*, VI, 17.
(87) *Astrée,* II, 8, 324-326.
(88) *Ibid.*, II, 12, 662, IV, 4, 206, I, 7, 265-266.
(89) *Ibid.*, I, 11, 441, III, 12, 634, 644-645, IV, 5, 272, IV, 10, 628, IV, 7, 431, 434, 441. Les dieux sont présentés comme bons car ils savent mieux que les hommes ce qui est nécessaire (IV, 5, 268, IV, 7, 419, IV, 3, 101).
(90) *Ibid.*, IV, 12, 772.
(91) *Ibid.*, IV, 7, 421.
(92) *Ibid.*, IV, 2, 55.

théologie de la grâce, qu'Honoré d'Urfé a approfondie pendant ses études à Tournon. L'auteur de *L'Astrée* ne pouvait mieux laisser transparaître son désir d'identifier la religion gauloise et le christianisme. Pourtant, il laisse entendre que des différences séparent les deux religions. S'il ne parle jamais du christianisme, du moins Adamas déclare son espoir dans la venue de « quelque sçavant druide », qui adorera Tautates en pureté de cœur comme nous, et louera nostre courage en approuvant nostre bonne intention. » (93) Deux apôtres du christianisme sont cités dans *L'Astrée,* Augustin et Rémi. Augustin, « ce grand et vertueux personnage..., qui n'adoroit qu'un seul Tautates », vivait à Hippone et pratiquait une religion semblable à celle des druides. Honoré d'Urfé ne peut mieux s'insérer dans la tradition de la Renaissance, qui cherche à établir la continuité des religions, quand il fait dire à Lindamor :

> « Et quoy qu'il fut different de la religion que nous tenons, si en estoit-il beaucoup plus approchant que les anciens Romains, car il faisoit le sacrifice du pain et du vin comme nous, et ne recevoit en façon quelconque la pluralité des dieux, et sur tout reveroit ceste Vierge qui doit enfanter, à laquelle il y a tant de siecles que nous avons dedié un autel dans l'antre des Carnutes » (94).

Plus sensible aux différences qui séparent les deux religions, au temps où il compose la troisième partie de *L'Astrée,* Honoré d'Urfé note que Rémi adore un Dieu « incogneu aux Francs » et à « nous », c'est-à-dire aux Gaulois (95).

La description de la liturgie des druides semble aussi avoir été calquée sur celle du christianisme. Le gui est l'objet d'une vénération particulière et, comme le rameau bénit du dimanche d'avant Pâques, il est distribué aux fidèles et au bétail, selon une coutume pratiquée maintenant encore dans nos campagnes (96). Taillepied s'indigne de la cruauté des sacrifices accomplis par les druides et il fait valoir que les Chrétiens célèbrent le sacrifice du pain et du vin (97). Dans *L'Astrée,* les Vacies offrent à leur dieu le pain et le vin (98). Evoquant la cueillette de la sabine, La Boderie avait écrit que le druide,

> « Avant de la cueillir, de pain pur et pur vin
> Sacrifioit à Dieu en la loy de Nature,
> Qui de pain et de vin nous donne nourriture. » (99)

Mis à part les détails significatifs d'une intention, d'Urfé se conforma aux renseignements découverts dans l'ouvrage de Taillepied. Il y trouva la hiérarchie et le rôle des druides : Eubages,

(93) *Ibid.*, II, 8, 327.
(94) *Ibid.*, II, 11, 483.
(95) *Ibid.*, III, 12, 687.
(96) *Ibid.*, III, 11, 578.
(97) N. Taillepied, *op. cit.*, I, 55 v° et 56 r°.
(98) *Astrée*, III, 9, 475 (formule d'offrande récitée par Adamas : « ce peuple offre en sacrifice de remerciement le pain et le vin que je te presente »). Voir également, II, 10, 417.
(99) *La Galliade*, f. 44, citée par F. Secret, *art. cit.*, p. 698.

Vacies, Sarronides, Bardes, Chevaliers... (100). Thamire résume ainsi la fonction de chacun :

> « Il n'y eut Vacie en la contrée à qui je ne fisse faire sacrifice pour appaiser Teutates, Hesus, Tharamis, et Belenus, si de fortune Calidon les avoit offensez ; il n'y eut Eubage de qui je ne demandasse des augures, et l'opinion ; il n'y eut Barde que je ne priasse de venir chanter aupres de son lict... Bref il n'y eut sage Sarronide qui à ma requeste ne le vint visiter, et luy donner quelque precepte contre l'ennuy, et quelque grave conseil contre la tristesse » (101).

Les vacies participent à la célébration du sacrifice, mais les autres dignitaires apparaissent rarement. Adamas, le grand druide, remplit tous ces rôles : il est juge, directeur de conscience, philosophe, conseiller politique et il participe activement à la défense de Marcilly (102). C'est lui surtout qui préside aux cérémonies religieuses et aux sacrifices.

En nous faisant assister, non point à la cueillette du gui, mais à la cérémonie d'actions de grâces, d'Urfé introduit dans son roman la couleur locale nécessaire à la vraisemblance. Nous apprenons qu'une serpette d'or sert à couper le gui et que

> « c'estoit la coustume des Gaulois, de chercher une lune avant le sixiesme de celle de Juillet, par toute la contrée, le chesne qui avoit le plus beau guy, et en faire rapport au grand druide, afin que le jour qu'il devoit estre cueilly, l'assemblée se fist dans le hameau, où il s'estoit rencontré. Et pour cest effect tous les vacies s'assembloient, et suivoient tous les boscages sacrez, et choisissoient le plus beau et le marquoient... » (103)

Le jour de la célébration du sacrifice d'actions de grâces, Adamas, revêtu de blanc, couronné de verveine et ayant dans sa main un rameau de gui de l'année précédente, s'avance, suivi des vacies, dont l'un porte la serpette d'or, l'autre, le linge blanc où été recueilli le gui, les autres, un faisceau de verveine, ou de sabine, et le pain et le vin. A ce cortège se joignent les eubages, les sarronides, « et autres, ordonnez pour le sacrifice ». Les huit victimaires, couronnés et « ceinturez de verveine et de sabine », conduisent deux taureaux blancs couronnés aussi et couverts de fleurs. La procession, ayant fait trois tours, se dirige vers l'autel dressé au pied du « chesne bienheureux » qui porte le gui nouveau. Adamas jette dans le feu trois feuilles de gui, autant de sabine et de verveine en adressant une prière à Tautatès, un peu de pain et de vin, et il ordonne aux victimaires d'égorger les taureaux. Les vacies, après avoir examiné les entrailles, font leur rapport à Adamas, qui prie encore. (104) Il est intéressant de constater ici comment, partant de

(100) N. Taillepied, *op. cit.*, I, 5 v°, 7 r° et 26 v° ; C. Fauchet, *op. cit.*, I, ch. IV.

(101) *Astrée,* II, 1, 33.

(102) Ce rôle de conseillers éclairés et de médiateurs entre Dieu et les hommes, que jouent les druides est mis en valeur par N. Taillepied, *op. cit.*, I, f. 32.

(103) *Astrée,* II, 11, 431.

(104) *Ibid.*, III, 9, 474-475.

quelques détails fournis par Taillepied, Honoré d'Urfé a donné vie et pittoresque à cette description. Qu'on en juge d'après *L'Histoire de l'Estat et République des Druides !* Nous y apprenons que la cueillette du gui avait lieu « à la sixième lune, qui suit le commencement des moys et des ans, selon leur façon de nombrer » et sur un chêne de trente ans. Un sacrifice est offert :

> « Le sacrifice et les viandes fort bien accoustrez et preparez sous l'arbre, on y adjouste encores deux taureaux blancs, qu'on lie lors par les cornes : en apres le sacrificateur principal vestu d'une aube blanche, monte sur l'arbre, et coupe le guy avec une serpette d'or, et est recueilly dedans un linge blanc, sans qu'il touche à terre ; puis on sacrifie les victimes, suppliant leur Dieu qu'il daigne faire profiter son présent à ceux auxquels il l'a donné. »

Suivent des considérations sur l'herbe selago et samolus (105). Taillepied donne des renseignements assez précis, mais secs ; Honoré d'Urfé s'en sert comme point de départ d'une description qui s'anime. Chez le premier, le tableau est statique, rigide ; dans *L'Astrée,* un cortège défile devant nos yeux, le prêtre s'avance, le visage sévère et grave, comme il se doit. Il adresse à Tautatès une prière dont les phrases calquent le rythme des oraisons chrétiennes ; le sacrifice se déroule, raconté rapidement, mais sans omettre un détail ; les taureaux, parés de fleurs et de couronnes, sont égorgés et le sang coule. La journée d'actions de grâces est une fête, le récit se termine par une phrase où se rythme l'allégresse :

> « Et le signe de la fin du sacrifice estant faict, chacun plein de joye et de contentement, la plus grande partie des vieux bergers se retira en son hameau. »

Pour retrouver la source des rites qu'Honoré d'Urfé décrit, est-il nécessaire de remonter à Pline, comme le fait Henri Bochet ? Pline raconte, en effet, que la cueillette de la plante « sabina » était précédée du sacrifice du pain et du vin : « Sacro facto, priusquam legatur, pane vinoque » (106). La sabine couronne la tête des druides (107). Pline rapporte encore le culte des Gaulois pour les œufs de serpents (108). Taillepied s'était contenté de traduire et d'ajouter que le Sieur de Chasseneux, au *Catalogue de la Gloire du Monde,* prétend que des armoiries de druides, à Autun, représentent « un amas de couleuvraux » (109). Dans *L'Astrée,* les bergers jurent par « l'œuf salutaire des serpens » ou par « l'œuf salutaire soufflé des serpens », de même que par « le guy de l'an neuf » (110). Ces

(105) N. Taillepied, *op. cit.*, I, 44 v°, 45 v°.

(106) Pline, XXIV, 11. Voir H. Bochet, *op. cit.*, p. 142.

(107) D'Urfé présente aussi les druides couronnés de verveine. Ne mêle-t-il pas les rites de la religion celtique à ceux de la religion romaine ? Ces fleurs ont en effet leur place dans les rites du sacrifice romain. Voir G. du Choul, *op. cit.*, p. 295.

(108) Pline, XXIX, 3, « Praeterea est ovorum genus in magna Galliarum fama, omissum Graecis. Angues innumeri aestate convoluti, salivis faucium corporumque spumis artifici complexu glomerantur, anguinum appellatur... »

(109) N. Taillepied, *op. cit.*, I, 46 v°.

(110) *Astrée,* II, 2, 46 ; II, 11, 437 ; IV, 11, 751.

détails sont rapportés par La Boderie, dans *La Galliade,* dont le « Cercle tiers » est consacré aux druides. Il y est aussi question, nous l'avons vu, de la cueillette de la sabine et du sacrifice du pain et du vin. Peut-être est-ce encore dans cet ouvrage qu'Honoré d'Urfé apprit que « le siècle gaulois comprend trente ans » (111). Point n'est donc besoin de prétendre que d'Urfé est redevable à Pline. Tous ces renseignements lui sont fournis par La Boderie ou Taillepied. Celui-ci a encore attiré son attention sur l'importance de Dreux (112). Ces nombreux détails passent dans la vie des personnages et confèrent ainsi au roman son originalité.

Quelques textes de la littérature latine semblent cependant avoir inspiré Honoré d'Urfé. Rattachant Mélusine à la tradition et à la religion gauloises, il en fait une des neuf vierges qui habitaient l'île de Sein et rendaient des oracles. Certes, Mélusine appartient à la tradition médiévale qui, comme nous le verrons plus loin, ne fut pas sans influence sur *L'Astrée,* mais l'œuvre de Pomponius Mela, traduite au cours des études à Tournon, est à l'origine des détails rapportés par Honoré d'Urfé :

> « Cette fille se disoit estre instruire par celles qui ont succedé à Vellede, et à Ganna, vierges druides, qui rendoient les oracles dans la Germanie, et desquelles l'institution estoit venue de l'isle de Sayn, autrefois Sena, dans la mer britannique, vis à vis des rivages qui sont nommez Osismiens, lieu grandement renommé par les oracles qu'y rendent encore aujourd'huy neuf de ces vieilles vierges druides que ceux du pays appellent Senes, du nom de l'isle où elles demeurent. » (113)

Pomponius Mela livre les renseignements suivants :

> « Sena in Britannico mari Osismicis adversa littoribus, Gallici numinis oraculo insignis est : cujus antistites perpetua virginitate sanctae, numero novem esse traduntur... » (114)

Mélusine, comme ces vierges de l'île de Sein, rend des oracles.

Honoré d'Urfé a su judicieusement tirer parti de tous les renseignements fournis par César, Pomponius Mela, Taillepied, Jean Picard, Ramus, et notamment de ceux qui présentaient les druides comme des gens dont la science était profonde. Ce sont eux qui rendaient les jugements ; les femmes avaient aussi leur mot à dire et la sentence pouvait être la peine de mort. Dans *L'Astrée,* il en est ainsi, mais les druides y prononcent surtout des oracles. Ceux-ci permettent à d'Urfé de faire rebondir l'action de son roman, de justifier les déplacements des personnages et, parfois, le récit de leurs aventures qui donnent lieu à un jugement (115). Dans l'his-

---

(111) Voir G. Le Fèvre de La Boderie, *La Galliade,* f. 43, à propos des œufs de serpents, et f. 42 v°, sur le siècle gaulois (cité par F. Secret, *art. cit.,* p. 697).

(112) N. Taillepied, *op. cit.,* I, 19 r°.

(113) *Astrée,* IV, 10, 574 ; Dion Cassius a été le seul à parler de Ganna, voir, à ce propos, H. Bochet, *op. cit.,* p. 134.

(114) Pomponius Mela, *De Gallia,* III, 5.

(115) Presque tous ces oracles sont rendus en Forez ; plusieurs d'entre eux le sont dans le temple de Vénus (*Astrée,* III, 6, 333, IV, 2, 56-57, IV, 9, 564, IV, 7, 425-426).

toire des druides, ce pouvoir de divination et de jugement est un thème constant : sages de la Gaule, ils rendaient la justice (116), ils étaient astrologues et pouvaient dévoiler l'avenir (117). Plus que par une vogue dont a joui Nostradamus dans la deuxième moitié du XVIe siècle, les oracles de *L'Astrée* se justifient par un désir de couleur locale et de précision historique qui constitue un des éléments essentiels du roman. Plus nombreux et plus importants que dans *Les Bergeries de Juliette,* ils rappellent de bien loin les prophéties de la magicienne Diadelle (118). Sans doute des oracles sont-ils rendus par des femmes dans *L'Astrée.* Mais, d'une part, Honoré d'Urfé s'appuie sur l'existence des neuf vierges de l'île de Sein, et, d'autre part, cela lui donne l'occasion d'utiliser les renseignements livrés par l'Antiquité grecque sur les oracles rendus par la Pythie ; et l'on sait l'importance accordée par la Renaissance aux Sibylles. Cléontine suit les rites des sacrifices gaulois, elle porte une ceinture de verveine, prend à la main un rameau de gui et fait sacrifier des taureaux blancs, mais, ensuite, elle se comporte comme la Pythie de Delphes : elle mâche du laurier, se penche sur l'ouverture de la caverne de Bellénus, entre en transes, et, « les cheveux mal en ordre, et comme hérissés, et les yeux égarez remuans incessamment dans la teste, et le visage de cent couleurs », elle rend l'oracle (119). Faute de détails donnés par les historiens sur la pratique de la divination chez les Gaulois, d'Urfé les puise dans sa culture d'humaniste. Il attribue cependant aux vacies l'art de l'interprétation des oracles (120). Leur obscurité, voulue par Tautatès afin que les hommes ne s'effraient pas de leur avenir, provoque des recherches et des tâtonnements, qui conduisent les personnages en Forez, hâvre de paix où ils découvrent le bonheur.

La religion que pratiquent les personnages de *L'Astrée* n'est pas toujours aussi pure que d'Urfé le prétend. Il indique la coexistence de la religion romaine et du culte qui lui est propre :

> « Depuis que les Gaulois avoient eu la communication des Romains, ils n'avoient pas seullement meslé leurs langages ensemble, mais aussi leur façon de sacrifier, voulant bien pour leur complaire, et s'accomoder au peuple qui estoit victorieux, prendre quelques-unes de leurs coustumes ; mais ne pouvant aussi se deffaire de leurs anciennes, ny oublier leurs premieres ceremonies, ils en firent un tel meslange qu'ils retindrent presques esgallement du Romain et du Celte » (121).

---

(116) Cloridamante prononce à Jullieu une sentence de condamnation à mort (*Astrée,* IV, 3, 155-156). D'après Taillepied, les femmes jouaient un rôle important dans les jugements et elles étaient constituées juges et arbitres dans les querelles particulières (*op. cit.,* I, 101, r°). Quand Léonide ou Diane rendent un jugement dans *L'Astrée,* elles remplissent donc une fonction semblable à celle qui était attribuée aux femmes de la société gauloise.

(117) D'après N. Taillepied, le rôle de divination était surtout dévolu aux Eubages et la science de divination était due à Dryis (*op. cit.,* I, 7 r° et II, 18 v°).

(118) Voir, H. Bochet, *op. cit.,* p. 151 et n. 2.

(119) *Astrée,* III, 11, 585-586.

(120) Voir, par exemple, *Astrée,* III, 11, 586.

(121) *Ibid.,* II, 8, 312.

Cependant, il souligne qu'en Forez la religion romaine n'a pas contaminé la foi des habitants. Cette province est privilégiée, mais l'existence des vestiges des temples romains ne pouvait être niée par l'auteur de *L'Astrée*. C'est pourquoi, pour illustrer la théorie de la continuation, il imagine la curieuse histoire des prêtresses et des druidesses de Bonlieu. Les Romains furent soucieux de respecter la police, les mœurs, le gouvernement et la religion des Ségusiens,

> « mais quand ils trouverent en ce bocage sacré un autel dédié à la Vierge qui enfanteroit, à l'imitation de celuy des sages Carnutes, et dessus la figure d'une Vierge qui tenoit un enfant entre ses bras, et que la divinité qui y estoit adorée estoit servie par des filles druides, ils y eurent beaucoup plus de respect, estimant que ce lieu estoit consacré sous autre nom, ou à la bonne Déesse (au service de laquelle les hommes ne pouvoient assister) ou à la déesse Vesta, sur le temple de laquelle ils avoient accoustumé de mettre la statue d'une Vierge avec un enfant entre ses bras. En cette opinion..., ils y bastirent un temple à toutes deux avec deux autels égaux, et en l'honneur de la bonne Déesse l'appellerent Bon lieu, et en celuy de Vesta y mirent des Vestales. »

Pour contenter les habitants de la contrée, ils donnèrent l'autorité à Chrisante « quoy qu'elle fust Gauloise et de l'ordre des druides. » (122) Ces vierges druides et les vestales dont le culte pour la Vierge est identique, mais dont les rites diffèrent, ne sont pas sans rappeler les religieuses des monastères chrétiens. D'ailleurs n'y avait-il pas à Bonlieu un couvent de religieuses ?

Parce que la documentation fournie par du Choul, dans le *Discours de la religion des anciens Romains* (123), était abondante, d'Urfé s'attacha surtout aux cérémonies célébrées par les Vestales. Leur costume, leurs sacrifices, la fabrication de la mole salée et le temple qui a une forme ronde, ont été décrits par du Choul. Son ouvrage est illustré de gravures et de reproductions de médaillons dont les descriptions d'Urfé paraissent inspirées. Le temple de Vesta y est dessiné et décrit, de forme ronde comme celui de *L'Astrée*, et son entrée est interdite aux hommes (124). C'est à partir des médaillons de Faustine et de Lucille que du Choul décrit le costume des vestales et les rites de leurs sacrifices. Elles sont

> « vestues de leurs robbes blanches (nommées des Latins Suffibulae) longuettes et quarrées, et de telle longueur, qu'elles avoyent le moyen de les mettre sur la teste pour se voiler » (125)

Avant de procéder aux sacrifices, la « vestale maxime » s'asperge d'eau lustrale au moyen « d'une branche de laure, ou

(122) *Ibid.*, III, 2, 43-44.
(123) G. du Choul, *Discours de la religion des Romains*, Lyon, 1581. Cet ouvrage est dédié à « Monsieur d'Urfé, gouverneur de Monsieur le Dauphin ».
(124) *Astrée*, III, 2, 44-45 ; G. du Choul, *op. cit.*, p. 236.
(125) G. du Choul, *op. cit.*, p. 237 ; cf. *Astrée*, III, 2, 45. D'Urfé modifie très peu la phrase de du Choul : « Ces vierges Vestales estoient vestues de robbes blanches, et si longues par le derrière, qu'elles les pouvoient jetter sur leurs testes, pour se voiler, quand elles entroient dans le temple pour sacrifier. »

d'olive » et en jette sur tous les assistants, afin de les purifier (126). D'Urfé relève ce détail et, chaque fois que l'un des personnages de *L'Astrée* entre dans un temple, il se purifie ainsi en plongeant sa main dans un vase rempli d'eau lustrale et placé à l'entrée. Du Choul indique qu'il a observé

> « qu'à l'entrée de leurs temples les anciens Romains faisoyent dresser un benistier de marbre triomphant, là où les sacerdotes et le peuple prenoyent de l'eaue, quand ils entroyent en leurs temples, pour faire leurs sacrifices. » (127)

Dans cette eau lustrale avait été éteint le flambeau de l'autel. Honoré d'Urfé copie littéralement du Choul en cet endroit : l'eau « en laquelle la torche (qui servoit à l'autel, où ils avoyent célébré les choses divines) avoit esté premierement esteinte » (128). Il décrit le cortège des vestales dans le temple jusqu'à l'autel ; la vestale maxime et six autres vestales sont couronnées d'un chapeau de fleurs, l'une porte le Simpulle, l'autre l'Acerta, la cinquième le faisceau de verveine et la dernière un panier de fleurs et de fruits (129). Du Choul décrit la composition et l'utilisation de la mole-salée (130) et il indique que les fleurs de verveine étaient « estimées et tenues heureuses en tous les sacrifices » (131). La procession gagne l'autel,

> « où le feu estoit tousjours allumé et gardé nuict et jour par deux vestales, parce que quand il s'esteignoit, elles croyoient qu'il leur devoit arriver quelque grand desastre, et la vestale qui estoit en garde estoit rudement chastiée par le pontife, et puis on le r'allumoit, non à d'autres feux materiels, mais aux rayons du soleil, qui ramassez en des vases de verre, faisoient prendre ce feu qu'ils nommoient sacré. » (132)

La plupart de ces détails sont fournis par du Choul (133), sauf ceux qui concernent la manière de rallumer le feu ; ceux-ci proviennent de Plutarque (134). Le sacrifice se déroule dans le temple de la Bonne Déesse, selon un rite un peu différent de celui décrit par le *Discours de la religion des Anciens romains,* sans que coule le sang des victimes, dans une atmosphère de recueillement et selon des rites qui ressemblent à ceux de la religion chrétienne. La vestale maxime prononce une prière à laquelle toutes répondent : « qu'il est permis de s'en aller », qui rappelle, « Ite missa est ».

Honoré d'Urfé aime étaler son érudition, quand il a l'occasion de décrire un sacrifice romain. Les plus belles pages qu'il ait écrites sur ce sujet restent, sans conteste, celles qui font revivre la cérémonie du clou sacré célébrée pour obtenir la guérison d'Adraste

(126) G. du Choul, *op. cit.*, pp. 289 et 291 ; cf. *Astrée,* II, 2, 46.
(127) G. du Choul, *op. cit.*, pp. 289-291 ; cf. *Astrée,* III, 8, 433-456.
(128) G. du Choul, *op. cit.*, p. 289 ; cf. *Astrée,* III, 2, 44.
(129) *Astrée,* III, 2, 46.
(130) G. du Choul, *op. cit.*, p. 288, voir également la description de « l'acerra », pp. 134 et 237, et le dessin représentant le simpulle, p. 309.
(131) G. du Choul, *op. cit.*, p. 295.
(132) *Astrée,* III, 2, 46-47.
(133) G. du Choul, *op. cit.*, pp. 133 et 237.
(134) Plutarque, *Vies, Numa,* IX, 12.

devenu fou. Pas un détail ne nous est épargné, les termes techniques sont cités, les phases rituelles du sacrifice sont notées dans leur ordre précis. L'ouvrage de du Choul a livré toutes ces précisions, puisque nous les y trouvons parfois exprimées dans les mêmes termes. D'Urfé y a appris le costume et le rôle de chacun de ceux qui assistent au sacrifice : les saliens, les porteurs de disques et de patères, les victimaires avec leurs cornes dorées et la tête parée, les joueurs de flûte, les triumvirs épulons, le Diale Flamine en aube de lin blanc et couvert d'un chapeau de laine blanche, le Grand Pontife, en robe blanche, un voile sur la tête et le lituë à la main. Il y a découvert les rites : la confession des fautes avant le sacrifice, le bûcher allumé avec une torche faite de tède, les phases du sacrifice, l'immolation, la libation et la victime mactée, les termes techniques qui désignent les couteaux et la table, la façon d'examiner les entrailles, de démembrer les victimes et de jeter au feu les parts réservées au sacrifice. Tout est dans le *Discours sur la religion des Romains* (135). Mais d'Urfé anime la scène, aucun personnage n'est figé, le cortège défile devant nos yeux avec les saliens qui,

> « couronnez de fleurs, avec de petites robes violettes et retroussées, et des morions de fer, alloient dansans et chantans devant et autour des victimes et des hosties, portans aux mains de petites dagues, et des escus aux bras, qu'ils nommoient anciles, frappant de ces armes, qu'ils disoient celestes, les unes contre les autres à certaine cadence. »

Le Grand Pontife s'avance, « avec une gravité non pareille ». Le Diale Flamine prononce une prière ; le feu du bûcher semble mal consumer les viandes,

> « la flamme n'alloit pas juste en pyramide ondoyante, mais se rouloit comme oppressée du vent, et revenoit quelquefois en soy-mesme, que d'autrefois le brasier vomissoit comme des flocons de feu, qui se destachoient avec des petillements extraordinaires, que la fumée aussi trop épaisse, lente et obscure, s'enveloppoit en elle-mesme par de divers destours... »

Les prêtres sont étonnés, ils éprouvent de la frayeur, puis reprennent confiance, parce que le feu s'éclaircit et la fumée se purifie. Cependant que la cérémonie se déroule, le peuple prie et les saliens chantent, au son des flûtes de buis, des hymnes en l'honneur de

(135) Nous indiquons entre parenthèses la page de l'ouvrage de du Choul, après chacune des précisions lues dans *L'Astrée*, IV, 11, 660-664 : le *prefericule* (p. 308, dessin), *l'are* où étaient placés les fruits avant le sacrifice (p. 307), le *sacrifice* (pp. 298-299, dessin), le *costume du Flamine Diale* (pp. 298-299), celui du *Grand Pontife* (p. 264), l'institution des *Saliens*, leur rôle et leur costume (pp. 259-260), les *anciles* (*ibid.*, du Choul semble s'être inspiré de Plutarque, *Vies, Numa,* XIII), les *épulons* (p. 260, il y en avait 7 et non 3 comme dans *L'Astrée*), la *confession des fautes avant le sacrifice* (p. 294), l'utilisation de la *tede* pour allumer le feu (p. 292), la *mole* jetée entre les cornes de la victime (p. 308, « l'hostie estoit mactée, c'est à dire augmentée »), *la libation du vin* (p. 309, le prêtre le « taste »), les poils sont pris entre les cornes de la bête et jetés dans le feu (p. 309), le *couteau* est poussé dans le cou de la victime, le *secespita* (p. 314), la table nommée *enclabris* (p. 320), les *patères* et les *disques*, leur description et leur usage (p. 314), *l'examen des entrailles* (p. 321), *les viandes dans le feu, l'encens* (p. 325).

Jupiter et de Minerve. Quel beau tableau inspiré par les gravures et les indications brèves et sèches d'un livre ! Peut-être ces médailles dessinées sur les pages, ces couteaux, ces objets du culte sommairement esquissés, ont-ils enflammé l'imagination d'Urfé plus que le texte. A l'occasion des prélections, il avait suivi des cours d'institutions romaines, illustrés par des gravures que montrait le professeur.

C'est pendant ces leçons qu'il entendit traduire les textes de l'*Histoire Romaine* de Tite-Live décrivant la cérémonie du clou sacré ou le rite de la déclaration de guerre par le fécial. Ces récits, relus peut-être au moment de la composition de *L'Astrée*, d'Urfé sut les animer. Certes, il est bien curieux de voir ce peuple forézien, dont la religion celtique est censée être pure, s'adonner à ces rites païens du clou et crier au miracle, à la vue de la guérison d'Adraste. Le texte de Tite-Live fournissait des renseignements historiques sans couleur : un usage qui date de Numa Pompilius pour conjurer les fléaux, la nécessité de nommer un dictateur. D'Urfé a composé un récit pittoresque, sans pour cela négliger la précision des explications (136). Il s'est encore souvenu des institutions de Numa, relatées par Tite-Live, pour la déclaration de guerre. Alérante, l'envoyé de Gondebaud, lance un javelot contre les murs de Marcilly, après avoir proféré des imprécations (137).

Ce sont donc surtout les récits de Tite-Live, de César, de Valère Maxime et de Pomponius Mela, qui, parmi les œuvres latines, ont enrichi la documentation historique d'Honoré d'Urfé. Il les avait étudiés pendant ses années de collège. Peut-être a-t-il aussi emprunté à Catulle quelques détails de la cérémonie de mariage d'Amérine et de Lygdamon, mais sa fantaisie l'a emporté sur le souci de vérité historique, car les rites romains s'y mêlent à ceux de la religion gauloise (138). Assurément, Honoré d'Urfé a voulu marquer le mélange des deux religions, qui est le fruit de l'occupation romaine. Il est vrai qu'Adamas n'interdit pas à Céladon d'entrer dans les temples païens. Il lui recommande d'y aller « fort retenu » et de ne pas considérer les dieux comme « des dieux séparés », mais comme « les vertus, puissances et effets d'un seul Dieu ». Jupiter doit être adoré « comme la grandeur et majesté de Dieu, Mars comme la puissance, Pallas comme sa sapience, Vénus comme sa beauté. » (139)

Aux yeux des humanistes de la Renaissance, la présence des Romains en Gaule était une tache dans l'histoire nationale. Il importait de sauvegarder l'honneur des Gaulois, en expliquant, nous l'avons dit, la conquête de la Gaule par la traîtrise ; il convenait aussi d'insister sur la longue libération du territoire par les Francs qui, ainsi, sont à l'origine de la lignée des rois de France. Voilà pourquoi Honoré d'Urfé situe *L'Astrée* au ve siècle, à l'époque où

(136) Tite-Live, VII, 3, 5.
(137) *Astrée*, IV, 11, 703-704 ; cf., Tite-Live, I, 32.
(138) *Astrée*, I, 11, 433 ; cf., Catulle, poème LXI. Voir à ce propos, H. Bochet, *op. cit.*, p. 141.
(139) *Astrée*, II, 8, 326.

l'empire romain connaît la décadence et où les Francs vont chasser les Romains pour établir leur autorité. En rapportant minutieusement l'histoire du ve siècle, d'Urfé s'inscrit, de cette manière encore, dans la tradition de la Renaissance. Il écrit une épopée nationale. Aucune autre époque que le ve siècle n'aurait aussi bien convenu, nous semble-t-il, à un roman historique tel qu'a été conçu *L'Astrée*. L'élément épique y est resté à l'état embryonnaire, mais *L'Astrée* est un roman.

IV. — La gaule, l'empire romain et les francs.

Comme la plupart des historiens du xvie siècle, Honoré d'Urfé établit une parenté entre les Francs et les Gaulois, et il tente ainsi de justifier l'établissement de la monarchie franque (140). Adamas, devant les visiteurs de sa galerie de portraits, trace à grands traits l'histoire de Rome et de la Gaule. Parlant d'Aetius, il rappelle que c'est lui qui contraignit les Francs à repasser le Rhin, non sans difficultés, car,

> « les Francs sont entre tous les peuples septentrionaux, les plus belliqueux et les plus aguerris, et ausquels la fortune promet une aussi belle part aux Gaules, tant pour leur vaillance, que pour leur courtoisie, mais plus encores pour la conformité de leurs mœurs et humeurs avec celle des Gaulois, et de leurs loix, polices et religion, qui est telle qu'il est aysé à cognoistre à ceux qui le veulent remarquer, que veritablement ce n'a esté autrefois qu'un peuple, et que ces Francs de leur extraction sont Gaulois, mais sortis de nos terres pour quelque conqueste, ou pour les descharger du temps de Sigovese, et Belovese, et de Brenne ou d'autres. » (141)

Nous avons déjà remarqué combien Honoré d'Urfé insiste sur le courage des Gaulois partis à la conquête de Rome, puis de l'Italie, grâce surtout, à Sigovèse et Bélovèse. Il ne semble pas faire sienne la légende troyenne, selon laquelle Francus, fils d'Hector, aurait, après le sac de la ville, gagné les Palus Méotides, donné à ceux qui le suivirent le nom de Francs et bâti une ville nommée Sicambrie (142). Cette légende fut beaucoup combattue à la fin du xvie siècle, comme en témoignent Girard du Haillan et Etienne Pasquier. Honoré d'Urfé ne nomme qu'une fois Francus et ne parle nulle-

(140) H. Bochet prétend qu'en situant son roman au ve siècle, d'Urfé n'a voulu ni « opposer la force barbare à l'empire romain agonisant ni mettre en lumière les débuts des Mérovingiens, ni tracer la figure d'un grand conquérant ou d'un grand homme d'Etat ». Selon lui, « la tranche d'histoire que renferme *L'Astrée* n'offre aucun intérêt en elle-même. » (*op. cit.*, pp. 128-129).

(141) *Astrée*, II, 11, 476. Cette parenté est encore évoquée deux fois (II, 8, 322 et III, 12, 654).

(142) Bernard Girard, seigneur du Haillan, *Histoire de France. Discours de l'Etymologie et origine des Francs et francons qui furent appelez François*, Paris, 1576 ; voir également E. Pasquier, *op. cit.*, f. 29 v° et 30 r°. Ces deux auteurs combattent ces origines qui leur semblent fantaisistes. Claude Fauchet écrit que les Francs furent même aux Sicambres « comme un seul et même peuple ». (*op. cit.*, pp. 56-62).

ment de la fondation des Sicambriens (143). Pour lui, une parenté existe entre Gaulois et Francs, par l'intermédiaire des Sicambriens, et il se range à l'avis d'historiens qui prétendent, ainsi que le relate Girard du Haillan,

> « qu'il y avoit jadis en l'Europe une nation appellée les Cimmeriens espars ça et là en plusieurs endroits d'icelle, les uns desquels avoient nom les Cimbres, les autres Sicambres, et les autres les Francs ou Francons qui passerent aux pays des Pannonies... » (144)

Les allusions de *L'Astrée* à cette légende restent, malgré tout, assez vagues. Nous savons que les Francs sont apparentés aux Sicambriens et que leurs ancêtres ont habité les Palus Méotides, mais aucun détail n'est rapporté sur la victoire des Romains. Nous apprenons seulement que les jeunes Francs, placés auprès de Childéric, ont été instruits « pour leur polir aussi l'esprit, et adoucir le farouche naturel de ces vieux Sicambriens, et de ces habitants des Palus Méotides. » (145) Quant aux Cimmériens et aux Cimbres, Hylas ne situe leur pays et leur défaite infligée par Caius Marius que pour établir l'étymologie du mot Camargue et tracer rapidement l'histoire de la ville d'Arles (146). Pourtant, ces allusions, éparses dans *L'Astrée,* établissent facilement la parenté des Francs, leur vaillance et leur civilité, semblables à celles des habitants de la Gaule, peuple le plus civilisé, « entre tous les peuples de l'Europe. » (147) Les Francs ne sont donc pas des envahisseurs, mais des libérateurs : ils ont chassé les usurpateurs romains et repris en mains le territoire qui avait été jadis le leur. Voilà ce qu'établissent les historiens, et ce que tend à rappeler d'Urfé. La venue des Francs, selon Adamas, est providentielle :

> « ...Le Grand Dieu..., nous ayant fait passer une demi lune de siecles sous cette domination estrangere, montre qu'il nous en veut retirer par les armes des Francs, qui se vantent d'estre issus des anciens Gaulois. » (148)

Dès lors, la Gaule prendra le nom de France (149) et Mérovée, premier roi et fondateur de la monarchie, n'est pas un usurpateur.

Voilà pourquoi, Honoré d'Urfé, à la suite de Girard du Haillan, Etienne Pasquier et Claude Fauchet, retrace dans le détail le déclin de l'Empire romain, les victoires des Francs et les règnes de Mérovée et de ses successeurs. La monarchie « nasquit des troubles et de la ruine de l'Empire », selon le mot d'Etienne Pasquier (150).

---

(143) *Astrée,* III, 3, 81, Francus, « pour estre absent et empesché à d'autres conquestes, laissa l'administration des estats aux druides et aux chevaliers gaulois. » Jean Lemaire de Belges consacre un chapitre entier à Francus (*op. cit.*, II, p. 267).

(144) Du Haillan, *op. cit.*, *Discours de l'Etymologie et origine des Francs,* I et II.

(145) *Astrée,* III, 12, 652.

(146) *Ibid.*, I, 8, 295.

(147) *Ibid.*, III, 12, 652.

(148) *Ibid.*, II, 8, 322.

(149) *Ibid.*, II, 8, 322, I, 3, 85, II, 12, 512.

(150) E. Pasquier, *op. cit.,* f. 16 r°.

Les règnes d'Honorius et de Valentinian furent marqués par de grands bouleversements qui apparurent comme la manifestation d'une volonté providentielle :

> « Il semble qu'en ce temps-là, [dit Adamas], le grand Dieu voulut changer les peuples d'un pays en l'autre... Voilà, sages bergers, comme le Ciel, quand il luy plaist, change les règnes et les dominations » (151).

Mais, retraçant l'histoire de l'Empire romain, celle des invasions des Goths, des Wisigoths, des Huns, des Bourguignons et les victoires des Francs, Honoré d'Urfé fait valoir la sagesse et la vaillance des vainqueurs. Comme Etienne Pasquier demandant « lequel des deux, de la Fortune ou du conseil, a plus ouvré à la manutention de ce royaume de France » (152), il semble conclure que le « conseil » a été « conjoinct d'une mesme balance avec la Fortune ».

Il nous paraît vraisemblable que les jugements sur l'histoire du ve siècle, que nous lisons dans *L'Astrée,* soient redevables à l'ouvrage d'Etienne Pasquier. Il avait l'appréciable avantage de présenter clairement de vastes tableaux historiques qu'Honoré d'Urfé utilise, quand il s'efforce, à partir des peintures de la galerie d'Adamas, de faire le récit des grands événements. Il dut, nous semble-t-il, avoir sous la main une sorte de résumé des grands faits historiques que put lui fournir l'ouvrage de Pasquier, ainsi qu'une chronologie. Il est, en effet, difficile d'avoir des vues claires et précises à la lecture des *Antiquitez et histoires gauloises et françoises* de Claude Fauchet (153). Les faits s'y entremêlent confusément et nous sommes surpris de découvrir une présentation ordonnée et nette des événements, dans *L'Astrée.* L'ouvrage de Girard du Haillan paraît avoir également apporté à d'Urfé une documentation importante pour la composition d'une partie des récits historiques (154).

D'Urfé a suivi le récit de Girard du Haillan jusqu'aux événements du règne de Valentinian, approximativement. Quand il s'agit du rôle d'Alaric, d'Ataulfe et d'Honorius, Claude Fauchet est peu clair ; l'auteur de *L'Astrée* lui préfère du Haillan. Mais les détails abondent sur le règne de Valentinian dans les *Antiquitez et histoires gauloises et françaises ; L'Astrée* leur doit beaucoup. Quand d'Urfé s'inspire de l'ouvrage de du Haillan, il le suit pas à pas, dans l'ordre même de la présentation des faits. A ces ouvrages, il convient d'ajouter les *Grandes chroniques de France* et les *Annales* de Nicole Gilles (155), la *Cosmographie Universelle* de Belleforest. Les *Anna-*

---

(151) *Astrée,* II, 11, 483.

(152) E. Pasquier, *op. cit.,* f. 72 v° - 76 v°.

(153) Sur les emprunts faits à C. Fauchet, voir M. Magendie, *op. cit.,* pp. 97-100 ; H. Bochet, *op. cit.,* pp. 133 sq.

(154) Voir Appendice II, le tableau comparatif des récits de *L'Astrée* et de ceux de Fauchet et du Haillan.

(155) Honoré d'Urfé trouva cet ouvrage dans la bibliothèque de La Bastie. Voir O.C. Reure, *op. cit.,* p. 235. Parmi les ouvrages d'histoire qu'Honoré d'Urfé a pu consulter, on peut mentionner encore, la *Chronique des Roys de France, puis Pharamond jusques au Roy Henry, second de nom,* Paris, Galliot du Pré, 1553. Cet ouvrage se présente sous la forme d'une liste chro-

les de Papire Masson lui apportaient, sans détails excessifs, une vue claire sur l'établissement et le règne des premiers rois Francs (156). Il est possible que, pour de nombreux détails, Honoré d'Urfé se soit adressé à Grégoire de Tours, Jornandès, Priscus, Sidoine Apollinaire (157). Mais les *Annales* de Nicole Gilles, l'*Histoire de France* de du Haillan, les *Antiquitez* de Fauchet s'appuient sur des renseignements fournis par Grégoire de Tours, Jornandès ou Sidoine Apollinaire. Ceux-ci ont compilé des chroniques. Dès lors, comment affirmer, par exemple, que c'est bien dans l'œuvre de Jornandès que se trouve le portrait d'Attila que nous lisons dans *L'Astrée* ? Priscus a sans doute inspiré Jornandès ; dans le roman d'Urfé, c'est Priscus qui est censé raconter la vie du roi des Huns. Tout cela n'est que constatations et non point preuves (158). Il nous apparaît difficile de savoir si Jornandès, l'historien des Goths, ou Grégoire de Tours, ont eu sur tel ou tel point une influence plus importante que Fauchet, notamment. Celui-ci suit souvent de très près l'histoire de Jornandès (159), mais tantôt il retient, tantôt il rejette, tel ou tel détail. Ainsi en est-il de l'histoire de Genséric ou de celle d'Attila. Nous pouvons établir les comparaisons suivantes, qui prouvent que d'Urfé a parfois suivi de très près les *Antiquitez* de Fauchet :

Astrée	*C. Fauchet*
III, 12, 650. — « Le roy Mérovée, qui par la grandeur de ses faicts s'est acquis ce nom parmy les Francs, parce qu'en leur langage Merveich signifie, prince excellent, et non pas comme quelques-uns ont osé dire, pour le monstre marin, qui attaqua Ingrande sa mère, femme de Bellinus duc de Thuringe et fille de Pharamond, lors qu'elle se vouloit baigner dans la mer, que les Francs aussi nomment Merveich, et duquel ils ont voulu faire croire qu'il avoit esté engendré ». (Nicole Gilles indique que Clodion avait pour femme la fille du roi d'Austrasie et de Thuringe).	p. 101. — « Cest ancien dit que, comme la mere de ce roy accompagnée de son mary se fust despouillée pour se baigner en la mer, il en sortit une beste en forme de taureau qui luy courut sus. Or, soit qu'elle conceust de la beste ou de son mary, l'enfant qui en vint fut nommé Mérovée, pour la mer ou les taches qu'il avoit au visage, ressemblans à celles d'un veau marin appelé merveich... Toutesfois, ceux qui ne croient pas ces nativitez monstrueuses disent... que ce mot merveich signifie en vieil langage françois prince excellent. » (160)

---

nologique avec dates et faits résumés succinctement. Sur les aventures de Childéric et l'amitié de Guyemants et sur Guillon, d'Urfé a pu trouver des renseignements dans l'ouvrage de R. Gaguin, *Le mirouer historial et recueil des hystoires de France,* Paris, 1517. Le règne de Valentinian, la trahison de Théodose, le rôle de Pharamond, de Clodion, de Mérovée et le règne d'Euric sont relatés par Jean Bouchet, *Les Annales d'Aquitaine,* Poitiers, J. et E. de Marnef, 1545.

(156) *Papirii Massonis Annalium libri quatuor : quibus res gestae Francorum explicantur,* Lyon, 1578. Voir, O.C. Reure, *op. cit.,* p. 235, n. 1.

(157) Voir, O.C. Reure, *op. cit.,* p. 235 ; M. Magendie, *op. cit.,* p. 95 ; H. Bochet, *op. cit.,* pp. 133 sq.

(158) *Astrée,* II, 12, 525.

(159) *Jornandis historia de Getarum sive Gothorum origine,* in *Recueil des Historiens des Gaules et de la France,* par Dom M. Bouquet, Paris, 1869, t. I, pp. 21 sq.

(160) Cité par M. Magendie, *op. cit.,* p. 99.

II, 12, 522. — Genséric, « ce Vandale ayant eu la fille de Thierry, roy des Goths, en mariage pour Honoric son fils, prit opinion qu'elle le vouloit empoisonner, et souz ce pretexte, luy fit couper le nez, et la renvoya en Gaule, vers son père, duquel redoutant le courroux, il pensa estre à propos de se fortifier de l'amitié des Huns, en leur promettant toute sorte d'assistance ».

p. 93. — Genséric, « lequel ayant demandé à Thierry Roy des Wisigots sa fille en mariage, pour Honneric son fils ; sous l'opinion qu'il eut qu'elle vouloit l'empoisonner, luy fit couper le nez et la renvoya en Gaule avec son père : le courroux duquel Genzeric redoutant, chercha le support des Huns, pour empescher que les Wisigots ne vengeassent l'injure faite à leur Roy en la personne de sa fille ». (Jornandès ajoute que Genséric fit couper aussi les oreilles de la fille de Thierry) (161).

II, 12, 524. — L'armée d'Aetius, des Francs, des Wisigoths, est composée « entre les autres des Francs, des Wisigoths, des Sarmates, des Alains, des Armoriquains, des Luteciens, Bourguignons, Saxons, Ribarols, Auvergnats, Eduois et divers autres peuples Gaulois avec des Lambrions, jadis soldats de l'ordonnance Romaine et maintenant alliez et gens de secours ».

p. 95. — Dans l'armée d'Aetius « ...il y avoit des Francs, Sarmates, Armoriquains, Litians ou Luticians (que Blond appelle Luteciens) Bourguignons, Saxons, Ribarols, Lambrions (jadis soldats de l'ordonnance Romaine) lors alliez et gens de secours... » (Jornandès présente une énumération semblable) (162).

II, 12, 524. — « Attila deceu de son attente, (parce qu'il pensoit que Sigiban roy des Alains luy mettroit Orléans entre les mains, y estant avec les siens, mais il fut descouvert) ne sçachant presque s'il devoit combatre ou s'en retourner, se retire jusques en la plaine de Mauriac, où interrogeant les sacrificateurs du succez de la bataille, il leur demande quelle en seroit l'issue »...

p. 95. — « Ne sçachant que faire, de retourner ou combattre, pour ce que Singiban Roy des Alains lui avoit promis (comme dit Jordain) de rendre la ville d'Orléans, où il estoit avec les siens, Singiban descouvert, Attila se retire, suyvi par Aetie et Thierry lesquels camperent assez près de luy, en la campagne de Chaalons, lors appellée la plaine Mauritienne ... (il) voulut ... interroger ses devins de l'issue qu'il en auroit ».

D'Urfé a transformé l'expression de Fauchet : cherchant à la rendre beaucoup plus claire, il l'a dépouillée de tout ce qui l'alourdit. Souvent, notamment dans la deuxième partie, dont la composition semble dater de l'époque même où il s'intéressait à l'histoire, il nous conduit assez avant dans la connaissance du monde romain et barbare du ve siècle et il nous fait assister aux effondrements de la monarchie franque. Les détails qui interviennent dans le récit sont loin d'être la preuve d'une superfétation « hors de propos » et pédantesque, comme certains l'ont prétendu au xviie siècle (163). *L'Astrée* n'est pas dépourvue de cet arsenal d'érudition qui faisait la valeur d'un ouvrage à la Renaissance. Parfois, un simple événement historique, découvert à la lecture de l'œuvre de du Haillan ou de Fauchet, s'enchaîne avec une digression empruntée à un

(161) *Op. cit.*, p. 22.
(162) *Ibid.*, p. 23 E.
(163) O.C. Reure, *op. cit.*, p. 242.

autre historien. D'Urfé éprouve le besoin de tout dire. Ainsi, il a lu, dans *L'Histoire* de du Haillan, qu'Attila mit le siège devant Aquilée, qu'il pilla les régions environnantes et que les habitants effrayés fuirent, « ce qui donna commencement de la ville de Venise » (164). Il décrit donc la situation, la fondation de Venise et il annonce sa grandeur future (165). Il y a tout lieu de croire que sa documentation provient des *Antiquitez de la Cité de Venise et autres villes d'Italie,* cet in-folio qui est cité dans l'inventaire des meubles et papiers du chateau de Virieu (166). Toutefois, cette digression, comme toutes les autres d'ailleurs, qu'il s'agisse d'étymologie ou de description de cérémonies religieuses, n'a rien de pédant. Le récit garde l'essentiel susceptible de donner au roman un caractère historique, sans lui faire perdre l'intérêt du lecteur. Nous sommes à une époque où l'on ne soupçonne pas les règles de la critique historique et où les historiens, comme Nicole Gilles, Girard du Haillan, Claude Fauchet, se permettent de laisser libre cours à leur imagination.

Les armoiries viennent caractériser la vie d'un barbare ou d'un Franc et elles répondent aux préoccupations de la fin du XVIe siècle et du début du XVIIe siècle, si l'on en juge d'après les ouvrages qui furent écrits sur ce sujet : Etienne Pasquier consacre un chapitre des *Recherches de la France* aux « Armoyries de France, et plusieurs autres choses de mesme suject concernants le faict de la noblesse de France » ; Jean Bouchet avait, en 1555, publié *Les Genealogies, effigies, et épitaphes des rois de France ;* Claude Fauchet écrivit une *Origine des armoiries* qui figure à la suite de ses *Antiquitez.* La noblesse, désireuse de se donner d'illustres ancêtres, portait attention aux écussons et armoiries, « pour une remarque de leur noblesse ancienne », ainsi que le fait remarquer Etienne Pasquier (167). Chacun des rois qui ont leur portrait dans la galerie d'Adamas est représenté avec ses armoiries (168). Girard du Haillan écrit, à propos de l'élection de Childéric, que celui-ci, « selon la coustume des François fut eslevé sur un grand pavois qui estoit porté sur les espaulles des hommes... et... fut eleu roy du consentement des Gaulois et François, unis et incorporez ensemble. » (169) D'Urfé, afin de mieux marquer la légitimité de l'élection de Childéric, ajoute que les hérauts d'armes marchaient, portant les enseignes des Francs, « semées de la fleur de pavilée sur de l'azur », et celles de Mérovée, dont l'une représentait « un lyon qui essayoit de monter sur une haute montaigne pour dévorer un aigle », avec cette devise : « Avec peine s'obtient la proye », et l'autre montrait un bouclier couvrant une couronne, avec la devise : « Couverte de l'escu plus seure est la couronne » (170). Claude Fauchet, dans son

(164) Du Haillan, *op. cit.*, p. 22.
(165) *Astrée,* II, 12, 534.
(166) Voir O.C. Reure, *op. cit.*, p. 183, n. 1. La bibliothèque d'Honoré d'Urfé à Virieu comptait 1.465 volumes. Il nous est impossible de connaître les titres de ces ouvrages qui fournirent sans doute la documentation de *L'Astrée.*
(167) E. Pasquier, *op. cit.*, f. 183 v°.
(168) *Astrée,* II, 12, 560.
(169) Du Haillan, *op. cit.*, pp. 24-25.
(170) *Astrée,* III, 12, 650.

étude sur *l'Origine des Armoiries,* dit que les blasonneurs, voulant montrer que les premiers Français étaient sortis des Sicambres, donnèrent aux rois « la fleur de Pavilée en champ d'azur qui ressemble à l'eauë » (171). Jean Bouchet rapporte que les rois de France prirent un écu d'or à un lion rampant d'azur à gueule ouverte, et la queue renversée, à laquelle était ajouté le col d'un aigle avec les ailes étendues (172). Les armoiries citées par d'Urfé sont, pour la plupart, fantaisistes, comme le furent d'ailleurs les œuvres consacrées à cette question. Mais leurs descriptions ajoutent aux récits de *L'Astrée* une note de couleur qui renforce le pittoresque. Un peu de fantaisie de la part d'Urfé ne nuit pas à ces tableaux d'histoire.

Les étymologies participent, avec les armoiries, à cet aspect encyclopédique que revêt *L'Astrée.* Elles aussi paraissent fantaisistes. Honoré d'Urfé, élève des Jésuites, y avait été habitué dès l'enfance. Au cours de ses séjours à Paris, il fréquenta le cercle érudit de Malherbe (173) qui s'adonnait à ce genre d'exercices. Il est amusant de lire que le mot Camargue a pour origine les tranchées de Caius Marius, mot corrompu par le peuple (174). La même étymologie figure dans le *Dictionnaire étymologique* de Ménage, qui se fait l'écho des préoccupations philologiques du XVIIe siècle. On y lit en effet : « la commune opinion des savants est que les anciens ont appelé ce lieu *Fossae Marianae* et que nous l'avons appelé Camargue de *Caii Mariiager* » (175). D'Urfé adopte donc une tradition, en cette matière, puisque les mêmes étymologies se retrouvent dans *L'Astrée* et dans l'ouvrage de Scipion Dupleix, publié trop tard pour avoir fourni les renseignements utilisés dans la première édition de la première partie, et dans la deuxième partie (176). Mais ne peut-on aussi retenir que notre auteur laisse à son imagination la bride sur le cou ? A cela se mêle le besoin de tout expliquer et d'étaler l'érudition.

Celle-ci complète ses connaissances personnelles en art militaire. L'histoire elle-même ne fait pas étalage d'érudition dans *L'Astrée,* mais comment tracer un tableau du ve siècle sans laisser une part à la bataille ? Le roman prend un aspect épique qui s'étale avec une certaine complaisance dans le récit du siège de Marcilly. Le gentilhomme, expérimenté en questions militaires pendant les guerres de religion, reprend ses droits. Mais, ici encore, l'ouvrage de Fauchet, *Livre II de la Milice des Armes,* ainsi que celui de

---

(171) C. Fauchet, *Origine des Chevaliers, Armoiries et heraux,* p. 90, cité par H. Bochet, *op. cit.,* p. 146.

(172) Cité par H. Bochet, *ibid.,* p. 146 ; cf. E. Pasquier, *op. cit.,* f. 183 v° - 184 r°.

(173) Voir, à ce propos, A. Adam, *op. cit.,* t. I, p. 113 ; O.C. Reure, *op. cit.,* p. 131.

(174) *Astrée,* **I, 8, 295.**

(175) *Dictionnaire Etymologique,* 1650.

(176) Voir H. Bochet, *op. cit.,* pp. 149-150. Scipion Dupleix, *Mémoires des Gaules, depuis le déluge jusqu'à l'établissement de la Monarchie française.* La première édition est de 1619.

Végèce, *De re militari*, lui ont appris les termes désignant les machines de guerre (177).

L'art d'Urfé ne réside cependant pas dans une inspiration plus ou moins servile. Nous avons noté que, parfois, il suit de très près ses sources, mais il a su présenter ses récits historiques d'une façon claire et didactique ; d'autre part, à partir de renseignements parfois ténus et souvent secs, il a fait vivre des personnages et construit des histoires pleines d'aventures et de charme.

Camus a souligné ses connaissances historiques, mais nous trouvons chez d'Urfé un véritable professeur qui sait faire le point de ce qu'il a enseigné et qui domine son savoir, pour exposer de larges vues sur l'histoire de la Gaule et de l'Empire Romain. Des allusions historiques se glissent parfois hâtivement dans le cours d'un récit, mais les deuxième et troisième parties de *L'Astrée*, contiennent des livres entiers consacrés à des exposés d'histoire. La quatrième partie est plutôt le roman de Gondebaud. Les deuxième et troisième parties, dont la composition semble contemporaine de la documentation qu'accumulait Honoré d'Urfé, sont, pour partie du moins, l'histoire du règne d'Honorius et de Valentinian III, ainsi que celle des événements gaulois qui y sont directement liés. A lire du Haillan, la naissance du royaume de France apparaît clairement, mais la lecture de Fauchet laisse une impression de chaos. *L'Astrée* procède méthodiquement. D'abord, la célèbre galerie de la maison d'Adamas fait défiler devant nous, non seulement les noms et les portraits de ceux qui illustrèrent l'histoire du ve siècle, mais encore elle situe les royaumes et les peuplades. Les bergers et les bergères se trouvent réunis dans la maison d'Adamas. Cependant que tous admirent la galerie, où « les entre-deux des fenestres estoient remplis des cartes des diverses provinces de la Gaule », Hylas, « qui n'avoit le cœur qu'à la beauté », remarque le portrait de deux dames aux « visages bien agréables ». Adamas lui explique que celle

> « qui semble plus aagée, c'est la sage Placidie, fille du grand Théodose, sœur d'Arcadius, et d'Honorius, femme de Constance, et mère de Valentinian, qui tous cinq ont esté empereurs, et desquels vous pouvez voir les portraits un peu en là. Et cette autre, c'est Eudoxe, fille de Théodore deuxième, et femme de Valentinian, que Genseric emmena en Afrique. » (178)

Les personnages sont situés, Adamas peut maintenant raconter la vie de Placidie et tous les événements qui s'y lient. C'est une leçon d'histoire à partir de l'image et qui, malgré les difficultés de la matière, est romancée. Silvandre continue en racontant les aventures d'Eudoxe, Valentinian et Ursace (179). A la fin de la

---

(177) C. Fauchet, *op. cit.*, à la suite, *Origine des Chevaliers, Armoiries et heraux. Ensemble de l'ordonnance, Armes et instruments desquels les François ont anciennement usé en leurs Guerres*, p. 102 ; *Second livre des origines ou plutost meslanges*. Le *De re militari* de Végèce connut depuis 1494 de nombreuses rééditions.

(178) *Astrée*, II, 11, 467-468.

(179) *Ibid.*, II, 11, 492.

deuxième partie, nous sommes invités à une nouvelle visite de la galerie (180). Cette fois-ci, en compagnie de Tircis, dont Adamas est le guide, nous contemplons les portraits de Pharamond, roi des Francs, de Gondioch, roi des Bourguignons, d'Ardaric, roi des Gépides, d'Attila, roi des Huns, et nous apprenons les armoiries de chacun. C'est comme une espèce de retour en arrière, un résumé de ce qui a été dit au long des livres 11 et 12, une bonne mise au point, comme Honoré d'Urfé pouvait en trouver une dans *La Prosopographie* de du Verdier, qui avait l'avantage d'être enrichie de plusieurs effigies (181). La deuxième partie est une longue étape dans ce parcours historique et une nouvelle mise au point apparaît nécessaire à Honoré d'Urfé : une visite de la galerie d'Adamas en est le prétexte. Dans la suite, nous lisons les aventures du règne de Childéric. La voûte de la galerie est peinte « des plus anciennes histoires des Gaulois, depuis le Grand Dis Samothes » jusqu'à Francus ; elle représente les statues des empereurs Romains et l'entre-deux des fenêtres est rempli de cartes, à l'entour desquelles « on voyoit les portraits au naturel des princes qui avoient dominé ces provinces » : du côté de la seconde Belgique, Pharamond, Clodion et Mérovée, Childéric, fils de Mérovée, mais sans couronne ; « en la carte des Sequanois et des Heduois, l'on voyoit Athalaric et sa femme Blisinde », Gaudiselle, premier roi des Bourguignons, Gondioch, Gondebaud et ses trois frères, sur la carte d'Aquitaine, les portraits des rois Wisigoths, ceux de Torrismond, Thierry et Euric, dont l'histoire est ensuite racontée par Daphnide (182). L'esprit de clarté domine tous ces récits ; la méthode, qui manquait à l'histoire de Fauchet, les caractérise.

Pour le lecteur du XVIIe siècle, l'intérêt de *L'Astrée* ne résidait pas uniquement dans ces exposés historiques. C'est un roman, et, comme tel, il puise des thèmes dans l'histoire. Nous constatons que d'Urfé, parti parfois d'une indication historique assez mince, la développe, la brode et en fait un élément important de l'intrigue ; ou bien les personnes évoquées par l'histoire présentent une matière si riche qu'elle tente son imagination.

Ainsi, Valère-Maxime lui a fourni seulement les indications suivantes :

> « Venenum cicuta temperatum, in ea civitate publice custoditur quod datur ei, qui causas sexcentis (id enim Senatus eius nomen est) exhibuit, propter quas mors sit illi expetenda : Cognitione virili, benevolentia temperata, quae nec egredi vita temere patitur, et sapienter excedere cupienti celerem fati viam praebet : ut vel adversa vel prospera nimis usis fortuna utraque enim finiendi spiritus, illa ne perseveret, haec ne destituat, rationem praebet) comprobato exitu terminetur. » (183)

D'Urfé insère cette coutume dans l'histoire d'Ursace et Olimbre ; elle devient un élément romanesque et permet une analyse psy-

---

(180) *Ibid.*, II, 12, 560.
(181) A. du Verdier, *Prosopographie ou description des personnes insignes enrichie de plusieurs effigies, et reduite en quatre livres*, Lyon, 1573.
(182) *Astrée*, III, 3, 83.
(183) Valere Maxime, *op. cit.*, III.

chologique des personnages. Une requête est présentée au Conseil des Six-cents, accompagnée de la demande d'Ursace et de celle d'Olimbre et un jugement est rendu en bonne et due forme aux deux amis qui se sont présentés « tous deux bien vestus, et bien accompagnez. » (184) L'imagination d'Urfé développe et colore un fait de jurisprudence qui est relaté laconiquement par Valère-Maxime.

Parfois, c'est une histoire tout entière, roman dans le roman, qui est créée à partir d'un épisode fourni par un historien. Les aventures d'Euric reposent sur de maigres renseignements livrés par du Haillan : il est roi des Wisigoths, successeur de Thierry, son frère (185). Jornandès raconte qu'il soumit à sa domination Arles et Marseille, Grégoire de Tours rapporte ses conquêtes (186). D'Urfé respecte l'histoire, mais Euric devient un roi ami de son peuple ; il ne dédaigne pas les aventures galantes, et il meurt assassiné. Deux personnages se sont superposés, Euric, le roi des Wisigoths, et Henri IV (187). Du Haillan et Fauchet sont plus prolixes sur le règne de Mérovée et Childéric, son fils. Dans *L'Astrée*, Mérovée est « la délice du peuple » (188), il est un homme sage et raisonnable qui reconnaît le courage de ses prédécesseurs, et a « sué sous le harnois, et couru tant de hazards pour conserver et agrandir les limites de l'Empire. » (189) Il est le père qui réprimande son fils, « avec un visage severe et luy tesmoignant assez par là le peu de satisfaction. » Une scène s'anime entre le père et le fils; deux caractères, tracés d'un trait rapide, s'opposent. Childéric est courageux à la guerre, mais débauché. Du Haillan et Fauchet parlent de sa mauvaise conduite en termes généraux, d'Urfé en imagine un exemple. Il crée le personnage de Silviane dont l'amant s'oppose à Childéric, par sa pure affection. Guyemants, l'ami fidèle, est épris de Silvie, nymphe d'Amasis, ce qui rattache l'histoire de Childéric au roman (190). Il en est de même pour Gondebaud. Sa lutte contre ses frères illustre la cruauté de son caractère et l'affection qu'il porte à Clotilde laisse découvrir sa générosité. Deux histoires inventées par d'Urfé, celle de Chryséide et celle de Dorinde, analysent les deux faces de ce caractère : un amoureux passionné qui sait pardonner et respecter les senti-

(184) *Astrée*, II, 12, 553 sq.

(185) C. Fauchet, *op. cit.*, p. 103.

(186) Jornandès, *De Getarum origine*, ch. 47 ; Grégoire de Tours, *Historia Francorum*, I, 1, ch. 19, in *Recueil des Historiens...*, p. 27 C et 171.

(187) Voir H. Bochet, *op. cit.*, p. 130.

(188) *Astrée*, III, 12, 650.

(189) *Ibid.*, III, 12, 675.

(190) D'Urfé reprend le récit de Nicole Gilles, du Haillan et C. Fauchet à propos du rôle joué par Guyemants. Notamment, chacun raconte que Guyemants donna à Childéric la moitié d'une pièce de monnaie. Cette pièce, selon Honoré d'Urfé, « avoit d'un costé une tour pour monstrer la constance et de l'autre un dauphin au milieu des vagues tourmentées avec ce mot à l'entour, *Rend les destins contraires.* » (*Astrée* III, 12, 702). La description de cette pièce de monnaie a, nous semble-t-il, été imaginée par d'Urfé pour donner à cet épisode un sens moral : la fidélité dans l'infortune. Elle ne ressemble pas du tout aux jetons qui furent jadis frappés par Claude d'Urfé. A propos de ces jetons, voir G. de Soultrait, *op. cit.*, pp. 41-42.

ments religieux, un amoureux jaloux, rival de son fils et violent, qui prêtera main forte à Polémas pour attaquer Marcilly (191). Aucun de ces épisodes inspirés par l'histoire n'est étranger à l'intrigue de *L'Astrée*. L'originalité d'Urfé est dans l'analyse psychologique, dans l'art de créer des personnages et de les animer. Honoré d'Urfé est un romancier plus qu'un historien. Sans doute commet-il des anachronismes en peignant des institutions et des mœurs qui appartiennent à différents âges de la Gaule, mais ils sont volontaires et répondent au dessein de créer une plus grande variété de scènes (192). Des inadvertances, comme celle relevée par Sorel dans *L'Anti-Roman*, sont bien excusables et sans grande importance ; comment d'Urfé aurait-il pu les éviter dans la combinaison de tant d'éléments divers (193) ? Ces erreurs sont parfois volontaires, parce qu'elles facilitent l'intrigue d'une histoire. Ainsi en est-il de l'épisode qui relate les aventures de Policandre et ses démêlés avec Bourbon l'Archambaud (194). L'origine des Bourbons est obscure, et le premier duc dont nous ayons connaissance est Aimar, dont le nom apparaît dans les titres, en 915. Nous sommes loin du Ve siècle. A quel Archambaud *L'Astrée* fait-elle donc allusion ? Archambaud VIII, qui mourut à Chypre, en 1249, laissant comme héritières deux filles, Mathilde et Agnès qui épousèrent Eudes et Jean, fils du duc de Bourgogne Hugues IV, et ne se partagèrent pas le royaume de Bourbon ? Agnès en disposa à la mort de Mathilde. Elle ne laissa elle-même qu'une fille, Béatrix, qui épousa le comte de Clermont, sixième fils de Saint-Louis (195). Il y a assurément beaucoup de différences avec le récit de *L'Astrée*, et il est difficile, voire impossible, de trancher. Le rôle joué par Archambaud est sans doute inventé de toutes pièces et il participe, sans souci de vérité historique, à l'histoire de Policandre.

***

Tout ce que l'on savait, au début du XVIIe siècle, sur l'antiquité de la Gaule et l'histoire générale de l'Europe aux IVe et Ve siècles est relaté dans le roman d'Urfé. Il est un bon document sur l'état des connaissances historiques acquises par la Renaissance. *L'Astrée* reflète les préoccupations du XVIIe siècle qui voulut instruire en divertissant (196). Honoré d'Urfé est le premier créateur en date du roman historique. Les événements ne sont pas rapportés sèchement, une tentative d'explication apparaît. La Providence joue son rôle et le caractère des personnages explique leur con-

(191) *Astrée*, III, 7, 350 et 365 sq ; IV, 7, 352 sq.
(192) De Loménie, *art. cit.*, II, p. 478.
(193) Voir M. Magendie, *op. cit.*, p. 99, n. 2. Voir également H. Bochet, *op. cit.*, pp. 147-148.
(194) *Astrée*, IV, 10, 571-572. Cet Archimbaud a une fille unique, Clorisene, qui épousa le roi des Lemovices et en devint veuve. Elle eut une fille, Céphise.
(195) Voir C. Gagnon, J. Viple, P. Dupieux, M. Génermont, *Visages du Bourbonnais*, Paris, Horizons de France, 1947, pp. 52 sq.
(196) B. Germa, *op. cit.*, pp. 50-60.

duite. En effet, maints portraits agrémentent le récit. Attila, par exemple, d'après Priscus, secrétaire de Valentinian,

> « estoit plustost petit que grand, avoit l'estomach large, la teste grande, les yeux petits, mais vifs et luisans, la barbe claire, le nez enfoncé, et la couleur brune... Son marcher estoit glorieux, et montroit bien l'orgueil de son esprit, et les traits de son visage faisoient bien cognoistre qu'il estoit amateur de la guerre... » (197)

Ataulfe, était « une personne rude et hagarde, et plustost désireuse de sang et de guerre, que non pas de paix » (198). Quant à Aetius, nous voyons « à ce nez acquilin sa generosité, à ce front large et coupé de rides, sa prudence, et à ses yeux vifs et ardans sa vigilance et sa promptitude ». (199). La passion d'Urfé pour la physiognomonie se manifeste ici comme dans ses descriptions de tableaux, pour expliquer la conduite des grands chefs qui eurent à jouer un rôle dans le bouleversement de l'Europe.

Certains ont reproché à d'Urfé de n'avoir pas eu des vues historiques assez étendues. S'il a parlé, dit-on, des débuts de la monarchie mérovingienne, il n'a soufflé mot de Clovis. Cette époque où le christianisme s'implante et s'affirme en Gaule est, dans *L'Astrée,* encore soumise à la religion gauloise. Il est une remarque d'Urfé qui a son importance pour expliquer ce silence. S'adressant à la rivière de Lignon, au début de la troisième partie, il fait remarquer

> « que la philosophie est espineuse, la theologie chatouilleuse, et les sciences traittées par tant de doctes personnages, que ceux qui en nostre siecle en veulent escrire courent une grande fortune, ou de desplaire ou de travailler inutilement, et peut-estre de se perdre eux-mesmes, aussi bien que le temps et le soin qu'ingratement ils y employent. » (200)

L'évocation du règne de Clovis rendait nécessaire l'exposé de la doctrine chrétienne. La prudence en ce domaine caractérise Honoré d'Urfé. Suivant une tradition du XVIe siècle, il laisse entrevoir la ressemblance des religions gauloise et chrétienne. Mais, tandis que, dans la deuxième partie, il note qu'Augustin, quoique « different de la religion » des Gaulois, « en estoit beaucoup plus approchant que les anciens Romains » (201), dans la troisième partie, il dit que le Dieu qu'adore Rémi est « incogneu aux Francs » (202). La « théologie est chatouilleuse », d'Urfé évite tout exposé dogmatique qui pourrait déplaire ou lui faire courir « une grande fortune » (203). Décrire la religion gauloise ne présentait pas de risque.

(197) *Astrée,* II, 12, 525.
(198) *Ibid.,* II, 11, 470.
(199) *Ibid.,* II, 11, 475. Voir également le portrait de Constance (II, 11, 474).
(200) IIIe partie, *L'Autheur à la riviere de Lignon,* pp. 6-7.
(201) *Astrée,* II, 11, 483.
(202) *Ibid.,* III, 12, 687.
(203) On a voulu voir dans la théologie celtique exposée dans *L'Astrée* les idées de Michel Servet (E. Chevrier, « Honoré d'Urfé et Michel Servet, in *Revue Chrétienne,* t. VII (3e série). Voir à ce propos, O.C. Reure, *op. cit.,* p. 240.

CHAPITRE IV

LES CONFIDENCES D'HONORE D'URFE DANS SON ŒUVRE

Une œuvre ne peut rester totalement étrangère à la vie d'un écrivain. Le romancier crée ses personnages, consçiemment ou inconsciemment, à partir des éléments de sa propre vie. Ses héros sont des masques par lesquels il se raconte et se reconstitue. Un « je » se cache derrière le personnage : « Dans le roman, ce que l'on nous raconte, c'est donc toujours aussi quelqu'un qui se raconte... » (1) Honoré d'Urfé va, dans son œuvre, de la confidence claire des *Epistres Morales* à celle plus voilée, masquée, du *Sireine* ou de *L'Astrée.*

S'il se confie à Agathon dans *Les Epistres Morales,* ce n'est point pour sacrifier à une mode avide d'œuvres moralisantes à la façon des *Lettres à Lucilius* de Sénèque, mais bien parce que son cœur saigne, se gonfle d'amertume ou se livre à la révolte et cherche à retrouver la vie. Quand il s'agit du *Sireine* ou de *L'Astrée,* le problème est plus délicat. Nous y confie-t-il ses sentiments en les cachant sous la fiction, y revit-il les souffrances et les joies éprouvées dans son cœur d'adolescent, puis de jeune homme, et causées par son amour pour Diane de Chateaumorand ? *L'Astrée* est-elle le souvenir qui s'estompe peu à peu d'une époque de bonheur mêlé de peine ? Pas plus que les critiques qui se sont penchés sur cette question, nous ne pensons pouvoir résoudre totalement cette énigme. Les sentiments personnels ont leur part dans cette œuvre et ils en expliquent ainsi, partiellement, la genèse. Sans doute y transparaissent-ils avec la délicatesse dont fait preuve un romancier qui annonce la discrétion, marque de l'honnête homme, qui s'efforce de taire son moi ou ne le livre que dans un halo de brume. Malgré tout, nous pouvons tenter de déceler les confidences de l'auteur dans son œuvre, afin de découvrir ainsi le mécanisme de sa création littéraire.

***

I. — *LES EPISTRES MORALES.*

C'est sous le signe de la souffrance qu'il faut placer *Les Epistres Morales.* Elles doivent le jour à la deuxième arrestation d'Honoré d'Urfé, qui lui valut un séjour à la prison de Montbrison, et

(1) M. Butor, *Essais sur le Roman,* Paris, Gallimard, 1969, p. 74.

elles sont datées du 24 septembre 1595. Le premier livre, surtout, est un cri de douleur ; les deux autres, qui sont le fruit d'une méditation philosophique, ne nous livrent pas le cœur de l'écrivain (2). Le destinataire des lettres écrites en prison, Agathon, ne serait-il qu'un correspondant conventionnel calqué sur Lucilius ? Le ton est parfois si intime et les confidences si nettes que celui auquel Honoré d'Urfé écrit ne peut être imaginaire. Le Chanoine Reure voit en lui l'ami resté fidèle, Gaspard de Génetines, « dont la famille était alliée à celle de Chateaumorand ». Ce choix n'est guère motivé. Pourquoi donc Honoré d'Urfé aurait-il chargé Antoine Favre de recueillir le manuscrit, alors que, malade, il croyait toucher à sa dernière heure (3) ? Les aveux de Favre, dans la dédicace des *Epistres* au duc de Savoie, méritent d'être cités, parce qu'ils indiquent à quel point il était lié d'amitié avec d'Urfé :

> « Estant ces jours passez Monsieur d'Urfé en telle extremité de maladie, qu'au jugement des Medecins il ne restoit espoir d'autre vie en luy que de l'éternelle, il luy advint entre les propos que la force de l'amitié peut arracher de sa foiblesse, de parler de moy, comme de celuy dont il regrettoit l'absence, et auquel il donnoit un rang principal entre ceux qu'il avoit chéri le plus. Et pour m'honorer en peu de paroles d'un tesmoignage qui en portat la memoire jusques à la posterité, il en chargea l'un des plus confidents de ses amis là presens, de garder soigneusement les discours qu'il avoit n'agueres composez en forme d'Epistres morales, avec une bien estroitte recommandation de me les remettre, pour en faire ce que je voudrois, comme de chose qu'il faisoit mienne. » (4)

Un confident comme Agathon ne peut être que celui qui eut un rang privilégié parmi ses amis : Antoine Favre. A peine celui-ci eut-il connaissance de la maladie d'Honoré qu'il courut à son chevet. Il déclare :

> « ...je le trouvoy sur les approches d'une convalescence laquelle dès ce temps-là s'avançant de jour à autre, luy donna tost apres autant de force qu'il avoit de courage de me declarer à bouche : mais, bon Dieu, avec quelle affection ! combien il m'aimoit... » (5)

Voilà des déclarations d'amitié qui correspondent à celles d'Urfé à Agathon et qui n'ont pas « la belle apparence des pierres falsifiées » (6). En effet, une amitié sincère lia d'Urfé et Antoine Favre, dont le portrait ornait un des murs du château de Virieu (7). Imprégné de la lecture des Anciens, humaniste, écrivain, jurisconsulte

---

(2) Le premier livre fut publié en 1598, le deuxième avec l'édition de 1603 et le troisième avec les deux autres livres, en 1608. Voir à ce propos, O.C. Reure, *op. cit.*, p. 76.

(3) Honoré d'Urfé tomba malade en 1598, pendant sa première retraite dans les Etats du duc de Savoie.

(4) *E.M., Epistre dedicatoire. A tres-haut, tres-puissant et souverain Prince Charles Emmanuel Duc de Savoie.*

(5) *Ibid.*

(6) *Ibid.*, I, 1, I. Le nom d'Agathon a été évidemment emprunté au *Banquet* de Platon.

(7) Voir O.C. Reure, *op. cit.*, p. 182.

et même théologien, Favre fut, en 1606, avec François de Sales, le fondateur de l'Académie Florimontane dont d'Urfé fut l'un des membres les plus éminents (8). L'éloignement d'Agathon contraint d'Urfé à cacher dans le fond de son cœur les maux qu'il souffre. Nous ne connaissons pas dans sa vie d'autre ami que Favre qui mérite cette confidence :

> « Il est bien vray, que si tu n'estois esloigné, je ne te les cacherois point : car un amy qui est un autre nous-mesme, et qui faict resolution de vivre de nostre mesme vie, et respirer, pour dire ainsi, un mesme air, doit bien sçavoir tous nos desseins, et n'y doit avoir nul reply en nostre ame, qui ne luy soit entierement estendu, et esclairé. Mais je suis contraint, Agathon, en ceste Fortune de les contraindre en mon ame... » (9)

Dès lors, les confidences à l'ami deviennent un véritable dialogue de l'auteur avec lui-même, tant nous sentons parfois frémir une sensibilité émue par les coups de la Fortune (10). Ce fut un moyen de « tromper le temps ennuyeux » et de trouver en lui-même le soulagement à ses souffrances :

> « Cela sçay-je bien [écrit-il], qu'en ces derniers ennuis, je ne suis point allé chercher du soulagement ailleurs qu'en moy. » (11)

Le premier livre des *Epistres Morales* est, en effet, placé sous le signe de la mort, de la souffrance et de l'amitié trahie ; il est aussi un éloge de la véritable amitié. Il n'est que de relire l'épître *Au lecteur* pour sentir les mouvements de l'âme d'Honoré d'Urfé :

> « Ces discours, que je te presente, ne te sçauroient estre si desagreables, que l'occasion de leur naissance me l'a esté. Ils sont naiz d'un fascheux loisir que m'a donné la prison où je suis encores... Tant y a que mes coups ordinaires ont esté la mort de mes amis, que la guerre en plusieurs sortes m'a devorez : d'un frere que j'avoy tousjours particulierement tant aimé, que sa memoire sera en mon ame comme l'esperance qui en naissoit en chacun, à jamais regrettée. Et pour conclusion, de ce Prince, pour la considération duquel j'avoy desdaigné toute autre considération. Les moindres blessures ont esté deux prisons, l'une n'attendant entierement l'issüe de l'autre. Et encore que toutes deux par trahison : l'une toutesfois par mes ennemis, et l'autre par ceux que je tenoy pour mes amis. » (12)

---

(8) Sur Antoine Favre, voir R. Favre, *Le Bien public par le fait de la justice, précédé d'une étude sur l'auteur et sur son époque,* par H. Ferrand, Lyon, 1867 ; François Mugnier, *Histoire et correspondance du Premier Président Favre, première partie, Histoire d'Antoine Favre,* 1557-1624, Paris, H. Champion, 1902, pp. 198-215. Sur A. Favre, François de Sales et l'Académie florimontane, J.F. Gautier, *Journal de Saint François de Sales pendant son épiscopat* (1602-1622), Annecy, 1894.

(9) *E.M.*, I, 6. 52.

(10) Voir notre communication, « La sensibilité d'Honoré d'Urfé d'après le premier livre des *Epistres Morales* », *Colloque pour le quatrième centenaire de la naissance d'Honoré d'Urfé, BD,* 1970, n° spécial, pp. 3-14.

(11) *E.M., Epistre au lecteur.*

(12) *Ibid.*

Coup sur coup, en effet, deux morts inattendues survinrent, celle d'Antoine d'Urfé et celle de Charles Emmanuel de Savoie, duc de Nemours. Deux arrestations, en 1595, à quelques mois d'intervalle, lui valurent un séjour en prison. Honoré d'Urfé, accablé, résume, d'une plume désespérée, le malheur de sa vingt-septième année :

> « ...regardons qu'elle a esté ceste vingt-septieme année de mon aage. Le plus cher de mes freres par sa mort me marqua de noir le premier d'Octobre. Incontinent, le mois de Février d'apres, pour ne m'estre plus heureux, me veid vendre à Feurs, sous l'entreprise d'autruy. Depuis je n'ay plus esté à moy-mesme : car apres avoir languy quelque temps en une tres estroite prison, et plaint longuement la maladie du Prince que je suivois, la nuit du quinziesme d'Aoust de l'année 1595 ravit toutes mes esperances de la mesme main dont elle trancha le filet de la vie de ce grand Prince. » (13)

Dès l'épître VI, il se ressaisit, mais il fait remarquer à Agathon qu'outre les malheurs

> « qui apparoissent à chacun, les plus violents sont ceux que je retien en mon ame cachez, et desquels je ne fay part qu'à moy-mesme, qui, tout ainsi que les maux interieurs du corps, sont et plus douloureux et plus dangereux. » (14)

Ces malheurs qu'il cache en lui-même plutôt que d'en faire part à ses ennemis, en les confiant à ses lettres, quels sont-ils ? Ils sont le secret d'Honoré ; *Le Sireine* et *L'Astrée* nous les livrent en partie. Mais, quand il écrit en prison, la blessure ouverte par la mort tragique de son frère Antoine saigne encore.

Les Epistres Morales sont si discrètes à ce propos que nous pouvons supposer que ce décès fut la cause principale de son accablement. Le lecteur n'apprend rien sur les circonstances de cette mort, sinon qu'elle « marqua de noir, le premier jour d'Octobre » de l'année 1595. Les stances sur le décès de Christophe d'Urfé, publiées dans les *Délices de la poésie française* de 1620, ne sont pas davantage prodigues en révélations (15). Les versions des circonstances de la mort d'Antoine furent nombreuses : celle d'Anne d'Urfé (16), celle de la Mure (17), celle de la *Gallia Christiana* (18). Ni le récit d'Anne d'Urfé, ni ceux de la Mure et de la *Gallia Christiana* ne nous rendent compte avec satisfaction de cette fin tragique. Il semble bien qu'Antoine d'Urfé se joignit aux Ligueurs et fut victime, devant Villerest, d'une inadvertance des soldats d'Honoré, qui le prirent pour un partisan d'Henri IV (19). En faisant

---

(13) *Ibid.*, I, 1, 4.
(14) *Ibid.*, I, 6, 52.
(15) Paris, T. du Bray, 1620, p. 14.
(16) *Généalogie...* (*B.N.*, ms. frs., 25464, f. 93 r° et ms. frs, 12487, f. 132 r°) Ces deux textes affirment qu'Antoine d'Urfé est mort pour le service du roi.
(17) La Mure, *Astrée sainte*, p. 324.
(18) *Gallia christiana*, t. II, col. 432.
(19) Voir, à ce propos, C. Longeon, *op. cit.*, pp. 233-234. D. Branche attribue la mort d'Antoine d'Urfé à une dispute qui se serait élevée entre ses troupes et celles de son frère Honoré ; ayant voulu rétablir la paix, il aurait été victime d'un coup d'arquebuse fortuit ou prémédité (*L'Auvergne au Moyen-Age*, Clermont et Paris, 1842, t. I, p. 294).

d'Antoine un royaliste, Anne d'Urfé sauvait l'honneur de la famille. Le silence des *Epistres Morales* révèle une peine profonde et une torture morale dues à une part de responsabilité que d'Urfé semble s'attribuer. Cette discrétion, qui est celle de la douleur, contraste étrangement avec l'épitaphe composée par Anne :

> « Les ardeurs de jeunesse et le cueur genereux,
> Qui jamais ne manqua en neul de se lignage,
> Fict perir au combat, en la fleur de son aage,
> C'est Antoine d'Urfé par un coup malheureux... » (20)

La même année, la Fortune s'acharna sur Honoré d'Urfé, puisqu'il perdit encore celui auquel il s'était attaché, le duc de Nemours (21). Celui-ci, emprisonné à Pierre-Scize, s'en était évadé et fut trahi par Dizimieu qui vendit Vienne à Montmorency. Désespéré, le duc de Nemours se retira à Annecy, pour y mourir, le 15 août 1595. Honoré d'Urfé a raconté la mort de son maître, dans la neuvième épître du premier livre des *Epistres Morales*. Elle révèle une émotion profonde qui lui confère, sans conteste, la qualité de chef-d'œuvre. A elle seule, elle mériterait de tirer de l'oubli *Les Epistres Morales* (22). En racontant la mort du duc de Nemours, Honoré d'Urfé nous livre son âme. Plus de citations, dès lors, plus d'étalage d'érudition, aucune préoccupation littéraire. A l'annonce de la maladie du duc de Nemours, Honoré garde l'espoir : « croyant son mal proceder de tristesse, je me figuroy qu'il estoit plustost long que dangereux ». Il attend la guérison en lisant ou se promenant en compagnie de son frère Christophe, aux alentours de la propriété de Virieu. Et, brusquement, la nouvelle d'une mort prochaine vient briser cette calme confiance :

> « quel tressaut fut le mien ! et quel desplaisir qui m'en demeura ! Juge-le Agathon, si jamais ce que tu as aimé a esté en telle extremité. Je monte à cheval, et ne prens repos que je ne soy pres de luy. » (23)

---

(20) B.N., ms frs, 12487, f. 95 r°, cité par A. Bernard, *op. cit.*, p. 225 et par C. Longeon, *op. cit.*, p. 234.

(21) Sur l'attachement d'Honoré d'Urfé au duc de Nemours, voir O.C. Reure, *op. cit.*, pp. 45 sq.

(22) Cette épître est citée par Palma Cayet, *Chronique Novenaire*, in *Nouvelle collection de Mémoires relatifs à l'histoire de France depuis le XIIIe siècle jusqu'à la fin du XVIIIe siècle*, par Michaud et Poujoulat, Paris, Didier, 1857, t. XII, pp. 677 sq. Sur le duc de Nemours, voir A. Pericaud, *Notice sur Charles Emmanuel de Savoie*, Lyon, Baret, 1827. Un curieux portrait du duc de Nemours est tracé par Antoine du Verdier qui ajoute que ses dernières paroles ont été recueillies par le Sieur d'Urfé (*Prosopographie*, Lyon, 1603, 3 vol., t. 3, p. 2.592). Pasquier, dans une lettre adressée à Monsieur de Neufchatel, chevalier d'honneur de Madame la duchesse de Nemours, raconte les derniers moments du duc de Nemours, « chose, (dit-il), dont j'ay receu certain advis par l'un des principaux gentilshommes qui l'assista pendant toute sa maladie » (*Lettres*, Paris, 1619, 3 vol., livre XVIII). Ce gentilhomme dont parle Pasquier est vraisemblablement Honoré d'Urfé. Pour s'en convaincre, il suffit de comparer cette lettre avec la 9e épître des *Epistres Morales* ; ce sont souvent les mêmes expressions qui sont reprises ici et là. Voir encore, le ms. 1439 de la Bibliothèque de Lyon, qui contient les discours et harangues de Balthasar de Villars. On y lit les « derniers propos de Monsieur de Nemours » qui sont une copie de la 9e épître des *Epistres Morales* (f. 190 v° à 198 v°).

(23) *E.M.*, I, 9, 80-81.

L'affolement perce à travers le style et l'émotion s'amplifie au cours du récit. D'Urfé est le témoin de l'agonie. Il n'épargne aucun détail, il relate chacune des paroles, s'émeut et pleure :

> « Dy moi, Agathon, qui eust peu tenir les larmes en telles occasions, n'eust-il pas esté insensible plustost que constant ? Quant à moy, s'il n'y en eust point en d'autres que mon sang, je croy que le cœur me l'eust envoyé aux yeux... »

Peut-on mettre en doute sa sincérité, quand il confie à Agathon à la fin de cette neuvième lettre ?

> « Je te jure, Agathon, que le ressouvenir de ces choses m'efforce encores de telle sorte, que je ne puis m'y arrester sans flechir encore un coup à la pitié. Permets-moy donc de couper icy mon discours, puis que la poursuite m'en couste autant de larmes que de lettres à l'escrire. » (24)

La même année fut encore marquée par deux arrestations : l'une le 16 févier 1595, l'autre, après la mort du duc de Nemours, vraisemblablement en septembre, puisque le premier livre des *Epistres Morales* est daté du 24 septembre 1595, ces deux captivités se succédant à un intervalle si court que « l'une n'attendit entierement l'issüe de l'autre. » (25) Sur l'une et l'autre arrestations nous sommes mal renseignés. Un chroniqueur lyonnais rapporte seulement que

> « le 16ᵉ dudict moys [de février 1595] fut deffaicte la compagnie du Terral qui avoit conspiré trahison contre la ville de Feurs en Forestz, et disait-on le Chevalier d'Urfé avoit esté prins prisonnier qui tenoit le parti de la Ligue. » (26)

Honoré d'Urfé parle de ces deux arrestations en termes si voilés qu'elles ne sont pas faciles à distinguer. Il nous apprend qu'elles furent dues à la trahison, l'une par les ennemis, l'autre par ceux qu'il tenait pour ses amis. Il ajoute :

> « Juge par là d'où est venue la chasse que mon ennemy m'a faite. Je n'ay pas toutesfois esté pris à force, comme ce Castor est poursuivy d'ordinaire : mais surpris à l'espere. Autrement j'auroy honte de ma prise : au lieu que je n'ay que regret de sa perfidie. » (27)

Dans son *Epistre au lecteur,* il révèle l'identité de ce traître par une énigme qui nous paraît difficile, ou même impossible, à résoudre :

> « Il reste de satisfaire au désir qu'à l'advanture tu auras, de sçavoir qui est celuy dont je plains la perfidie, sçaches que c'est une personne qui a pensé
> *pour se mettre en honneur de se prendre à Ronsard :*

(24) *Ibid.*, I, 9, 95.
(25) *Ibid.*, *Epistre au lecteur.*
(26) *Archives historiques et statistiques du département du Rhône,* t. XII, p. 170, cité par O.C. Reure, *op. cit.*, p. 50. Sur les arrestations d'Honoré d'Urfé, voir N. Bonafous, *op. cit.*, pp. 61-63 ; A. Chagny, *op. cit.*, pp. 103 sq.
(27) *E.M.*, I, 5, 45.

et qui se voyant incogneu, a creu que brusler le Temple de Diane le feroit renommer. Que cela te suffise, attendant que mon espée t'en rende plus claire cognoissance. Car c'est d'elle, et non pas ceste plume qui m'a esté donnée en partage pour marquer mes ennemis. » (28)

Nous ne savons laquelle des deux arrestations fut causée par la trahison d'un ami. Est-ce la première ou la seconde ? A-t-il été trahi par un seul ami ou par plusieurs ? Tout ceci n'est pas clair. Honoré d'Urfé brouille, semble-t-il, à dessein, les maigres renseignements qu'il livre. Il apparaît, toutefois, que l'envie fut à l'origine de la trahison :

« Il se figuroit de se prevaloir de ma charge si je demeuroys les mains liées : et il lui est advenu, non autrement qu'à l'enfant peu advisé, qui voyant la flamme de la chandelle, espris de sa beauté, y porte la main sans jugement, pour la prendre : et pensant l'estraindre entre les doigts, trouve que tuant la beauté de ceste flamme, il ne luy en reste autre chose qu'une brusleure, qui lui en cuit par apres longuement. » (29)

Il convient de rechercher hors des *Epistres Morales* les renseignements sur la vie de notre auteur et sa famille, ainsi que sur les événements qui se déroulaient en cette période de la Ligue. Le duc de Nemours, après son évasion de Pierre-Scize, avait nommé Honoré lieutenant général au gouvernement de Forez, le 30 septembre 1594 (30). Le 16 février suivant, il était arrêté à Feurs. Parce qu'Anne d'Urfé avait été blessé par l'usurpation de son frère cadet, une discorde familiale s'ensuivit, dont le *Discours au Prince de Piedmont* porte la trace :

« Aux petits comme aux grands ce mal est familier,
Quand un jeune cadet, sans aucune raison,
Trait son frère ayné, l'ostant de la maison. » (31)

Anne se démit de ses fonctions et Henri IV accepta son départ (32). Une lettre de Pomponne de Bellièvre à Henri IV, datée du 14 septembre 1594, nous apprend qu'Anne d'Urfé a voulu se défaire du gouvernement du Forez

« et en tirer proffict et ce mesmement à l'occasion *des traverses qui luy sont données par son jeune frère le chevalier d'Urfé,* lequel n'avoit point faict de serement à vostre majesté ; et s'estant contenu quelque temps sans se déclarer, a de nouveau prins les armes pour la Ligue... il desire accordant de ce gouvernement, de faire par mesmes moyens sortir son frère des places qu'il a occupées et luy donner quelque somme d'argent pour l'elloigner de ce pais... Le d. Marquis est importun de corps, et

---

(28) *Ibid., Au lecteur.* La citation est de Ronsard, *Responce aux injures, Œuvres complètes,* éd. Laumonier, Paris, 1946, t. XI, p. 117 : « Pour te mettre en honneur tu te prens à Ronsard. »
(29) *Ibid.,* I, 5, 45-46.
(30) Voir C. Longeon, *op. cit.,* p. 214 ; O.C. Reure, *op. cit.,* pp. 45-46 ; A. Chagny, *op. cit.,* pp. 100-101.
(31) *B.N.,* ms. frs, 12487, f. 19 r°, cité par O.C. Reure, *op. cit.,* p. 47.
(32) Voir, à ce propos, C. Longeon, *op. cit.,* p. 186.

son esprit n'est pas tendu à soustenir le faix de ce gouvernement, attendu les affaires qui surviennent en ce temps, et les traverses qui luy sont données par les siens mesmes. » (33)

Loys Papon, dans son *Discours sur la vie et les mœurs de Anne d'Urfé,* écrit qu'Anne fut un excellent gouverneur du Forez, « ce qui luy suscita l'envie des uns, et des autres une réputation telle que l'on implorait son aide » (34). Selon lui, il secourut toujours ses frères et sœurs et « il n'a laissé, hors le droict de la guerre, de leur assister particulierement et de les recevoir fraternellement en sa maison » (35). Loys cherche à disculper son ami, mais il nous laisse supposer qu'une mésentente opposa Honoré à Anne, pendant la Ligue. Anne perdit définitivement le gouvernement du Forez, en 1595, malgré son ralliement à Henri IV, à cause, peut-être, de l'entêtement d'Honoré à rester fidèle à Nemours. Anne résolut-il alors d'aider les royalistes à s'emparer de son frère ? L'énigme semble insoluble. Honoré avait promis que son épée en rendrait plus « claire cognoissance ». Nous n'avons pourtant aucun témoignage d'un duel entre les deux frères.

Un duel semble avoir opposé Honoré d'Urfé à Dizimieu, qui trahit le duc de Nemours en livrant Vienne. Celui-ci ne serait-il pas l'ami qui a livré Honoré à Montbrison ? Dès lors, pour brouiller les pistes, l'auteur des *Epistres Morales* aurait volontairement confondu les responsables de ses arrestations, amis et ennemis. Le chevalier de Dizimieu eut la confiance du duc de Nemours, Honoré le rencontra, fut son compagnon d'armes et une amitié commença à se former entre eux. Le chevalier de Dizimieu devait jouir d'une certaine notoriété, en Forez, et sans doute était-il un lettré, puisque, dans les *Meslanges* qui suivent la *Philocalie,* Ducroset publie l'une de ses lettres, où est discuté un cas d'amour semblable à ceux de *L'Astrée.*

Palma Cayet, dans sa *Chronique Novenaire,* à l'année 1597, rapporte les faits suivants :

> « Dizimieu estant venu à Paris au commencement de l'année 1597, le jour mesme qu'il y arriva on luy dressa une querelle d'Alleman : un chevalier de Malte qui avoit esté au feu Duc l'envoya appeler à un duel, luy mandant qu'il se trouva en un clos de murailles près le pré aux Clercs ; il y alla seul, le pensant aussi trouver seul ; mais le sieur d'Albigny y estoit avec luy. Aucuns de ses amis entendans qu'il s'aloit battre, monterent incontinent à cheval ; mais ils le trouverent estendu sur la

(33) *B.N.*, ms. frs 15893, f. 173, cité par O.C. Reure, *op. cit.*, pp. 47-48.

(34) O.C. Reure, *Notice sur les Emblèmes d'Anne d'Urfé avec les stances de Loys Papon et un discours sur la vie d'Anne d'Urfé,* Montbrison, 1904, p. 27. Loys Papon déclare qu'Honoré d'Urfé fut agité de « contreres fortunes ». Cette assertion de Papon pose un problème. En effet, Honoré d'Urfé, dans *Les Epistres Morales,* parle aussi de ses « contreres fortunes ». Or, la première édition des *Epistres Morales* est de 1598, le *Discours* de Loys Papon est daté du 20 février 1596. Loys Papon eut-il entre les mains un manuscrit du premier livre des *Epistres Morales* avant sa publication ?

(35) Id., *ibid.*, p. 32. Sur le caractère jaloux d'Anne d'Urfé, voir, A. Chagny, *op. cit.*, pp. 79 sq.

> place, ayant un grand coup d'espée sur la teste, et un coup de poignard dans les reins. Pensans qu'il fut mort ils le firent enlever ; toutesfois, revenu à soy, et depuis bien pansé de ses plaies, il en guérit. » (36)

Il est possible que ce « chevalier de Malte, qui avoit esté au feu Duc » soit Honoré d'Urfé. La perte de Vienne avait été un coup terrible pour le duc de Nemours, et, après sa mort, le bruit courut que Dizimieu l'avait empoisonné pour éviter son ressentiment (37). Peut-être est-ce lui qui provoqua la deuxième arrestation d'Honoré d'Urfé. Celui-ci aurait alors exécuté la promesse faite dans l'*Avis au lecteur* des *Epistres Morales*.

La trahison de celui qui se faisait passer pour un ami, la mort du duc de Nemours et celle d'Antoine d'Urfé furent, pour ce jeune homme de vingt-sept ans, l'objet de méditations où jamais la sincérité ne peut être mise en doute, malgré l'afflux de souvenirs littéraires. Il réfléchit sur la mort, l'amitié et l'honneur. La révolte, la colère, la douleur et la fermeté se partagent tour à tour son âme : « Ces paroles ne sont point escrites d'autre ancre que de mon sang... », écrit-il (38). Incarcéré à Montbrison, le souvenir de la trahison lui arrache des cris de révolte : « Malheureux donc celuy qui met sa felicité en l'amitié, puis qu'il n'en peut estre asseuré qu'avec son propre dommage. » (39) Honoré d'Urfé, qui eut toujours le culte de l'amitié, rectifie son accusation, dès la page suivante. Non, celui qui l'a trahi n'était pas un ami :

> « ...aussi aurois-je honte de m'y estre trompé, que si tu demandes que vouloit signifier ceste estroitte pratique avec cet homme, croy que ce n'estoit point amitié, mais arres d'un fondement, où encores les premieres pierres n'estoient pas bien jettées. » (40)

Ebranlé dans sa confiance, au plus fort de sa tristesse, il jette à Agathon cet appel au secours : « Aime moy tousjours, si tu ne veux sortir de ma prison ma plus grande Fortune. » (41)

Nous suivons l'évolution d'une âme au long de ce premier livre des *Epistres Morales*. Homme d'honneur, résolu à la douleur qui l'a frappé en cette année, d'Urfé médite sur sa situation. Puis, il se dresse contre le destin et le défie :

---

(36) Palma Cayet, *op. cit.*, t. XII, p. 680.

(37) Id., *ibid.*, p. 679. Voir également, A. Péricaud, *op. cit.*, p. 32, n. 38 ; *Notes sur le journal d'Henri IV*, éd. de 1741, t. II, p. 126 ; *Histoire généalogique de la royale Maison de Savoie*, p. 1065. Dizimieu, né le 19 juin 1565, s'attacha d'abord à la fortune du duc de Nemours. Après avoir livré Vienne et fait sa soumission à Henri IV, il fut nommé gouverneur de Vienne et capitaine d'une compagnie de cinquante hommes d'armes d'ordonnance. Il connut les honneurs sous Louis XIII et mourut bailli de Viennois en Janvier 1635. Sur Dizimieu, voir Montreynard, *Généalogie de la famille Martin de Dizimieu*, 1913, pp. 14-18 ; A. de Terrebasse, *Correspondance de MM. de Disimieu, 1568-1713*, 1913 ; *Evocations*, nov.-déc. 1957, pp. 1852-1853.

(38) *E.M.*, *Au lecteur*.

(39) *Ibid.*, I, 1, 3.

(40) *Ibid.*, I, 1, 5.

(41) *Ibid.*, I, 2, 18.

> « Qu'elle [la Fortune] vienne contre moy à guerre ouverte tant qu'elle voudra : qu'elle desploye toutes ses forces pour m'attaquer, je ne crains point ses coups. » (42)

Par souci de son honneur, il ne se plaint plus, mais il reprend un espoir né d'un désespoir vaincu et se résoud à mener à bien la tâche qu'il a assumée. Ces confidences deviennent un enseignement de la vertu qui n'est formé « sur autre moule que sur sa propre vie » (43). Elles seront un secours à ceux qui souffrent. Le premier livre des *Epistres Morales* tire son mérite de la spontanéité et de la sincérité d'un auteur qui se confie, dans les pires moments de son accablement, à un ami, un véritable ami, dont il réclame le soutien. Tel quel, il est l'éloge de l'amitié et de la fermeté d'âme.

Honoré d'Urfé, parlant de sa vie passée, dans *Les Epistres Morales,* écrit que son « commencement est di difficile et traversé » et qu'il est un « avant-jeu, car ainsi puis-je nommer ces dix ans que j'ay desja courus à m'avoir appris les chemins par lesquels il me faudra conduire à l'advenir ». (44) Il a alors vingt-sept ans, nous sommes en 1595. Voilà dix ans, pendant lesquels il a souffert ces douleurs qu'il ne confie pas ; cela nous ramène à sa sortie du collège ou aux années qui l'ont immédiatement suivie. De 1583 ou 1584 à 1590, nous avons peu de renseignements sur sa vie. Les biographes rappellent son voyage à Malte, ses amours pour Diane, alors épouse d'Anne d'Urfé. Qu'en est-il ? Qu'en savons-nous ?

Qu'Honoré d'Urfé ait été Chevalier de Malte ne fait absolument aucun doute. En 1583, il signe la dédicace de *La Triomphante Entrée* à M. de Tournon : « Honoré d'Urfé, Chevalier de Malte ». Nous verrons qu'il avait tout juste treize ans, quand, pour obéir à la volonté de sa mère, Renée de Savoie, il entra dans l'ordre et fit, vraisemblablement, sa profession. Les enfants de Jacques d'Urfé étaient nombreux, six filles et six garçons. Pourvoir tant d'enfants était une lourde charge. C'est pourquoi, il fut décidé qu'Honoré serait Chevalier de l'Orde de Malte et qu'Antoine serait d'Eglise. Jean Papon, examinant « l'occasion de faire moynes et religieux de Malte », écrit :

> « Un pere et une mere illustres et de noble famille soy voyans chargés de grand'nombre d'enfans, pour le désir et juste volonté qu'ils auront de conserver les nom et armes de leur dite maison en l'estat et intégrité digne d'iceux, et considerans que cela ne se peut faire si tous sont appanés et partagés selon le nom, adviseront d'en promouvoir aucuns ès ordres ecclesiatiques, les pourvoir de benefices, et faire quitter : Autres conduire à la profession monacale, soyent fils ou filles : Autres à la religion de sainct Jean de Hierusalem à Malte, pour faire place aux autres, qui demeureront esdits noms et armes... ils sont presque contraints de precipiter telles promotions, vœux

(42) *Ibid.*, I, 15, 151.
(43) *Ibid.*, Epître dédicatoire.
(44) *Ibid.*, I, 14, 145.

> et professions, et commencer de si bonne heure de les initier et allier avec Dieu, et ses reigles, qu'ils n'ayent ny loisir de gouster que c'est que du monde, sinon en tant que le sang et nature les y peut conduire. » (45)

Ce sont bien les raisons qui déterminèrent Renée de Savoie à faire entrer son fils dans l'Ordre de Saint-Jean. Il était ainsi destiné à faire partie de ceux qui n'eurent « loisir de gouster que c'est que du monde ». Honoré entra vraisemblablement dans le département de l'Ordre, appelé « Langue d'Auvergne ». Mais nous ne trouvons nulle trace de son nom aux Archives départementales du Rhône (46). Cependant, les Archives de la Bibliothèque Royale de Malte font mention de son nom à la date du 12 Janvier 1584 (47). Il y est indiqué qu'Honoré a été reçu dans l'Ordre et qu'à la date précitée il n'avait pas encore fourni ses preuves de noblesse. Les frères de l'Ordre devaient, en effet, être enfants légitimes et nobles, ainsi que le prouvent les statuts :

> « ...Nous ordonnons que dorénavant personne ne sera reçu à la profession, s'il n'est né en légitime mariage, ou dont le père soit bâtard, excepté les enfants de Comtes et des gens de la plus grande qualité. » (48)

Les pièces justificatives devaient être envoyées au Couvent (49). Le requérant était normalement obligé de se rendre à Malte et d'y séjourner un an entier, avant de faire sa profession,

> « afin que l'on puisse juger de ses mœurs, de sa manière de vivre et de ses dispositions. » (50)

---

(45) Jean Papon, *Secrets du Troisiesme et dernier Notaire*, Lyon, J. de Tournes, 1578, pp. 242-243.

(46) Voir O.C. Reure, *op. cit.*, p. 19, n. 3. Les Archives du département du Rhône ne détiennent aucun document sur Honoré d'Urfé (Fonds de l'Ordre de Malte, sous-série 48 H). Son nom ne figure pas non plus dans les dossiers de preuves de noblesse des Chevaliers de St Jean, conservés aux Archives des Bouches-du-Rhône. Nous ne trouvons pas non plus le nom d'Honoré d'Urfé dans la nomenclature des Chevaliers de la Langue de Provence, d'Auvergne et de France, dressée par l'Abbé Vertot, *Histoire des Chevaliers hospitaliers de S. Jean de Jerusalem appelez depuis Les Chevaliers de Rhodes et aujourd'huy les Chevaliers de Malte*, Paris, 1726, 4 vol., t. IV. Il n'est pas mentionné par L. de La Roque, *Catalogue des Chevaliers de Malte*, Paris, 1891.

(47) *Archives de l'Ordre de St Jean*, AOM, 441, *Liber Bullarum*, f. 59 v° : « Serie presentium vobis significamus qualiter receptus fuit sub gradu fratrum militum nobilis Honoratus DURFUE non ostensis probationibus... Ea propter super hos requisiti ... committimus ... infrascriptam commissionem examinetis testes fide dignos coram vobis producendos si dictus Honoratus Durfue nobilem ab utroque parente nomine et armis ex legitimo matrimonio ... ac demum pro fratre milite postulant et requirunt, quorum quidem testium ... per notarium publicum ... et postea in capitulo provinciali vel assemblea... ad nos dictamque linguam mittantur. » Nous n'avons pu obtenir de la Bibliothèque royale de Malte communication de ce document, in extenso. Sur Honoré d'Urfé, chevalier de Malte, voir l'article de R.W. Baldner, « Honoré d'Urfé entre 1583 et 1593 », in *RN*, VII (1965-1966), n° 2, pp. 176-179. Les Archives conservées à Léran laissent entendre que les preuves de noblesse n'auraient été fournies qu'en 1588 (fds Chateaumorand, A2, n° 67).

(48) Abbé Vertot, *op. cit.*, t. IV, p. 76, art. 5. Jean Papon précise que « les freres de l'Ordre doyvent estre nobles et procrees de parens nobles de nom et armes d'antiquité, et non de nouveau annoblis. » (*op. cit.*, pp. 247-248).

(49) Abbé Vertot, *op. cit.*, t. IV, p. 78, art. 21.

(50) Id., *ibid.*, p. 79, art. 28.

En fut-il ainsi pour Honoré d'Urfé ? Il ne le semble pas. En effet, en 1592, le Pape Clément VIII adressa à l'official de Lyon un rescrit commissoire par lequel il exposait que le chevalier d'Urfé prétendait que sa profession en l'Ordre de Malte était nulle, pour les raisons suivantes : il l'avait faite avant l'âge requis (51), et sous contrainte morale « procedant particulièrement du respect et reverance qu'il portoit à ses parents, mesmement à Dame Renée de Savoye, sa mère » (52). L'instruction de l'affaire paraît avoir duré longtemps. Néanmoins, elle démontra que les affirmations d'Honoré d'Urfé étaient fondées : il avait été obligé de faire profession à douze ou treize ans, sans attendre l'année d'épreuve qui était imposée par les statuts de l'Ordre. Ses frères convinrent que tout était vrai et ne s'opposèrent pas à la résolution de ses vœux.

Si donc Honoré d'Urfé alla à Malte, ce fut ou en 1580 ou en 1581 : il avait alors treize ou quatorze ans. Mais la cérémonie de profession put avoir lieu ailleurs, quoique cela ne fût pas fréquent au XVIe siècle. L'acte de la Bibliothèque Royale de Malte que nous avons mentionné indique qu'Honoré fut reçu dans l'Ordre et il ne s'intéresse qu'aux preuves qui n'avaient pas encore été fournies en 1584. Aucune pièce ne relate la prise d'habit, pas plus qu'un départ de caravane. Un cas presque semblable à celui d'Honoré d'Urfé, celui de Charles d'Apchon, entré dans l'Ordre à onze ans et contraint par son oncle le Maréchal de Saint-André, est rapporté par Jean Papon (53). Cette situation n'était donc pas exceptionnelle. Charles d'Apchon se rendit à Malte pour y être page. Il n'en fut pas ainsi pour Honoré d'Urfé, puisqu'il fut élève au collège de Tournon. Tout nous incite à croire qu'il ne se rendit pas à Malte en 1584. S'il y avait fait profession, en 1584 le Couvent se préoccuperait-il de ses titres de noblesse et de légitimité ? Les pièces n'auraient-elles pas été réclamées auparavant ? Peut-être Honoré songeait-il à résoudre ses vœux dès 1584, mais il lui fallait lutter contre sa mère et sa famille. Jean Papon écrit, à propos de Charles d'Apchon, qu'il poursuivait « la restitution » de sa profession « et des lettres de Commissions du Pape à ces fins, dont il a esté par quelque temps empesché par Madame sa mère et grand nombre de ses frères ». Relevé de ses vœux, le jeune homme pouvait posséder et cela n'était pas sans poser de graves questions financières à toute la famille. N'en fut-il pas ainsi pour la famille d'Urfé ? Ne faut-il pas chercher ici la première cause du discord entre Honoré et Anne, son aîné ? Les ennuis durent peser à Renée de Savoie, quand Honoré lui fit part de son projet et Anne d'Urfé ne se priva pas, dès 1588, de rejeter sur son frère la responsabilité de la mort de sa mère (54).

---

(51) Jean Papon écrit que « ne sont receus moindres de dix huict ans à faire profession dudict ordre. » (*op. cit.*, p. 248).

(52) Voir O.C. Reure, *op. cit.*, pp. 96-97, à propos de ce rescrit commissoire autrefois conservé aux Archives de Chateaumorand.

(53) Jean Papon, *op. cit.*, p. 248.

(54) *BN*, ms, frs, 12487, f. 159, cité par C. Longeon, « Anne d'Urfé et l'Astrée », communication au *Colloque pour le quatrième Centenaire de la naissance d'Honoré d'Urfé*, in *BD*, 1970, n° spécial, p. 18.

Ce n'est qu'en 1599, le 28 juin, qu'Emmanuel Chalom, official de Lyon, rendit la sentence. Dès lors, Honoré d'Urfé était

> « quitte et absous dudit pretendu vœu et profession, avec permission expresse de pouvoir quitter l'habit de l'Ordre, succeder à ses pere, mere, freres, sœurs et autres parents, comme aussi de pouvoir contracter mariage avec telle femme que bon lui sembleroit, sans que pour ce il pût être molesté ni inquieté par le grand maître de Malte ou les chevaliers dudit Ordre. » (55)

Les années 1584 à 1590 restent donc assez mystérieuses. Un amour naissant entre Honoré et Diane, dès 1584, contraignit-il Anne à éloigner son frère ? Alla-t-il à Parme rejoindre Renée de Savoie qui séjournait en cette ville près de sa fille Madeleine mariée à un seigneur italien (56) ? Poursuivit-il ses études à Rome ? Seules les confidences que nous recueillerons dans les œuvres pourront nous éclairer quelque peu.

Deux ouvrages d'Honoré d'Urfé portent la marque de ces années mystérieuses : *Le Sireine,* achevé le 24 novembre 1596 et commencé sans doute bien avant cette année-là (57), et *L'Astrée,* surtout, dont l'élaboration eut lieu entre 1584 et 1589, puisque Ducroset, dont *La Philocalie* fut imprimée en 1593, parle des « Bergeries de Monsieur le Chevalier d'Urfé, qui luy avoit fait cet honneur de les lui communiquer. » (58) Honoré ne semble pas avoir eu le loisir d'écrire ses *Bergeries* après son engagement dans la Ligue, en 1590.

II. — *LE SIREINE.*

Le Sireine fut publié pour la première fois en 1604. L'édition de 1606, dans l'*Avis au Lecteur,* laisse, en effet, supposer une édition antérieure :

> « Je te fay voir le Sireine de Monsieur d'Urfé en meilleur estat qu'il n'estoit pas ces années passées, que je l'imprimay sur une tres mauvaise coppie, changée et défaillante en toutes les parties principales de l'œuvre. » (59)

Griffiths découvrit, à la Rylands Library de Manchester, une édition de 1604 qui comprenait en tête une dédicace et deux pièces de Jean de Lingendes (60). La dédicace présente un intérêt capital. De passage à Chateaumorand, probablement en 1603 ou 1604,

---

(55) Cité par O.C. Reure, *op. cit.*, p. 97.

(56) *BN*, ms, frs, 25464, f. 98 v°, cité par C. Longeon, *Les Ecrivains Foréziens au XVI*[e] *siècle,* p. 213 et p. 217, n. 4.

(57) Voir O.C. Reure, *op. cit.*, p. 59.

(58) Voir C. Longeon, « Anne d'Urfé et l'Astrée », p. 25 ; O.C. Reure, *op. cit.*, p. 30.

(59) *Le Sireine,* Paris, Jean Micard, 1606, *Avis au lecteur.*

(60) Jean de Lingendes, *Œuvres poétiques, édition critique avec une introduction et des notes publiées par E.T. Griffiths,* Paris, Hachette, 1916, pp. XI-XII. Voir, à propos de cette édition, O.C. Reure, « L'édition originale du Sireine d'Honoré d'Urfé », in *BD,* t. XIX (1915).

Jean Aubery avait trouvé une copie du *Sireine* (61). Il la transcrivit et la publia avec la dédicace suivante à Diane :

> « Madame,
>
> C'est estre larron de bonne conscience que de vous rendre aux yeux de tous ce que je desrobay chez vous en cachette ; pendant le sejour que je fis aupres de vous, je prins une copie de Sireine dans le cabinet de Monseigneur d'Urfé, d'où je le ravis pour lui faire voir le jour qu'il doit recevoir de vous, puisqu'il est né de luy. Je vous le rends en le donnant à tout le monde, et le mets entre vos mains pour avoir de l'honneur de mon larcin, que je ne pouvois esperer qu'en vous le rendant : Sireine luy mesme sera le suppliant du pardon que je desire, et qu'il me doit faire meriter, puisque je le rends à sa Diane, que seule il desiroit, aussi vous l'ayant rendu, il sera le gage envers vous de son affection et de la mienne, et en ceste assurance vous le presentant, par luy je me presente à vous, Madame, pour vostre tres humble et tres fidelle serviteur... » (62)

Cette dédicace pose le problème du sens allégorique du *Sireine*. Elle laisse entendre qu'Honoré d'Urfé composa ce poème pour Diane. Ainsi, les héros ne seraient autres que d'Urfé lui-même, et Diane, celle qu'il a aimée et dont il fut séparé par le mariage avec un autre, le Délio de la pièce. Tout semble en effet concorder avec le sens qu'Aubery donne au *Sireine*. Honoré d'Urfé, dans la dédicace de son poème à une Dame, dépêche Sireine pour lui porter son ouvrage dont il livre la clé en termes à demi voilés :

> « Mon Sireine vous va trouver pour voir en vous, s'il est possible, que quelque chose soit plus parfaite que sa Diane. Et pour vous representer que, puisque vous la surpassez et en beauté et en vertu, vous la devez aussi surmonter en amitié et en résolution. Et moy je l'accompagne de ce mot, pour vous dire que vous n'esperiez en moy ny la patience, ny la constance de Sireine. » (63)

D'autre part, le Chanoine Reure signale que le manuscrit du *Sireine* de la Bibliothèque Nationale de Turin « porte imprimées en or, sur sa reliure, les lettres D et H entrelacées, et de plus deux C entrelacés (Chateaumorand, Diane, Honoré) » dont nous avons déjà parlé et qui ornent la cheminée de l'ancienne galerie des portraits à Chateaumorand (64). En écrivant : « à sa Diane, que seule il désiroit », Jean Aubery désignait trop clairement le sens

(61) Jean Aubery, qui vécut de 1559 à 1625, était cousin de Jean de Lingendes. Médecin du duc de Montpensier, il publia l'*Apologie de la Médecine* (1608), *l'Antidote de l'Amour* (1599), *Les Bains de Bourbon-Lancy et Larchambau* (1604) et deux autres ouvrages qui sont perdus, *l'Histoire de l'antique cité d'Autun* et *Antiquités du pays et duché du Bourbonnais*. A propos de Jean Aubery, voir R. de Quirielle, *op. cit.*, p. 5 sq. ; H. Faure, *Antoine de Laval et les écrivains bourbonnais de son temps*, Moulins, M. Place, 1870, p. 277 ; M. Litaudon, « A travers les Actes : contributions à l'histoire littéraire du Bourbonnais », in *BSEB*, an. 1938, pp. 172 sq.

(62) Cité par O.C. Reure, *art. cit.*, p. 3.

(63) *Le Sireine de Messire Honoré d'Urfé*, Paris, T. du Bray, 1611, f. 3 v° et 4 r°.

(64) Voir O.C. Reure, *La vie et les Œuvres d'Honoré d'Urfé*, p. 67, n. 1.

allégorique qu'Honoré d'Urfé avait entendu donner à son poème. C'est pourquoi, cette dédicace fut supprimée dans les éditions suivantes. La même pudeur se manifeste dans les avertissements de *L'Astrée*. Constatons, du moins, que Diane et Honoré laissaient entendre que leurs amours étaient à l'origine du poème, puisqu'ils semblent ne s'être par formellement opposés aux interprétations d'Aubery.

Un poète bourbonnais, Etienne Bournier, avocat au présidial de Moulins, dédiait à Honoré, en 1605, une partie de son *Jardin d'Apollon et de Clémence* (65). Admirateur de l'auteur du *Sireine*, il lui envoyait une ode dont une strophe laisse découvrir clairement que les contemporains ne se méprenaient pas sur les intentions qui avaient présidé à la composition du poème :

> « Diane mesme il a ravy
> Par les dous airs d'un beau Syrene,
> Si bien qu'or est un Hypocrene
> L'antique maison de Lévy. » (66)

Voilà une nouvelle preuve qu'Honoré laissait dire autour de lui, sans apporter aucun démenti, que *Le Sireine* était une évocation de ses aventures de jeunesse. Il paraît ne faire aucun doute que, si ce poème pastoral fut terminé à Chambéry, en 1596 (67), il fut, du moins en partie, composé à partir de 1584, dès qu'Honoré eut quitté le collège de Tournon, peut-être même pendant l'été de 1583. Une lettre du *Mercure Galant* de juin 1683, écrite par un Forézien, Monsieur de la Goutte, assure que d'Urfé composa *Le Sireine* à dix-sept ans, pour une dame qu'il aimait (68). Si les contemporains ont cru d'emblée que cette dame était bien Diane de Chateaumorand, certains critiques ont pensé qu'il s'agissait de Judith de la Curée (69). Ils prétendent qu'Honoré d'Urfé est l'auteur du *Triomphe d'Amour* dédié à Mademoiselle de la Roche-Turpin. Anne d'Urfé a écrit un sonnet *A Mademoiselle de la Roche-Turpin sur le Triomphe d'Amour de Sr. d'Urfé le Jeune.* Auguste Bernard a affirmé qu'il s'agissait d'Honoré. Or, l'expression, « d'Urfé le Jeune », semble plutôt désigner Antoine d'Urfé (70). Dès lors, s'effondrent les hypothèses qui avaient été échafaudées sur de prétendues amours d'Honoré. Il reste que *Le Sireine* n'a pas une origine totalement littéraire.

Le Sireine emprunte à la *Diana* de Montemayor le nom de ses personnages et le cadre dans lequel l'action principale se déroule,

---

(65) Voir, à ce propos, O.C. Reure, *op. cit.*, p. 68.

(66) E. Bournier, *Hortulus Apollinis et Clementiae, latino-gallicus Stephano Bourniero Molinensi authore,* Moulins, Pierre Vernoy, 1606, pp. 66-67.

(67) Voir O.C. Reure, *op. cit.*, pp. 57 et 71.

(68) Id., *ibid.*, p. 66. Voir également C. Longeon, « Une visite au château de la Bastie », in *BD.* t. XL (1968), n° 6, p. 258 ; *Mercure Galant*, juin, 1683.

(69) Sur Judith de la Curée, voir O.C. Reure, *op. cit.*, pp. 27-28. Judith de la Curée était fille de Gilbert de la Curée et de Charlotte Errault, et dame de la Seigneurie de la Roche-Turpin. Le château de la Curée est à environ 12 km de Chateaumorand. Honoré put la rencontrer à Chateaumorand au cours de visites rendues à son frère et à sa belle-sœur.

(70) O.C. Reure, *op. cit.*, pp. 27-28 ; C. Longeon, *op. cit.*, pp. 226-227 ; A. Bernard, *op. cit.*, pp. 134 et 144, n. 1 ; N. Bonafous, *op. cit.*, pp. 39-40.

les bords de l'Elza. D'Urfé n'a d'ailleurs pas dissimulé la source à laquelle il a puisé l'idée de son poème pastoral. Cependant, ce n'est pas une transposition pure et simple de la *Diana*. Honoré d'Urfé aurait-il caché sa propre histoire derrière un emprunt qui correspondait à un engouement de l'époque (71) ? Le cas de l'auteur du *Sireine* n'est pas sans analogie avec celui de Montemayor lui-même qui avait trouvé dans la *Menina y Moca* une douleur semblable à la sienne (72).

L'aventure qu'Honoré d'Urfé décrit est déjà accomplie au début de la *Diana*. L'intrigue principale subsiste dans *Le Sireine* et les noms des personnages s'y retrouvent, Sireine, Diane, Silvain, Selvage. Parce que le sort de Sireine ressemblait d'assez près au sien, Honoré fut fasciné par le roman de Montemayor. Celui-ci joua un rôle décisif dans la genèse du *Sireine* : le jeune homme de dix sept ans vécut en imagination les douleurs que Sireno éprouva quand Diane l'abandonna ; il partagea son bonheur au temps de ses heureuses amours. *Le Sireine* est devenu une interprétation subjective de la *Diana* (73).

Les témoignages des contemporains et la dédicace du poème dévoilent le secret d'Honoré d'Urfé. Faut-il ajouter aux allusions d'Aubery les affirmations de Huet ? Honoré

> « a luy-même decrit son voyage, son absence et son retour dans un poeme qu'il a intitulé Sireine, mais ayant un peu déguisé les choses, il se représente presqu'encor Enfant, il part amant et aimé de Diane. Pendant son absence, Delio, riche berger, mais malfait et peu digne d'Elle, la recherche en mariage, et l'obtient de ses parens, dont l'autorité prévalut en elle sur sa passion. Sireine à cette nouvelle se précipite dans la mer, dont il est promptement retiré par les soins officieux de ceux qui le virent dans ce danger. » (74)

L'avis du libraire, placé en tête de l'édition de 1606, fait remarquer

> « qu'encores que l'autheur feit cet essay de son esprit en son enfance, et à peine sorty de ses premieres estudes, il est toutesfois tel qu'en ce subject tu jugeras qu'il ne doit ceder aux meilleurs escrits de nostre siecle : Car des deux parties de l'amour, plaisir, et ennuy, n'ayant choisi que la derniere pour son subject, il l'a traictée si heureusement que par force il faut loüer le jugement qu'en un tel aage il a montré... » (75)

La dédicace du poème à une dame trahit aussi le secret de l'amour qui a inspiré l'auteur (76). Honoré s'exprime encore plus clairement, dans la première stance du *Sireine* :

---

(71) Voir M. Magendie, *op. cit.*, pp. 13-15.

(72) Sur l'œuvre de Montemayor, voir M.I. Gerhardt, *La pastorale, Essai d'analyse littéraire*, pp. 170-174.

(73) *Id.*, *ibid.*, pp. 251-252 ; Voir, également, M. Proth, *Au pays de l'Astrée*, p. 95.

(74) Huet, *Lettre à Mademoiselle de Scudéry*, in *Traité de l'origine des romans*, Paris, J. Mariette, 1711, p. 249.

(75) *Le Sireine*, f. 4.

(76) *Ibid.*, f. 3 v°.

« Je chante un despart amoureux,
Un exil long et mal heureux,
Et le retour plein de martyre :
Amour qui seul en fus l'autheur,
Laisse pour quelque temps mon cœur,
Et viens sur ma langue les dire ».

S'adressant ensuite à une femme qui l'a fait souffrir, il s'écrie :

« Vous de qui l'œil m'a surmonté
Et qui m'a fait par sa beauté
Tant de blessures incurables :
Voyez Sireine, et sa pitié
Fasse qu'en vous son amitié
Ne se plaigne de coups semblables ». (77)

Cette femme, quelle est-elle ? Les contemporains, nous l'avons dit, l'ont identifiée avec Diane de Chateaumorand. Pourquoi, d'ailleurs, Honoré d'Urfé aurait-il choisi, parmi les œuvres espagnoles, celle dont l'héroïne s'appelle Diane ? Tout semble concorder : le mariage de Diane, le départ de Sireine ou d'Honoré. Assurément, il convient de rejeter toutes les interprétations fantaisistes qui prétendent qu'Honoré aima Diane, avant qu'elle n'eût épousé Anne d'Urfé. Le contrat de mariage d'Anne fut passé le 22 octobre 1571 ; Diane, née le 30 Novembre 1561, n'avait que dix ans et le mariage ne fut célébré qu'en 1574, quand elle eut à peine atteint l'âge nubile (78) ; Honoré d'Urfé n'avait alors que sept ans. Faisons la part de la fiction romanesque dans *Le Sireine,* ne négligeons pas la discrétion de son auteur qui camoufle ses confidences, quand elles risqueraient de tourner à l'autobiographie. Il déguise les faits, en mêlant vérité et fiction. Présenter un Sireine amoureux d'une femme mariée, c'était parler trop clair. Au vrai, Honoré et Diane se rendirent compte des sentiments qu'ils ressentaient l'un pour l'autre, vers 1583. D'Urfé revenait jeune homme, — il avait seize ans —, au pays, d'où ses études l'avaient éloigné. Diane avait vingt-deux ans, séduisante de toute sa beauté qui fut légendaire. Son mari restait froid auprès d'elle, mais elle avait un cœur prêt à s'éprendre. Honoré est

« Le berger qu'Amour devoroit,
Des longs temps mourant adoroit
Des beautez la beauté plus belle,
Une Diane estoit son cœur,
Mais la servant il eust tant d'heur
Que l'aimant il fut aimé d'elle. » (79)

---

(77) *Ibid.,* f. 9 v°.

(78) Voir, à ce propos, O.C. Reure, *op. cit.,* pp. 77 et 91 ; C. Longeon, *op. cit.,* pp. 179 et 181. Le contrat de mariage prévoyait que la célébration devait avoir lieu « dans le temps de troys ans proclamez du jour de la datte du present » (*Archives départementales du Rhône, Régistre des insinuations de la Sénéchaussée,* janvier-mars 1572). Voir, encore, *Archives de la Diana,* 2 E, « Urfé ».

(79) *Le Sireine, Le despart,* str. XVII, f. 12 r°.

C'est bien alors qu'il faut situer le départ. En quels lieux ? Peut-être à Malte ? Du moins, en Italie. *L'Astrée* nous fournira à ce propos des renseignements plus précis. Sireine nous apprend qu'un voyage ordonné par son maître le conduisit très loin. Il obéit, comme Honoré à son frère Anne devenu son maître, depuis la mort de Jacques d'Urfé. Nous sentons la douleur du jeune homme, quand il dut s'éloigner, car son amour est incompris :

« Quels devinrent ces deux amants,
Quels furent leurs moindres tourments
Dy le berger, nul que toy mesme
Ne sçauroit dire un dueil si grand
Parce que nul ne le comprend,
Si ce n'est l'amant que l'on ayme. » (80)

Un accent de sincérité caractérise ces vers. Nul ne peut s'y tromper. Ne découvrons-nous pas aussi la tentation que dut éprouver Honoré d'Urfé, celle de désobéir à l'ordre donné et de fuir ?

« C'est mon maistre ce grand pasteur
Qui m'en envoya à contre-cœur...
...
Il est vray que laisser je puis
Pour vous le maistre à qui je suis,
Mais par là mon mal je n'allege :
Car dictes moy faisant ainsi,
Comment retourneray-je icy
Ou comment y demeurerai-je ? » (81)

Le mariage de Diane ne laissait alors aucun espoir à Honoré. A cette époque, il ne pouvait prévoir l'issue que connaîtraient ses sentiments pour sa belle sœur. Refuser de partir, c'était engager la renommée de Diane :

« Puisque n'ayant à mon sejour
Nul autre subjet que l'amour,
Vous seule estant pour estre aymée,
Ou seule au moins digne de moy
Ce plaisir je n'acheteroy
Au prix de vostre renommée ». (82)

Cette résolution de n'être point infidèle à son amour, quoi qu'il advienne, n'est-ce point celle que prit Honoré à la veille de son départ ?

« Je jure que jamais parens
Contre moy devenus tyrans,
Ny mere plus qu'ourse cruelle,
Ne pourront mon amour changer,
Toutes choses courent danger
Du changement, mais non point elle ». (83)

---

(80) *Ibid.*, str. XIII, f. 13 r°.
(81) *Ibid.*, str. CVI et CVII, f. 25 v° et 27 r°.
(82) *Ibid.*, str. CVIII, f. 27 r°.
(83) *Ibid.*, str. CXXXI, f. 31 r°.

Il y a tout lieu de croire, en effet, que cet amour déplut à Renée de Savoie, quand elle en fut informée. Anne d'Urfé, nous l'avons dit, rejeta la responsabilité de la mort de sa mère sur son frère. Ne découvrons-nous pas une allusion à la ligue de la mère et du frère dans cette réflexion que l'auteur du *Sireine* place sur les lèvres du messager, à propos de Diane contrainte d'épouser Delio ?

« Juge combien peut contre tous,
D'une mere l'aspre courroux,
Et la violence d'un frère,
La Malice d'un mesdisant
Et ce que chacun va disant,
Et puis voy ce qu'elle peust faire. » (84)

Les dix années de tourment évoquées par *Les Epistres Morales* commencent ici : la famille qui désapprouve, la médisance qui s'installe et les ennuis de Diane :

« A sa mere desobeyr,
Le courroux fraternel fuyr,
Peut-estre encor seroit faisable,
Mais en tous lieux s'ouyr nommer,
Voilà celle qui veut aymer ?
O Dieux ! il n'est point supportable ». (85)

Le poème se clôt sur une strophe de désespoir et de souhait de vengeance, qui n'a rien d'impersonnel :

« Quel mal'heur que de des-unir
La foy qui devoit retenir
Diane, à Sireine arrestée,
Fasse le ciel pour les venger
Que qui la faict, puisse loger
L'aigle que repaist Promethée. » (86)

Nous avons déjà lu, dans *Les Epistres Morales,* de semblables cris de vengeance contre l'ami qui a trahi. Un même sentiment de l'honneur et une même sensibilité toute vibrante de douleur s'y découvrent. D'Urfé, trois ans après son mariage, fidèle à sa jeunesse, révisa méticuleusement ce poème. L'expérience personnelle et l'émotion revévue s'y mêlent, à l'imitation d'une œuvre aimée parce qu'elle fournissait un exemple d'amour malheureux. *Le Sireine* est un poème commencé dans l'adolescence, *L'Astrée* se poursuivra dans l'âge mûr, d'une facture littéraire plus achevée. Des années avaient passé, la Ligue et les souffrances avaient mûri son esprit, quand Honoré mit la dernière main à la première partie de son roman.

---

(84) *Ibid., L'absence,* XCV, 49 v°.
(85) *Ibid.,* XCVI, 50 r°.
(86) *Ibid., Le retour,* CCLXXXIIII, f. 110 r°.

III. — *L'ASTREE.*

L'Astrée présente des situations et des personnages qui ne sont pas sans rapport avec *Le Sireine.* Ceci n'est pas pour nous surprendre, puisque le projet de *L'Astrée* date de la jeunesse d'Urfé, probablement entre 1583 et 1589, si l'on en croit Ducroset ; plus certainement, l'ébauche fut tracée de 1587 à 1590, si l'absence de Céladon est le récit de celle d'Urfé, antérieure à 1587.

Il ne fait aucun doute, en tous cas, que bien avant 1593, l'auteur de *L'Astrée* avait déjà conçu les grandes lignes de son roman qui devait alors porter le titre de *Bergeries*. Les noms des personnages sont déjà fixés, ceux de Céladon, Astrée, Pirame, Aminte, Lycidas, Galathée, ainsi qu'en témoigne *La Philocalie,* où le berger Athilde, attendant les autres bergers et pastourelles, chante à haute voix deux sonnets, « qu'il avoit dressez sur les *Bergeries* de Monsieur le chevalier d'Urfé, qui lui avoit faict cest honneur de les luy communiquer. » (87) Après avoir rappelé la gloire acquise par d'Urfé au siège d'Espally, Ducroset ajoute :

> « ...car vous aimez la chasse
> Faicte au pour-pris d'une belle beauté. » (88)

Cette beauté est-elle Diane ? Et, pouvons-nous retrouver, dans *L'Astrée,* des allusions assez claires pour en déduire qu'Honoré d'Urfé a peint ses amours sous le couvert des aventures de Céladon et d'Astrée ?

La tradition du XVIIe siècle ne le met pas en doute. Patru, Huet, le sieur de la Goutte, Perrault sont d'accord sur ce point. Patru prétend avoir recueilli les confidences personnelles d'Honoré d'Urfé :

> « Lorsqu'en mon voyage d'Italie je passay par le Piemont, je vis l'illustre d'Urfé, et je le vis avec tant de joye, qu'encore aujourd'huy je ne puis penser sans plaisir à des heures si heureuses. Il avoit cinquante ans et davantage ; je n'en avois que dix-neuf : mais la disproportion de nos âges ne me faisoit point de peur ».

Une véritable amitié est née entre eux : « Dans nos entretiens, [dit Patru], il me parloit de diverses choses : mais pour moy je ne luy parlois que de son Astrée ». (89) D'Urfé, pressé de questions, avait promis de donner tous les éclaircissements, dès son retour de voyage. La mort contrecarra cette promesse. Néanmoins, Patru rapporte le peu de renseignements qu'il prétend avoir obtenus au cours de ces conversations :

> « Toutes les histoires de l'*Astrée* ont un fondement véritable : mais l'auteur les a toutes romancées, si j'ose user de ce mot, je veux dire que pour les rendre plus agreables, il les a toutes

(87) *La Philocalie du Sieur Ducroset Foresien,* Lyon, E. Servain, 1593, p. 174.

(88) Id., *ibid.*, p. 157.

(89) Patru, *Plaidoyers et œuvres diverses...*, 2e partie, *Eclaircissements sur l'Histoire de l'Astrée,* p. 103.

melees de fictions, qui quelquefois sont des fictions toutes pures, mais le plus souvent ce ne sont que voiles d'un ouvrage exquis dont il couvre de petites veritez qui autrement seroient indignes d'un roman. » (90)

Patru révèle que d'Urfé est, à la fois, Céladon et Silvandre, Diane de Chateaumorand, Astrée et Diane. Mais il fait état d'un amour qui aurait uni Diane et Céladon, depuis la prime jeunesse, puisqu'il aurait été antérieur au mariage d'Anne d'Urfé :

« Notre auteur étoit fort jeune, et presque encore enfant quand il commença à l'aimer, et son voyage de Malthe, qui dura plusieurs années, ne put éteindre ni diminuer son amour. Pendant son absence on maria cette fille si merveilleuse avec l'aîné d'Urfé. » (91)

Comment accepter un tel récit, puisque les dates le contredisent ? Dès lors, le reste des éclaircissements est le fruit d'une imagination débordante. Ainsi, le désespoir de Céladon qui se jette dans le Lignon devient « son voyage de Malte et ses vœux de Chevalier » ; Alexis

« représente l'amitié qu'Astrée avoit pour luy, comme son beau-frère et les libertez innocentes qu'un beau-frere peut avoir avec une belle-sœur, ... quand Alexis se découvre pour Céladon, c'est lors qu'il donna le nom d'Amour à ce qu'Astrée ne prenoit que pour une affection de frere. Ce fut là le grand combat : car encore qu'elle l'aimât, comme jamais personne ne fut plus rigoureusement attachée à son devoir et à son honneur, que pourra-t-on penser de moy, disoit-elle, si j'épouse après tant d'années d'une familiarité qu'un frère a pu prendre avec une sœur, de moy qui devois sçavoir qu'en effet je n'étois point mariée ? » (92)

Il valait la peine de citer ce long passage d'une lettre justement restée célèbre, pour qu'on pût juger du crédit à lui accorder (93). L'auteur se donne trop de peine pour tout expliquer. Huet, quant à lui, ne fait que reprendre ce récit ; ce serait, d'ailleurs, à sa demande que Patru aurait raconté sa conversation avec d'Urfé (94). Huet rapporte que d'Urfé prétendait que la famille de Diane et la sienne n'étaient pas d'irréconciliables ennemis

« et assurait que les seules veües d'interest produisirent ce mariage [celui d'Anne et de Diane] et qu'il ny avoit jamais eü aucune brouillerie considerable entre les deux familles. » (95)

Ceci n'exclut cependant pas toute mésentente entre les d'Urfé et les Chateaumorand. Sous la plume du correspondant de Mademoiselle de Scudéry, même version de l'amour d'Honoré pour Diane :

---

(90) Id., *ibid.*, pp. 104-105.
(91) Id., *ibid.*, p. 107.
(92) Id., *ibid.*, p. 108.
(93) Voir, à ce propos, M. Magendie, *op. cit.*, pp. 77-81, p. 83, n. 1.
(94) Id., *ibid.*, p. 77, n. 1. Huet, lettre citée.
(95) Huet, *lettre citée*, p. 247.

« Pendant que ce mariage se pratiquoit, Honoré voyant souvent Diane en devint éperdument amoureux, il plaisoit fort à Diane, et si on luy eut donné le choix, elle n'eut pas balancé à le preferer à Anne son frere qu'on luy destinoit. Mais l'interest des maisons ne s'y rencontrant pas le pere d'Honoré, homme avisé, pour le depayser, l'envoya à Malte dont il l'avoit fait recevoir ».

Le XVIIe siècle fit son profit de ces récits, et chacun renchérit sur les amours de Diane et d'Honoré. Ainsi va l'imagination ! Perrault reprend l'essentiel de l'interprétation de Patru et Huet :

« Ce roman, [écrit-il], n'est pas un pur roman ; c'est un tissu enigmatique des principales aventures de son auteur. Avant qu'il partît pour faire son stage à Malthe, il avoit pris de l'amour pour Mademoiselle de Chateaumorand, belle, riche et fière... Pendant son absence on la maria avec l'aisné... Les maisons d'Urfé et de Chateaumorand, les deux plus grandes maisons de tout le Forest, estoient ennemies, de sorte que les parens furent bien aises de tarir par cette alliance la source des malheurs qui pouvoient arriver à tous momens. D'Urfé à son retour trouva sa maîtresse mariée ; il ne laissa pas de l'aimer toujours, et il y a apparence qu'il n'ignoroit pas le secret defaut de son frere... Ces aventures ont donné lieu à celles de Céladon, de Silvandre, d'Astrée et de Diane, qui en sont des images mystérieuses ! » (96)

La lettre du sieur de la Goutte rappelle seulement qu' « on croit que cette Diane a esté le sujet de l'Astrée... » (97) Des clés de *L'Astrée* circulèrent pendant le XVIIe siècle. Le XVIIIe siècle répéta cette interprétation de *L'Astrée,* tant elle était ancrée dans les esprits. Des pièces diverses du XVIIIe siècle conservées à la Bibliothèque Nationale rapportent qu'Honoré était

« sieur de Chateauneuf, Valromay, Virieu le Grand, puis de Chateaumorand par son mariage avec la femme de son frere aîné Dianne de Chenillac héritière de Chateaumorand quoy qu'il fut chevalier de Malthe. Il l'aimoit depuis longtemps, et c'est à cette occasion qu'il composa le roman de l'Astrée où ses aventures et celles de la Cour sont ingenieusement decrites. » (98)

Cette tradition s'établit du vivant d'Honoré d'Urfé et, ainsi, elle acquit un grand poids. Il faut en rejeter ce qu'elle comporte d'exa-

---

(96) Charles Perrault, *Les hommes illustres qui ont paru en France pendant ce siècle,* Paris, Dezallier, 1696-1700, 2 vol., t. II, *Honoré d'Urfé, chevalier de Malte,* p. 39.

(97) *Mercure Galant,* juin 1683, p. 113 ; C. Longeon, *art. cit.,* p. 259.

(98) *B.N., Dossiers bleus,* mémoires, notes, généalogies, brouillons, pièces diverses classées au Cabinet des Titres au milieu du XVIIIe s. *Dossier 17286,* f. 3 r°, en marge : « Ce roman est pris de l'histoire de nos premiers rois, à la fin du Ve et au commencement du VIe siecle. Baltazar Baro son domestique et son secretaire en fit la Ve partie 1627. Il est faux que ce fut l'histoire de ses amours avec sa femme puisqu'il vecut assez mal avec elle et qu'il ne l'épousa que pour conserver les biens de Chataumorant. » Mais au f. 24 v°, on lit le brouillon d'une généalogie aboutissant à Honoré d'Urfé dont il est dit : « C'est lui qui randit celebre sa femme Diane de Chateaumorand sous le nom d'Astrée dont il composa le roman qui porte ce nom et qui est tousjours estimé malgré son ancienneté. » Ceci nous montre les hésitations qui se manifestaient au XVIIIe siècle.

géré ou de trop précis et n'en garder que l'essentiel : la brouille entre les deux familles de Chateaumorand et d'Urfé, l'amour de Diane et d'Honoré et le récit des aventures de Céladon, Silvandre, Astrée et Diane, le voyage d'Honoré à Malte. Néanmoins, il convient de considérer que d'Urfé chercha à dérouter ses lecteurs et à piquer leur curiosité plutôt qu'à la satisfaire.

Les aveux faits à Pasquier et les réticences manifestées au début de la première partie de *L'Astrée* en sont une preuve. Une amitié liait Honoré à Estienne Pasquier, depuis son séjour à Paris, en 1607 (99) ; il lui envoya donc son livre avec cette lettre :

> « Je vous eusse moy-mesme porté ce livre qu'avez désiré de moy, si je n'eusse eu peur de rougir en vous le donnant. Que si me demandez d'où procede ceste honte, je vous diray que c'est de vous et de moy. Ceste bergere que je vous envoyai n'est véritablement que l'histoire de ma jeunesse, sous la personne de qui j'ay representé les diverses passions, ou plustost follies qui m'ont tourmenté l'espace de cinq ou six ans. Et quoy que ces furieuses tempestes soient cessées, et que, Dieu mercy, je jouisse à ceste heure d'autant de calme qu'autrefois j'ai esté incapable d'en avoir. Si ne laisse je d'aprehender qu'un juste estimateur de toutes choses comme est ce grand Pasquier, voyant le commencement de mon aage si agité de troubles et orages (pour ne dire un esprit plein de folie en ma jeunesse), ne face un sinistre jugement de moy et de ce que je puy estre devenu. » (100)

Pasquier répondit :

> « Au regard du particulier qui concerne vos amours, en avez dextrement estallé l'histoire, que je veux allegoriser... En l'histoire de vos Amours, je voy un Céladon (qui estes vous mesme), desmesurement esperdu en l'Amour de la belle Astrée, se laisser emporter à la mercy de vostre fleuve Lignon... ; et, quant à vos jeunes folies, si j'en suis creu, c'est une grande sagesse au jeune homme d'estre amoureux, moyennant que ce soit un lieu honneste. » (101)

« Les diverses passions ou plustost follies » qui l'ont tourmenté, « l'espace de cinq ou six ans », suggèrent-elles qu'il a aimé d'autres femmes que sa belle-sœur ? Il paraît bien s'agir simplement des sentiments qu'il éprouva au cours de sa passion pour Diane : désespoir, jalousie peut-être, amour lui-même (102). Les « follies » sont les actes parfois insensés qu'un adolescent ou un jeune homme passionné peut commettre. Ceci corrobore l'hypothèse selon laquelle cette période de la vie d'Honoré jeta le trouble dans la famille d'Urfé et fut cause de la discorde entre les deux frères. Cela dura « cinq ou six ans », dit-il ; si l'ébauche de *L'Astrée* est antérieure à 1590, il y a toute chance pour que cette passion naquit vers 1583-84 et, ainsi, tout s'enchaîne logiquement : l'absence loin du Forez,

---

(99) Voir, à ce propos, O.C. Reure, *op. cit.*, pp. 135, 139-140.
(100) E. Pasquier, *Lettres*, Paris, L. Sonius, 1619, 3 vol., t. II, pp. 417 sq.
(101) *Ibid.*
(102) Voir, à ce propos, M. Magendie, *op. cit.*, p. 76.

la mort de Renée de Savoie, le retour, l'engagement dans les rangs de la Ligue et, enfin, dès 1592, la demande d'annulation des vœux dans l'Ordre de Malte, qui marque la conclusion de la situation dramatique dans laquelle il s'était engagé. Tout concorde approximativement avec ces dix années de souffrances dont Honoré nous parle dans *Les Epistres Morales* : il fut alors le « désespérément amoureux » dont parle Pasquier.

Malgré tout, cette lettre à Pasquier reste discrète, elle est le jugement qu'un homme de plus de 35 ans porte sur sa jeunesse, à l'heure où ses sens commencent à s'apaiser. Il connaît maintenant la stabilité de ses amours heureusement conclues par un mariage. C'est la confidence d'un homme mûr à un vieillard devenu son ami. Mais, quand il s'adresse au lecteur, Honoré d'Urfé proteste qu'il n'a pas voulu cacher ses aventures derrière la fiction :

> « Si tu te trouves, [dit-il à la bergère Astrée], parmy ceux qui font profession d'interpreter les songes, et descouvrir les pensées plus secrettes d'autruy, et qu'ils asseurent que Céladon est un tel homme, et Astrée une telle femme, ne leur reponds rien, car ils sçavent assez qu'ils ne sçavent pas ce qu'ils disent ; mais supplie ceux qui pourroient estre abusez de leurs fictions, de considerer que si ces choses ne m'importent point, j'aurois ou bien peu d'esprit de les avoir voulu dissimuler et de ne l'avoir sceu faire. Que si, en ce qu'ils diront, il n'y a guere d'apparence, il ne les faut pas croire, et s'il y en a beaucoup, il faut penser que pour couvrir la chose que je voulois tenir cachée et ensevelie, je l'eusse autrement deguisée. Que s'ils y trouvent en effet des accidents semblables à ceux qu'ils s'imaginent, qu'ils regardent les parallèles, et comparaisons que Plutarque a faites en ses Vies des hommes illustres. » (103)

Honoré d'Urfé se défend mal, son désaveu n'est pas catégorique et il laisse planer sur l'œuvre un certain mystère qui ne fut pas sans piquer la curiosité du lecteur. Avouer que Céladon n'était qu'un autre lui-même, c'était manquer à la bienséance et à la pudeur qui caractérisent le XVIIe siècle. Renvoyer le lecteur aux *Vies* de Plutarque était tout de même laisser entendre que la fiction de *L'Astrée* avait un fondement réel. Douze ans plus tard, alors qu'il atteint la cinquantaine et que les deux premières parties de *L'Astrée* connaissent un important succès, Honoré d'Urfé ne se gêne plus pour livrer le secret de sa jeunesse :

> « Belle et agreable riviere de Lignon, sur les bords de laquelle j'ai passé si heureusement mon enfance et la plus tendre partie de ma premiere jeunesse, quelque payement que ma plume ayt pû te faire, j'avoue que je te suis encore grandement redevable, pour tant de contentemens que j'ay receus le long de ton rivage, à l'ombre de tes arbres feuillus, et à la fraischeur de tes belles eaux, quand l'innocence de mon aage me laissoit jouyr de moy-mesme, et me permettoit de gouster en repos les bon-heurs et les felicitez que le Ciel d'une main liberale respandoit sur ce bien-heureux païs, que tu arrozes de tes claires et vives ondes... que si tu as aussi bien la memoire des agreables

(103) *Astrée, l'Autheur à la Bergere Astrée*, p. 6.

occupations que tu m'as données, comme tes bords ont esté bien souvent les fideles secretaires de mes imaginations et des douceurs d'une vie si desirable, je m'asseure que tu recognoistras aisement qu'à ce coup que je ne te donne, n'y t'offre rien de nouveau, et qui ne te soit desja acquis, depuis la naissance de la passion que tu as veue commencer, augmenter et parvenir à la perfection le long de ton agreable rivage et que ces feux, ces passions, et ces transports, ces desirs, ces soupirs et ces impatiences sont les mesmes, que la beauté qui te rendoit tant estimé par dessus toutes les rivières de l'Europe, fit naistre en moy durant le temps que je frequentois tes bords, et que, libre de toute autre passion, toutes mes pensées commençoient et finissoient en elle, et tous mes desseins et tous mes desirs si limitoient à sa volonté... Le feu qui alluma ceste affection fut si clair et beau, qu'il n'eut point de fumée, et l'embrazement si pur et net, qu'il ne laissa jamais noirceur apres la bruslure en artifices, dont depuis il se servit. » (104)

Honoré d'Urfé continue en affirmant que la passion qui l'a lié ne peut s'éteindre. Ce sont des « nœuds gordiens », et « la mort seule peut en estre l'Alexandre ». Il faut faire, sans doute, la part de la littérature, dans de tels aveux :

> « ny les hivers passez, ny tous ceux qu'il plaira à mon destin de redoubler à l'avenir sur mes années, n'auront jamais assez de glaçons, ny de froideur, pour geler en mon ame les ardentes pensées d'une vie si heureuse. »

Exilé loin du Forez, où est née cette passion, condamné à vivre sans revoir jamais La Bastie ni les rives du Lignon, il revit, en les écrivant, les souvenirs de son amour d'adolescent et de jeune homme. Dans ses œuvres, d'Urfé reste fidèle à sa jeunesse. Attaché à son passé, il reprend son ancien projet de roman peu après son mariage, et le poursuit jusqu'à la mort, malgré son éloignement de Diane. Huet semble avoir raison quand il écrit :

> « On ne peut concilier ces sentiments avec l'éloignement dans lequel il vivoit séparé d'Astrée, qu'en disant qu'il estoit toujours amoureux de l'idée qu'il conservoit de l'Astrée, si differente de l'Astrée d'alors. » (105)

Pourtant, des indications fournies par *L'Astrée* permettent d'établir des rapports très nets entre Honoré et Diane, Céladon et Astrée. Certes, l'identification n'est pas toujours facile, puisque Honoré d'Urfé cherche à embrouiller les pistes. Malgré tout, *L'Astrée* jette quelques lumières sur les années obscures de son auteur.

Céladon appartient à l'une des principales familles du Forez (106), il est « de l'ancien tige des chevaliers » (107), et il est, comme son parent Lindamor, « de cest illustre sang de Lavieu » (108). Or, les d'Urfé étaient alliés à la famille de Lavieu ; toutes les tra-

---

(104) *Ibid.*, III, *L'Autheur à la riviere de Lignon*, pp. 5-6.
(105) Huet, *op. cit.*, pp. 249 sq.
(106) *Astrée*, I, 1, 17.
(107) *Ibid.*, I, 9, 368.
(108) *Ibid.*, II, 10, 419 ; II, 8, 311, « La maison de Lavieu et la sienne vient d'un mesme tige. »

ditions locales rapportent cette parenté, et les écussons des deux maisons sont la contrepartie l'un de l'autre (109). Jean d'Urfé épousa, en 1408, Eleonor de Lavieu (110). Astrée appartient, avec Diane, aux meilleures et plus anciennes Maisons de la contrée et de toutes les Gaules. La famille de Diane de Chateaumorand, que ce soit celle des Chatelus-Chateaumorand, ou celle des Lelong de Chenilhac, était ancienne et célèbre. De la race des Chatelus-Chateaumorand est sorti l'illustre Jean de Chateaumorand, homme de guerre et diplomate, qui fut mêlé aux grands événements du règne de Charles VI et aux affaires d'Orient (111). Astrée habite chez son oncle, ainsi que nous l'avons vu (112), une demeure qui évoque La Bastie. Quand Honoré connut Diane, celle-ci devait en effet résider à La Bastie ; c'est là que leur amour naquit.

Mais Honoré transpose les faits, transforme la réalité. Astrée, comme la Diane du *Sireine,* n'est pas mariée ; son oncle veut lui faire épouser un riche berger qu'elle n'aime pas. Elle n'a que douze ou treize ans et Céladon, quatorze ou quinze ans (113). Quand Diane épousa Anne, elle avait dix ans et Anne, dix-sept. Une brouille sépare les deux familles, une rivalité d'amour en est la cause, selon L'Astrée (114). Patru et Huet, qui rapportent cette discorde, ne sont pas prolixes sur ce point. Ont-ils imaginé à partir de *L'Astrée* ou rapportent-ils un fait bien établi par la tradition ? Tout nous conduit à nous rallier à cette dernière hypothèse, puisque le père de Diane était protestant (115) et que la famille d'Urfé était catholique.

Cette brouille explique la décision d'Alcippe, quand il s'aperçut que Céladon aimait Astrée. Ne voulant que

> « ceste amitié passast plus outre, il resolut avec le bon vieillard Cleante son ancien amy, de luy faire entreprendre un voyage si long, que l'absence effaçast ceste jeune impression d'amour, mais cest eloignement y profita aussi peu que tous les autres artifices, dont depuis il se servit. » (116)

Au vrai, le père d'Honoré était mort depuis le 23 octobre 1574 (117) et nous ignorons qui pouvait être Cléante, mais l'événement essentiel est l'éloignement de Céladon.

Nous retrouvons, ici encore, le thème déjà développé dans *Le Sireine.* Astrée apprend à Diane que Céladon dut affronter « par

---

(109) Voir La Mure, *Histoire genealogique de la Maison d'Urfé,* in A. Bernard, *op. cit.,* p. 26 ; A. Bernard, *op. cit.,* p. 7 et n. I ; A. Broutin, *Histoire des couvents de Montbrison,* Saint-Etienne, 1874-1881, 3 vol., t. III, pp. 337-344.

(110) Ce Jean d'Ulphé fut volé et assassiné par ses domestiques en son château d'Urfé.

(111) Voir O.C. Reure, *op. cit.,* pp. 111-112.

(112) *Astrée,* III, 11, 627.

(113) *Ibid.,* I, 4, 112.

(114) *Ibid.,* I, 1, 10, I, 2, 64. Alcée, père d'Astrée, était amoureux d'Amarillis. Alcippe qui en était aussi amoureux finit par l'épouser.

(115) Voir C. Longeon, « Quelques foréziens réputés protestants en 1568 », in *BD,* t. XI (1968), n° 6, pp. 248 sq.

(116) *Astrée,* I, 4, 120.

(117) Voir C. Longeon, *op. cit.,* p. 180.

deux fois » « la froideur des Alpes » (118). Céladon raconte à Léonide son amour pour Astrée et lui livre un peu plus de détails sur ce voyage qu'il entreprit :

> « ...mon père qui ne trouvant remede à cette affection qu'il voyait croistre devant ses yeux, resolut de me faire sortir de la Gaule, et me faire passer les Alpes, et visiter la grande cité, pensant que l'esloignement pourroit obtenir sur moy ce que ses deffences et contrarietez n'avoient jamais peu. » (119)

Le chemin suivi par Céladon est minutieusement décrit :

> « ...je partis, et passant par les Allobroges, je ne sçaurois vous dire combien je courus de fortune par les rochers et precipices affreux des Sebusiens, des Caturiges, des Bramovices et Carroceles, et jusques aux Segusiens, où je parachevay les Alpes Coties. » (120) « ...Et parce qu'auparavant ayant passé les destroits des Sebusiens, je voulus éviter la fascheuse montagne des Caturiges, me mettant sur le Rosne, je me resolus de suivre ce grand lac qui flotte contre les rochers escarpez de cette montagne, mais je ne fus pas soulagé par l'eau davantage que par la terre... Au sortir de ce grand lac, je traversay les grands bois des Caturiges, et après avoir passé Isere, riviere qui vient des Ceutrons, je traversay l'ettroite valée des Carroceles et Bramovices, qui me conduit jusqu'aux monts Coties. » (121)

D'Urfé n'imagine pas le chemin suivi par Céladon. Il est situé avec tant de précisions que nous pouvons le reconstituer sur une carte. Nous n'avons aucune preuve qu'Honoré d'Urfé se rendit en Italie entre 1607 et 1610, à l'époque où il composait la deuxième partie de *L'Astrée*. C'est en 1611 qu'il alla à Turin pour y accomplir une mission diplomatique, à la demande de la régente (122). L'itinéraire tracé aussi minutieusement dans la deuxième partie de *L'Astrée* suppose donc qu'Honoré d'Urfé accomplit un voyage en Italie, avant 1607. Il faut admettre qu'il se rendit au-delà des Alpes entre 1584 et 1590.

Cet éloignement de Céladon n'eut pas pour terme la ville de Rome. Il dit à Léonide que la curiosité l'a conduit plus loin :

> « Je ne vous sçaurois dire avec quelle curiosité je voulois apprendre toute chose, esperant qu'Astrée m'en aymeroit mieux. Approchant donc de l'Appennin, je sceus qu'il y avoit des montagnes qui brusloient continuellement ; afin d'en sçavoir parler à mon retour, je voulus les voir, et cela fut cause que me detournant un peu du grand chemin je prins à main droitte. » (123)

Si nous dressons le bilan des renseignements fournis par les deux premiers livres de *L'Astrée,* nous constatons que Céladon a été envoyé en Italie par Alcippe, afin de lui faire oublier Astrée ;

(118) *Astrée,* I, 4, 121.
(119) *Ibid.,* II, 10, 401.
(120) *Ibid.,* II, 10, 403.
(121) *Ibid.,* II, 10, 404-405.
(122) Voir O.C. Reure, *op. cit.,* pp. 142-148.
(123) *Astrée,* II, 10, 406.

le terme du voyage devait être Rome, « la Grande Cité », afin d'y « frequenter parmy les bonnes compagnies » (124), mais, désireux de s'instruire, il s'écarta du chemin, pour aller contempler les « montagnes qui brusloient ». Lorsque Céladon revient en Forez, il a atteint dix-sept ou dix-huit ans et Astrée quinze ou seize (125). Ce séjour à l'étranger a donc duré trois ans. Mais rien ne put distraire Céladon de son amour pour Astrée, ni « les admirables beautez de ces Romaines » (126), ni les paysages de l'Italie, « la province la plus belle du monde » (127), ni la splendeur des villes

> « qu'ils nomment citez, où les palais de marbre, et les enrichissures qui surpassent l'imagination estonnent plustost ceux qui les regardent, qu'ils ne peuvent estre assez estonnez. » (128)

De retour en Forez, Céladon continue à fréquenter Astrée. Mais elle le contraint, pour cacher leur amour,

> « de faire cas de toutes les bergeres, qui auroient quelque apparence de beauté, afin que la recherche qu'il faisoit de moy [Astrée], fust plustost jugée commune que particulière. » (129)

Astrée et Céladon échangent des lettres, et Alcippe intercepte l'une d'elles. Céladon doit à nouveau s'éloigner, parce que son père

> « ne vouloit en sorte quelconque qu'il y eust alliance entre nous, à cause de l'extreme inimitié qu'il y avoit entre Alcée et luy, et au contraire avoit l'intention de le marier avec Malthée, fille de Forelle, pour quelque commodité qu'il pretendoit de leur voisinage. » (130)

Il séjourne quelque temps chez Forelle,

> « où l'on luy faisoit toute la bonne chere qu'il se pouvoit, et mesme Malthée avoit eu commandement de son pere de luy faire toutes les honnestes caresses qu'elle pourroit. » (131)

C'est alors qu'il reçoit une lettre d'Astrée lui annonçant son mariage avec Corèbe. La lettre contrefaite avait été exécutée à la demande d'Alcippe. Désespéré, Céladon fuit dans les bois et court

> « toutes les montaignes de Forests, du costé de Cervieres, où en fin il choisit un lieu qui luy sembla le moins frequenté avec dessein d'y parachever le reste de ses tristes jours. Le lieu s'appeloit Lapau... » (132)

Retrouvé par son frère Lycidas, il revient en Forez où il vit heureux, pendant trois ans, auprès d'Astrée, jusqu'à la trahison de

---

(124) *Ibid.*, II, 10, 406.
(125) *Ibid.*, I, 4, 122. Par ailleurs, Céladon avoue à Ursace qu'il est contraint de demeurer « en ceste Italie quelque temps », (*Astrée*, II, 10, 412.)
(126) *Ibid.*, I, 4, 121.
(127) *Ibid.*, II, 10, 405.
(128) *Ibid.*, II, 10, 406.
(129) *Ibid.*, I, 4, 122.
(130) *Ibid.*, I, 4, 134.
(131) *Ibid.*, I, 4, 142.
(132) *Ibid.*, I, 4, 142-143.

Sémyre (133). Pendant le séjour à Lapau, les parents de Céladon sont morts (134). Céladon part donc deux fois loin d'Astrée. Le premier voyage le conduit à Rome, étape ultime fixée par Alcippe. En cours de route, il se détourne à main droite du grand chemin, quand il a atteint les Apennins. Ces montagnes qui brûlent ne sont autres que les monts Métallifères, aux environs de Larderello. C'est une région singulière de la Toscane, célèbre pour ses fumerolles qu'on aperçoit de très loin et qui sont des jets de vapeur s'échappant des profondeurs de la terre. Puisque Céladon gagne ce lieu en se détournant du grand chemin qui mène à Rome, il ne peut nullement s'agir du Vésuve, ainsi qu'on l'a prétendu afin d'établir un voyage d'Honoré d'Urfé à Malte (135).

Honoré d'Urfé semble bien avoir séjourné à Rome. Le récit du voyage en Italie nous invite à le croire. Tout jeune homme qui avait terminé ses études en France partait pour l'étranger, deux ou trois ans, afin d'y apprendre les langues et souvent même s'y perfectionner en philosophie (136). Honoré eut sans doute à y parfaire ses connaissances en italien. Peut-être est-ce là qu'il apprit la langue espagnole, comme tous les jeunes gens qui fréquentèrent l'Université romaine, tels Antoine du Verdier, Papire Masson, Emmanuel Chalom (137). Ce séjour lui permit sans doute encore de s'initier à la pensée néo-platonicienne. Nous n'avons aucune preuve livrée par les Archives romaines, mais rien ne nous prouve non plus qu'il ait voyagé en d'autres pays (138). Sans un séjour à Rome, comment expliquer ses connaissances artistiques que nous décelons tout au long de la première partie de *L'Astrée* ? Certes, le goût pour les arts qui régnait à La Bastie fut décisif, mais la contemplation des tableaux de Vinci, de Raphaël, du Corège, lui fournit sa conception de la peinture et les portraits féminins qu'il trace (139). Où put-il donc s'initier à la Kabbale, ainsi que le troisième livre des *Epistres Morales* en donne la preuve ? S'il a séjourné trois ans à Rome, tout s'explique. Quand Renée de Savoie mourut à Parme en 1587, il s'y rendit, puis revint à la Bastie.

Après un bref séjour, comme son amour pour Diane persévère, il est à nouveau éloigné. *L'Astrée* fixe ici le voyage qui conduit Céladon auprès de Malthée, sans doute pas très loin du pays natal, puisqu'il peut s'enfuir pour gagner Lapau, dans la région de Cervières. Malthée est un nom étrange dans un tel roman. Il évoque Malte et nul des lecteurs du XVIIᵉ siècle ne s'y est trompé. Aucun document ne permet pourtant de situer un voyage à Malte. Honoré avait déjà fait sa profession dans l'Ordre. Les titres de noblesse manquaient

(133) *Ibid.*, I, 1, 10.
(134) *Ibid.*, I, 4, 146.
(135) R.W. Baldner prétend qu'Honoré d'Urfé se serait embarqué à Brindisi pour gagner Malte (*art. cit.*, p. 177).
(136) Voir *supra*, ch. II.
(137) Voir Papire Masson, *Annaei Anglurii cognomento Givrii...*, Paris, F. Morel, 1594, cité par P. Ronzy, *op. cit.*, p. 529 : « Utque in scholis Galliae latinam linguam hauserat sic in Italia Italicam Hispanicamque loqui a peritis didicit admirandum in modum. »
(138) Voir R.W. Baldner, *art. cit.*, p. 177.
(139) Sister M. Mac Mahon, *op. cit.*, p. 61.

à son dossier, la province elle-même devait les faire parvenir au Couvent. Si l'on se fie à ce que laissent entendre les Archives de Léran, elles ne furent fournies qu'en 1588. *L'Astrée* nous conduit à cette date, celle du séjour auprès de Malthée, fille de Forelle. Anne a-t-il voulu écarter définitivement son frère en lui rappelant ses vœux et ses devoirs de chevalier de Malte ? Honoré dut-il alors entrer dans les rangs de la Commanderie de Saint Jean des Prés à Montbrison (140) ? Cervières et Lapau ne se trouvent pas très éloignés de Montbrison ; Céladon a pu, avec vraisemblance, s'y réfugier sans difficulté. Cette fuite fut-elle réelle ou bien n'est-elle que symbolique ? Contraint moralement d'entrer dans l'Ordre de Malte, Honoré d'Urfé a pu, par la fuite, marquer sa résolution de faire annuler ses vœux. Une telle décision ne deviendra pourtant effective qu'en 1592. En tous cas, l'allusion à Malte est trop claire, dans le nom de Malthée, pour ne pas y voir le refus de l'auteur pour un état que ses goûts et l'amour de Diane lui rendaient insupportable.

Vécut-il ensuite trois années heureuses à La Bastie comme le laisse entendre *L'Astrée* ? Nous ne saurions le dire. Cependant, aucun des actes de donation, conservés à Saint-Just en Chevalet et antérieurs à 1590, ne porte sa signature, alors que celle de son plus jeune frère, Antoine, y figure. *L'Astrée* nous apporte ainsi quelques éclaircissements sur ces années, entre 1584 et 1590, jalonnées d'heureux moments, de désespoir, d'éloignements et de retours. Les combats de la Ligue, la mort d'Antoine d'Urfé et du duc de Nemours, les trahisons et les emprisonnements, achèvent la justification de ces dix années de malheur évoquées par *Les Epistres Morales*.

Faut-il rappeler encore que les chiffres marqués sur la houlette d'Astrée, des doubles C et des doubles A entrelacés, se présentent comme ceux d'Honoré et de Diane à Chateaumorand (141) ? Si, par ailleurs, nous examinons de près les caractères de Céladon et d'Astrée analysés dans *L'Astrée,* nous découvrons les qualités et les défauts d'Honoré et de Diane, tels qu'ils nous sont livrés par la tradition ou par les œuvres. Astrée, dans une lettre adressée à Céladon, trace d'elle-même ce portrait :

> « Je suis soupçonneuse, je suis jalouse, je suis difficile à gaigner, et facile à perdre, et puis aisée à offenser et tres malaisée à rapaiser. Le moindre doute est en moy une asseurance : il faut que mes volontez soient des destinées, mes opinions des raisons, et mes commandements des loix inviolables... je rompray plustost que de plier. » (142)

(140) L'Ordre de Saint Jean de Jérusalem possédait dans le diocèse de Lyon 6 commanderies dont celle de Montbrison fondée en 1154 par Guy II. Sur cette commanderie de Montbrison, voir Beyssac, *Abbayes et prieurés de l'Ancienne France. Recueil historique des Archevêchés, Evêchés, Abbayes et prieurés de France,* Paris, A. Picard, 1933, t. X, *Province ecclésiastique de Lyon,* 1re partie, p. 150 ; La Mure, *Ducs de Bourbon,* IV, 226 ; A. Broutin, *op. cit.,* t. II, p. 332 ; V. Jeannesson, *Monographie et historique de la Commanderie de Saint Jean de Jerusalem,* Saint-Etienne, 1890.

(141) *Astrée,* II, 5, 185.

(142) *Ibid.,* I, 3, 67.

Honoré peint de cette façon le caractère de Diane de Chateaumorand, que son comportement ne dément pas (143). Il s'analyse lui-même en ces termes :

> « ...Céladon, quoy que jeune enfant, a tousjours eu une telle résolution à vaincre toutes difficultez, qu'au lieu que quelqu'autre eust pris ces contrarietez pour peine, il les recevoit pour preuve de soy-mesme, et les nommoit les pierres de touche de sa fidélité. » (144)

N'est-ce pas ainsi qu'Honoré d'Urfé se révèle dans le premier livre des *Epistres Morales,* abattu, certes, par le malheur, mais capable d'y puiser une énergie nouvelle, pour tenter de vaincre la Fortune, fidèle à son amitié ?

Nous ne partageons pas l'avis de Patru, quand il prétend que Céladon et Astrée sont Honoré et Diane, avant « le mariage en figure » de Diane avec Anne d'Urfé, et après son annulation, et que Diane et Silvandre représentent Honoré et Diane, « pendant cette vaine apparence de mariage » (145). L'analyse est trop subtile pour être juste. D'ailleurs, Silvandre et Céladon ont-ils le même caractère, Diane et Astrée se ressemblent-elles ? Leurs destinées sont-elles semblables ? Les identifications de Patru sont beaucoup trop excessives pour être totalement prises au sérieux. Mais, en revanche, chercher à prouver qu'Honoré d'Urfé ne confie pas son amour dans *L'Astrée* n'est pas davantage acceptable. Pourquoi l'auteur de la lettre à Pasquier aurait-il « usé d'un innocent mensonge pour se donner de l'intérêt et une excuse auprès de ce maître en littérature » ? (146) On ne voit pas très bien ce qu'il aurait pu y gagner. Affirmer que « rien dans le cours du roman » ne semble « s'appliquer d'une manière directe à ce qu'on sait de la vie d'Honoré d'Urfé et de celle de son frère... » (147), c'est témoigner d'une lecture hâtive et superficielle de *L'Astrée.* Nous serons conduits à examiner les autres confidences d'Honoré à propos de son frère et des personnes qui ont vécu dans l'entourage de La Bastie ou qu'il a rencontrées à la Cour.

*
* *

Certes, les confidences d'Urfé sont moins claires, moins précises, dans les troisième et quatrième parties. L'amour d'Honoré pour Diane nous apparaît, dans les deux premières parties, encore plein de charme et de fraîcheur et son émoi y témoigne d'une sensibilité sous le coup des malheurs qui se sont heureusement dissi-

---

(143) Voir Huet, *lettre citée* ; O.C. Reure, *op. cit.,* p. 172.
(144) *Astrée,* I, 4, 120.
(145) Patru, *op. cit.,* p. 107.
(146) A Bernard, *op. cit.,* p. 207.
(147) Id., *ibid.* Voir les objections d'Artigny aux allégations de Patru et les réponses proposées par de Loménie, in *art. cit., Revue des deux Mondes,* vol. XII (1857), p. 627. Louis Mercier reconnaît qu'il ne fait aucun doute qu'Honoré d'Urfé se soit confié dans *L'Astrée* (« Honoré d'Urfé et l'Astrée », in *Revue des deux Mondes,* t. XXXI, p. 429). En revanche, N. Bonafous restreint beaucoup la part des confidences dans *L'Astrée* (*op. cit.,* pp. 243-246).

pés dans le mariage. Petit à petit, les deux caractères se sont affrontés, des malentendus se sont manifestés et la séparation fut inévitable. La troisième, puis la quatrième partie furent composées, loin de Diane, dans la solitude de Virieu le Grand (148). Honoré aimait-il encore Diane ? Du moins, il gardait en son cœur le souvenir ému de cet amour. Il était toujours amoureux de l'idée qu'il conservait de l'Astrée de sa jeunesse. Le roman ne nous livre plus guère les secrets d'une vie, seul demeure le sentiment. L'imagination transforme les événements et les déguise, au point qu'alors l'auteur peut avouer ingénument qu'il a raconté, dans son roman, ses passions de jeunesse. Leur souvenir, une fois livré dans le début de *L'Astrée,* perd ensuite ce qu'il contenait d'émotion ; l'ardeur de la passion s'apaise. Le sentiment devient susceptible d'une exploitation littéraire de plus en plus détachée. L'adolescence est plus loin dans le temps, les souvenirs de l'auteur continuent à alimenter le roman, plus inconscients que conscients, transformés davantage. A bien des égards, assurément, *L'Astrée* est un rêve d'adolescent et son monde intérieur se situe « à la frontière du réel et de l'imaginaire » (149), peut-être même plus proche qu'on ne le croit du monde réel que du monde imaginaire. L'image du passé est, certes, souvent riante, mais aussi pleine des douleurs de l'amant malheureux, parce que séparé de celle qu'il aime, condamné, même sous le déguisement d'Alexis, à ne pas connaître le bonheur espéré jadis, quoiqu'alors contrecarré déjà par la brouille des familles. Le Forez de *L'Astrée* est un paradis, mais un paradis désespéré (150), où, malgré les apparences, les personnages ne sont pas heureux, parce qu'ils sont à la recherche constante du bonheur. N'est-ce pas l'image de la vie d'Honoré d'Urfé et de Diane de Chateaumorand « qui marque l'échec du couple » (151) ?

Un monde d'adolescence est devenu œuvre d'art, où subsiste la souffrance, à côté du merveilleux et de l'enchantement ; du *Sireine* à *L'Astrée,* la plaie ouverte par l'amour continue à saigner. Seul, le dénouement de Baro met un terme aux échecs et aux malheurs qui jalonnent la vie des héros. Dans l'œuvre littéraire, Honoré d'Urfé chercha un soulagement à la souffrance qui a façonné sa sensibilité et sa conception de l'existence, car

> « les playes d'amour estant de telle condition que plus elles sont cachées et tenues secretes, plus aussi se vont-elles envenimant, et semble que la parole avec laquelle on les redit, soit un des plus souverains remedes que l'on puisse recevoir en l'absence. » (152)

(148) Voir O.C. Reure, *op. cit.,* p. 205.
(149) M. Debesse, *art. cit.,* p. 43.
(150) Voir l'ouvrage de J. Ehrmann, *Un paradis désespéré. L'amour et l'illusion dans l'Astrée.*
(151) M. Debesse, *art. cit.,* p. 45.
(152) *Astrée,* II, 8, 320.

CHAPITRE V

LE PAYS DE L'ASTREE

L'Astrée se caractérise par une certaine pudeur dans les confidences. Pourtant, le cadre de l'action est celui, bien réel, de l'enfance de l'auteur. Le Forez de *L'Astrée* n'est pas un pays imaginaire, ou conventionnel comme celui du *Sireine*. L'exactitude est sa marque essentielle et l'imagination de l'écrivain embellit les paysages pour en faire un paradis. La société pastorale n'est pas totalement utopique, elle joue son rôle sur une scène qui est réelle et représente à la fois le Forez dans sa réalité précise et le monde intérieur d'Urfé, depuis son enfance. Une tendresse empreint les descriptions d'un charme inégalé ; éloigné du pays de ses aïeux, conscient, comme les poètes de la Pléïade, que l'écrivain confère une renommée impérissable à ce qu'il célèbre, il écrit, au début de son roman :

> « Que si quelqu'un me blasme de t'avoir choisi un Theatre, si peu renommé en Europe, t'ayant esleu le Forests, petite contrée, et peu conneue parmy les Gaules, responds leur, ma bergere, que c'est le lieu de ta naissance, que ce nom de Forests sonne je ne sçais quoy de champestre, et que le pays est tellement composé, et mesme le long de la riviere de Lignon, qu'il semble qu'il convie chacun à y vouloir passer une vie semblable. Mais qu'outre toutes ces considerations encor j'ay jugé qu'il valoit mieux que j'honorasse ce pays où ceux dont je suis descendu, depuis leur sortie de Suobe, ont vescu si honorablement par tant de siecles, que non point une Arcadie comme le Sannazare. Car n'eust esté Hesiode, Homere, Pindare, et ces autres grands personnages de la Grece, le Mont de Parnasse, ny l'eau d'Hippocrene, ne seroient pas plus estimez maintenant, que notre Mont d'Isoure, ou l'onde de Lignon. Nous devons cela au lieu de nostre demeure, de le rendre le plus honoré et renommé qu'il nous est possible. » (1)

Reconnaissance et ferveur s'expliquent par une dette personnelle de l'artiste. L'humaniste se tait et la fiction mythologique, si chère à la Pléïade, disparaît, pour faire place aux impressions sincères. Les souvenirs littéraires sont ici moins importants que l'expérience vécue. Un sens du réel a d'ailleurs caractérisé l'œuvre poétique du

---

(1) *Astrée*, première partie, *L'Autheur à la Bergere Astrée*, pp. 6-7.

XVIe siècle (2). Dans ses descriptions de la nature, d'Urfé ne s'écarte pas du principe fondamental qui régit sa critique d'art. Un intérêt pour le monde sensible, dans sa réalité plastique, caractérise les descriptions de la nature dans *L'Astrée*. Capable de composer de vastes tableaux comme un peintre, le romancier décrit avec le souci de la précision des lignes, de la perspective et du relief, de la lumière et de l'ombre. D'Urfé appartient autant à la Renaissance, par son amour du détail précis, qu'à l'époque baroque, par son goût pour l'impression d'ensemble. Wölfin a bien indiqué cette différence : « La Renaissance s'absorbait avec amour dans chaque détail, et s'intéressait à son existence particulière, c'est-à-dire que l'art ne pouvait se lasser ni de la diversité, ni de l'expression intime du détail. A l'époque baroque, au contraire, on prend un plus grand recul, on ne recherche plus seulement le grand dans le détail, on recherche aussi une impression d'ensemble : moins de perception concrète, plus d'atmosphère » (3). Un monde de réalité concrète vit dans *L'Astrée*. D'Urfé aime les tableaux d'ensemble et s'attache aux vastes panoramas. Dans ce Forez calme et serein, apparemment heureux, vivent des hommes qui ne sont pas le pur fruit de l'imagination de l'auteur.

***

I. — LE FOREZ

Le Forez est un pays privilégié qui n'a pas été troublé par les guerres et, seul, le siège de Marcilly viendra, pour un temps, jeter le désarroi dans ce bonheur. *L'Astrée* commence presque comme un conte de fées :

> « Aupres de l'ancienne ville de Lyon, du costé du soleil couchant, il y a un pays nommé Forests, qui en sa petitesse contient ce qui est de plus rare au reste des Gaules, car estant divisé en plaines et en montaignes, les unes et les autres sont si fertiles et situées en un air si temperé, que la terre y est capable de tout ce que peut desirer le laboureur. Au cœur du pays est le plus beau de la plaine, ceinte, comme d'une forte muraille, des monts assez voisins et arrosée du fleuve de Loyre, qui prenant sa source assez près de là, passe presque par le milieu, non point encor trop enflé ny orgueilleux, mais doux et paisible. Plusieurs autres ruisseaux en divers lieux la vont baignant de leurs claires ondes, mais l'un des plus beaux est Lignon, qui vagabond en son cours, aussi bien que douteux en sa source, va serpentant par ceste plaine depuis les hautes montaignes de Cervieres et de Chalmasel, jusques à Feurs, où Loire le recevant, et luy faisant perdre son nom propre, l'emporte pour tribut à l'Océan. » (4)

(2) Voir, à ce propos, D. Ménager, *Introduction à la vie littéraire du XVIe siècle*, Paris, Bordas, 1968, pp. 160 sq. ; F. Montel, « Une réaction naturaliste au XVIIe siècle », *Le Figaro*, 30 mai 1925.
(3) H. Wölfin, *Renaissance et Baroque*, Paris, Livre de Poche, pp. 188-189.
(4) *Astrée*, I, 1, 9.

Les bergers qui vivent « sur les bords de ces delectables rivières » jouissent de la « bonté de l'air », de la « fertilité du rivage » et ont une « douceur naturelle ». Voilà une description qui n'est pas sans rappeler celle que, dans les *Géorgiques,* Virgile dresse de l'Italie, terre sans rivale. Faisons la part du souvenir littéraire, peu sensible malgré tout, et celle de l'éloge, mais constatons aussi la précision dans la situation des lieux. Dès avant 1575, dans une lettre adressée à Belleforest, Papire Masson avait célébré la richesse de sa province natale :

> « Le pays est suffisant, et a pour soy tant de bled, vins, forestz, la pluspart de sapin, bestail qu'autres choses ; le peuple est industrieux et de gentil esprit. » (5)

Anne d'Urfé, quant à lui, ne tarit pas d'éloges sur le Forez :

> « Or ce païs est partie en haultes montaignes, partie en collines et partie en plaines... Ses collines jouissent d'assez bon air, et qui est plus doux que celluy des haultes montagnes... quant à la plaine, elle est une des plus agreables qui se puisse voir, pour estre arousée de plusieurs belles rivieres et ruiseaux, entre lesquelles rivieres la principalle est celle de Loire... Ceste plaine ayant cantité d'eaux, tant de rivieres que d'estancs est abondante de touttes sortes de gibier, et s'y treuve des lievres les plus fors à la course qui se voyent en toutte la France, estant un païs très agreable pour touttes sortes de choses et pour le plaisir de la pesche... » (6)

Quand Honoré d'Urfé célèbre le pays du Forez, en insistant sur ses beautés, ses richesses et la bonté de son air, il partage l'opinion de ses concitoyens, et il ajoute à leurs affirmations une pointe de poésie, qui tient à la vision du paysage et au rythme de la phrase. Ni les uns ni les autres ne sont pourtant éloignés de la vérité, puisque la plaine du Forez jouit encore de cette réputation de douceur et de richesse. Néanmoins, la tendance d'Urfé est d'idéaliser sa province natale. Protégée des invasions, privilégiée par sa situation et ses richesses naturelles, elle est aussi, nous l'avons vu, la seule province qui ait pu sauvegarder la pureté de sa religion. Si tous les amants malheureux s'y rendent pour y entendre la réponse de l'oracle de Bonlieu et de Montverdun, et s'y établissent, c'est parce qu'elle leur promet le bonheur de l'Age d'or. En cela seulement, Honoré d'Urfé transforme la réalité ; il exagère les impressions réelles que nous éprouvons, quand, pour la première fois, nous parcourons la plaine du Forez qui s'étend sur les bords du Lignon. Dans *L'Astrée,* le réel se mêle au rêve, aux souvenirs idéalisés, et, ainsi, se crée cette atmosphère merveilleuse qui constitue l'un des caractères essentiels du roman. Quand d'Urfé, dès la première page, décrit le Forez, la réalité se mêle à l'imaginaire, le lyrisme apporte un charme nostalgique que nous ne trouvons pas sous la plume de Papire Masson, ni sous celle d'Anne d'Urfé. Honoré ne se comporte

(5) B.N., ms. 16661, f. 547 r° ; O.C. Reure, « Description du Forez par Papire Masson, avant 1575 », in *BD,* t. XIII (juillet-août 1902), pp. 88 sq.

(6) Anne d'Urfé, *Description du païs de Forez,* in A. Bernard, *op. cit.,* pp. 444-446.

pas en géographe seulement ; le Forez qu'il décrit, « c'est le sien, saisi dans son unité et sa variété lyrique, à travers des images chargées d'affectivité » (7), un monde d'adolescence, riant et riche, propice à la rêverie. Ainsi perçu, le Forez est un décor de théâtre, où se déroulent les aventures des personnages. Mais un décor est à la fois réalité et illusion ou rêve. La province natale est l'Arcadie du roman pastoral ; elle en a la fantaisie, mais non point l'irréalité.

Le Lignon n'est pas seulement un élément réel du paysage, mais aussi un véritable personnage (8). Il forme d'abord une ligne de démarcation qui sépare le domaine d'Amasis et de Galathée, de celui des bergers. Sur la rive gauche du Lignon se situent approximativement les hameaux et les cabanes des bergers et bergères, le temple de la Bonne Déesse où sont rendus les oracles. Sur la rive droite, s'élèvent le palais d'Isoure, où habite la nymphe Galathée, la demeure d'Adamas et le château de Marcilly. Entre les deux rives, bien que les distances soient petites, la vie est différente : chez Amasis et chez Galathée, les personnages sont soumis aux contraintes de la cour ; chez Adamas, les bergers éprouvent un sentiment de respect et de crainte. Le pont de la Bouteresse, qui permet de passer d'une rive à l'autre, est, en quelque sorte, un libérateur (9). Les personnages de *L'Astrée* le passent et le repassent. Céladon s'enfuit du palais d'Isoure, il laisse Montverdun à main gauche et, parvenu sur une hauteur, il contemple l'autre rive du Lignon,

> « où il avoit accoustumé de mener paistre ses troupeaux de l'autre costé de Lignon, où Astrée le venoit trouver, et où ils passoient quelquefois la chaleur trop aspre du soleil. Bref ceste veue luy remit devant les yeux la plus part des contentements qu'il payoit à ceste heure si cherement. » (10)

C'est sur ce rivage du Lignon que Céladon s'établit dans une caverne « qui du costé de l'entrée estoit lavée de la rivière, et de l'autre estoit à demy couverte d'arbres et de buissons » (11). Paris passe souvent le pont pour aller rejoindre Diane, Léonide en fait autant pour fuir la vie frelatée de la cour et partager le bonheur des bergers ; Adamas, pour porter ses consolations à Céladon et aux bergers malheureux, pour rendre la justice et recevoir les oracles de Tautatès, passe bien souvent, lui aussi, le pont de la Bouteresse.

Le Lignon apparaît encore comme le refuge des malheureux. Désespéré par la jalousie d'Astrée, Céladon se jette dans la rivière, « les bras croizes » (12). Silvandre, amoureux de Diane qui demeure insensible, cherche consolation à sa peine « sur le bord de la

---

(7) M. Debesse, *art. cit., Colloque commémoratif du quatrième centenaire de la naissance d'Honoré d'Urfé,* in *BD,* 1970, n° spécial, p. 38.

(8) M.I. Gerhardt, « Un personnage principal de l'Astrée : le Lignon », *Colloque commémoratif du quatrième centenaire de la naissance d'Honoré d'Urfé,* in *BD,* 1970, n° spécial, pp. 47-56.

(9) Voir Cartes I et II, pp. 181, 184.

(10) *Astrée,* I, 12, 475-476.

(11) *Ibid.,* I, 12, 483.

(12) *Ibid.,* I, 1, 13.

delectable riviere de Lignon » (13). Cette rivière n'est-elle pas évoquée par Honoré d'Urfé comme confidente et témoin de son aventure sentimentale, au début de la troisième partie (14) ? Le Lignon est le confident de Céladon, lorsqu'il est banni de la présence d'Astrée. Réfugié près de lui, dans un lieu solitaire, il compose un sonnet où il se compare à la rivière de Lignon (15). Il lui reproche seulement de lui avoir sauvé si cruellement la vie (16). Astrée, quant à elle, croyant Céladon noyé, rend le Lignon responsable de cette mort et, désormais, elle ne prononcera son nom qu'en le qualifiant de « désastreux Lignon » (17), de « malheureuse et diffamée riviere de Lignon » (18), « fascheuse riviere » (19). Le Lignon est ainsi, pour Astrée et Céladon, l'agent de leur destinée. Les bergers du voisinage ou les seigneurs et dames qui se rendent en Forez usent de toute autre épithète : « douce et délectable rivière de Lignon » (20), « gentil Lignon » (21). Ils espèrent, en effet, trouver le bonheur auprès de lui, parce que les oracles leur ont promis que sur ses bords seront résolus leurs problèmes d'amour.

Le Lignon a une telle importance dans *L'Astrée* qu'Honoré d'Urfé, contrairement à la tendance des disciples de la Pléiade, a évité de l'encombrer de divinités fluviales. Seules, trois fois, sont employées les expressions, « dieu de Lignon », « Genie de Lignon » (22). Point de Naïades, sauf au début de la troisième partie, dans le passage où l'auteur, s'adressant au Lignon, lui demande d'enseigner la mémoire de « ces choses passées » à ses « gentilles Nayades, qui peut-estre prendront plaisir de les raconter quelques fois... aux belles Dryades et Napées... » (23). Le Lignon confère à cette province qu'il traverse richesse et bonheur. Ses rivages sont agréables, embellis de prés et d'ombrages frais et plaisants (24). Pas plus que son frère Anne dans la *Description du païs de Forez,* Honoré n'exagère, quand il vante les richesses du Lignon. Celui-là énumère les poissons que l'on peut y pêcher,

> « truites et ...ombres très exellantes. Il s'y pesche aussy des saumons, des lemproyes, des brochets et des carpes ; mais c'est rarement : touttefois, lorsqu'il s'i en prand, ils sont beaucoup plus exellants à manger que ceux de Loire, pour estre l'eau plus vive. » (25)

---

(13) *Ibid.,* II, 1, 9.
(14) Pour l'interprétation de ces confidences, voir M.I. Gerhardt, *art. cit.,* p. 51.
(15) *Astrée,* II, 8, 314.
(16) *Ibid.,* II, 8, 315.
(17) *Ibid.,* I, 4, 143.
(18) *Ibid.,* II, 2, 74.
(19) *Ibid.,* III, 5, 223.
(20) *Ibid.,* II, 3, 106.
(21) *Ibid.,* IV, 6, 293.
(22) *Ibid.,* IV, 6, 281, 283 ; IV, 5, 250.
(23) *Ibid.,* IIIe partie, *L'Autheur à la riviere de Lignon,* p. 6.
(24) Sur la rivière du Lignon et les adjectifs utilisés par Honoré d'Urfé, voir l'étude de W. Farenheim, « Das Natürgefühl in Honoré d'Urfés Astrée », in *Romanische Forschungen,* XXXI Band, I Heft, Erlangen, 1921, pp. 367-369.
(25) In A. Bernard, *op. cit.,* pp. 446-447.

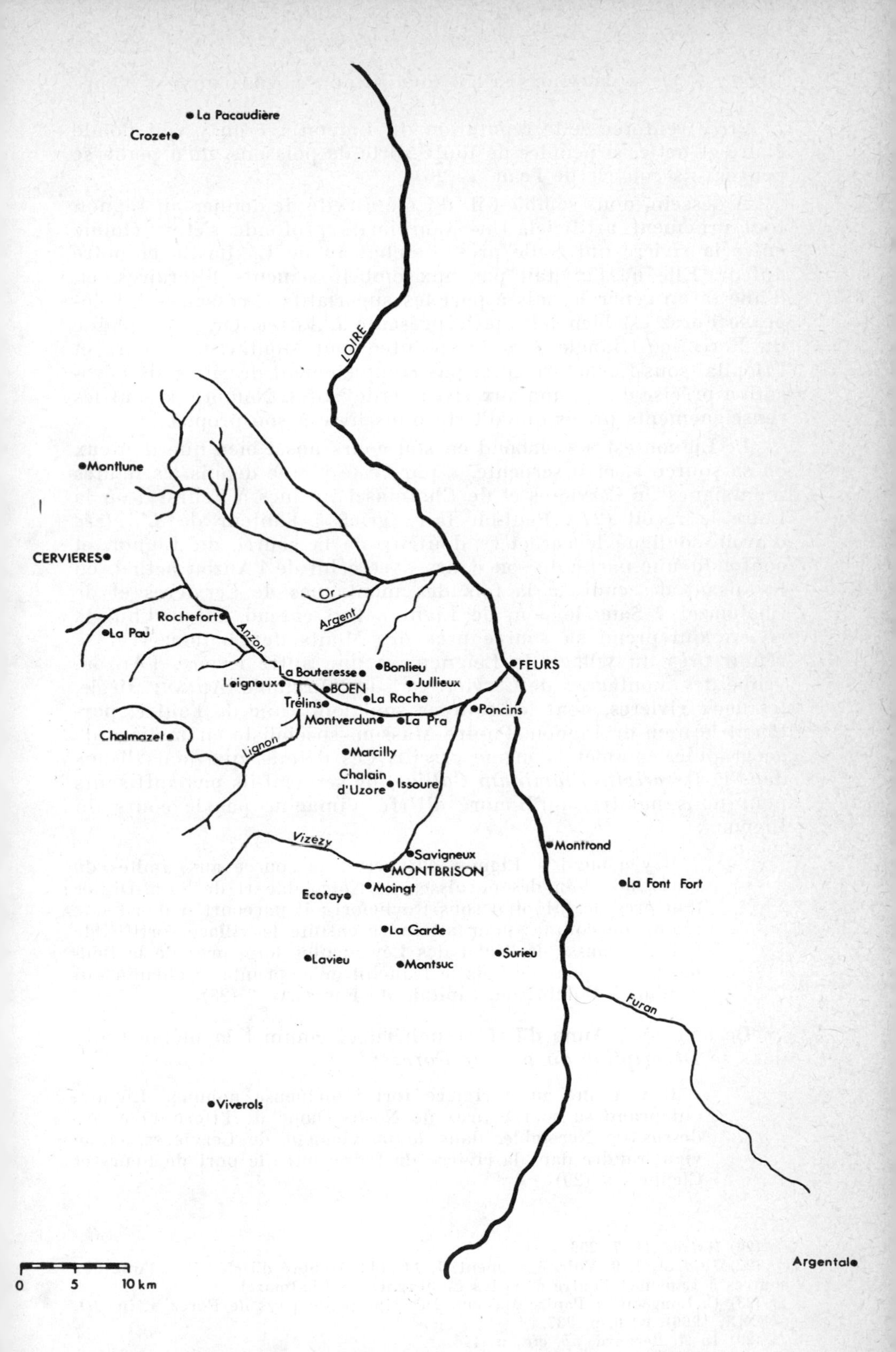

Fig 1 LOCALITES FOREZIENNES CITEES DANS L'ASTREE

L'Astrée renforce cette réputation du Lignon : « on y voit l'onde claire et nette, si peuplée de toute sorte de poissons, qu'à peine se peuvent-ils couvrir de l'eau. » (26)

A dessein, nous semble-t-il, d'Urfé a évité de donner au Lignon tout ornement artificiel. Une familiarité profonde s'était établie entre la rivière qui coule près du château de La Bastie et notre auteur. Elle ne l'invitait pas aux embellissements littéraires, et, d'une façon générale, mis à part les superlatifs nécessaires à l'éloge, le Forez est bien tel que le présente *L'Astrée*. Or, cette plaine du Forez, ce triangle dont les pointes sont Montbrison, Feurs et l'Hôpital-sous-Rochefort, n'est pas complètement décrite sans l'évocation précise du Lignon aux rives verdoyantes. Nombreux sont les renseignements précis que d'Urfé nous livre à son propos.

Le Lignon est « vagabond en son cours aussi bien que douteux en sa source », et il serpente, « par ceste plaine depuis les hautes montaignes de Cervières et de Chalmasel jusques à Feurs », où la Loire le reçoit (27). Peut-on faire grief à l'auteur de *L'Astrée* d'avoir souligné le caractère douteux de la source du Lignon et confondu une partie de son cours avec celui de l'Anzon actuel, en le faisant descendre à la fois des montagnes de Cervières et de Chalmazel ? Sous le nom de Lignon, l'on entend aujourd'hui la rivière qui prend sa source près des Monts de Chalmazel et se réunit près du village de Leigneux à une autre rivière, l'Anzon, venue des montagnes de Cervières et de Noirétable. Au XVIe siècle, les deux rivières, dont les sources sont loin l'une de l'autre, portaient le nom de Lignon. Papire Masson, spécialiste en matière de géographie, commet la même erreur. Ces détails, que nous lisons dans la *Descriptio Fluminum Galliae,* ne seraient-ils pas suffisants pour nous montrer qu'Honoré d'Urfé n'imagine pas le cours du Lignon :

> « Il y a aussi le Lignon qui prend sa source aux limites du Forez non loin des paroisses de Noiretable et de Saint-Didier tout pres de l'Hôpital sous Rochefort ; il parcourt d'abord une région de collines pour atteindre ensuite le village fortifié de Boën, rehaussé de l'éclat des Lévis ; plus loin, près de la Bouteresse, un pont de bois le franchit qu'emprunte le chemin qui conduit à Montbrison, capitale du Forez... » ? (28)

De son côté, Anne d'Urfé renchérit et commet la même faute dans sa *Description du païs de Forez* :

> « Il y a une autre rivière fort impétueuse nommée Lignon, qui prand sa source prez de Nostre-Dame de l'Hermitage, audessus de Neretable, dans le mandement de Cervieres, et se vient randre dans la rivière de Loire entre le port de Feurs et Cleppe... » (29)

---

(26) *Astrée,* II, 7, 296.

(27) *Ibid.*, I, 1, 9. Voir, également, I, 11, 143 (Honoré d'Urfé situe l'une des sources à Lapau et l'autre dans les montagnes de Chalmazel).

(28) C. Longeon, « Papire Masson. Description du pays de Forez », in *BD,* (XXXIX, 1966), n° 6, p. 237.

(29) In A. Bernard, *op. cit.,* p. 446.

Connaissant bien le cours de ce double Lignon, Honoré d'Urfé donne des détails précis et contrôlables. Le Lignon est bien cette rivière aux « bords tortueux... avec ces petits aulnes qui la bordent ordinairement » et nous pouvons faire confiance à l'auteur de *L'Astrée,* quand il évoque « ce petit biais qui serpente sur le costé droit, et cette demie lune que fait la riviere en cet endroit. » (30) Nous ne pouvons aujourd'hui retrouver les mêmes méandres du Lignon, car « la riviere en des lieux s'est advancée et reculée en d'autres. » (31) Mais, il est vrai que, contrairement à la coutume, le Lignon « prend son cours... du couchant au levant » (32) et qu'il passe « contre les murailles de la ville de Boen » et semble couper la plaine, « presque par le milieu, s'allant rendre au-dessous de Feurs dans le sein de la Loire » après être passé près de Bonlieu (33). Un pont le franchit à la Bouteresse, un autre à Trelins. Papire Masson livre ces mêmes détails (34). Il est possible, dit-on, de faire résonner encore aujourd'hui l'écho que Silvandre interrogeait sur les rives du Lignon, « vis à vis de ce rocher, qui estant frappé de la voix, respond si intelligiblement aux derniers accens. » (35)

L'indication des lieux est si précise qu'il est facile de retrouver chacun d'entre eux et de les situer sur une carte. Honoré d'Urfé se comporte, en effet, comme un géographe de son temps, et il n'y a rien d'étonnant à cela. En effet, il reçut au collège de Tournon un enseignement de géographie qui n'avait rien de purement théorique, mais qui lui apprit à observer. Cet enseignement, qui était accompagné d'histoire, était orienté vers la pratique et réservait une place importante à l'expérimentation, en apprenant l'usage des instruments essentiels à la topographie (36). Certes, la géographie ne figurait sur aucun horaire des collèges de Jésuites, mais elle s'introduisait dans l'explication des textes anciens (37). En outre, les Jésuites, fidèles au Concile de Trente qui maintient l'homme au centre de l'univers, ouvraient les yeux de leurs élèves sur l'œuvre de Dieu ; une théorie des relations entre l'homme et son milieu s'élaborait (38). Dans *L'Astrée,* la nature et le caractère des bergers sont en parfaite harmonie. Préparé dès le collège à une observation géographique secondée par l'étude des mathématiques, Honoré présente le Forez avec précision. Ajoutons encore qu'il participa aux guerres de religion, qu'il fut et resta un homme d'armes et que la topographie lui devint, de cette façon, encore plus familière.

Celle-ci se révèle avec précision depuis un lieu élevé. Le Forez est toujours vu par d'Urfé, de haut et de loin, et, ainsi apparaissent

---

(30) *Astrée,* I, 11, 445.
(31) *Ibid.*
(32) *Ibid.*, IV, 7, 435.
(33) *Ibid.*, III, 5, 223.
(34) Voir C. Longeon, *art. cit.*, p. 237.
(35) *Astrée,* II, 9. Voir à ce propos P. Gras, *Voyage à Pierre-sur-Haute*- Saint-Etienne, 1864, p. 88.
(36) F. de Dainville, *Géographie des Humanistes,* p. 144.
(37) Id., *ibid.*, pp. 61-62.
(38) Id., *ibid.*, pp. 81-83.

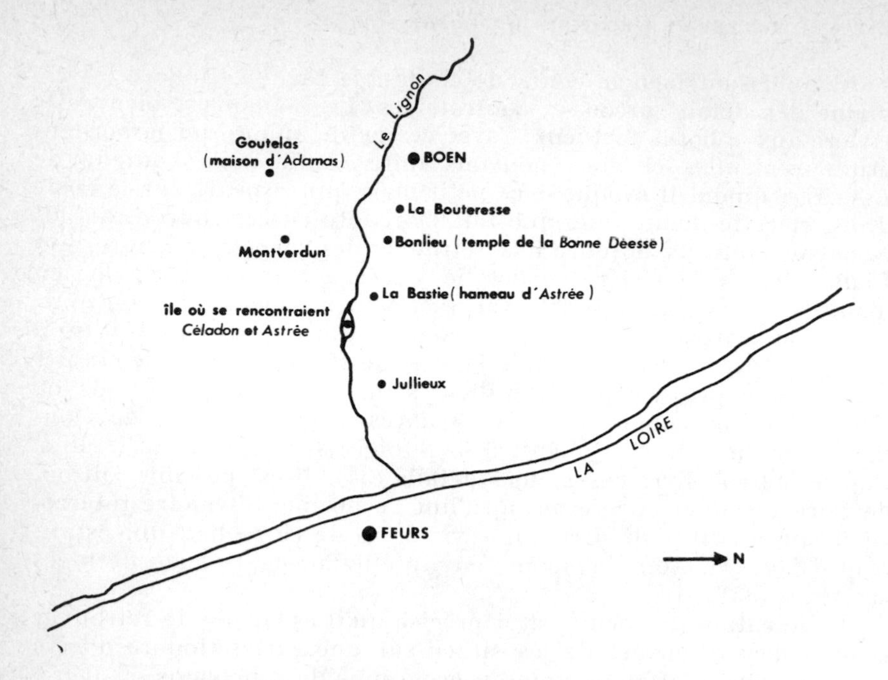

LA VUE QUI S'OFFRE DEPUIS LA MAISON D'ADAMAS
Astrée II, 10, 400-401 ; III, 5, 223.

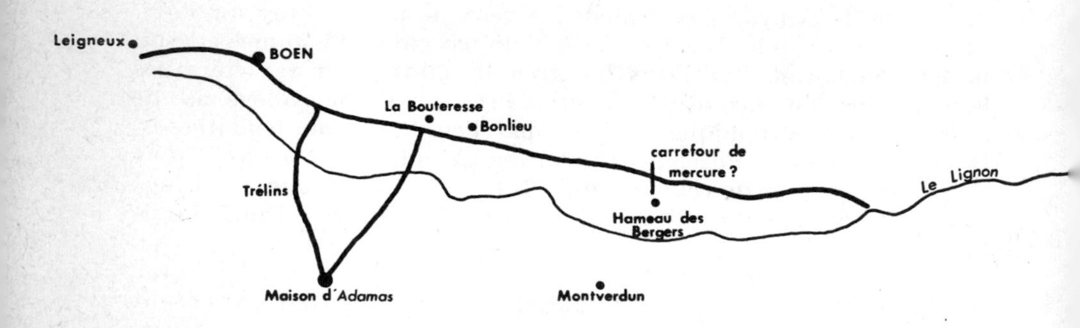

DU HAMEAU DES BERGERS CHEZ ADAMAS
Les deux routes qui y conduisent

Fig 2

avec netteté les points culminants. Les descriptions générales de *L'Astrée* ressemblent à des cartes de géographie du XVIe siècle, où l'on voit serpenter les rivières et se dresser, sur des buttes, les châteaux, les églises, comme autant de sentinelles. Quand le voyageur arrive dans cette plaine que coupe le Lignon, son regard est frappé par les trois dômes de Marcilly, Uzore et Montverdun, et d'Urfé a raison d'écrire, avec un sens parfait de la géométrie :

> « Mont verdun est un grand rocher qui s'eslève en pointe de diamant au milieu de la plaine du costé de Montbrison, entre la rivière de Lignon et la montagne d'Isoure. Que s'il estoit un peu plus à main droite du costé de Laigneu, les trois pointes de Marcilly, d'Isoure et de Mont verdun feroient un triangle parfaict... » (39)

Un autre mont se dresse dans la plaine, celui de Saint-Romain le Puy, « relevé dans la plaine, vis-à-vis de Mont-Suc, à une lieue du chasteau de Montbrison » (40). Cette impression de relief et la situation des points culminants dans la plaine, telles que rendues dans *L'Astrée,* ne sont possibles qu'à partir d'un lieu où l'horizon est bien découvert. Voilà bien comment se révèle le Forez à Dorinde. Elle vient de Lyon. Un vieillard, qui l'accompagne, la fait passer par les chemins les moins fréquentés et, à quatre lieues du Forez, depuis une montagne « asses haute », il lui montre « avec son baston la ville de Feurs asses proche, et un peu plus en là celle de Marcilly, et par consequent la grande plaine de Forests », puis les rivières :

> « voyez-vous... celle-là qui passe aupres de cette ville, que je vous ay nommée Feurs, c'est Loire. Or tournez les yeux un peu à main droitte, et voyez comme un peu au-dessous de là, il y a une petite riviere qui entre dans Loire... Voyez-vous entre ces deux collines qui sont comme le pied des plus hautes montagnes, une petite ville : elle s'appelle Boen, et c'est contre ses murailles que Lignon passe... » (41)

La maison d'Adamas est située sur une colline et, de la fenêtre de la salle, Astrée commente à Alexis le panorama qui s'offre à leurs yeux :

> « Voyez-vous, madame, le cours de cette riviere, qui passant contre les murailles de la ville de Boen semble coupper cette plaine presque par le milieu, s'allant rendre au dessous de Feurs dans le sein de Loire ? C'est le malheureux et diffamé Lignon, le long duquel vous pouvez voir nostre hameau, vis-à-vis de Mont verdun, qui est une petite montagne qui s'esleve en pointe diamant au milieu de la plaine, et qui semble un escueil dans la mer, car telle pouvons nous dire que ressemble la plaine qui est tout à l'entour. Si vous retirez maintenant vostre veue un peu à main gauche, vous verrez le temple de la bonne Déesse qui est ce temple rond, au pied duquel passe un

---

(39) *Astrée,* II, 8, 312.
(40) *Ibid.*, I, 4, 112.
(41) *Ibid.*, IV, 7, 435 ; sur les vues panoramiques décrites par Honoré d'Urfé, voir W. Farenheim, *art. cit.*, pp. 374-384.

> bras de ce detestable Lignon, un peu plus en là, et suivant cette fascheuse riviere vous y remarquerez un petit bois, et c'est là où est le chesne bienheureux, qui porte le Guy sacré ceste année. » (42)

Près de la maison, un bocage, sur un point plus relevé, leur permet de découvrir

> « encores mieux toute la plaine, de sorte qu'il n'y avoit reply ni destour de Lignon, depuis Boen d'où il commençoit de sortir de la montaigne, jusques à Feurs où il entroit en Loire qu'elles ne descouvrissent aisément. » (43)

Voulons-nous apercevoir les alentours de La Bastie ? Il faut suivre Céladon qui a fui le palais d'Isoure, laisser Montverdun à main gauche et passer au milieu d'une grande plaine qui conduit « jusques sur une coste un peu relevée ». De là, le berger peut

> « recognoistre et remarquer de l'œil la plus part des lieux où il avoit accoustumé de mener paistre ses trouppeaux de l'autre costé de Lignon, où Astrée le venoit trouver, et où ils passoient quelquefois la chaleur trop aspre du soleil. » (44)

Ce procédé de description ne concerne pas seulement le Forez. De la même façon, depuis la maison de Clorian, à Lyon, nous voyons le Rhône, l'Arar, les Monts des Ségusiens, des Allobroges, la plaine des Sébusiens (45). Honoré d'Urfé se comporte comme un géographe qui trace une carte. Il monte ou fait monter son personnage sur un sommet, le place dans une tour ou dans une maison qui permet de dominer le pays : de cet observatoire, il regarde tout à l'entour et connaît les rivières et les penchants. La carte se construit ainsi, sans se mouvoir du lieu, et les villages se voient en enfilade, comme depuis la maison d'Adamas. La carte est un véritable tableau. D'Urfé ne dit-il pas, en parlant de la vue qui s'offre depuis la maison d'Eleuman et d'Ericanthe, qu'elle est si belle, quoiqu'un peu limitée par les montagnes, « qu'il semble que ceux qui peignent des paysages ayent pris patron sur sa situation » (46) ?

Les géographes du XVIe siècle, soucieux d'exactitude, recouraient à la méthode d'intersection : « Les lignes tirées de deux lieux à un troisième en se recoupant déterminent avec exactitude ce troisième point » (47). N'est-ce pas ainsi qu'agit l'auteur de *L'Astrée,* quand il situe Marcilly, le Mont d'Uzore et Montverdun, selon un triangle qui serait parfait, si Montverdun était un peu plus du côté de Leigneux ? N'avait-il pas appris à dresser des cartes et à se servir des instruments, comme l'astrolabe, au cours de ses études à Tournon ? Ici encore l'éducation laisse sa marque.

---

(42) *Astrée,* III, 5, 223.
(43) *Ibid.,* II, 10, 400. Voir carte n° 2, p. 184.
(44) *Ibid.,* I, 12, 475-476.
(45) *Ibid.,* II, 3, 112.
(46) *Ibid.,* IV, 6, 294.
(47) Voir F. de Dainville, *Le Dauphiné et ses confins vus par l'ingénieur d'Henri IV, Jean de Beins,* Genève, Droz, 1968, pp. 47-48.

Le Forez de *L'Astrée* n'est pas seulement un pays de plaine, il est fermé, au nord et à l'ouest, par des montagnes. Le Lignon fait le lien entre la Loire à l'est et le pays montagneux à l'ouest. Rien n'est plus vrai. Aux plaines et aux plateaux tranchés par le Lignon s'opposent les montagnes aux formes rudes et lourdes. Honoré d'Urfé marque ce contraste dans *L'Astrée*. Au nord, aux limites des communes de Saint Romain d'Urfé et d'Arconsat, tout près des Cornes d'Urfé, vestiges de l'ancien château des ancêtres de notre auteur, le Mont-Lune (48) forme, en hiver, des « valons gelez » (49) « contre-mont la delectable riviere de Lignon », et il semble, par rapport à la plaine du Forez, une « grande montagne » (50). Ses sommets, qui permettent de se retirer loin de la société des autres bergers, offrent aux brebis la fraîcheur, pendant « la trop aspre chaleur de l'esté » (51). A l'ouest, s'élèvent les Monts du Forez, formés de chaînes parallèles, entre lesquelles coulent les affluents de la Loire, dont le Lignon qui prend sa source près de Chalmazel (52). Le grand chemin qui relie Montbrison à Boën les sépare de la plaine, en passant le long des montagnes de Couzan. Voilà la vue qui s'offrit au chevalier Damon, quand il eut passé le pont de La Bouteresse et remonté le coteau d'où il put embrasser du regard tout le pays du Lignon :

> « ...d'un costé, il voyoit les fertiles montagnes de Coursant (53) qui, descendant par de petites collines jusques dans la plaine, monstroient toute leur croupe enrichie de vignobles... La plaine apres s'alloit estendant jusques à Mont-brison, et suivant tousjours ces delectables collines, s'eslargissoit du costé de Surieu, de Mont-rond et de Feurs, avec tant de petits ruisseaux et de divers estangs (54) que la veue ainsi diversifiée en estoit beaucoup plus plaisante. » (55)

Au sud-ouest, dans les Monts du Forez, une montagne plus relevée, Mont-Suc ou Montsup, dresse sa pointe près de Lavieu et vis-à-vis du rocher de Saint-Romain le Puy (56). Le Forez est séparé de l'Auvergne par les Monts Cémènes (57). Quels sont-ils ? La Mure, qui interprète un passage de Ptolémée, où il est dit que « les Montagnes qu'habitoient ces Segusiens voisins des Auvergnats et possesseurs de ces deux citez s'appeloient Mons Cemenes » (58),

---

(48) Une chapelle était située au sommet, à 900 m d'altitude ; voir à ce propos J.E. Dufour, *Dictionnaire topographique du Forez et des paroisses du Lyonnais et Beaujolais formant le département de la Loire*, Mâcon, Protat, 1946, col. 604.

(49) *Astrée*, I, 5, 182.

(50) *Ibid.*, IV, 3, 117.

(51) *Ibid.*, IV, 3, 128.

(52) *Ibid.*, I, 1, 9 ; I, 4, 143 ; I, 11, 445.

(53) Il s'agit des montagnes de Couzan, cf. *Astrée*, IV, 11, 743 et l'édit. de 1627 où l'on lit : « les fertiles montagnes de Cousant ».

(54) Il s'agit des étangs du Comte, aujourd'hui appelés Etangs du Roi.

(55) *Astrée*, III, 6, 283. Honoré d'Urfé situe Marcilly par rapport à ces montagnes : « Marcilly est situé de telle sorte que du costé de Montverdun et d'Isoure, il a la plaine, et de Cousans, les montagnes. » (IV, 11, 743).

(56) *Ibid.*, I, 4, 112 ; I, 5, 182.

(57) *Ibid.*, I, 2, 46 ; III, 8, 443.

(58) Voir J.M. de la Mure, *Histoire du païs de Forez*, p. 154 ; Ptolémée, *Géographie*, l. II, ch. VIII.

prétend qu'il ne s'agit pas seulement du Mont Pilat, mais qu'il convient d'étendre ce nom à toutes les autres montagnes, « tant du costé du Velay que du costé de l'Auvergne... » ; ce sont les montagnes qui « font comme un mur au païs de Forez pour le diviser d'avec les Auvergnats » (59). En fait, pour Honoré d'Urfé, ces montagnes séparent le Forez de l'Auvergne et plus précisément de la région du Puy-de-Dôme, puisque Cryséide, Arimant, Bellaris et Clarine quittèrent Gergovie et passèrent

> « les grandes montagnes de Cemmenes, et sur la fin de la journée, l'espouvantable Selve qui se nomme le Bois noir, et arriverent fort tard à Viveros, fuyant tant qu'il leur estoit possible les grandes villes et les grands chemins, afin de decevoir ceux qui peut-estre les suivoient... » (60)

Or, le Bois noir, « épouvantable » certes, forme avec le Montoncel une chaîne de montagnes qui sépare le Forez du Bourbonnais et de l'Auvergne. Mais la situation des Cémènes reste approximative. Il en est de même pour les Monts Gébènnes. Ceux-ci semblent bien être les Cévennes, puisqu'Arimant est conduit à Gergovie, après avoir traversé les Alpes, le pays des Ségusiens et les Monts Gébènnes (61).

Le pays de *L'Astrée* est fertile et les prairies y sont verdoyantes, car l'eau y coule en abondance. Outre le Lignon, de nombreux ruisseaux l'arrosent, dont les noms sont encore familiers aux habitants du Forez: le Furan (62), l'Or (63), l'Argent (64), le Serant (65), la rivière qui passe dans le bois de Savigneu, c'est-à-dire le Vizézy (66), le Herdric, près de Marcilly (67). Seule, cependant, est située avec précision l'une des sources du Lignon, à Lapau (68). C'est près de là, sur une colline, qu'Eleuman et Ericanthe habitent. De ce point culminant, nous voyons le Lignon qui

> « prend son cours au bas de cette coste, que des prez d'un costé et d'autre vont accompagnant presque autant que la veue se peut estendre. Les saussayes qui separent ces prez, et les petits fossez, par lesquels on desrobe les claires eaux de Lignon, semblent autant de petits ruisseaux qui vont abreuvant ces belles prairies. » (69)

---

(59) J.M. de la Mure, *op. cit.*, p. 155.

(60) *Astrée,* III, 8, 450.

(61) *Ibid.*, III, 8, 439 ; voir également *ibid.*, III, 6, 333 et 337.

(62) *Ibid.*, I, 2, 48 ; III, 4, 205.

(63) *Ibid.*, III, 10, 542 ; voir C. Longeon, *art. cit.*, p. 239.

(64) *Astrée,* I, 2, 48, III, 4, 205, IV, 6, 301 ; voir C. Longeon, *art. cit.*, p. 239 ; J.E. Dufour, *op. cit.*, col. 18.

(65) *Astrée,* II, 4, 205. Nous n'avons pas retrouvé la situation de cette rivière.

(66) *Ibid.*, I, 5, 157. La rivière qui passe dans les bois de Savigneux est le Vizezy. Pour la situation des rivières, voir carte n° 1, p. 181.

(67) *Ibid.*, V, 1, 17, 20. La rivière qui passe au pied de Marcilly est le Herdric.

(68) *Ibid.*, I, 4, 143. Céladon quitte la maison de Forelle et va se réfugier du côté de Cervières : « Le lieu s'appeloit Lapau, d'où sourdoit l'une des sources du desastreux Lignon. » Pour la situation de Lapau, voir carte n° 1. Voir également A. Compigne, *Terres druidiques et féodales*, Paris, Champion, 1913, p. 171 ; *La Guide des chemins de France par Charles Estienne,* éditée par J. Bonnerot, Paris, Champion, 1936, 2 vol., t. II, cartes.

(69) *Astrée,* IV, 6, 294.

Voilà encore un panorama qui ressemble au dessin des cartes du XVIe et du XVIIe siècle : tous les canaux et les petites rivières serpentent, depuis les montagnes jusqu'aux plaines, souvent sans nom et approximativement situées.

La région qui borde le Lignon, de Poncins à Boën, du pont de la Bouteresse à Marcilly, Montbrison et Saint-Romain-le-Puy, est la mieux connue d'Honoré d'Urfé. Ajoutons-y le nord de la province du Forez, la région de Lapau et de Saint-Marcel d'Urfé, où sans doute le conduisirent, dans son adolescence, quelques voyages au château des ancêtres. Il a parcouru les régions voisines de la plaine du Forez, les noms sont restés dans sa mémoire, mais la situation des villages n'est que très approximative dans *L'Astrée*. L'itinéraire suivi par Arimant, Bélisaire, Cryséide et Clarine nous paraît curieux. Ils seraient partis de Gergovie, auraient franchi les Monts Cémènes et les Bois noirs, pour redescendre ensuite vers Viverols, sur la route de Montbrison, et gagner ainsi la plaine du Forez (70). Ils se cachent, certes, mais leur itinéraire demeure, pour le moins, surprenant. La descente des Bois Noirs à Viverols ne peut s'expliquer que par une recherche de la vallée, afin de gagner plus facilement Montbrison. Il y a, pourtant, chez d'Urfé, par les fréquents renseignements fournis sur le temps mis à parcourir les étapes, un désir manifeste de donner au récit un caractère de réalité. Il ne peut être pris en flagrant délit d'imagination, quand il rapporte les chemins suivis par les bergers et bergères qui se rendent à Bonlieu, à la maison d'Adamas, à Marcilly ou à Isoure. Tout est si précis qu'à partir des renseignements donnés il nous est possible de dresser une carte de la région. C'est parce que d'Urfé a parcouru lui-même maintes fois ces chemins qu'il est capable d'une aussi grande précision. Suivre ces itinéraires à pied, comme les bergers et bergères, est possible suivant les temps indiqués par *L'Astrée*. Rien ne relève de l'invention ou d'un souvenir vague des lieux de l'enfance.

Quand, venant du hameau d'Astrée, nous voulons nous rendre à Marcilly, à Montverdun ou Montbrison, il faut gagner la rive droite du Lignon et passer le pont de la Bouteresse ou celui de Trélins, en suivant la route de Leigneux. En effet, le pont de la Bouteresse permettait de quitter la route venant de Lyon, pour gagner « le Grand Chemin » (71), qui offrait plusieurs tracés. La branche occidentale allait de Montbrison jusqu'à un kilomètre au Sud-Est de Marcilly, se confondait, ensuite, avec la route actuelle et poursuivait en direction du Nord, pour franchir le Lignon sur le pont de la Bouteresse, dont les ruines se voient encore à deux cents mètres environ du cours actuel de la rivière. Ce pont était au XIIIe siècle une modeste passerelle pour le passage des piétons, et il fut reconstruit en pierre au XIVe siècle, parce que le courant commercial qui l'empruntait était devenu intense. C'est ce pont que connut Honoré d'Urfé. Venant du hameau de Diane ou d'Astrée,

---

(70) *Ibid.*, III, 8, 450.

(71) Sur le Grand Chemin ou Chemin de Forez, voir E. Fournial, *Les villes et l'économie d'échange en Forez aux XIIIe et XIVe siècles*, Paris, Les presses du Palais Royal, 1967, pp. 137 sq., Carte 2.

les bergers qui se dirigeaient vers la maison d'Adamas passaient près de Bonlieu (72), car ils prenaient la route de Leigneux (73). Il leur fallait donc s'acheminer vers la Bouteresse (74), traverser le bois de Bonlieu (75), le pont de la Bouteresse (76), et un autre bois, le long du grand chemin (77) qui venait de Montbrison, afin d'atteindre la maison d'Adamas. Il restait aux bergers à franchir une petite passerelle (78) qui enjambait l'un des nombreux ruisseaux de cette région. Honoré d'Urfé indique également le chemin inverse. Après avoir passé le pont de la Bouteresse, Léonide suit, plutôt que la route de Leigneux, les rives du Lignon (79). Il était également possible de franchir le Lignon au pont de Trélins : c'était le chemin qui partait de Feurs pour gagner Boën, en passant la Loire au pont de Randan, suivait la rive droite du Lignon et le traversait au pont de Trélins (80). Quelques bergers, qui regagnent leur hameau après un séjour chez Adamas, suivent cet itinéraire :

> « ...Nous descendismes la colline de Laignieu, et passant la claire riviere de Lignon sur le pont de Trelin, nous vinsmes suivant la riviere, jusqu'aupres de la Bouteresse, où remontant un peu, et laissant le temple de la Bonne Déesse à main droitte, nous vinsmes sur un lieu relevé. » (81)

Ils descendent ensuite dans la plaine par un petit sentier. Quand les personnages viennent du nord-est, du nord ou de l'est et qu'ils veulent gagner la plaine du Forez, ils franchissent le Lignon et empruntent, sauf s'ils se cachent, les axes routiers de l'époque. De retour en Forez, Damon découvre Marcilly du haut de la plaine que traverse le Grand Chemin (82). De Montbrison au Lignon, ou du Lignon à Montbrison, les personnages empruntent, soit la branche occidentale, soit la branche orientale du Grand Chemin. Celle que parcourt Damon passe à un kilomètre environ de Marcilly. Il laisse la maison d'Adamas à main droite (83) et longe les montagnes de Couzan, où se situe le « valon... du costé de la Garde », d'où Lucine regagne Moingt (84). La branche orientale était un chemin charretier qui quittait Montbrison par le faubourg de la Madeleine, abandonnait le tracé de la route moderne, à environ 400 mètres de Montbrison, laissait Champdieu à gauche, allait en direction du Mont d'Uzore, traversait Chalain d'Uzore, passait au pied de la butte de Montverdun et franchissait le Lignon au pont de la Roche.

---

(72) *Astrée,* I, 4, 109.
(73) *Ibid.,* I, 8, 274, 317, II, 7, 286. La maison d'Adamas est sur le penchant de la montagne de Marcilly, assez près du temple des Vestales et des Druides de Leigneux (I, 4, 108, IV, 3, 115).
(74) *Ibid.,* I, 8, 274.
(75) *Ibid.,* II, 2, 73.
(76) *Ibid.,* II, 2, 74, III, 2, 49.
(77) *Ibid.,* III, 12, 630.
(78) *Ibid.,* III, 2, 49.
(79) *Ibid.,* II, 7, 274. Voir carte n° 2, p. 184.
(80) Voir E. Fournial, *op. cit.,* p. 149.
(81) *Astrée,* II, 7, 297.
(82) *Ibid.,* III, 6, 283.
(83) *Ibid.,* IV, 5, 237.
(84) *Ibid.,* I, 4, 139.

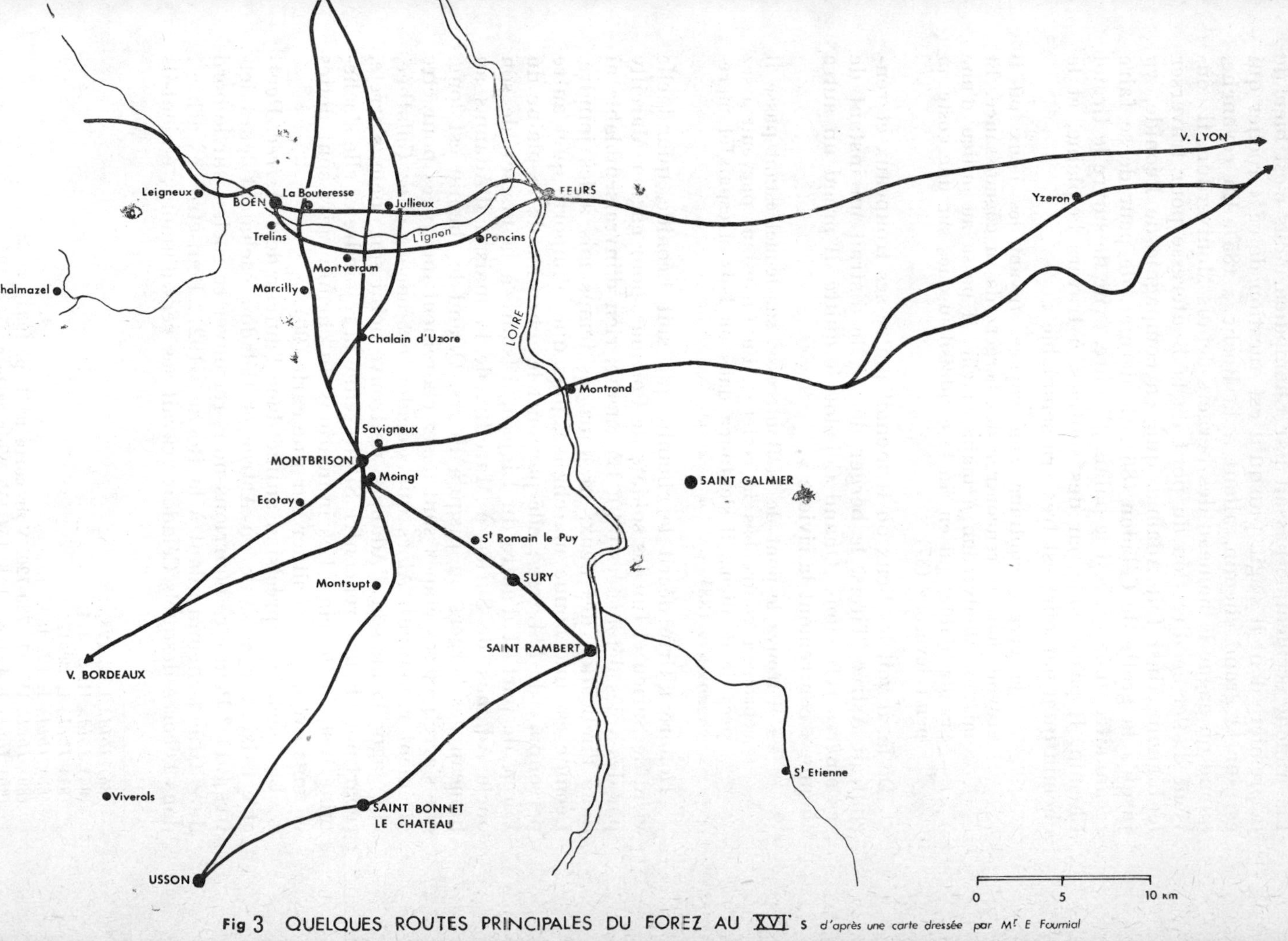

Fig 3 QUELQUES ROUTES PRINCIPALES DU FOREZ AU XVIe s d'après une carte dressée par Mr E Fournial

La branche occidentale passait par Champdieu. Mais c'est bien de la première dont il s'agit, puisqu'il est question de ce « rocher qui est sur le grand chemin, allant à la Roche » (85). En revanche, quand on gagne le hameau des bergers depuis Montverdun, il convient d'aller en direction du pont de la Bouteresse pour traverser le Lignon. Ainsi fait Adamas qui, en compagnie de Léonide, va jusqu'à la grotte de Céladon (86). Ce dernier, de peur de se faire reconnaître quand il fuit le palais d'Isoure, évite de suivre le Grand Chemin. Il passe donc par des sentiers, à travers la plaine, et le chemin qu'il parcourt est très vraisemblable :

> « ...le berger continua son voyage, fuyant les lieux où il croyoit pouvoir rencontrer des bergers de sa cognoissance. Et laissant Montverdun à main gauche, il passa au milieu d'une grande plaine, qui en fin le conduisit jusques sur une coste un peu relevée... » (87)

De là, il voit les lieux où il menait paître ses troupeaux et rencontrait Astrée. Tircis, le berger désolé, le distrait un instant de ses amères réflexions. Quand Céladon le quitte, il prend un autre chemin « contremont la riviere »,

> « il trouva le pont de la Bouteresse, sur lequel estant passé il rebroussa contre bas la riviere... En fin estant parvenu assez pres de Bonlieu... il s'enfonça dans un bois si espais et marecageux... » (88)

Honoré d'Urfé décrit le chemin que suit Léonide, quand elle vient de Surieu et fuit les soldats de Polémas, pour gagner Marcilly par des voies détournées (89). Là encore, rien d'invraisemblable ni dans l'indication des lieux, ni dans les temps mis à les joindre. Léonide est une bonne marcheuse, plus que n'importe quel autre personnage de *L'Astrée* ; elle parcourt les chemins de la plaine du Forez, de part et d'autre du Lignon, d'Isoure à la maison de son oncle Adamas, de Surieu à Marcilly, de la maison d'Adamas au hameau des bergers ou jusqu'à Feurs. Quand le chemin est long, elle s'arrête et ses étapes sont assez clairement indiquées pour être aisément reconnues. Alors que Céladon est encore chez Galathée, elle gagne la maison d'Adamas, ne trouve point son oncle, s'arrête, repart pour Feurs, rencontre Silvie venue la rejoindre et elle s'achemine jusqu'à Poncins. Les indications du chemin suivi sont nettes et nous avons pu les situer sur une carte (90).

Le souci de la précision anime donc l'auteur de *L'Astrée*. Peut-être existait-il ce saule où Astrée et Céladon cachaient leurs lettres (91) ? Peut-être pourrions-nous retrouver ce rocher sur le bord du « Grand chemin allant à la Roche » (92)? Peut-être ces arbres, dans l'écorce desquels Céladon gravait ses vers d'amour, étaient-ils

(85) *Ibid.*, I, 4, 128.
(86) *Ibid.*, II, 8, 314.
(87) *Ibid.*, I, 12, 475.
(88) *Ibid.*, I, 12, 483.
(89) *Ibid.*, IV, 11, 720-726. Voir carte n° 4, p. 193.
(90) *Ibid.*, I, 4, 108 ; I, 5, 154-155. Voir carte n° 5, p. 195.
(91) *Ibid.*, I, 4, 129.
(92) *Ibid.*, I, 4, 128.

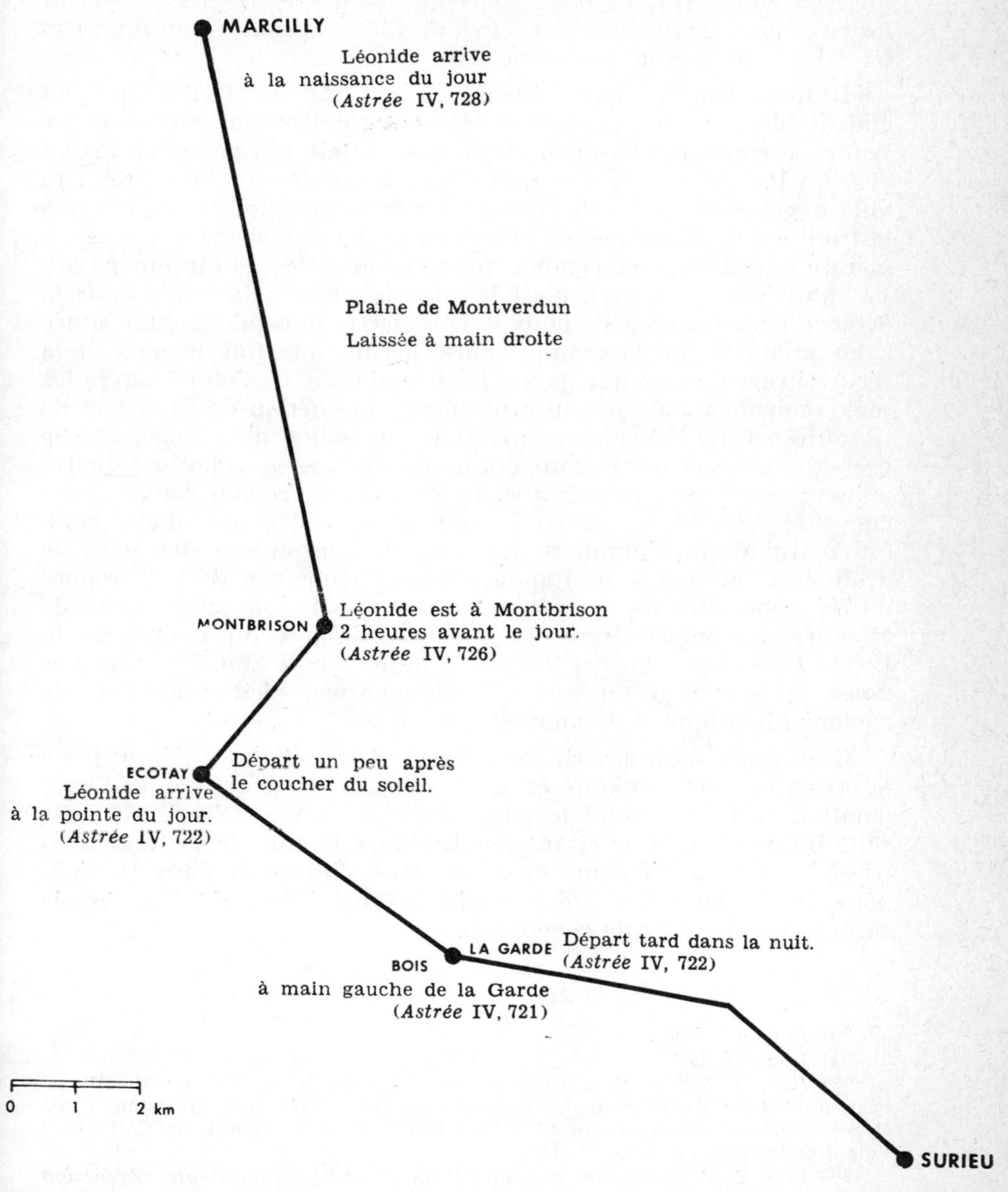
MARCILLY
Léonide arrive
à la naissance du jour
(Astrée IV, 728)
Plaine de Montverdun
Laissée à main droite
MONTBRISON
Léonide est à Montbrison
2 heures avant le jour.
(Astrée IV, 726)
ECOTAY
Départ un peu après
le coucher du soleil.
Léonide arrive
à la pointe du jour.
(Astrée IV, 722)
LA GARDE
Départ tard dans la nuit.
(Astrée IV, 722)
BOIS
à main gauche de la Garde
(Astrée IV, 721)
0 1 2 km
SURIEU

LEONIDE ECHAPPE A *POLEMAS* Son chemin de Surieu à Marcilly (*Astrée* IV. 720, 726)

« par delà la grande prairie à main gauche du bié » (93). L'existence de « ce gros orme qui tout seul au milieu presque de la plaine de Montverdun, est posé sur le grand chemin » (94) ne peut être mise en doute. Honoré d'Urfé cite encore des lieux-dits situés sur les rives du Lignon, comme La Pra ou La Cala, sans doute familiers parce que proches de La Bastie (95).

Il nous conduit aussi jusqu'aux confins du Forez, qui lui étaient bien connus, puisque voisins de Chateaumorand. Pour s'y rendre, il emprunta lui-même le Grand Chemin qui passait à Crozet et à La Pacaudière. Crozet était, selon notre auteur, la « première ville des Segusiens » : il entendait par là que Crozet se situait à la frontière du Bourbonnais et du Forez. Au XVIe siècle, cette agglomération avait une importance qui ne fit ensuite que diminuer (96). La chatellenie de Crozet, dont la situation était admirable pour la défense mais incommode pour le commerce, puisqu'elle était située à un kilomètre de la grande route, perdit, une fois la paix et la sécurité revenues, ce que gagna La Pacaudière, où l'on découvre les plus anciennes maisons, au croisement du chemin de Crozet et de la route royale. Est-ce à ce carrefour, au milieu du village, que se dressait ce « terme » — sans doute une croix —, « relevé de quatre ou cinq escaliers », près duquel Ligdamon fixa rendez-vous à Amerine (97) ? Ou bien, s'agit-il de cette pierre surmontée d'une croix qui marquait la séparation des pays de coutume et des pays de droit écrit et que Jean Papon affirme avoir vue (98) ? Honoré d'Urfé aime citer les carrefours. Il est possible de situer celui de Mercure sur les bords du Lignon, peu éloigné du temple de la Bonne Déesse et celui des Termes à mille pas de Marcilly (99). Les noms seuls sont d'emprunt : ils donnent au récit une teinte de couleur historique et de merveilleux.

Ceci, cependant, désoriente un instant le lecteur, le détourne de la foi en une totale réalité et crée un climat romanesque où l'imagination semble prendre le pas sur l'observation. D'Urfé renforce cette impression en ne citant pas toujours le nom de la localité. Il procède alors par énigme et le mystère s'introduit dans le récit, pour piquer la curiosité du lecteur habitué à la précision. Astrée raconte que Céladon la rencontra

(93) *Ibid.*, I, 1, 20.

(94) *Ibid.*, II, 1, 40.

(95) *Ibid.*, I, 5, 172. Nous relevons sur la carte de Cassini un lieudit La Pras, à l'Est de Montverdun. La Cala n'a pu être située avec précision. Peut-être se trouve-t-elle à proximité de La Pras, est-ce le lieudit La Caillade ? Voir J.E. Dufour, *op. cit.*, col. 125.

(96) Voir E. Fournial, *op. cit.*, pp. 24-25 et 64-65 ; O.C. Reure, *Excursion archéologique de la Société La Diana, BD*, VIII (1895), pp. 103-125.

(97) *Astrée*, IV, 11, 697. Voir O.C. Reure, *op. cit.*, pp. 125-142.

(98) Voir J. Papon, *Deuxiesme Notaire*, Préface ; De la Mure, *op. cit.*, l. V, ch. XIII ; O.C. Reure, *op. cit.*, p. 82.

(99) *Astrée*, II, 1, 11, 13 et 24, III, 1, 17, IV, 11, 672. Le carrefour de Mercure est l'endroit « où chacun se devoit assembler, pour apres s'en aller au temple de la Bonne Déesse, et de là vers Alexis » (III, 1, 17). Ce carrefour est donc auprès du hameau des bergers.

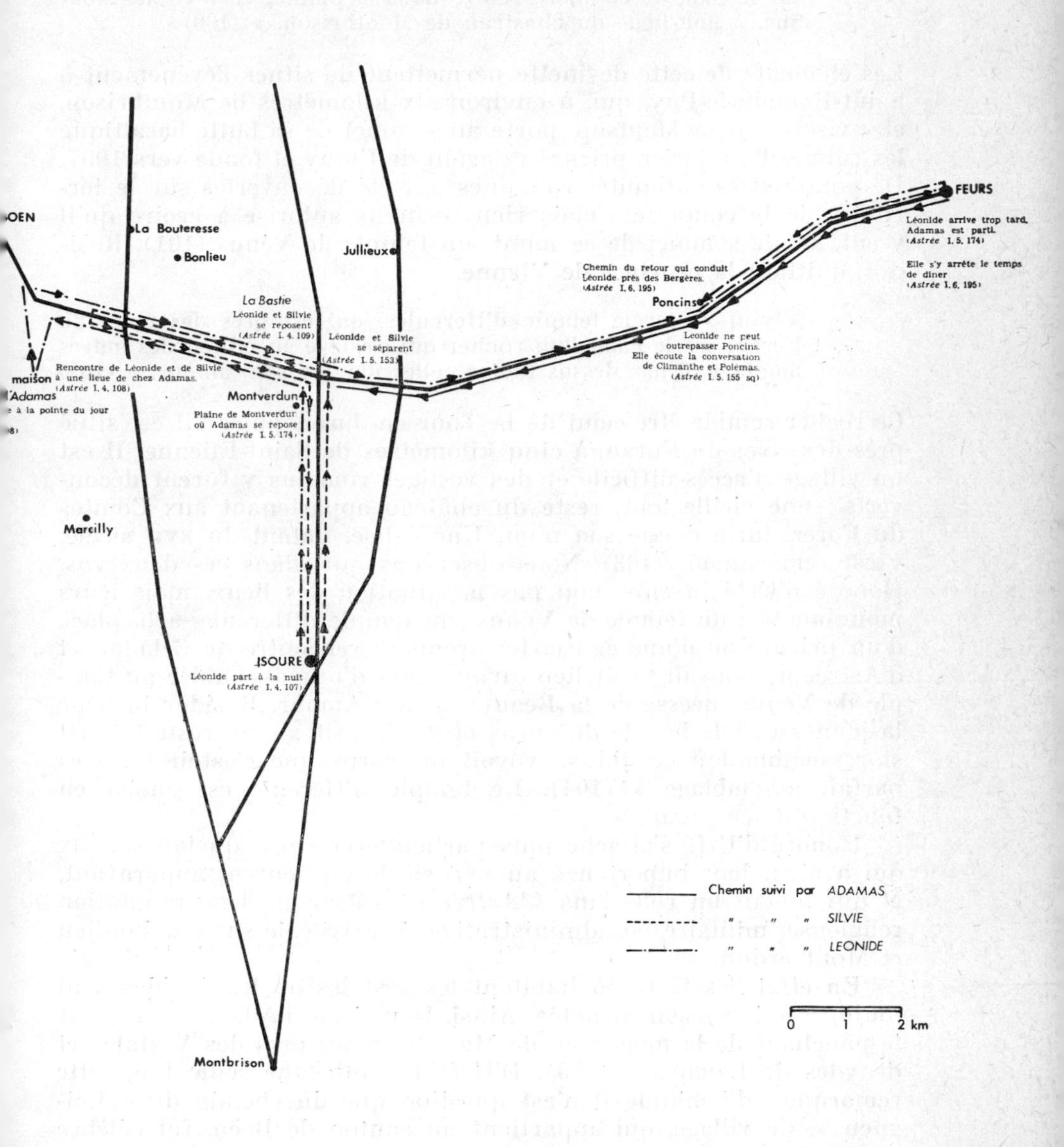
FEURS
Léonide arrive trop tard. Adamas est parti. (Astrée I. 5. 174)
Elle s'y arrête le temps de dîner (Astrée I. 6. 195)
Chemin du retour qui conduit Léonide près des Bergères. (Astrée I. 6. 195)
Poncins
Léonide ne peut outrepasser Poncins. Elle écoute la conversation de Climanthe et Polémas. (Astrée I. 5. 155 sq)
La Bouteresse
Bonlieu
Jullieux
La Bastie
Léonide et Silvie se reposent (Astrée I. 4. 109)
Léonide et Silvie se séparent (Astrée I. 5. 153)
Rencontre de Léonide et de Silvie à une lieue de chez Adamas. (Astrée I. 4. 108)
maison
Adamas
Montverdun
Plaine de Montverdun où Adamas se repose (Astrée I. 5. 174)
Marcilly
ISOURE
Léonide part à la nuit (Astrée I. 4. 107)
Montbrison
Chemin suivi par ADAMAS
" " " SILVIE
" " " LEONIDE
0 1 2 km

5 *LEONIDE* PART D' ISOURE POUR RENCONTRER *ADAMAS* (*Astrée* I,4,107 sqq ; I,5,155 sqq ; I,6,195.)

> « en une assemblée qui se faisoit au temple de Venus, qui est sur le haut de ce mont, relevé dans la plaine, vis-à-vis de Mont Suc, à une lieue du chasteau de Montbrison. » (100)

Les éléments de cette devinette permettent de situer l'événement à Saint-Romain-le-Puy, qui, à environ six kilomètres de Montbrison, et « vis-à-vis » de Montsup, porte au sommet de sa butte basaltique les ruines d'un ancien prieuré relevant de Cluny et fondé vers 1007. De nombreuses antiquités romaines ont été découvertes sur le territoire de la commune, mais rien ne nous autorise à croire qu'il y eut, sur le sommet de ce mont, un temple de Vénus (101). Rosidor, quittant la province de Vienne,

> « vint visiter le temple d'Hercules, qui est pres des rives du Furan, sur le haut d'un rocher qui s'esleve au milieu des autres montagnes, par dessus toutes celles qui luy sont autour. » (102)

Ce rocher semble être celui de la Tour en Jarez, puisqu'il est situé près des rives du Furan, à cinq kilomètres de Saint-Etienne. Il est un village d'accès difficile et des vestiges romains y furent découverts ; une vieille tour, reste du château appartenant aux Comtes du Forez, lui a donné son nom. Une église, datant du XVIe siècle, y est remarquable (103). Nous observons que, dans ces deux cas, Honoré d'Urfé invente, non pas la situation des lieux, mais leurs monuments : un temple de Vénus, un temple d'Hercule, à la place d'un prieuré ou d'une église. La première rencontre de Céladon et d'Astrée ne pouvait avoir lieu qu'au cours d'une assemblée au temple de Vénus, déesse de la Beauté et de l'Amour. Rosidor incarne la jeunesse et la beauté du corps et de l'esprit : « au reste l'esprit si ressemblant à ce qui se voyoit du corps que c'estoit un tres parfait assemblage » (104). Le temple d'Hercule est choisi en fonction de ces qualités.

Honoré d'Urfé s'attache plus particulièrement à quelques lieux qui avaient leur importance au XVIe siècle ou l'eurent auparavant, et qui jouent un rôle dans *L'Astrée* en raison de leur réputation religieuse, militaire ou administrative. Il privilégie surtout Bonlieu et Montverdun.

En effet, les lieux où habitent les vestales ou les druides sont toujours soigneusement notés. Ainsi, la maison d'Adamas est « sur le panchant de la montagne de Marcilly assez pres des Vestales et druydes de Laigneu » (105). D'Urfé formule une seule fois cette remarque ; d'habitude il n'est question que du chemin de « Laigneu ». Ce village, qui appartient au canton de Boën, fut célèbre par son couvent placé sous la dépendance de Savigny et fondé, en

---

(100) *Astrée,* I, 4, 112.

(101) Voir, à ce propos, J. Beyssac, *Abbayes et prieurés de l'ancienne France,* Paris, A. Picard, 1933, t. X, *Province ecclésiastique de Lyon,* p. 129 ; F. Thiollier, *Le Forez pittoresque et monumental,* Lyon, 1889, p. 400.

(102) *Astrée,* I, 8, 311.

(103) Sur la Tour en Jarez, voir F. Thiollier, *op. cit.,* p. 127.

(104) *Astrée,* I, 8, 311.

(105) *Ibid.,* I, 4, 108.

1050, en faveur des filles de famille noble (106). Honoré d'Urfé attache son attention surtout à Bonlieu. Il avait des raisons familiales pour cela. En Forez, deux abbayes seulement subsistaient au XVIe siècle, l'une d'hommes, celle de Valbenoîte, l'autre de femmes, celle de Bonlieu. Toutes deux étaient de l'ordre de Citeaux. L'abbaye de Bonlieu avait été fondée, en 1199, par Guillemette, femme de Guy III, comte de Forez, et elle recrutait ses membres dans la noblesse forézienne. Détruite par un incendie, elle fut restaurée par Arnault d'Urfé en 1223. Dès lors, la famille d'Urfé prodigua toujours ses soins à l'abbaye. Cela fut cause, dit Anne d'Urfé,

> « que ceux dudict Urfé ont leur sepulture generalle au milieu du cueur de l'esglise, qui est une des plus belles sepultures de gentilhomme de France... » (107)

Anne décrit ensuite le tombeau que fit construire Claude d'Urfé pour sa femme, « Jeanne de Balsac, aïeulle de ceux qui sont à présant de ceste maison » et il cite l'épitaphe qu'il composa pour elle. Béatrix d'Urfé, femme d'Arnulphe, avait choisi ce lieu pour sa sépulture (108). Nous comprenons ainsi l'attachement qu'Honoré, comme toute sa famille, avait pour ce couvent. La forme ronde du temple de Bonlieu, la description de l'intérieur, telle que l'auteur de *L'Astrée* nous la propose, sont le fruit de la lecture de l'ouvrage de du Choul (109). Toutefois, si le temple est dédié à la Bonne Déesse, cette Vierge qui devait enfanter, c'est probablement parce que l'Abbaye de Bonlieu était placée sous le vocable de Notre-Dame (110) et qu'une statue de la Vierge y était l'objet d'un culte spécial. Chrisante, qui était « la principale des filles Druides... », est peinte sous des traits si aimables, et si vivants que nous pensons qu'elle est le portrait d'une Abbesse de Bonlieu qu'Honoré connut particulièrement. Nous constatons ici comment l'auteur de *L'Astrée* utilise ses souvenirs. Il est passé souvent près du couvent de Bonlieu, le laissant à main droite pour se rendre à la Bouteresse et, de là, chez Jean Papon, comme les bergers qui vont chez Adamas. Afin de respecter le cadre historique du roman, Honoré d'Urfé transforme ce couvent en un temple de Vestales qui, avec les filles druides, partagent un même culte pour la Vierge qui doit enfanter. Là encore, nous découvrons que l'imagination de l'auteur

---

(106) Voir J. Beyssac, *op. cit.*, t. X, p. 142 ; F. Thiollier, *op. cit.*, p. 305 ; *Revue Forézienne*, 1868, p. 126.

(107) Anne d'Urfé, *Description du païs de Forez*, in A. Bernard, *op. cit.*, pp. 454-455.

(108) La Mure, *Astrée Sainte*, in *Histoire universelle civile et ecclésiastique de Forez*, Lyon, 1674, p. 452 ; La Mure, *Histoire genealogique de la Maison d'Urfé*, in A. Bernard, *op. cit.*, p. 47.

(109) *Astrée*, II, 8, 339.

(110) Voir J. Beyssac, *op. cit.*, t. X, p. 95 ; F. Thiollier, *op. cit.*, p. 323. Th. Ogier, *La France par cantons et par communes. Département de la Loire. Arrondissement de Montbrison*, Paris, Balay et Conchon, 1856, t. I, p. 365. Le monastère eut à souffrir à l'époque de la révolution, puis un incendie l'endommagea. La chapelle subsiste actuellement, mais transformée en grange et en écurie.

a besoin d'un support réel et parfois d'un apport littéraire, pour prendre son essor.

Le rôle dévolu à Montverdun en est un autre exemple. Ce « grand rocher qui s'esleve en pointe de diamant » (111) attire le regard de tous les personnages de *L'Astrée* qui arrivent en Forez : il est, pour eux, un point de repère « du costé de Montbrison, entre la riviere de Lignon et la Montagne d'Isoure », mais il est aussi le lieu où l'on vient écouter l'oracle que profère la vieille Cléontine. Au sommet du rocher a été construit un temple qui se dresse « comme un escueil au milieu de cette plaine » (112). Au Moyen Age, un prieuré y avait été bâti, dépendant depuis 1223 de l'abbaye de la Chaise-Dieu (113). Au XVIe siècle, Christophe d'Urfé, puis Antoine d'Urfé en furent prieurs (114) : une raison familiale explique donc encore le rôle que d'Urfé réserve au temple de Montverdun. Dans *L'Astrée,* la chapelle du prieuré devient un temple « dedié à Teutatès, Hesus, Taramis, Belenus » et le prieuré est « le lieu où les Eubages, les Sarronides, les Vacies et les Bardes se tiennent dans les grottes qu'ils ont faictes autour du temple » (115). La description de ce rocher, si surprenant au milieu de cette plaine qu'il domine et semble surveiller, est remarquable par sa précision et son exactitude :

> « ...ce grand rocher, qui a plus de quatre mille pas de tour, quand il commence de s'eslever, et de hauteur plus de quatre cents, et au sommet plus de cinq cents, est tout couvert de terre, et d'un costé planté de vignes... » (116)

Puis l'imagination de l'auteur reprend ses droits, pour donner une étymologie au nom de Mont-Verdun. L'autre côté de ce rocher est, dit-il,

> « si plein d'une menue herbe, et si verte, que ceux du pays en corrompant son nom, l'ont appelé Mont-Verdun au lieu de Montvatodum, qui signifioit la montagne et demeure des sacrificateurs, parce qu'en langage Celte, Dunum signifie forteresse, et Vates, en celui des Romains, sacrificateurs ou ceux qui rendent les oracles... » (117)

Ce mot de « vates » était important, car Montverdun est, dans *L'Astrée,* un haut-lieu où se rendent les oracles. Remplacer les moines du prieuré par les druides était aisé. Saint Porcaire n'est

---

(111) *Astrée,* II, 8, 312.

(112) *Ibid.,* IV, 8, 462.

(113) Voir J.E. Dufour, *op. cit.,* col. 613-614. Le sol de la commune a fourni des vestiges antiques, mais comme le sommet du puy basaltique de Montverdun a été aplani au Moyen Age pour y construire les édifices du prieuré, aucune trace de l'habitat gaulois indiqué par le nom ne subsiste.

(114) Parmi les prieurs de Montverdun, il y eut Christophe d'Urfé, puis Antoine d'Urfé, de 1587 à 1594, enfin Anne d'Urfé, de 1601 à 1621. Voir la plaquette anonyme, *Montverdun en Forez et Saint Porcaire son patron,* Boën, 1968, p. 18.

(115) *Astrée,* II, 8, 312.

(116) *Ibid.*

(117) En fait le nom de Montverdun vient de ver et dunum, ce qui autorise à croire que Montverdun fut occupé militairement à une époque reculée. Voir F. Thiollier, *op. cit.,* pp. 315-318.

plus le fondateur de la communauté, mais, comme il se doit, c'est Druys qui « ayant trouvé ce lieu plein d'une certaine divinité, qui l'inspira d'abord qu'il y fut.., pensa estre à propos d'en laisser quelque marque à la posterité ». La suite du récit et de la description peut paraître surprenante :

> « Tout ce rocher, qui pour sa grandeur se peut nommer une montagne, est de nature tellement creux, qu'il semble quand on est dedans, que ce ne soit qu'une voute. Il y a trois ouvertures si spatieuses qu'un chariot y pourroit entrer : elles demeurent ordinairement closes, sinon lors que l'on veut consulter l'oracle, qu'il y a tousjours une druide qui, apres le sacrifice, s'en court ouvrir la porte du dieu auquel on fait la demande. Et soudain il en sort un vent assez impetueux qui, venant des concavitez de cest antre, et se froissant contre les destours du rocher, fait un certain bruit, qui semble à des voix mal articulées... » (118)

D'Urfé eut l'occasion de gravir le rocher de Montverdun et d'en visiter les moindres détails. Si la montagne n'est pas creuse, du moins il existait des souterrains, ou des « chemins couverts » qui, par suite, furent murés en raison des dangers d'éboulements et d'asphyxie pour ceux qui s'y aventuraient (119). En entrant dans la cour intérieure, on remarque, à gauche, une grande salle souterraine voûtée qui a deux nefs séparées par trois arcades en plein cintre. C'était l'ancien cellier des moines. Voilà tout autant d'éléments suffisants à une imagination déjà nourrie des souvenirs de la Pythie et de ses oracles et qui ne demandait qu'à s'enflammer. Une étymologie fantaisiste qui insiste sur le mot « vates », des souterrains et un caveau où s'engouffre le vent qui module des paroles sorties du fond de la terre, la Pythie qui mâche le laurier et qui, échevelée, profère l'oracle, voilà comment s'est créée la vision de Cléontine. La druide, penchant la tête dans l'antre,

> « avec la bouche ouverte, y demeure tant que le bruit dure, puis s'en revient dehors avec les cheveux mal en ordre, les yeux esgarez et le visage tout changé, et d'une voix tout autre qu'elle n'avoit pas, et faisant des actions d'une personne transportée, prononce l'oracle que bien souvent elle n'entend pas elle-mesme. »

D'Urfé est tellement satisfait de ce tableau qu'il le reprend, y ajoute des détails, le répète dans la même page, au paragraphe suivant, et l'embellit encore dans la troisième partie (120).

Sans distinction, gens de la cour et bergers se retrouvent en ces lieux où sont rendus les oracles. Un sort commun les lie, quelle que soit leur condition sociale, car tous subissent les misères du cœur. Et pourtant, en Forez, les habitants sont partagés en deux classes sociales : les nymphes et les bergers. *L'Astrée* livre peu de détails sur la demeure des bergers. Nous savons que leur hameau est « contre-mont la delectable riviere de Lignon, au pied de cette

---

(118) *Astrée,* II, 8, 312-313.
(119) Voir *Montverdun en Forez...,* p. 7.
(120) *Astrée,* III, 11, 585.

grande montagne qui s'appelle Mont-lune » et qu'ils habitent dans des cabanes (121). Les nymphes vivent à Isoure, auprès de Galathée ou à Marcilly, à la cour d'Amasis. Ces demeures parent le paysage du Forez, dominent la plaine et jouent un rôle dans l'intrigue du roman. Par goût, d'Urfé se complaît à les décrire. Son observation lui sert de point de départ, puis il imagine et crée le merveilleux. Cela est surtout sensible dans la description du palais d'Isoure. Il faut l'identifier avec le château de Chalain d'Uzore. Le lieu où il s'élève est célèbre par les antiquités qui y ont été découvertes : restes d'un temple, poteries, statues de Mercure, d'Hercule et d'Isis (122). Le château lui-même, dont la construction date des XIVe, XVe et XVIe siècles, subsiste encore. C'est bien, à quelque chose près, celui que d'Urfé connut. Les peintures et les jardins ont retenu son attention et lui ont fait imaginer une sorte de palais féerique dont la Fontaine de Vérité d'Amour et le tombeau de Damon sont les éléments merveilleux. Honoré d'Urfé a-t-il vu, à Chalain d'Uzore, les tableaux qu'il décrit ? Sans doute que non. Mais il est possible que des peintures contemplées dans d'autres châteaux tout proches aient frappé son attention. D'Urfé part de ce qui a attiré ses regards et ensuite il ne tient plus compte du lieu où il l'a vu. Ainsi, comment être sûr que les jardins d'Isoure décrits dans *L'Astrée* sont bien ceux du château de Chalain d'Uzore ? Un magnifique jardin en terrasse y avait été créé au XVIe siècle, à l'époque de la transformation du château. Nous devinons, maintenant encore, que ce fut un

> « jardin agencé de toutes les raretez, que le lieu pouvoit permettre, fut en fontaines et en parterres, fut en allées et en ombrages, n'y ayant rien esté oublié de tout ce que l'artifice y pouvoit adjouster. » (123)

Mais comment retrouver le carré de coudriers, le grand bois de « diverses sortes d'arbres » ? La « gallerie basse par où avec un pont-levis on entroit dans le jardin » existe encore, en partie : c'est un ouvrage de la Renaissance, formé d'arcades en anses de panier. Devant la façade occidentale, le visiteur admire un puits sculpté, mais il n'est pas la Fontaine de Vérité d'Amour. Des œuvres de La Bastie d'Urfé et son jardin sont peut-être placés à Isoure. Quand la description devient féerique, la réalité disparaît au profit de la fusion des souvenirs et de l'invention. Le château de Chalain d'Uzore, joyau de la Renaissance forézienne, rappelait, avec plus de richesse encore, l'aile occidentale du château de La Bastie. Il invitait donc d'Urfé à y transposer le mystère de la salle de fraîcheur, les œuvres d'art et la Fontaine d'Amour qui, dans son enfance, avaient nourri ses rêveries.

S'agit-il de décrire le château de Marcilly, où résident Amasis et sa cour ? L'auteur doit-il situer la bataille livrée par Polémas ?

---

(121) *Ibid.*, IV, 3, 117.

(122) Voir J.E. Dufour, *op. cit.*, col. 139-140 ; A. Bernard, *Histoire du Forez*, t. I, pp. 26-27.

(123) *Astrée*, I, 2, 37. Sur le château de Chalain d'Uzore, voir *Les châteaux historiques en Forez*, Hennebont, 1916-1926, 3 vol., t. I, p. 74 ; F. Thiollier, *op. cit.*, pp. 269-272.

Alors, le besoin d'exactitude reprend ses droits. Ici, plus de féerie ; le capitaine d'armes expose méthodiquement la tactique de Polémas et les moyens de défense mis en œuvre. La situation de Marcilly explique la stratégie de la bataille qui va se dérouler :

> « Marcilly est situé de telle sorte que du costé de Mont-Verdun et d'Isoure, il a la plaine, et de Cousans, les montagnes. Il est vray que le chasteau, qui est sur l'un des bouts de la ville, luy sert de rempart tres assuré du costé de la montagne, estant de telle sorte eslevé que l'accez de ce costé-là est impossible, car, outre que le rocher sur lequel il est assis est escarpé comme une tres profonde muraille, encore un torrent qui passe entre la montagne et le chasteau, et qui luy sert de fossé, le rend du tout inaccessible. Les advenues de tous les autres endroits sont tres belles : il est vray que les fossez y sont profonds, et les murailles bien flanquées de tours assez voisines. » (124)

Rien n'est imaginé ici. Un torrent, affluent du Lignon, coule bien au pied de la butte où s'élevait le château. Le dessin tracé par Guillaume Revel, dans son *Armorial,* montre un haut donjon carré entouré d'une chemise dont les angles sont munis d'échauguettes. Une double enceinte était faite de murailles, dont les angles étaient défendus par des demi-tours. Le château se situait « sur l'un des bouts de la ville » et servait de rempart du côté des montagnes de Couzan (125). Le dessin de Guillaume Revel, malgré sa fantaisie, nous permet de situer, à l'ouest, la colline où se retirèrent les troupes de Polémas et dont « l'assiette advantageuse les tenoit assez assurez » (126). Nous y voyons le chemin qui monte vers Marcilly, bordé de ces maisons où Alcandre se cache avec ses cinquante archers (127).

Marcilly ne fut pourtant pas victime des assauts d'un voisin de Sury. Ce siège raconté dans *L'Astrée* est inventé de toutes pièces par Honoré d'Urfé. Mais il n'est pas interdit de penser qu'il a transposé le récit de la prise de Marcilly, vers 1367, par les chefs de bandes, Bernard de la Salle et Bertucat d'Albret, licenciés par le prince de Galles (128). A cet événement s'est superposé, nous semble-t-il, le souvenir de l'attaque de Chateaumorand par les hommes du Comte de Saint-Géran, qui n'est pas sans rappeler Polémas. Des raisons d'intérêt et de vanité auraient brouillé Saint-Géran, Honoré d'Urfé et Diane de Chateaumorand. En 1613, alors que d'Urfé était à la cour, le propriétaire de Lalière fit attaquer Chateaumorand. Il avait réuni « plusieurs centaines de gens de guerre armés d'arquebuses à rouet, de pistolets, de hallebardes et d'épées », qui se livrèrent à plusieurs exactions à Saint-Martin d'Estréaux, mais, en

---

(124) *Astrée,* IV, 11, 743-744.

(125) Voir F. Thiollier, *op. cit.,* p. 310 ; Salomon, *op. cit.,* t. I, pp. 201-203. En 1873, de nouvelles bâtisses aujourd'hui en ruines ont été élevées à la place du château, à tel point qu'il est difficile de retrouver l'emplacement de l'ancien édifice.

(126) *Astrée,* IV, 11, 746.

(127) *Ibid.,* IV, 11, 742.

(128) Voir F. Thiollier, *op. cit.,* p. 310.

définitive, ne commirent pas de graves dégâts au château (129). Le récit qu'écouta d'Urfé et les ennuis qui furent la conséquence de ces événements lui fournissaient un sujet à exploiter dans son roman. Polémas représente le traître ; il est peut-être encore celui qui se prétend son ami et l'a trahi au temps de la Ligue. Assurément, le récit des préparatifs du siège de Marcilly touche aux dimensions de l'épopée. Quand nous regardons sur une carte le chemin parcouru par l'armée de Polémas, de Sury à Marcilly, en passant par la route de Montbrison, nous avons peine à croire d'Urfé, qui écrit que le « charriage estoit si grand qu'il remplissoit presque le chemin de Surieu jusques aux jardins de Montbrison » (130). Quinze kilomètres séparent Surieu de Montbrison ; il est vrai que d'Urfé tempère ses affirmations par « presque ». En revanche, quand il écrit que Surieu est à trois ou quatre heures de Marcilly, l'estimation est exacte, puisque, de Montbrison pour atteindre Marcilly, il faut parcourir dix kilomètres (131). Vingt-cinq kilomètres à pied, en trois ou quatre heures, cela paraît normal. C'est la seule indication précise que nous puissions lire dans *L'Astrée* à propos de Surieu où réside Polémas. Peut-être Honoré d'Urfé connaissait-il peu le château de Sury-le-Comtal ?

Il est vrai qu'il séjourna à Montbrison, y passa fréquemment et que jamais il ne décrit cette ville dans *L'Astrée*. Aucun épisode du roman ne s'y situe. S'il en parle, c'est pour indiquer un chemin ou la position d'un autre lieu et ce lui est une occasion de faire une allusion aux jardins. D'Urfé mentionne le château comme un point de repère et pour préciser que le Temple de Vénus en est séparé d'une lieue (132). La grande ville, dans *L'Astrée*, c'est Marcilly, où Amasis réside avec sa cour. Montbrison est un « petit lieu » (133), dont l'intérêt est d'être un carrefour de routes : il faut passer par là quand on vient de Surieu ou de l'Auvergne. Montbrison est caractérisé surtout par ses jardins qui appartiennent à Galathée, puisque c'est Fleurial, son jardinier, qui les entretient (134). D'Urfé ne décrit pas ce parc « qui est entre Montbrison et Moin » ; il se contente d'en vanter la beauté (135). Son calme attire les visiteurs et sa solitude permet les rendez-vous secrets, tel celui de Polémas et de Climante (136). Non loin de là, s'étend le bois de Savigneux, où, sur les rives du Vizézy, « cette petite riviere qui y passe presque au travers », le faux prêtre construit sa « logette », afin de duper les nymphes (137). Ces jardins firent la beauté de Montbrison, et constituaient ce que l'on a appelé « Le Parc du roi ».

---

(129) Voir O.C. Reure, *op. cit.*, pp. 155-170. Honoré d'Urfé a dû, au cours de sa vie, observer de nombreux Polémas. Voir M. Proth, *op. cit.*, p. 155.

(130) *Astrée*, IV, 11, 734.

(131) *Astrée*, IV, 10, 649. Surieu est bien Sury le Comtal. Le nom de Surieu est attesté par les actes des XIVe et XVIe siècles, voir J.E. Dufour, *op. cit.*, col. 962.

(132) *Astrée*, I, 4, 112.

(133) *Ibid.*, I, 3, 96.

(134) *Ibid.*, I, 9, 336.

(135) *Ibid.*, I, 3, 96 ; I, 9, 336.

(136) *Ibid.*, III, 12, 642.

(137) *Ibid.*, I, 9, 365.

Ils s'étendaient jusqu'à la route de Moingt et d'Ecotay (138). Un dessin de Martellange, daté du 10 janvier 1611, nous montre le « parc du roi » avec ses charmilles et son jardin à la française (139).

Pas plus que Montbrison, Feurs n'a, dans *L'Astrée,* une place de choix. Cette petite ville est aussi un point de repère. Située sur la route de Lyon, elle est au carrefour des chemins qui se dirigent vers Boën et c'est par là que passent les voyageurs venant de Lyon, pour se rendre au hameau des bergers ou pour aller consulter l'oracle de Montverdun. En outre, elle permet à d'Urfé d'enseigner le passé du Forez et d'honorer son pays en en rappelant l'antiquité. Feurs est la

> « petite ville que les Romains firent bastir et qu'ils nommerent Forum Segusianorum, comme s'ils eussent voulu dire la place ou le marché des Segusiens, qui proprement n'estoit que le lieu où ils tenoient leurs armées durant le temps qu'ils mirent ordre aux contrées voisines. » (140)

Ainsi, l'histoire se mêle à la géographie, selon la mode du XVIe siècle et l'enseignement des Jésuites. Si la situation des lieux indiquée par d'Urfé est exacte et reflète sa connaissance du Forez, l'histoire est cependant parfois transformée en fonction des aventures romanesques. Les vestiges romains deviennent des temples de divinités, Marcilly gagne son importance au détriment de Montbrison.

La note de couleur locale, empruntée au folklore du Forez, n'apparaît presque jamais. Une seule fois, une allusion à la fontaine de Saint-Galmier, la Font-Fort, donne lieu à une remarque qui appartient aux dictons foréziens. Elle est plaisamment prononcée par Hylas dont la verve fait toujours rire quand il critique la pensée de Silvandre :

> « Croy-moy, berger, que pour peu que tu continues, ta compagnie ne sera point des-agreable, et que tu te rendras un fol aussi plaisant que jamais la Font-fort en ayt produit en Forests. » (141)

Il ne s'agit point d'une expression inventée par d'Urfé. Sous sa plume, alors que déjà il a quitté les plaines du Forez, jaillit cette remarque plaisante, entendue bien des fois dans les conversations des Foréziens (142). Mais c'est bien le seul trait de ce genre que

---

(138) Voir A. Barban, *Hôtel et clos des Comtes de Forez à Montbrison,* in *Recueil des mémoires et documents sur le Forez,* publié par la Société La Diana, 1876, t. III.

(139) Voir illustrations.

(140) *Astrée,* I, 2, 45.

(141) *Ibid.,* II, 9, 388.

(142) Une enquête nous a permis de découvrir que les habitants de la région de Saint-Galmier ignoraient la réputation étrange qui était faite à la Font-Fort, au XVIe siècle. Mademoiselle Gonon, ingénieur au C.N.R.S., nous a communiqué le renseignement suivant qui confirme que la remarque d'Urfé appartenait à une tradition : « ...on disait vers 1890-1895 à Chazelles sur Lyon, et à Veauche, Cuzieu, que les habitants de Saint-Galmier étaient des

nous lisions dans *L'Astrée.* Honoré appartenait à une classe sociale qui le séparait trop des gens simples pour lui permettre de recueillir le folklore de sa province. Des sujets érudits alimentaient la conversation des familiers de La Bastie. Si des Egyptiennes ou plutôt des bergères déguisées en Egyptiennes, venues de la région de la rivière d'Or ou des hameaux voisins, offrent des spectacles de danses et disent la bonne aventure, c'est une scène qui, semble-t-il, se répétait dans chaque région de la France (143).

II. — Les personnages foréziens

Forcer le texte de *L'Astrée,* au point d'y vouloir trouver constamment un calque de la réalité, serait fausser l'œuvre romanesque. L'imagination s'appuie sur le réel, mais le dépasse, le recompose, crée une nouvelle atmosphère qui s'éloigne de la réalité. Voilà la démarche créatrice d'Urfé. Les lieux sont vrais, mais couronnés du halo du rêve et de la poésie. S'agit-il des personnages ? La démarche est la même. Faut-il partager l'opinion de Patru :

> « ...Vous observerez, s'il vous plaît, que toutes les histoires de *L'Astrée* ont un fondement véritable : mais l'auteur les a toutes romancées, si j'ose user de ce mot, je veux dire que pour les rendre plus agreables, il les a toutes mêlées de fictions, qui quelquefois sont des fictions toutes pures, mais le plus souvent ce ne sont que voiles d'un ouvrage exquis dont il couvre de petites veritez qui autrement seroient indignes d'un roman » (144) ?

Patru s'avance trop, quand il prétend que « toutes les histoires de *L'Astrée* ont un fondement veritable » ; il dit vrai en affirmant que certaines histoires « sont des fictions toutes pures », mais « le plus souvent » est de trop, quand il parle « des petites veritez ». Au vrai, il est parfois aisé de retrouver, sous les traits de personnages de *L'Astrée,* le visage de Foréziens, parents lointains ou proches ou amis de la famille d'Urfé. Tel est le cas d'Alcippe qui emprunte certaines de ses aventures à la vie de Pierre II d'Urfé, arrière grand-père d'Honoré (145). Il était un personnage haut en couleur dont les aventures devenues légendaires rendent difficile la découverte de la vérité. Sa vie était aisée à romancer et nous comprenons qu'Honoré d'Urfé ait été séduit par le récit que lui en fit sans doute Flory du Vent, le secrétaire et archiviste de la maison d'Urfé. Revendiquer Alcippe, Pierre d'Urfé, comme père de Céladon, était pour Honoré l'occasion de s'accorder une parenté où

« tchuquas » (toqués) à cause de la Font-Fort (renseignement qui m'a été communiqué par mon père né à Chazelles en 1883) ; on appelait encore les Baldomériens « les tchuquas » en 1940. » Papire Masson se contente de vanter les vertus de la fontaine. Elle offre, selon lui, l'avantage de n'avoir que très rarement besoin de médecins et elle possède des propriétés chimiques étonnantes (« Description du pays de Forez, extraite de la *Descriptio fluminum* », in *BD,* XXXIX (1966), pp. 241-242).

(143) *Astrée,* III, 10, 542-544.

(144) Patru, *op. cit.,* 2e part., pp. 104-105.

(145) Voir O.C. Reure, *La vie et les œuvres d'H. d'Urfé,* pp. 5-6.

le merveilleux se joignait à la vérité. Ce désir était d'ailleurs partagé par son frère Anne. Pierre II d'Urfé illustre, en effet, « la fortune la plus traversée, et la plus diverse d'homme du monde » (146). En 1461, il servait déjà dans le Lyonnais. Entraîné par le duc de Guyenne, il embrassa le parti du duc de Bourgogne. Il devint l'ennemi de Louis XI et il obtint « abolition et remission » par lettres patentes d'août 1470 (147). Sous Charles VIII, il fut chevalier des Ordres de Saint-Michel et du Saint-Sépulcre, conseiller et chambellan du Roi, Sénéchal de Beaucaire et de Nîmes et bailli de Forez. Il avait été encore conseiller et chambellan de Jean II, duc de Bourbon, conseiller de François, duc de Bretagne et père de la reine Anne de Bretagne, dont il négocia le mariage avec le roi Charles VIII (148). Selon le Père Fodéré, qui tenait ses sources de Flory du Vent, il se rendit deux fois au Levant : la première fois pour un pèlerinage à Jérusalem, la seconde

> « il se trouva opportunément à la guerre des Chrestiens contre les Turqs, où il donna de si grands tesmoignages de son courage... que la renommée occasionna les Princes et Grands Seigneurs de France d'employer leur crédit aupres du Roy... mesmes le Pape Alexandre VI s'y employa et escrivit au Cardinal Brisonet ... à ce qu'il representast de sa part au Roy, combien il aurait agréable que sa Majesté receut en sa bonne grâce le Seigneur d'Urfé. » (149)

Il épousa en premières noces, en 1487, Catherine de Polignac, en secondes noces, Antoinette de Beauveau, parente de la maison de Bourbon, à qui Anne de France témoigna une profonde affection (150). Partagé entre les affaires politiques et le souci de ses terres foréziennes, il fonda le Couvent des Cordeliers de la Bastie, puis le Monastère de Sainte-Claire de Montbrison et mourut en 1508 (151). Cette histoire reste confuse et les dates ne sont pas toujours très rigoureuses, notamment celles des voyages de Pierre au Levant. Il est cependant instructif de voir comment Honoré d'Urfé a exploité de telles aventures. Dans *L'Astrée*, la vie d'Alcippe est placée sous le signe de la turbulence et de l'amour :

> « Toute autre chose luy plaisoit plus que ce qui sentoit le village, si bien que jeune enfant, pour presage de ce qu'il reussiroit, et à quoy estant en aage il s'adonneroit, il n'avoit plaisir si grand que de faire des assemblées d'autres enfants ainsy que luy, ausquels il apprenoit de se mettre en ordre, et les armoit... » (152)

---

(146) *Astrée,* I, 2, 49.
(147) Archives nationales, J.J. 196, n° 199.
(148) La Mure, *Histoire genealogique de la Maison d'Urfé,* in A. Bernard, *op. cit.*, pp. 33-34 ; *B.N.*, ms frs, *Genealogie de la Maison d'Urfé,* f. 87 r° sq. ; Commynes, *Mémoires,* l. III, ch. 8.
(149) P. Fodéré, *Narration historique...*, p. 990, cité par C. Longeon, « Une visite au château de La Bastie... », in *BD*, XL (1968), p. 254, n. 8.
(150) La Mure, *op. cit.*, in A. Bernard, *op. cit.*, pp. 36 et 40-41.
(151) Id., *ibid.*, p. 43.
(152) *Astrée,* I, 2, 49.

Alcippe, dès l'âge de quinze ans, devint « amoureux de la bergère Amarillis, qui pour lors estoit recherchée secretement d'un autre berger son voisin, nommé Alcé ». Cet amour fut à l'origine des aventures du père de Céladon. Amarillis dut partir chez Artemis, sœur d'Alcé, « qui se tenoit sur les rives de la riviere d'Allier » (153). Une aventure galante et secrète avec une dame inconnue, dont il finit par découvrir l'identité grâce à une ruse indiquée par son ami Clindor, contraignit Alcippe à quitter le Forez. Clindor tua en duel un cousin de Pimandre, fut arrêté, enfermé à Usson et sauvé par Alcippe. Celui-ci fuit et se rangea aux côtés d'une

> « nation qui depuis peu estoit entrée en nos Gaules, et qui, pour estre belliqueuse, s'estoit saisie des deux bords du Rhosne et de l'Arar, et d'une partie des Allobroges. »

Renvoyé par Gondebaut, pour complaire à Alaric, Alcippe se retira

> « avec un autre peuple, qui du costé de Renes s'estoit saisi d'une partie de la Gaule, en dépit des Gaulois et des Romains. » (154)

Il gagna la cour du roi Arthur, mais, recherché par Alaric, il fuit à Byzance (155). Thierry, le fils d'Alaric, ayant publié « une abolition générale de toutes les offences faites en son royaume », Alcippe, averti par Amarillis qu'un Visigoth semait la terreur à Marcilly et avait tué un de ses oncles, revint en Forez. Vainqueur du Visigoth, « apres avoir demeuré dix sept ans en Grece », il fut honoré de Pimandre et d'Amasis et épousa Amarillis qu'il n'avait cessé d'aimer. Voilà une histoire qui n'est pas très éloignée de la vérité, à notre avis. Regardons-y de près. Alcippe se met au service de cette nation qui occupe les deux bords du Rhône et de l'Arar et une partie des Allobroges ; il s'agit, bien sûr, de la Bourgogne et du roi Gondioch, ainsi que la suite du texte le prouve. Mais ici l'histoire permet à Honoré d'Urfé une transposition : Pierre II, nous l'avons vu, se mit au service des ducs de Bourgogne. L'histoire du ve siècle offrait à son imagination un autre fait semblable. Sans s'écarter de la vérité et en la camouflant pourtant, il écrit qu'Alcippe se rangea aux côtés du peuple qui s'était établi dans la région de Rennes. Pierre II d'Urfé fut l'un des conseillers de François, duc de Bretagne. Dès lors, comment Honoré n'aurait-il pas succombé à la tentation d'évoquer le rôle d'Alcippe auprès du roi Arthur ? La légende ajoute sa note de merveilleux à ce qui eût pu être facilement identifiable ; les faits deviennent énigmatiques, grâce au changement de siècles. Il apparaît que la famille d'Urfé attacha beaucoup d'importance aux voyages de Pierre, au Levant. Anne d'Urfé a fait dresser une *Généalogie de la Maison d'Urfé* où l'on peut lire que Pierre d'Urfé

> « eust deux femmes, la première fut Catherine de Polignac, dont il eust un fils mort jeune et sa mere aussi et ce durant le temps

(153) *Ibid.*, I, 2, 53.
(154) *Ibid.*, I, 2, 60.
(155) *Ibid.*, I, 2, 61.

qu'il estoit hors de la Chrestienté au service de Selim Empereur des Turqs dont estant apres de retour en France il espousa Anthoinette de Beauveau » (156).

Nous constatons combien les deux frères étaient désireux de se donner des ancêtres fabuleux. Anne prétend que Pierre d'Urfé combattit aux côtés des Turcs, Honoré, sans commettre l'erreur de citer le nom de Selim, raconte qu'Alcippe reçut à Byzance, des mains de l'Empereur, la « charge des galeres ». Il était commun de guerroyer contre les Turcs, mais plus rare d'être à leurs côtés ! Les Lascaris, revendiqués pour ancêtres par les d'Urfé, n'avaient-ils pas tenu

« l'empire d'Adrianople, de Trebisonde, et celuy-là mesme de Constantinople, qui fust osté par les Paleologues, depuis chassés par les Ottomans » (157) ?

Ce séjour au Levant dura-t-il dix-sept ans comme le prétend *L'Astrée* (158) ? Cela est douteux. Honoré cherche à mettre en valeur le caractère aventurier du père de Céladon, il exagère la longueur de son absence et le récit romanesque a ses exigences. Il n'est pas question de chercher un support réel à l'aventure d'Alcippe avec l'inconnue qui lui fixait si mystérieusement rendez-vous. Céladon raconte qu'Alcippe manifesta son courage en libérant son ami Clindor. Cela n'est pas pure imagination. Le Père Fodéré, dans sa *Narration historique,* rapporte un détail curieux. Selon lui, dès son retour de Jérusalem, Pierre d'Urfé donna ordre de construire le Couvent de La Bastie,

« mais le sieur du Vent dit que sur ces entrefaites, ainsi qu'il commençoit à jetter les fondemens, lui survindrent grandes disgrâces, savoir : un grand Seigneur son singulier amy fut fait prisonnier au chasteau d'Usson en Auvergne, pour avoir tué sa femme sur l'opinion que le roy en avoit joui. Pierre d'Urfé s'en va en diligence en cour solliciter avec un grand soing sa grace ; mais apres y avoir employé la faveur des plus grands seigneurs, voyant qu'il n'y avoit aucune esperance, ains on formoit le proces au criminel, il revint à Usson, et soit par authorité de sa qualité de grand escuier, soit par autre moyen, il entre au chasteau, force la prison, et en tire son amy precisement l'avant-veille qu'il devoit estre decapité. De quoy le roy fut tellement indigné et la justice si offencée, qu'il n'eust meilleur expedient que de sortir hors le royaume, et ne voyant aucun jour de reconciliation, comme celuy qui se noye se prendroit à une barre de fer ardente, il fut contrainct s'aller rendre au Roy d'Espagne, et par consequent porter les armes pour luy... » (159).

---

(156) *B.N.*, ms. frs, 22464, f. 94 r°. Anne d'Urfé corrigea le manuscrit, ratura « second » accolé à Selim, mais commit du même coup une grossière erreur, puisque Selim régna de 1512 à 1520 et que Pierre d'Urfé mourut en 1508. Voir, à ce propos, C. Longeon, *art. cit.*, p. 254, n. 8.
(157) La Mure, *op. cit.*, in A. Bernard, *op. cit.*, p. 55.
(158) *Astrée*, I, 2, 62.
(159) P. Fodéré, *op. cit.*, pp. 987 sq., cité par A. Bernard, *op. cit.*, p. 37, n. 1.

Le récit des prouesses d'Alcippe à Usson n'est donc pas totalement inventé par d'Urfé. Il lui fallait cependant un dénouement heureux à ces aventures. Le combat contre le Visigoth qui jetait le trouble à Marcilly vaut à Alcippe d'entrer en grâce auprès de Pimandre. Pierre d'Urfé, pardonné par Louis XII, fut comblé d'honneurs. Comme l'ancêtre d'Honoré trouva le bonheur auprès d'Antoinette de Beauveau, le père de Céladon conclut un mariage heureux avec Amarillis. Honoré d'Urfé raconte qu'Amarillis dut, sur l'ordre de son père, séjourner sur les bords de l'Allier auprès d'Artémis, sœur d'Alcé. Or, Antoinette de Beauveau, parente de la maison de Bourbon, était particulièrement favorisée de la duchesse Anne qui résidait à Moulins. Enfin, Alcippe, revenu en Forez, mais en butte aux tourments de son amour pour Amarillis, reprend la « devise qu'il avoit portée durant tous ses voyages d'une penne de geay, voulant signifier *peine j'ay* » (160). Les d'Urfé eurent pour armoiries une touffe de plumes (161). L'auteur de *L'Astrée* n'eut à faire appel qu'à ce qu'il avait appris de la bouche de Flory du Vent, pour créer cet épisode d'Alcippe. Sa création littéraire n'est pas étrangère à la réalité, aux souvenirs, même déformés déjà par l'imagination de l'enfant.

Anne d'Urfé joua un rôle important dans la vie d'Honoré jeune homme. Aussi est-il peint sous les traits de Lycidas. Anne aima Marguerite de Lupé, coquette et volage, qui, en 1570, épousa Jean d'Apchon. Il ne l'oubliera jamais puisque, quelques années avant de mourir, il confiera à son lecteur que c'est elle seule qu'il a jamais aimée. En 1571, il épousa Diane de Chateaumorand pour des raisons inconnues. La discorde, qui s'établit entre les deux frères, de 1587 à 1600, et finit par s'estomper, fit souffrir Honoré d'Urfé à tel point que son souvenir est présent dans *L'Astrée* (162). Anne d'Urfé n'est point Filandre ainsi que le prétend Patru, sous prétexte que ce personnage est déguisé en fille (163), mais Lycidas, frère de Céladon.

Lycidas éprouve une affection loyale pour son frère qui. exilé par Alcippe, lui demande de protéger Astrée. Mais, pendant cette absence qui dura trois ans, les soins de Lycidas furent si constants à l'égard d'Astrée que « ...il y en eust plusieurs qui creurent qu'il avoit succedé à l'affection que son frere [lui] portoit » (164). Revenu de son voyage en Italie, Céladon est à nouveau écarté. Il est envoyé chez Forelle dont on veut lui faire épouser la fille, Malthée. Pendant ce temps, Olimpe, fille de Lupéandre, vient avec sa mère dans le village de Lycidas (165). Persuadée que « tous les bergers qui la regardoient en estoient amoureux..., elle commença de s'embesongner de Lycidas ». Pendant l'absence de Phillis, dont Lycidas

(160) *Astrée*, I, 2, 64.
(161) Voir P. Gras, *Répertoire héraldique ou Armorial général du Forez*, Paris, Bachelin-Deflorenne, 1874, p. 254.
(162) Voir à ce propos C. Longeon, « Anne d'Urfé et l'*Astrée* », in *Colloque commémoratif du quatrième centenaire de la naissance d'Honoré d'Urfé*, *BD*, 1970, n° spécial, pp. 15-29.
(163) Patru, *op. cit.*, 2e partie, pp. 108-109.
(164) *Astrée*, I, 4, 120.
(165) *Ibid.*, I, 4, 134.

est amoureux, Olimpe, grâce à la complicité de sa mère qui a échafaudé un projet de mariage, finit par séduire le frère de Céladon : « Ceste bergere fit tant la folle qu'elle en devint enceinte ». (166). Phillis revient, pardonne à Lycidas et reçoit chez elle Olimpe. Celle-ci accouche d'une fille. Lupéandre, nom de famille d'Olimpe, est on ne peut plus clair. Comment les lecteurs de *L'Astrée* n'ont-ils pas reconnu Marguerite de Lupé, fille de Claude Gaste de Lupé et de Françoise de Joyeuse (167) ? Honoré d'Urfé nous dit que Lupéandre demeurait « sur les confins de Forests, du costé de la riviere de Furan ». Or, la seigneurie de Lupé appartenait au canton de Pélussin, donc aux limites du Forez. Claude de Lupé était lieutenant de la Compagnie de Jacques d'Urfé et, ainsi, Anne rencontra Marguerite, vers 1568. Un mariage fut projeté par les familles. Mais la fille de Claude de Lupé était volage, aux dires d'Anne d'Urfé qui nous confie avec amertume qu'elle était :

> « ingrate aux vrais amants trompeuse et peu fidèle
> qui faict gloire d'avoir un amy chaque jour. » (168)

Pendant qu'Anne commandait une armée en Lorraine, elle épousa Jean d'Apchon le 30 janvier 1570 et, veuve en 1574, elle se remaria avec Aymar-François de Bressieu en 1580. Anne n'a jamais oublié Marguerite et, après sa mort survenue en 1614, cet amour, et la trahison de celle qu'il appelle Carite, reviendront sans cesse sous sa plume.

Dans l'histoire de Lycidas et d'Olimpe, les allusions sont donc transparentes : un nom où apparaît celui de Lupé, un caractère commun à Olimpe et à Marguerite. Mais Anne d'Urfé aurait-il eu un enfant de Marguerite ? Pour le prétendre, peut-on s'appuyer sur ce témoignage si peu clair d'Anne d'Urfé :

> « Je n'avois pas atteint troys lustres de mon Aage
> Qu'on croyoit de nous joindre un jour en mariage
> Elle y montra tousjours beaucoup de voullonté
> Qui poussa mon Amour jusqu'à son but supresme... » (169) ?

Le personnage de Lycidas joue un rôle important dans la première partie de *L'Astrée,* tout imprégnée de cette première ébauche tracée avant 1589. Ce roman, baigné de la présence du Forez qui n'est ni convention ni décor, devait évoquer Anne d'Urfé qui fut lieutenant général de la province. Mais *L'Astrée* inverse les rapports entre Astrée, Céladon et Lycidas. En réalité, au moment où Honoré écrit son roman, Anne est l'époux de Diane et le ménage est troublé par le frère. Les âges même sont inversés. Il y a un peu de Céladon en Lycidas, comme Honoré eût voulu être Anne auprès de

---

(166) *Ibid.,* I, 4, 135.
(167) Voir J.B. Galley, *Marguerite de Lupé,* 1922.
(168) *B.N.,* ms. frs, 12487, f. 84, cité par C. Longeon, *art. cit.,* p. 23.
(169) *B.N.,* ms. frs, 25464, f. 84, cité par C. Longeon, *art. cit.,* p. 24.
Dans la suite du poème, Anne écrit :

> « Et mesme ignorant mon imperfection
> Me voyant bien aymé d'une perfection. »

Dans *L'Astrée,* Alcandre chante Circène qu'il aime sous le nom de Carite (IV, 5, 506). Serait-ce un souvenir de la Carite chantée par Anne d'Urfé ?

Diane. Dans la deuxième partie de *L'Astrée,* Lycidas devient un personnage secondaire : à l'époque où Honoré la compose, tout est rentré dans l'ordre. Lycidas n'est plus que « le plus jaloux berger de tous ceux de la contrée ». Les troisième et quatrième parties ignorent Lycidas. Ainsi, des personnages de *L'Astrée,* — et Lycidas nous en est un excellent exemple —, sont inspirés profondément par le drame vécu par Honoré. Ils sont tels que les retrouve la mémoire de l'auteur, tels aussi qu'il aurait voulu qu'ils fussent. Nous écoutons, dans la première partie de *L'Astrée,* le cri d'un cœur blessé, mais qui, dans la suite, au fil du temps, s'étouffe.

Silvandre ne rappelle-t-il pas Antoine d'Urfé, comme lui néo-platonicien et homme de réflexion ? Il est, selon Patru, Honoré d'Urfé, encore. Comme lui, il n'a pas de bien ; son amour pour Diane, étrange coïncidence, est secret. Rien n'est clair dans l'identification de ce personnage qui semble être souvent le porte-parole de l'auteur (170). Mais prétendre, comme Patru, que

> « la reconnoissance de Sylvandre sur le point d'être immolé, n'est autre chose apparemment que le consentement des parents de Céladon à la dispense de ses vœux, et à son mariage ; et Adamas.., l'Officier de Cour Ecclesiastique qui présida au jugement de la dissolution du mariage de Philandre l'aîné d'Urfé » (171)

relève de la plus haute fantaisie. Tout n'est pas symbole dans *L'Astrée,* et vouloir, à tout prix, ramener les événements romanesques à des faits réels ou à des symboles, c'est déformer l'œuvre d'Urfé. Il est vrai que Patru précise aussitôt :

> « je dis en cette occasion, car au reste Adamas est un Lieutenant General de Montbrison, dont le nom m'est échappé mais qui estoit de grande vertu, révéré de toute la Noblesse du païs, et l'arbitre de tous les différends de la province : il en a fait le grand Druyde, pour luy donner l'autorité et de l'âge et de la Religion. »

Adamas est Jean Papon et, en même temps, son fils Loys. Honoré d'Urfé veut-il présenter un ami sous les traits de l'un de ses personnages ? Il accumule les détails et le personnage est transparent. N'aurions-nous que les traits du caractère d'Adamas, ne connaîtrions-nous que le rôle qu'il remplit en Forez, l'identification serait déjà très aisée. Mais nous savons où il demeure, nous apprenons des détails sur la situation et la composition de sa maison. Aucun doute n'est plus possible, Adamas habite Goutelas et Adamas est un Papon !

Jamais, sauf à propos de La Bastie, les points d'identification ne sont aussi nombreux. Nous avons vu comment les bergers se rendent à la maison d'Adamas. Elle est proche de Leigneux et de Trélins ; pour y venir du hameau des bergers il faut franchir le

---

(170) Voir H. Bochet, *op. cit.*, p. 23, n. 3 ; C. Longeon, *Ecrivains foréziens*, p. 223 et p. 235, n. 7 ; A. Chagny, *op. cit.*, p. 30 et n. 2 ; O.C. Reure, *op. cit.*, p. 8 ; Patru, *op. cit.*, IIe partie, p. 107.

(171) Patru, *op. cit.*, IIe partie, p. 109.

pont de la Bouteresse, puis une planche qui permet le passage d'un petit ruisseau. Prenez aujourd'hui le chemin de Trélins, le château qui s'offre à votre vue est Goutelas. Convient-il de fournir d'autres détails ? Alors les voici, car Honoré d'Urfé n'en est point avare. Le château de Jean Papon est bâti sur une colline « que l'on void à main droite en allant à la grande ville de Marcilly » (172) et que les chariots atteignent en faisant un grand détour, parce qu'elle est « un peu trop aspre par le droit chemin » (173). Derrière la maison s'étend le bocage où Adamas fit ensevelir Bélizar. De là, comme nous aujourd'hui, Léonide et Alexis ont une magnifique vue sur la plaine :

> « Elles parvindrent avec ces propos au bocage qui, estant plus relevé que la maison, descouvroit encores mieux toute la plaine, de sorte qu'il n'y avoit reply ny destour de Lignon, depuis Boen d'où il commençoit de sortir de la montaigne, jusques à Feurs où il entroit en Loire, qu'elles ne descouvrissent aisément. » (174)

Goutelas se compose d'un corps de bâtiment flanqué de deux tours rondes et entouré d'une enceinte carrée pourvue d'une tourelle aux angles. Par un portail, on accède à une cour à laquelle conduit une terrasse, d'où la vue s'étend sur la plaine (175) et qui fut peut-être, jadis, ombragée par des sycomores (176). Certes, la maison fut remaniée et il est difficile de retrouver, dans leur situation du XVIe siècle, chacune des pièces. On accédait à la grande salle par des escaliers si larges qu'on y pouvait monter trois de front (177). Des fenêtres de la grande salle du premier étage, une vue panoramique de toute la plaine du Forez s'offre au visiteur. Un guide moderne pourrait prononcer les paroles de Léonide qui commente à Alexis le paysage qu'elle contemple :

> « Voyez-vous, Madame, le cours de cette rivière, qui passant contre les murailles de la ville de Boen, semble coupper cette plaine presque par le milieu, s'allant rendre au dessous de Feur dans le sein de la Loire ? C'est le mal-heureux et diffamé Lignon, le long duquel vous pouvez voir nostre hameau, vis-à-vis de Mont-Verdun... Si vous retirez maintenant vostre veue un peu à main gauche, vous verrez le temple de la bonne Déesse... » (178)

La galerie, d'où la vue s'offre vers la plaine et vers les montagnes, est aisée à situer. Mais où sont les lambris, où les enrichissures d'or et d'azur sur la voûte (179), les marbres des embrasures

(172) *Astrée,* IV, 3, 115. Voir les chemins qui conduisent chez Adamas, carte n° 3.
(173) *Astrée,* III, 12, 640.
(174) *Ibid.,* II, 10, 400.
(175) *Ibid.,* II, 8, 310. Sur le château de Goutelas, voir Salomon, *op. cit.,* t. I, p. 155 ; F. Thiollier, *op. cit.,* pp. 313-315.
(176) *Astrée,* II, 10, 393.
(177) *Ibid.,* III, 2, 64 et 65.
(178) *Ibid.,* III, 5, 223. **Voir carte n° 2, p. 184.**
(179) *Ibid.,* II, 11, 467.

des portes et des fenêtres (180) ? Quelques traces de peintures décoratives, sur les murs et les plafonds de diverses pièces, nous laissent deviner le luxe du château de Jean Papon, une des plus élégantes demeures du Forez au XVIe siècle et qui se lie harmonieusement au paysage. Mais Honoré en exagère les richesses. Jamais, semble-t-il, il n'y eut de statues sur les murs (181), jamais, sans doute, tant de marbres et de dorures. Des colonnes adossées à la muraille supportent encore d'élégants culs de lampes, mais ce ne sont point des statues. La mémoire de l'auteur est-elle défaillante, ou, à dessein, parce qu'il veut honorer l'érudit et l'ancien Lieutenant Général du Forez, embellit-il Goutelas ? Le château et le propriétaire étaient dignes de ces collections et de ce goût de la beauté.

Jean Papon, le maître de Goutelas, a apporté à Honoré quelques-unes des connaissances historiques dont il tira certains récits de *L'Astrée*. Avec Pimandre, Adamas représente l'érudition. Il est aussi le conseiller d'Amasis et il dirige la défense de Marcilly (182). Il prodigue ses conseils à Céladon et aux bergers malheureux ; il est le juge et le consolateur. Voilà un rôle qui n'est pas sans rappeler celui qu'eut à remplir Jean Papon. Mais Adamas est aussi le grand druide, il est le prêtre, comme le fut Loys Papon à qui échut la propriété de Goutelas. A première vue, Adamas ne ressemble pourtant guère à Loys Papon, poète et homme d'église à la vie facile et légère (183). Le grand druide de *L'Astrée* est un homme réfléchi, érudit, philosophe et théologien, et tous célèbrent unanimement « sa sagesse, sa prudence et sa bonté » (184). Sans doute, son druidisme accommodant qui mêle christianisme et platonisme et fait de lui un ministre de l'Amour, est-il assez proche de la pensée théologique de Loys Papon. Adamas n'est pas un druide dont l'austérité décourage. Il a la science et l'expérience, car jadis, dit-il, il a « esprouvé les forces d'Amour » (185). Voilà quelques indices qui témoignent en faveur d'une identification d'Adamas avec Loys Papon. Ajoutons encore que le Chanoine de Notre-Dame de Montbrison connut la gloire dans le Forez du XVIe siècle, car « il résumait la justice sans défaut, la dignité de l'Eglise et la noblesse de la Poésie » (186). Mais Honoré d'Urfé ne dit-il pas qu'Adamas a beaucoup aimé le père de Céladon ? (187). Or, qui,

---

(180) *Ibid.*, III, 3, 81.
(181) *Ibid.*, III, 2, 63.
(182) *Ibid.*, IV, 11, 714.
(183) Sur Loys Papon, voir C. Longeon, *op. cit.*, pp. 66-78.
(184) *Astrée*, I, 10, 379.
(185) *Ibid.*, II, 8, 315.
(186) Voir C. Longeon, *op. cit.*, p. 78. Sur la tradition selon laquelle H. d'Urfé s'est inspiré de Loys Papon pour créer le personnage d'Adamas, voir *Voyage au Mont-Pilat, sur les bords du Lignon et dans une partie de la ci-devant Bourgogne,* Desenne, An IV. Contrairement à ce que prétend Montégut, Adamas n'a pas été peint à l'image de Saint François de Sales. Honoré d'Urfé connaissait-il d'ailleurs François de Sales au moment où il composa la première partie de *L'Astrée* ? Il est en tous cas certain que la pensée de Saint François de Sales n'exerça aucune influence sur la conception de l'amour exposée dans *L'Astrée* (E. Montégut, *op. cit.*, p. 268).
(187) *Astrée*, II, 8, 309.

plus que Jean Papon, se dévoua au service de Claude, puis de Jacques d'Urfé ? Pouvait-on écrire de lui plus bel éloge que celui-ci :

> « (Les) lieutenants generaux au païs de Forest, etant bien certains de ses vertus, capacités et grande expérience en toutes choses et de la fidelité et afection qu'il a toujour eu (au) service (du Roi) et conservation du repos public... luy ont souventes foys remis leurs charges pour en leur absence commander en leur dit gouvernement » (188) ?

D'Urfé rappelle qu'Adamas signifie « en la langue des Romains, un diamant » et qu'il le fut « en la constance et en la fermeté » de son amitié (189). Qu'Adamas soit Loys Papon, parce qu'il est grand druide, ne fait aucun doute, mais les vertus de sagesse et de prudence, les conseils judicieux d'Adamas nous engagent à voir en lui l'ancien Lieutenant Général de Montbrison (190). A l'époque tourmentée de sa vie, entre 1587 et 1590, Honoré dut recourir plus d'une fois aux sages conseils du Seigneur de Goutelas, vieillard comme Adamas, ainsi que Céladon écoute avec attention les directives du grand druide, vrai médecin de l'âme (191). Comme Jean Papon, Adamas est passé par l'école de la douleur, comme lui, il est probablement veuf, puisqu'il n'est jamais question de sa femme, au cours du roman (192). Adamas est, à la fois, Jean et Loys Papon, mais, à notre sens, beaucoup plus Jean que Loys.

La demeure d'Adamas s'harmonise à la fois au paysage forézien et au caractère de son propriétaire. Elle est le reflet de ses préoccupations d'érudit, puisque des collections ornent la galerie et elle est accueillante à la mesure de l'hospitalité de son propriétaire. On peut constater, à la lecture de *L'Astrée*, combien les maisons y tiennent de place, pauvres ou riches ou gaies. La demeure d'Eleuman et d'Ericanthe n'est pas située dans la plaine comme celle d'Adamas, elle est « non point trop loing de la source » du Lignon, « sur les bords de cette delectable riviere ». Ici, aucune description de l'intérieur ; la maison tire tout son charme de sa situation, car la nature s'est plue à « l'embellir de tout ce qui la pouvoit rendre agreable ». En l'évoquant, Honoré fait revivre la grâce, le repos et le silence des pentes de Chalmazel :

> « Elle est posée sur une colline qui luy donne une veue, quoy qu'un peu limitée, à cause des autres petites montagnes assez voisines, toutesfois si belle, qu'il semble que ceux qui peignent des paysages ayent pris patron sur sa situation. Lignon prend

(188) Lettre de noblesse de Jean Papon de septembre 1578 (Arch. de Goutelas IE 7280), citée par C. Longeon, *op. cit.*, p. 40.

(189) *Astrée*, III, 12, 646.

(190) En faveur de l'identification d'Adamas avec Jean Papon, O.C. Reure dit que « ce n'est pas sans intention qu'Urfé a rappelé le nom de Crozet » (*op. cit.*, p. 262, n. 2). Sur Adamas, voir l'excellente étude de P. Sage, *Le bon prêtre dans la littérature française*, Paris, Droz, 1951, pp. 76-91.

(191) *Astrée*, II, 8, 320. Honoré d'Urfé dit qu'Adamas traite Céladon comme un bon médecin qui s'accommode avec son malade.

(192) La femme de Jean Papon, Marie Bizoton, mourut en 1572. Voir à ce sujet, C. Longeon, *op. cit.*, p. 44.

son cours au bas de cette coste, que des prez d'un costé et d'autre vont accompagnant presque autant que la veue se peut estendre... » (193)

La description qui suit n'apporte aucun détail supplémentaire ; les « saussayes » qui séparent les prés, l'ombrage de nombreux arbres, les chœurs des rossignols, tout fait de ce lieu « le delice et le plaisir de tous les hameaux voisins ». D'Urfé égare son lecteur par son imprécision, car il indique, cette fois-ci, un seul point de repère : la proximité du Lignon. S'agit-il de Rochefort, non loin des sources de l'Anzon confondu avec le Lignon ? Est-ce plutôt Chalmazel ? Ou encore le château de Sail-sous-Couzan ? Il est difficile de répondre catégoriquement. L'histoire de Delphire et de Dorisée ne nous livre aucun indice qui facilite l'identification. Nous savons que Tomantès est fils unique d'Eleuman et d'Ericanthe et que des représentations théâtrales sont parfois données « par ceux qui estoient d'ordinaire » à la maison (194). Or, nous n'avons aucun renseignement sur le goût des familles foréziennes pour le théâtre. Des troupes passaient dans le Forez, des pièces furent jouées à Montbrison. Mais qui donnait ainsi des fêtes dans son château ? Il y a tout lieu de croire, pourtant, que d'Urfé met en scène une famille qu'il a bien connue, dans un décor qui lui fut familier. Pasquier, répondant à d'Urfé pour le remercier de l'envoi de la première partie de *L'Astrée,* écrit :

> « ...je trouve l'Economie générale d'une merveilleuse bienséance : car vous estant proposé de célébrer sous noms couverts plusieurs Seigneurs, Dames et anciennes familles de vostre païs de Forest, avez sur la rencontre de ce nom, fait entrer en jeu sur l'eschaffaut, nymphes Bergers et Bergeres, subject convenable aux bois et Forests. » (195)

Et le sieur de la Goutte précise dans sa lettre :

> « ... Sous des noms empruntez l'*Astrée* comprend une partie de l'histoire de France et de Savoie, et des maisons particulières d'Urfé, d'Apchon, de Chalmazel, et d'autres familles de cette province. » (196)

Ces remarques nous laissent deviner l'abondance des éléments empruntés par d'Urfé à la vie de sa province. Si nous nous fions à l'assertion de la Goutte, nous pouvons penser que la maison d'Eleuman et d'Ericanthe est le château de Chalmazel. La Seigneurie de Chalmazel, faute d'héritier mâle, échut aux Talaru ; et Claude de Talaru, Seigneur de Chalmazel, fut dans le Forez un des principaux défenseurs du parti de la Ligue et se lia avec les d'Urfé. Anne fit grand cas de son zèle (197). Cependant, ces maigres renseignements sont insuffisants pour trancher. L'histoire de Delphire et de

(193) *Astrée,* IV, 6, 293-294.
(194) *Ibid.,* IV, 6, 325-326.
(195) E. Pasquier, *Lettres,* t. II, l. XVIII, pp. 417 sq.
(196) Voir C. Longeon, « Une visite au château de La Bastie en 1683 », in *BD,* XL (1968), n° 6, p. 259.
(197) Voir T. Ogier, *op. cit.,* t. I, pp. 281 sq.

Tomantès est peut-être imaginée, le château peut bien être celui de Chalmazel, mais quand nous parcourons la vallée du Lignon ou de l'Anzon et que s'offrent à notre vue les nombreux châteaux qui la dominent et dont les propriétaires furent tous familiers des d'Urfé, l'idée nous vient que l'auteur de *L'Astrée* n'a pas nécessairement eu en vue l'un d'eux en particulier, pour en faire la demeure des parents de Tomantès. Nous savons que d'Urfé use de l'énigme, quand il veut dérouter son lecteur. Constatons que les demeures qui s'intègrent au paysage forézien et deviennent décors de quelques histoires confèrent un tel caractère de vie que nous avons l'impression de rencontrer des personnages que l'auteur de *L'Astrée* a connus. En cela, il ne fait pas œuvre de novateur. Son émule, Jean Ducrozet, dans sa *Philocalie,* voila « sous parolles couvertes ce qui s'est passé de [sa] cognoissance » (198). La scène se déroule non plus sur les bords du Lignon, mais sur ceux de l'Aix et l'auteur décrit sa ville natale, Saint-Germain-Laval, et les charmes de Crozet. L'histoire repose sur une réalité dont la transparence est maintenant perdue.

III. — Les autres régions

Si le Forez est le cadre principal de l'intrigue de *L'Astrée,* Honoré d'Urfé ne nous y confine pourtant pas ; il fut un voyageur et ses personnages voyagent. Il connaissait bien la région lyonnaise, la Savoie et le Midi de la France. *L'Astrée* nous y conduit à la suite de ses personnages. Plus qu'aucune ville, Lyon est familière à Honoré d'Urfé. Il y situe divers épisodes qui se déroulent au temps de Gondebaud. Sa connaissance de la ville et sa documentation historique datent de l'époque de la composition de la deuxième partie de *L'Astrée,* puisque dans la première partie il n'en est fait aucune mention. Les deuxième et troisième parties, au contraire, prodiguent les détails sur Lyon. Se rendant, au temps de la Ligue, de Savoie en Forez, Honoré d'Urfé est passé par Lyon. Lorsque de Chateaumorand il se rend en Bugey, c'est encore par Lyon qu'il parcourt sa route. Ne nous attendons pas à lire une description détaillée de la ville. Honoré s'attache seulement aux lieux qui ont une importance pour l'histoire qu'il raconte, soit qu'ils expliquent le chemin parcouru par les personnages et les souffrances éprouvées, soit qu'ils revêtent un caractère symbolique, soit qu'encore ils soient la résurgence de souvenirs liés à une amitié ou à un événement particulièrement marquant de la vie d'un homme aimé. D'Urfé évoque Lyon à propos des amours d'Hylas qui, venant du Midi par la vallée du Rhône, a conquis le cœur de plusieurs belles. Paris conte d'abord l'histoire de Palinice et de Circène, puis Hylas celle de Parthenopé, Florice et Dorinde (199). Palinice, dont Hylas recherche les faveurs, habite une maison

(198) Epître dédicatoire à Diane de Chateaumorand, *Amour de la Beauté,* citée par C. Longeon, *op. cit.,* p. 256.

(199) *Astrée,* II, 3, 110-120 (Histoire de Palinice et de Circène) ; II, 4, 126-172 (Histoire de Parthenopé, Florice et Dorinde).

« dans la demi-isle, que le Rosne et l'Arar font aupres de l'Athenée. » Ces jardins de l'Athénée tiennent une grande place dans le Lyon de *L'Astrée.* La « demi-isle » est de toute évidence la presqu'île entre Rhône et Saone, qui, à l'époque d'Honoré d'Urfé, s'étendait des Terreaux, au nord, à la pointe d'Ainay, au sud, où était alors le confluent. Il est impossible d'y situer exactement une demeure qui n'a peut-être pas du tout existé. En revanche, la vue qui s'offre au regard de Clorian, le frère de Palinice, permet de préciser la situation de sa maison. Ici, d'Urfé multiplie les détails et ce lui est une occasion de plus pour se comporter en géographe dans la description du panorama :

> « ...Clorian se retiroit bien souvent en une maison qu'il avoit dans l'enceinte mesme de la ville, sur le haut de ceste montée qui va du costé des Sébusiens. De ce lieu on voit le Rosne d'un costé, et de l'autre l'Arar, et quand on veut estendre la veue, on voit du costé du Rosne la forest de Mars, ditte d'Erieu. Que si les arbres eslevez n'empeschoient l'œil, il n'y a point de doute qu'il s'estendroit plus de ce costé là que de tout autre. Quand on se tourne vers le temple de Venus, on voit jusques aux monts des Segusiens ; quand on regarde l'Arar, on voit jusques aux Sequanois ; et quand on estend la veue entre le Rosne et l'Arar, vous voyez jusques aux affreuses montaignes des Allobroges, par delà la plaine des Sebusiens. Que s'il n'y avoit quelques roches qui s'opposent, on verroit mesme jusques aux Secusiens parce qu'outre que le lieu est fort relevé, encor y a-t'il une tour qui est merveilleuse pour sa hauteur, au sommet de laquelle il y a un cabinet ouvert des quatre costez, afin qu'on puisse plus aisément jouyr de la beauté de ceste veue » (200)

L'identification du lieu est possible. Le seul problème est celui de la situation attribuée aux Sébusiens. Ils semblent occuper la plaine du Bas-Dauphiné et ce que nous nommons le pays de Venin. La demeure indiquée serait au sommet de Fourvière, à l'intérieur de l'enceinte de la ville, vers le haut de ce raidillon qui s'appelle montée des Anges et qui, de Fourvière, descendrait du côté du pays des Sébusiens. De ce point, regardant au nord, le Rhône paraît à l'est et à droite, la Saône à l'est et à gauche, dans la plaine de Vaise. Regardant à l'est, on verrait cette « forest de Mars » qui est celle d'Heyrieux, au sud-ouest de Lyon. Selon la tradition, le sommet de Fourvière était occupé par un temple de Vénus (201). Par conséquent, en regardant ce lieu qui serait obligatoirement au sud, on apercevrait bien les monts des Ségusiaves, du Lyonnais et du Forez. Tournant le regard vers le nord, entre Saône et Rhône, on distingue le pays des Séquanes, c'est-à-dire le Bugey, et, en face, près de la plaine des Sébusiens, les montagnes des Allobroges, qui dissimulent le pays des Sécu-

---

(200) *Ibid.*, II, 3, 112-113.

(201) Cette attribution d'un temple de Vénus s'appuie sur l'étymologie fausse de Fourvière, Forum Veneris. Guillaume Paradin mettait déjà en doute cette étymologie et proposait, Forum vetus (*Mémoires de l'histoire de Lyon*, Lyon, 1573, p. 255). Voir à ce propos A. Kleinclausz, *Histoire de Lyon*, Lyon, Masson, 1939, t. I, p. 11, n. 1.

siens, sans doute les gens du pays de Suse. Honoré d'Urfé ne paraît pas toujours très nettement distinguer Sécusiens et Ségusiens. Ces derniers sont tantôt les habitants de la plaine du Forez, tantôt ceux de la région de Suse. En ce domaine si complexe, son érudition n'est pas très sûre.

Ainsi, la maison de Clorian, bien déterminée au sommet de la colline, ne peut être que celle de Nicolas de Lange, construite à la Renaissance sur les ruines du château d'eau terminal de l'aqueduc du Giers, et dont il reste d'importants vestiges. Nicolas de Lange était le neveu de Claude Bellièvre, Président au Parlement de Dauphiné. Dans sa fastueuse demeure sise auprès de Fourvière, il avait rassemblé une incomparable collection d'antiques. Sa maison était le rendez-vous de tout ce que Lyon comptait de lettrés et d'érudits. Nicolas de Lange, après avoir fait ses études à Ferrare, Bologne et Padoue, était revenu dans sa ville natale ; épris d'art et d'antiquités, il continua les traditions de son oncle et protégea les poètes, les savants et les artistes. Sa maison devint célèbre dans l'histoire de la Renaissance lyonnaise, sous le nom de l'Angélique (202). Philibert Girinet avait introduit son neveu, Papire Masson, dans ce milieu d'érudits. Il est donc vraisemblable qu'Honoré d'Urfé, comme tous les lettrés de son temps, connut Nicolas de Lange, avant sa mort survenue en 1606. Au début du XVIIe siècle il était impossible de parler de Lyon sans nommer Nicolas de Lange ou son oncle Claude Bellièvre. Honoré d'Urfé situe son histoire au Ve siècle, et il n'oublie pas cette demeure célèbre de Nicolas de Lange dont il fait la maison de Clorian. Rien ne nous autorise cependant à reconnaître Nicolas de Lange en Clorian, car nulle part il n'est question de son érudition.

A vrai dire, l'auteur de *L'Astrée* fournit peu de détails historiques sur Lyon, qui est appelée « la ville de Plancus » (203). Il y est passé, y a sans doute séjourné parfois, il connaît les routes qui y aboutissent ou conduisent en Forez ou en Savoie. C'est surtout le chemin du Forez qui lui est familier et qu'il situe avec tant d'exactitude que nous pouvons aisément le suivre. Dorinde et Dorinée doivent rejoindre le prince Sigismond au temple de Vénus, « parce que c'estoit par cette porte qu'il falloit sortir. » (204) On gagne cette porte en prenant « une rue à main droite » (205). Si le prince n'était pas au rendez-vous fixé, Dorinde devait l'attendre « à un petit pont hors de la ville sur le chemin d'Iseron. » (206) Le temple de Vénus dont il est question se situait au sommet de Fourvière. La rue à main droite était l'ancienne voie d'Aquitaine aboutissant à la porte de Trion (207). Plus loin, elle traversait un

---

(202) Sur Nicolas de Lange, voir P. Ronzy, *op. cit.*, p. 24, n. 2 et p. 25 : Papire Masson, *Nicolai Angeli Elogium*, Lyon, 1609 ; Moreri, *Dictionnaire*, t. VI, lettre I, art. de Lange, p. 132 ; Breghot de Lut et Pericaud, *Biographies lyonnaises*, pp. 162-163.

(203) *Astrée*, I, 8, 281. Sur la fondation de la ville de Lyon par Plancus, voir G. Paradin, *op. cit.*, p. 9.

(204) *Astrée*, IV, 7, 425.

(205) *Ibid.*, IV, 7, 427.

(206) *Ibid.*, IV, 7, 425-426. Voir carte n° 2.

(207) C'est actuellement la rue Roger-Radisson.

ruisseau profond au pont d'Alai et les Monts du Lyonnais au col d'Izeron.

Quand il s'agit d'évoquer le passé de Lyon, Honoré d'Urfé s'appuie sur les renseignements puisés dans les ouvrages de Guillaume Paradin et de Rubys. La première histoire de Lyon fut celle de Guillaume Paradin qui parut, en 1573, chez Antoine Gryphe (208). Beaucoup de matériaux dont il fit usage lui furent communiqués, dit-il, par Nicolas de Lange. Ses mémoires sont divisés en trois livres : le premier s'arrête à Saint-Eucher ; le second va jusqu'à la bataille d'Anthon et le troisième finit au règne de Charles IX (209). Les deux premiers livres fournirent des renseignements à Honoré d'Urfé. Il fit encore appel à l'histoire de Claude de Rubys qui parut en 1604 ; cela explique que les histoires dont Lyon est le cadre ne se rencontrent dans *L'Astrée* qu'à partir de la deuxième partie dont la composition suivit la lecture de cet ouvrage (210). Claude de Rubys, trente et un ans après Guillaume Paradin, se proposait de purger l'histoire de Lyon d'une foule d'absurdités et de mensonges. Son ouvrage, divisé en quatre parties, traite de la fondation et de l'accroissement de Lyon sous les Romains, puis raconte ce que fut cette ville sous les rois de Bourgogne. Les deux autres parties rapportent ce que fut Lyon depuis sa réunion à la couronne de France et font connaître son état et son gouvernement politique. La partie consacrée aux rois de Bourgogne permit à d'Urfé de situer plus précisément dans Lyon l'histoire de Cryséide et d'Hylas, puis celle de Cryséide et d'Arimant (211). *L'Astrée* ne décrit pas le palais de Gondebaud. Nous savons seulement que le palais et le temple où se rendent les prisonnières sont éloignés l'un de l'autre (212). Ce sont surtout les jardins de l'Athénée qui ont retenu l'attention d'Honoré d'Urfé. Ce nom d'Athénée est une fausse interprétation du mot Ainay que l'on croyait dérivé d'Athanaeum. Ce quartier était occupé par l'Abbaye d'Ainay et par des jardins que limitait au nord l'actuelle place Bellecour (213). Ces jardins étaient « sur le confluent du Rhosne et de l'Arar » (214) et, pour les atteindre, les prisonnières devaient « passer l'Arar » (215). Leur situation est donc exacte, seule leur description est imaginaire (216).

Dans cette dramatique histoire de Cryséide poursuivie par Gondebaud, mais aimée de Sigismond, Honoré d'Urfé se devait d'évo-

---

(208) G. Paradin, *Mémoires de l'histoire de Lyon,* S. Gryphe, 1573.

(209) Sur l'ouvrage de G. Paradin, voir M.J.B. Monfalcon, *Histoire littéraire de la ville de Lyon,* Lyon, 1851, pp. 22-23.

(210) Claude de Rubys, *Histoire veritable de la ville de Lyon,* Lyon, 1604.

(211) *Astrée,* III, 7, 350 (Histoire de Cryséide et Hylas) ; III, 7, 365 (Histoire de Cryséide et d'Arimant).

(212) En fait, le palais de Gondebaud doit être recherché sur l'emplacement du Palais de Justice, autrefois Palais de Roanne, au nord de la Cathédrale Saint-Jean.

(213) Paradin propose « Atheneum » comme étymologie d'Aisnay. A Aisnay avaient lieu des concours d'éloquence devant l'autel dédié à Auguste, au temple appelé Atheneum (*op. cit.*, p. 17).

(214) *Astrée,* II, 7, 364.

(215) *Ibid.*, III, 8, 434.

(216) Voir la description de ces jardins, *Astrée,* IV, 7, 356.

quer le Tombeau des Deux Amants à Pierre Scize (217). Guillaume Paradin rapporte qu'Hérode Antipas et sa femme Hérodias furent ensevelis à Lyon en Vèze, au lieu-dit « Les Deux Amants » (218). Ce tombeau, découvert à la lecture de l'ouvrage du doyen de Beaujeu, frappa l'imagination d'Urfé et trouva tout naturellement sa place dans un épisode dont le thème est l'éloge de la fidélité. La légende servit de point d'appui à l'imagination.

Le folklore n'est pas absent de cette évocation de Lyon. Lors des fêtes des Bacchanales, les momons, personnages déguisés et masqués

> « entrent si librement dans toutes les maisons, que jamais on ne leur demande qui ils sont, et soudain ils mettent sur la table un mouchoir où est l'argent qu'ils veulent jouer, et font tout ce qu'ils ont à faire, sans parler, car s'ils disoient un mot, ils perdroient tout ce qu'ils jouent... » (219)

Comme en témoignent les *Sérées* de Guillaume Bouchet, c'était une coutume du XVIe siècle ; Honoré d'Urfé put fort bien y participer (220). Cette coutume, dit-il, n'était pas le propre du Lyonnais, mais aussi de tout le reste de la Gaule. Cette remarque prouve son effort constant vers la vraisemblance, par l'observation de la vie en société.

La connaissance géographique constatée à propos du Forez ne se découvre pas dans les histoires qui se déroulent à Lyon. La ville est connue de l'auteur, mais aucune sympathie n'émane des descriptions. S'écarte-t-il de Lyon pour situer la suite des péripéties des aventures de Cryséide et d'Arimant à Vienne ? Nous apprenons qu'Arimant et Cryséide s'y doivent rejoindre en une hôtellerie « de l'autre costé du Rhosne » et proche du pont (221). Cependant, nous serions en droit d'attendre d'Honoré d'Urfé une connaissance précise de la Savoie. N'y séjourna-t-il pas à la cour ? La Savoie ne devint-elle pas son séjour habituel à partir du moment où il se sépara de Diane ? N'y composa-t-il pas plusieurs livres de *L'Astrée* ? Cette province n'est pourtant que très rapidement évoquée. Etait-ce parce que le regret du Forez continua à l'angoisser jusqu'à sa mort et qu'inconsciemment un malaise subsista en lui ? Parce que la Savoie fut témoin de la mort du duc de Nemours et de son désarroi ? La seule scène qui se situe dans cette province est dramatique. Azahyde a conduit Silvandre dans une ville qui se trouve « assise sur l'extremité des Allobroges du costé des Helvetes, et est sur le bord du grand lac de Léman, de telle sorte que les ondes frappent contre les maisons, et puis se desgorgent avec le Rhosne, qui luy passe au milieu. » (222) Le dessein d'Azahyde était de faire

---

(217) *Astrée*, III, 8, 458. Voir encore II, 4, 143, « le sépulchre des deux amants, qui est hors de la porte qui a pris son nom de la pierre Couppée ». Il s'agit évidemment de Pierre-Scize.

(218) Paradin, *op. cit.*, p. 20. Voir à ce propos H. Bochet, *op. cit.*, p. 133 et n. 2 et 3.

(219) *Astrée*, IV, 7, 365.

(220) Guillaume Bouchet, *Les Sérées*, cité par H. Bochet, *op. cit.*, pp. 151-152.

(221) *Astrée*, III, 8, 451.

(222) *Ibid.*, I, 8, 280.

noyer Silvandre ; plus personne n'aurait désormais de ses nouvelles, parce que, dit-il, « le Rhosne avec son impetuosité m'eust emporté bien loing de là, où entre les rochers estroits, je me fusse tellement brisé, que personne me n'eust peu recognoistre. » Point de description des rivages du Lac de Genève, mais seulement l'indication de la route d'Agaune, qui conduit Silvandre à Evian à la pointe du jour, puisqu'il a fui Genève la veille au soir (223). A Evian, il consulte la sage Bellinde « qui est maistresse des vestales » (224). Nous ne trouvons dans aucune page de *L'Astrée* une allusion à Ripaille dont *Les Epistres Morales* gardent le souvenir (225), ni à ces « promenoirs » ou « ces grands Rochers et agreables precipices des Ruisseaux » qui l'ont distrait pendant la vaine attente de la guérison du duc de Nemours retiré à Annecy (226).

L'itinéraire du voyage de Céladon en Italie évoque le lac du Bourget et les Alpes, mais d'une façon si terne et conventionnelle que le chemin indiqué présente seul un intérêt pour nous. Honoré d'Urfé relate, en y ajoutant une pointe de couleur historique souvent discutable, l'itinéraire qu'il a lui-même suivi pour se rendre en Italie. Nous en avons déjà parlé, mais il importe ici de voir comment il a atténué le réalisme des détails par l'énigme des noms de provinces. Céladon, « ayant passé les destroits des Sebusiens », évite « la fascheuse montagne des Caturiges », en se mettant sur le Rhône et en suivant « ce grand lac qui flotte contre les rochers escarpez de cette montagne ». La montagne des Caturiges est la Haute-Durance, au sud de Briançon, entre les Alpes-Maritimes et les Alpes Cottiennes (227). Afin de l'éviter, Céladon emprunte l'itinéraire suivant : il remonte le lac du Bourget, s'embarque, et gagne Chambéry, traverse les bois de la vallée supérieure de la Durance, puis l'Isère dont la source est dans le pays des Centrons, enfin la vallée « des Carrocèles et Bramovices » jusqu'aux « monts

---

(223) *Ibid.*, I, 8, 281. Agaune est Saint-Maurice-d'Agaune. La route qui y conduisait suivait la rive du lac Léman et passait par Evian.

(224) Diane est fille de Bellinde. Celle-ci, après la mort de Célion, désespérée de voir Diane entre les mains de Phormion, sur l'ordre de l'oracle rendu par Cléontine se retira « sur le lac Leman, pour estre maistresse des Vestales et druydes d'Eviens » (*Astrée*, I, 6, 198). Il y avait à Evian un couvent de Clarisses qui avaient été chassées de Vevey par la Réforme. Nous ne savons pas si des religieuses de ce couvent étaient originaires du Forez. A notre connaissance, une petite-fille de Jean Papon, Renée Trunel, qui avait épousé Jean d'Ausserre, et qui fut veuve en 1595, était entrée au couvent de la Visitation fondé à Annecy par Saint François de Sales. Voir Péricaud, *Notes et documents pour servir à l'histoire de Lyon*, Lyon, 1838-1861, 3 vol., t. II, Année 1595 septembre, pp. 64-65 ; *Roannais illustré*, t. VII, p. 82, n. 2. Nous ne possédons pas de documents suffisamment précis relatifs à Renée Trunel, pour établir une identification avec Bellinde.

(225) *E.M.*, II, 3, 252, « Hier nous allasmes à Ripaille, qu'autres fois on nommoit Ripa alta, parce, comme je croy, que c'est un rivage un peu plus relevé que les autres qui sont autour de ce grand lac de Leman. » Honoré d'Urfé établit aussi une comparaison entre les passions et le paysage des monts du Valais, de la Maurienne, de la Tarentaise et le cours de l'Isère et de l'Arc (*E.M.*, II, 7, 304-305).

(226) *E.M.*, I, 9, 80.

(227) *Astrée*, II, 10, 403-405. La peuplade des Caturiges habitait la haute vallée de la Durance. Voir, à ce sujet, F. Lot, *La Gaule*, Paris, A. Fayard, 1967, pp. 62-63.

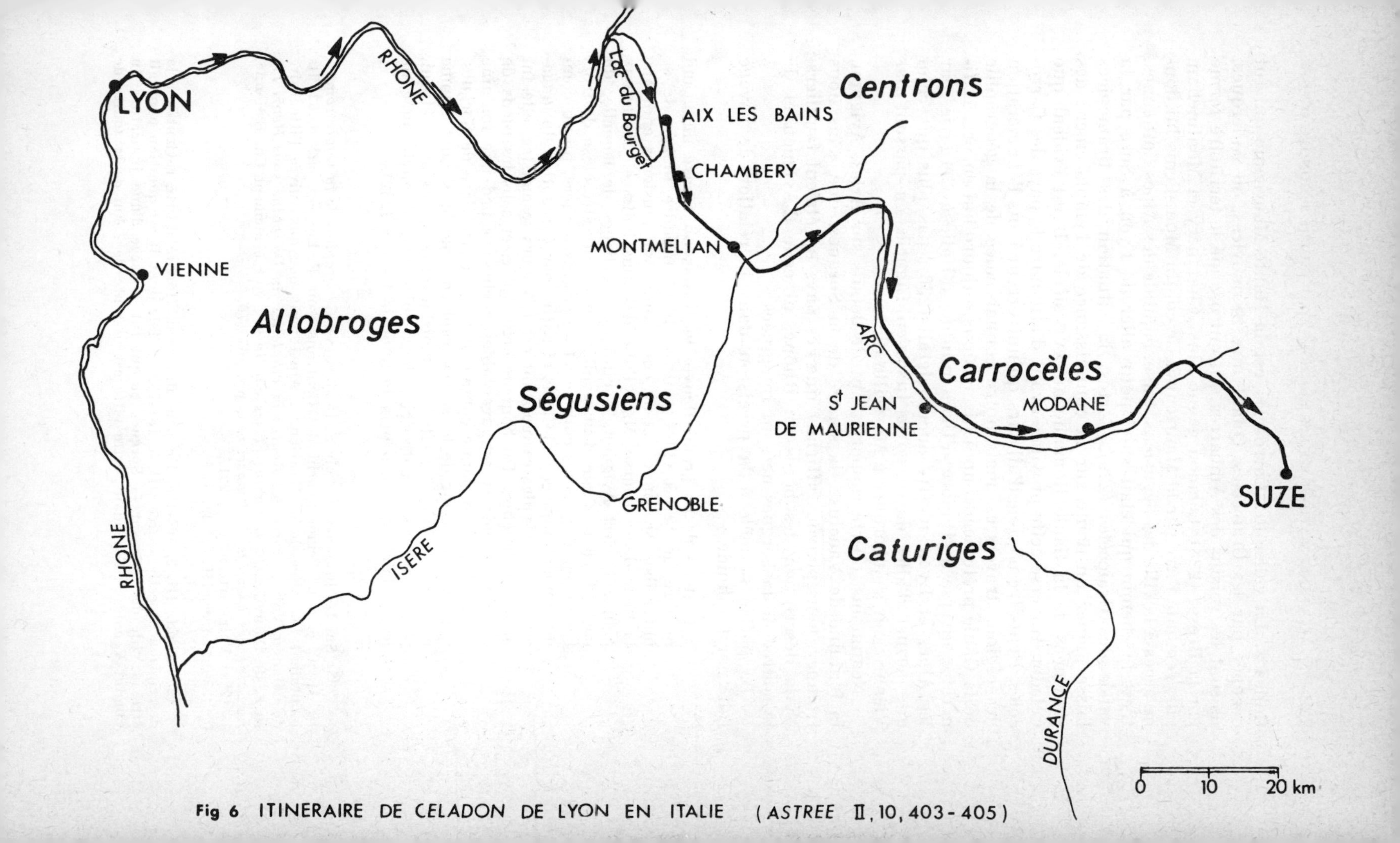

Fig 6 ITINERAIRE DE CELADON DE LYON EN ITALIE (ASTREE II, 10, 403-405)

Coties ». La vallée des Carrocèles est la Haute Maurienne qui fut occupée par les Graiocèles. Quant aux Bramovices, ou Aulerques, ils sont les voisins des Ambarres qui ont occupé le territoire formé par la Bresse (228). Céladon gagne ainsi Chambéry et Montmelian, puis remonte l'Arc par la Maurienne. Le col du Mont-Cenis lui donne accès à la ville des Ségusiens, Suse, capitale des Alpes Cottiennes. C'est le chemin qui était suivi pour aller de Lyon à Suse par la vallée des Graiocèles (229). Certes, la situation des Bramovices laisse planer un doute sur la connaissance de l'emplacement des provinces de la Gaule Romaine au XVIe siècle. Il est évident que Céladon traverse cette province avant d'atteindre le pays des Carrocèles. Peut-être n'est-ce d'ailleurs qu'une erreur dans l'énumération des régions traversées, mais notre connaissance de la géographie de la Gaule prête beaucoup à discussions aujourd'hui encore. L'itinéraire inverse qu'Honoré d'Urfé indique, d'Italie à Gergovie, par les Alpes et Lyon, n'offre aucun détail (230), pas plus que celui qui permet d'aller de Gergovie jusqu'en Ligurie, en passant par Vienne pour s'embarquer à Marseille (231).

Néanmoins, d'Urfé rapporte tant de détails sur Arles, Avignon, la fontaine de Vaucluse, la source de la Sorgues, que, sans nous tromper, nous pouvons affirmer que ces pays lui étaient familiers. Ni la description des bords du Rhône, ni celle d'Avignon et de la source de la Sorgues ne sont imaginées.

La poésie se mêle à la précision dans la relation de voyage faite par Daphnide :

> « Le long de ce grand fleuve du Rosne, on trouve un grand nombre de belles villes, qui semblent prendre plaisir de se mirer dans ses ondes, et de contraindre, en plusieurs endroits, la furie de sa course. Mais l'une des plus belles et des mieux peuplées, c'est Avignon, à cinq ou six lieues de laquelle, du costé d'orient, s'estend une vallée, qui, pour estre close de trois costez par des hautes collines et de grands rochers, fut au commencement appelée Val-Close, et enfin, par corruption du langage, duquel le vulgaire ignorant est tousjours le maistre, elle fut nommée Vaucluse. Du bout de cette valée, et sous les pieds de certains grands et espouventables rochers, sourd une fontaine merveilleuse qui donne commencement à la rivière de Sorgues, qui, fort peu loing de là, se separant en deux bras, faict comme une petite isle où est située la maison où je devois aller, et qui, pour estre assise entre ces deux ruisseaux, et environnée de leurs claires ondes, a pris le nom de l'Isle » (232).

---

(228) Sur les Bramovices, voir E. Desjardins, *Géographie de la Gaule romaine*, II, pl. 6. Pour l'emplacement des Ceutrons, voir F. Lot, *op. cit.*, p. 62. Ils habitaient la vallée de la Maurienne. Ainsi nous pouvons suivre l'itinéraire de Céladon. Voir la carte des *Routes et citadelles du Dauphiné sous Henri IV*, in F. de Dainville, *Le Dauphiné et ses confins...* ; voir également Ch. Estienne, *La guide des chemins de France*, t. I, pp. 167-170.

(229) Voir carte n° 6, p. 221.

(230) *Astrée*, III, 8, 439.

(231) *Ibid.*, III, 8, 447.

(232) *Ibid.*, III, 3, 104-105. Un peu plus loin, Honoré d'Urfé revient sur la description de cette source (III, 3, 131-132). L'Isle dont il est question pourrait être la ville de l'Isle sur la Sorgues et qui fut le siège d'une judicature du Comtat Venaissin. Cependant, cette ville est distante de 7 km de la source de

Daphnide fait encore remarquer la solitude du lieu et que « de cette source jusques à l'Isle, il y a un peu plus d'un quart de lieue ». Tout cela ne s'invente pas, pas plus que la présence du château de Lers sur les bords du Rhône (233). Ainsi qu'en témoigne *La Guide des Chemins de France* de Charles Estienne, la source de la Sorgues et le château de Lers étaient signalés à l'attention des voyageurs (234). Papire Masson avait lui-même consacré plusieurs pages à la fontaine de Vaucluse (235). Quant aux remarques sur la Camargue, elles semblent relever à la fois d'une tradition locale érudite et de l'imagination d'Urfé (236). *La Guide des Chemins de France* ne se fait pas faute de rapporter la légende de Fossa Mariana, à propos de l'île de Martogue où « sont les fossez par ou entre l'eaue de la mer dans le-dict Martogue, Marignane, habitation du Comté de Provence. » (237) D'Urfé ne résiste pas au plaisir d'évoquer la Provence qui fut pour lui une demi-patrie. Né à Marseille, il séjourna à Marignane (238) et remonta sans doute le Rhône pour revenir en Forez.

Honoré d'Urfé ne décrit avec précision que les régions qu'il connaît. Si, dans la première partie de *L'Astrée,* il n'est question que de la « ville qui porte le nom du juge des trois déesses » et des demeures qui sont « le long des bords du grand fleuve de Seine » (239), la deuxième partie et surtout la troisième partie nous livrent des détails plus précis sur Paris. D'Urfé y a séjourné vers 1607 et plusieurs voyages l'y ramenèrent (240). Nous sommes donc à l'époque où il composa la deuxième partie. Paris n'est, dans cette partie de l'œuvre, que la ville où « Merovée demeuroit ». Elle

> « est assise dans une isle si petite que les murailles sont continuellement lavées de la riviere qui l'environne de tous costez, de sorte que l'on n'y sçauroit aller que par des ponts » (241).

---

la Sorgues, au lieu du quart de lieue indiqué par Honoré d'Urfé. Si nous tenons compte des distances indiquées par *L'Astrée,* il convient de penser au domaine de Galas sur la commune de Vaucluse et dont les moulins avaient été saccagés par les Calvinistes en 1573. Peut-être s'agit-il encore du domaine de la Foulquette à l'Isle, sur le chemin de Velleron et dans une île formée par un bras de la Sorgues. Il est donc difficile d'identifier ce lieu et ses habitants. Sur cette région, voir J. Courtet, *Dictionnaire géographique des communes du département de Vaucluse,* 2e éd., 1876, pp. 209, 213-214, 374.

(233) *Astrée,* III, 3, 91.

(234) Voir Ch. Estienne, *op. cit.,* t. I, p. 254. Sur l'Isle de Lers, voir également Ch. Estienne, *op. cit.,* p. 181 et p. 366, n. 640. Le château est à une demi-lieue d'Avignon, dans l'île de Lers, au milieu du Rhône, dans la commune de Roquemaure. Il appartenait, au XIVe siècle, à la maison Albaron. Au XVIe siècle, Lers, probablement inhabité, appartenait à Jacques d'Albaron, dit Alleman, baron de Lers, Rochefort et Monfrin, époux de Marguerite de Clermont, puis à Clément d'Albaron, allié à Marguerite de Lévis. Sur le château de Lers, voir *Dictionnaire topographique du Gard,* p. 116, *Archives départementales du Gard,* T. I, série E, pp. 175-178, titres de la seigneurie de Monfrin.

(235) Papire Masson, *Descriptio fluminum...,* 1618, pp. 430-437.

(236) *Astrée,* I, 8, 295.

(237) Ch. Estienne, *op. cit.,* t. II, p. 255.

(238) Voir C. Longeon, *op. cit.,* p. 180.

(239) *Astrée,* I, 7, 253.

(240) Voir O.C. Reure, *op. cit.,* pp. 131 sq.

(241) *Astrée,* II, 10, 421.

LA ROUTE DE PARIS A REIMS (*ASTREE* II, 12, 695)

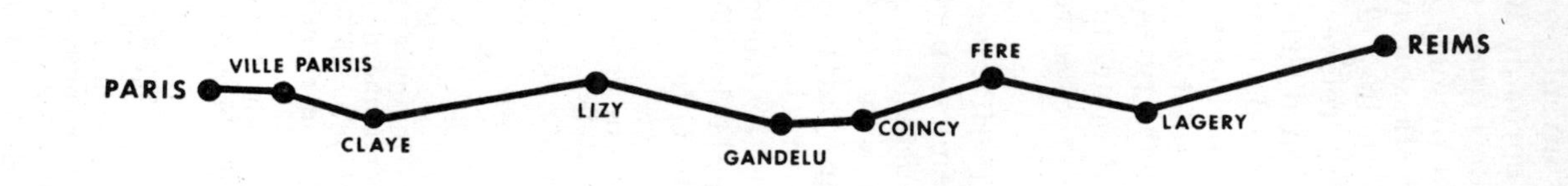

Fig 7 *d'après le Tableau Géographique des Gaules par Jean Boisseau 1645 et la Guide des Chemins de France de Ch. Estienne*

Au fur et à mesure des séjours, la connaissance de la capitale du royaume est approfondie : dans la troisième partie, les bords de la Seine sont décrits avec poésie et netteté. Ils sont un but de promenade pour les dames et les chevaliers qui accompagnent la reine :

> « Or, ce beau fleuve de la Seine ... sert de fossé à ceste belle ville, la ceignant de ses deux bras et en faisant une isle et delectable et forte. Et d'autant qu'il ne ronge ny ne devore pas ses bords comme Loire, mais coule paisiblement parmy ceste grande plaine, qu'il arrose par cent et cent divers destours, son rivage est presque tousjours tapissé de belles et diverses fleurs, et peuplé de plusieurs sortes de beaux arbres qui le couvrent au plus chaud de l'esté d'un frais et agreable ombrage. » (242)

Certes, cette description ne révèle pas une connaissance parfaite de Paris. Mais, s'il s'agit d'indiquer le chemin que prend Silviane pour fuir sa maison, parce qu'elle est poursuivie par Childéric, Honoré d'Urfé nous apprend qu'un jeune homme qui lui sert de guide lui fait passer le Pont, puis prenant le chemin du Mont de Mars la fait se cacher

> « au derrière de la montagne en un lieu bas, où l'on avoit tiré des pierres, et d'une certaine chaux blanche, qu'ils appellent plastre... » (243).

Silviane s'engage donc dans le chemin qui conduit à Montmartre où étaient creusées des carrières de gypse. De là elle prend la route directe de Reims, par laquelle doit revenir Andrimarte. Son guide la conduit jusqu'à Ville-Parisis,

> « puis laissant à main droicte les Galle-Helvetiens, essaya de gagner par les endroicts les plus couverts, Lisi et Gandelu, parce qu'Andrimarte luy avoit asseuré qu'il reviendroit par Largeri, par Fere, et par Coincy, droit à Gandelu. Et d'autant qu'il estoit desja bien tard et qu'il eut opinion que Silviane n'estant guere accoustumée d'aller de cette sorte à cheval, se trouveroit bientost lasse, il fit dessein de ne passer point Claye pour ce soir. » (244).

La Guide des Chemins de France indique cette route par Villeparisis, Claye-Souilly, Lizy sur Ourcq, Gandelu, Fère en Tardenois, Lagery (245). Silviane a parcouru un long chemin depuis les bords de la Seine jusqu'aux environs de Montmartre et de là à Claye qui nous semble une étape normale. Par le nom de Galle-Helvétiens, d'Urfé désigne-t-il la peuplade de l'est du Jura, afin de situer mieux le chemin, comme nous dirions à l'est ? En effet, afin de prendre la route de Reims, il convenait de laisser à droite celle de Meaux, aux environs de Claye.

---

(242) *Ibid.*, III, 12, 654.
(243) *Ibid.*, III, 12, 694.
(244) *Ibid.*, III, 12, 695.
(245) Voir Ch. Estienne, *op. cit.*, t. I, pp. 82-83. Voir carte n° 7, p. 224.

Quand les histoires se déroulent dans des régions que d'Urfé ne connaît pas, les routes parcourues par les personnages ne sont plus indiquées. Parfois les rivières sont citées, mais la description ne nous en livre aucune caractéristique. Damon, désespéré, se jette dans la Garonne,

> « en un lieu où du rivage relevé par quelques rochers on voyoit le courant de l'eau qui, d'une extreme furie, se venoit rompre contre, et la hauteur estoit telle qu'elle faisoit peur. » (246)

Voilà des indications qui n'ont rien d'original. Honoré d'Urfé vante-t-il la générosité de Rosiléon près d'Avaric ? Il se contente de dire que la bataille eut lieu près « d'une petite rivière qui s'appelle le Clein. » (247)

S'il parle du Mont d'Or, c'est pour indiquer que Madonte aura des nouvelles de Damon du côté de cette ville (248). La cité de Gergovie n'est jamais décrite. Les personnages y passent ou vont « du costé de la ville de Gergovie » (249) et c'est une manière de désigner Clermont. Parfois même, quand il trace un itinéraire ou relate un événement du nord de la France, à part Calais citée plusieurs fois, Honoré d'Urfé donne à la ville son nom gallo-romain, Rothomage (250), Néomague (251) ou bien encore, elle est désignée par une périphrase : Toulouse devient la « ville des Tectosages » (252) et La Rochelle « le port des Santons » (253). Parfois, la cité, ou la région qui l'environne, est nommée à travers son halo de légende. Poitiers évoque Mélusine, le rocher de Lusignan et « la pierre qu'on nomme Pierre-Levée » (254), souvenirs de la lecture du *Roman de Mélusine.* L'ouest et le nord de la France semblent connus d'Urfé par les lectures qu'il a faites ou l'enseignement qu'il a reçu.

Cette alternance de précisions et d'imprécisions, de clarté et d'énigmes, se manifeste quand l'auteur de *L'Astrée* évoque les nations étrangères. Seule l'Italie qu'il connaît bien, parce qu'il y a vécu, l'incite aux détails. Nous avons déjà reconnu Suse, la capitale des Ségusiens, et les « montagnes qui brusloient continuelle-

(246) *Astrée,* II, 6, 239-240.

(247) *Ibid.,* IV, 10, 604. Honoré d'Urfé ne situe nulle part avec précision Avaric, sinon par sa proximité avec la rivière du Clein (IV, 10, 583).

(248) *Ibid.,* III, 6, 330.

(249) *Ibid.,* II, 6, 260-262 ; voir également III, 8, 439 (Arimant est enfermé dans un château près de Gergovie) ; III, 8, 443-445, 448 (« le chemin de Gergovie ») ; III, 8, 450, 462, 489, 697.

(250) *Ibid.,* I, 11, 428 ; I, 12, 462 ; II, 10, 423 ; IV, 11, 680 ; IV, 12, 755, 783. Il s'agit de Rouen.

(251) *Ibid.,* IV, 11, 690 ; IV, 12, 755, 757, 765, 770. Néomague ou Noviomagus est Noyon. Cependant Honoré d'Urfé dit que Néomague est une des « principales citez des Ambarres » (IV, 11, 690). Les Ambarres occupaient les deux rives de la Saône. D'Urfé veut sans doute désigner par les Ambarres la Gaule lyonnaise.

(252) *Astrée,* III, 6, 328-331. Les Tectosages avaient pour capitale Tolosa (F. Lot, *op. cit.,* p. 61).

(253) *Ibid.,* IV, 10, 576. Cette peuplade occupait à peu près l'actuel pays de Saintonge (F. Lot, *op. cit.,* p. 40).

(254) *Astrée,* IV, 10, 574-575.

ment » (255). Mais voici encore Eporedes, la ville des Salastres, assise entre deux grandes collines, où passe la rivière dite Doire Baltée » (256). Le pays des Salastres est

> « une contrée que la Doire Baltée, et les Libices confinent du costé de l'orient, le Po du midy, les Taurinois, Centurons et Cartuges, de l'occident et les Alpes Pennines, du septentrion. Ce pays est assez cogneu des Romains à cause de l'abondance des mines d'or qui y sont, et pour lesquelles les habitants des lieux ont esté contraints de se révolter si souvent contr'eux, à cause de la Doire qu'ils séparoient en plusieurs petits ruisseaux pour purger l'or, et qui apres inondoit presque tout le pays, empeschant ainsi les villageois de se pouvoir servir de la terre pour le labourage, encore que tres propre et tres fertile. » (257)

Le nord de l'Italie, que d'Urfé connaît par ses séjours à la cour de Savoie et par les visites rendues à sa mère à Parme, suscite sa curiosité. Les détails abondent. Il a lu la *Descripttione della Italia* d'Alberti (258). Il s'est mis à l'écoute de la tradition orale, dans sa famille ou dans le pays même. Curieux de l'histoire du nord de l'Italie, il l'est aussi de ses mœurs. En quelques lignes, il trace un portrait de l'italien épris de beauté, de marbres et de décors luxueux :

> « Car en ces païs dont je vous parle, il n'y a que les personnes plus viles qui demeurent aux champs, et les autres habitent dans les grandes villes qu'ils nomment citez, où les palais de marbre, et les enrichissures qui surpassent l'imagination estonnent plustost ceux qui les regardent, qu'ils ne peuvent estre assez considerez. (259)

D'Urfé n'a pas parcouru les routes de la Grande-Bretagne, ni celles de l'Espagne ou de l'Allemagne. Quand il est question de ces pays, nous ne lisons plus ces détails vivants ou érudits qui ajoutent une pointe de piquant à l'histoire. La Grande Bretagne est celle de la cour du roi Arthur où se rend Alcippe (260) ou Rosiléon (261) ou Policandre (262). Elle est encore le cadre rapidement évoqué d'une aventure d'amour, dont l'héroïne habite Londres (263). Tout ceci tient d'une connaissance romanesque de la Grande Bretagne, acquise par la fréquentation des romans de la Table Ronde. Dans la même tradition, d'Urfé imagine que « les Visigotz d'Espagne, qui alors demeuroient dans Pampelune », à l'imitation du roi Arthur « esleurent des chevaliers qui alloient en divers lieux monstrans leur force et adresse » (264). L'Espagne est encore le territoire

---

(255) *Ibid.*, II, 10, 405-406.

(256) *Ibid.*, III, 7, 366. Eporedes est Ivrée. Amédée VI de Savoie y fit édifier un château au XIVe. D'Urfé indique encore la rivière du Tessin (III, 7, 406).

(257) *Ibid.*, III, 7, 365.

(258) *Descrittione de la Italia di Leandro Alberti,* Bologne, 1550. Voir Appendice I.

(259) *Astrée*, II, 10, 406.

(260) *Ibid.*, I, 2, 60-61.

(261) *Ibid.*, IV, 10, 595.

(262) *Ibid.*, IV, 10, 569.

(263) *Ibid.*, I, 12, 459-460 (Aventure de Lydias et de Mélandre).

(264) *Ibid.*, I, 2, 61.

occupé par les Romains, et revendiqué par les Goths. Sa présence dans *L'Astrée* est nécessitée par les tableaux d'histoire. Damon nous apprend pourtant qu'il consulta un oracle, parce qu'il avait entendu dire que « sur le penchant des Pyrenées, du costé de la mer Oceane, il y avoit un oracle qui s'appelloit le Temple de Venus » (265). Il est probable qu'Honoré d'Urfé ne se rendit jamais en Espagne, pas plus qu'en Allemagne dont, aux dires de Camus, il connaissait fort bien la langue. Dans *L'Astrée*, nous n'avons découvert nulle part un embryon de description d'une ville de Germanie, ni une indication d'itinéraire. Nous apprenons seulement que Rosiléon chercha les « adventures dans la Germanie et les Marcomanes. » (266)

***

Pour créer, d'Urfé a besoin d'un appui solide pour son imagination, celui qu'il acquiert par la lecture, mais surtout par l'observation directe, qu'elle soit celle de son âme ou celle de la nature. S'il s'écarte du Forez natal pour conduire ses héros dans les autres provinces de la Gaule ou hors de ses frontières, il y revient toujours très vite. Le Forez est le pays où les personnages en quête de bonheur doivent trouver la paix et le repos. « Merveilles de la beauté du lieu », « douceur de l'air », « félicité des campagnes » lui font une réputation que ne possède aucune autre région (267). Il est la terre inconnue que les oracles font découvrir, mais, à la différence du pays mythique de l'Age d'or, il n'est pas inaccessible (268). Sans doute y parvient-on au prix d'aventures, mais jamais ne sont déçus ceux qui le découvrent. L'embellissement du pays de l'enfance est naturel à l'homme. La nostalgie s'empare de l'écrivain, quand il en est séparé, et son imagination le recrée et l'idéalise. En des pages entachées parfois d'une lourde érudition à la mode, Jean Papon avait analysé « le doux attraict » qui « fait trouver estrange, qu'aucuns se veulent caser ailleurs, et laisser le lieu dont ils sont nais ». Le pays de l'enfance, dit-il,

> « c'est le ciel, l'air, et le climat, qui permier nous ont faict respirer, vivre et aggrandir. C'est le sol, c'est la terre, où nous avons apprins, commencé, et nous sommes asseurés de marcher. Là sont nos progéniteurs vivants, ou enterrés. Là sont nos frères, sœurs, cousins, et autres parens. Sont aussi nos compaignons, voisins et amis, avec lesquels dès nostre infance, et dès le laict nous avons esté nourris. De tous ceux-là nous avons plus d'amitié, fiance et d'espérance, que d'autres, qui nous sont estranges, et incognus, et desquels sans danger ne pouvons nous asseurer, non plus qu'eux de nous. » (269)

(265) *Ibid.*, III, 6, 333. De quel sanctuaire s'agit-il ? Faut-il penser à Saint-Jacques de Compostelle ?
(266) *Ibid.*, IV, 10, 602.
(267) *Ibid.*, III, 4, 205.
(268) Voir l'étude de H. Levin, *The Myth of the Golden Age in the Renaissance*, Londres, Faber and Faber, 1969, ch. III, *Geography*, p. 58.
(269) J. Papon, *Troisiesme Notaire*, pp. 441-442.

Faut-il admettre que *L'Astrée*, malgré l'émotion et le lyrisme, ne révèle que discrètement le sentiment de la nature (270) ? Ou bien Honoré d'Urfé a-t-il été capable de surprendre l'âme des lieux et de dire « avec bonheur l'ivresse des champs, l'obscurité des bois, la fraîcheur des eaux, le silence des nuits mêlé aux émotions profondes de l'âme » (271) ? D'Urfé goûte la nature en solitaire. Elle est témoin et confidente de la peine des personnages. Céladon se trouve seul, retiré dans sa grotte au bord du Lignon, Silvandre médite au clair de lune et se perd en la pensée de Diane (272). L'auteur de *L'Astrée* associe les impressions que provoquent l'obscurité des bois, le silence des nuits, la clarté de la lune et des étoiles aux sentiments qui agitent le cœur de chacun des personnages (273). Ceux-ci sont à l'image de leur créateur qui se complaisait en ses souffrances ressassées au cours de ses promenades solitaires. Retiré à Senoy, n'écrivait-il pas à Hugues Fabri, le 26 septembre 1596 :

> « Votre lettre est venüe me prendre en ma maison de Cenoyl, où je prends retraite et repos, et courre, quand le veut ma défaillante santé, dans les rochers et bois, où je me plais en mes douleurs » (274) ?

Il aime les rochers, la solitude des bois, et, par-dessus tout, les plaines du Forez baignées de lumière, un paysage, à vrai dire, un peu monotone, mais aux horizons doux et reposés. Jamais d'Urfé n'est autant poète que quand il décrit le Forez.

Nulle part ne se fait sentir l'influence des paysages du Bugey aux vastes alpages ; même s'ils ont, au cours de ses promenades, provoqué son admiration, nous ne la percevons jamais à la lecture de *L'Astrée* (275). Les séjours à Chateaumorand n'ont pas davantage influencé les descriptions du Forez (276). C'est au cours de ses promenades aux environs de La Bastie qu'est né en lui le goût pour la nature. Il est clair, cependant, qu'il a cédé aux tendances de

---

(270) H. Bochet prétend que d'Urfé a négligé dans ses descriptions tout ce qui pourrait séduire un peintre, et qu'il décrit simplement en géographe (*op. cit.*, pp. 114-115). Pour M. Proth, le pays de *L'Astrée* est imaginaire et symbolique (*op. cit.*, p. 116). Sur le sentiment de la nature dans *L'Astrée*, voir l'article de L. Mercier, « Honoré d'Urfé et *L'Astrée* » in *Revue des deux mondes*, XXXI, 96e an., pp. 423-439.

(271) Voir, à ce propos, V. du Bled, *La société française du XVIe au XXe siècle*, 1re série, pp. 111-113 ; B. Germa, *op. cit.*, pp. 48-49 ; M. Meunier, « L'Astrée et le Forez », in *Amitiés Foréziennes et Vellaves*, 4e An., n° 7, pp. 513-526.

(272) *Astrée*, II, 2, 74-77. Sur la solitude dans *L'Astrée*, voir W. Farenheim, *art. cit.*, pp. 343 sq.

(273) Voir de Loménie, *art. cit.*, in *Revue des deux mondes*, juillet-août 1858, p. 475.

(274) Cité par O.C. Reure, *op. cit.*, p. 57.

(275) E. Chapoy pense que les impressions d'Honoré d'Urfé en Bugey ont dû passer dans son roman et que la description de la fontaine aux Alisiers du *Sireine* est celle de la source de l'Arène appelée la Fontaine du Comte (*Honoré d'Urfé dans ses rapports avec la Bresse et le Bugey, d'après les archives de Chateaumorand, de Léran...*, Bourg-en-Bresse, Courrier de l'Ain, 1910).

(276) Coste, « Promenades dans le Forez, Chateaumorand », in *Le Forez illustré*, 2e an., 1875, n° 14-15. Selon l'auteur de cet article, on trouve plusieurs fois dans *L'Astrée* les descriptions des sites pittoresques des bords du Barbenan.

son époque, en mêlant aux paysages naturels, ceux qui ont été arrangés par la main des hommes : les jardins, les fontaines, les allées et les bosquets (277). Tous les jardins, que ce soit celui d'Isoure, ou ceux de l'Athénée ou ceux de La Bastie avec leurs allées qui serpentent, sont marqués d'un caractère merveilleux. Au paysage naturel se substitue un paysage de rêve que nous retrouvons dans les romans du XVIe siècle : évocations de grottes, séjours où s'abrite le bonheur. Du « sentiment naturaliste », les contemporains d'Urfé glissent vers une douceur arcadienne presque toujours associée à l'art des jardins (278). Honoré ne faillit pas à ce goût.

Mais, par rapport aux *Bergeries de Juliette,* par exemple, que de progrès dans l'art de la description du paysage ! Le XVIIe siècle sera sans doute plus sensible à la précision géographique de *L'Astrée* ou à l'étude de l'amour qu'à l'émotion qui baigne les paysages foréziens (279). Mais Rousseau goûtera le rythme de la phrase d'Urfé et le charme de la méditation solitaire dans la nature. Ces confidences de Damon auraient charmé les lecteurs des *Confessions* :

> « Dès qu'il estoit jour, je sortois de ma petite cellule, et à petits pas, j'allois gaignant le haut de ce rocher escarpé, où me couchant sur la mousse, je repassois par la memoire, toutes les choses qui jusques en ce temps-là m'estoient arrivées, sans oublier ny bon heur ny malheur qui ne me donnast un coup tres sensible... L'apres-disnée, me retirant sous quelques arbres qui n'estoient pas fort esloignez de la petite cellule, je considerois l'estat miserable où la fortune m'avoit reduit ; et mon mal, et le bien d'autruy m'offençoient esgalement : l'un, par le propre ressentiment, et l'autre, par l'envie et la jalousie du contentement de ceux qui me l'avoient ravy. Mais apres souper, me promenant le long du fleuve, j'allois considerant tous les deplaisirs qui me pouvoient advenir, et combien il y avoit peu d'esperance d'y remedier... » (280)

La source de telles méditations est au cœur d'un homme qui a souffert les mêmes tourments que ses personnages. Ici, l'influence livresque est nulle, seuls subsistent la peine et le souvenir ému du pays de l'enfance à jamais perdu, mais recherché et mélancoliquement recréé.

---

(277) Sur le goût d'Honoré d'Urfé pour les jardins, voir W. Farenheim, *art. cit.*, pp. 413 sq. ; Sister M.C. Mac-Mahon, *op. cit.*, pp. 60 sq.

(278) A. Chastel, *La crise de la Renaissance,* Genève, A. Skira, 1968, p. 134.

(279) La société du Cardinal de Retz se divertissait à se poser des questions sur *L'Astrée,* voir Tallemant des Réaux, *Historiettes,* Paris, 1854-1858, 7 vol., t. 5, p. 181.

(280) *Astrée,* III, 6, 318.

CHAPITRE VI

LA SAVOYSIADE

Honoré d'Urfé, fidèle soldat du duc de Savoie, ne pouvait moins faire que de mettre sa plume à son service. Ses relations avec la Cour de Turin ont été si bien établies qu'il n'est pas nécessaire d'y revenir (1). En 1598, Antoine Favre faisait hommage des *Epistres Morales* à Charles Emmanuel et, en 1599, Honoré lui dédiait *Le Sireine* (2). En promenade à Ripaille, le 6 octobre 1598, Honoré d'Urfé écrivit un poème qui commence par un éloge d'Amédée VIII et se poursuit par une méditation sur la vie sereine de ce prince volontairement retiré des honneurs du monde (3). Au commencement de l'année 1599, il envoie, de Milan, des *Estrennes* au duc de Savoie, auquel il ne ménage point son admiration :

> « Que bien puisse en effait aussi bien estre vostre
> Tout ce que l'œil ça bas en la terre aperçoit,
> Comme d'affection tout homme qui vous voit
> Pour se donner a vous en desdaigne tout aultre.
>
> Ou s'il n'avient aynsi, qu'a la fin vostre lance
> Soit le sceptre du monde aussy bien que son fer
> Par vostre bras vincueur en pourra triompher,
> Si la fortune en vous esgale la vaillance. » (4)

C'est en cette même année 1599 qu'Honoré d'Urfé entreprit la composition de la *Savoysiade.* Des maisons princières italiennes, par exemple celle de Ferrare chantée par Boiardo et par l'Arioste, avaient déjà leur poème épique. Par ailleurs, une frénétique ambition de rivaliser avec la Grèce et l'Italie s'était emparée des écrivains : l'*Iliade* et l'*Enéide* restaient les modèles incontestés du genre épique. Boiardo et l'Arioste avaient assuré en Italie le triomphe de l'épopée dont le Tasse créa le chef-d'œuvre avec *La Jérusalem délivrée.* La France nourrit les mêmes ambitions que l'Italie. Du Bellay rêva d'une épopée française, composée sur le modèle de

---

(1) Voir, à ce propos, A. Bernard, *op. cit.*, p. 127 sq. ; O.C. Reure, *op. cit.*, *passim.*

(2) *B.N. Ms. fds frs*, n° 12486, f. 1 v°.

(3) *Ibid.*, f. 59 v° : *Le second livre des Delices de la Poesie françoise, ou nouveau recueil des plus beaux vers de ce temps, par J. Baudoin*, Paris, T. du Bray, 1620, pp. 5-8.

(4) *B.N.*, *Ms. fds frs*, f. 61 r°, *Estrennes a son Altesse de Savoye, faittes a Millan au commancement de l'an 1599* ; *Le second livre des Delices*, pp. 3-4.

l'Arioste, « une œuvre de si laborieuse longueur, et quasi de la vie d'un homme » (5). Pelletier du Mans avait prétendu que seule l'œuvre épique confère le vrai titre de poète (6). Ronsard tenta de donner un chef-d'œuvre épique à la France mais, quoique ce fût un éche, les imitateurs de *La Franciade* ne manquèrent point (7). L'engouement pour le genre épique fut tel, au début du XVIIe siècle, que 29 épopées furent écrites entre 1600 et 1623 (8). Honoré d'Urfé, en 1599 et pendant sept ans, sans parvenir à mettre un terme à son ouvrage, s'essaya donc, lui aussi, au genre épique. Les circonstances politiques l'incitèrent à une telle entreprise dans laquelle il n'oublia point de célébrer sa famille. L'histoire de la Maison de Savoie lui fournit une matière abondante à laquelle s'ajouta l'influence d'œuvres espagnoles, italiennes et françaises.

***

I. — La *SAVOYSIADE* et la Maison de Savoie.

Alors qu'il était presque exilé de son pays dans la solitude de Senoy, Honoré d'Urfé, totalement au service de la Maison de Savoie, acheva le premier livre de son poème le 25 août 1599. Ce n'est qu'en 1603 qu'il reprit son épopée, à Chateaumorand, où il écrivit les deuxième, troisième, quatrième et cinquième livres. Le sixième livre fut commencé à Montormentier le 25 juillet 1605 (9). De 1603 à 1605, sans interruption, sauf pour un pèlerinage à Lorette, en 1605, Honoré d'Urfé travailla à son poème. En 1606, il le reprit pour procéder à une véritable refonte. Il développa les anciens livres du premier manuscrit et il en ajouta de nouveaux (10). Les neuf premiers chants de la *Savoysiade* étaient donc terminés le 29 novembre 1606, ainsi qu'en témoigne le manuscrit des Archives d'Etat de Turin. La suite de l'épopée ne fut jamais écrite. Pourtant, Honoré d'Urfé eut certainement l'intention d'en poursuivre la composition, puisqu'il ne dédia son poème à Charles Emmanuel qu'en

---

(5) *Deffence et Illustration de la Langue Françoise*, éd. H. Chamard, Paris, 1904, pp. 234-235.

(6) *Art poetique*, Lyon, 1555, éd. A. Boulanger, Paris, 1930, p. 194.

(7) A propos de l'épopée à la fin du XVIe siècle, voir M.P. Hagiwara, *French Epic Poetry in the sixteenth Century. Theory and Practice*, Paris - La Haye, Mouton, 1972, pp. 14 sq. ; R. Bray, *Formation de la doctrine classique*, Paris, Nizet, 1966, pp. 336 sq.

(8) Voir R. Toinet, *Quelques recherches autour des poèmes héroïques-épiques du XVIIe siècle*, Tulle, Crauffon, 1899, 2 vol. Sur la *Savoysiade*, t. 2, pp. 43-49.

(9) Montormentier était une des terres bourbonnaises de la seigneurie de Chateaumorand. Il ne reste aujourd'hui aucun vestige du château de Montormentier. Les renseignements sur les lieux de composition des différents livres de la *Savoysiade* nous sont fournis par le manuscrit de la Bibliothèque Nationale.

(10) Voir appendice III, la description du manuscrit de la Bibliothèque de l'Arsenal et celui des Archives de Turin.

1615 (11), sous la forme d'une copie hâtive à laquelle il manquait les chants II, III et IX. Le duc manifesta immédiatement sa satisfaction en accordant à l'auteur une pension de deux mille ducats par an (12). Au moment où la politique de la Savoie était l'objet des polémiques les plus vives, la question des origines de la Maison de Savoie revêtait une importance capitale. Le débat dura pendant toute la première moitié du XVIIe siècle et les œuvres abondèrent, pour glorifier ou contester les fondateurs de la Maison (13). La question était surtout urgente en 1614, quand, dans une *Conférence,* Claude de Ruby critiqua Delbenne qui affirmait à l'origine dynastique de la Maison de Savoie une descendance capétienne et faisait de Bérold un personnage de grande importance (14). Les réponses ne se firent guère attendre (15). Peut-être cela explique-t-il la hâte d'Honoré d'Urfé à faire recopier et à dédier à Charles Emmanuel son manuscrit de la *Savoysiade.*

Trois des six livres du premier manuscrit portèrent le titre de *Beroldide* ou de *Berol* (16). Le manuscrit considéré comme définitif est intitulé *Savoysiade* ou *Savoisiade* (17). Samuel Guichenon, dans la préface de son *Histoire de la Royale Maison de Savoie,* écrit :

> « Honoré d'Urfé Marquis de Valmorey, Chevalier de l'Annonciade, qui s'est rendu si fameux par le beau roman d'Astrée,

---

(11) Manuscrit de la Bibliothèque de Turin détruit par l'incendie. Cette dédicace se trouvait aux f. 1 à 3.

(12) Archives d'Etat de Turin, *Controrolo Finanza* II, 1614 à 1615, décret du 8 septembre 1615, pp. 173-176 : « Volendo noi in qualche parte riconoscere et ricompensare li buoni et grati [servitti] c'habbiamo riceuueto et giornalmente riceviamo dal marchese d'Urfé mio cugino et dargli saggio della stima che ne facciamo et dell'affetto et volontà nostra vi mandiamo et comandiamo di pagargli o par pagare ogn'anno et à quartieri la somma di ducatoni duemilia da fiorini tredici per caduno che gli habbiamo accordato in pensione annuale, et cio a cominciare dalla data della presente et continuare per l'avvenire... » (cité par L.F. Benedetto, « Una redazione inedita della leggende degli infanti di Lara », in *Studi medievali,* vol. IV (1912-1913), p. 233). Le 2 février 1618, Honoré d'Urfé et son frère Jacques furent faits chevaliers de l'Annonciade. C'était une distinction importante et fort rare. Voir, à ce propos, Capré, *Catalogue des Chevaliers de l'Ordre du Collier de Savoye dict de l'Annonciade, avec leurs noms, surnoms, qualitez, armes et blazons depuis son institution,* Turin, 1654, f. 201 v° - 202 r° ; voir, également, O.C. Reure, *op. cit.,* p. 196.

(13) Sur cette question, voir G. Mirandola, « La Savoie et les « Savoysiades » contribution à l'étude des rapports littéraires entre la France et le Piémont au *XVIIe* siècle », in *L'Italianisme en France,* Actes du 8e Congrès de la Sté frse de Littérature comparée, *SF,* supplément au n° 35 (Mai-Août 1966), pp. 157-166.

(14) *Conference des Prerogatives d'Ancienneté et de Noblesse de la Monarchie, roy, royaume et maison royale de France, avec toutes les autres Monarchies, pays, royaumes et maisons royales qui sont en l'estendue de notre Europe, au tres chrestien Louis XIII,* par Maistre Claude de Rubis, Lyon, 1614.

(15) G. Mirandola, *art. cit.,* p. 162.

(16) Le manuscrit de la Bibliothèque nationale révèle les hésitations d'Honoré d'Urfé. Le premier, le deuxième et le troisième livre ont été successivement intitulés *La Beroldide,* puis *Berol,* enfin *Savoye.* Les livres 4, 5 et 6 sont intitulés, sans rature, *Berol.*

(17) Le manuscrit considéré comme définitif est celui de la Bibliothèque de l'Arsenal. Celui des Archives d'Etat de Turin porte le même titre. Le manuscrit de la Bibliothèque de Turin était intitulé *Savoisiade.*

> avoit projetté l'Histoire de Savoye en vers heroïques François, qu'il intituloit, *La Savoysiade,* dont j'ai le M.S. mais il n'acheva que la vie de Berold. » (18)

Il est vrai que les neuf chants qui composent la *Savoysiade* sont consacrés à Bérold. Honoré d'Urfé avait-il l'intention de célébrer tous les ancêtres de Charles Emmanuel ou voulait-il seulement chanter les prouesses du fondateur de la Maison de Savoie ? Peu importe, car, en glorifiant Bérold, il honorait la Maison de Savoie et justifiait du même coup la politique européenne du Prince à qui il était totalement dévoué (19).

Le premier livre de la *Savoysiade* indique nettement l'intention de l'auteur :

> « D'un grand Prince saxon je chante les allarmes,
> Les travaux genereux, la fortune et les armes,
> Les desseins, les conseils dont avecque le fer
> Du rebelle ennemy on le vit triomfer,
> Quand poussé du destin où il se fist la voye,
> Aux Alpes il planta le sceptre de Savoye.
> Toy qui tous les destins enclos dedans le sein
> Et qui esleus ce prince a un si grand dessein,
> Comme en luy tu as mis les lauriers et les gloires,
> Metz le ressouvenir en moy de ses victoires. » (20)

Bérold, le prince saxon, a été choisi par Dieu pour être le fondateur d'une Maison dont la gloire devait se répandre par l'univers :

> « Or, ce Dieu tout puissant qui a son gré dispose
> De tout ce qu'il luy plait ainsi qu'il le propose,
> ....
> ... choisit un Berol, homme vaillant et sage,
> Prince a qui les travaux augmantoient le courage,
> Pour estre tige heureux de ces futurs heros
> Qui devoient l'Univers rendre plain de leur los. » (21)

On a fait remarquer que l'histoire de Bérold présente des analogies avec la légende de Gérard de Roussillon (22). En réalité, si la *Savoysiade* subit indirectement l'influence de nos légendes épiques, Honoré d'Urfé puisa aux sources manuscrites et imprimées que possédait la Maison de Savoie. Guichenon en a dressé une nomen-

---

(18) S. Guichenon, *Histoire genealogique de la Royale Maison de Savoie...* t. I, Préface. Le manuscrit que possédait Guichenon était soit celui de la Bibliothèque de l'Arsenal soit celui des Archives d'Etat de Turin, puisque ce sont les deux seuls qui soient complets.

(19) Antoine Favre pouvait déclarer dans la dédicace des *Epistres Morales* à Charles Emmanuel de Savoie : « Et cela je l'ay faict..., pour sçavoir qu'en l'offrant à V.M. ce n'estoit luy presenter rien de nouveau ; mais continuer le vœu qu'il luy avoit faict de tout temps de tout ce qu'il est et de tout ce qu'il a... »

(20) *Ms B.N.*, f. 67. (Le sigle *Ms B.N.* désignera le manuscrit de la Bibliothèque nationale, le sigle *Ms. Ars.* désignera celui de la Bibliothèque de l'Arsenal, Ms .fr. 2959.)

(21) *Ibid.*, f. 67 v°-68 r°.

(22) Voir à ce propos L.F. Benedetto, *art. cit.*, p. 235, n. 3 ; L.C. Bollea, « Le origine della Casa di Savoie e dei suoi titoli feudati », in *Giornale Araldico-Storico-Genealogico,* année I (1912), pp. 20 sq.

clature et une analyse suffisamment précises pour que nous y découvrions certaines sources utilisées par d'Urfé (23). Sans doute existait-il une tradition orale dont il eut connaissance, mais il dut lire cette ancienne *Chronique de Savoye,* à propos de laquelle Guichenon écrit :

> « Le plus ancien M.S. que nous ayons est l'ancienne Chronique de Savoye, composée en vieux Gaulois en forme de Roman, par un Autheur incertain, qui vivoit au temps du Comte Verd. Jean de Tournes au supplement de l'Histoire de Savoye de Guillaume Paradin, l'appelle la Chronique de M. de Langes... Cette chronique commence à Berold et finit au Comte Rouge inclusivement ; elle a esté écrite avec beaucoup de simplicité, et sur d'anciennes traditions... » (24)

Guichenon cite encore le manuscrit du Monastère de Hautecombe, « la chronique latine de Savoye de l'Abbaye d'Ambronaye laquelle commence par Berold jusqu'à Aimé 8 ». Il indique l'ouvrage de Symphorien Champier, *Les Grandes Chroniques de Savoie,* publié à Paris, en 1515, et qui relate l'histoire de la Savoie, de Bérold à Charles le Bon, l'œuvre des deux Paradin, Guillaume et Claude (25), celle de Papire Masson (26), celle d'Alphonse Delbene (27)... Guichenon a analysé tous ces ouvrages et montré le rôle accordé par tous à Bérold. Honoré d'Urfé ne met pas en doute la fondation de la Maison de Savoie par Bérold et il retient de la légende les épisodes suivants : le voyage de Bérold en Espagne et le combat naval contre les Génois, le châtiment de la femme d'Othon III et de son complice, les ancêtres de Bérold.

L'ancienne *Chronique de Savoye* rapporte que Bérold, contraint d'abandonner sa patrie, décida de se rendre en pèlerinage à Saint Jacques et qu'en cours de route il fut accueilli par Boson, roi d'Arles :

> « [IL] se mist à la voye de parfaire son voyage et de la tint son chemin vers Arragon, et visita le roy d'Arragon, lequel roy leur fist moult grand honour... et de la s'en ala en Espagne et vint vers le roy d'Espagne, lequel les receust moult honorablement, et lors sestoit faitte une armee a l'encontre du roy de Grenade, ou estoit venu le roy de Cecille, et monseigneur Berault y ala avecques le dit roy et firent grand daumages aulx Serrassins, et la se montra la vailliantize et chevallerie de mon-

(23) S. Guichenon, *op. cit.,* t. I, Préface. Sur les ouvrages consacrés à la Maison de Savoie, qui contiennent le récit des exploits de Bérold, voir G. Rua, *L'epopea Savoina alla Corte di Carlo Emmanuele I, La Savoysiade di Onorato d'Urfé,* pp. 4-9. Rua signale notamment le *Temple d'alliance des Ducs de Savoye, contenant la genealogie et descendance d'iceaux et leurs faicts plus memorables...,* composé, à l'occasion du mariage de Charles Emmanuel, probablement par Antoine Favre. Un fragment du manuscrit fut conservé à la Bibliothèque Royale de Turin (cod. 297, fasc. IV, carte 26).

(24) S. Guichenon, *op. cit.,* Préface.

(25) Guillaume Paradin, *Cronique de Savoye,* Lyon, Jean de Tournes, 1552.

(26) *Elogia ducum Sabaudiae,* Paris, Jacques Quesnel, 1586.

(27) Alphonse Delbene, *De principatu Sabaudiae et vera ducum origine a Saxoniae principatu* ; cet ouvrage longtemps inédit fut publié en 1631. Il fut remis au jour par Aug. Dufour, in *Mémoires et documents* publiés par la Société Savoisienne d'histoire et d'archives, t. IV.

seigneur Berault et de ses gens, car par le rapport du dit roy, il se porta tellement, et fist tant darmes que nulz nen puest plus faire... » (28)

C'est à peu près tout ce que la légende a retenu des entreprises de Bérold contre les Sarrasins. Pour d'Urfé, cet épisode revêt une importance considérable : Bérold n'entreprend plus seulement un pèlerinage à Saint-Jacques, mais une croisade contre les infidèles. Il erre de longues années, loin de sa patrie, suivant la destinée ordonnée par Dieu, avant d'établir la couronne de Savoie :

« Six ans estoient passez que desja la campagne
Avoit veu ondoyer les aygles d'Allemagne
Dessous ce grand guerrier, et que, de touttes pars,
On n'ouyoit renommer que luy et ses soldars.
Avec un Mars doutteux, son genereux courage
S'estoit aux grands hazards hazardé d'avantage.
Les peuples d'occident mi-mores bazannes
A ses faitz belliqueux demeuroient estonnez.
....
Mille maux, mille mortz, il avoit desdaigné
Sans pouvoir parvenir ou son destin l'ordonne,
Tant s'estoit de Savoye establir la couronne. » (29)

Bérold, se remémorant sa vie depuis son départ d'Allemagne, la résume ainsi :

« Nous avons veu depuis, en leur sommetz plus haut,
Les Alpes a jamais incogneus du chaut,
Et du grand Roy Bozon et l'une et l'autre terre.
Puis, surmontant Pireine, avons, par mainte terre,
Deffandu Vereconde et deffait Almançor,
Dedans le champ herbeux de Calacanazor,
De son sang infidele arrozant la campagne. » (30)

C'est donc par obéissance à Dieu que Bérold est allé en Espagne, pour combattre contre les infidèles :

« Soudain obeissant, il laisse l'Allemagne,
Va porter pour mon Nom ses armes dans l'Espagne,
Fait tomber sous son fer l'Arabe et l'Africain,
Et du sang d'Almançor abreuve le terrain.
Et puis, faible et devot, pour me trouver propice,
S'en va rendre ses vœux aux autels de Galice. » (31)

En inversant l'ordre des faits racontés par l'ancienne *Chronique de Savoye,* d'Urfé exagère les prouesses de Bérold en Espagne et il le couronne de gloire. Comme les héros de nos légendes épiques, il a fait trembler et il a vaincu les peuples infidèles.

---

(28) *Anciennes chroniques de Savoye,* in *Historiae patriae monumenta, edita jussu regis Caroli-Alberti,* Turin, Typografia regia, 1836-1855, 3 vol., *Scriptores,* t. I, col. 56 ; cité par L.F. Benedetto, *art. cit.,* p. 237. Le même récit est rapporté par G. Paradin, *op. cit.,* p. 40.

(29) *Ms. B.N.,* f. 72 v° - 73 r°.

(30) *Ms. Ars.,* l. IX, f. 18 v° ; *Ms. Arch. de Turin,* l. IX, vers 926-949.

(31) Cité par L.F. Benedetto, *art. cit.,* p. 238.

La tradition manuscrite et les historiens de la Savoie rapportent, selon Guichenon, que Boson, le roi d'Arles, ayant eu connaissance de la valeur guerrière de Bérold,

> « le convia de l'aller voir, ce qu'il fit, et de là alla en Grenade avec le Roy de Sicile et retourna à Arles, où Boson qui avoit guerre avec les Gennois, suscitée par les Fiesques, Spinolas, Dorias et Grimaldis, se servit de Berold, et le fit son lieutenant general : qu'il donna combat sur mer aux Gennois, où Boson fust blessé et en mourut. » (32)

Guillaume Paradin consacre un chapitre entier de son ouvrage à une « bataille navale, en laquelle fut blessé le Roy de Bourgongne, contre ceux de Genes », et il rapporte les faits suivants :

> « La Seigneurie de Gennes estant cupide de dilater et estendre les limites de sa domination, avoit pratiqué aucuns vassaux et subjets du Roy Bozon de Bourgongne, comme le Comte de Suse, le Marquis de Saluces, le Comte de Piemont, et certains autres, tenans les passages des Alpes : tellement qu'ils s'estoyent rebellez contre leur souverain seigneur, esperans iceux Gennevois par ce moyen dresser tant d'affaires au Roy Bozon, par mer et par terre, qu'il ne lui seroit possible de resister. » (33)

Paradin ajoute que quatre maisons de Gènes furent les instigatrices de cette entreprise, « Flisque, Espinole, Auric et Grimaud », que Boson réunit ses bateaux au port de Portholy et fit de Bérold de Saxonie, son lieutenant général. Le combat fut pénible :

> « Les gens de trait Gennevois firent grand meurtre des gens de Bozon, de manière que le Roy mesme receut un coup de flesche, dont il se sentit grandement navré. La bataille dura jusque sur la nuit, qui contraingnit les Gennevois de se retirer au port de Vingtmille, et le Roy fit faire voile la volte de Marseille. » (34)

Le roi Boson se fit soigner à Marseille, mais, revenu en Arles, il commit des excès qui lui provoquèrent une fièvre continue dont il mourut. Guillaume Paradin suit de très près le récit des anciennes *Chroniques de Savoye* qui rapportent l'alliance de Gênes « aux Flesco, Espinole, Orye, Grimaulde », le combat naval, la retraite des Génois à Vintimille, la blessure et la mort de Boson.

Honoré d'Urfé, à partir de ces renseignements, compose la partie essentielle de la *Savoysiade*. Les modifications qu'il apporte aux récits qu'il a lus ne concernent que des points de détails. Le combat naval livré entre les Génois et Boson a commencé quatre jours après que la flotte de Bérold a quitté les côtes d'Espagne. Bérold n'est pas alors le lieutenant général de Boson, mais il est providentiellement destiné à redonner son royaume au roi d'Arles. Irmance, qui commande l'avant-garde de la flotte, s'adresse à Bérold, en ces termes :

---

(32) S. Guichenon, *op. cit.*, p. 182.

(33) G. Paradin, *op. cit.*, p. 43. *Le temple d'alliance...* rapporte brièvement la victoire de Bérold sur les Génois. Nous trouvons le même récit dans l'*Amadeide* de Delbenne (*Mémoires et documents publiés par la Société Savoisienne*, t. VIII) ; à propos de ces deux ouvrages, voir G. Rua, *op. cit.*, pp. 5-6.

(34) G. Paradin, *op. cit.*, pp. 43-44.

« .... Prince, dist-il, le sage
Te mande que aujourdhuy est l'heur de ton voyage,
Car Luy qui, du pres des vesseaux, est venu,
Voyant leur estandars, dist qu'il a recogneu
L'enseigne de Bozon, et les armes de Gennes,
Qu'il samble que de Dieu si a propos tu viennes
Pour t'obliger ce Roy, dont l'armee a demy
Va desja flechissant au mutin ennemy,
Parce qu'a son secours il a voulu t'eslire,
Tu luy peux a ce coup redonner son empire. » (35)

Comme la flotte de Boson est en difficultés, Bérold va combattre aux côtés du roi d'Arles, sans que nous connaissions l'amitié qui les lie. Le récit de cette bataille occupe les trois premiers livres de la *Savoysiade* (36). Après avoir déployé sa vaillance au cours de combats singuliers, Boson est blessé par une flèche :

« Mais, quand du haut du ciel la victoire estoit prette,
Par le vouloir de Dieu, de voler sur sa teste
Voyla pas qu'attaquant une arrogante nef
Qui sambloit, voisinant les nues de son chef,
Croire que l'univers surmonter ne la puisse,
Un trait fatal dessent qui luy brise la cuisse. » (37)

Alors que Mandor essaie de retirer la flèche de la plaie, Boson s'évanouit et il ne sera plus question de lui dans la suite de l'épopée. Mise en déroute, la flotte génoise tente de se réfugier à Vintimille,

« Mais, apres eux, Berol dans la mesme embouschure
Des rochers resserrez poursuit son avanture,
Et s'enclot dans l'estroit du cerne de ce port,
Pour leur donner la vie ou promptement la mort. » (38)

Jusqu'ici, d'Urfé n'a point expliqué pourquoi Bérold a quitté l'Allemagne. A Vintimille, le héros raconte son histoire à la demande d'Anne de Lascaris (39). Othon, après avoir vaincu le tyran Crescence, garde auprès de lui ses trois neveux, pour assurer son empire. Il a surtout confiance en Bérold. Une nuit, celui-ci voit en songe Othon qui souffre d'une blessure. Un fer rougi guérit la plaie, mais le sang qui a coulé envahit la salle et se répand par toute l'Allemagne. Bérold s'embarque et un fleuve de sang l'emporte, qui se change en un cours d'eau. C'est un présage. Othon, qui visite les rivages du Rhin, a oublié, au pied de son lit, des reliques auxquelles il tient beaucoup ; il envoie Bérold les chercher. La porte de la chambre est ouverte, Bérold entre sans frapper et sans prêter attention à trois gouttes de sang qui viennent entacher sa main. Il est stupéfait par le spectacle qui s'offre à lui :

---

(35) *Ms.B.N.*, f. 78 v°.

(36) Les manuscrits de la Bibliothèque de l'Arsenal et des Archives d'Etat de Turin reprennent le texte du manuscrit de la Bibliothèque nationale, mais en le coupant différemment et en ajoutant des détails qui concernent ceux qui participent au combat.

(37) *Ms.B.N.*, f. 107 v° ; *Ms.Ars.*, livre V, f° 6 v°.

(38) *Ms.B.N.*, f. 117 r° ; *Ms.Ars.*, f. 11 v°.

(39) *Ms.B.N.*, f. 169.

« Marie d'Arragon, sans foy et sans honneur,
Mais femme touttesfois d'un si puissant seigneur
Si aymable et si beau, honnissant ceste couche,
Et lors, front contre front et bouche contre bouche,
Tenant entre ses bras l'adultere meschant,
Lasse, non soule encore de son vice allechant,
S'y estoit endormie... » (40)

Bérold tue de trois coups de poignard Delmont, « ravisseur de l'honneur » de son maître. Puis, persuadé qu'il a aussi tué la reine, il s'en retourne auprès d'Othon, auquel il raconte ce qui s'est passé. Marie d'Aragon se réfugie auprès du vieux comte de Mont qui accuse Bérold d'avoir provoqué la mort d'un innocent. Il refuse à Othon le serment de vassal, lève des troupes et ravage tout le pays avec ses trois fils, Conrad, Vuldrich et Thierri. Un prisonnier de Vuldrich, nommé Gurvuich, s'évade, conduit Bérold au camp où les soldats endormis du comte de Mont et de ses fils sont massacrés ou mis en fuite. Bérold livre combat contre le vieux comte et tue Thierri. En songe, il voit Hugues, son père, sortant de son tombeau, pour l'accuser de l'avoir blessé en punissant l'adultère. Sa blessure est symbole de celle de l'Allemagne. Bérold devra donc rétablir la paix. Après avoir adressé une prière à Dieu, il propose à Othon de rendre la liberté au vieux comte de Mont, à condition que l'un de ses fils combatte contre lui. Vuldrich accepte et il est tué (41). Cette victoire est la preuve de l'innocence de Bérold. Cependant, pour que la paix puisse s'établir, il doit quitter son pays. Dieu le lui ordonne, car il est promis à une grande gloire (42), et Saint Maurice lui annonce qu'il possèdera la terre de Savoie (43).

Honoré d'Urfé suit, pour l'essentiel, le récit de la *Chronique de Savoye* (44) reprise par Guillaume Paradin et par Bandello (45). Mais, afin de rendre ce récit plus dramatique, il transforme quel-

---

(40) *Ibid.*, l. VI, f. 172 v°.

(41) Le manuscrit de la Bibliothèque nationale se termine avec le récit du combat de Bérold contre Vuldrich. Sur les noms des fils du Comte de Mont, voir G. Rua, *op. cit.*, p. 36, n. 1 et 2.

(42) *Ms.Ars.*, f. 15 v° et f. 16 r°.

(43) « Et nous qui de Savoua sommes saintz tutelaires
T'ayderons desormais en touttes affaires.
....
Laisse donc de Saxe et le nom et la terre,
....
Entre les grands rochers des montagnes hautaines,
Où jadis Alobrax et ses Aborigenes
Du profond de l'Asie en singlant par la mer
Se vindrent arrester et les Alpes nommerent. »
(*Ms.Ars.*, l. 9, f. 16)

La Savoie est souvent présente dans l'épopée d'Honoré d'Urfé.

Il y a plus que des allusions aux paysages, contrairement à ce qui a été affirmé (P. Duparc, « La Savoysiade d'Honoré d'Urfé », in *R. Sav.*, 86e an. (1946), pp. 60-65).

(44) *Historiae patriae monumenta, Scriptores*, I, col. 47-53.

(45) G. Paradin, *op. cit.*, t. I, p. 35. Bandello rapporte les aventures de Bérold, dans ses *Histoires tragiques*, IV, 19, *Origine de la nobilissima casa di Savoia che da stirpe Imperiale discese.* Honoré d'Urfé connaissait certainement cette histoire, puisqu'il emprunta aux *Histoires* de Bandello le sujet d'un épisode de *L'Astrée*, voir *infra*, 3e partie, ch. 1.

ques détails. D'après la *Chronique de Savoye,* Bérold a tué Marie d'Aragon. Il est vrai que Guillaume Paradin rapporte que

> « les histoires d'Allemaigne, tiennent que ceste Arragonnoise Imperatrix, femme excessivement lascive et insatiable de paillardise print autre fin, et qu'elle fut brulee vive par l'Empereur, pour avoir esté convaincue d'avoir fait executer un jeune prince, qui n'avoit voulu consentir a ses luxurieuses volontez. » (46)

Dans la *Savoysiade,* il n'est pas question de la condamnation de l'impératrice. Bérold a eu l'intention de la tuer, mais ses coups de poignard l'ont seulement blessée. Honoré d'Urfé imagine une scène qui rend le récit beaucoup plus pathétique :

> « Mais la ne s'arretant la fureur qui me picque,
> J'en voulus faire aultant a la femme impudique.
> D'effait, haulsant le fer pour l'y plonger au sein,
> Son effroy fust si grand qu'il deceut mon dessein,
> Car se pressant dessous son mourant adultere,
> Et moy, tout transporté de l'ardente colere,
> J'adressay mal le coup et, pour elle, j'attainds
> Le desloyal De Montz au milieu des tetins.
> Le fer jusqu'a la main se cache en la blessure,
> Elle, qui en ressant un peu d'esgratigneure,
> Car le glaive trop court a la chair n'attaind pas,
> Comme, prez de la mort, jetta un grand helas
> Qui m'esmeut de pitié. Ainsy, la croyant morte,
> Elle et luy et mon fer je laissay de la sorte,
> Mon fer dedans le corps, luy mort, elle feignant
> D'estre morte et le lict de tous costez seignant. » (47)

Selon la *Chronique de Savoye,* Marie d'Aragon était la fille du Comte de Mont (48), selon Paradin elle était une parente (49). Pour Honoré d'Urfé, Marie d'Aragon commet l'adultère avec le fils du Comte de Mont. Le corps du coupable est brûlé sur ordre d'Othon (50), et le sort de l'impératrice est passé sous silence. Il s'agissait, pour l'auteur de la *Savoysiade,* de légitimer la révolte du Comte de Mont et de ses fils qui, en cherchant à faire porter les soupçons sur Bérold, voulaient laver la souillure qui allait entacher leur honneur. Il nous semble que d'Urfé a voulu ainsi sauvegarder la vraisemblance à laquelle il attache toujours son attention. Par ailleurs, comme Bérold est l'ancêtre de la Maison de Savoie, il importe qu'aucun soupçon ne pèse sur lui. C'est pourquoi, dans un élan de générosité, Bérold propose de mettre fin à la guerre, en se battant contre Vuldrich en un combat singulier dont l'issue sera le jugement de Dieu. Promu providentiellement à un grand destin, il convenait qu'il passât par les épreuves, afin de manifester sa vertu. En somme, d'Urfé a trouvé, dans les diverses chroniques de Savoie, une matière à laquelle il est généralement resté fidèle. Sur

---

(46) G. Paradin, *op. cit.*, t. I, p. 35.
(47) *Ms.B.N.*, l. VI, f. 172 v° ; *Ms.Ars.*, Livre IX.
(48) *Historiae patriae monumenta, Scriptores,* I, col. 48.
(49) G. Paradin, *op. cit.*, t. I, p. 37.
(50) *Ms.B.N.*, f. 174 r°.

elle il a brodé ce que son imagination lui a dicté, il l'a transformée afin de donner à son héros plus de grandeur humaine, morale et épique, et introduire par les songes le merveilleux nécessaire à toute épopée.

Pour justifier la politique de Charles Emmanuel, il fallait à sa famille une origine qui l'apparentât aux plus grands de l'histoire. Voilà pourquoi les historiens de la Maison de Savoie donnent à Bérold une glorieuse origine qu'à son tour d'Urfé rappelle dans la *Savoysiade*. L'existence de nombreuses œuvres qui établissent avec précision et exaltent les ancêtres de Bérold et ses descendants, premiers chefs de la Maison de Savoie, s'explique, ainsi, par une volonté délibérée de justifier le rôle politique de la Savoie. Il ne nous est pas possible de rapporter ici les thèses proposées, qui toutes furent, au XVIIe siècle, examinées, réfutées ou retenues par Guichenon. Trois opinions étaient en présence. La première faisait de Bérold le fils de Hugues, duc de Saxe, et petit-fils de l'empereur Othon II et frère d'Othon III. Il aurait eu deux frères aînés, Federic et Vuldrich. Ainsi pensaient Champier, Guillaume et Claude Paradin, qui s'appuyaient sur les chroniques latine et française de la Maison de Savoie. Aux dires de Guichenon, selon Melanchton, Peucer, Lazius, Bertius, Doglioni, Botero, Louys de la Chiesa, Forcatel, Reusnerus, ...Bérold descendait de Wittichind, duc de Saxe et de Hongrie, issu lui-même de Sigueard, roi de Saxe, qui avait la même origine que les Othons, mais d'une autre branche. Enfin, une autre thèse fait descendre Bérold de Hugues et d'Othon II (51). Honoré d'Urfé consacre un long passage de la *Savoysiade* à cette généalogie et se rallie, du moins en partie, nous semble-t-il, à la deuxième opinion qui retient Sigueard comme ancêtre de Bérold.

Lorsque Bérold aborde à Vintimille, un temple s'offre à sa vue :

> « A l'entour du portail, arrangez en couronne,
> Aux nyches enfoncez sont mis douze portraitz,
> Qui aux vives couleurs samblent encores fraiz,
> Et ne point ressantir, aynsi que l'edifice,
> Des ages devoreux la fatale malice... » (52)

Parmi ces portraits Bérold reconnaît celui de Hugues, son père, et ceux des Othons (53). Rodolphe, qui est auprès de lui, identifie les douze portraits :

> « Prince, ce que tu vois aux niches de ce temple,
> En ces douze portraitz, cest un tres vif exemple
> Que par leur actions t'ont laissé tes majeurs.
> Quatre Ducs, quatre Roys, quatre grands Empereurs,
> Par cent divers travaux, en cent diverses sortes,
> Ont randu plein d'honneur le grand nom que tu portes. » (54)

Il présente ensuite Sigueard :

---

(51) A propos de ces généalogies, voir S. Guichenon, *op. cit.*, t. I, pp. 171-176.
(52) *Ms.B.N.*, f. 139 v° ; *Ms.Ars.*, l. VII.
(53) *Ms.B.N.*, f. 142 r° ; *Ms.Ars.*, l. VII.
(54) *Ms.B.N.*, f. 150 v° ; *Ms.Ars.* l. VIII, f. 1 v° sq.

« Ce grand roy des Saxons, de qui la dextre armee
Du françois Dagobert mit en routte l'armee »,

puis le roi Theodor, fils de Sigueard, Hedilarde, fils de Theodoric, qui maria Odillon à Ilfrude, Vuittkind qui se convertit au christianisme, Vuigpert et son frère Robert, dont descendent les Capet, le duc Othon, dont la fille Lutgarde épousa Louis IV, Henry l'Oiseleur, fils d'Othon et empereur après Conrad, les trois Othon, et Hugues, fils d'Othon II, frère d'Othon III et père de Bérold. Nous constatons que, selon d'Urfé, Bérold était apparenté à la Maison de France, puisqu'il était neveu de Robert. Honoré d'Urfé retient, en s'appuyant sur les diverses traditions, l'ascendance la plus glorieuse pour Bérold.

Celui-ci a auprès de lui son fils Humbert, venu le rejoindre en Espagne. Poussé par une bravoure identique à celle de son père, il se distingue au premier rang des combattants, après avoir été fait chevalier (55). Il succèdera à Bérold au trône de Savoie et deviendra celui que les chroniques de Savoie nomment Humbert aux Blanches Mains, Comte de Savoie et de Maurienne. La guerre, qui opposa les Génois, les Marquis de Saluces et de Suse à Boson, puis à Rodolphe, aurait pris fin grâce au mariage de Humbert avec Adelayde, fille du Marquis de Suse (56). Dans la *Savoysiade*, Adelayde est Adelis. Honoré d'Urfé relève avec soin les origines d'Adelis dans les notes qui précèdent son manuscrit de la *Savoysiade* :

« Adelis, fust fille de Manfroy marquis de Suze qui avoit espoussé Berte, fille unique de Aubert marquis d'Iuree frere de Ardouin premier roy d'Italie. ceste Adelis fust nourrie avec Anne de Lascaris dame de Vintimille, et enfin Humbert filz de Berol l'espousa. » (57)

En fait, les chroniques latine et française de la Savoie et Guillaume Paradin ne rapportent pas la présence d'Adelis ou Adelayde auprès d'Anne de Lascaris. Honoré d'Urfé invente cette légende, afin de justifier la présence d'Adelis à Vintimille, où Humbert la rencontre. Alors qu'il combat contre Spinola, elle apparaît dans sa beauté presque divine :

« Jamais tant de beautez n'eust la belle Cyprine,
Lors qu'elle alloit flottant dans sa conque marine.
. . . .
Jamais tant de douceurs, ny de graces si belles,
Les trois Carithes seurs n'agencerent en elles.
. . . .
Jamais, dessus le front, n'eust tant de majesté,
Jamais, en ses façons, n'eust tant de gravité,
La deesse Junon que l'honneur accompagne,
Lors que le grand Juppin la choisit pour compagne. » (58)

(55) *Ibid.*, f. 74 r° sq.
(56) S. Guichenon, *op. cit.*, p. 181.
(57) *Ms.B.N.*, f. 66 r°.
(58) *Ibid.*, f. 126 v°, 127 r° ; *Ms.Ars.*, l. VI, f. 3 v° sq.

Sa beauté est rehaussée par une robe où étincellent pierreries et perles (59). Au premier regard, l'amour s'empare du cœur de Humbert. Il est comme paralysé et, sans un cri poussé par Adelis, il serait tombé sous les coups de Spinola. Il accorde la vie à Spinola vaincu,

> « Et puis vers Adelis, sa nouvelle maistresse,
> Pour luy baiser la main courtoisement s'adresse,
> Luy donnant le vincu ensemble et le vincueur,
> Comme disoient ses yeux interprettes du cueur.
> Elle, qui sant l'amour, de moelle en moelle,
> Aynsi que le poison s'espancher dedans elle,
> En recevant ce don de l'aymable donneur,
> Cache discretement l'amour dessous l'honneur. » (60)

Humbert, sur l'invitation d'Adelis, passe la nuit au château d'Anne de Lascaris. Pendant son sommeil, Adelis voit en songe Lannuze, sa nourrice, qui lui annonce que, de sa descendance,

> « ....naistra Charles Emmanuel,
> L'honneur de cette race et la gloire du monde. » (61)

En célébrant les exploits de Bérold et de son fils, Honoré d'Urfé glorifiait Charles Emmanuel. Les grandes familles de Savoie partagent cette gloire, car leurs représentants se trouvent aux côtés de Bérold pendant la bataille livrée contre les Génois. Ils sont présents pendant le combat contre le Comte de Mont et ses fils :

> « J'avois a mon costé, Rodolph, Bonnard, Menthon,
> Gransson, Flasireux, Loecé, Mareschal et Anton,
> Foras, Chabot, Grammont, Belmont, Lullin et L'Isle,
> Amis de mon honneur, et tous de ma famille. » (62)

Certains d'entre eux sont venus le rejoindre en Espagne pour combattre contre les Sarrasins :

> « ......Buggé, c'est de Luy dont s'appelle
> Le pays de Bugey, pour memoire...
> ....Flavien, Grammont, Virieu,
> Grolee, Rossillon, Longecombe, Luyrieu,
> Tous guerriers signalez... » (63)

Tous ont été choisis par Dieu à cause de leur sagesse et Bérold les consulte, quand la situation est critique :

> « Lors, Rodolph prez de luy, avant tous, il appelle,
> Puis Miolans et du Saix, Chabot, Meillans, Beri,
> Lucinge, Mareschal, Lullin, Menthon, Viri,
> Et douze aultres guerriers qui de races fertiles
> Furent tiges et chefs des plus grandes familles
> De toutte la Savoye... » (64)

---

(59) *Ms.B.N.*, f. 127 v°.
(60) *Ibid.*, f. 131 v° ; *Ms.Ars.*, l. VI, f. 6 v°.
(61) *Ms.Ars.*, l. VI, f. 12 r°.
(62) *Ms.B.N.*, f. 178 v° ; *Ms.Ars.*, l. IX, en marge tous les noms sont cités.
(63) *Ms.Ars.*, l. II, f. 6 v° ; voir aussi les notes marginales du livre V, f. 2.
(64) *Ms.B.N.*, f. 136 v°.

Une unité se crée dans une volonté de partager l'action généreuse et désintéressée de Bérold. Le dessein de faire de la *Savoysiade* une sorte de répertoire des fondateurs des familles illustres groupées autour du héros principal (65) conduisit notre auteur à amplifier les éloges qu'avaient déjà prodigués les historiens de la Maison de Savoie. Guichenon qui se prétend un historien sérieux critique sévèrement cette manie de ses devanciers :

> « pour rendre la fable entiere, l'un de nos Historiens, qui a voulu rencherir sur ses devanciers, faisant aller Berold en qualité de lieutenant general du Roy d'Arles au siege de Gap, luy a composé un escadron de gentilshommes de Dauphiné, de Savoye et de Tarentaise... Cette erreur a esté suyvie par une personne de qualité en sa Savoysiade M.S. en vers François, qui y a adjousté beaucoup de son crû ; mais cette faute est moins pardonnable à un Historien qu'à un Poëte... » (66)

D'Urfé avait un tel désir de magnifier toutes les grandes familles qu'il en a dressé un inventaire minutieux sur les premières pages de son manuscrit (67). Sa propre famille n'est pas oubliée dans la *Savoysiade* : elle est représentée par Vuelfe et par Anne de Lascaris. Vuelfe a le même âge que Humbert à qui le lie une profonde amitié. Tous deux sont venus rejoindre Bérold à Barcelone, au moment où il s'apprêtait à embarquer. Le manuscrit de la Bibliothèque nationale prouve le soin apporté par d'Urfé pour présenter l'ancêtre revendiqué par sa famille. Il hésite entre Altorf, fils de Vulfe, et Vuelfe, fils d'Izembar et enfin il se décide pour Vuelfe d'Altorf, fils de Rodolf. La généalogie des d'Urfé, composée par Anne d'Urfé, éclaire les motifs du choix d'Honoré. Elle commence ainsi :

> « C'est la genealogie de l'illustre maison et ancienne race des Urfez, anciennement ditz Altorfs, puis Ulphes, Guelfe, Urfe et maintenant Urfe... L'an sept cens cinquante Guarin ou Varin, duc en Suave au temps de Pepin le bref fut Comte d'Altorfz... »

La généalogie établit ensuite qu'Isembart, fils de Guarin, épousa Irmentrude qui mit au monde douze enfants dont un seul fut gardé, Wulfe I, qui vécut en 819. Parmi les descendants, figure Rodolphe Wulfe, comte d'Altoff, qui mourut en 940 et auquel succéda Wulfe, deuxième du nom (68). On comprend pourquoi Honoré d'Urfé choisit pour compagnon de Humbert, Vuelf, fils de Rodolphe. La vraisemblance historique était ainsi sauvegardée. Cependant, aucune chronique ne relate les prouesses que d'Urfé prête à son ancêtre légendaire. Vuelfe est un motif de gloire pour sa propre famille qui, depuis ses origines les plus lointaines, s'est distinguée par la sagesse et la vaillance :

---

(65) Voir G. Rua, *op. cit.*, p. 41.
(66) S. Guichenon, *op. cit.*, p. 183.
(67) *Ms.B.N.*, f. 65 r° v°.
(68) *Ms.B.N.*, fds frs, n° 25464, f. 87 sq. ; voir aussi *B.N.*, *Dossiers bleus*, vol. 651 (Dossier Urfé) ; Archives d'Etat de Turin, *Les armoiries de la Maison d'Urfé* ; la généalogie établie par de la Mure et publiée par A. Bernard, in *Les d'Urfé*, pp. 11 sq.

« ...Vuelfe, Germain de nation,
Filz du sage Rodolf, dont la devotion,
La prudente valeur, la vertu, la sagesse,
Randoit recommandable a chascun sa vieillesse.
De tant de pureté son esprit estoit plain,
Que le ciel s'en servoit d'un prophete divin,
Dont la bouche souvant, au grand destin esclose,
Saintement predisoit aux hommes toutte chose. » (69)

Considérant sans doute que les quatre derniers vers étaient un éloge trop excessif, Honoré d'Urfé les raye, puis les encadre et, dans la marge, il écrit : « Il ne faut pas rayer ces quatre vers ». Il continue par un hymne à la gloire de sa famille tout entière :

« Filz de ses ayeux un grand honneur receut,
Mais a ses successeurs un plus grand en conceut,
Car tous du nom de Vulfe, aprez luy, s'appellerent,
Nom que jusques au ciel, bravés, ilz esleverent,
Et que, despuis le temps qu'en France il fust venu,
Plein d'honneur aux François ilz randirent cognu. » (70)

Célébrer Vuelfe, fidèle compagnon du fils de Bérold, c'était pour d'Urfé proclamer et vanter sa loyauté à l'égard de Charles Emmanuel. N'était-il pas aussi apparenté à la Maison de Savoie par sa mère, Renée de Savoie, fille aînée de Claude de Savoie qui, par sa grand'mère, Anne de Lascaris, descendait des empereurs chassés du trône de Constantinople ? René de Savoie avait épousé Anne, fille de Jean-Antoine de Lascaris, comte de Tende et de Vintimille (71). Puisque Bérold avait pourchassé les Génois jusqu'au port de Vintimille, l'occasion était belle pour d'Urfé de chanter ses ancêtres maternels en la personne d'Anne de Lascaris, épouse de Guydon :

« Anne de Lascaris, grecque de nation,
Estandoit en ce lieu sa domination,
Femme du grand Guidon, dont la race guerrière
Du nom de Vintimille auparavant altiere
De ces grecs empereurs le surnom emporta,
Et l'enseigne honorable aux siennes ajoutta. » (72)

Anne de Lascaris est élevée avec Adelis, comme Humbert le fut avec Vuelfe. Ainsi une double amitié s'établit, du côté maternel et du côté paternel, entre les d'Urfé et la maison de Savoie. Une voix annonce à Anne qu'elle doit faire appel au secours de Bérold et que leurs deux maisons seront un jour alliées :

« ....parce que la fortune
Des Maisons de vous deux, en fin, n'en fera qu'une « (73).

Voilà comment la famille d'Urfé et celle de Savoie sont unies à la gloire acquise par Bérold.

(69) *Ms.B.N.*, f. 75 v°.
(70) *Ibid.*
(71) Voir S. Guichenon, *op. cit.*, t. I, p. 1101 et 1282 ; voir également Huet, *Lettre à Mademoiselle de Scudéry touchant Honoré d'Urfé et Diane de Chateaumorand,* in *Dissertations sur differens sujets,* publiées par Tilladet, Paris, 1712, t. II, p. 100 sq.
(72) *Ms.B.N.*, f. 116 v°.
(73) *Ibid.*, f. 147 v°.

II. — Les sources littéraires de la *Savoysiade.*

Pour orner son épopée du merveilleux nécessaire, Honoré d'Urfé s'est adressé au *Roman de Mélusine,* à l'histoire d'Espagne et au *Romancero,* aux épopées de l'Arioste et du Tasse et aux œuvres de Ronsard.

Le *Roman de Mélusine* figurait parmi les nombreux ouvrages de la bibliothèque de La Bastie. Il revêtait pour la famille d'Urfé une très grande importance, puisqu'il relatait l'origine légendaire du Comté de Forez. L'imagination d'Honoré d'Urfé fut à tel point enchantée par les récits merveilleux de ce roman que Mélusine est évoquée dans *L'Astrée* et dans la *Savoysiade.* Un livre presque entier lui est consacré qui se rattache artificiellement au reste du poème (74). En effet, ce livre commence, sans lien avec ce qui précède, en rappelant que

> « Dans le plus incognu des Scithes reculez,
> Entre les monts gelez du haut Ascatancas », (75)

vit le vieux Démogorgon avec ses fées. De la Sibylle il avait eu quatre filles : Phossine, Noussys, Anangne et Physis. Anangne détermine la destinée de chacun des hommes à sa naissance, en le plongeant dans le ruisseau du bonheur ou du malheur. Phossine a construit sur le sommet du Caucase un grand miroir où elle peut voir tout ce qui se fait dans le monde. Physis est la fée de la nature et des plantes. Quant à Noussis, grâce aux lois, elle maintient les hommes en leurs pouvoirs divers. De ces quatre sœurs naquirent Hylé, Morphise, Idolé et Dinamis, qui partagent les pouvoirs de leur mère. Dinamis est la mère de Pressine, qui épousa Elinas et mit au monde Mélusine. Celle-ci, qui nourrit encore en son cœur un vif ressentiment à l'égard de Raymondin, porte souvent les yeux vers le grand miroir, afin de pourvoir aux soins de sa race. Elle y voit Hermine, épouse d'Uriam à Cypris, mère d'Henry qui sera plongé par Anangne dans le ruisseau, un nombre inégal de fois. Elle voit la descendance d'Henry : Lusignan, Guy, dont les enfants seront les heureux rois de Chypre, Pierre, homicide sanglant, Janus, qui combattra l'Egypte et le Soudan et marquera la fin de son lignage. Sa sœur aura une descendance de héros heureux, parmi lesquels se distinguera Charles Emmanuel. Bérold est la tige de ces preux. Voilà pourquoi Mélusine dispose Anne de Lascaris à bien recevoir Bérold dont elle soigne et guérit les blessures. Mélusine intervient donc dans la *Savoysiade,* pour auréoler Bérold d'un halo de merveilleux.

Aucune version du *Roman de Mélusine* ne fait mention ni de Bérold ni, à plus forte raison, de la Maison de Savoie (76). En effet,

---

(74) *Ibid.*, l. IV ; *Ms.Ars.,* l. VII.

(75) *Ibid.*, f. 132 r°.

(76) Il existe plusieurs manuscrits du *Roman de Mélusine* : *B.N.*, fds frs, 21874, *Bibliothèque de l'Arsenal*, ms. B. Lf 234 (3353). Ce dernier est la copie la plus ancienne ; cependant nous ne savons pas quel est le manuscrit qui fut conservé à la Bibliothèque de La Bastie d'Urfé. Plusieurs éditions du *Roman*

les copies du roman de Jehan d'Arras nous apprennent seulement qu'Elinas eut de Pressine trois filles jumelles, Mélusine, Melior et Palestine. Mélusine épousa Raymondin. Honoré d'Urfé ne mentionne nulle part la transformation de Mélusine en serpente, il ne dit point les origines de son courroux contre Raymondin, mais se contente de signaler que la fée

« De Raymondin encor nourrissoit la rancoeur » (77).

Il attache plutôt son attention à sa descendance indiquée en partie par le *Roman de Mélusine* : Uriam, qui épouse Hermine à Chypre, Guy... Les autres noms cités par d'Urfé sont empruntés aux généalogies de la Maison de Savoie, afin d'aboutir à Bérold et enfin à Charles Emmanuel.

Quant au miroir que consulte Mélusine, il appartient à une tradition médiévale où se mêlent la curiosité scientifique et le goût du merveilleux et de la magie (78). Ainsi, dans l'*Eneas,* le tombeau de Camille est dominé par un miroir qui révèle la venue des ennemis, quel que soit leur éloignement. Dans le *Roland furieux,* un mur brillant comme un miroir, au château de Logistille, permet à qui s'y mire de voir ses vices et ses vertus (79). L'imagination d'Honoré d'Urfé fut sollicitée par les souvenirs des romans du Moyen Age et de l'épopée de l'Arioste. Le rôle de la fée Mélusine ne se justifie dans la *Savoysiade* que par ses prédictions et la protection dont elle entoure Bérold, quand elle a découvert, grâce au miroir, qu'il sera le fondateur de la Maison de Savoie. Par le fait, ce miroir aux étonnantes propriétés permet à l'auteur de la *Savoysiade* de lier avec une certaine vraisemblance l'histoire de Mélusine à celle de Bérold. L'épopée se déroule ainsi dans un univers où se côtoient étrangement la foi en Dieu et la féerie païenne. Les prédictions de la descendante de la Sibylle convergent avec la protection dont Dieu entoure le héros de l'épopée.

En réalité, d'Urfé accorde à Dieu le rôle essentiel dans la vie de Bérold ; il l'a conduit en Espagne pour exterminer les Sarrasins, ennemis de la foi chrétienne. D'Urfé n'est pas plus prolixe que les chroniques de Savoie sur ses prouesses en Espagne. La littérature pastorale lui avait révélé un pays où son imagination se complut. D'abord charmé par la *Diana* de Montemayor, il écrit *Le Sireine,* alors qu'il médite déjà la première partie de *L'Astrée*. Quand il compose la *Savoysiade,* le souvenir du paysage témoin des amours de Diana et de Sireno est encore si présent à son esprit qu'il imagine Brasilde, endormie

---

de Mélusine ont été publiées. La plus ancienne a été imprimée à Genève en 1478 et elle fut reproduite par Jean Brunet, *Melusine par Jehan d'Arras,* Paris, P. Jannet, 1854 (Bibliothèque elzévirienne). L'édition la plus récente est celle de Louis Stouff, *Mélusine ou la fée de Lusignan,* Paris, Librairie de France, 1925. C'est à cette dernière édition que nous renvoyons.

(77) *Ms.B.N.,* f. 134 v°.

(78) Voir la communication de J. Frappier, « Variations sur le thème du miroir, de Bernard de Ventadour à Maurice Scève », in *CAIEF,* n° XI (Mai 1959, X^e^ congrès, (juillet 1958), pp. 134-158).

(79) L'Arioste, *Roland furieux,* Chant X, str. 58-59.

« Au pied du grand Leon, dessous le frais ombrage
Où les peupliers d'Ezla le couvrent de feuillage. » (80)

A Vintimille où aborde Bérold, s'élève un vieux temple dont la façade est ornée de statues. De même que les portraits du temple de Felicia représentent ceux qui ont joué un rôle important dans l'histoire de l'Espagne, de même les statues du temple de Vintimille sont l'occasion de faire connaître les ancêtres de Bérold.

L'Espagne de la *Savoysiade* n'est pourtant pas purement et simplement le pays idéal révélé par la *Diana*. La flotte de Bérold a vu

« ....fuir les ports de Barcelonne,
De Montan de Blanos et ceux de Cathelogne,
Et d'iô éclatans elle avoit salué
Trois fois le mont Sarra en trois monts eslevé,
Grand mont où du grand Dieu maintenant se revere
Par le peuple devot et la fille et la mere. » (81)

Honoré d'Urfé aurait-il séjourné en Espagne ? Nous l'ignorons.

Une documentation sur l'histoire légendaire de l'Espagne lui a été fournie par trois ouvrages, la *Chronique générale*, l'*Histoire des guerres civiles de Grenade* de Perez de Hita et le *Romancero*. Dans la première rédaction de la *Savoysiade*, leur influence se manifeste peu. Le poète rappelle uniquement la victoire de Bérold sur Almançor (82). La version définitive de décembre 1606 met en scène quatre personnages, Azarques, Zélinde, Almançor et le Cid et narre l'épisode des Infants de Lara. La documentation d'Honoré d'Urfé s'est progressivement enrichie entre 1599 et 1606. Elle explique les notes écrites sur les premières pages du manuscrit autographe de la *Savoysiade*.

La *Primera Cronica General* (83) fournit à Honoré d'Urfé la plupart de ces renseignements qui furent en partie utilisés dans l'épopée. Ces notes concernent don Alonso, roi de Léon, qui contraignit sa sœur Teresia à épouser Audalla, roi maure de Tolède (84), don Sancho, dit « el mayor », qui épousa Elvira, infante de Castille (85), Verecunde ou Veremunde, roi de Leon (86), Ranimire ou Ramire, roi d'Aragon (87). Des remarques de détail proviennent de la même source. Ainsi, nous lisons, parmi ces notes :

---

(80) *Ms.B.N.*, f. 79 v° ; *Ms.Ars.*, l. 1, f. 11 v°. Voir, à ce propos, L.F. Benedetto, *art. cit.*, p. 240.

(81) *Ms.B.N.*, f. 73 r° ; *Ms.Ars.*, l. I, f. 2 v°. Le mont Sarra est évidemment Montserrat.

(82) *Ms. B.N.*, f. 93 r° :

« Parce que le Saxon la vraye terreur du monde
Avoit contre Almançor assisté Vereconde
Et que dedans les champs de Calacannazor
Il avoit corps à corps vincu cest Almançor. »

(83) Nous renvoyons à l'édition de la *Primera Cronica general o sea Estoria de España* publiée par Ramon Mendez Pidal, Madrid, Bailly-Balliere, 1906 (coll. Nueva biblioteca de Autores Españoles, t. V) ; voir introduction, pp. 1 sq. Cette chronique était largement connue au XVIe siècle.

(84) *Ms.B.N.*, f. 65 v° ; voir *Primera Cronica general*, p. 445, col. 2 et p. 470, col. 1 sq.

(85) *Primera Cronica*, p. 468, col. I, pp. 472 et 474.

(86) *Ibid.*, p. 469, col. 2.

(87) *Ibid.*, p. 390, col. 2 ; p. 475, col. 2.

« Almançor signifie deffance, autrefois il se nommoit Alhagib qui signifioit sourcil son filz s'apeloit Abdelmalic qui portoit les armes avec luy. » (88)

La *Cronica General* indique les mêmes renseignements.

Honoré d'Urfé a relevé encore avec minutie les noms des familles originaires du Maroc ou de divers pays, qui s'étaient fixées à Grenade. Il a copié ces listes dans la *Historia de las guerras civiles de Granada* publiée en 1595 par Perez de Hita. Cet ouvrage connut plusieurs éditions, dont une, en français, en 1606, et il fut la source directe de la mode mauresque du début du XVIIe siècle (89). Le récit de Perez de Hita s'appuie sur le *Romancero* souvent abondamment cité. La *Savoysiade* a évidemment puisé l'essentiel de ses récits espagnols dans cette merveilleuse mine du *Romancero General* paru à Madrid, en 1600, ou dans la *Flor de varios y nuevos romances* publiée à Valence, en 1591.

Honoré d'Urfé fut d'abord tenté d'introduire dans son poème le plus célèbre des héros castillans. Dans la *Diana* de Montemayor, le Cid est présenté comme

« un cavallero armado de todas armas con una espada desnuda en la mano, muchas cabeças de Moros debaxo de sus pies, con un letrero que dezia :
Soy el Cid, honra de España
Si alguno pudo ser mas
en mis obras la veras. » (90)

Ces brèves indications de la *Diana* ne peuvent à elles seules expliquer les précisions de la *Savoysiade* sur le Cid. Le *Romancero* a appris à d'Urfé que le Cid est du sang de Lainez :

« Ruy de Vivar, honneur de la famille
Des valeureux Layns, vieux contes de Castille,
Et de qui toute Espagne honnora le bonheur. » (91)

---

(88) *Ms. B.N.*, f. 66 v° ; *Primera Cronica general*, p. 445, col. I : « Almançor que non por este otro que dezimos Alhagib. Et Alhagib quiere en el arauigo dezir tanto como « soberceia » en el castellano... Et Almançor otrossi quiere dezir « deffendimiento », ... et levo el consigo su fijo Abdelmelic, et començo de astragar et de destroyr todas las provincias de Leon et de Castiella et de Navarra. »

(89) La première édition fut publiée à Sarragosse, X. Sanchez, 1595. En 1603 parut une édition à Lisbonne ; en 1604, furent publiées deux éditions, l'une à Barcelone, l'autre à Valence. En 1610, il y eut une nouvelle édition publiée à Barcelone. En 1606 fut publiée en France une édition intitulée, *Historia de las guerras civiles de Granada,* sans indication de lieu, avec une préface signée Fontan. Des notes placées en marges traduisent des mots et expressions espagnols. En 1608, parut une traduction française, *L'histoire des guerres civiles de Grenade traduite de l'espagnol en français,* Paris, T. du Bray, in-8°, pièces limin., 432 ff. Il existe une édition récente de cet ouvrage : *Guerras civiles de Granada, ... reproduccion de la edicion principe del año 1595 publicada por Paula Blanchard-Demonge,* Madrid, E. Bailly-Balliere, 1913-1915, 2 t. en un vol. Nous renvoyons à l'édition de 1606. On y trouvera les listes des familles originaires du Maroc et d'ailleurs, f. 25 r°-26 v°.

(90) Montemayor, *Los siete libros de La Diana,* pp. 173-174. Voir à ce propos, L.F. Benedetto, *art. cit.*, p. 241.

(91) Cité par L.F. Benedetto, *art. cit.*, p. 241.

Ce que l'auteur de la *Savoysiade* raconte des exploits du Cid relève de la fantaisie. Désireux de donner à Humbert une garde d'honneur composée de jeunes gens dont la vaillance n'a rien à envier à celle des preux qui entourent Bérold, Honoré d'Urfé imagine que Gaston et Ruy Diaz, enthousiasmés par la prodigieuse gloire acquise par Bérold en Espagne, décident de se mettre à son service. Le jour où les deux jeunes gens se présentent, Bérold dort, en proie à un songe. Il voit une terrible bataille se livrer entre Maures et Chrétiens, à l'endroit même où il a vaincu Almançor :

« Du costé de Castille, il voit venir ardant
Un Lyon courageux qui, hardi, les arreste
Et, passant devant eux, a l'ennemy fait teste ;
Puis estant rassurez les rameine au combat.
Le chef des Sarrazins a ses pieds il abat,
Foule leur estendars et d'une force estrange
Tellement les scadrons des Mores desarrange
Que, peureux et confus, ils se vont escartant. » (92)

Une voix annonce à Bérold que le Cid

« ...relevera, par le tranchant des armes,
Dans les champs espagnols, le cueur de ses gendarmes,
Chassera l'Infidele et, comme un fort lyon
Dans un trouppeau de loups prez des montz de Leon,
De Calacanazor et de tout l'Hesperie
Rompra les Affriquains, gardera la patrie. » (93)

Bérold le fera chevalier et lui donnera le nom de Cid. Puis, d'Urfé décrit le premier combat de Ruy Diaz contre les Génois, et surtout celui qu'il livre contre Bracelli :

« Et, prenant a deux mains son glaive, il l'assena
Dessus la tample gauche et tel coup luy donna
Que, comme un grant tour qui mesprisoit la fouldre
S'en voit en un instant presque reduitte en poudre,
Quand le bras courroucé d'un bruyant Juppiter
Sur son toict arrogant le fait precipiter,
Le Genevois aussi que trop de force accable
Hors de tout santiment bronche dessus la table,
Et de la table en bas dans la mer va roulant. » (94)

Nous sommes bien loin de la sobriété émouvante du *Romancero* qui chante la victoire du Cid sur le maure Abdalla :

« Estas palabras diciendo
contra el moro arremetia
en controle con la lanza,
en el suelo le derriba,
Cortarale la cabeza
y colgola de la silla. » (95)

---

(92) *Ms.Ars.*, l. I, f. 6 v°-7 r°.
(93) *Ibid.*, l. I, f. 7 r°.
(94) *Ibid.*, l. I, f. 11 r° et sq.
(95) *Flor nueva de romances viejos,* Madrid, Espasa-Calpe, 1969, *Sexto romance*, p. 143.

Après le récit de la bataille livrée contre Bracelli, il n'est plus question du Cid, dans la *Savoysiade*. Dans la première rédaction, il n'apparaît pas du tout. C'est donc après 1600 que d'Urfé découvrit les aventures du Cid, en lisant le *Romancero General*. Comme il voulait entourer Humbert de jeunes héros, sa première pensée fut pour Vuelfe, son ancêtre, et pour Lindamor, un guerrier portugais. En 1606, il supprima le nom de Lindamor, trop méconnu, pour lui substituer celui de Gaston de Foix, qui lui permettait de rappeler son attachement à la monarchie française ; il ajouta le nom d'un troisième compagnon, Ruy Diaz, que le *Romancero* présente comme le plus terrible ennemi des Maures. Dans la révision de 1615, le personnage du Cid fut supprimé, sans doute parce que la situation politique imposait au poète de diminuer l'importance accordée à l'Espagne. En substituant au Cid Godefroy d'Anjou, le fondateur de la famille des Plantegenet, Honoré d'Urfé accordait une importance à l'Angleterre (96). Il est vrai que la suppression du Cid était d'autant plus facile qu'un livre de la *Savoysiade* célébrait un autre héros espagnol, Mudar de Lara. D'Urfé n'ignorait pas que la famille de Savoie était alliée avec celle de Lara (97).

L'épisode des Infants de Lara connut le succès dès le début du XVIIe siècle, parce qu'il est le plus émouvant du *Romancero*. Cette légende constitue le thème du livre IV de la *Savoysiade*. D'Urfé termine le troisième livre par le récit dramatique de la mort des sept fils de Belmont. Celui-ci, malgré son âge, a suivi Bérold et, au cours de la bataille navale, il est mis hors de combat par le Maure Azarques. Le désespoir de ce vieillard, qui serre dans ses bras chacun de ses fils, remet à la mémoire de notre poète le vieux Gonzalo Gustos qui, dans sa prison, se lamente à la vue des têtes de ses sept fils. Les *Romancés des Infants de Lara* racontent que Ruy Velasquez a épousé Doña Lambra de Burueira qui, le jour de son mariage, a proféré des injures contre la famille de Lara et, en particulier, contre sa belle-sœur, Doña Sancha, mère des sept Infants. Le plus jeune de ceux-ci répondit incontinent. La jeune femme, mortifiée, obtint de son mari une vengeance exemplaire. Ruy Velasquez envoya Gonzalo Gustos, son beau-frère et père des sept Infants, à Almançor, avec ordre de l'emprisonner. Les Infants furent exterminés, après s'être défendus vaillamment, et leurs têtes coupées furent présentées à leur père, qui les reconnut et se lamenta. Cependant, la sœur du roi prit soin de Gonzalo, le consola et lui donna un enfant qu'elle nomma Mudar ou Mudarra. Gonzalo Gustos, libéré par Almançor, regagna Burgos, où il mena, avec sa femme Dona Sancha, une vie misérable, parce que Doña Lambra et Ruy Velasquez continuaient à le persécuter. Mudar, devenu jeune

---

(96) La monarchie française était aussi louée dans la personne d'Henri IV, puisque du sang de Gaston joint à celui du Cid devaient naître des princes valeureux, parmi lesquels, naturellement, Henri IV. Voir, à ce sujet, L.F. Benedetto, *art. cit.*, p. 242 ; G. Rua, *op. cit.*, p. 41, n. 2. Les généalogies de Gaston de Foix furent décrites par G. Paradin, *Alliances généalogiques des Rois et Princes de Gaule*, Lyon, 1561, pp. 164 sq. et pp. 811 sq.

(97) Voir, à ce propos, L.F. Benedetto, *art. cit.*, p. 242, n. 2. Cette alliance est relatée par Garibay, *Illustraciones genealogicas de los cattolicos reyes des las Españas*, Madrid, 1596, p. 119.

homme, retrouva son père et sa mère et résolut de venger ses frères. Il tua don Rodrigue, et Doña Lambra connut un sort semblable (98).

La *Savoysiade* reprend le récit du *Romancero* à ce point. Introduire le personnage de Mudar dans la *Savoysiade* était relativement aisé. En effet, il importait que fût vengée la mort des enfants de Belmont. Mudar, le vengeur légendaire de l'épopée espagnole, s'impose à l'esprit d'Honoré d'Urfé. Devenu chrétien après avoir vengé ses frères, Mudar se met au service de Bérold :

« ....Mudar, fils de Gonsale Guste,
Et du sang d'Almançor, homme grand et robuste,
....
Ce Mudar, fait chrestien, pour Berold delaissa
Les lieux de sa naissance et, parmi ses gendarmes,
Voulut courre sous luy la fortune des armes. » (99)

Mudar sera donc témoin du combat des fils de Belmont contre Azarques, de leur mort et du désespoir de leur père. Le chant IV de la *Savoysiade* va donc raconter, pendant 154 vers, le combat de Mudar et d'Azarques.

Azarques est un personnage du *Romancero* qui, cependant, n'intervient pas dans l'histoire des Infants de Lara. D'Urfé a retenu qu'Azarques était amoureux de Celindaja ou Celinda :

« Azarque vive en Ocaña
desterrado de Toledo
por la bella Celidaja
una mora de Marruecos. » (100)

Dans la *Savoysiade*, Celindaja devient Zelinde (101) ; ce nom, cependant, est remplacé par celui de Halhage, dans la révision de 1615. Nous avons peine à expliquer ce changement. Benedetto a proposé de rapprocher Halhage de Alaxa ou Arlaja, qui est la sœur d'Almançor, dans la pièce de Lope de Vega, *El Bastardo Mudarra*. Or, cette pièce ne fut publiée qu'en 1641. Cependant, le manuscrit porte la date du 27 Avril 1612. Par ailleurs, le nom d'Arlaja est adopté par Alfonso Hurtado Velarde, dans sa *Gran Tragedia de los Siete Infantes de Lara*, écrite sous l'influence du *Bastardo Mudarra* et publiée en 1615 (102). Ni dans la *Cronica* ni dans le *Romancero* n'apparaît le nom d'Arlaja ou Alaxa. Il convient donc de supposer qu'après 1606 est venu à la connaissance d'Urfé un document nouveau ou bien une copie manuscrite de la pièce de Lope de Vega ou un exemplaire de la tragédie de Hurtado Velarde (103).

---

(98) *Flor nueva de Romances viejos*, pp. 101 sq. Sur les rapports entre la légende des Infants de Lara et la *Savoysiade*, voir L.F. Benedetto, *art. cit.*, pp. 246 sq. et G. Rua, *op. cit.*, p. 40.

(99) *Ms. Ars.*, l. III, f. 12 r°.

(100) *Flor de varios y nuevos Romances, Primera y segunda parte*, Lisbonne, Manuel de Lyra, 1592, f. 2 r°, in *Las Fuentes del Romancero General*, éd. par Mario Damonte, Madrid, Real Academia Española, 1971.

(101) Voir *Ms.Ars.*, l. IV, f. 6 v°.

(102) Menendez Pidal, *L'épopée castillane à travers la littérature espagnole*, trad. de H. Mérimée, Paris, 1910, pp. 101 sq.

(103) Voir L.F. Benedetto, *art. cit.*, pp. 252-253.

Peut-être s'agit-il tout simplement du nom d'Axa transformé en Halhage par Honoré d'Urfé. Axa est en effet une mauresque aimée d'Aliatar, roi de Segura. Une altercation survient entre Mudar et Aliatar au cours d'une partie d'échecs. Mudar se retire dans une autre pièce auprès de sa mère. Le récit du *Romancero* est si confus qu'on peut facilement croire qu'Axa est la mère de Mudar (104). Constatons surtout que le nom de Halhage est plus évocateur que celui de Zélinde. Halhage ou Zelinde est donc la mère de Mudar. Les complications qui pouvaient naître d'une rivalité imaginée entre Gonzalo et Azarques imposaient à d'Urfé de placer les deux rivaux l'un en face de l'autre. Il a donc imaginé que Gonzale était le prisonnier d'Azarques. Par ailleurs, notre poète ne pouvait renoncer à la plus émouvante partie de l'histoire des Infants de Lara : Gonzale quittant Cordoue, Mudar reconnaissant son père et sa mère. Gonzale, libéré, vit donc avec Halhage, sœur d'Almançor ; il en a un enfant et s'en va rejoindre à Sala sa femme qui meurt de désespoir à la nouvelle de la mort de ses fils. Gonzale revient auprès de Halhage, afin de l'arracher aux mains d'Almançor. Mais, comment Gonzale pouvait-il être le prisonnier d'Azarques ? Comment celui-ci fut-il informé des intentions de son rival ? D'Urfé imagine que Doña Lambra, tourmentée par le remords, consulte un devin. Celui-ci lui annonce qu'elle mourra de la main d'un fils de Gonzale Gustios :

> « Tu ne mourras, dist-il, jamais que par le feu
> Qu'un enfant que Gonçale, encor que ton neveu,
> Allumera sous toy. Telle est ton avanture
> Que, si tu veux tromper cette peine future,
> Garde bien que une Halhage il n'espouse jamais. » (105)

Doña Lambra surveille Halhage et avertit Azarques des intentions de Gonzale. Quand Halhage et Gonzale se préparent à fuir en secret, Azarques survient et emprisonne son rival à Fez. Le devin intervient à nouveau pour annoncer à Gonzale qu'un jour il épousera Halhage :

> « Tu verras tes enfantz qui d'elle sortiront
> Et le nom de Lara jusqu'au ciel porteront,
> Redoutables guerriers. Et puis d'eux, d'age en age,
> Naistront d'autres enfantz plains de tant de courage
> Que les uns seront roix, les autres empereurs. » (106)

Par un sortilège, le devin change le visage d'Azarques en celui de Gonzale, et celui-ci, de son côté, prend les traits de l'odieux Azarques. C'est le seul moyen dont le devin dispose pour sauver la vie de Halhage pour qui Azarques brûle d'amour. Cependant, afin de préserver la couche de Gonzale et de Halhage, il a recours à un enchantement :

---

(104) *Flor de varios y nuevos Romances*, tercera parte, f. 147 r°, « Sentados al Alexedrez ».

(105) Pour le livre IV, nous renvoyons au manuscrit de la Bibliothèque de Turin. L.F. Benedetto l'a publié, *art. cit.*, pp. 253-270 ; p. 267, vers 735-740.

(106) *Ibid.*, p. 268, vers 791 sq.

« Peut-estre, transporté d'un trop ardant desir,
Souilleroit il ta couche en son brutal plaisir ;
Mais j'en estoufferay tellemant la pansee
Dans le cueur de tous deux, que leur ame enlacee
Par mes enchantemantz ne s'en souviendra pas
Et mon sort durera jusques a son trespas. » (107)

Voilà pourquoi Halhage, trompée par les apparences, croit que Gonzale a été tué par Mudar. Gonzale, libéré de ses fers, vient rejoindre le vieux Belmont auquel il raconte son histoire. Il a repris son vrai visage. Halhage, revenue de son évanouissement, découvre Azarques ensanglanté, reconnaît Gonzale et se jette dans ses bras :

« De son lit elle va les deux bras estendant,
Et plaine de transport ! Te vois je bien, dist-elle ?
Veille je ou si je dors ? — Puis, frottant sa prunelle :
Je veille pour certain, et voicy bien celluy
Pour qui mes yeux et moi receusmes tant d'ennuy —
Elle dict et, courant, des bras elle le serre
Et se pand a son col, comme un tortu lierre
De ses bras estandus en cent noeuds se plyant
Va du bas jusqu'au haut une vieux chesne lyant. » (108)

Mudar assiste à la scène, reconnaît son père et sa mère et prouve qu'il est Mudar en montrant la moitié de la bague que Gonzale avait donnée à Halhage à son départ. Il a accompli sa mission de vengeur des Infants de Lara :

« Mais certes bien heureux a bon droit je me dis
D'avoir vangé mon sang sur la teste perfide
Qui par ses trahisons en estoit l'homicide,
D'avoir rompu, mon pere, a la fin ta prison
Et d'avoir a ma mere esveillé la raison,
Car Ruy Velasque est mort, j'ay Lambre bruslee
Et la cendre des os par l'ayr s'en est volee ;
Que me restoit-il plus pour un heureux destin
Que de t'occire, Azarque ? Et tu es mort enfin. » (109)

Dans ce récit, nous découvrons les qualités de l'auteur de *L'Astrée* : ingéniosité et goût pour les complications de l'intrigue. La belle légende du *Romancero* devient sous sa plume un émouvant roman d'amour et de vengeance. Il s'en dégage deux portraits de femmes dont d'Urfé a analysé la psychologie : Schanche, la femme de Gonzale, éperdue de douleur jusqu'à perdre la raison, Halhage ou Zelinde, l'amante fidèle qui, se voyant délaissée par Gonzale, profère de terribles malédictions. Plus que le récit des retrouvailles, l'analyse de ces deux caractères occupe une part importante du livre IV de la *Savoysiade*. Le *Romancero* a fourni le thème sur lequel Honoré d'Urfé a brodé avec originalité. Il est dommage que des maladresses entravent le récit et fassent retomber trop vite quelques accents lyriques des mieux venus. Les interventions du devin que le genre épique a imposé donnent à ces pages un regrettable caractère artificiel.

---

(107) *Ibid.*, p. 269, vers 843-849.
(108) *Ibid.*, p. 270, vers 856-864.
(109) *Ibid.*, p. 271, vers 880 à la fin.

Ce n'était pourtant point une innovation, puisque les grands maîtres de l'épopée, l'Arioste et le Tasse, y eurent recours. Les enchanteurs, les magiciens sont des personnages dont l'épopée ne pouvait se passer pour créer le merveilleux nécessaire au genre. Mais d'Urfé est redevable à l'Arioste et au Tasse dans d'autres domaines.

Les traductions du *Roland Furieux* furent nombreuses au XVIe siècle et les presses de Lyon furent les premières à diffuser cette œuvre en France. La Pléiade en assura le succès, sans toutefois ménager les critiques (110). On reprocha surtout au *Roland Furieux* la multiplicité des personnages et son action par trop chargée. Le goût naissant pour la vraisemblance fit condamner les excès d'imagination (111). Ronsard, dans la préface de *La Franciade,* en 1572, limitait, en effet, les droits de l'imagination et considérait l'épopée comme une histoire possible. Il condamnait

> « la poësie fantastique, comme celle de l'Arioste, de laquelle les membres sont aucunement beaux, mais le corps est tellement contrefaict et monstrueux, qu'il ressemble mieux aux resveries d'un malade de fievre continue, qu'aux inventions d'un homme bien sain. » (112)

En fait, le souvenir de l'épopée de l'Arioste n'est pas absent de la *Savoysiade,* mais il est tout aussi diffus que dans *La Franciade.* Les descriptions des duels, si nombreux dans le *Roland Furieux,* ont-elles inspiré celles de la *Savoysiade* ? Les phases de tout combat singulier sont invariablement les mêmes et ne sauraient réserver des surprises. Néanmoins, l'imagination d'Honoré d'Urfé était trop ardente pour se soumettre aux conseils de modération de Ronsard. Un même climat poétique enveloppe le *Roland Furieux* et la *Savoysiade.* L'enchanteur Démogorgon et le géant Dragolant qui vit dans un château d'airain protégé par des sortilèges ont un air de parenté avec les personnages fantastiques de l'Arioste. La fée Mélisse du *Roland Furieux* a peut-être rappelé à d'Urfé la fée Mélusine, dont les prodiges avaient enchanté son imagination d'enfant. Comme Mélisse guide Bradamante et lui annonce que d'elle naîtra une race illustre, de même, Mélusine dispose Anne de Lascaris à bien recevoir Bérold et elle lui annonce que sa Maison s'unira à celle de l'illustre guerrier (113). Les prophéties de ce genre abondent dans l'épopée de l'Arioste. Sur le tombeau de Merlin sont mystérieusement gravés les portraits de chacun des descendants de Bradamante (114). De même, Mélusine laisse à Anne de Lascaris douze portraits des ancêtres de Bérold. Les ressemblances ne sont pas étroites entre les deux œuvres et ne sauraient être établies avec certitude. Malgré la part qu'il réserve à la fantaisie, Honoré d'Urfé,

---

(110) Voir, à ce propos, A. Cioranescu, *L'Arioste en France des origines à la fin du XVIIIe siècle,* Paris, Les Presses Modernes, 1938, 2 vol., t. I, pp. 11 sq.

(111) *Id., ibid.,* t. I, p. 175.

(112) Ronsard, *Œuvres complètes,* éd. Paul Laumonier, Paris, Didier, 1950, t. XVI, p. 4.

(113) *Savoysiade, Ms. B.N.,* f. 146 v° ; *L'Arioste, Roland furieux,* chant XIII, str. 57 et chant. II, str. 35 sq.

(114) L'Arioste, *Roland furieux,* chant III, str. 20 sq.

attaché à la vraisemblance, n'a pas suivi le seul exemple de l'Arioste.

La *Jérusalem délivrée* du Tasse, qui devait beaucoup à l'Arioste, sollicita plutôt son attention, comme celle des écrivains de la même époque. Dès la première édition française, publiée en italien à Lyon, en 1581, elle apparut comme le chef-d'œuvre des temps modernes, car elle libérait l'épopée du « romanzo » (115). Le Tasse recommandait de ne pas chercher des sujets trop éloignés dans le temps et de choisir plutôt des faits arrivés à l'époque de Charlemagne ou du roi Arthur, afin de ne pas dépayser le lecteur (116). La *Savoysiade,* en suivant ce conseil, évite les défauts de *La Franciade.* Mais, la parenté entre la *Savoysiade* et la *Jérusalem délivrée* est beaucoup plus étroite (117).

Un épisode du troisième livre de la *Savoysiade* met en scène Brasilde qui se bat aux côtés des Génois. Tandis que la flotte des Génois se heurte à celle de Bérold, elle apparaît à la proue de son bateau, la pique en main (118) et, en tête, son heaume

« ......chargé d'une tygre cruelle. » (119)

Avec une vaillance qui n'a rien à envier à celle des chevaliers les plus courageux, elle participe à la bataille,

« ......ame belle et guerriere,
Dont l'oeil est aussi beau comme la main est fiere,
Main plus accoustumee aux sanglans coutelatz
Que non point a l'esguille ou a ses entrelas. » (120)

Cette guerrière est peinte par d'Urfé à l'image de Clorinde, dont le casque est orné d'un tigre :

« La tigre, che su l'elmo ha per cimiero. » (121)

Depuis l'enfance, Clorinde a dédaigné les occupations féminines :

« a i lavori d'Aracne, a l'ago, i fusi
inchinar non degno la man superba. » (122)

---

(115) R. Bray, *op. cit.*, p. 336.

(116) *Id.*, *ibid.*, p. 342.

(117) Ch. B. Beall, *La fortune du Tasse en France,* University of Oregon and Modern Language Association of America, 1942 (Studies in Literature and Philology, n° 4), p. 49.

(118) *Savoysiade, Ms. B.N.*, f. 93 r°v°.

(119) *Ibid.*, f. 79 v°. D'après les notes d'Honoré d'Urfé, placées en tête du manuscrit de la *Savoysiade* conservé à la Bibliothèque nationale, Brasilde était la fille de Musacte et d'une génoise nommée Camille. Musacte était un roi maure qui occupa la Sardaigne et la Corse. Delbene a longuement raconté la haine des Génois contre Musacte. Voir, à ce propos, G. Rua, *op. cit.*, p. 39. A propos de Musacte, voir l'art. de G. Sforza, « Mugahid e le sue imprese contro la Sardegna e Luni », in *GL*, XX, fasc. III-IV.

(120) *Ms.B.N.*, f. 79 r°.

(121) Le Tasse, *Jérusalem délivrée,* chant II, str. 38. « Le tigre qu'elle a sur son casque en guise de cimier. »

(122) *Id.*, *ibid.*, chant II, str. 39. « Aux travaux d'Arachné, à l'aiguille et aux fuseaux sa main ne daigna pas s'abaisser. »

Au combat, elle tient vaillamment tête aux guerriers de Godefroy. Tous la prennent pour un chevalier et se disputent la gloire de combattre contre elle. Tancrède l'a remarquée :

> « Vuol ne l'armi provarla : un uom la stimo
> degno a cui sua virtù si paragone. » (123)

Clorinde attaque Tancrède, leurs lances volent en éclats, le casque de Clorinde tombe et découvre son visage :

> « Clorinda intanto ad incontar l'assalto
> va di Tancredi, e pon la lancia in resta.
> Ferirsi a la visiere, e i tronchi in alto
> Volaro e parte nuda ella ne resta ;
> che, rotti i lacci a l'elmo suo, d'un salto
> (mirabil colpo !) ei le balzo di testa ;
> e le chiome dorate al vento sparse,
> Giovane donna in mezzo 'l campo apparse. » (124)

Tancrède reconnaît Clorinde, qui continue à le poursuivre :

> « Lampeggiar gli occhi, e folgorar gli sguardi,
> dolci ne l'ira ; .... (125)
> Percosso, il cavalier non ripercote,
> né si dal ferro a riguadarsi attende,
> come a guardar i begli occhi e le gote
> ond'Amor l'arco inevitabil tende. » (126)

Brasilde se conduit aussi courageusement que Clorinde. Tous les guerriers veulent lui montrer leur valeur, mais c'est elle qui prend l'initiative de se battre contre Humbert :

> « Parce qu'entre tous eux il luy samble guerrier,
> Digne d'estre honoré de son coup le premier. » (127)

Sa pique atteint le heaume de Humbert :

> « Aynsi donq, abordant sur Humbert, elle gette
> La fureur de sa pique et la pointe a la teste.
> Et si bien son acier sur l'eaume mordit,
> Et d'un bras si guerrier Brasilde se roydit,
> Que Humbert, ne souffrant que ce coup le recule,
> De l'eaulme esbranlé une corroye seule
> Ne luy put resister sans rompre a tel effort,
> Tant de force eut le coup partant d'un bras si fort.

---

(123) *Id., ibid.,* chant XII, str. 52. « Il veut se mesurer avec elle. Il l'estime un rival digne de son courage. »

(124) *Id., ibid.,* chant III, str. 21. « Clorinde pendant ce temps va à la rencontre de l'assaut de Tancrède et tient sa lance en arrêt. Il la frappa à la visière et les morceaux volèrent en l'air et elle fut en partie dénudée parce que, les lacets s'étant rompus, le casque tomba d'un coup à terre (admirable coup !) et ses cheveux d'or s'éparpillèrent au vent ; une jeune fille apparut au milieu du camp. »

(125) *Id., ibid.,* chant III, str. 22 « Ses yeux étincellèrent, ses regards furent des éclairs, mais doux dans la colère. »

(126) *Id., ibid.,* chant III, str. 24 « Frappé, le chevalier ne frappe pas à son tour, moins occupé à faire attention au fer qu'à regarder les beaux yeux et le visage d'où l'Amour bande son arc inévitable. »

(127) *Savoysiade,* Ms. B.N., f. 93 v°.

Lors, du jeune Saxon ayant la teste nue,
Le soleil nous fait voir ses rayons eslancez,
Apres que les brouillars il a oultre passez » (128).

Brasilde, vaincue par l'amour, est comme paralysée et ne peut plus répondre aux coups de Humbert qui la poursuit furieusement :

« Brasilde, qui jamais n'avoit dedans son ame
Ressanti les ardeurs d'une amoureuse flame,
Tressaillit a ce coup et cogneut bien enfin
Qu'Amour l'avoit surprise et qu'il estoit plus fin,
Car, voulant refrapper de sa picque animee
Pour presser de Humbert la teste desarmee,
Son cueur fremit d'effroy et la force du bras,
Au lieu de la roidir, la laissa choir en bas.
....
Mais son bras engourdi trois fois la refusa,
Car l'amour entre deux tousjours s'y opposa » (129).

Honoré d'Urfé suit, par conséquent, le récit de la *Jérusalem délivrée,* en intervertissant les rôles des personnages. Les craintes et les hésitations de Brasilde sont celles d'Armide qui ne peut se décider à frapper Renaud :

« ella stessa in su l'arco ha già lo strale
spingea le mani, e incrudelia lo sdegno,
ma le placeva e n'era amor ritegno
....
La man tre volte a saettar distese,
tre volte essa inchinolla, e si ritenne. » (130)

Il restait à Honoré d'Urfé d'imaginer le départ de Humbert en compagnie de Clorinde, seuls dans un bateau, et le retour de Humbert auprès de Bérold.

Plus tard, sur la plage de Vintimille, Humbert rencontre Adelis qui ressemble à Armide dont la beauté est parfaite :

« Argo non mai, non vide Cipro e Delo
d'abito o di belta forme si care. » (131)

D'Urfé développe longuement le thème de la beauté, en comparant Adelis à la « belle cyprine », aux « trois Carithes » et à Junon :

« Jamais tant de beautés n'eust la belle Cyprine » (132).

Le Tasse s'attarde pendant trois strophes à décrire la beauté d'Armide :

---

(128) *Ibid.*, Ms. B.N., f. 94 r°.

(129) *Ibid.*, f. 94 v°.

(130) Le Tasse, *Jérusalem délivrée,* chant XX, str. 62-63. « Elle a déjà mis la flèche sur l'arc. Sa colère armait ses mains et les rendait plus cruelles, mais l'amour les calmait et en était le frein... Elle tendit la main trois fois pour décocher la flèche. Trois fois elle l'abaissa et la retint. »

(131) *Id., ibid.*, chant IV, str. 29. « Jamais Argos, jamais Chypre ou Délos ne virent une figure et des traits d'une beauté si touchante. »

(132) *Savoysiade, Ms. B.N.*, f. 126 v°.

« d'auro ha la chioma, ed or dal bianco velo
traluce in volta, or discoperta appare.
. . . .
Fa nove crespe l'aura al crin disciolto
che natura per sé rincrespa in onde ;
. . . .
Mostra il bel petto le sue nevi ignude
Onde il foco d'Amor si nutre e desta.
Parte appar de la mamme acerbe e crude,
parte altrui ne ricopre invida vesta :
invida, ma s'a gli occhi il varco chiude,
l'amoroso pensier già non arresta,
ché non ben pago di bellezza esterna
ne gli occulti secreti anco s'interna.
Come per acqua o per cristallo intero
trapassa il raggio, e no'l divide o parte,
per entro il chiuso manto osa il pensiero
si penetrar ne la vietata parte ;
poscia al desio le narra e le descrive,
e ne fa le sue fiamme in lui più vive. » (133)

Honoré d'Urfé tantôt développe longuement les vers du Tasse, tantôt les traduit avec une relative fidélité. Adelis, comme Armide, a les cheveux blonds :

« Ce soir a filets d'or son poil estoit en onde
Par devant rehaulsé, puis d'une forme ronde
Par des lyens derriere en sphere se tornoit
Qu'un crespe delié assamblez retenoit » (134)

Des diamants ajoutent la lumière à la blondeur des cheveux, un « linomple froncé » descend le long de ses joues, un triple cordon de perles indiennes pend sur son sein,

« Sa robe, jointe au corps par des crochetz devant
Que des riches boutons prez aprez vont couvrant,
Aussy bien que le hault des manches empoulees,
A les aultres beautez cruellement voylees
Aux yeux qui vont pleignant de ny pouvoir passer.
Touttefois, maugré elle, aussytost le panser
Ainsy que la clairté passe au travers de l'onde,
Au travers de l'habit, d'une vue seconde,
Les y va visitant et, aprez, a l'esprit
Qui l'attand curieux une a une les dit. » (135)

---

(133) Le Tasse, *op. cit.*, chant IV, str. 30-32. « Sa chevelure est d'or et tantôt elle rayonne enveloppée d'un voile blanc, tantôt elle apparaît découverte... La brise ondule à nouveau les cheveux que la nature avait déjà faits en ondes souples... La belle poitrine montre ses neiges nues où le feu d'Amour s'éveille et se nourrit. Une partie apparaît des seins durs et crus. Un vêtement jaloux en recouvre une autre partie : jaloux, mais s'il ferme le passage aux yeux il n'arrête pas l'amoureuse pensée qui, n'étant pas rassasiée par la beauté extérieure, pénètre aussi dans les secrets cachés. Tel le rayon de lumière passe à travers l'onde ou le cristal sans les diviser, telle la pensée ose à l'intérieur du vêtement fermé pénétrer ainsi dans la partie interdite. Elle contemple les merveilles les plus cachées et les décrit et les raconte au désir et en rend sa flamme plus ardente. »

(134) *Savoysiade, Ms. B.N.*, f. 127 r°.

(135) *Ibid.*, f. 128 r°.

Ainsi, les descriptions de la *Savoysiade* s'éloignent de la sobriété de la *Jérusalem délivrée.* Notre auteur a une prédilection pour l'accumulation des détails, chaque fois que se présente à lui l'occasion d'une description. Le Tasse loue, pendant deux strophes, la rapidité du cheval de Raymond, né sur les bords du Tage ; d'Urfé n'en finit plus, pendant une page entière, de vanter la beauté du cheval qu'Anne de Lascaris a donné à Bérold (136).

Parfois, un tableau suggéré par la *Jérusalem délivrée* trouve son développement dans un épisode fourni par une autre œuvre. Ainsi, le vieux Belmont, accablé par la mort de ses sept enfants, n'est pas sans rappeler Latinus qui, voyant mourir ses cinq enfants sous les coups du sultan, les contemple une dernière fois en désirant la mort (137). Parfois encore, un fait rapporté par les chroniques de la Savoie rappelle à d'Urfé un épisode de la *Jérusalem délivrée.* Le roi Boson fut blessé à la cuisse par une flèche. Une flèche a aussi atteint Godefroy à la jambe. Il essaie de l'arracher, le bois se rompt et le fer demeure enfoncé dans la plaie. On fait appel à la science du vieil Hérotime qui ne parvient pas à extirper le trait. Un ange guérira Godefroy (138). Honoré d'Urfé ne fait pas intervenir le surnaturel. Boson s'évanouit de douleur, et, pour tenter d'arracher la flèche, son entourage fait appel à Mandor,

> « Mandor, dont le savoir et dont l'experience
> N'eust voulu d'Apollon mandier l'assistance. »

Il essaie

> « D'en retirer le fer ensamble avec le bois,
> Mais, je ne say comment, sa main s'y fust trompee,
> Car la cane s'en vint du sang toute trampee,
> Sans emporter le fer qui, de crochetz mordans,
> Se retient dans les os et se cache au dedans. » (139)

L'auteur de la *Savoysiade* ajoute de nombreux détails pour expliquer. Mais ce besoin du concret n'exclut point le recours au merveilleux dont le Tasse lui proposait des exemples : songes, apparitions de personnages qui annoncent aux héros une glorieuse descendance (140). D'Urfé préfère surtout les songes qui préparent la suite des événements et contribuent à baigner les récits dans une atmosphère tragique. La piété des héros s'accommode fort bien de ce merveilleux païen. Comme Godefroy, Bérold adresse souvent des prières à Dieu et il en reçoit des ordres. Une auréole de lumière divine couronne sa tête, présage de l'autorité dont il sera investi :

> « Il dist devotieux, et le soleil plus beau
> De nouvelles clairtez raluma le flambeau
> Qui, passant a travers des fenestres vitrees,

---

(136) Le Tasse, *op. cit.*, chant VII, str. 76-77 ; *Savoysiade, Ms. B.N.*, f. 162 v°.

(137) Le Tasse, *op. cit.*, chant IX, str. 30 sq.

(138) *Id.*, *ibid.*, chant XI, str. 68-70.

(139) *Savoysiade, Ms.B.N.*, f. 108 r°.

(140) Voir, par exemple, dans la *Jérusalem délivrée,* chant XIV, str. 4 sq. Dans la *Savoysiade* Rodolf apparaît à Berold.

Sur le chef de Berold quelque temps arrestees,
Luy font estinceller d'un esclair radieux,
Ainsy qu'aux immortelz, et la face et les yeux. » (141)

Quand Godefroy a fini d'exhorter ses guerriers au combat, le soleil apparaît :

« Parve che nel fornir di tai parole
scendesse un lampo lucido e sereno,
come tal volta estiva notte sole
scoter dal manto suo stella o baleno.
Ma questo creder si potea che'l sole
giuso il mandasse dal più interno seno. » (142)

D'Urfé, comme le Tasse, a le souci de conférer au merveilleux un caractère chrétien, afin d'édifier ses lecteurs et de magnifier mieux son héros. Il est pourtant inutile de chercher à instruire sans plaire. C'est pourquoi le récit épique est orné d'images. Honoré d'Urfé emprunte quelques-unes d'entre elles à la *Jérusalem délivrée.* Elles donnent aux héros leur dimension épique. Ainsi, le combat qu'ils livrent est si violent que les montagnes résonnent du bruit des armes et le ciel s'obscurcit des traits qui sont lancés par les soldats des deux camps :

« ed adombrato il ciel par che s'anneri
sotto un immenso nuvolo di strali. » (143)

D'Urfé traduit :

« Une nuee de traitz qui deroboit le jour
En l'air confusement voloit tout a l'entour. » (144)

Les comparaisons, nombreuses dans la *Savoysiade,* puisque nous en avons dénombré 35 longuement développées, sont parfois empruntées à la *Jérusalem délivrée.* Tantôt, comme celle du vaisseau qui lutte contre l'orage :

« Aynsi que le vesseau batu d'un coup d'orage
Va bien loing chancellant d'un et d'aultre costé,
Ores vincueur et puis, a la fin, surmonté
De la force du vent qui a son gré l'emporte
Et brise a un escueil... » (145),

la comparaison a une parenté étroite avec les vers du Tasse :

« Ma qual nave talor ch'a vele piene
corre il mar procelloso e l'onde sprezza,

---

(141) *Savoysiade, Ms.B.N.*, f. 140 r°.

(142) Le Tasse, *op. cit.*, chant XX, str. 20. « Il semble que dans le moment où il dit de telles paroles un éclair brillant et serein descendit, comme parfois la nuit d'été a l'habitude de secouer de son manteau une étoile ou un éclair. Mais on pouvait croire que le soleil envoyait cette clarté du plus profond de son sein. »

(143) *Id.*, *ibid.*, chant XVIII, str. 68 ; « Le ciel est couvert parce qu'il s'assombrit d'un immense nuage de traits. »

(144) *Savoysiade, Ms.B.N.*, f. 90 r°.

(145) *Ibid.*, f. 104 r°.

poscia in vista del porto o su l'arene
o su i fallaci scogli un fianco spezza... » (146)

Tantôt, elle est un raccourci de celle de la *Jerusalem délivrée* :

« Et comme un ours blessé augmente plus sa rage. » (147)

« Qual ne l'alpestri selve orsa, che senta
duro spiedo nel fianco, in rabbia monta. » (148)

Tantôt enfin, la comparaison de la *Savoysiade* présente une ressemblance lointaine avec celle développée par le Tasse, telle celle du torrent que rien ne peut arrêter (149).

Toutefois, l'influence de la *Jérusalem délivrée* n'est pas toujours aussi nette à discerner. Le souvenir de Virgile a souvent conduit l'inspiration du Tasse et d'Honoré d'Urfé. Qui des deux a donc servi de modèle à l'auteur de la *Savoysiade* ? Par exemple, le Tasse et Honoré d'Urfé reprennent, l'un et l'autre, la célèbre page des *Géorgiques* où le poète décrit le taureau qui, au printemps, gratte la terre de ses pattes, en conviant son rival au combat (150). Il semble bien que le Tasse et Virgile aient l'un et l'autre influencé d'Urfé :

« Et tout aynsi qu'on voit, au printemps gratieux,
A l'arrogant regard un taureau furieux
Poursuivre plain d'Amour une tandre Jenice
Sans que les bois touffus, sans que nul precipice,
Sans que la peur des ours, et sans que les bergers
Arrettent de ses pas les mouvementz legers.
S'il avient par hasard qu'il treuve en la campagne
Que quelque autre taureau amoureux l'accompagne,
On l'oyt mugir haultain et sa hure esbranlant,
Blesser du pied la terre et aller appellant
Son rival au combat, car sa fureur n'endure,
Sans la laver du sang, une si grande injure.
Et lors, bien que lassé et moitte de sueur,

---

(146) Le Tasse, *op. cit.*, chant XI, str. 84. « Mais tel qu'un navire qui, les voiles déployées, court sur la mer orageuse et méprise les vagues, et qui, arrivant en vue du port ou sur le sable, brise son flanc sur des écueils trompeurs... »

(147) *Savoysiade, Ms.B.N.*, f. 179 r°.

(148) Le Tasse, *op. cit.*, chant VI, str. 45. « Telle une ourse dans les forêts alpestres qui, sentant un fer dur dans son flanc, devient enragée... »

(149) *Savoysiade, Ms.B.N.*, f. 119 v°, 155 r° ; Le Tasse, *op. cit.*, chant I, str. 74, chant IX, str. 46.

Voici une liste d'autres imitations du Tasse :

Savoysiade, Ms. B.N.	*Jérusalem délivrée*
f. 73 v°	cht XV, str. 8 et 12.
f. 74 v°	cht I, str. 58.
f. 79	cht I, str. 47.
f. 80 v°	cht I, str. 73.
f. 90	cht XX, str. 13.
f. 92	cht VI, str. 44.
f. 93 r° et v°	cht XIII, str. 13 et 28.
f. 140	cht VII, str. 44.
f. 143 v°	cht VII, str. 46.

(150) Virgile, *Géorgiques*, l. III, vers 220-241.

Va au desir d'Amour arcellant son ardeur,
Puis, d'un eslant forcé, veult, de sa teste armee,
Par force, a l'ennemy ravir sa bien aymee. » (151)

Le Tasse est plus sobre dans son imitation, d'Urfé moins copieux que Virgile et moins poète (152).

Le souvenir des *Géorgiques* n'était-il pas présent à l'esprit d'Urfé, quand il a écrit que le cheval de Guydon est né d'une jument fécondée par le vent ? Ne s'est-il pas souvenu de ces cavales,

« ....saepe sine ullis
Conjugiis vento gravidae...... » (153) ?

Honoré d'Urfé connaît si bien l'*Enéide* que d'emblée une comparaison entre l'écu de Lyndamor et le bouclier d'Enée s'offre à son imagination. Le coup porté par Argorant est si fort qu'il eût coupé

« ....l'escu mesme d'Aenee
Que Bronte alla forgeant d'une peine obstinee » (154).

Bérold n'a pas eu moins de difficultés qu'Enée, pour fonder son royaume. Comme Vénus obtient de Jupiter une trève aux aventures d'Enée, de même, Saint Maurice, vénéré par les ducs de Savoie comme leur protecteur, intercède auprès de Dieu en faveur de Bérold. Les ressemblances entre les deux poèmes ne s'en tiennent pas là. Bérold, au plus fort de la bataille, trouve, comme Enée, un lieu hospitalier. Anne de Lascaris le reçoit dans son palais et l'invite à raconter ses aventures. Les réminiscences de l'*Enéide* sont encore plus précises dans la *Savoysiade,* ainsi cette présentation d'Adelis :

« D'aultrefois, desdaignant tous ces ombrages frais,
Chaulde a suivre la chasse a travers les foretz,
Vive s'alloit armant comme vierge spartaine,
Ou telle qu'Harpalice, adroite Tracienne,
Accompagnoit sa main d'un infaillible dart,
Et, se chargeant le dos et de fleches et d'arc,
La robe par devant au genouil rehaulsee,
Le brodequin doré et la manche troussee,
Le poil au gré du vent ondoyant sur le dos,
Sans que rien le retint qu'un ruban en repos. » (155)

N'est-ce pas le souvenir de ces vers de Virgile :

---

(151) *Savoysiade, Ms. B.N.,* f. 100 r°v°.
(152) Le Tasse, *op. cit.,* chant VII, str. 55 :
« Non altramente il tauro, ove l'irriti
Geloso amor co'stimuli pungenti,
Orribilmente mugge, e co'muggiti
Gli spiriti in sé risveglia e l'ire ardenti,
E'l corno aguzza a i tronchi, e par ch'inviti
Con vani colpi a la battaglia i venti :
Sparge co'l piè l'arena, e'l suo rivale
Da lunge sfida a guerra aspra e mortale. »
(153) Virgile, *op. cit.,* l. III, vers 275 ; *Savoysiade, Ms. B.N.,* f. 162 v°.
(154) *Savoysiade, Ms. B.N.,* f. 92 r°.
(155) *Ibid.,* f. 126 v°.

« Virginis os habitumque gerens et virginis arma
Spartanae, vel qualis equos Threissa fatigat
Harpalyce volucremque fuga praevertitur Hebrum.
Namque humeris de more habilem suspenderat arcum
Venatrix, dederatque coman diffundere ventis,
Nuda genu nodoque sinus collecta fluentes. » (156)

L'*Enéide* et l'*Iliade* constituaient pour la Pléiade les modèles du genre épique. Ronsard avoue avoir imité de l'un et l'autre poème « l'artifice et l'argument plus baty sur la vraysemblance que sur la verité » (157). Par exemple, quand Ronsard décrit longuement la cuirasse du duc de Guise prêt à donner l'assaut contre les troupes de Charles-Quint (158), il transpose les vers d'Homère (159). Cependant, lorsque d'Urfé décrit la cuirasse de Bérold, qui se prépare à livrer bataille contre les Génois, il s'adresse non point à Homère, mais à Ronsard :

« Premier, ses beaux cuissotz qui, pli sur pli, s'enchassent
Et en lames d'argent l'une en l'aultre s'entassent,
Lames qui, a clous d'or retachees, s'en vont
En leurs menus replis du hault jusques au font
Aynsi que dans les champs les chenilles barbares
Ore s'amoncellant, ore estant estandues,
Ou les greves d'argent a boucles d'or pandoient,
Boucles qui comme feux leur clairtez respandoient,
Feux dont, la nuit, le ciel se seme de Lumiere.
Sur les plis tortueux de ceste genouillere
Erroient deux grands serpantz dont le chef finissoit
Au droit du mouvement ou le genouil plissoit,
Et duquel la rondeur, par leur gorges beantes,
Se serroit aux costez. De leurs cueues errantes
Ilz alloient tortillant les bortz tout a l'entour,
Et puis se renouant entre elles de maint tour. » (160)

Plus sobrement, Ronsard a écrit :

« Il prît ses beaux cuissôs, et ses greves encor',
Greves faites d'argent, et jointes à clous d'or,
D'or les boucles etoient, où sourdoient elevées
Mile croisétes d'or au burin engravées.
Sur le pli du genou erroit un grand serpent
Qui des tortis brisés de son ventre ranpant
Faisoit le mouvement de céte genouilliere,
Le bordant de sa queüe en lieu de cordeliere.
Il a d'un corselet son cors environné
De fils d'or et d'argent par sillons raionné
Oposés l'un à l'autre... » (161)

---

(156) Virgile, *Enéide,* Chant I, vers 314-320. A propos de cette imitation de l'*Enéide*, voir G. Rua, *op. cit.*, p. 43, n. 2.

(157) Ronsard, *Œuvres complètes, éd. cit.*, t. XVI, p. 5. Préface de *La Franciade.*

(158) *Id., ibid.*, t. V, *Harangue du Duc de Guise,* p. 203 sq.

(159) Homère, *Iliade,* chant XIX, vers 369 sq.

(160) *Savoysiade, Ms. B.N.,* f. 81 r°.

(161) Ronsard, *op. cit.,* t .V, *Harangue du Duc de Guise,* p. 205, vers 33-40.

Honoré d'Urfé voit et développe ce que Ronsard suggère. Il use du même procédé oratoire, en reprenant les mots en début de vers et il en abuse. Sur le corselet du duc de Guise est ciselé le portrait du Pape Urbain qui exhorte les Chrétiens à faire la guerre aux Sarrasins. Eustache, Baudoin, le Comte de Flandre acquiescent à la demande du Pape. Plus loin, Godefroy livre bataille. La description se poursuit par celle de la targe, de l'écu, du morion. Le corselet de Bérold est orné du portrait du Pape Jean :

« Auprez du haulse-col estoit le Pape Jean
Qui tenoit en sa main d'acier, d'or et d'argent,
Une triple couronne et la mest sur la teste
De ce premier Othon honorant la conqueste
Que d'Italie il fist... » (162)

Son armure célèbre les prouesses de son aïeul et de son bisaïeul Et voici la description de son épée :

« Puis l'espee on luy scint des ennemis la peur,
Ou pandoient par destin la victoire et l'honneur.
Son flambant emeri scintilloit de lumiere,
Comme l'astre de Mars ardant en sa criniere
D'or estoit la poignée, et le fourreau d'un os
Qu'un poisson indien portoit dessus le dos. » (163)

Nous mesurons la dette d'Honoré d'Urfé, à la lecture de ces vers de Ronsard :

« ....Puis il prit son espée
Au flambant emeri : le fourreau fut d'un ôs
D'Elephant Indien, marqueté sur le dôs
De barbillons courbés. Et sa dague guerriere
Plus que l'astre de Mars épendoit de lumière. » (164)

La Franciade se présentait comme modèle autorisé à celui qui se proposait de chanter l'origine d'une dynastie. Elle est malheureusement encombrée d'un monstrueux fatras mythologique. Honoré d'Urfé eut le goût d'en libérer la *Savoysiade*. Il est toutefois des ressemblances indéniables entre les deux œuvres (165). La *Savoysiade* est surtout redevable au deuxième livre de *La Franciade*. Francus aborde à l'île de Crète où règne Dicaeé. Celui-ci lui fait raconter ses aventures et le convie à un festin, dans son château. Au cours du repas, Terpin chante un hymne d'amour et Dicaeé conte à Francus la cause de sa tristesse : son fils, Oraee, est prisonnier du géant Phovere. Francus s'offre à le libérer. De la même manière, Anne de Lascaris accueille Bérold à Vintimille, elle lui raconte ses malheurs et l'invite à un festin dans son palais. A la

(162) *Savoysiade, Ms. B.N.*, f. 81 v°.
(163) *Ibid.*, f. 83 r°.
(164) Ronsard, *ibid.*, p. 209, vers 104-108.
(165) Un vers est parfois une copie plus ou moins servile d'un vers de Ronsard. Par exemple, Ronsard (*La Franciade*, chant II, vers 908) décrit le serpent « A dos rompu sur le ventre rampant ». D'Urfé (*Savoysiade, Ms. B.N.*, r. 86 v°) décrit le serpent « qui va a dos rompu contre terre rampant ».

fin du repas, Bérold commence le récit de ses aventures. Il est aussi généreux que Francus, car il se propose d'aller combattre Dragolant, dont Guydon est la victime. Ce cruel géant, capable de tous les crimes, a réussi à s'emparer de Guydon. A vrai dire, Honoré d'Urfé prête à Dragolant la cruauté de Phovere, les pratiques infernales du magicien Ismen (166), et le comportement du géant Guedon du *Roman de Mélusine.* A ces éléments se mêlent ceux offerts par les récits fabuleux des romans médiévaux. D'Urfé ne raconte pas le combat qui opposa Bérold à Dragolant, car le récit de la *Savoysiade* s'arrête avant cet épisode. Mais, comme dans *La Franciade,* un repas est offert à Bérold et aux siens. L'imitation de *La Franciade* est ici très nette. Voici comment Ronsard décrit l'entrée du palais :

« Devant la porte en assez long espace,
Large, quarrée, estoit une grand'place,
Où la jeunesse aux armes s'esbatoit,
Piquoit chevaux, voltigeoit ou lutoit,
Courroit, sautoit, ou gardoit la barriere.
Jusques au ciel en voloit la poussiere. » (167)

D'Urfé, selon son habitude, développe cette description :

« En quatre grands carrez la place est preparee
Pour les guerriers esbatz des jeunes chevaliers.
D'un costé, a la course, aynsi que deux beliers,
La lance dans la main, ils viennent de vitesse
Se heurter front a front et de force et d'adresse.
Le bras en cent tronçons s'esgare parmi l'air ;
Sous les pieds des chevaux qui semblent de voller,
En divers tourbillons, le long de la carriere,
...en tournoyant, s'esleve la poussiere. » (168)

Honoré d'Urfé continue en narrant chacun des exercices auxquels se livrent les chevaliers. A l'imitation de l'*Enéide,* il décrit les chapiteaux qui ornent les grandes colonnes du portail (169), et il ajoute :

« Cependant que Berol porte l'oeil curieux
Dessus les raretez qui sont en ces beaux lieux,
Regardant du palais les festons et les frizes,
Ovalles guillochis qui, comme mignardises,
Le riche bastiment alloient embellissant,
Anne, avec ses trois filz, de son coche descent,
Aborde le saxon et, d'une main humaine
La sienne luy touchant, le salue... » (170)

Ces vers sont la reprise presque littérale de ceux de *La Franciade* :

(166) Le Tasse, *Jérusalem délivrée,* chant XIII, str. 6 sq.
(167) Ronsard, *La Franciade,* chant II, vers 817-822. Ce passage est une imitation de Virgile décrivant les exercices qui ont lieu devant la ville quand arrivent les ambassadeurs d'Enée (*Enéide,* chant VII, vers 106 sq.)
(168) *Savoysiade, Ms.B.N.,* f. 163 v°.
(169) Virgile, *op. cit.,* chant VII, vers 176 sq.
(170) *Savoysiade, Ms.B.N.,* f. 164 v°.

« En ce pendant que d'un oeil prompt et ardant
Francus alloit le palais regardant
Festes, festons, guillochis, et ovalles
Dicae', vestu de dignitez royalles,
....
Vint caresser Francus oultre la porte,
Le bien-veignant, et d'un visage humain
Le tient, l'embrasse, et luy serre la main. » (171)

A ce point, Honoré d'Urfé s'écarte de son modèle. Parce que la piété est constamment présente dans la *Savoysiade,* un prêtre adresse une prière à Dieu avant que chacun ne s'asseoie à table selon son rang et son âge :

« O Pere, luy dist il, ta bonté en ces lieux
Au nom de ton cher filz et nous et ces viandes
Veuille benir en nous... » (172)

Des mets délicieux défilent, auxquels les convives portent avidement les mains. A la fin du repas, tous se lèvent de table,

« Quand l'ardeur du manger, dont se maintient la vie,
Et de la sceche soif se vit presque assouvie » (173)

Ces deux vers reprennent ceux de Ronsard :

« Incontinent que la soif fus ostée,
Et de la faim la fureur surmontée. » (174)

A nouveau, le récit de la *Savoysiade* diffère de celui de *La Franciade.* Ici, Terpin en s'accompagnant d'une lyre, chante un hymne à Apollon, pour qu'il allume les cœurs de son ardeur et les assiste de sa lumière (175). Hasman chante en s'accompagnant d'une lyre, mais son chant s'adresse à Dieu dont il célèbre la Trinité et l'Unité :

« Dieu, dans son unité, immobile infini,
Qui par son estre seul a l'univers fini,
Estre libre en vouloir, comme souverain maistre,
En soy n'a rendu qu'un VOULOIR, ENTANDRE et ESTRE,
Commençant en soy mesme et en soy finissant... » (176)

A la fin de cette véritable leçon de théologie qui rappelle la foi d'Urfé dans la Trinité et annonce l'exposé d'Adamas dans *L'Astrée,* Hasman exhorte Bérold et ses guerriers à demeurer vertueux dans leurs exploits et il termine par cette prière :

« Toy qui du hault du ciel vois ça bas les pansers,
Qui d'Anne et de nous tous sçais les peines passees,

(171) Ronsard, *op. cit.,* Chant II, vers 823-832.
(172) *La Savoysiade, Ms. B.N.,* f. 165 r°. A la fin du repas le même prêtre adresse des prières de remerciements à Dieu.
(173) *Ibid.*
(174) Ronsard, *op. cit.,* chant II, vers 941-942.
(175) *Id., ibid.,* vers 959-974.
(176) *Savoysiade, Ms.B.N.,* f. 165 v°. Ces vers sont à rapprocher de l'*Hymne du Sainct Sacrement de l'Autel* d'Anne d'Urfé où est définie la Trinité (1er livre des *Hymnes*). Dans cette tirade il y a sans doute une imitation de du Bartas, 1re sem., 1er jour, vers 937 sq.

Et qui as ce guerrier conduit si a propos,
Donne nous, o grand Dieu, donne nous le repos,
Fay descendre sur nous ta sainte fille Astree
Qui son prince Guidon rende a ceste contree,
Afin qu'estantz unis et a tous et a eux
De ta sainte UNITE nous conservions les noeuds. » (177)

Ces vers d'Hasman nous révèlent le sérieux et la profondeur de la foi d'Urfé qui, cette année même où il composa le cinquième livre de la *Savoysiade,* se rendit en pèlerinage à Lorette et prit le soin de marquer d'une croix le haut de chacun des feuillets de son manuscrit. Cette foi chrétienne nous fait mesurer ce qui sépare la *Savoysiade* de *La Franciade.* Ronsard, imprégné de souvenirs mythologiques, enferme ses héros dans un monde païen, ceux d'Honoré d'Urfé sont chrétiens et leur chef agit constamment guidé par la main de Dieu.

III. — La conception de l'épopée.

Honoré d'Urfé a composé une épopée dont le but essentiel était de glorifier le fondateur de la dynastie élue pour régner sur la Savoie. Il a, en même temps, désiré instruire son lecteur. Le 14 décembre 1618, il adressa une lettre de seize pages à Charles Emmanuel de Savoie, en réponse à une demande d'avis éclairé sur l'*Amadéide* de Gabriel Chiabrera, poète savoyard célèbre par ses pastorales, ses poèmes lyriques et ses épopées (178). Cette critique, restée à l'état de manuscrit, constitue la théorie épique de l'auteur de la *Savoysiade.*

Le Jugement sur l'Amadéide retient comme règles essentielles de l'épopée, l'unité d'action, la vraisemblance et l'instruction du lecteur. Honoré d'Urfé sait gré à Chiabrera d'avoir été

> « soigneux observateur de l'unité d'une seule action et en cela il se peut dire, avoir si religieusement observee, qu'il n'y a point de poete soit grec, Latin ou Vulgaire qui l'ait devancé.
>
> Les reigles d'Aristote y sont tres bien pratiquees. En ce qui est de la tissure de l'oeuvre, car le corps n'est ny trop grand

(177) *Savoysiade, Ms.B.N.,* f. 167 r°.

(178) Sur l'*Amadéide* de Chiabrera, on peut consulter l'article de G. Rua, « L'Epopea Savoina alla Corte di Carlo Emmanuele I, Parte I, L'Amadeide di Gabriello Chiabrera nella sua genesi », in *Giornale storico,* vol. XXII (1893), pp. 120-157.

Le Jugement sur l'Amadéide fut conservé à la Bibliothèque de Turin, jusqu'à l'incendie de 1904. Une copie en avait été faite en 1791 par le Baron Vernazza, à la demande de C. Massucco. Pizzorno inséra un certain nombre des remarques d'H. d'Urfé parmi ses notes, à la fin de chacun des chants de l'*Amadéide, Annotazzioni all'Amadeide di Chiabrera,* Genova, 1836 ; E. Renan publia un extrait du *Jugement,* « Fragment critique inédit d'Honoré d'Urfé », in *Journal de l'Instruction publique et des Cultes,* 20 novembre 1850, pp. 571 sq. ; G. Bertoletto en publia une édition complète, « Il guidizio di Onorato d'Urfé sull' Amedeide per la prima volta publicato », in *Giornale ligustico,* XXI (1896),p. 146 ; sur cette question et une étude sommaire du *Jugement,* voir notre article, « A propos du Jugement d'Honoré d'Urfé sur l'Amadéide du Seigneur Gabriel Chiabrera », in *Mélanges* CEF, vol. 5. (1972).

ny trop petit, et ny a rien de monstrueux en ce corps la, pouvant le lecteur suivre fort aysement avec la memoire du commancement jusques a la fin de l'action. » (179)

L'unité d'action ne s'imposa point d'emblée au XVIIe siècle, puisqu'elle provoqua une querelle à propos des *Roland* de l'Arioste et de Boïardo, et qu'on discuta l'interprétation de Castelvetro qui légitimait le précepte d'Aristote par la seule admiration suscitée chez le lecteur (180). Le Tasse tenta de trouver une solution de compromis, en 1594, dans son étude sur le *Poème héroïque*. Il y distinguait l'unité simple et l'unité complexe, cette dernière seule constituant la loi de l'épopée. *Le Jugement sur l'Amadéide* est un écho de cette querelle, dont les théoriciens français ne se préoccupèrent pas avant 1623 et qui ne suscita l'intérêt que vers 1631 (181). En restant fidèle à la pensée d'Aristote qui constituait alors une autorité indiscutable, Honoré d'Urfé nous semble se ranger aux côtés du Tasse.

Le XVIIe siècle se préoccupa surtout de la définition du genre épique. Pour les théoriciens, il se distingue des autres formes poétiques par son sujet, ses personnages illustres, une narration noble et un enseignement des vertus les plus hautes.

Les guerres en constituent le sujet, Ronsard et le Tasse l'ont affirmé, et tous sont d'accord sur ce point (182). Les personnages doivent être illustres, princes et chefs, et tout doit être mis en œuvre pour rehausser la gloire du héros. Ce sont les préceptes répétés par Honoré d'Urfé dans son *Jugement sur l'Amadéide*.. A son avis, Chiabrera n'a pas accordé une place suffisante à la « vertu du Grand Amedee », en lui laissant « outre l'election de Dieu quelque chose du sien qui le randroit plus estimable », et, ainsi, « le poète ne parvient pas au but qu'il a choisi qui est de grandement louer son héros » (183). Il lui reproche encore d'avoir évoqué « force noms de maisons qui n'estoient en honneur en ce temps la, ou pour le moins qui estoient si vils qu'ils ne pouvoient estre mis au rang ou il s'en sert, comme de frocastor, caponi, et plusieurs autres de Savonne en quoi il fait tord a ceux qu'il nomme et qui estoient veritablement illustres en ce temps la... » (184)

Honoré d'Urfé n'innove pas en insistant sur ces préceptes qui étaient admis par tous les théoriciens francais (185). L'unité d'action, malgré la complexité du récit, est observée grâce au héros principal, dont la gloire est mise en valeur par ses exploits et son noble entourage.

Ces remarques supposent le respect de la vraisemblance, dont l'histoire est le fondement. Honoré d'Urfé revient plusieurs fois sur ce point :

---

(179) p. 150. (Nous renvoyons à l'édition de G. Bertoletto.)

(180) Voir à ce propos R. Bray, *Formation de la doctrine classique*, Paris, Nizet, 1966, p. 241.

(181) Voir notre article, p. 25.

(182) Ronsard, deuxième préface de *La Franciade* ; Le Tasse, *Du Poème héroïque*, traduction Baudouin, p. 605.

(183) *Jugement*, p. 160.

(184) *Ibid.*, p. 158.

(185) R. Bray, *op. cit.*, pp. 338-339.

« ...l'invantion est toutte sienne, car son fondement estant mis sur le vray, ou sur l'opinion receue universellement de tous qui est une mesme chose que le vray pour un poeme... » (186) « Il est certain que le poeme doit estre basti ou sur la verité ou sur l'opinion receue. » (187)

Nous avons constaté la documentation réunie par d'Urfé sur la Maison de Savoie et l'histoire d'Espagne et comment il a recueilli la tradition. Le critère de la vraisemblance est, selon lui, l'opinion commune. C'est une solution à la discussion du XVIe et du XVIIe siècle sur la distinction entre le possible et le vraisemblable. Le problème avait été soulevé par Castelvetro qui formula un intéressant commentaire du texte d'Aristote, adopté par les critiques français (188). Le Tasse n'apporta aucune idée nouvelle en affirmant que « pas une partie de la poésie ne peut être séparée du vraisemblable » (189). La théorie de la vraisemblance, inséparable de la distinction entre le vrai et le vraisemblable, passionna les critiques italiens et français. En 1605, Vauquelin et, en 1610, Deimier s'en sont préoccupés (190). Il ne fallut cependant pas attendre les déclarations de Vossius, en 1647, comme le prétend René Bray (191), pour découvrir que le critère de la vraisemblance est l'opinion commune, puisque d'Urfé l'affirme dès 1618. Ce sera plus par respect pour la vraisemblance que pour l'histoire que le poète suivra la vérité historique. Voilà pourquoi le poète épique devra posséder toutes les sciences et respecter la chronologie et les coutumes des peuples mis en scène. D'Urfé loue Chiabrera d'avoir écrit un docte poème, mais il le blâme d'avoir ignoré les mœurs des Turcs et l'art militaire (192).

Si la vraisemblance assure la crédibilité du poème épique, le merveilleux suscite l'intérêt et l'admiration du lecteur. Aristote affirme que le merveilleux peut être utilisé jusqu'à l'incroyable (193). Le XVIIe siècle fut unanime à reconnaître la nécessité du merveilleux dans le poème héroïque. Cependant, parce que l'application d'un tel principe opposé à celui de la vraisemblance ne va pas sans susciter des difficultés, les discussions s'élevèrent sur la forme du merveilleux qu'il convenait d'adopter : merveilleux divin, magie, merveilleux humain ? Le merveilleux divin fut admis sans contestation ; en effet, on reconnut l'intervention des dieux dans les affaires humaines. Quant à la magie, elle tient une place essentielle

---

(186) *Jugement*, p. 150.
(187) *Ibid.*, p. 182.
(188) R. Bray, *op. cit.*, p. 195.
(189) *Du poème héroïque*, trad. J. Baudouin, p. 590, cité par R. Bray, *op. cit.*, p. 196.
(190) R. Bray, *op. cit.*, pp. 196-197.
(191) *Ibid.*, p. 208 ; Vossius, *De artis poeticae natura ac constitutione liber*, Amsterdam, 1647, L. I, pp. 10-15. Vossius déclare notamment : « Non illud modo est verisimile, quod tale videtur sapientibus, aut omnibus, aut pluribus, aut maxime excellentibus, verum etiam quod vulgus tale judicat. Satis igitur est poetae quod vulgus sic opinatur. »
(192) *Jugement*, p. 154 et p. 182. Honoré d'Urfé ajoute encore ce principe : « L'on dit qu'il faut que le manteur ayt bonne memoire mais le poete surtout qui est manteur et veut estre creu veritable... » (p. 162).
(193) *Poetique*, trad. E. Egger, Paris, 1849, p. 381.

dans les poèmes d'Aristote et du Tasse. Toutefois, son emploi fut restreint par les théoriciens français, parce que, ou bien elle conduit au ridicule, ou bien elle prend la forme de l'impiété. Comme elle faisait courir le risque de l'invraisemblance, tout autant que le merveilleux divin d'ailleurs, certains théoriciens proposèrent de substituer un merveilleux humain au merveilleux surnaturel. La question fut longuement débattue, surtout dans la deuxième moitié du XVIIe siècle. Comment le siècle de la raison aurait-il accepté avec docilité le merveilleux qui risquait de porter atteinte à la vraisemblance (194) ?

Cette attitude est déjà celle d'Honoré d'Urfé en 1618. Il ne renie pas l'obligation aristotélicienne du merveilleux dans l'épopée, cependant il reproche à Chiabrera l'intervention excessive des anges et des démons :

> « ...il use tant de fois des demons et des anges qu'il samble qu'il oste l'honneur de touttes les belles actions a ceux qui les executent et veritablement il n'y a pas un chant ou il ne fasse intervenir cinq ou dix fois les esprits de sorte que le poeme se pourroit aussy bien nommer Demonomachia, que Amadeide, puisqu'il parle plus souvant des actions des esprits que de celles d'Amadee.
>
> Horace touttefois commande que l'on ne fasse point venir les dieux que quand c'est pour desnouer quelque chose qui est tellemant embrouillée qu'elle ne peut estre esclaircie d'autre façon, ou bien pour quelque chose grandement remarquable. » (195)

Pour d'Urfé, tout doit en effet tendre à la glorification du héros principal, et l'épopée doit instruire le lecteur.

La poétique du XVIIe siècle est dominée par le souci non seulement de provoquer l'admiration du lecteur et son étonnement, mais encore par celui d'émouvoir et d'instruire. On comprend, de ce fait, l'attention que d'Urfé porte, ainsi que ses contemporains, à la vraisemblance dans l'épopée. Il s'agit de convaincre les lecteurs, pour les rendre réceptifs aux leçons qui doivent se dégager du poème. Honoré d'Urfé développe la théorie de Castelvetro pour qui le héros doit être bon, afin d'exciter la compassion (196), quand il déclare que « le poete sur toutte chose doit tousjours s'étudier de proposer des exemples de remuneration, et de chastiment des vertus et des vices, pour attirer aux uns et esloigner des autres les lecteurs... » (197) Il affirme encore que « le poete doit tousjours preparer tant qu'il peut le lecteur a la commiseration. » Ce sentiment provoque chez le lecteur la crainte du châtiment. Pour Honoré d'Urfé, l'épopée doit être chrétienne. Elle n'élimine pas seulement tout élément de mythologie païenne, elle cherche encore à

(194) Pour plus de détails sur l'emploi du merveilleux au XVIIe siècle, voir R. Bray, *op. cit.*, p. 237.

(195) *Jugement*, p. 155. D'Urfé rappelle le precepte d'Horace : « Nec deus intersit nisi dignus vindice nodus inciderit » (*Art poét.*, v. 191).

(196) Castelvetro, *Poetica d'Aristotele vulgarizzata e sposta*, Bâle, P. de Sebadon, 1576, III, 15, p. 328.

(197) *Jugement*, p. 153.

mettre en valeur l'élection divine du héros principal. Cependant, si la grâce intervient dans la conduite du personnage, la valeur de ses actes trouve son fondement dans la volonté et dans la gloire acquise, car l'auteur du *Jugement sur l'Amadéide* est un fidèle disciple de la théologie des Jésuites.

***

Honoré d'Urfé prend donc place parmi ceux qui ont tenté de créer une poésie chrétienne. Malgré la *Judith* de du Bertas et les protestations de Vauquelin contre les poètes qui invoquent les dieux païens, la littérature chrétienne suscita peu d'intérêt. Le *Jugement sur l'Amadéide* est surtout l'écho des souhaits des théoriciens français à propos de l'épopée. Ils réclament une matière simple et une, un héros sans faiblesse qui suscite l'admiration, la sobriété du merveilleux, la vraisemblance et l'instruction du lecteur. Ce sont des qualités qui font le mérite de la *Savoysiade*. Mieux que Ronsard, d'Urfé a respecté la vraisemblance en limitant l'emploi du merveilleux. Par l'accumulation d'une documentation historique, il est ce poète épique auquel il demande de connaître toutes les sciences et dont le droit au mensonge se borne à l'invention hors du domaine de l'histoire.

Il n'est cependant pas parvenu à composer le poème épique qui devait doter la littérature française d'un chef-d'œuvre susceptible de rivaliser avec les épopées de l'Antiquité ou de l'Italie. Peut-être en eut-il conscience, puisqu'il ne termina pas la *Savoysiade* et qu'il ne publia pas les neuf livres qu'il avait composés. Les vers souvent embarrassés de la *Savoysiade* font oublier l'intérêt du sujet. Quand Honoré d'Urfé évite la grandiloquence ou l'accumulation excessive des détails ou une trop servile fidélité à ses nombreux modèles, il compose des vers qui font l'objet de l'admiration des contemporains. Les éloges que lui prodigue l'éditeur de la fin du second livre de la *Savoysiade,* dans le *Nouveau Recueil des plus beaux vers de ce temps,* en témoignent (198).

---

(198) Paris, T. du Bray, 1609, supplément, p. 1.

Veüe de la Bastie d'Vrsé en Forés.

Dessin de Martelange (Bibliothèque nationale. Cabinet des Estampes).

67

La Savoye. livre premier

D'un grand Prince saxon je chante les allarmes
les travaux genereux la fortune & les armes
les desseins les conseils dont avecque le fer
du rebelle ennemy on le vit triompher
quand poussé du destin ou il se fit la voye
aux Alpes il planta le sceptre de Savoye

~~Toy qui dans tes cercles~~
Toy qui tous les destins encloz dedans ~~ton~~ le sein
& qui eslevas ce prince a un si grand dessein
comme en luy ~~tu~~ a mis les travaux & les gloires
metz le ressouvenir en moy de ses victoires.

Dans les champs vers grois dont Agaune s'enceint
plusieurs siecles passez le sang très juste & saint
du valeureux Maurice & de sa Thebayde
avoit dessous le fer du Romain homicide
noyé par des torrens les prez plus profonds
& ~~[illegible]~~ engourgeant les eaux du Rosne jusqu'au fonds
grossy dedans son sein ses ondes ravissantes
qui mesme ~~[illegible]~~ s'estonnoient de se voir rougissantes
plustost que d'adorer l'Idole qu'en cet lieu
le Romain esleva contre l'honneur de dieu

Manuscrit autographe de La Savoysiade (B.N. Fds frs 12486)

DEUXIEME PARTIE

LA PENSEE

« ...les affaires d'Estat ne s'entendent que difficilement sinon par ceux qui les manient ; la philosophie est espineuse, la theologie chatouilleuse, et les sciences traittées par tant de doctes personnages..., ceux qui en nostre siecle en veulent escrire courent une grande fortune, ou de desplaire ou de travailler inutilement... »

(*Astrée,* III, L'autheur à la riviere de Lignon)

« Sçavez-vous bien que c'est qu'aimer ? »

(*Astrée,* I, 8, 290)

CHAPITRE I

LA COUR ET LE PRINCE

Honoré d'Urfé partagea son temps entre la guerre, la cour, la ville et la solitude de la campagne. Il est, par là encore, un digne représentant de la fin du XVIe siècle et du début du XVIIe siècle, où l'humanisme tire l'homme à la fois vers l'action et la contemplation. S'il a analysé les charmes de la solitude, c'est parce qu'il les a lui-même appréciés et non point seulement parce que c'était un goût de l'époque. Toute mode répond à une aspiration du temps qui la voit s'éclore et se diffuser ; la vie de notre auteur est en accord avec la pensée qu'il expose dans ses ouvrages. Parfois, certes, peut-être trop souvent même, dans *Les Epistres Morales,* l'inspiration livresque l'emporte sur la réflexion personnelle ; cependant, le fruit de l'expérience que l'on découvre dans une page, dans une réflexion des personnages de *L'Astrée* ou de l'auteur lui-même, confère à l'œuvre une saveur originale. Il est bien certain qu'un moraliste, un romancier ou un poète même, ne peut être isolé du courant de pensée de son époque. Peu ou prou, chacun en est le reflet. Honoré d'Urfé n'y échappe pas plus qu'un autre. La cour, ses misères, ses intrigues, son luxe et ses contraintes, quel thème fut autant rebattu que celui-là depuis le début du XVIe siècle ? Mais d'Urfé a le mérite de parler de ce qu'il a connu : les honneurs de la cour, les vicissitudes de la Fortune, les défauts des courtisans, les vices et les qualités des princes, la guerre et ses dangers. La vie de cour fut pour lui comme un théâtre où des acteurs jouaient leur rôle de courtisans ou de princes. Tous s'animent, transformés, défigurés ou rendus méconnaissables dans la foule des personnages de *L'Astrée* que le XVIIe siècle s'efforça d'identifier.

***

I. — LA CRITIQUE DE LA COUR AU XVIe SIÈCLE.

Un rapide aperçu des critiques formulées contre la cour et le courtisan pendant le XVIe siècle et à l'aube du XVIIe nous permettra de constater comment les réflexions d'Honoré d'Urfé s'insèrent dans ce courant (1).

---

(1) Sur cette question, voir l'ouvrage de P.M. Smith, *The anti-courtier Trend in Sixteenth Century French Literature,* Genève, Droz, 1966.

Les premières guerres d'Italie révélèrent les raffinements de la vie de cour. Dès lors, celle-ci prit une importance dans le mouvement intellectuel et social de l'époque (2). Un ouvrage comme le *Cortegiano* de Castiglione (3), paru en 1528, exerça une influence importante sur la pensée et sur les mœurs jusqu'au cœur du XVIIe siècle. Le courtisan est l'homme accompli, cultivé, aimant la danse, la musique, la peinture, sachant platoniser en amour. Il a pour mission d'être au service du prince :

> « ...qu'il tourne tous ses pensements, et les forces de son courage à aymer et quasi adorer le Prince qu'il sert, sur toutes aultres choses, et qu'il adresse ses voluntez, ses conditions, et ses façons toutes à luy complaire. » (4)

En fait, « le mobile secret qui le fait agir est non pas le service du prince, mais sa propre perfection » (5). Cette culture qu'il acquiert ne le conduit donc pas à la « formation d'une personnalité intégralement libre, une forme intérieure achevée » (6). Le *Courtisan* deviendra très rapidement un manuel d'éducation technique pour celui qui vit à la cour. De l'idéal élaboré par Castiglione, on gardera « surtout les aspects extérieurs, le goût, la civilité, la gracieuse beauté, ce qui apparaît, ce qui est avantageux dans une conversation » (7). Le comportement l'emporte sur la valeur morale. En effet, les nobles ne sont pas attirés à la cour par le service du prince, mais plutôt par la nécessité. Ainsi, apparaît le courtisan professionnel à l'affût des pensions. Si l'homme de cour n'est, au début du siècle, qu'un thème littéraire, il devient, par la suite, et assez rapidement, un sujet d'actualité. Les attaques contre la cour et les courtisans restent assez générales au début, puis elles se précisent. La variété des protestations s'accroît au cours des années 1540 à 1559 et l'influence de Guevara s'impose (8). Le *Menosprecio*

---

(2) Voir à ce propos, D. Ménager, *op. cit.*, pp. 13 sq.

(3) B. Castiglione, *Il Cortegiano*, Venise, Aldus, 1528. L'ouvrage fut publié plusieurs fois en italien à Lyon par G. Roville. La première traduction française attribuée à J. Chaperon fut publiée sous le titre, *Le Courtisan, auquel œuvre ordonné en quatre livres est conceue l'idee du parfait courtisan*, Paris, V. Sertenas, 1537. La même année parurent deux éditions d'une traduction par Jacques Colin, Paris, J. Longis, 1537 et une autre sans indication de lieu. Les éditions suivantes comprennent la traduction de Colin revue et corrigée par Mellin de Saint-Gelais et furent au nombre de huit entre 1538 et 1592. Voir, à ce propos, E. Picot, *Les Français italianisants au XVIe siècle*, Paris, 1906, t. I, pp. 183-220.

Nous renvoyons à la traduction de J. Colin, Lyon, François Juste, 1538.

(4) Ed. cit., f. LXXXII v°.

(5) J. Burckhardt, *La civilisation de la Renaissance en Italie*, Paris, Gonthier, 1958, t. II, p. 84.

(6) E. Garin, *L'éducation de l'homme moderne*, 1400-1600, Paris, Fayard, 1968, p. 139.

(7) *Id., ibid.*, p. 140.

(8) Antonio de Guevara consacra deux traités à la vie de cour, *Aviso de Privados y Doctrina de Cortesanos* et *Libro Llamada Menosprecio de Corte y Alabanca de Aldea*. Ils furent publiés à Valladolid en 1539. *Le Menosprecio* fut traduit en français par A. Allègre, sous le titre, *Le Mespris de Court*, Lyon, J. de Tournes, 1551 et l'autre traité, par J. de Rochemore, sous le titre, *Le Favory de Court*, Lyon, Roville, 1556. Les *Epistres dorées* furent traduites en 1558, 1559 et 1560. Sur les traductions des œuvres de Guevara, voir l'article de L. Clément, « Guevara, ses lecteurs, ses imitateurs français au XVIe siècle », in *RHLF*, 1900, pp. 590-603.

de Corte vante la préférence d'une vie modeste à une vie d'ambition. Les attaques contre le courtisan et sa profession se multiplient et prennent la forme d'une vive réaction contre les préceptes enseignés par le *Cortegiano* et ses disciples à la cour de France. Jacques Peletier écrit, en 1547, les *Louanges de la Cour contre la vie de repos,* un débat entre un courtisan et un homme de la campagne (9). Les arguments du courtisan en faveur de sa vie sont faibles : chances de servir le roi, de trouver l'amitié et la compagnie des femmes, possibilité d'amasser une fortune. L'homme de la campagne vante sa découverte de la paix et du repos et, à ses yeux, la vie du courtisan est dominée par l'ambition, l'envie, la trahison des amis (10). Du Bellay et Olivier de Magny ne ménagent pas les critiques du courtisan (11). Dans le *Discours de la servitude volontaire,* écrit entre 1546 et 1548, La Boétie dénonce les dangers que la présence des flatteurs à la cour fait courir au pouvoir absolu.

D'une période à l'autre du XVIe siècle, nous retrouvons, dans le développement de cette critique, certains thèmes constants, puisés chez Horace ou Guevara, ou dans le *De Curalium miseriis Epistola* de Piccolomini, le *Misaulus* de Hutten ou chez les satiriques italiens comme Alamanni (12). Mais, exception faite du thème du courtisan flatteur et hypocrite, les satires de la cour et du courtisan vont dépendre de moins en moins des sources littéraires. En effet, à ce moment, les événements politiques, économiques et sociaux contribuent plus que jamais aux critiques qui nous occupent. La période des guerres de religion fut précédée par une grave crise financière dont la noblesse fit les frais. Les impositions affluèrent et la haine de la cour se fit de plus en plus vive. En outre, Catherine de Médicis invita de nombreux italiens qui furent naturellement accusés d'être des machiavélistes. Sous le règne d'Henri III, surtout, la cour devint le centre de l'influence italienne. La satire prit ainsi un ton nettement polémique. Une inadaptation à l'atmosphère qui règne à la cour, notamment au cours des guerres civiles qui rendent les amitiés incertaines, explique la nostalgie d'une existence rurale loin des troubles et des tracas. Guy du Faur, sieur de Pibrac, publie, en 1573, *Les plaisirs de la vie rustique* (13), et il commence son ouvrage par cette apostrophe :

> « O bienheureux celuy, qui loing des courtisans,
> Et des palais dorez pleins de soucis cuisans,
> Sous quelque povre toict, délivré de l'envie
> Jouit des doulx plaisirs de la rustique vie... » (14)

(9) *Œuvres poétiques,* Paris, Vascosan, 1547.

(10) Ces arguments rappellent ceux développés dans le *Mespris de Court,* ch. XIV et XV.

(11) J. du Bellay, *Les Regrets* ; O. de Magny, *Les Souspirs.* Voir, à ce propos, P.M. Smith, *op. cit.*, pp. 103-117.

(12) Sur le *De Curalium Miseriis Epistola,* de Piccolomini, voir P.M. Smith, *op. cit.*, pp. 22-23. Le *Misaulus* de Hutten fut publié en 1518. Les satires d'Alamanni furent publiées dans une anthologie de satires, *Sette Libri di Satire,* Venise, Sansovino, 1560.

(13) *Les Plaisirs de la Vie rustique,* Rouen, B. Belis, 1573.

(14) *Ibid.*, f. 2 r°, cité par P.M. Smith, *op. cit.*, p. 162.

Vauquelin de la Fresnaye dans la *Satire à Repichon* (15) reprend ce thème développé par Pibrac et énumère les maux dont le courtisan est victime. L'influence de Guevara se manifeste surtout dans l'œuvre d'Estienne Du Tronchet, *Discours du Contentement d'un vieux laboureur* (16). L'auteur y chante l'existence frugale qu'il mène dans son domaine du Gazillan, sa liberté et sa joie, loin de la cour et de ses tracas faits d'ambitions et d'illusions. Du Tronchet vante, parmi les avantages de la campagne, l'air frais et la liberté. En 1583, Nicolas Rapin développe la même idée dans *Les Plaisirs du Gentilhomme champêtre*, adressés à Guy du Faur (17). Jean de la Taille, dans le *Courtisan retiré* (18), chante son bonheur d'avoir quitté la cour après la mort d'Henri II :

> « ...aussi je me retire
> De la cour, vray sejour d'ennui et de martire,
> Pour me resoudre icy... » (19)

C'est, dans son ensemble, une transposition en vers de la traduction du *Mespris de Court* de Guevara, dans la traduction d'Antoine Allègre (20).

En cette fin du XVIe siècle, tandis que sont dénoncées les flatteries hypocrites des courtisans et les vaines contraintes de la cour, subsiste un goût très vif pour les idées morales. A l'Académie du Palais, sous l'influence de Guy du Faur, la philosophie supplante les arts et la poésie (21). François de la Noue ou Honoré d'Urfé sont-ils contraints de séjourner en prison ? Ils méditent sur leur infortune et sur l'homme. Le retour de la paix renforcera ce goût. Il s'imposait, alors, d'apprendre aux hommes à vivre en civilisés et de former de nouveaux courtisans, en les mettant en garde contre les pièges de la cour. *Le Misaule* de Gabriel Chappuys (22), les cri-

---

(15) Voir *Les Diverses Poesies*, éd. J. Travers, Caen, 1869, t. I, p. 239.

(16) *Lettres missives et familieres*, Paris, L. Breyer, 1568, p. 18.

(17) *Les Plaisirs du Gentilhomme Champestre par N.R.P.*, Paris, L. Brayer, 1583.

(18) *Le Courtisan retiré* fut publié dans *la Famine ou les Gabonites, Ensemble plusieurs autres œuvres poetiques de Jehan de la Taille et de feu Jacques de la Taille*, Paris, 1573. Sur Jean de la Taille, voir T.A. Daley, *Jean de la Taille, Etude historique et littéraire*, Paris, 1934.

(19) In *Œuvres complètes*, Paris, 1882, p. 24, cité par P.M. Smith, *op. cit.*, p. 165.

(20) C'est vers 1595 qu'Anne d'Urfé développe le même thème dans son *Hymne de la vie champestre*. Il y chante sa liberté loin de toutes contraintes :

> « O que l'homme est heureux, lequel loin des Citez
> Et de la Cour des Roys prend les commoditez
> Qui se treuvent aux chans, et qui n'a plus d'ennuie
> Par une ambition de troubler ceste vie. »

(cité par M. Badolle, *Anne d'Urfé, l'homme, le poète*, Paris, Presses Universitaires de France, s.d., p. 90.)

(21) Voir, R. Bady, *op. cit.*, pp. 11 sq. Sur les Académies, voir E. Frémy, *L'Académie des derniers Valois*, Paris, Leroux, 1887 ; F.A. Yates, *The french academies of the sixteenth century*, Londres, Warburg Institute, 1947.

(22) G. Chappuys, *Le Misaule ou Haineux de Court, lequel par un dialogisme et confubalation fort agreable et plaisante, demonstre serieusement l'estat des courtisans et autres suivans la Court des Princes*, Paris, G. Linocier, 1585.

tiques formulées par Pierre de Danpmartin dans son essai de 1592, *Du bonheur de la cour et vraye felicité de l'homme* (23), reprennent les thèmes rebattus tout au long du XVIe siècle, en mettant l'accent sur le bonheur acquis par la vertu et la raison. Avec ses *Discours politiques et militaires* (24), La Noue examine ce problème à la lumière de l'actualité. Il découvre que les guerres sont le châtiment de l'impiété et que l'intolérance et le fanatisme sont maîtres, quand il importe à l'homme de trouver la paix et le bonheur. Les écrits de la fin du XVIe siècle ne se satisfont plus d'une critique, mais ils posent la question du bonheur, ou plutôt de la sagesse, source du bonheur. Le devoir du sage est-il dans le service ou dans la retraite ? Les réponses varieront avec la tendance de chacun des auteurs. Nous n'en retiendrons que deux : celle de Montaigne et celle de du Vair, parce qu'elles nous semblent illustrer les hésitations d'Urfé.

Montaigne conseille de s'abstenir des affaires publiques, tandis que Guillaume du Vair, dans son *Exhortation à la vie civile* (25), exalte l'action. A ses yeux, faire retraite est un manque de courage. C'est seulement quand la paix est établie qu'il est permis « aux grands hommes de jouir de la douceur de la solitude », et encore cette retraite ne doit-elle être prise qu'à un âge avancé et sans refuser, en cas de nécessité, de « rentrer aux charges et venir travailler pour le public » (26). Du Vair recommande cependant la réflexion et ses personnages du *Traité de la Constance* s'entretiennent de l'homme et de sa destinée. En somme, voilà bien la préoccupation de ce début du XVIIe siècle : la sagesse « qui mène à la connaissance de soi par l'étude de l'homme » (27).

C'est pourquoi, les moralistes du début du XVIIe siècle s'attachent à l'éducation du gentilhomme : en face du portrait du mauvais courtisan, va peu à peu se dessiner celui du bon courtisan. Certes, les moralistes n'ont pas meilleure opinion que le XVIe siècle sur la vie de cour. Antoine de Laval, dans les *Desseins de professions nobles et publiques*, ne déclare-t-il pas qu'il a regret d'avoir « despendu [ses] meilleures années aux friandes amorces et vains appats de la cour » (28) ? Une vie de réflexion lui a fait découvrir ce qui était nécessaire à l'éducation d'un fils de gentilhomme (29). Pierre de Lancre reprend à son compte les critiques formulées par les écrivains du XVIe siècle et il déclare que la cour est « un essaim

---

(23) Anvers, 1592.

(24) *Discours politiques et militaires*, Bâle, 1587. Sur La Noue voir, notamment, H. Hauser, *François de la Noue*, (1531-1591), Paris, Hachette, 1892 ; R. Bady, *op. cit.*, pp. 51 sq.

(25) Cette *Exhortation* semble dater de 1594 comme le *Traité de la Constance*. A propos de G. du Vair, voir Radouant, *Guillaume du Vair, l'homme et l'orateur jusqu'à la fin des troubles de la Ligue* (1556-1596), Paris, Société française d'imprimerie et de librairie, 1907 ; R. Bady, *op. cit.*, pp. 65-68. Nos références sont faites à l'édition suivante : *Traité de la Constance et de la Consolation és-calamités publiques et Exhortations à la vie civile*, Paris, La Nef, 1941.

(26) *Exhortations*, p. 220.

(27) R. Bady, *op. cit.*, p. 68.

(28) *Desseins de professions nobles et publiques*, Paris, A. L'Angelier, 1605, p. 21, cité par C. Longeon, *op. cit.*, p. 391.

(29) Voir R. Bady, *op. cit.*, pp. 388-389 et 394 sq.

de mouches à miel », « une école de supercheries et de souplesses », « une forge de plaisirs illicites », une prison, ou « la vraie cage d'un esprit libre » (30). Tous ne partagent pas le pessimisme de Lancre. Certains moralistes ne désespèrent pas de rendre les courtisans vertueux.

II. — La critique de la cour dans l'œuvre d'Honoré d'Urfé.

Honoré d'Urfé, dans *Les Epistres Morales* et dans *L'Astrée,* est loin d'être sourd à tous ces échos. Nous retrouvons dans son œuvre les critiques du courtisan, mais aussi les préoccupations des moralistes qui ont défini la conduite à tenir par le gentilhomme contraint de vivre à la cour. Il serait vain de vouloir découvrir quelles sont, parmi les œuvres que nous avons énumérées, celles qui l'ont directement influencé. Les critiques qu'il formule revêtent, dans *L'Astrée* et *Les Epistres Morales,* un caractère traditionnel.

S'adressant à Céladon, Silvie compare la vie à la cour de Marcilly avec celle des bergers :

> « Il y a du plaisir en vos hameaux, et parmy vos honnestes libertez, puis que vous estes exempts de l'ambition et par consequent des envies, et que vous vivez sans artifice, et sans mesdisance, qui sont les quatre pestes de la vie que nous faisons. » (31)

La cour est donc d'abord caractérisée par les contraintes, elle est l'opposée de la vie libre à la campagne. Voilà pourquoi, Dorinde et ses compagnes, malgré l'invitation d'Amasis, préfèrent loger chez Clindor et assurer ainsi leur contentement, « pour estre beaucoup plus libres que parmy ces contraintes et ces respects où elles vivoient auprès d'elle et de Galathée » (32). N'est-ce pas la même opinion qui est exprimée dans ces conseils d'Urfé à Agathon ?

> « Et alors que te profiteront toutes ces veilles, toutes ces incommoditez, tous ces chagrins, et toutes ces contraintes de la cour, puis que non seulement tu perds ton aage avec peine : mais le temps aussi que tu employes pour t'éterniser. Je dis pour t'éterniser, recognoissant assez ton courage estre tel qu'il s'offenceroit, si on pensoit que tu suyvisses la Cour à autre intention, que pour acquérir de la gloire à ton nom, et en laisser plustost beaucoup à tes héritiers que de grandes possessions. Mais si toutes ces choses-là doivent finir, et si ton dessein est de perpetuer ton nom, que n'achettes-tu cette immortalité, en te rachettant de la vanité de la Cour. » (33)

D'Urfé, fidèle à la pensée stoïcienne, insiste sur la vanité des efforts exigés par la cour. Pourquoi cherche-t-on à y vivre, sinon par

---

(30) *Livre des Princes contenant plusieurs notables discours pour l'instruction des Roys, Empereurs et Monarques,* Paris, 1617, pp. 447, cité par R. Bady, *op. cit.,* pp. 399-400.

(31) *Astrée,* I, 10, 386. Voir, également, I, 8, 284 où d'Urfé parle des « vanitez de la Cour ».

(32) *Ibid.,* IV, 9, 487. La même remarque est faite par Circène, IV, 8, 480.

(33) *E.M.,* II, 3, 248-249.

ambition ? Or, l'ambition « est un perpétuel bourreau, qui, par ses supplices, ne donne jamais cesse à notre ame » (34). Tout lui est soumis, elle est le mobile de toutes les actions et de toutes les attitudes des courtisans. Elle conduit aux intrigues, aux flatteries et à l'hypocrisie. Les femmes, surtout, cherchent à gagner les faveurs du roi. Elles adulent Euric, parce qu'elles espèrent parvenir à la gloire. Daphnide, qui a été déçue par cette vie d'intrigues, constate

> « qu'il y avoit quantité de dames principales qui toutes aspiroient de posseder ce grand prince, fust pour la gloire de commander à celuy à qui tant de milliers d'hommes vaincus obeyssoient, fust pour l'esperance de venir à la couronne, si l'amour le convioit de les espouser. » (35)

Par ambition, Alcippe a quitté le Forez, mais saoulé « de toute chose par abondance » et à la veille de « faire naufrage » dans le gouffre des honneurs, son « bon demon » lui inspire les considérations suivantes, qui sont peut-être l'une des meilleures pages écrites sur l'ambition :

> « Les affaires, comment peuvent-elles esloigner l'ambition de la cour, puisque la mesme felicité de l'ambition git en la pluralité des affaires ? N'as-tu point encor assez esprouvé l'inconstance dont elles sont pleines ? Aye pour le moins ceste consideration en toy : l'ambition est de commander à plusieurs, chacun de ceux-là a mesme dessein que toy. Ces desseins leur proposent les mesmes chemins : ne peuvent-ils parvenir là mesme où tu es ? Et y parvenant, puis que l'ambition est un lieu si estroit qu'il n'est pas capable que d'un seul, il faut que tu te deffendes de mille qui t'attaqueront, ou que tu leur cedes. Si tu te deffens, quel peut estre ton repos, puis que tu as à te garder des amis, et des ennemis, et que jour et nuict leurs fers sont aiguisez contre toy ? Si tu leur cedes, est-il rien de si miserable qu'un courtisan dechu ? » (36)

Rien, en effet, n'est autant sujet à l'inconstance que la faveur dont jouit le courtisan. D'Urfé, dans *Les Epistres Morales,* vitupère contre la vie publique et donne ce conseil à Agathon :

> « Me veux-tu croire, Agathon, laisse avant que d'estre laissé d'elles les faveurs de la Cour, quand tu t'y seras vieilly qu'y peux-tu gaigner, ou profiter d'avantage qu'avec la perte de tes jours avoir la cognoissance du changement universel ? » (37)

A tout moment, l'humeur du roi peut changer et les faveurs cesser. Plus que quiconque, les courtisans sont victimes des coups de l'infortune. Dès lors, parce que seule l'ambition dirige la vie des courtisans, règnent à la cour l'hypocrisie, la déloyauté et l'infidélité. Il n'y a rien de plus misérable qu'un courtisan déchu, tous le fuient et l'accablent. Policandre dresse son courroux contre Rosiléon et le fait arrêter. Alors, Honoré d'Urfé constate que

---

(34) *Ibid.*, I, 21, 200.
(35) *Astrée,* III, 4, 166.
(36) *Ibid.*, I, 2, 62-63.
(37) *E.M.*, II, 3, 245.

« comme on void les mouches à la premiere gelée fuir tout à coup, et s'escarter des lieux, d'où durant la chaleur on ne pouvoit les chasser, de mesme au premier bruit de la defaveur de Rosileon, tous ces importuns qui l'oppressoient de tant d'offres de service, s'esvanouirent, et ne se virent plus en lieu où l'on pust penser qu'ils fussent pour l'amour de luy. » (38)

Les amis n'existent pas à la cour, ce sont des flatteurs car l'hypocrisie y règne. Ceux qui ont fait figure d'amis trahissent, et d'Urfé se demande si « quelque vraye amitié se peut trouver dans la cour » (39). On comprend que ce masque porté par le courtisan ne peut complaire à d'Urfé qui, relatant la trahison dont il a été victime, pousse ce cri jailli tout droit de son cœur blessé : « il n'importe, c'est ainsi que le veut mon humeur : il faut qu'à la première occasion je cognoisse si l'on est pour moy... » (40) A la cour, l'homme se comporte comme le « cameleon qui prend la couleur de toutes les choses sur lesquelles il passe » (41). Il n'est pas possible d'y trouver l'ami

« qui est un autre nous-mesmes, et qui faict resolution de vivre de nostre mesme vie, et respirer, pour dire ainsi, un mesme air, doit bien sçavoir tous nos desseins et n'y doit avoir nul reply en nostre ame, qui ne luy soit entierement estendu, et esclairé. » (42)

Dans *Les Epistres Morales*, d'Urfé analyse le comportement du courtisan, qui se définit par l'envie :

« Ne faut-il que mentir ? il leur est aisé. Ne faut-il que trahir une amitié ? (liens toutes fois les plus forts qui soyent entre les hommes) il s'en mocque. Ne faut-il que tuer ? le sang lui plaist. Ne faut-il que manquer à Dieu ? il se feint de n'en estre pas veu. Bref, l'homme qui est reduit à ceste extremité, de son sang propre s'il en estoit necessaire, se feroit le ciment pour eslever son edifice. A peine donc espargnera-t-il à quelque autre chose. » (43)

A la fin des guerres de religion, les courtisans étaient rudes et grossiers, brutaux et ignorants (44). Les nobles affichaient du mépris pour l'instruction, se plaisant surtout aux exercices corporels et aux armes. En amour, ils ne songeaient qu'à satisfaire leurs instincts et l'inconstance était à la mode. Aucune de ces constatations n'est absente de *L'Astrée*. Hylas est la personnification de l'inconstance. Les combats singuliers sont fréquents dans les histoires et il ne semble pas qu'Honoré d'Urfé les condamne. N'avait-il pas lui-même songé à se venger par l'épée de la traîtrise de l'ami qui le fit arrêter ? Amasis veut interdire les duels, mais Clidaman réplique :

---

(38) *Astrée*, IV, 10, 622.
(39) *Ibid.*, IV, 1, 12.
(40) *E.M.*, I, 1, 6.
(41) *Ibid.*, I, 7, 62.
(42) *Ibid.*, I, 6, 52.
(43) *Ibid.*, I, 5, 41-42.
(44) Voir M. Magendie, *La politesse mondaine et les théories de l'honnêteté en France au XVII*[e] *siècle, de* 1600 *à* 1660, Paris, Alcan, t. I, pp. 1 sq.

« Madame, ce n'est pas seulement pour estre servie et honorée de tous ceux qui habitent ceste province, que les dieux vous en ont establie dame et vos devanciers aussi, mais beaucoup plus pour faire punir ceux qui ont failly, et pour honorer ceux qui le méritent. Le meilleur moyen de tous est celuy des armes, pour le moins en ces choses qui ne peuvent estre autrement averées, de sorte que si vous ostiez de vos estats ceste juste façon d'esclaircir les actions secrettes des meschants, vous donneriez cours à une licentieuse meschanceté qui ne se soucieroit de mal faire, pourveu que ce fust secrettement. » (45)

Voilà, tout est dit, le duel est une forme de justice.

Dès 1600, une réaction s'est formée contre ces mœurs brutales, mettant à profit certaines leçons du *Cortegiano* et du *Galatée* (46). Le début du siècle connaît une floraison d'ouvrages qui sont des guides à l'usage du bon courtisan ; parmi ceux-ci, les plus célèbres sont le *Parfaict Gentilhomme* de du Souhait (47), le *Guide des Courtisans* de Nervèze (48), les *Diverses Leçons* de Loys Guyon (49), le *Gentilhomme* de Nicolas Pasquier (50), le *Courtisan françoys* (51). Les trois derniers ouvrages suivent de près le *Cortegiano,* en vantant la sobriété, l'honneur, la loyauté et le goût pour la culture. Cet idéal n'est pas étranger à *L'Astrée* qui fut vite considérée comme un livre d'éducation mondaine (52). Honoré d'Urfé présente de bons courtisans, instruits. Alcandre et Amilcar ont fréquenté quelque temps les Académies et ont voyagé pendant deux ans, dans les pays étrangers (53). Alcidon a été l'objet d'une éducation soignée, il est le portrait du parfait gentilhomme, à cause de

« la parfaite proportion de sa taille, son adresse, sa bienseance en toutes choses, sa douce humeur, sa courtoisie, sa valeur, la vivacité et la gentillesse de son esprit, sa generosité ; et bref, tant d'autres perfections qui le rendoient aimable, luy acqueroient, au jugement de tous, l'avantage en toutes choses sur tous les plus relevez et estimez de son temps. » (54)

Guyemants est aussi le bon courtisan, dévoué et sage, qui demeure fidèle au roi, le conseille et le sauve. Dans *L'Astrée,* la courtoisie est, avec la civilité, la qualité du berger et, donc, de l'homme accompli.

Ce parfait courtisan vit sagement au milieu des intrigues qui se cachent derrière le luxe. D'Urfé se plaint de l'artifice de la cour qu'il oppose à la vie simple et franche des bergers. Il concède que

---

(45) *Astrée,* I, 9, 346.

(46) *Le Galatee* de Giovani della Casa fut publié à Venise en 1551. Il fut traduit pour la première fois en français par Jean du Peyrat en 1562, Paris, J. Kerver.

(47) Paris, Gilles Robinot, 1600.

(48) Paris, A. du Breuil, 1606.

(49) Lyon, C. Morillon, 1604.

(50) Paris, J. Petitpas, 1611.

(51) Anonyme, Paris, Vve Guillemot, 1611.

(52) Voir M. Magendie, *Du nouveau sur l'Astrée,* p. 253.

(53) *Astrée,* IV, 8, 490.

(54) *Ibid.,* III, 3, 85.

la cour n'est pas exempte de « douceurs et delicatesses » (55), mais il montre combien elle aime déployer les magnificences de ses fêtes, bals, tournois, joutes et courses de bagues. Nulle part, cependant, ne s'élève une plainte semblable à celle de l'Estoile, à propos des dépenses engagées par Henri III pour célébrer le mariage d'Anne de Joyeuse :

> « Et estoit tout le monde esbahi d'un si grand luxe, et tant énorme et superflue despense qui se faisoit par le Roy et par les autres de sa cour, de son ordonnance et exprès commandement, en un temps mesmement qui n'estoit des meilleurs du monde, ains fascheus et dur pour le peuple mangé et rongé jusqu'aux os. » (56)

D'Urfé se cantonne dans son monde à lui et il semble ignorer la misère du peuple. Ses réflexions ne lui révèlent que la vanité de la cour ; l'aspect moral de la question compte seul à ses yeux. Voilà pourquoi, le deuxième livre des *Epistres Morales,* notamment, insiste sur la conduite des grands de ce monde, dont l'œuvre glorieuse a été oubliée ou qui ont, par sagesse, décidé de faire retraite. Honoré d'Urfé, comme les moralistes de la fin du XVIe siècle et du début du XVIIe, insiste sur la nécessité de la retraite, loin de la cour. Comme eux, il se demande si le bonheur est dans la retraite ou le service. Sa pensée, nous semble-t-il, rejoint celle de Pibrac et de Pierre de Lancre. Mais jamais, pour d'Urfé, la retraite ne doit être définitive, et, en cela, il se rapproche de Guillaume du Vair. Il encourage Agathon à abandonner les honneurs éphémères de la cour :

> « A quoy est-ce donc amy, que nous nous travaillons, puis qu'en fin toute chose doit estre couverte de l'oubly, nous qui ne sommes qu'une moindre parcelle de ce tout, croirons-nous avoir plus de privilege que ce tout ensemble ? » (57)

Le bonheur du sage ne peut, en effet, résider dans les grandeurs acquises en ce monde :

> « Sera-ce donc aux dignitez et grandeurs que cet heur consiste ? Mais quel heur peut rapporter à autruy ce qui ne se peut soy-mesme esloigner du vice ? Et combien de personnes indignes du nom d'hommes, ont ces dignitez et ces grandeurs ? Quelle felicité peut-on avoir en ce qui s'acquiert difficilement, se conserve mal-aisement, et est impossible presque de le retenir ? Que si la vie de soy-mesme est sujette à tant d'incommoditez, ce qui l'incommode encor davantage ne doit-il estre estimé mal-heur plustost que bon-heur ? Qui considerera la vie des Grands, à combien de perils et d'incommoditez la verra il exposee. » (58)

---

(55) *Ibid.*, III, 2, 76.

(56) Pierre de l'Estoile, *Journal d'un bourgeois de Paris sous Henri III*, texte choisi et présenté par J.L. Flandrin, Paris, Union générale d'éditions, 1966 (Coll. 10/18), p. 138.

(57) *E.M.* II, 3, 247.

(58) *Ibid.*, II, 12, 358.

Honoré d'Urfé partagerait-il l'opinion de Montaigne ? Non point. Comme Guillaume du Vair, il croit à l'action, mais il ne pense pas que la retraite soit une lâcheté. Agathon doit songer à se retirer, parce qu'il a déjà longuement servi :

> « Or sus, Agathon, c'est assez couru : Plions les voiles : laissons les rames hors de l'eau : tournons la veüe au rivage, et entrons desormais dans le port. » (59)

Il faut, en somme, savoir s'arrêter. Honoré d'Urfé n'indique-t-il pas ainsi tout le sens de sa lettre,

> « qu'il se faut quelquesfois arrester, apres avoir long temps couru : qu'il est bon de servir au public, tant qu'on luy est utile, et qu'elle doit estre la retraite que nous avons à faire » ?

La course aux honneurs doit connaître un terme :

> « Aussi Agathon, quand nous aurons monté le haut de la roüe de ceste fortune, qu'est ce qu'il nous en restera ? Sans doute rien autre chose, que plus d'empeschement au repos, dont à ceste heure nous pouvons jouyr plus facilement. » (60)

La retraite consiste à se retirer seulement

> « de la Mer sur le rivage, à fin qu'estant là tu puisses joüir d'un estat asseuré et considerer le danger que tu auras evité par le naufrage des autres : et s'il est necessaire, pour advertir encor ceux qui tenteront le voyage, de quels dangers ils ont à se garder... Par ainsi tu ne vivras point miserable : car tu seras en un extreme repos, ny inutile, secourant ceux qui seront capables de tes instructions. » (61)

Aucune honte ne s'attache à une telle retraite. Honoré d'Urfé rappelle souvent le devoir de l'abandonner chaque fois que le service public le réclame :

> « je ne voudroy te conseiller, que voyant un grand naufrage, tu ne jettasses ton esquif en l'eau, et ne te servisses en toute diligence des rames, et de tout ton sçavoir, pour essayer de sauver quelqu'un. En cela ton repos seroit blasmable... » (62)

Il faut, en quelque sorte, savoir saisir l'occasion du repos, car

> « chaque saison a sa particularité : et par ainsi, quand le loisir nous permet de tenir la plume à la main, n'attendons pas qu'il ne retentisse de tous costez que trompettes et tambours. Ce qui en ce temps reposé est vertu, seroit alors estimé vice. » (63)

D'une façon encore plus explicite, Honoré d'Urfé enseigne à Agathon qu'

> « il est bien honteux en une occasion publique de demeurer les bras croisez : mais il ne le doit estre moins de travailler en une

---

(59) *Ibid.*, I, 23, 223.
(60) *Ibid.*, I, 23, 223-224.
(61) *Ibid.*, I, 23, 230.
(62) *Ibid.*, I, 23, 225.
(63) *Ibid.*, II, 1, 236.

> chose inutile. Je te conseille donc, que si ton Prince ou ta Patrie, te jugent capable de les pouvoir servir que tu travailles pour eux : Et si encore ta Patrie ne le juge point, et que tu cognoisses que sans y estre appellé tu le puisses, ce seroit trahir l'occasion pour laquelle tu es né, si tu espargnois ta peine, ou si tu attendois d'y estre second. Autrement de voler aux affaires du monde au premier vent qui court, sans s'y cognoistre ny utile, ny desiré, c'est imiter les mousches, qui accourent au premier bruit du bassin, que quelque enfant peut-estre sans y penser aura frappé. » (64)

Honoré d'Urfé ne refuse ni l'effort, ni l'action ; il encourage à se connaître par la réflexion, et donc à quitter le masque que porte le courtisan. Il ne s'agit plus d'une satire, mais d'une morale qui incite l'homme à être homme.

Les bergers de *L'Astrée* ont embrassé l'idéal de vie proposé par Honoré d'Urfé. Pour eux, point de vie de cour ; ils sont à l'écart des affaires du monde. Point, parmi eux, d'ambition, le fléau de la vie de cour ; ils y ont renoncé par un serment :

> « et là d'un mutuel consentement, jurerent tous de fuir à jamais toute sorte d'ambition, puis qu'elle seule estoit cause de tant de peines. » (65)

L'artifice est banni de leur vie,

> « ils sçavent bien que la grandeur du personnage que chacun fait, n'est pas ce qui le rend estimable par dessus les autres, mais de se sçavoir bien acquitter de celuy que nous voulons representer. » (66)

Cependant, le Forez est-il en danger, la souveraineté d'Amasis est-elle menacée ? Ils savent quitter les doux propos d'amour, leur houlette et leurs brebis, pour prendre les armes et défendre Marcilly. Filinte fait preuve de courage pour protéger Diane contre les attaques du Maure. Avant de se retirer en Forez, Alcippe prouve sa vaillance. Son démon lui conseille maintenant la sagesse :

> « Doncques, Alcippe, r'entre en toy-mesme, et te ressouviens que tes peres et ayeuls ont esté plus sages que toy. Ne veuille point estre plus advisé, mais plante un clou de diamant à la roue de ceste fortune, que tu as si souvent trouvée si muable. Reviens au lieu de ta naissance, laisse-là ceste pourpre, et la change en tes premiers habits ; que ceste lance soit changée en houlette, et ceste espée en coutre, pour ouvrir la terre, et non pas le flanc des hommes. Là tu trouveras chez toy le repos, qu'en tant d'années tu n'as jamais peu trouver ailleurs. » (67)

Pourtant, Alcippe n'a pas choisi une vie inactive. Il sait défendre ses intérêts. A la fin du récit, Céladon fait remarquer qu'« Alcippe, qui, despouillant l'habit de chevalier, n'en avoit pas laissé le cou-

---

(64) *Ibid.*, I, 23, 226-227.
(65) *Astrée*, I, 2, 48.
(66) *Ibid.*, III, 9, 497.
(67) *Ibid.*, I, 2, 63.

rage.., vint aux mains plusieurs fois avec Alcé, qui n'estoit pas sans courage. » (68) Mais, en Forez, il n'y a plus ni ambition, ni intrigue. Seul, Polémas, et il n'est pas berger, vient troubler le repos du pays, parce qu'il est assoiffé de domination. Ce monde pastoral est l'opposé de celui de la cour (69).

Par l'adoption du genre pastoral et par les idées qu'il y développe, Honoré d'Urfé loue le bonheur à la campagne. Il construit un monde utopique, auquel il confère une note originale due à sa connaissance de la campagne. Mais il nous faut reconnaître que cet effort pour fuir le conventionnel reste souvent vain. Il nous est apparu que de nombreux auteurs du XVIe siècle avaient vanté les charmes de la campagne, en mettant l'accent sur les libertés de la vie rustique, loin des tracas et des contraintes de la cour. Le goût pour la campagne qui se manifeste à cette époque correspond à un besoin d'évasion. Les contraintes sociales et même naturelles pèsent sur l'homme, et s'évader apparaît comme une activité de compensation (70). C'est le rêve d'une vie empreinte du bonheur naturel, exempte des tourments de la Fortune, par conséquent, de toute ambition sociale et de toute contrainte. Sans doute pouvons-nous expliquer la mode du roman pastoral par le goût des cercles aristocratiques, mais, ainsi que le fait remarquer M. Adam,

> « à condition de préciser qu'il s'agit d'une aristocratie ouverte aux influences de la Renaissance, désabusée de la puissance, détachée de l'argent, repliée dans un rêve de pureté morale et dans les raffinements les plus exquis du cœur et de l'esprit. » (71)

La littérature pastorale, au début du XVIIe siècle, corrobore les réflexions des moralistes, en montrant que le bonheur est seulement possible dans la nature. Elle fait remarquer aux gens de cour qu'ils vivent dans l'artifice et les conventions, et que « la vraie vie est ailleurs, en Arcadie, en Sicile, dans le Forez, où le monde est pur, le cœur à nu, le destin d'accord avec l'amour. » (72) La nature, cependant, reste conventionnelle dans la pastorale. Il n'est jamais question des contraintes de la campagne ni des misères des paysans. Outre les publications de pastorales, les dialogues entre partisans de la vie de cour et gentilshommes retirés à la campagne et les poésies qui célèbrent les joies de la vie rustique, entre 1580 et 1600 sont publiés de nombreux ouvrages qui célèbrent la solitude et la vie des champs. En 1583, Claude Binet publie *Les plaisirs de la vie rustique et solitaire,* et la même année paraît l'ouvrage de Claude Gauchet, *Le plaisir des champs, divisé en quatre parties selon les quatre saisons de l'année, où est traicté de la chasse et*

---

(68) *Ibid.*, I, 2, 64.

(69) Voir sur ce point, J. Ehrmann, *op. cit.*, pp. 18-19.

(70) Voir, à ce propos, R. Mandrou, *Introduction à la France Moderne, Essai de psychologie historique, 1500-1640*, Paris, A. Michel, pp. 311 sq.

(71) A. Adam, *Histoire de la littérature française au XVIIe siècle*, t. I, pp. 119-120.

(72) J. Rousset, *La littérature de l'âge baroque en France, Circé et le Paon*, Paris, J. Corti, 1960, p. 32.

de tout autre exercice recréatif, honneste et vertueux (73). L'année suivante connaît la publication des *Plaisirs et felicités de la vie rustique* de Germain Forget (74). Olivier de Serres compose un traité de mille pages, *Le théâtre d'agriculture et ménage des champs,* publié en 1600 (75). A la fin de son ouvrage, résumant les plaisirs de la campagne, il loue les hommes qui ont choisi de se retirer du monde de la ville et de la cour. Après avoir cité ces deux vers de Pibrac :

> « Bref, en l'homme des champs, on ne sçauroit choisir,
> Un jour, heure ou moment, sans honneste loisir »,

il écrit :

> « Entre lesquelles plaisantes commodités, ceste-ci est remarquable, qu'ès champs, vous n'y voiés que de vos amis, vos ennemis ne vous y allans jamais visiter. Et si bien vous n'y estes pas beaucoup accompagné de vos semblables, vous y eprouvés veritable ce commun dire, qu'il vaut mieux estre seul, que mal accompagné, se pratiquant tous les jours ès villes, combien fascheuse y est la foule du peuple, parmi lequel sont contraints de vivre, ceux qui y habitent, estans souvent forcés, de faire bonne mine, à tels dont ils ne sont guiere aimés : au lieu de la saincte liberté, en laquelle vit nostre noble mesnager. » (76)

Cette conclusion se situe dans la ligne des préoccupations de Pierre Charron qui, dans son ouvrage, *De la sagesse,* consacre un chapitre à la *Comparaison de la vie rustique et menée ès villes* (77).

Honoré d'Urfé ne fait donc pas œuvre originale en mettant en parallèle les douceurs artificielles de la vie de cour et les plaisirs plus sains des bergers. Il ne renonce pas au traditionnel dialogue entre partisans et adversaires de la vie rustique. Un oracle a ordonné à Palinice, Circène et Florice de se rendre en Forez. Les deux femmes ont des avis opposés sur la vie à la campagne. Florice s'ennuie au milieu des bergers :

> « Mes yeux trouvent plus agreable l'esclat de la pourpre, de la soye, et de l'or, dont sont parez nos chevaliers, que la layne, le bureau, ny la toile des plus propres et gentils bergers de Lignon, non pas que je n'estime beaucoup ceux-cy, mais je con-

(73) Claude Binet, *Les plaisirs de la vie rustique et solitaire,* Paris, L. Breyer, 1583 ; cet ouvrage comprend, outre cet écrit de Binet, *Les plaisirs du gentilhomme champestre* de Nicolas Rapin, les *Quatrains du Seigneur de Pybrac,* une ode de Desportes sur le *Plaisir de la vie rustique,* et l'ode de Ronsard sur le *Voyage d'Arcueil.* Claude Gauchet, *Le plaisir des champs, divisé en quatre parties selon les quatre saisons de l'année, où est traicté de la chasse et de tout autre exercice recréatif, honneste et vertueux,* Paris, N. Chesneau, 1583.

(74) G. Forget, *Les plaisirs et félicités de la vie rustique,* Paris, A. Drouard, 1584.

(75) Olivier de Serres, *Le theâtre d'agriculture et mesnage des champs,* Paris, Jamet-Metayer, 1600.

(76) *Id., ibid.,* p. 1000.

(77) P. Charron, *De la sagesse livres trois,* Bordeaux, S. Millanges, 1601, L. I, ch. III.

> fesse que mon courage ne se peut si fort rabaisser, que je n'ayme mieux vivre avec mes semblables. » (78)

Elle prétend encore que, sur les bords du Lignon, tout « est plus propre à des esprits nourris bassement, que non pas à nous qui avons accoustumé je ne sçay quoy de plus relevé et de plus noble » (79). Circène répond en condamnant « les contraintes, et les dissimulations des villes » ; elle enseigne à Florice ce que sont les vraies valeurs :

> « Celles qui ont pour le but de leur contentement, les grandeurs et les vanitez peuvent faire un jugement tel que vous le dites ; mais celles qui considerent les choses, comme elles le doivent estre, et qui ne veulent point prendre l'ombre au lieu du corps, le condamneront sans doute, car ces petites apparences de la pourpre, de l'or et de la soye, qui par leur esclat vous esblouissent, font le mesme effect qu'un verre feroit aux yeux des petits enfants qui s'y plaisent plus qu'à quelque chose qui vaille davantage. »

Les tournois sentent « la violence », l'« outrage », « le meurtre ». Et la réflexion suivante résume la pensée d'Honoré d'Urfé : « mais l'humanité, n'est ce pas ce qui donne nom à l'homme ? » (80). Le bonheur existe à la campagne, parce qu'il est simple et permet à l'homme d'être lui-même. Les bergers ont choisi volontairement cette vie ; Adamas l'apprend à Léonide :

> « Ma fille... ny Céladon ny ces autres bergers que vous voyez le long des rives de Lignon, ny la plus part de ceux de Loire et de Furan, ne sont pas de moindre extraction que vous estes, et faut que vous sçachiez que leurs ayeux n'ont esleu ceste sorte de vie que pour estre plus douce et accompagnée de moins d'inquiétudes. » (81)

Les pastorales se contentent de vanter la tranquillité des bergers. D'Urfé tente de supprimer tout caractère conventionnel à son éloge de la campagne. Avec lui, nous n'avons plus affaire à un auteur qui ignore tout des travaux rustiques. Silvandre est un homme de la ville, il est instruit, il sait manier les idées d'une façon subtile, mais il a aussi une connaissance de la campagne qui correspond à celle que devait avoir Honoré. Céladon dit à son propos :

> « Si est-ce que depuis qu'il a esté cogneu, chacun luy a aidé, outre qu'ayant la cognoissance des herbes, et du naturel des animaux, le bestail augmente de sorte entre ses mains, qu'il n'y a celuy qui ne desire de luy en remettre, dont il rend à

---

(78) *Astrée*, IV, 2, 58.
(79) *Ibid.*, IV, 2, 57.
(80) *Ibid.*, IV, 2, 57-58.
(81) *Ibid.*, II, 8, 311. Galathée répond de la même façon à Damon qui l'interroge sur Célidée : « ...les bergers de ceste contrée ne sont pas bergers par necessité et pour estre contraints de garder leurs troupeaux, mais pour avoir choisi ceste sorte de vie afin de vivre avec plus de repos et de tranquillité ; et d'effect ils sont parens et alliez à la plus grande part des chevaliers et des druides de nos Estats. » (III, 11, 580).

chacun si bon conte, qu'outre le proffit qu'il y fait, il n'y a celuy qui ne l'aye tousjours gratifié de quelque chose ; de façon qu'à ceste heure il est à son aise et se peut dire riche. » (82)

Silvandre connaît les maladies des brebis et les herbes qui les guérissent. Diane est attristée parce que sa brebis préférée est malade : « peut-estre elle accusoit quelqu'une de ses voisines de sortilège, et de l'avoir regardée de mauvais œil. » Honoré d'Urfé a observé les premières réactions des gens de la campagne : les mœurs n'ont guère changé depuis, car on accuse d'abord le sorcier malfaisant, avant de diagnostiquer la maladie et de tenter la guérison. Silvandre examine l'animal en expert :

« le berger se mettant lors à genoux, la considera attentivement, puis luy toucha les aureilles, luy regarda la langue dessus et dessous, la leva sur les pieds, et enfin luy boucha les nazeaux avec les doigts pour l'empescher de respirer, mais soudain qu'il la laissa en liberté, après avoir à demy eternué, elle recommença ses tours et les continua jusques à ce qu'elle se laissa choir. »

Le berger peut maintenant prononcer son diagnostic :

« Ne vous faschez point..., vostre chere Florette sera bien tost guerie, et son mal ne procede point de sortilege, mais plustost de l'ardeur du soleil, qui... luy donne ce mal, que nous nommons Avertin... »

D'Urfé indique ensuite la préparation du remède. Silvandre a cueilli une herbe appelée orval, ou toute-bonne ou scarlée,

« la pila entre deux cailloux, et s'en retournant, en pressa le jus avec les deux mains dans les aureilles de la brebis, qui ne l'eust plustost bien avant dans l'aureille, qu'elle se leva, secouant un peu la teste ; et apres avoir éternué deux ou trois fois, se print à béeler comme si elle eust appellé ses compagnes, et puis commença de baisser le nez contre terre pour chercher à manger. » (83)

Cette scène, pleine de vie, n'est pas due à l'imagination d'Urfé. En effet, Olivier de Serres, étudiant les « remèdes pour bestes à laine », écrit à propos de l'avertin :

« L'ardeur du soleil, principalement celle du mois de Mars, offense tellement le cerveau des Moutons et Brebis, que tous estourdis ne font que tournoier sans vouloir manger. Ce mal est appelé Avertin, par d'aucuns François, et en Ecosse avec raison Estourdi. Il se guerit par le suc de la poiree ou bete, le faisant boire à l'animal, et manger des feuilles de la dite herbe. Aussi par le jus de l'orvale ou toute-bonne instillé dans l'oreille de la beste, soit-elle jeune ou vieille. » (84)

---

(82) *Astrée,* I, 10, 389. Céladon ajoute cette remarque à propos de la richesse des bergers : « ...il ne nous faut pas beaucoup pour nous rendre tels, d'autant que la nature estant contente de peu de chose, nous qui ne recherchons que de vivre selon elle, sommes aussi tost riches que contents, et nostre contentement estant facile à obtenir, nostre richesse incontinent est acquise. »

(83) *Ibid.,* II, 1, 22-24. Il convient de lire ici non point « scarlée », mais « sclarée ».

(84) O. de Serres, *op. cit.,* p. 987.

Honoré d'Urfé avait-il lu cette page d'Olivier de Serres ? Peut-être ; mais il faut surtout croire que, pendant son séjour à La Bastie, ou, plus récemment encore, à Chateaumorand où il écrivit cette deuxième partie du roman, il a vu soigner ainsi les brebis atteintes de l'avertin. Ces gestes de Silvandre, qui ausculte l'animal et le soigne, ne s'inventent pas ; il faut les avoir observés pour les décrire avec autant de précision et de vie.

Ici ou là, trop rarement à notre gré, Honoré d'Urfé consent à se libérer des lieux communs développés par les auteurs de pastorales ou par les poètes. Au cours d'un récit, une explication révèle parfois l'homme de la campagne. Silvandre, suivi d'une troupe de bergers, s'engage dans un bois ; la nuit descend, il ne sait plus retrouver son chemin et d'Urfé écrit :

> « Cela procedoit d'une herbe... du fourvoyement, parce qu'elle fait egarer et perdre le chemin depuis qu'on a mis le pied dessus, et selon le bruit commun, il y en a quantité dans ce bois. » (85)

Ajoutons encore qu'aucun des arbres qui apportent la fraîcheur de leur ombre aux bergers n'est étranger à la plaine du Forez, chênes, sycomores, ormes et coudres, et nous aurons découvert tout ce qui donne à cette vie rustique un caractère naturel. D'Urfé n'a pas évité totalement les défauts de ceux qui, avant lui, ont loué la campagne. Sous sa plume, une cueillette de fleurs (86) ou de cerises (87) se teinte d'une poésie qui relève plus de l'imagination que de l'observation. En définitive, les bergers de *L'Astrée* sont si rarement bergers que l'auteur s'adresse à Astrée en ces termes :

> « Que si l'on te reproche que tu ne parles pas le langage des villageois et que toy ny ta trouppe ne sentez gueres les brebis ny les chevres, respond-leur, ma bergere, que pour peu qu'ils ayent cognoissance de toy, ils sçauront que tu n'es pas, ny celles aussi qui te suivent, de ces bergeres necessiteuses, qui pour gagner leur vie conduisent les trouppeaux aux pasturages, mais que vous n'avez toutes pris cette condition, que pour vivre plus doucement et sans contrainte. Que si vos conceptions et paroles estoient veritablement telles que celles des bergers ordinaires, ils auroient aussi peu de plaisir de vous escouter, que vous auriez beaucoup de honte à les redire. » (88)

La société qu'Honoré d'Urfé fait vivre dans son roman est sa société ; elle n'est pas, elle ne peut pas être, la société paysanne. Notre auteur la connaît, mais il l'ignore dans cet ouvrage destiné à plaire aux lecteurs qui appartiennent à sa classe sociale. Le réalisme dans lequel il a parfois tendance à s'engager disparaît chaque fois qu'il risquerait de choquer. Sur un monde observé, d'Urfé construit un monde idéal, celui d'un petit peuple privilégié qui vit coupé des autres. Des critiques se cachent derrière la conception de cette nouvelle société. Son œuvre pastorale nous semble déboucher sur un véritable programme politique.

---

(85) *Astrée*, II, 5, 204.
(86) *Ibid.*, II, 4, 138.
(87) *Ibid.*, II, 4, 126.
(88) *Ibid.*, I, *L'Autheur à la Bergere Astrée,* p. 7.

III. — La pensée politique.

D'Urfé a été mêlé, pendant sa vie entière, aux problèmes politiques. Rien ne lui est étranger dans ce domaine et, de ce fait, ses réflexions n'ont pas seulement pour origine les lectures qu'il a faites ; elles trouvent leur point de départ dans son expérience personnelle. Dès 1593, après l'abjuration d'Henri IV, le 25 juillet, le rôle de la Ligue semble compromis ; les ligueurs pensent qu'une telle abjuration n'est pas valable, puisque les prélats de Saint-Denis, qui l'ont reçue, n'ont pas le pouvoir de lever une excommunication pontificale ; il convient donc d'attendre la décision de Rome. Ce fut l'opinion du duc de Nemours et celle d'Honoré d'Urfé qui, comme d'autres ligueurs, ne voulut donner aucun gage au parti du roi. Malgré l'arrestation du duc de Nemours, son opinion ne change pas. Quand Henri IV se fait sacrer à Chartres, la Ligue est agonisante ; Anne d'Urfé et son frère Jacques se soumettent. Logique avec lui-même, Honoré ne se croit pas délivré de son serment ; il souhaite la paix, mais il résiste. Opposé aux catholiques royaux devenus gallicans, il partage, comme les ligueurs restés fidèles à leurs idées, l'attitude des Jésuites, ses anciens maîtres, qui déclarent s'en remettre à la décision du Pape. Il se range aux côtés du duc de Nemours qui s'est évadé de Pierre-Scize et il lui est fidèle jusqu'à sa mort. Le 30 août 1595, le Pape déclare en consistoire public l'absolution du roi Henri IV (89). En justifiant la conduite du duc de Nemours, Honoré d'Urfé justifiait la sienne. Il s'y employa, dans *Les Epistres Morales,* en relatant les derniers instants du duc de Nemours. Celui-ci déclare, avant de mourir, qu'il n'a pas agi par ambition personnelle, mais seulement au nom de la religion. Il répond à ses serviteurs qui lui conseillaient « d'accorder ses affaires » :

> « Tant s'en faut, c'est à ceste heure qu'il faut que nostre resolution se change, s'il est possible en opiniastreté, pour faire paroistre que non point l'ambition, mais la Religion nous a mis les armes à la main : et en ma mauvaise fortune, pour le moins, j'ay ce contentement de pouvoir rendre preuve irreprochable de mon intention : Car si tenant fort peu en France, et ayant opinion d'y devoir tenir encor moins dans peu de temps, toutesfois à cause de ma Religion, je refuse de tres belles et honnorables conditions des ennemis, où est l'ambition dont autresfois on m'a tant accusé ? »

Honoré d'Urfé ajoute :

> « Et il est tres veritable, amy Agathon, que par ce moyen ce grand Prince ne laissa personne en doute, que ce fust ce sainct dessein du service de Dieu, qui l'eust armé en ces dernières guerres. » (90)

---

(89) Sur la conduite de la Ligue et celle d'Honoré d'Urfé, voir A. Chagny, *op. cit.,* pp. 85-88.
(90) *E.M.,* I, 22, 221-222.

A dessein d'Urfé insiste sur ce point, puisqu'il rapporte encore ce trait :

> « ...Quand on luy dit, que le Sainct Pere recevoit son ennemy au giron de l'Eglise : Tant mieux, dit-il, nous vivrons en un repos honorable. » (91)

Tournant les yeux vers le marquis de Saint-Sorlin, son frère, le mourant lui recommande ses amis :

> « Voilà la premiere requeste que je vous fay. La seconde, je l'accompagneray de ceste authorité que l'aage m'avoit donnée sur vous : par laquelle je vous adjure de ne vous esloigner jamais de l'Eglise Catholique. Et en cette derniere occasion qui vous a mis les armes à la main, ne vous séparez jamais de nostre Sainct Pere. Quand il n'y aura plus de l'interest de la Religion, je remets à vostre discretion de poursuivre vos affaires, comme le temps le portera. Mais surtout ayez en toutes vos actions Dieu tousjours devant les yeux : et recherchez de luy toutes vos fortunes. » (92)

Pas plus que son maître, Honoré d'Urfé ne fut un gallican, et sa prise de position à l'égard d'Henri IV explique, en partie, la politique exposée dans *L'Astrée.* Il s'est méfié d'Henri IV, et, malgré une réconciliation qui lui valut, dès 1601, un titre de gentilhomme de la Chambre, le roi ne sembla pas lui avoir accordé sa totale confiance. Honoré d'Urfé ne fut-il pas soupçonné d'avoir participé à la conspiration du Maréchal Biron qui avait projeté de soulever les Huguenots, avec le soutien des Espagnols ? (93) Pourtant, à partir de 1608, il s'installa sérieusement à Paris, en compagnie de Diane (94). Jusqu'à l'assassinat du roi, il partagea son temps entre les cercles littéraires, les discussions érudites et la vie de cour, au Louvre ou à Fontainebleau. Cependant, jusqu'en 1610, il s'est tenu à l'écart de la vie politique active (95). Cette conduite lui fut-elle dictée par un manque d'ambition ou par déception, ou bien lui fut-elle imposée par la méfiance du roi ? Les lendemains de 1610 devaient lui permettre de découvrir les finesses et les ruses de la diplomatie. Jusqu'à sa mort, malgré de longues périodes de retraite, il continuera à se mêler activement aux grands événements politiques. Marie de Médicis l'envoya en Savoie, comme plénipotentiaire chargé d'une mission délicate. Henri IV avait accepté, dans le traité de paix avec la Savoie, un mariage entre Madame Elisabeth, sa fille aînée, et Victor-Amédée, prince de Piémont. Mais cette politique changea par la volonté de la Régente désireuse d'unir la France et l'Espagne. Honoré d'Urfé fut chargé de rassurer le duc de Savoie mécontent d'un tel changement. Il accomplit si bien sa mission que tout finit par rentrer dans l'ordre. Sa situation

---

(91) *Ibid.*, I, 23, 229.
(92) *Ibid.*, I, 9, 90.
(93) Sur la participation d'Honoré d'Urfé à la conspiration de Biron, voir O.C. Reure, *op. cit.*, pp. 117-120.
(94) Sur les séjours d'Honoré d'Urfé à Paris, voir O.C. Reure, *op. cit.*, pp. 117-138.
(95) *Id.*, *ibid.*, p. 141.

fut alors tenue en haute estime ; il se mêla à la vie de cour et à la politique et ses œuvres commencèrent à lui assurer la célébrité. Il éprouva, pourtant, le besoin de se retirer du monde des contraintes, en sa propriété de Virieu, où nous le trouvons de 1614 à 1615. Cependant, les relations, les affaires et la politique le conduisirent à Chateaumorand, à Paris, à Rome, à Turin, à Venise. Il ne resta pas étranger au parti des Malcontents, en acceptant de Condé une mission diplomatique auprès du Pape Paul V, afin d'obtenir son appui dans la lutte entreprise pour sauver la Savoie (96). Il fut un agent actif du duc de Savoie, prépara les troupes et mena lui-même la campagne de 1615 à 1616. Par ses qualités d'homme de guerre et de diplomate, il réussit à rapprocher la France de la Savoie. Il joua donc un rôle important dans certains grands moments de l'histoire de France. Jamais, malgré son goût pour la retraite, il ne sentit le droit de se tenir à l'écart des affaires politiques, quand il pouvait y jouer un rôle décisif. En 1625, alors qu'à 58 ans son dévouement passé l'autorisait à goûter les joies d'une retraite studieuse, le roi de France et le duc de Savoie firent appel à son épée. Il participa ainsi à la guerre de Valteline, mais son rôle fut interrompu par sa mort prématurée (97). Sa célébrité lui fut donc acquise autant par les armes et la politique que par les lettres. Il est bien certain, en tous cas, que son œuvre littéraire porte la marque de son expérience. Comment *L'Astrée,* qui présente une société nouvelle, ne serait-elle pas l'écho de ses réflexions ? Assurément, les grandes idées politiques de la fin du XVIe siècle et du début du XVIIe n'y sont pas étrangères.

D'Urfé n'est pourtant pas un théoricien ; aucun système politique n'est exposé d'une façon cohérente dans *L'Astrée.* Une société idéale y est présentée ; l'ouvrage débute par des réflexions morales qui peuvent nous faire découvrir la pensée politique. Honoré d'Urfé se comporte surtout en homme du XVIIe siècle. Après les guerres civiles, il importait que la France retrouvât son équilibre perdu. Le retour de la paix accrut l'intérêt pour la méditation sur l'homme, la société et le gouvernement. Or, *L'Astrée* est « fille de la paix ». L'abdication d'Henri III et la succession d'Henri IV au trône avaient aussi tourné les esprits vers l'étude du pouvoir politique. De nombreux traités furent publiés, des pamphlets aussi, dont les critiques varièrent avec la position politique de leurs auteurs. En ce domaine, ni les Politiques, ni les Réformés, ni les Ligueurs ne pensaient de la même facon. Les questions se multiplièrent sur le roi, l'origine de son pouvoir, la dynastie. Le moraliste médita sur le bon prince, sur ses devoirs plus que sur ses droits, sur la politique intérieure et extérieure, la guerre et la paix. La lassitude des désordres a fait naître le rêve d'une société où l'homme devrait s'épanouir dans le bonheur.

D'Urfé a-t-il subi l'influence de la pensée exprimée dans tel ou tel ouvrage ? Il est difficile de le déterminer. Tout au plus pouvons-nous rapprocher ses idées de celles de tel ou tel autre penseur.

---

(96) *Id., ibid.,* pp. 187 sq.
(97) *Id., ibid.,* pp. 347-351.

Honoré d'Urfé se situe au confluent des idées du XVIe et du XVIIe siècle ; il prépare les réflexions morales du Grand siècle. Il n'est pourtant pas un penseur à la remorque, il a sa part d'originalité qui donne une certaine incohérence à ses réflexions. *L'Astrée* nous livre le rêve politique d'un homme qui réfléchit en toute sérénité, pendant la paix. Sa pensée est à la fois celle d'un ancien ligueur et celle d'un gentilhomme d'Henri IV. Il est difficile à un auteur qui dédie son œuvre au Roi de prendre position contre lui. Henri IV devient le roi idéal qui a établi la paix et a ouvert une ère de bonheur ; Louis XIII est le successeur qui n'a plus qu'à mener à bien cette entreprise. Des leçons se dégagent du roman et constituent comme une « institution du Prince ». Une société s'y dessine, à la fois idéale et réaliste : idéale, car elle est un rêve d'harmonie et de bonheur, réaliste, parce qu'en face du bon Prince et de son œuvre de paix, se dressent de mauvais princes qui rêvent de conquêtes.

La société des bergers du Lignon se caractérise par la hiérarchie, la religion et la liberté. La grande nymphe Amasis commande et sa fille Galathée doit lui succéder. Elle donne ses ordres aux princes et aux druides qui ont un pouvoir sur les chevaliers. Viennent ensuite les nymphes ou princesses et, au bas de cette échelle sociale, les bergers. Certes, l'amour rend égaux ceux qui sont d'un rang différent. Ursace déclare à Eudoxe :

> « Les loix d'amour, madame, sont bien différentes de celles que vous vous proposez, et si vous voulez cognoistre quelles elles sont, lisez-les en moy, et vous verrez que comme l'inégalité qui est entre nous ne m'a peu empescher d'eslever les yeux à ma belle princesse, de mesme ne vous doit-elle divertir de baisser les vostres vers vostre chevalier, n'y ayant pas plus de différence de vous à moy, que de moy à vous. » (98)

Galathée ne s'éprend-elle pas de Céladon, un berger ? Il suffit de revêtir le costume de berger pour se soustraire à la vie contrainte de la cour ; des infiltrations s'opèrent ainsi d'une classe à l'autre. En fait, la condition de bergers ne repose que sur l'apparence du costume et sur le choix volontaire de cette nouvelle condition : « d'effect ils sont parens et alliez à la plus grande part des chevaliers et des druides de nos Estats », dit Galathée (99). Les structures sociales restent les mêmes que celles de la société aristocratique. Honoré d'Urfé transpose le monde dans lequel il vit dans l'univers pastoral : pour lui, cette société n'a pas à être politiquement réformée. De ce point de vue, il ne se pose aucun problème qui puisse le conduire à une quelconque contestation. La morale des bergers est proposée en exemple à la société aristocratique. Les rapports sociaux des bergers entre eux, des druides avec Amasis, ou des bergers avec les membres d'autres classes, sont ceux de la société d'Urfé. *L'Astrée* respecte l'ordre social existant, dans lequel les bergers forment une classe supplémentaire qui est la plus basse

(98) *Astrée*, II, 12, 507.
(99) *Ibid.*, III, 11, 580. A propos de la situation des bergers, voir J. Ehrmann, *op. cit.*, pp. 88-89.

dans la hiérarchie. Elle enseigne un bonheur, une civilité et une courtoisie qui avaient été oubliés ou volontairement ignorés (100). La société dans laquelle vivent les bergères est celle de l'Age d'or enfin réalisée. C'est ainsi que Léonide la présente à Galathée :

> « Figurez-vous, Madame, que cet âge doré que l'on nous va despeignant pour nous faire envier le bon-heur des premiers hommes ne sçauroit avoir eu tant de douceurs, ny tant de contentemens qu'il s'en rencontre auprès d'elles. » (101)

La hiérarchie est donc renversée en faveur des bergers, seulement en matière de morale et de bonheur. En effet, les bergers, les princes, les chevaliers et les druides manifestent leur déférence envers Amasis ou Galathée. Adamas, le grand druide, leur obéit. Des phrases comme celle-ci sont significatives :

> « Leonide cependant.., luy ayant fait entendre que Galathée avoit infiniment affaire de luy, et pour un sujet fort pressé qu'elle luy diroit par les chemins, il resolut, pour ne luy desobeir, de partir... »,
> « Le druyde qui savoit quel respect il devoit à sa dame (car pour telle la tenoit-il) luy respondit... » (102)

Par devoir, et eu égard à leur condition, les bergers sont respectueux envers les nymphes. Les bergères aperçoivent-elles Léonide qui vient à elles ?

> « Voyant qu'elle venoit vers elles, pour luy rendre le *devoir que sa condition meritoit,* elles retournèrent en arrière, et la saluèrent. »

Sa visite est un honneur pour les bergères ; Diane la salue de cette façon :

> « Grande nymphe, il seroit peut-estre meilleur pour nous que vous eussiez seulement nostre cognoissance par le rapport de la renommée, puis qu'elle nous est tant avantageuse ; toutesfois, puis qu'il vous plaist nous faire cest honneur, nous le recevrons, comme nous sommes obligées de recevoir avec reverence les graces qu'il plaist au ciel de nous faire. » (103)

Chaque personnage important a une généalogie et se qualifie par son ascendance. Là encore, les conventions de la société aristocratique sont préservées. Une hiérarchie existe, même chez les bergers. Ainsi, Alindre est un vieux berger du père d'Asphale (104), Arion est un vénérable pasteur dont les ancêtres ont gouverné le hameau des bergers (105). Si la plupart des bergers sont issus de grandes familles, leur ancienneté est rigoureusement notée par

---

(100) La civilité, la politesse et la douceur de vie des bergers sont constamment vantées par *L'Astrée.* Voir notamment, III, 11, 626, III, 2, 55, IV, 2, 63. Les bergers sont tous beaux (III, 6, 335-336), or la beauté c'est aussi la bonté pour d'Urfé.

(101) *Astrée,* IV, 1, 18-19.

(102) *Ibid.,* I, 9, 323.

(103) *Ibid.,* I, 7, 238.

(104) *Ibid.,* IV, 6, 305. Voir également, à propos de la richesse d'Eleuman, IV, 6, 291.

(105) *Ibid.,* IV, 3, 118.

d'Urfé, quand il le juge nécessaire pour justifier un amour. Diane appartient avec Astrée et Céladon aux meilleures et plus anciennes familles de la contrée et de toutes les Gaules (106). L'origine inconnue de Silvandre compromet son mariage avec Diane. Léonide interroge les bergères à son propos : « Qui est-il ?... et de quelle famille est-il ? » Et Diane répond :

> « Il seroit bien malaisé... de le vous pouvoir dire, car il ne sçait luy mesme qui est son pere et sa mere, et a seulement quelque legere cognoissance qu'ils sont de Forest. »

Elle avait, auparavant, pris la précaution de dire qu'il n'avait rien de villageois que le nom et l'habit, car, « ayant tousjours esté nourry dans les grandes villes, et parmy les personnes civilisées, il ressent moins nos bois, que tout autre chose. » (107) Céladon affirme à Silvie : « Toutesfois nous le tenons pour estre de bon lieu, selon le jugement que l'on peut faire de ses bonnes qualitez. » (108) Faute de preuves pour établir sa bonne naissance, malgré l'amour qui les unit, Silvandre ne peut prétendre épouser Diane. A la dernière minute, on s'apercevra pourtant que Silvandre est le fils d'Adamas et le mariage sera possible. Cette intransigeance en matière de mariage est le fruit d'un cloisonnement social entre les bergers. Il faut ajouter à cela que l'intérêt financier n'est pas absent. Phormion prépare le mariage de Diane et de son neveu Amidor, parce qu'il a le dessein de se rendre maître du bien de Diane (109). Des procès ont lieu entre familles, et il y a des bergers plus riches que d'autres. En dessous de la classe des bergers viennent les autres, les pauvres, que nous voyons apparaître de temps à autre dans *L'Astrée*. D'Urfé n'en parle pas avec dédain ; ils peinent à vivre. Le logis des bergers est une cabane, mais elle ne sent pas la misère ; celui des malheureux est une « cahuette » où règne la frugalité, mais aussi la sagesse (110). A Marcilly, vivent les notables et le « menu peuple » (111).

Voilà la société de *L'Astrée* : elle est celle dans laquelle vit d'Urfé. Il ne peut y avoir, pour lui, une autre forme de société que rigoureusement hiérarchisée, comportant à sa tête un suzerain. Aucun penseur du XVIe siècle ne semble contester cette forme de société. Elle s'idéalise seulement dans la mesure où elle repose sur la liberté de chacun. C'est la caractéristique de toutes les pastorales traditionnelles. D'Urfé n'innove pas du tout en cela. Le devoir de chacun n'est dicté par aucune loi, sauf en amour. Nous ne sommes pas éloignés de cette société idéale élaborée par Rabelais ; tous ceux qui habitent l'Abbaye de Thélème sont bien-nés. La servitude des bergers à l'égard d'Amasis est librement consentie. Cependant, d'Urfé ne va pas aussi loin que La Boétie qui croit que l'homme pourrait vivre dans l'état de nature, sans société et sans

(106) *Ibid.*, III, 11, 627.
(107) *Ibid.*, I, 7, 239.
(108) *Ibid.*, I, 10, 388.
(109) *Ibid.*, I, 6, 197.
(110) *Ibid.*, IV, 7, 431.
(111) *Ibid.*, IV, 11, 714.

gouvernement, et qui laisse entrevoir que cette situation assurerait le bonheur de l'humanité (112). Honoré d'Urfé, comme La Boétie, refuse la tyrannie, mais il est plus réaliste, puisque ses bergers sont soumis à un gouvernement qui cependant ne les asservit pas.

L'unité de cette société ne repose pas seulement sur l'obéissance due à Amasis, mais aussi sur la religion. Adamas en est le grand prêtre et il veille scrupuleusement sur la pureté de sa théologie et de ses rites. Ceci rejoint la pensée des Ligueurs, pour qui la religion était seule capable d'assurer l'union réelle dans une société. Selon eux, le devoir du suzerain était d'extirper l'hérésie (113).

Enfin, Honoré d'Urfé lie le bonheur de cette société idéale au climat qui règne sur la plaine du Forez :

> « Or, sur les bords de ces delectables rivieres on a veu de tout temps quantité de bergers, qui, pour la bonté de l'air, la fertilité du rivage et leur douceur naturelle, vivent avec autant de bonne fortune, qu'ils recognoissent peu la fortune. » (114)

Certes, le climat n'est pas étranger au bonheur légendaire de l'Age d'or. Mais la théorie du climat avait été mise à la mode par Jean Bodin, qui avait adhéré à la Ligue plus par opportunisme que par conviction. Dans *Les six livres de la République* (115), il prétend que la forme du gouvernement doit être déterminée par le climat :

> « Il faut donc que le sage gouverneur d'un peuple sache bien l'humeur d'icelui et son naturel,... car l'un des plus grands et peut-être le principal fondement des Républiques est d'accomoder l'état au naturel des citoyens et les édits et ordonnances à la nature des lieux, des personnes et du temps. » (116)

Pour prouver sa théorie, Bodin déclare qu'un peuple change, quand il émigre. Le naturel des hommes varie donc avec les influences du climat et les formes politiques résultent des mentalités ainsi déterminées. Le Nord tend à la démocratie, le Sud à la théocratie et le Centre à la monarchie. Cette dernière forme de gouvernement est réservée à un type supérieur d'humanité (117). L'ouvrage de Bodin eut un tel succès qu'Honoré d'Urfé dut le connaître. L'harmonie qui règne en Forez n'est-elle pas due au naturel des bergers et celui-ci à la douceur de l'air ? Les étrangers, qui, par hasard, ou poussés par la réponse d'un oracle, arrivent sur les bords du Lignon, ne changent-ils pas très vite de caractère et ne découvrent-ils pas enfin le bonheur ? Le gouvernement auquel tous se soumettent n'est-il pas une monarchie ?

---

(112) E. de la Boetie, *op. cit.* Ce *Discours* a été publié en 1576.

(113) Voir à ce propos, J.W. Allen, *A history of Political Thought in the Sixteenth Century*, Londres, Methluen, 1961, pp. 344 sq.

(114) *Astrée*, I, 1, 9.

(115) J. Bodin, *Les six livres de la République*, Paris, J. du Puys, 1576. De nouvelles éditions en furent données jusqu'en 1583. Sur la pensée de J. Bodin, voir J.W. Allen, *op. cit.*, pp. 394-444..

(116) J. Bodin, *op. cit.*, l. V, 1, cité par J.W. Allen, *op. cit.*, p. 433.

(117) Voir J.W. Allen, *op. cit.*, p. 434.

Tous l'acceptent, sauf Polémas, qui, par ambition, songe à l'établissement d'une tyrannie.

Comment faut-il donc concevoir la monarchie ? La question fut beaucoup débattue au XVIe siècle, notamment depuis le début des guerres de religion. De la réponse à ce problème découle naturellement le pouvoir absolu du roi ou sa dépendance à l'égard du peuple qui l'investit. Les théories peuvent se classer en deux catégories : celles qui donnent au roi un pouvoir d'origine divine et celles qui le présentent comme tenant son pouvoir du peuple.

En fait, sous François 1er, parce qu'aucun problème d'ordre politique ne se pose, les auteurs, sauf de très rares exceptions, exposent les idées traditionnelles : le roi tient son pouvoir de Dieu seul et il n'est responsable que devant lui. Guillaume Budé, dans son *Institution du Prince* (118), oscille entre deux conceptions : il penche, au début de son œuvre, pour la monarchie de droit divin classique, mais, peu à peu, minimisant le rôle de Dieu, il élabore un système dans lequel le prince ne tient son pouvoir que de lui-même (119). Les troubles de la Ligue suscitèrent, chez les apologistes de thèses opposées, une floraison de productions littéraires. Jusqu'en 1572, pour la majorité des royalistes, le roi est le représentant direct de Dieu dans son royaume. Après 1572, l'opinion catholique se trouve divisée en parti de la Ligue et parti des Politiques. Jean Papon partage l'opinion royaliste traditionnelle. Il affirme que la loi

> « tient de Dieu seul son sceptre et estat, et à bon droit recognoit en toutes ses lettres et provisions y estre appellé, et entretenu par la grâce de Dieu, par les premiers termes accoustumés, *Henry par la grâce de Dieu Roy de France.* » (120)

Parmi les Politiques, qui finiront par développer un véritable gallicanisme, Louis Servin, avocat général, ami de Hotman et élève de Ramus, dans son *Vindiciae secundum libertatem ecclesiae Gallicanae,* paru en 1590, déclare que le roi tient son autorité directe de Dieu et que Dieu seul peut juger sa conduite. Le roi est roi par succession héréditaire et par la grâce de Dieu (121).

Il fallut, en fait, attendre les troubles de la Ligue pour voir les règles successorales remises en cause, notamment par le principe du contrôle exercé par les ordres de la nation. Traditionnellement,

---

(118) Cette œuvre connut trois éditions en 1547. A propos de la pensée de Budé sur cette question, voir l'article de C. Bontems, « Le Prince en France selon Guillaume Budé », in *Le Prince dans la France des XVIe et XVIIe siècles,* Paris, Presses Universitaires de France, 1965, pp. 1-76. Ce même ouvrage contient le texte de l'*Institution du Prince,* pp. 77-139.

(119) Voir, à ce propos, C. Bontems, *art. cit.,* pp. 27-31. Rabelais, quant à lui, voit dans le droit naturel le principe de la monarchie absolue. Pour l'ensemble de cette question, voir F. Dumont, « La Royauté française vue par les auteurs littéraires au XVIe siècle », in *Mélanges N. Didier,* Paris, 1960, pp. 61 sq.

(120) J. Papon, *Troisiesme Notaire,* p. 608. Dans le *Prologue* J. Papon se demande s'il est mieux que le roi soit élu ou hérite du trône. Il répond : « Nous sommes hors de ce propos en France, où le Royaume et droict de reigner est reiglé par succession de pere à fils, de frere à autre. » (p. 3)

(121) Voir J.W. Allen, *op. cit.,* pp. 374-376.

on avait admis que le prétendant au trône était choisi par Dieu, et que ce choix se portait automatiquement sur le fils aîné du roi. Au XIVe siècle avaient surgi de sérieuses difficultés nées des discussions sur la capacité des femmes à accéder au trône et à transmettre la couronne. Mais l'exclusion des femmes fut vite acquise (122). La loi salique ne fut plus contestée jusqu'au moment où Henri de Navarre devint l'héritier direct. Le 5 septembre 1585, Sixte-Quint, prenant à son compte les principes affirmés par l'Union, déclare ce prince inhabile à succéder à la couronne de France. Le roi de Navarre et le Parlement protestent, au nom des libertés de l'Eglise Gallicane, contre cette prétention de la Papauté (123). Après l'assassinat d'Henri III, Grégoire XIV renouvelle la bulle de Sixte-Quint et encourage les Ligueurs. Deux courants hostiles à la loi salique se manifestent donc : la Papauté, par crainte du souverain hérétique et par désir d'assurer son hégémonie au temporel, et, d'autre part, les Ligueurs qui sont cependant retenus par des scrupules gallicans et cherchent un biais en soutenant le droit à la couronne de Charles, cardinal de Bourbon, proclamé Charles X en 1590. En s'appuyant sur la généalogie, les Ligueurs prétendent rester fidèles à la loi salique (124). Philippe II, quant à lui, essayait de défendre les droits de sa fille, l'infante Isabelle, née du mariage avec la fille aînée d'Henri II. Des pourparlers avec les Ligueurs furent, sur ce point, sérieusement engagés. Cependant, le Parlement s'opposa avec vigueur à ce projet élaboré au préjudice de la loi salique et des autres lois fondamentales de l'Etat (125). De très nombreux écrits favorables au futur Henri IV s'appuyaient sur la loi salique (126). Seule l'abjuration mit un terme à toutes ces spéculations. Mais, même à la période la plus critique, seuls des étrangers soutiennent la thèse de la nécessaire suspension de la loi salique : papauté et Espagnols (127).

Au XVIe siècle, le problème politique ne se situait pas ici. Dès l'aube de ce siècle, en 1519, Claude Seyssel insistait, dans le *Grant Monarchie de France,* sur la participation des trois ordres au gouvernement du royaume. La monarchie ne repose pas sur un droit divin. A ses yeux, le meilleur gouvernement semble être une aristocratie avec un système d'élection. Pourtant, il conclura pour une monarchie, mais constitutionnelle. Sa thèse était loin de celle du droit divin exposée, alors, dans les écoles de Droit et qui tendait à

(122) Voir C. Bontems, *art. cit.*, p. 25.

(123) Sur cette question, voir G. Weill, *Les théories du pouvoir royal en France pendant les guerres de religion*, Paris, 1892, pp. 203-204.

(124) Matteo Zampini, *De la succession du droict et prerogative du premier prince du sang de France, deferee par la loy du Royaume à Mgr Charles Cardinal de Bourbon, par la mort de Mgr François de Valois, duc d'Anjou*, Paris, G. Bichon, 1588.

(125) Arrêt du 26 juin 1593. Au cours de la réunion du Parlement, du Vair prit la parole pour défendre la loi salique. Voir, à ce propos, Radouant, *op. cit.*, pp. 324-328.

(126) Parmi ces écrits, citons, de Jean Guyart, *Traicté de l'origine, noblesse et droicts*, Tours, 1590, *De l'origine, vérité et usance de la Loy salique*, 1590 ; de Pierre du Bellay, *De l'autorité du Roy*, 1594.

(127) Sur toute cette question, voir Viollet, *Histoire des Institutions politiques*, t. IV, pp. 81 sq.

substituer à une théorie de la délégation une conception du roi tenant directement son autorité de Dieu (128). C'est dire qu'au début du XVIe siècle un courant d'idées voulait augmenter l'importance du peuple, et l'autre, au contraire, le minimiser. Chez les Ligueurs, la tendance, surtout dans les dernières années, fut pour une théorie de monarchie constitutionnelle ; ils réclamaient la souveraineté ou, tout au moins, une partie de la souveraineté pour les Etats du royaume. Jean Bodin maintenait que la souveraineté résidait essentiellement dans les Etats du royaume et qu'en conséquence le souverain actuel était un délégué et ne possédait pas le pouvoir absolu. Aucun écrivain du XVIe siècle n'établit avec autant de clarté les dangers d'une monarchie héréditaire. Pourtant il conclut :

> « Voilà les dangers de la monarchie qui sont grands ; mais il y a bien plus de péril en l'état aristocratique et plus encore en l'état populaire » (129).

Et ailleurs :

> « Les peuples, ayant descouvert à vue d'œil et par longue suite de siècles aperçu que les monarchies étaient plus sures, plus utiles, plus durables que les Etats populaires et aristocraties, et, entre les monarchies, celles qui étaient fondées en droit successif du male le plus proche, ils ont reçu presque par tout le monde les monarchies successives. » (130)

Tous les partis politiques puisèrent dans l'œuvre de Jean Bodin, mais les Ligueurs ne furent pas totalement d'accord avec lui. Jean Boucher notamment le contesta. En 1590, il établit une théorie constitutionnelle de la monarchie française qui plaçait la souveraineté conjointement dans le roi et les Etats. Le roi est un délégué du peuple souverain, responsable et lié par un contrat (131). Cette pensée avait été à peu près celle de Zampini qui affirmait nettement l'origine élective de la royauté (132). Claude Fauchet, s'appuyant sur l'histoire, admet la même opinion. Dans son *Recueil des Antiquitez gauloises et françaises* de 1579, il écrit :

> « Car si l'on regarde l'origine des royaumes légitimement, il se trouvera que jadis les hommes faschez d'une insolente liberté ou pressez de forces estranges, ont choisi et reçu pour gouverneurs les plus sages, les plus forts, ou les plus vaillans d'entre eux, et que nature, ou la nécessité nous fait eslire des Roys ou superieurs... » (133)

Pourtant, en 1584, Fauchet niera l'importance du principe électif, au profit du principe héréditaire :

---

(128) Voir J.W. Allen, *op. cit.*, pp. 257 sq et 367.

(129) *Les six livres de la Republique,* VI, 4, cité par J.W. Allen, *op. cit.*, p. 434.

(130) Cité par J.W. Allen, *op. cit.*, p. 437.

(131) Voir, à propos de Jean Boucher, J.W. Allen, *op. cit.*, pp. 351-353.

(132) Sur Zampini, voir l'article de L.P. Raybaud, « La Royauté d'après les œuvres de Matteo Zampini », in C. Bontems, L.P. Raybaud, et J.P. Brancourt, *op. cit.*, pp. 145-201. L'œuvre de Zampini fut beaucoup lue puisque ses ouvrages furent réédités plusieurs fois entre 1578 et 1592.

(133) In *Œuvres,* Paris, 1610.

« Ceux qui sont pour les élections, diront que par ceste epistre mesme, il appert qu'elles avoient lieu en France. Mais je respons, qu'advenant defaut de vray heritier (par quelque occasion que ce fut) on en choisissoit de la mesme famille. Et ne faut prendre exemple de fonder un argument sur les élections d'Eude, Robert son frere et Raoul gendre de ce dernier. Puisque ceste mesme Epistre de Foulques, montre la necessité ou force qui fit eslire Eude... Au contraire, cela me confirme en l'opinion que j'ay tousjours eüe, que ces princes estoient de sang royal : puis qu'ils furent choisis. » (134)

Il semble, cependant, que pour lui, un contrat initial entre le roi et son peuple subsistait (135).

La pensée des Huguenots, sur ce point, était très proche de celle des Ligueurs. Ils prétendaient que le prince recevait son office et son pouvoir du peuple, mais que sa réelle autorité et l'obligation d'obéir à ses ordres dérivaient non du peuple mais de Dieu. Hotman dans la *Franco-Gallia,* en 1573, tentait de prouver, d'après les données de l'histoire, que le roi était subordonné aux Etats. La souveraineté, pensait-il, est dans le peuple (136).

Il est à croire que d'Urfé connut, sinon dans le détail des traités, du moins dans les discussions qu'il eut à ce propos, toutes ces théories politiques. Il n'était pas homme à s'engager à la légère dans les rangs de la Ligue et, par la suite, il médita à nouveau sur cette question quand il eut recours aux ouvrages de Fauchet. Il déclare, en dédiant *L'Astrée* à Henri IV :

« ...voyant que nos Peres, pour nommer leur Roy avec plus d'honneur et de respect, ont emprunté des Perses le mot de SIRE, qui signifie Dieu, pour faire entendre aux autres nations combien naturellement le François ayme, honore et revere son Prince... » (137)

Plus nette est la pensée d'Honoré d'Urfé, quand Galathée rapporte l'origine de la dynastie qui règne sur les bords du Lignon et dont Amasis est, par succession héréditaire, la digne représentante. Selon les Romains, Diane aurait établi son séjour dans cette plaine du Forez. Abandonnée par certaines des nymphes qu'elle avait choisies pour être ses compagnes et d'autres ayant manqué à leur promesse, elle s'éloigne du pays :

« Mais pour ne punir la vertu des unes, avec l'erreur des autres, avant que de partir, elle chassa ignominieusement, et bannit à jamais hors du pays toutes celles qui avoient failly, et eleut une des autres, à laquelle elle donna la mesme authorité, qu'elle avoit sur toute la contrée, et voulut qu'à jamais la race de celle là y eust toute puissance et des lors leur permit se marier, avec deffences toutefois tres expresses, que les hommes n'y succedassent jamais. »

---

(134) *Origines des Dignitez,* in *Œuvres,* f. 474. L'influence de J. Bodin sur Fauchet est indéniable. Fauchet était d'ailleurs l'ami de Jean Bodin. Peut-être subit-il également l'influence de Zampini. Voir, à ce propos, l'article cité de L.P. Raybaud, p. 167, n. 1.

(135) Voir L.P. Raybaud, *art. cit.,* p. 167 ; J.G. Espiner-Scott, « Les théories de Claude Fauchet sur le pouvoir royal », in *BHR,* 1940, pp. 233-235.

(136) Voir J.W. Allen, *op. cit.,* pp. 309-320.

(137) *Astrée,* 1re partie, *Au Roy,* p. 4.

Galathée rapporte encore le récit de druides. Elle a appris tout cela de son père Pimandre et ainsi, « je sceus, [dit-elle], que d'une ligne continuée, Amasis ma mere estoit descendue de celle que la déesse Diane ou Galathée avoit esleue. » Amasis est ainsi « Dame de toutes ces contrées » (138). Outre le pouvoir d'origine divine des rois, Honoré d'Urfé voulait-il montrer qu'il était partisan de la succession des femmes au trône et donc un adversaire résolu de la loi salique ? Non point, nous semble-t-il. Le roman de *L'Astrée* réserve une place privilégiée à la femme. N'était-il pas normal que d'Urfé plaçât à la tête de cette société une femme et non pas un roi ? En effet, tout dépend de la femme dans *L'Astrée*. Elle est, comme dans la société courtoise, celle qui décide du sort de son amant. S'agit-il de prononcer un jugement au tribunal d'amour ? C'est la plupart du temps la femme, Léonide ou Diane, qui prononce la sentence. Seul, Polémas conteste ce droit à la suprématie politique. Il s'insurge contre les décisions d'Amasis qui lui a retiré ses pouvoirs et, désireux d'épouser Galathée, il révèle ses intentions :

> « Car estant ma femme, comme je me resous de l'espouser à l'heure mesme, qui me peut disputer que je ne sois seigneur de cet Estat ? Et je vous promets, que si ce bonheur m'advient, j'aboliray bientost apres cette folle ordonnance, par laquelle les masles sont bannis de la puissance souveraine. » (139)

Polémas s'est placé en marge de la société de Marcilly et, devenu l'ennemi d'Amasis et de son peuple, seule son ambition lui dicte sa pensée. Rien de tout cela ne prouve que d'Urfé était un adversaire de la loi salique (140).

Honoré d'Urfé s'adresse-t-il à l'histoire de France ? Son opinion sur l'origine du pouvoir royal semble alors ambiguë. Il raconte que Mérovée mourut, « ne laissant de sa femme Methine, fille de Stuffart roy des Huns, et prédécesseur d'Attila, surnommé le fléau de Dieu, qu'un seul fils Childéric ». Or, Childéric ne succède pas de droit, il est élu par le peuple :

> « La reputation du pere, l'amour que les Francs luy avoient portée, car ils [le] nommoient la delice du peuple, et la grande estendue de ses conquestes furent cause qu'aussi tost que Merovée fut mort, tous les Francs d'un commun accord esleverent Childeric son fils sur le pavois, et l'ayant couronné d'une double couronne : l'une pour monstrer la succession des Francs, et l'autre pour tesmoigner les conquestes de son pere, ils le porterent sur les espaules par toutes les rues de Soissons, où il fut proclamé roy des Francs. » (141)

L'auteur de *L'Astrée,* après les événements politiques qui ont entaché la fin du XVIe siècle, se range aux côtés de Fauchet. Il reconnaît que le principe de la monarchie fut électif, mais il sauvegarde le

(138) *Ibid.,* I, 2, 46-47.
(139) *Ibid.,* IV, 11, 673.
(140) Voir M. Magendie, *op. cit.,* p. 90 ; A. Lefranc, *art. cit.,* in *RCC,* 14 décembre 1905, pp. 213-214. Selon ces deux auteurs, Amasis est Catherine de Médicis.
(141) *Astrée,* III, 12, 650.

droit héréditaire en insistant sur le fait que Childéric était de sang royal.

Pourtant, il apparaît, à la lecture de *L'Astrée,* que, si le pouvoir d'Amasis est bien de droit divin et qu'aucun des privilèges du Forez ne fut contesté par Alaric, du moins, il est de plus en plus contrôlé par Adamas. Les pouvoirs du roi auraient-ils donc des limites ? D'Urfé pose nettement le problème en racontant la vie de Childéric. Le peuple, par l'intermédiaire de ses représentants, aurait-il le droit de se rebeller et donc de déposer son roi pour en élire un autre ? Childéric a déçu son peuple par sa conduite efféminée :

> « Peu de temps apres avoir esté couronné, il commença de mespriser les armes, et s'addonner à toutes sortes de delices, ne se souvenant plus que de la magnanimité, et les exploicts belliqueux de ses predecesseurs avoient acquis la domination des Gaules aux Francs, et le royaume des Francs a luy, et à ses successeurs. »

Les Francs conçoivent alors la crainte

> « de veoir enlever l'estat qu'ils avoient conquis, par ceux qui auparavant ne mettoient toute leur estude qu'à se pouvoir conserver contre les armes belliqueuses de ce vaillant peuple. Ce qui donna un grand coup à cet Estat naissant, et qui retarda si bien les grandeurs de ce nouvel Empire, que tous les progrez en furent retranchez, et tous les espoirs limitez à conserver ce qui estoit acquis. » (142)

Aucun espoir, en effet, ne subsiste plus de voir Childéric incarner les vertus de son père :

> « Le peuple s'en plaignoit, les grands en murmuroient, et les plus affectionnez en souspiroient. Enfin, apres qu'ils eurent quelque temps supporté ceste honteuse vie, et plusieurs autres tyrannies et foules qu'il faisoit sur son peuple, les grands de l'Estat s'assemblerent à Provins, et puis à Beauvais, où toutes choses bien considerées et debattues, enfin ils resolurent de le declarer indigne et incapable de la couronne des Francs, et en mesme temps en eslirent un autre, qu'encores que Romains, ils jugerent toutesfois estre personne si plein de merites, qu'il estoit digne d'estre leur roy. » (143)

Honoré d'Urfé, toutefois, n'accorde pas la légitimité à Gillon élu par cette assemblée de Grands. La réflexion qui suit éclaire sa pensée :

> « Mais quant à moy, je croy qu'ils firent eslection de cet homme ambitieux, parce qu'il n'y eut point de Franc qui en voulust prendre ny le nom, ny la charge, de peur de ne la pouvoir maintenir contre leur roy naturel, ou pour ne point estre atteint du crime de felonnie qui est si detesté parmy eux. » (144)

---

(142) *Ibid.,* III, 12, 651.
(143) *Ibid.,* III, 12, 686.
(144) *Ibid.,* III, 12, 687.

La fidélité de Guyemants et sa ruse permettront à Childéric de reprendre légitimement place sur le trône. Il ne fait aucun doute que d'Urfé ne partage pas l'opinion de ceux qui accordaient au peuple le droit de rébellion. Cette question fut longuement examinée par les écrivains du XVIe siècle, à la veille et au lendemain de la mort d'Henri III. Elle se rattache à celle du droit divin. Si le roi tient son pouvoir du peuple, il est lié à lui par un contrat. Si donc il ne remplit pas ses devoirs, le peuple a le droit légitime de se rebeller. Ainsi pensait Jean Boucher et, à sa suite, les Ligueurs : la rébellion n'est pas seulement un droit, mais encore un devoir (145). Honoré d'Urfé, ligueur, se rebella, plus tard même il conspira. Au moment où il écrit la troisième partie de *L'Astrée,* les événements de la Ligue ne sont pas oubliés, mais l'homme mûri, comblé d'honneurs, médite sur sa conduite. Depuis, il a participé à la politique, il a sa place dans la société, son opinion est celle d'un homme qui découvre que le peuple ou plutôt les Etats ne peuvent ni déposer un roi, ni se rebeller contre lui. C'est l'opinion des plus modérés penseurs du XVIe siècle : ainsi en fut-il de Jean Bodin qui distinguait entre le vrai tyran et le « roi tyrannique ». Le tyran est celui qui s'empare du pouvoir, « sans election ni droit successif, ni sort, ni juste guerre, ni vocation speciale de Dieu. » (146) Mais, quand il s'agit d'un monarque qui possède le pouvoir légitimement et qui gouverne en tyran.

> « il n'appartient pas à un des sujets en particulier ni à tous en général d'attenter à l'honneur ni à la vie du Monarque, soit par voie de fait, soit par voie de justice, ores qu'il eut commis toutes les mechancetés, impiétés et cruautés qu'on pourrait dire. » (147)

Childéric ne fut pas un tyran, il avait été légitimement proclamé roi.

Cela signifie-t-il que d'Urfé n'accorde aux Etats aucun droit de limitation du pouvoir royal ? En fait, ils n'ont pas un rôle bien déterminé. Si Adamas conseille à Amasis de réunir les notables de Marcilly, c'est plus pour les mettre au courant des événements et donner des espérances au peuple, que pour recueillir leur décision :

> « Je suis d'opinion que vous commandiez d'assembler les principaux de cette ville, et que vous leur fassiez entendre, non seulement la perte du prince Clidaman, mais la trahison de Polemas et de Climante, et qu'en mesme temps vous leur montriez les moyens que vous avez de remettre ce rebelle à son devoir, car il sert de beaucoup à contenir un peuple de luy donner de grandes esperances, et de luy cacher la grandeur du péril. »

Voilà pourquoi, la curiosité faisant venir à la réunion « un grand nombre de menu peuple, la Nymphe ne voulut point qu'il fust

(145) Voir J.W. Allen, *op. cit.*, p. 353.
(146) *Les six livres de la République,* II, 5, cité par J.W. Allens, *op. cit.*, p. 424.
(147) *Ibid.*, cité par J.W. Allen, *op. cit.*, p. 425.

chassé » (148). Le peuple crie : « meure le traistre et vive nostre grande Nymphe », Clindor, le plus vénérable des notables, promet fidélité et vengeance à Amasis. Toutes les classes sont représentées dans cette réunion, mais elles n'ont, à vrai dire aucun rôle précis. Seul Adamas qui représente le clergé, intervient pour conseiller. Plein de déférence à l'égard d'Amasis, il lui rappelle cependant ses devoirs :

> « Madame ces pleurs que vous jettez pour Leonide et Silvie sont naturels à vostre bonté, mais la nécessité de vos affaires vous ordonne de vestir maintenant un courage d'homme. Je suis d'opinion que vous commandiez d'assembler les principaux de cette ville... »

Il est le ministre avisé que la Princesse, comme tout bon monarque, écoute sagement. Toutefois, poussé sans doute par la jalousie, Polémas critique l'ingérance du représentant de la religion dans les affaires de l'Etat. Il confie à Clindor les motifs de son indignation :

> « ... Considerez, mon cher amy, comme nous qui sommes chevaliers, et desquels la profession est de manier les armes et les affaires de l'Estat, comme, dis-je, nous pouvons bien supporter de voir un Druide, de qui la charge est de demeurer autour des autels et dans la fumée des sacrifices, manier toutesfois tout cet Estat, ordonner les gardes de ville, faire enroller les gens de guerre, et semblables actions contraires à leurs statuts, et à leur robe, cependant que nous demeurons inutiles dans nos maisons et dans nos foyers ? Et toutesfois nous voyons tous les jours ces choses en la personne d'Adamas, qui desormais ne doit plus estre nommé le Druide, mais le grand Gouverneur, non seulement de ces Provinces, mais de la Nymphe Amasis mesme. » (149)

Faut-il y voir une critique que d'Urfé adresse indirectement, — puisqu'il la place sur les lèvres d'un traître et d'un ambitieux —, aux politiques qui furent partisans du Gallicanisme et prétendaient que le Pape n'avait aucune autorité sur les affaires temporelles de la France (150) ? En fait, leur critique visait surtout le Pape dont les Ligueurs attendaient le verdict sur l'abjuration d'Henri IV. Honoré d'Urfé ne nous paraît pas avoir voulu exprimer une opinion sur les droits du clergé en matière temporelle. Reprenant le thème traditionnel du « bon prêtre », il présente Adamas comme le sage conseiller. Les critiques de Polémas se justifient par sa psychologie d'ambitieux évincé et de jaloux. L'auteur de *L'Astrée* ne se proposait pas d'être un propagandiste politique en écrivant son roman.

Cependant, il est clair qu'il a voulu tracer un portrait du bon prince, auquel il oppose celui du mauvais prince dont il fait un disciple de Machiavel. *Le Prince* de Machiavel prêta sujet à de nombreuses discussions. On lui a attribué une grande influence sur la pensée du XVIe siècle, sans doute beaucoup plus sérieuse qu'elle ne

(148) *Astrée*, IV, 11, 714.
(149) *Ibid.*, IV, 11, 651.
(150) Voir L. Servin, *Vindiciae secundum libertatem ecclesiae gallicanae*, 1590.

le fut en réalité. En fait, beaucoup l'ont ignoré ou l'ont rejeté (151). Pour en juger sérieusement, il importe de connaître ce qu'est le machiavélisme tel que l'exposent le *Prince* et les *Discours*. Machiavel considère que les hommes sont mauvais et qu'ils deviennent bons si on leur impose la nécessité. La vertu est donc essentiellement l'énergie du corps et de l'âme, l'appétit de domination et de supériorité, le vice, la bassesse et la lâcheté. Les vertus telles qu'elles sont habituellement conçues sont funestes au prince :

> « ...qui veut faire entièrement profession d'homme de bien, il ne peut éviter sa perte parmi tant d'autres qui ne sont pas bons. Aussi est-il nécessaire au Prince qui se veut conserver, qu'il apprenne à pouvoir n'être pas bon, et d'en user ou n'user pas selon la nécessité. » (152)

Il devra donc pratiquer la cruauté plutôt que la clémence et être craint plutôt qu'aimé. La férocité lui permet de se maintenir (153). La ruse est une des armes maîtresses du prince, il fera peu de cas de sa parole, car la loyauté mène à l'échec. Si paraître vertueux est utile, il est dangereux de l'être vraiment. Les besoins de l'Etat exigent de rester maître de faire le bien ou le mal, et ils prescrivent de savoir faire la guerre et de s'y exercer, en s'adonnant à tous les exercices physiques. La guerre a-t-elle conduit à la victoire ? Il faut exterminer les villes conquises :

> « ...à la verité il n'y a point de plus sûre manière pour jouir d'une province que de la mettre en ruine. Et qui devient seigneur d'une cité accoutumée à vivre libre et ne la détruit point, qu'il s'attende d'être détruit par elle... » (154)

Enfin, il est de la dernière importance de faire beaucoup de cas de la religion dans la conduite d'un Etat et « tout ce qui tend à favoriser la religion doit être accueilli, quand même on en reconnaîtrait la fausseté » (155). De telles théories ne semblent avoir influencé la politique ni de Catherine de Médicis, ni d'Henri III ni d'Henri IV. Même s'ils s'appuient parfois sur des maximes du *Prince*, ils ne sont pas de vrais disciples de Machiavel. Les écrivains lui empruntent des pensées, sans que leur théorie en soit affectée. La fin du XVIe siècle fut surtout intéressée par deux questions : les relations de l'Etat et de l'Eglise, et celles des sujets et du roi. Sur ces problèmes Machiavel n'avait rien à dire qui ne fût négatif (156). L'auteur du *Prince* concoit les Etats comme totalement séculiers. Les penseurs du XVIe siècle, même les plus laïcs, ne suppri-

---

(151) Voir, à ce propos, J.W. Allen, *op. cit.*, pp. 488 sq. ; A. Cherel, *La pensée de Machiavel en France*, Paris, L'Artisan du livre, 1935 ; V. Weille, *Machiavel en France*, 1884. *Le Prince* et les *Discours* de Machiavel furent réédités 8 fois de 1572 à 1600 et au moins 17 fois de 1606 à 1646. Sur ce point, voir R. Pintard, *Le libertinage érudit dans la première moitié du XVIIe siècle*, Paris, Boivin, 1943, 2 vol., t. I, p. 58.

(152) *Le Prince*, trad. J. Gohory, coll. Livre de Poche, ch. XV, pp. 109-110.

(153) *Ibid.*, ch. XIX.

(154) *Ibid.*, ch. V, p. 40.

(155) *Discours*, l. I, ch. XII, cité par A. Cherel, *op. cit.*, p. 15.

(156) Voir J.W. Allen, *op. cit.*, p. 491.

ment pas complètement le pouvoir suprême de l'Eglise. Cependant, l'influence de Machiavel paraît avoir été beaucoup plus importante à la fin du XVIe siècle qu'elle ne le fut auparavant (157). Les esprits sont las, l'auteur du *Prince* ne les indigne plus et certains demandent à sa pensée la source d'un gouvernement durable. Juste-Lipse, dans ses *Politiques,* ouvrage publié en 1589, répète ce que Machiavel avait dit, mais il fait l'apologie de la justice, de la clémence et de la vertu. Au cours du XVIe siècle, pour quelques partisans, combien d'opposants ! *L'institution du Prince* de Budé s'inscrit dans la ligne de celle d'Erasme et rappelle que la justice, la prudence et l'amour du peuple sont les qualités nécessaires aux rois. Ronsard, dans son *Institution pour l'adolescence du Roi Tres Chretien,* écrite en 1562, recommande la vertu, l'humanisme, la crainte de la guerre et de la tyrannie. Bodin, dans la *République,* méprise Machiavel (158). Les protestants crient leur désapprobation: Gentilet publie en 1576 un Anti-Machiavel sous le titre de *Discours sur les moyens de bien gouverner et maintenir en paix un royaume, ou autre principauté,* où il affirme que le roi n'est pas un despote et qu'il doit chercher, observer et faire observer la pure religion de Dieu. Les écrivains foréziens refusent de séparer politique et morale chrétienne et ils réprouvent le machiavélisme (159).

La politique de *L'Astrée* participe à cette indignation générale. Le type du chef machiavélique est Polémas. Il a en effet l'âme d'un tyran, en qui prédomine la soif de la domination. Aucune vertu ne se manifeste en lui, mais, pour parvenir à ses fins, il sait user « de toute la finesse dont un homme de cour peut estre capable » (160). Il est l'hypocrite courtisan, le « dissimulé » ; chassé par Amasis, il devient un tyran qui ne rêve plus que d'usurpation et de conquête. Il sait peindre son visage d'une feinte bienveillance. Comme pour le *Prince* de Machiavel, la ruse est une de ses armes maîtresses. Et comme il sait qu'il faut faire beaucoup de cas de la religion, il s'en sert pour tromper. Il a ainsi recours à un faux prêtre, Climante, dont les prétendus prodiges abusent Galathée et Léonide. La trahison fait partie de ses armes secrètes et il se lie avec Gondebaud dont le machiavélisme se manifeste autant par la soif de dominer que par la cruauté. Ses colères éclatent chaque fois qu'on lui résiste.

A ces mauvais princes, dont la conduite est blâmée, s'opposent les bons princes. A travers les réflexions d'Honoré et les histoires de *L'Astrée* se compose comme une « institution du Roi ». C'était un genre fort à la mode puisque furent publiés, au XVIe siècle, de nombreux ouvrages consacrés à ce sujet : l'*Institutio principis Christiani,* par Erasme et dont les éditions furent nombreuses de 1515 à 1560, l'*Institution du Prince,* par Guillaume Budé en 1547, l'*Institution d'un Prince Chrétien,* par Claude d'Espence en 1548,

(157) Voir A. Cherel, *op. cit.,* pp. 46-53 et p. 320.
(158) Sur les œuvres qui combattent le machiavélisme, voir A. Cherel, *op. cit.,* pp. 53-62.
(159) Voir notamment, J. Papon, *Premier Notaire,* dédicace à Henri de Valois, pp. 1920.
(160) *Astrée,* I, 9, 334.

un poème de L'Hospital, *De sacra Francisci II Galliarum regis initiatione,* en 1560, l'*Institution pour l'Adolescence du Roy tres chrétien,* par Ronsard, en 1561. Toutes ces œuvres rappellent que le roi doit être vertueux, craindre Dieu, suivre la raison, ne pas écouter les conseils des flatteurs, être libéral à l'égard de son peuple afin d'en être aimé, et ne pas se livrer à la guerre avec brutalité. Jean Papon résume ainsi les devoirs du roi, en une page du *Troisiesme Notaire* :

> « celui qui est heureusement nay pour commander et regner en douceur, vigilance, vaillance, bon conseil, justice, religion, et toutes autres vertus qui sont requises, et dont avec l'aide de Dieu il peut obtenir le nom de bon pere du peuple, qu'il devra aimer, defendre et conserver, comme le pasteur ses brebis, la poule ses poulets, le pere ses enfants. Prince de ceste sorte est parfaictement noble, et le peuple, qui luy doit obeïr, heureux... Ce Prince ainsi heureux, parfaict et desirable rendra les estats de son royaume beaucoup plus asseurés, tranquilles et reposés, qu'ils ne seroient en une republique ou liberté d'Allemaigne... sous luy seront recognus les vertueux... les meschans reprins et punis ; sous luy sera justice exercee egallement, desport ny faveur. » (161)

Le titre de roi n'est donc pas fondé sur la seule race, mais aussi sur la vertu :

> « Car un roy sans vertu porte le sceptre en vain,
> Et luy sert de fardeau, qui luy charge la main. » (162)

Il n'est guère d'originalité chez tous ces auteurs : chacun répète ce que les autres ont dit, et leurs propos consistent à déterminer une sagesse royale faite de vertu et prudence, fondée sur la raison. La conception du prince reste la même au début du XVIIe siècle : le roi doit être un homme de bien. Ainsi pensent Héroard, dans son *Institution du Prince,* publiée en 1609, Pierre de Lancre, dans son *Livre des Princes contenant plusieurs notables discours pour l'instruction des roys, empereurs et monarques,* dédié à Louis XIII, en 1617, Nicolas Faret, dans *Des vertus nécessaires à un Prince pour bien gouverner ses sujets,* en 1623 (163). Tous reconnaissent que la prudence, la justice, la clémence et la vaillance constituent la grandeur du vrai prince. Plus nettement encore que ceux du XVIe siècle, les auteurs de ce début du XVIIe siècle s'efforcent d'établir une nette distinction entre le roi et le tyran, mettant davantage l'accent sur l'aspect moral que sur l'aspect politique. Thomas Pelletier explique la tyrannie par l'égoïsme du souverain : « Le bon roi n'a égard qu'au bien public, le tyran n'avise que son profit particulier. » (164) Les moralistes du début du XVIIe siècle

---

(161) *Troisiesme Notaire,* p. 479.
(162) Ronsard, *Institution pour l'adolescence du Roy,* in *Œuvres complètes,* éd. Laumonnier, t. XI, p. 3, vers 2-4.
(163) A propos de ces auteurs, voir R. Bady, *op. cit.,* pp. 408-411.
(164) Thomas Pelletier, *La Nourriture de la noblesse, où sont representees, comme un tableau, toutes les plus belles vertus qui peuvent accomplir un jeune gentilhomme,* Paris, Vve Patisson, 1604.

manifestent leur hostilité à l'égard de Machiavel. Antoine de Laval, dans ses *Desseins de professions nobles et publiques* (165), combat ce qu'on appelle la « raison d'Etat » et se dresse contre le mensonge, le parjure et le prince qui cherche à entretenir la désunion entre ses sujets. Politique et morale se lient intimement. *L'Astrée* se fait écho de ces conseils dispensés avec tant de prodigalité.

Les bons rois ne sont pas fréquents dans *L'Astrée*. D'Urfé enseigne d'abord en traçant un portrait peu flatteur de ceux dont il ne faut pas imiter l'exemple. Il semble que, souvent, étant donné leur situation sociale, les rois ou les empereurs se croient dispensés de la morale commune ; plus tyrans que rois, leur tyrannie du pouvoir s'accompagne de la tyrannie amoureuse : tel est le cas de Gondebaud. Accaparé par le gouvernement, le roi risque de laisser libre bride à ses passions, au lieu de les soumettre à la raison. Pour n'avoir pas écouté les conseils de justice prodigués par Mérovée, Childéric est renversé par une émeute du peuple et des grands. Mérovée l'avait blâmé d'avoir employé son esprit à couvrir son vice du « voile de la vertu », d'avoir oublié les exemples de vaillance des ancêtres et leur générosité à l'égard de ceux qui ont rendu service :

> « Vous souvenez, que tout prince qui veut commander à un peuple, se doit rendre plus sage et plus vertueux que ceux desquels il veut estre obey, autrement il n'y parviendra jamais qu'avec la tyrannie, qui ne peut estre asseuree ny agreable à celuy mesme qui l'exerce. » (166)

Childéric avait préféré écouter les conseils de courtisans perfides qui lui avaient enseigné

> « que toutes choses estoient permises au roy ; que les roys faisoient les loix pour leurs sujects, et non pas pour eux, et que puis que la mort et la vie de ses vassaux estoit en sa puissance, qu'il en pouvoit faire de mesme pour tout ce qu'ils possedoient. » (167)

Ces fausses maximes ont provoqué le renversement du trône de Childéric. Mais les manœuvres de Guyemants encouragent Gillon, le nouveau roi, à la tyrannie et le conduisent aussi à sa perte (168). Le roi doit donc s'efforcer d'abord de conserver son royaume. Et pour cela, il doit le mériter. C'est pourquoi Adamas réconforte Amasis et lui rappelle son devoir :

> « Il faut donc, madame, que vous esperiez en la bonté de Tautates, et que cependant vous fassiez paroistre qu'Amasis est non seulement Dame de toutes ces belles contrées par succession, mais beaucoup mieux par vertu et par merite. »

Amasis transmet cette règle de conduite à Galathée :

---

(165) *Desseins de professions nobles et publiques, contenant plusieurs traictés divers et rares,* Paris, Vve l'Angelier, 1613, 2ᵉ éd.

(166) *Astrée,* III, 12, 678-679.

(167) *Ibid.,* III, 12, 687.

(168) *Ibid.,* V, 3, 147. Voir sur ce point, P. Bénichou, *Les Morales du Grand Siècle,* Paris, Gallimard, 1948, p. 116.

« Ma fille, luy dit-elle, si le ciel a ordonné que la ruine de nostre domination advienne en nos jours, pour le moins resolvons-nous de ne rien faire qui soit indigne de nous, ny qui puisse faire juger qu'elle soit advenue par nostre faute. » (169)

En quoi consiste cette vertu des princes ? *L'Astrée* nous l'enseigne. Le roman, par des réflexions de l'auteur et par des exemples de conduite, nous trace le portrait du bon roi. Il est le pasteur et le père de son peuple, il a des devoirs envers ses sujets et il doit sagement conduire la politique intérieure et extérieure de son royaume.

Pasteur, n'est-ce pas ainsi que d'Urfé loue Henri IV, dans la dédicace de la première partie de *L'Astrée* ?

« Ces bergers oyans raconter tant de merveilles de vostre grandeur n'eussent jamais eu la hardiesse de se présenter devant Vostre Majesté, si je ne les eusse asseurez que ces grands Roys, dont l'antiquite se vante le plus, ont esté Pasteurs, qui ont porté la houlette et le Sceptre d'une mesme main. Ceste consideration, et la connoissance que depuis ils ont euë, que les plus grandes gloires de ces bons Roys ont esté celles de la paix et de la justice, avec lesquelles ils ont heureusement conservé leurs peuples, leur a fait esperer que, comme vous les imitiez et les surpassiez en ce soing paternel, vous ne mespriseriez non plus ces houlettes, et ces troupeaux qu'ils vous viennent presenter comme à leur Roy, et Pasteur souverain. » (170)

Cette image du roi-pasteur appartient à l'Antiquité ; elle rappelle au roi la sollicitude qu'il doit avoir à l'égard de son peuple, semblable à celle du père à l'égard de ses enfants. Le pasteur évoque le soin dont le roi doit entourer ses sujets ; le père est celui qui, à cette vigilance, joint une action toujours dictée par la raison. N'est-ce pas cette règle de conduite du père de famille qui doit être celle du roi ? « Il faut aussi qu'il commande comme il doit et surtout tousjours avec la raison » (171). Tout le propos de Silvandre, qui a pour sujet les rapports du père et de l'enfant, peut s'appliquer au roi et à son peuple :

« Il est vray que les dieux ont voulu estre nommez pères, mais non pas pour estre declarez seigneurs absolus des hommes. C'est plustost pour monstrer l'amour qu'ils leur portent, d'autant qu'il n'y en a point qui se puisse esgaler à celle du pere envers son enfant, et pour leur faire entendre qu'ils leur doivent demander tout ce qui leur est necessaire, et l'attendre de leur bonté. » (172)

---

(169) *Astrée,* IV, 8, 442.

(170) *Ibid.,* 1re partie, *Dédicace au Roy,* p. 3. Cette image du roi, pasteur et père de famille, sera reprise par La Bruyère, *Caractères,* ch. Du Souverain, n° 27-29.

(171) *Astrée,* IV, 3, 148.

(172) *Ibid.* Cette image du père de famille s'applique d'ailleurs à tous ceux qui exercent leur autorité avec bonheur. Il en est ainsi d'Eleuman dont Honoré d'Urfé écrit : « ...ayant une telle authorité dans tout le hameau que s'il n'en est maistre comme seigneur, on peut dire qu'il l'est comme père de famille. » (IV, 6, 313.)

Le risque d'une telle conception du roi comme père ou tuteur des hommes est de lui laisser croire qu'il possède tous les droits. Ardilan conseille Gondebaut de telle sorte :

> « Seigneur..., les Roys sont les tuteurs de tous leurs subjects, et comme nous croyons que les dieux sçavent mieux ce qui est nécessaire aux hommes que les hommes mesmes, de mesme aussi les roys qui sont des dieux en terre, sont estimez sçavoir mieux le bien et l'advantage de leurs subjects qu'eux-mesmes. » (173)

Pour Honoré d'Urfé, les droits des rois sur leurs sujets sont limités :

> « Les roys, [dit Sigismond exprimant l'avis contraire à celui d'Ardilan] sont seigneurs des corps, mais non pas des esprits, et il n'y a rien qu'un bon courage supporte avec plus d'impatience qu'une injuste contrainte... » (174)

Raisonnable, parce qu'il est père, le roi se préoccupe avant tout de faire régner la justice, faute de quoi le royaume risque d'aller à sa perte. La sage Cléontine invite Galathée à réfléchir sur le rôle qui appartient à sa mère et à elle-même et elle l'exhorte à veiller à l'ordre, en établissant la justice :

> « ...jettez l'œil sur toute la contrée, et avec diligence vous informez des abus qui s'y commettent, pour chastier ceux qui en sont les autheurs, car l'estat ou le vice demeure impuny, et la vertu sans loyer est bien tost desolé. » (175)

Dans un jugement qu'elle prononce, Diane fait état de ce même principe :

> « ...l'impunité des crimes, et les bonnes actions non recogneues sont cause de la ruine de tous estats et de toutes republiques. » (176)

Parfois, les réflexions de certains personnages sont chargées d'amertume. Il y a là comme une tristesse d'Honoré d'Urfé à constater l'injustice des rois à l'égard de ceux qui ont rendu service et qui, devenus vieux, ne sont plus capables de se dépenser pour l'Etat :

> « Car il faut que vous sçachiez que la pluspart des princes font de leurs subjects comme nous faisons des chevaux qui sont devenus vieux en nous servant ; le plus de faveur que nous leur faisons, c'est de les mettre au coing d'une escuyerie sans nous en plus soucier, au lieu que des autres nous sommes soigneux de les faire bien traitter et bien panser. Croyez, Merindor, que les princes font la mesme difference de ceux qui ne leur peuvent plus faire service, et de ceux qui sont en aage et en estat de leur en pouvoir rendre. » (177)

---

(173) *Astrée*, IV, 7, 419.
(174) *Ibid.*, IV, 7, 424-425.
(175) *Ibid.*, III, 6, 299.
(176) *Ibid.*, IV, 6, 348.
(177) *Ibid.*, IV, 4, 193.

Voilà une réflexion qui relève plus de l'expérience personnelle d'Urfé que de la tradition littéraire. Certes, il n'est pas facile à un roi d'être juste. Il doit cependant porter attention autant aux grandes affaires de son royaume qu'aux petits événements, afin qu'aucun des sujets ne soit lésé. Le roi est père, donc grandes ou petites affaires, tout doit retenir son attention. Mérovée est un modèle de bon prince. Les reproches que lui adresse son fils Childéric sont injustifiés, quand, sur un ton de mauvaise foi, il lui dit que

> « les grands roys qui ont tousjours l'esprit occupé à des grandes entreprises, ne daignent bien souvent tourner les yeux sur ces choses qu'ils pensent n'estre pas capables de faire de grands effects, et qui quelquefois trainent apres les commencemens d'un grand mal. » (178)

Childéric est un exemple de cette négligence, car il ne songe qu'à son intérêt personnel. Or, le roi et l'Etat ne font qu'un :

> « Sçachez, Madame, [dit Cléontine à Galathée], que le Prince et son Estat ne font qu'un corps duquel le prince est la teste, et comme tout le mal que le corps ressent luy vient de la teste, de mesme tout le mal que souffre la teste luy procede du corps. Je veux dire aussi que comme Tautates chastie le peuple pour les fautes que commet le prince, de mesme il punit le prince pour celles que son peuple commet. » (179)

Par le fait, le bonheur des sujets dépend de la sagesse du roi ; un lien indélébile les unit. Le roi est placé dans une délicate situation qui réclame un effort constant de prudence. Il est homme et donc sujet aux passions plus que tout autre. C'est pourquoi ses sujets devraient manifester de l'indulgence à son égard :

> « Si les grands princes estoient exempts de passions ausquelles les autres hommes sont subjets, on pourroit les estimer des dieux en terre, car si leur extreme puissance estoit accompagnée de ce privilege, je ne sçay en quoy ils seroient moindres que les dieux ; et de là vient que les immortels ne voulant pas que les hommes, pour grands qu'ils soient, se puissent esgaler à eux, les sousmettent comme le reste des hommes, et peut-estre davantage aux passions démesurées qui nous tourmentent. Je vous represente ces choses, madame, afin que quand vous entendrez ce que j'ay a vous dire vous ne blasmiez les grands princes desquels il faut que je parle ny de foiblesse ny de peu de vertu, mais que vous estimiez que toutes ces choses ne sont que des tributs qu'ils payent de leur humanité. » (180)

Le prince doit dominer ses passions par la raison, afin d'être un exemple permanent de sagesse, car chacune de ses actions est épiée :

> « Les grands roys et les grands princes, encor qu'ils ayent ce pouvoir de commander aux hommes, qu'on dit estre un assaisonnement qui rend de bon goust toutes les viandes pour

(178) *Ibid.*, III, 12, 675.
(179) *Ibid.*, III, 6, 299-300.
(180) *Ibid.*, IV, 8, 444-445.

ameres qu'elles soient, si est-ce que d'autant plus que le ciel a eslevez par dessus ceux ausquels ils commandent, d'autant plus aussi les a-t-il rendus inferieurs en la liberté dont jouissent les personnes privées ; parce que, tout ainsi que les tours plus eslevées sont veues de plus loin que les cabanes et les cahuettes des bergers, aussi la grandeur des roys est tellement à la veue de tous, qu'ils ne peuvent faire un pas, qu'ils ne soient aperceus de chacun, ny une moindre action qui ne soit sujet à la censure de tout le peuple. » (181)

La sagesse incitera donc le prince à rechercher l'amitié de son peuple. Ainsi agit Thierry, fils et successeur d'Alaric, qui,

« se voulant rendre aymable à chacun (car la bonté et la liberalité sont les deux aymans, qui attirent le plus l'amitié de chacun) dès le commencement de son regne,... publia une abolition generale de toutes les offenses faites en son royaume. » (182)

La générosité d'un roi assure l'obéissance de ses sujets. La morale royale impose un continuel dépassement de soi par un héroïsme quotidien qui se situe dans la ligne du néo-stoïcisme. Ne faisant qu'un avec l'Etat, son intérêt personnel passe toujours en second plan et il lui arrive d'être victime d'une politique qui souvent se règle par le jeu des mariages. Mérovée l'a rappelé à Childéric et le sage Avite résume à Sigismond, en ces mots, le devoir du prince :

« ...ne sçavez-vous pas, seigneur, que, comme tout le peuple d'un royaume n'est pas à soy, mais au roy qui le gouverne, de mesme le roy est à tout le peuple ? Les grands princes, comme vous estes, ne se marient jamais pour le seul plaisir, mais pour le bien et la grandeur, ou la seurté de leurs estats. » (183)

D'Urfé connaissait bien ce problème, lui qui fut chargé par Marie de Médicis d'apaiser le duc de Savoie, dans l'affaire du mariage de Victor-Amédée. Une telle abnégation réclamée du prince nécessite une éducation sévère, tant du corps que de l'esprit. Nous en trouvons un apercu dans l'éducation du « faux Celiodante ». Il fut élevé et instruit

« en tous les exercices d'un grand prince, il s'estoit rendu si adroit à tous ceux du corps, et si habile et judicieux en ceux de l'esprit que, veritablement, encore qu'il n'eust pas esté fils de roy, il estoit toutesfois digne de la monarchie des Gaules. » (184)

Guidé par la prudence, le bon prince établira dans son royaume une sage politique de paix et de bon ordre. Parce qu'il est aimé, honoré et révéré de son peuple, il sera obéi. L'ordre ne s'établit que par l'obéissance, même si elle coûte parfois :

---

(181) *Ibid.*, IV, 7, 358-359.

(182) *Ibid.*, I, 2, 61.

(183) *Ibid.*, IV, 8, 448. De leur côté, les ministres qui ne pensent qu'à leurs intérêts personnels agissent pour faire échouer certaines alliances. Rosiléon, qui devait épouser Rosanire, fille de Policandre, en est la victime (IV, 10, 610).

(184) *Astrée*, IV, 10, 597.

« L'autorité d'un prince souverain donne un grand coup dans l'esprit d'un fidele subjet, quelque courage et quelque resolution qu'il ait faite au contraire, et mesme quand ce qu'il demande a quelque apparence de raison, car il est certain que naturellement le subjet doit obeir à son prince et il faut que les choses auxquelles il luy peut desobeyr soient entierement ou contre l'honneur, ou contre le grand Tautates ; en toute autre, je croy qu'il n'y peut point avoir de bonnes excuses, et qui ne soient rejettées par les personnes de jugement. » (185)

Honoré d'Urfé partage la pensée de Jean Bodin, pour qui le peuple n'a pas à obéir à un ordre qui va à l'encontre des lois, de Dieu et de la nature (186). Il est évident que le bonheur d'un peuple ne dépend pas de la soumission des sujets au roi. Il est lié à la paix qui doit régner dans le royaume.

Depuis le début du XVIe siècle, les écrivains qui ont élaboré une sagesse se sont dressés contre la guerre. Rabelais, plus d'une fois, et notamment dans le célèbre épisode de la guerre Picrocholine, a fait l'éloge de la modération. Ce rêve de paix se poursuivit, alors même que la France était déchirée par la plus horrible des guerres civiles. Ayant embrassé la profession des armes, Antoine du Verdier fut mêlé aux guerres religieuses, puisqu'il participa à des escarmouches en Normandie, contre l'armée protestante. L'annonce de la paix de Longjumeau le transporta de joie et il écrivit en 1568 *Le Mysopolème* (187). Dès la dédicace, il proteste contre les partisans de la guerre :

« Non que je desdaigne les armes, lesquelles veux suyvre toute ma vie pour le service de mon roy, mais pour demonstrer les malheureux effects d'icelle à ceux qui ne les sçavent si bien que moy, et qui en babillent à plaisir, et sans aucune raison. » (188)

Il admet que la guerre n'est pas illicite dans tous les cas. Elle permet d'établir une meilleure paix en abattant le tyran :

« Nous lisons bien que Dieu permet de prendre les armes
Pour d'icelles user en furieux vacarmes :
Il faict ce pour raison d'une meilleure paix,
Pour le sien peuple oster du trop moleste faix
Des tirans inhumains, et punir le rebelle
Lequel contre son Dieu, et son Roy se rebelle. » (189)

Mais la guerre entraîne toujours avec elle mille épouvantables misères :

« Avec soy mille maux la guerre nous ameyne,
D'ennuy, de desplaisir, de misere elle est plaine
. . . .

(185) *Ibid.*, IV, 4, 186.
(186) Voir J.W. Allen, *op. cit.*, p. 416 ; J. Bodin, *op. cit.*, III, 4.
(187) *Le Mysopoleme, ou Bref discours contre la guerre, pour le retour de la paix en France*, Paris, Denis du Pré, 1568.
(188) *Ibid., dédicace à Monseigneur Guillaume de Gadaigne.*
(189) *Ibid.*, f. 3 r°.

Le peuple spolyé, les blés par tout foulez,
Maisons mises à bas, les villaiges bruslez
. . . .
Les temples prophanés, et les saincts lieux pollus. » (190)

Cet appel à la paix, exprimé par du Verdier, ou dans le *Discours de l'Ire* de Guy du Faur de Pibrac (191), revient sous la plume de maints écrivains de la fin du XVIe siècle. Il y a, certes, les fanatiques partisans de la guerre, qui ne veulent céder à la raison. Mais les moralistes font, dans l'ensemble, preuve de modération. Malgré les protestations qu'Antoine d'Urfé prête à l'Uranophile contre le Polémophile qui recherche la gloire de défenseur du royaume et de la religion dans les combats, on devine son goût pour la guerre (192). Elle paraît à l'Abbé de la Chaise-Dieu la seule façon de défendre Dieu et la religion. En revanche, le capitaine protestant, François de la Noue, condamne l'acharnement des Français à s'entre-tuer :

> « Ces gens-là qui font état de ne pouvoir vivre sinon es lieux où la guerre est attachée et s'y vouent tellement qu'ils font d'une telle profession (qui doit etre comme extraordinaire) une vocation perpétuelle, laquelle ils exaltent par-dessus toutes les autres, sont en grande erreur : ignorant ou voulant ignorer que l'homme doit principalement tendre à la paix et tranquillité afin de mener une vie plus juste... » (193)

Le Caron joint ses protestations à celles de la Noue, pour condamner les excès de la guerre (194). Du Vair dénonce ceux qui, manquant de constance, ont fait preuve de fanatisme pour la défense de la religion (195). Montaigne mêle ses recommandations à ces plaintes pour prôner la modération.

Mêlé aux luttes qui ont déchiré la France et la Savoie pendant la fin du XVIe et le début du XVIIe siècle, Honoré d'Urfé condamne la guerre et célèbre la paix. Il se fait l'écho des moralistes que nous avons cités. Dans *L'Astrée,* la guerre tient une place importante et elle s'impose dans la quatrième partie où sont décrits les armées d'Amasis et de Polémas, les machines de guerre et, surtout, le jeu des alliances. Le calme du Forez est troublé par les manœuvres ambitieuses de Polémas, Marcilly est attaqué et les princes alliés viennent se ranger aux côtés d'Amasis, car la guerre à laquelle elle est mêlée n'est point offensive, mais défensive. Avant d'en venir

---

(190) *Ibid.,* f. 5 r°.

(191) Guy du Faur de Pibrac, *Discours de l'Ire et comme il la faut moderer,* in Fremy, *op. cit.,* pp. 274-286.

(192) Antoine d'Urfé, *Le premier dialogue du Polemophile.* Voir, à ce propos, R. Bady, *op. cit.,* p. 163.

(193) François de la Noue. *Discours politiques et militaires du Seigneur de la Noue, nouvellement recueillis et mis en lumiere,* Bâle, F. Forest, 1587, IXe discours, « Que cette grande affection que les François ont d'aller chercher les guerres etrangeres leur est maintenant plus nuisible que profitable. » (pp. 179 sq.)

(194) L. Le Caron, *De la tranquillité d'esprit, livre singulier,* Paris, J. du Puys, 1588, p. 149, cité par R. Bady, *op. cit.,* pp. 164-165.

(195) G. du Vair, *Traité de la Constance et de la Consolation ès Calamités publiques.*

aux armes, Adamas et Amasis ont tout mis en œuvre pour assurer la paix. Pourtant, parlant des rois qui cherchent à régler leurs différends, Honoré d'Urfé avoue que

> « c'est l'ordinaire que les armes sont toujours les juges de telles personnes, et que l'espée est la plus asseurée main de justice qu'ils ayent. » (196)

Les Gaulois ont été victimes de l'esprit de conquête des Romains et Jules César est présenté comme un usurpateur. L'effort belliqueux des Francs qui ont reconquis le territoire usurpé se justifie, car ils se sont livrés à une guerre défensive. Mais il est des monarques ambitieux, assoiffés de conquêtes. Honoré d'Urfé les condamne. Le siège de Marcilly entraîne des ruines, des massacres et des misères. L'auteur de *L'Astrée,* qui est un gentilhomme d'armes, a connu toutes les horreurs de la guerre. A travers les propos des conseillers de Policandre, il faut saisir la pensée profonde d'Honoré d'Urfé :

> « ...mais cependant que vous estes dans l'armée, que vous forcez des villes, que vous gaignez des batailles, que vous surmontez des provinces, et que vous adjoustez des victoires à tant d'autres victoires, vous ne sçavez pas ce que souffre ce pauvre estat et avec quel soin et sollicitude il faut que le roy pourvoye non seulement à ce qui est de l'armee que vous conduisez, mais aux dures et presque insupportables necessitez de son peuple, que la guerre qui a esté dans ses entrailles a saccagé et bruslé, et que les subsides que par force il est contraint de payer pour la continuation de la guerre, accable maintenant et desespere du tout. Et dites-moy, je vous supplie, quel contentement et quel advantage sera-ce au roy de perdre ses propres estats et royaumes cependant qu'il s'amuse à gaigner ceux d'autruy ? » (197)

Chaque fois que l'occasion s'en présente, l'auteur de *L'Astrée* s'élève contre la guerre et critique les hommes qui en sont assoiffés. L'histoire du ve siècle en illustre les méfaits. Jugeant Alaric devenu « la terreur du monde et le fléau de Dieu », Adamas dit :

> « Alaric apres avoir saccagé et bruslé ceste grande cité, n'estant point encores saoul de ses dépouilles, pilla tout le pays d'alentour, et le ruina de sorte qu'il faloit bien estre barbare pour n'en avoir point de pitié. » (198)

En revanche, d'Urfé vante le rôle bénéfique de Placidie qui sut convaincre Ataulfe d'éviter la guerre (199).

S'il condamne la guerre de conquête, fruit de l'ambition tyrannique, Honoré partage-t-il le point de vue de la reine Argire, qui prétend que les rois « doivent tousjours avoir devant les yeux que la meilleure guerre ne vaut pas la paix » (200) ? Il semble que non. La paix, certes, mais une paix honorable. Il ne convient pas

---

(196) *Astrée,* IV, 10, 598.
(197) *Ibid.,* IV, 10, 618.
(198) *Ibid.,* II, 11, 469.
(199) *Ibid.,* II, 11, 472.
(200) *Ibid.,* IV, 10, 599.

à un roi de céder à l'ambition, à l'injustice, et aux autres excès des tyrans, dont l'appétit de domination ne connaît aucun frein. Ni Amasis, ni Adamas, ni les sages princes qui se rangent à leurs côtés, ne cèdent aux menaces de Polémas. Il s'agit de mettre les bergers à l'abri de l'injustice, en réduisant Polémas à l'impuissance. Lassé des guerres civiles et de leur cortège de deuils et de ruines, Honoré d'Urfé compose une œuvre qui est un plaidoyer pour la paix. L'hommage qu'il adresse à Henri IV, dans la dédicace de la première partie de *L'Astrée,* est un éloge de l'œuvre pacifique du roi qui imita l'exemple des princes de l'Antiquité, dont les plus grandes gloires furent « celles de la paix et de la justice ». *L'Astrée* « est un enfant que la paix a vu naistre » (201). La même idée est développée dans la dédicace de la troisième partie. Rappelant l'œuvre de paix d'Henri IV, Honoré d'Urfé formule une certitude de bonheur pour la France :

> « ...de mesme nous verrons en nos jours un Louys le Juste, qui luy rendra sa première splendeur, et la maintiendra en son ancienne majesté, avec tant de prudence et d'équité, que ce regne ne sera pas moins admirable ny redoutable, par les solides fondemens d'une paix durable, que celuy qui est passé l'a esté par la force et par les armes. » (202)

De telles remarques, adressées tant à Henri IV qu'à Louis XIII, sont une leçon de paix. Au moment même où la première partie de *L'Astrée* paraissait, la France se relevait avec peine de longues guerres. Henri IV ne fut pourtant pas un roi pacifique. Derrière l'éloge se cache une critique. L'œuvre qu'Honoré dédie au roi est un programme complet de politique ; il s'agit, en définitive, d'un projet de royauté religieuse fondée sur la paix et l'amour.

A lire l'histoire d'Euric, on comprend qu'Honoré d'Urfé n'approuvait pas toujours la conduite du roi Henri IV. En fait, l'histoire d'Euric, de Daphnide et d'Alcidon (203) nous brosse un tableau du règne de deux rois, Torrismond et Euric, et, à travers le récit, il est possible de déceler le jugement d'Honoré d'Urfé sur la conduite de l'un et l'autre, qui représentent, ainsi que la tradition l'a établi, le premier, Henri III, le second, Henri IV (204). Torrismond est bien Henri III. En effet, il fut un roi

> « desireux que sa Cour esclairast par toute l'Europe, et que les grands et vertueux desseins de ses chevaliers la rendissent plus recommandable aux autres nations. » (205)

De beaux chevaliers et de belles dames furent attirés à la cour, où se tenaient fréquemment des fêtes :

> « ...pour nourrir la jeunesse en tous les honnestes exercices qu'il se pouvoit, le roy faisoit tenir le bal fort souvent, avec des courses de bagues, des joustes et des tournois... on avoit coustume de se parer quand le bal se tenoit. » (206)

---

(201) *Ibid.,* 1re partie, *Dédicace au Roy,* pp. 3-4.
(202) *Ibid., Troisième partie, Dédicace,* p. 4.
(203) *Astrée,* III, 3, 83 et III, 4, 206.
(204) Patru, *op. cit.,* pp. 110-111.
(205) *Astrée,* III, 3, 85.
(206) *Ibid.,* III, 3, 86.

Au comble de la prospérité, Torrismond fut tué par un mire :

> « Ce meschant parricide estant appelé pour tirer du sang au roy, au lieu de le saigner comme on a accoustumé, lui couppa de sorte la veine qu'il pust jamais estancher le sang, fust qu'il le fist par mesgarde ou par meschanceté. Tant y a que le roy, voyant ce malheureux accident, de colere prit un couteau de la main gauche, et en tua le mire. Mais cela ne luy servit de rien, car il le suivit incontinent et mourut bientost apres, au grand desplaisir de tous ses sujets. » (207)

Henri III mourut assassiné, mais l'événement ne se déroula pas tout à fait ainsi que d'Urfé le narre. Il est pourtant quelques détails qui permettent un rapprochement certain entre Torrismond et Henri III. L'assassin était un moine qui s'introduisit auprès du roi, non point pour le soigner, mais sous prétexte de lui remettre des lettres de la part du comte de Brienne. Le roi s'empara du couteau qui lui avait transpercé l'intestin et en porta un coup sur le sourcil gauche du moine (208). Malgré les précautions d'Honoré d'Urfé pour dérouter son lecteur, le récit et l'événement historique ont des points de ressemblance assez frappants.

Les fêtes de la cour, décrites dans *L'Astrée,* précisent encore davantage qu'il s'agit bien d'Henri III. Le faste de la cour fut grand sous son règne. Les gentilshommes, princes, ducs ou prélats y furent plus nombreux que jamais, présents plus par ambition que par devoir. Le luxe déployé à la cour d'Henri III surpassa de loin ce qu'il fut sous François 1er. Des fêtes et des tournois s'y déroulèrent dans un faste incroyable de costumes. De telles dépenses ne se firent pas sans soulever des protestations véhémentes (209). Honoré d'Urfé décrit avec un certain plaisir ce luxe qui règne à la cour de Torrismond ; il ne tient aucun compte des dépenses et il ignore la misère du royaume. Aucun reproche n'est adressé au roi qui est « un grand roi », mort « au grand desplaisir de tous ses sujets » (210). Nous sommes loin de la constatation amère de Pierre de l'Estoile :

> « Ce roi mourant laissa le royaume de France et tous les sujets d'icelui si pauvres, atténués et debilités, qu'on ne pouvoit plutôt attendre la ruine qu'en espérer aucune rescousse. » (211)

L'auteur de *L'Astrée,* comme le peuple le fit en manifestant sa colère contre les Jacobins lors des obsèques du roi, condamne le parricide. Plutôt que le problème social, lui plaît l'aspect politique de l'événement : aucune conséquence sociale n'est à considérer dans une conduite politique. A l'époque de la composition de la troisième partie de *L'Astrée,* Honoré d'Urfé réagit comme tous les membres de la classe sociale à laquelle il appartient et non point comme un moraliste soucieux du bonheur du peuple.

---

(207) *Ibid.*, III, 3, 87.
(208) P. de l'Estoile, *op. cit.*, Année 1589, août, pp. 289-291.
(209) Voir, à ce propos, P.M. Smith, *op. cit.*, pp. 156 sq.
(210) *Astrée,* III, 3, 87.
(211) Pierre de l'Estoile, *op. cit.*, p. 293.

Son attitude est la même quand il raconte l'histoire d'Euric, qui représente Henri IV (212). La politique de conquête et la vie du roi intéressent surtout Honoré d'Urfé. Le portrait d'Euric n'est pas toujours très flatteur. Il est assurément le « plus grand et [le] plus généreux prince qui commanda jamais dans la Gaule. » (213) Honoré d'Urfé condamne cependant son ambition. Daphnide déclare à Alcidon

> « ...qu'Euric est un prince qui peut tout ce qu'il veut, et à qui les citez, ny les provinces, voire ny les royaumes entiers, n'ont peu faire jusques icy resistance, quand son ambition luy a fait tourner ses armes contre eux. » (214)

Euric est d'une humeur changeante et autoritaire, à tel point que « jusques icy, il ne s'est trouvé personne qui l'ait peu arrester. » (215) Il avoue à Alcidon qu'il n'est pas « moins soldat d'Amour que de Mars ». Sa cour connaît les multiples intrigues de femmes qui essaient, par ambition, de faire la conquête de son cœur. Euric va de l'une à l'autre. La beauté de Clarinte lui plaît-elle ? Il abandonne Daphnide, pour tenter sa chance auprès de Clarinte. Les parents des femmes sont flattés d'être invités à la cour, parce qu'ils espèrent être honorés des faveurs du roi : ceux de Daphnide seront, d'ailleurs, comblés de biens (216). Euric est un « prince accompagné de toutes les graces qui peuvent faire aimer » (217). Il ne peut rester oisif et, quand il fait trêve avec Mars, il recommence « la guerre avec l'Amour et avec la chasse » (218). Pourtant, Honoré d'Urfé reconnaît qu'Euric sut agir en bon prince à l'égard des peuples vaincus. Les défenseurs de la ville d'Arles ont fini par capituler et ont accepté les conditions « à sçavoir, de la conservation de leurs franchises et privilèges ». Euric pense qu'en contentant les habitants de cette ville il conviera « les autres à faire comme elle. » Alcidon l'en félicite :

> « C'est... Seigneur le meilleur conseil que vous puissiez suivre ; car un grand roy, comme vous estes, doit s'efforcer de se sousmettre les peuples plus par la douceur que par la force. » (219)

N'est-ce pas le précepte que l'auteur de *L'Astrée* répète plusieurs fois ? Celui de la générosité qui seule attire l'amour des sujets.

Prêt à épouser Daphnide, puisque les préparatifs du mariage s'accomplissent, Euric, comme Henri IV, est assassiné. L'auteur du forfait est un « parricide (tel peut-on bien appeler celuy qui tue le père du peuple) » (220). Jamais, qu'il s'agisse d'Henri III

---

(212) En 1590, Jacques de Fonteny avait écrit une pastorale intitulée, *Galathée divinement délivrée,* qui avait pour intention de chanter la gloire d'Henri IV en célébrant ses victoires sur les bords de la « riviere Eure » et le retour de la paix.

(213) *Astrée,* III, 4, 201.

(214) *Ibid.*, III, 4, 163.

(215) *Ibid.*, III, 4, 168.

(216) *Ibid.*, III, 4, 164.

(217) *Ibid.*, III, 4, 213.

(218) *Ibid.*, III, 3, 139.

(219) *Ibid.*, III, 3, 136.

(220) *Ibid.*, III, 4, 201.

ou d'Henri IV, Honoré d'Urfé ne justifie le régicide. Euric, surtout, n'est pas peint comme un tyran. Le personnage, tel qu'il est représenté, cache sans doute une critique de l'auteur de *L'Astrée* ; est-elle d'ailleurs si différente de celle des contemporains qui, parlant d'Henri IV, ont fréquemment insisté sur son goût pour l'amour et la chasse ? Ceci dit, nous constatons qu'en 1619, lors de la publication de la troisième partie de *L'Astrée,* l'opinion d'Urfé n'avait pas changé vis-à-vis de celui qu'il avait naguère si longtemps combattu. Quels qu'aient été les sentiments du roi pour Honoré d'Urfé, celui-ci, sans renier son attitude passée, s'était rallié sincèrement. Il ne semble pas que l'auteur de *L'Astrée* se soit soumis à une attitude dictée par l'opportunisme. La dédicace d'un opuscule contenant ses *Vers sur le trespas de Henry le Grand, composez incontinent apres sa mort, et imprimez à son anniversaire,* nous montre que ses contemporains le considéraient comme attaché à la mémoire du roi défunt (221).

Aux dires de Patru, les personnages qui figurent dans cette histoire d'Euric sont tous identifiables (222). Il semble assez clair que Daphnide représente la duchesse de Beaufort, Alcidon, le duc de Bellegarde et Délie, Diane d'Estrées, sœur de la duchesse de Beaufort. L'histoire de Gabrielle d'Estrées, qui fut la maîtresse de Bellegarde et écouta, par ambition, les déclarations d'Henri IV, s'identifie à celle de Daphnide.

***

Les récits de *L'Astrée* et les réflexions sur les courtisans et le gouvernement du royaume ne sont étrangers ni à l'observation, ni aux aventures survenues à la cour. Au vrai, d'Urfé ne condamne pas, il constate et raconte. Mais, de *L'Astrée* se dégage la conception d'une société idéale, d'un prince et d'un courtisan modèles.

Les critiques d'Urfé rejoignent, sans doute, celles qui étaient les plus communes à l'époque. Abattu par ses arrestations, l'auteur des *Epistres Morales* ne songe pas à se retirer du monde ; un sursaut d'énergie lui permet de ne pas perdre l'espoir. Il a 28 ans, il n'a pas perdu courage :

---

(221) Paris, J. Libert, 1611. Ces vers sont attribués à Jean Sirmond. Voir O.C. Reure, *op. cit.*, p. 50 et n. 2. Les vers dans lesquels Daphnide exprime son désespoir (*Astrée*, III, 4, 202) furent réimprimés dans le *Second livre des Délices de la Poesie françoise*, Paris, T. du Bray, 1620. Les premier et quatrième vers ont été modifiés : « guerriers » est remplacé par « François » et « Daphnide » par « Marie ». Le poème fut publié sous le titre, *Sur la mort de Henry le Grand sous le nom de la Royne Marie, mère du Roy.* Voir O.C. Reure, *op. cit.*, p. 263 et M. Magendie, *op. cit.*, pp. 90-91. L'histoire d'Euric, de Daphnide et d'Alcidon a été longuement étudiée par A. Lefranc, *art. cit.*, in *RCC*, 15 juin 1905, pp. 688 sq, ainsi que par G. Charlier, *Un épisode de l'Astrée - Les Amours d'Alcidon*, Paris, Brossard, 1920. Voir, encore, Saint Marc Girardin, *Cours de littérature dramatique*, t. III, p. 100.

(222) Patru, *op. cit.*, pp. 110-111. A propos de ces dires de Patru, voir G. Charlier, *op. cit.* Sur les clés de *L'Astrée,* voir A. Lefranc, « Le roman au XVIIe siècle, les clefs de l'*Astrée* », in *RCC,* t. XIV, I (1905-1906), pp. 65 sq.

« Je suis trop engagé au combat, [écrit-il], il faut que nous sçachions à qui le champ de bataille demeurera... à ceste heure, ce seroit fuitte et non pas retraitte. » (223)

Quand Honoré d'Urfé écrit le deuxième livre, il relève de maladie, et l'échec de la Ligue est maintenant indiscutable ; les sacrifices imposés par l'ambition lui paraissent vains. Alors seulement, il exprime son mépris pour les contraintes de la cour. Les formules de la satire prennent, sous la plume de l'auteur des *Epistres Morales,* un accent de sincérité qui provient de l'expérience. Ici, tout n'est pas littérature. Honoré d'Urfé rejoint ceux qui, déçus par la poursuite des honneurs, rêvent d'un bonheur tranquille dans la retraite. Mais comment faire la même remarque à propos de *L'Astrée* ? Les critiques formulées contre la vie de cour sont très générales dans la première partie, mais elles deviennent plus nettes et plus acerbes, dans les troisième et quatrième parties du roman. Or, d'Urfé n'a pas lieu d'être déçu, car il a participé activement à la vie politique et on l'honore. Ces critiques ne sont pas le fruit d'une amertume, elles sont plutôt la méditation d'un homme comblé, qui garde l'esprit sain et qui, retiré loin de la ville, constate la vanité d'une gloire chèrement acquise au détriment des valeurs morales qui font l'homme. Il a observé lui-même les artifices de la cour, ses intrigues et son luxe. Alors, la rancœur n'a pas lieu de naître dans son cœur, mais l'homme du XVIIe siècle découvre les vraies valeurs en toute sérénité, il apprend mieux que jamais, car il est un homme mûri par les expériences, que les faveurs du monde sont l'héritage de la Fortune et que la grandeur de l'homme est dans son mérite.

La politique n'est pas absente de ses réflexions. Nous avons vu Honoré d'Urfé élaborer, surtout dans les troisième et quatrième parties de *L'Astrée,* un programme politique qui est conforme aux idées politiques du temps, sans part à l'originalité. D'Urfé n'est pas homme à lutter contre un ordre établi. Il est profondément enraciné dans sa société et il ne se pose pas la question d'un gouvernement meilleur et plus juste que la monarchie ; elle est, parce que paternaliste, la forme de gouvernement la plus rassurante. Au vrai, d'Urfé ne prend position sur aucun problème politique. Il se borne essentiellement à présenter un roi idéal, juste et libéral, tel un bon père de famille, qui doit assurer le bonheur de son peuple. La conception de la société pastorale de *L'Astrée,* liée à un profond nationalisme, constitue, sans aucun doute, une originalité de *L'Astrée.* Mais les bergers souffrent, la jalousie leur ronge le cœur, car ils ont eu le tort de se donner l'amour pour maître (224). Au fond, il apparaît que le gouvernement politique est étranger au bonheur de l'homme. Seule, la sagesse acquise par l'effort est garante du vrai bonheur.

---

(223) *E.M.*, I, 23, 230.

(224) A propos des coups de la Fortune dont sont victimes les bergers, Astrée fait la remarque suivante : « Nous ne le sommes pas tant que celles qui vivent dans les Cours dans le maniement du monde ; mais tout ainsi que les lacs, encor qu'ils soient moins spacieux que la mer, ne laissent d'avoir leurs orages, et leurs tempestes, de mesme est-il de nous, car nous avons aussi nos infortunes et nos mal heurs... » (*Astrée,* III, 2, 74).

CHAPITRE II

LA MORALE D'HONORE D'URFE

L'Astrée se présente comme une quête du bonheur, mais d'un bonheur toujours fuyant et difficile à atteindre, malgré les efforts de l'homme pour vaincre la passion et la Fortune qui s'acharne contre lui. Un certain optimisme règne pourtant dans *L'Astrée* ; une foi dans la grandeur de l'homme et dans la force de la volonté ne laise de s'y manifester. *Les Epistres Morales* se caractérisent par les résolutions stoïques de leur auteur. La même énergie, la même poursuite de la gloire, la même quête difficile et toujours incessante de la vertu, le même combat livré contre le vice et contre la Fortune animent les héros de *L'Astrée*. Mais, ici, le héros part à la conquête d'un paradis perdu qu'il ne retrouvera jamais ; là, dans les lettres adressées à Agathon, notamment dans les premier et deuxième livres, l'auteur proclame qu'il est certain de la victoire. D'Urfé est alors un homme marqué par la souffrance, mais qui, jeune encore, ne veut pas s'avouer vaincu. Il partage les idées de la génération qui clôt le XVIe siècle et ouvre le XVIIe siècle, dont les aspirations sont comblées par la doctrine morale du néo-stoïcisme. Quand il écrit les lettres du premier livre, Honoré n'a que 27 ans. Comment, homme de guerre, gentilhomme, ancien élève des Jésuites et formé à l'école de Plutarque et de Sénèque, aurait-il fui les résolutions d'énergie et les leçons de devoirs envers soi-même ? Il n'est pas dans notre propos de rechercher par le menu à quelle source livresque notre auteur s'est abreuvé, mais plutôt de replacer sa morale dans le courant d'idées de l'époque où il écrit. La morale de l'énergie proposée par le stoïcisme et un langage, expression d'une âme fière et mâle, convenaient à des hommes que le malheur avait frappés pendant de longues années. Accablé par les événements de sa vie, Honoré jette un défi d'optimisme à l'inquiétude qui tente de s'emparer de lui. Il cueille les idées du néo-stoïcisme, non point pour en orner sa pensée et en composer une œuvre littéraire, mais pour son usage et celui de tous ceux qui le liront. Comme Montaigne, du Vair ou Charron, il veut se faire « Médecin de la Fortune » et mettre aux yeux de tous le fruit de son expérience pour la « necessité » de chacun. Comme tel, son enseignement est celui du patient et du médecin (1). Fondée sur l'étude de lui-même, la leçon qu'il propose est la même que celle des moralistes de la fin du XVIe siècle.

***

(1) *E.M., Au lecteur.*

I. — Le courant néo-stoicien.

La morale stoïcienne s'imposa à la fin du XVIe siècle, parce qu'elle fut capable de contenter les esprits les plus divers. Les splendeurs de la Renaissance avaient marqué le début de ce siècle qui s'acheva dans les déchirements des luttes religieuses. L'homme en fut désemparé ; sa fortune était chaque jour menacée. En 1588, Montaigne pouvait écrire :

> « En cette confusion où nous sommes depuis trente ans, tout homme françois, soit en particulier, soit en général, se voit à chaque heure sur le point de l'entier renversement de sa fortune » (2).

Au milieu de souffrances si aiguës, on fit naturellement bon accueil au stoïcisme. La fin du XVIe siècle rechercha la victoire sur soi-même ; c'est une résolution tout autant païenne que chrétienne. En effet, le néo-stoïcisme est un stoïcisme christianisé (3), auquel s'adjoignent de nombreux éléments disparates qui appartiennent au néo-platonisme, à la pensée épicurienne, sceptique et hermétique, dont la source est l'humanisme italien du XVe siècle (4). Nous ne pouvons donc définir la renaissance du stoïcisme par référence aux seuls philosophes stoïciens de l'Antiquité. Les Pères de l'Eglise, eux-mêmes, n'avaient-ils pas fondé leur morale sur le stoïcisme, en critiquant, acceptant ou amendant ses préceptes (5) ? Les humanistes du XVIe siècle agirent ainsi. Eux aussi durent faire œuvre d'adaptation et tournèrent les yeux vers les œuvres des Pères de l'Eglise que l'on rééditait (6). Le néo-stoïcisme mit en valeur les points communs des deux doctrines chrétienne et stoïcienne et laissa de côté les divergences de dogme (7).

Parce que la doctrine chrétienne était profondément enracinée dans la tradition aristotélicienne, l'adaptation humaniste des néo-stoïciens dépendit d'une interprétation faite à la lumière de l'enseignement scolastique (8). Nous avons constaté comment la formation philosophique des élèves s'appuyait sur la pensée d'Aristote interprétée par Saint Thomas d'Aquin. Les discours prononcés à l'Académie du Palais fondée en 1576 sont encore une preuve des

---

(2) *Essais,* III, 2.

(3) Sur les rapports entre le christianisme et le néo-stoïcisme, voir L. Zanta, *La renaissance du stoïcisme au XVIe siècle,* p. 12 ; Y. Miloyevitch, *La théorie des passions du P. Senault, et la morale chrétienne en France au XVIIe siècle,* Paris, Rodstein, 1935, p. 64.

(4) Sur les diverses influences subies par le courant néo-stoïcien, voir A. Levi, *French Moralists, the Theory of the Passions, 1585 to 1649,* Oxford, Clarendon Press, 1964.

(5) Voir L. Zanta, *op. cit.,* pp. 99 sq. ; H. Busson, *Les sources et le développement du rationalisme dans la littérature française de la Renaissance (1533-1601),* p. 458.

(6) L. Zanta, *op. cit.,* p. 98.

(7) *Id., ibid.,* p. 13.

(8) Voir J. Maurens, *La tragédie sans tragique. Le néo-stoïcisme dans l'œuvre de Pierre Corneille,* p. 14.

liens étroits qui unissent l'aristotélisme et le néo-stoïcisme (9). Saint Thomas établit le bonheur de l'homme à partir de Dieu. Le néo-stoïcisme, exaltant la grandeur de l'homme, retient de l'aristotélisme la valeur et le rôle de la raison et de la volonté. Une morale indépendante va donc s'édifier qui ne manquera pas d'inquiéter ceux qui enseignaient la foi en l'homme et l'amour de la vertu.

Les Jésuites, en effet, participèrent à la diffusion de la morale néo-stoïcienne en France. Leur désir de combattre le fidéisme protestant les conduisit à mettre l'accent sur la raison et sur le libre arbitre. La lecture et le commentaire d'Epictète, de Sénèque et de Plutarque firent découvrir aux élèves le rôle de l'effort personnel dans l'acquisition de la vertu et de la force d'âme (10). Saint Ignace fonda sa morale sur la philosophie antique, mais il n'alla point jusqu'à enseigner l'amour de Dieu, « selon l'esprit de la nature et de la raison » (11). Assurément, Richeome proposera, comme précepte de vie morale, la victoire sur soi-même, car,

> « prendre une ville, gagner une bataille, c'est une chose vraiment grande, mais vaincre soi-même, c'est une chose incomparablement plus difficile et plus noble » (12).

Pour lui, la vie de l'homme sur la terre est un temps de luttes, où s'éprouve la force d'âme, en attendant le salut éternel (13). Mais ni Saint Ignace de Loyola, ni Richeome, malgré leur confiance optimiste en la nature humaine, n'ont oublié que l'homme a été mutilé par le péché originel. Ni l'un ni l'autre n'ont perdu de vue que ce combat est livré sur terre pour gagner le salut dans l'éternité. Les *Exercices spirituels* de Saint Ignace montrent ce que peut obtenir la volonté de l'homme, non pas seule, mais guidée par la grâce divine. L'ascèse ignacienne est une école de volonté qui réprime les passions, pour obtenir une abnégation de la volonté. La mortification intérieure finit par noyer la volonté de l'homme dans celle du Christ, et l'énergie s'oriente vers l'acquisition de l'humilité, fondement et soutien de toutes les vertus chrétiennes (14). Saint-François de Sales put écrire :

> « En toutes actions tasches de vous mortifier et crucifier vos passions, inclinations, aversions, avec nostre Seigneur au mont du Calvaire, afin que vous viviez avec luy en sa gloire...

---

(9) Voir, A. Levi, *op. cit.*, p. 63 ; sur l'Académie du Palais, voir E. Frémy, *op. cit.*

(10) Voir F. de Dainville, *La naissance de l'humanisme moderne*, p. 250.

(11) O. Nadal, *Le sentiment de l'amour dans l'œuvre de Pierre Corneille*, Paris, Gallimard, p. 37.

(12) Richeome, *L'Ame devote laissant le corps, avec les moyens de combattre la mort et l'appareil pour heureusement se partir de cette vie mortelle*, devis LXXIV, pp. 249-250, cité par R. Bady, *op. cit.*, p. 250. Cet ouvrage a sans doute été publié pour la première fois en 1590. (voir R. Bady, *op. cit.*, p. 247, n. 93).

(13) Voir R. Bady, *op. cit.*, p. 252.

(14) Sur la spiritualité de Saint Ignace de Loyola, voir L. Liuima, *Aux sources du Traité de l'Amour de Dieu de Saint François de Sales*, Rome, Librairie éditrice de l'Université Grégorienne, 1959, pp. 131-132 ; H. Pinard de la Boullaye, *Exercices spirituels de Saint Ignace*, Lille, 1953, pp. 22-23, n. 16.

Tenes cette regle, de ne point vivre selon vos sentiments, mais selon la rayson » (15).

Saint François de Sales, comme Honoré d'Urfé, fut élève des Jésuites, mais celui-ci rapporte la discipline de la volonté à sa propre gloire, celui-là situe sa conduite dans la perspective chrétienne de la Rédemption. Le premier, comme ses maîtres, tient compte de la chute originelle, l'autre l'oublie, pour exalter la force de l'homme seul. La spiritualité ignacienne n'ignore pas les faiblesses de la nature, mais elle connaît aussi ses grandeurs, comme la morale stoïcienne ; elle enseigne que la vie est un combat qui doit amener la volonté à se soumettre à celle de Dieu (16). Amputé de sa fin spirituelle, l'enseignement moral des Jésuites devait conduire à une apologie de l'orgueil. Leurs élèves, prêts à s'exalter pour le combat et la victoire de la volonté, ne s'en firent pas faute. Ce défaut ne passa pas inaperçu aux yeux de leurs éducateurs (17). Dégager des auteurs stoïciens les vérités qu'ils admettent et réfuter leurs erreurs fut la méthode employée, mais il faut convenir que les élèves oublièrent bien vite la réfutation, pour ne retenir que l'erreur, surtout quand elle répondait aux désirs profonds de leur nature. Sans renier jamais la foi chrétienne, Honoré d'Urfé oublie que ses maîtres lui ont enseigné l'humilité. Il ne retient de leur spiritualité que l'exercice de la volonté, le goût du combat et de la victoire qui confère à l'homme sa dignité. Plus tard, seulement au moment de la composition du Livre II des *Epistres Morales,* et parce que, sans doute, il l'aura redécouvert à travers le néo-platonisme, il donnera à la mort son sens chrétien de béatitude éternelle en Dieu, méritée par une vie de combat livré contre les désirs du corps. Mais s'agit-il d'expliquer le sens de la vie, d'étudier la condition de l'homme ? Pas plus dans son œuvre que dans celle de Montaigne, il ne sera question des dogmes chrétiens qui sont l'objet de sa foi. Il est en cela non point une exception, mais une illustration de la conception humaniste, qui sépare sans inconséquence la philosophie et la vie pratique, de la foi. Les exemples de vie chrétienne, à part celui de Saint Louis (18) et le récit de la mort de Nemours, sont absents des *Epistres Morales.* Différentes en cela des *Essais,* elles se rapprochent des œuvres de du Vair ou de Juste-Lipse, et, un peu plus tard, de celles de Charron. Comme eux, d'Urfé humaniste retient l'enseignement stoïcien d'Epictète, de Plutarque, de Sénèque et de Cicéron : ces auteurs étaient lus et commentés au collège, lus et médités par ses contemporains.

---

(15) *Lettre de Saint François de Sales à Sœur Marie Adrienne Fichet,* citée par A. Liuima, *op. cit.,* p. 131.

(16) La spiritualité ignacienne fut exprimée sous son aspect de combat dans l'ouvrage attribué à Laurent Scupoli, *Le Combat spirituel,* paru en 1589, et qui eut une très grande influence au début du XVIIe siècle.

(17) Voir, à ce propos, l'article de J. Eymard d'Angers, « Le stoïcisme en France dans la première moitié du XVIIe siècle. Les origines (1575-1616) », in *Etudes franciscaines,* 1952, pp. 124 sq.

(18) *E.M.,* I, 15, 157. Saint Louis n'est pas cité en exemple de vie chrétienne, mais pour montrer que ceux qui sont aimés du Ciel ne sont pas les plus heureux sur terre.

Presque jusqu'à la deuxième moitié du XVIe siècle, le stoïcisme était présent dans l'esprit de l'homme cultivé, d'une façon confuse. Le seul livre qui présentât la doctrine stoïcienne était le *de Consolatione philosophiae* de Boèce dont on trouve un exemplaire d'une traduction en vers, dans la bibliothèque de Claude d'Urfé. Boèce ne livrait qu'une image sommaire de la morale stoïcienne (19). C'est l'édition des grandes œuvres, celle d'Epictète, Plutarque, Sénèque et Cicéron, qui permit une meilleure connaissance du stoïcisme et un plus grand engouement pour lui. En 1558, parut la première traduction des *Entretiens* d'Epictète par Jean Coras (20), en 1567 André Rivaudeau publiait un commentaire du *Manuel* (21). La pensée d'Epictète n'était étrangère à aucun humaniste ; les moralistes faisaient appel à sa pensée, Honoré d'Urfé le cite (22).

Mais, en cette matière, les grands auteurs, auxquels on se réfère, sont bien Plutarque et Sénèque :

> « Telles paroles, [dit Honoré d'Urfé à Agathon], sont indignes du courage d'Agathon et de celuy qui est nourry dans le sein de Pythagoras, de Platon, de Sénèque, de Plutarque et de tant d'autres grands personnages. » (23)

Parmi ces derniers, il faut compter Cicéron et Plutarque surtout, « ce grand Plutarque » (24), qui était une inépuisable source d'exemples et de réflexions. Entre 1520 et 1578, trente-deux traductions françaises des *Moralia* furent publiées (25), mais sans portée véritable sur le grand public, tant à cause de leur petit nombre d'exemplaires qu'à cause des maladresses. Il revint à Amyot de diffuser les *Moralia,* en France, où il avait déjà fait connaître les *Vies.* Entre 1572 et 1620 environ, se situe la pleine diffusion des *Morales* d'Amyot, dont le succès

> « est si grand qu'il constitue, avec celui des ouvrages platoniciens durant la premiere moitié du XVIe siècle, l'un des traits marquants de notre Renaissance. » (26)

Les bibliothèques privées reçoivent la traduction des *Moralia* plus que celle des *Vies.* Elle devient une sorte de classique, où les moralistes puisent des exemples qu'ils n'hésitent pas à reproduire parfois littéralement. L'ouvrage présente un intérêt si considérable pour les esprits de l'époque, que, de même qu'on avait composé le *Trésor des Vies de Plutarque* (27), François le Tort, en 1577, rédige

---

(19) J. Maurens, *op. cit.*, p. 25.

(20) *Altercation en forme de dialogue de l'empereur Adrien et du philosophe Epictete,* Toulouse, J. André, 15558.

(21) *La doctrine d'Epictete stoïcien, comme l'homme se peut rendre vertueux, libre, heureux, sans passion,* Poitiers, 1567.

(22) *E.M.*, 1, 2, 14 ; 1, 12, 120.

(23) *Ibid.*, 1, 13, 136.

(24) *Ibid.*, 1, 13, 137.

(25) Voir, R. Aulotte, *Amyot et Plutarque, la tradition des Moralia au XVIe siècle,* Appendice III, pp. 347 sq.

(26) Id, *ibid.*, p. 256.

(27) Anvers, 1567.

un *Trésor des Œuvres Morales,* en texte latin et français (28). Sans doute la traduction d'Amyot n'a-t-elle pas, pendant les vingt-cinq dernières années du siècle, marqué les œuvres de spiritualité, car les esprits secoués par les malheurs du temps préférèrent aux leçons de vertu rédigées par Plutarque celles, beaucoup plus rudes, enseignées par Zénon, Epictète ou Sénèque et reprises par Juste-Lipse ou du Vair. Le début du XVIIe siècle maintiendra le prestige du néo-stoïcisme de Juste-Lipse et de du Vair.

En revanche, les *Moralia* influencèrent la morale pratique, en incitant à réfléchir sur la prudence, le courage, la justice, l'indulgence et les devoirs envers nous, envers les autres et envers l'Etat. Les *Consolations,* notamment, invitaient à s'interroger sur la conduite à tenir en face de la mort. Plutarque contribua ainsi à l'établissement d'une morale purement humaine. En outre, la version des *Morales* eut l'heureuse conséquence de développer le goût pour l'analyse psychologique. En proposant des exemples de vie exceptionnelle, les *Vies parallèles* avaient façonné « le sublime idéal de ces temps agités », pendant les quarante dernières années du XVIe siècle (29). Une fois la paix revenue, les *Moralia* aidèrent à définir un « modèle moins excessif ». D'une façon générale, les œuvres de Plutarque ont donné aux hommes de la Renaissance le goût d'une grandeur et d'une intransigeance morales qui les tournèrent vers le stoïcisme. Ce n'était pourtant pas la leçon que l'auteur des *Moralia* se proposait de donner, lui qui fut partisan du juste milieu aristotélicien (30). D'Urfé puisa abondamment dans l'œuvre de Plutarque, y trouvant des exemples et des thèmes de réflexions qui l'orientèrent vers le stoïcisme plus familier et plus pratique. Il lui emprunta le fond de sa pensée et n'hésita pas à le piller (31). Montaigne déclarait que les livres qui lui servaient le plus étaient Plutarque, « depuis qu'il est françois, et Sénèque » (32).

D'Urfé découvrit dans les œuvres de Sénèque, lues dès le collège, des leçons d'énergie pour vaincre la Fortune, les méditations sur la mort et la maîtrise de soi. Lui aussi aurait pu écrire :

> « Je n'ai dressé commerce avec aucun livre solide, sinon Plutarque et Sénèque, où je puise comme les Danaïdes, remplissant et versant sans cesse. » (33)

De Montaigne à Pascal, Sénèque fut « le maître des âmes héroïques » (34). Les *Lettres à Lucilius* et les *Traités* fournissaient aux

---

(28) *Le Tresor des Morales de Plutarque, ... contenant les preceptes et enseignements que chacun doit garder pour vivre honnestement selon son estat et vacation avec les beaux dicts et faits des Empereurs... premierement recueillis et extraicts en langue latine et depuis redigez en bon ordre et disposition en langue françoise,* par F. Le Tort angevin, Paris, Poupy, 1577. A propos de cet ouvrage, voir R. Aulotte, *op. cit.,* p. 259, n. 2.

(29) R. Aulotte, *op. cit.,* p. 265, n. 2 et pp. 255-256, sur le rôle joué par Simon Goulard qui rendit accessible l'enseignement moral des œuvres de Plutarque.

(30) Voir B. Latzarus, *Les idées religieuses de Plutarque,* Paris, 1920.

(31) Voir, à ce propos, Sœur Marie Goudard, *op. cit.,* p. 145.

(32) *Essais,* II, 10.

(33) *Ibid.,* II, 10.

(34) H. Busson, *Le religion des Classiques,* Paris, P.U.F., 1948, p. 193.

néo-stoïciens une pensée facile à christianiser. Aucun philosophe païen n'a été utilisé par les humanistes avec autant d'application, sauf Platon, sans doute (35). Les traductions de Sénèque se multiplièrent, mais jamais elles ne furent aussi nombreuses qu'à la fin du siècle (36). Simon Goulard, un Huguenot, qui publia, en 1595, une traduction de Sénèque, fit remarquer qu'en l'état où étaient réduites les affaires « les nerveux enseignements de ce philosophe » présentaient l'avantage de « beaucoup servir aux esprits moins asseurés » (37). Les misères du temps imposaient les questions de philosophie morale et Henri III, fidèle auditeur des séances de l'Académie du Palais, proposait des sujets de discussion sur les vertus et les passions. Dans les discours de Pibrac, de Ronsard, d'Amadys Jamin ou de du Perron, le nom et les opinions de Sénèque reviennent souvent (38). Dans ses *Quatrains,* Pibrac versifia la doctrine de Sénèque sur les biens de fortune, sur la liberté du sage, sur les lectures et sur la brièveté de la vie (39). Le seigneur de Pressac, en 1583, offrit à Henri III la traduction de quarante-et-une lettres de Sénèque. En 1594, il devait publier, à Tours et à Lyon, la suite de sa traduction (40).

Enfin, les discussions philosophiques de Cicéron ne laissèrent pas indifférents les moralistes de la fin du XVIe siècle. Il est vrai que les traductions de ses œuvres philosophiques ne furent pas aussi nombreuses que celles de Sénèque, mais on traduisit de nombreuses fois le *De officiis,* surtout entre 1550 et 1583 (41), et le *De natura deorum,* dont le traducteur le plus célèbre fut Le Fèvre de la Boderie qui, dans sa dédicace à Henri III, écrivit :

> « Sire, jà de longtemps, considérant à part moi que les diverses erreurs, que ce misérable temps a renouvelées et remises sus, traînoient à leur suite le comble de toute impiété et damnable athéisme, qui fait profession de ne rien croire et d'ôter la Providence divine de l'administration du monde... » (42)

L'œuvre philosophique de Cicéron, le *De natura deorum* surtout, devait amener les lecteurs à réfléchir sur la Providence. Les auteurs païens, en ce siècle humaniste, supplantent les auteurs chrétiens, le commentaire les christianise et ils offrent à nos moralistes une source de méditations, voire de citations dont ils émail-

(35) Sur les interprétations chrétiennes des auteurs païens, voir la communication de R. Lebègue au Colloque de Strasbourg, 9-11 mai 1957, in *Courants religieux et Humanisme à la fin du XVe siècle au début du XVIe siècle,* Paris, P.U.F., 1959, pp. 37-44.

(36) Voir à ce propos, J. Maurens, *op. cit.,* p. 28, n. 34 ; Hill Hay, *Montaigne lecteur et imitateur de Sénèque,* Poitiers, 1928, pp. 21-23.

(37) *Œuvres diverses et meslees de Seneque,* ép. déd. à Nicolas Harlay, cité par F. Préchac, « Sénèque, lecture royale sous le dernier Valois », in *Lettres d'Humanité,* IX, mars 1950, p. 185.

(38) Voir, à ce propos, E. Frémy, *op. cit.*

(39) Voir F. Préhac, *art. cit.,* pp. 186-187.

(40) Id, *ibid.,* p. 195.

(41) Il y eut, au XVIe siècle, 5 traductions du *De Officiis,* dont 3 entre 1550 et 1583. Voir à ce propos J. Maurens, *op. cit.,* p. 28, n. 33.

(42) cité par L. Zanta, *op. cit.,* p. 132.

lent à plaisir leurs œuvres. Ce fut notamment cette bonne fortune qu'offrit Cicéron.

Son influence explique en partie que le stoïcisme gagna d'abord le milieu juridique. Le droit français qui progresse rapidement au XVIe siècle et attire de nombreux adeptes s'appuie sur les dogmes stoïciens des légistes romains (43). Au milieu des commentaires juridiques, les juristes glissent des remarques morales, comme le fait par exemple Jean Papon, dans ses *Notaires*. Le droit et la philosophie n'étaient pas des matières étrangères l'une à l'autre, loin de là ; Pasquier et Pibrac seront des humanistes de formation juridique, pour ne citer que ceux-là. Mais la doctrine stoïcienne gagna bien vite toutes les classes cultivées.

A partir de 1576, l'Académie du Palais rassembla, sous la présidence du roi, deux fois par semaine, dans l'antichambre du Louvre, médecins, prélats, écrivains, nobles et bourgeois, pour y écouter des discours philosophiques sur les grands problèmes moraux de l'heure. La pensée de Sénèque, de Plutarque et de Platon y dominait (44). On discutait sur les vertus intellectuelles et morales, sur l'âme, la crainte, la colère et l'ambition (45). Ces mêmes sujets furent développés par Montaigne, Juste-Lipse, Guillaume du Vair et Charron. Le fondateur de l'Académie, Guy du Faur de Pibrac, versifia en quatrains la morale stoïcienne (46). Dès 1574, le succès de cette œuvre fut tel que, nous apprend Pasquier, elle fut mise entre les mains des enfants :

> « Jamais chose ne fut plus utile et agreable au peuple que les *Quatrains*. Nous les faisons apprendre à nos enfants pour leur servir de première instruction, et néantmoins dignes d'estre enchassez aux coeurs des plus grands. » (47)

Peut-être même apprenait-on les quatrains de Pibrac dans les écoles. Honoré d'Urfé connut cette œuvre devenue si populaire, puisque *Les Epistres Morales* citent au moins une fois les *Quatrains* (48). Pibrac fournissait des règles de conduite. Toutes les œuvres morales de cette époque veulent fournir au lecteur des préceptes de vie pratique et lui apprendre à se gouverner pour non pas changer « la personne que l'on nous a donnée, mais... la bien faire » (49).

Rien ne nous prouve que d'Urfé a puisé dans les œuvres des grands moralistes de son temps. Cependant, une communauté de

---

(43) Voir, à ce propos, J. Maurens, *op. cit.*, p. 29. Sur cette question, voir également, A. Desjardins, *Les sentiments moraux au XVIe siècle*, Paris, Pedone-Lauriel, 1887, p. 38.

(44) Voir E. Frémy, *op. cit.*

(45) Les discours prononcés à l'Académie du Palais furent publiés par E. Frémy, *op. cit.*, p. 255 sq.

(46) Sur Guy du Faur de Pibrac, voir A. Cabos, *Guy du Faur de Pibrac, un magistrat poète au XVIe siècle (1529-1584)*, Paris, E. Champion, 1922 ; E. Frémy, *op. cit.*, pp. 83 sq. ; R. Bady, *op. cit.*, pp. 161 sq.

(47) E. Pasquier, *Recherches de la France*, 1560, VII, col. 708, cité par A. Cabos, *op. cit.*, p. 338. La première édition des *Quatrains*, en 1574, contient 50 quatrains. La *Continuation* de ces quatrains fut publiée en 1575. La première édition complète parut en 1576.

(48) *E.M.*, 1, 6, 58.

(49) *Ibid.*, I, 19, 182-183.

pensée se dégage de leurs ouvrages et l'auteur des *Epistres Morales* se situe au carrefour des idées qu'ils énoncent. Voilà pourquoi il faut situer dans le temps ces diverses œuvres et montrer comment d'Urfé se rapproche ou se sépare de leurs idées.

Les *Essais* de Montaigne furent édités en 1580 et 1588 ; l'édition posthume parut en 1595. Juste-Lipse fit publier le *De Constantia* en 1582, la *Physiologia* et la *Manuductio* en 1604. Guillaume du Vair publia la *Sainte Philosophie* vers 1588, la *Philosophie Morale des Stoïques* en 1585, et, en 1594, le *Traité de la Constance. La Sagesse* de Pierre Charron parut pour la première fois en 1601. En somme, quand d'Urfé écrit le premier livre des *Epistres Morales*, les grandes œuvres néo-stoïciennes sont déjà connues. Seules, la *Manuductio* et la *Physiologia* de Juste-Lipse sont postérieures à l'édition du deuxième livre des *Epistres* d'Honoré d'Urfé. La *Sagesse* de Pierre Charron aurait donc pu influencer le deuxième livre. Ajoutons encore que le néo-stoïcisme ne laissa pas indifférents les protestants : c'est en 1576 que Duplessis Mornay fit imprimer *L'Excellent discours de la Vie et de la Mort.* Quant à Jean Bodin, il publia, en 1596, en latin, puis, en 1598, en français son *Paradoxon quod nec virtus ulla mediocritate nec summum hominis in virtutis actione consistere possit* (50). A partir de tous ces ouvrages, qui couvrent une période qui s'étend de 1580 à 1604, il nous est aisé de dresser une liste des thèmes néo-stoïciens qui sont amplement analysés dans *Les Epistres Morales.*

II. — Les thèmes néo-stoiciens dans l'œuvre d'Honoré d'Urfé.

Le néo-stoïcisme repose sur un triple fondement : la raison, la volonté, la nature. A la lumière de ces principes, les moralistes examinent les problèmes humains, celui de la Fortune et de la Providence, de la douleur et de la mort, et ils proposent une conduite de vie et une conception du bonheur. Celui-ci consiste dans l'acquisition de la vertu qui nécessite la connaissance de soi et la lutte contre les passions. Son étude impose une discussion sur l'excellence de la vertu morale ou intellectuelle.

Le premier livre des *Epistres morales*, notamment, est caractérisé par le néo-stoïcisme. Honoré d'Urfé propose en exemples les résolutions des anciens stoïques, empreintes d'aristotélisme et de platonisme (51) ; la morale qu'il expose à Agathon est un art de

---

(50) Cet ouvrage a été traduit de nouveau par Claude de Magdaillan, sous le titre, *Paradoxe de M. Jean Bodin doctes et excellents discours de la vertu touchant la fin et souverain bien de l'homme,* Paris, 1604.

(51) Comme Plutarque, d'Urfé cite Platon (*E.M.*, 1, 13, 136-137), Epictète (I, 11, 120). Ailleurs, il fait allusion aux « plus rudes et desnaturez stoïques » (I, 20, 195), au « stoïque sourcilleux » (I, 20, 198). Les protestations en faveur de l'aristotélisme ne manquent pas dans *Les Epistres Morales.* D'Urfé écrit par exemple : « Mais afin de m'expliquer, et que cognoisses que je ne m'esloigne pas de l'opinion d'Aristote... » (*E.M.*, II, 9, 326). Le paradoxe sur la vertu est entièrement fondé sur Aristote (II, 9, 328). La conclusion de la 10e épitre du livre II est entièrement empruntée aux *Ethiques* d'Aristote (II, 10, 343). En revanche, nous découvrons dans le deuxième livre un attachement à la pensée de Platon : « C'est peut-estre platoniser, ce que j'ay faict ce matin avec toy..., tu m'as prié de te nourrir des mesmes viandes que j'use pour moy. » (II, 9, 331).

vivre heureux en dépit de tout ce qui peut arriver. La conduite à suivre est régie par la raison, la nature et la volonté. Ainsi, d'Urfé ne s'éloigne ni du stoïcisme de l'Antiquité, ni des préceptes de Plutarque, ni de la tradition néo-stoïcienne du XVIe siècle.

La raison dicte la conduite du sage : « ...ce qui ne vient point du juste jugement de la raison ne doit estre estimé bon. » (52) Elle est un « rayon de la divinité » (53), qui constitue la grandeur de l'homme, et elle est un « frein » (54) qui évite au sage de se laisser griser par les prospérités sournoisement prodiguées par la Fortune. Ainsi, « le vertueux ne conduit ses actions que selon les loix de la raison » (55), car

> « l'ame qui ne suit la raison ne peut avoir ce titre. Doncques celuy qui sort hors des termes de cette raison, devient quelque autre chose que homme : et puis qu'il laisse la partie qui le fait ressembler aux Anges, il faut par force qu'il se laisse tomber en celle des brutes, lesquelles aussi communément nous ne nommons point autrement qu'animaux irraisonnables. » (56)

La raison, même quand les vices tentent de l'étouffer, ne cesse de ramener l'homme vers le vrai bien dont le principe est Dieu :

> « Est-il possible que ce rayon de la divinité, qui a esté mis en toy, soit tellement estouffé sous la cendre de tes ordures, qu'il ne luy reste encores quelque peu de chaleur pour t'esmouvoir aux actions du vray homme ?... C'est donc la fin de l'homme de chercher avec la raison son principe, et non pas croire que ce bourbier du corps soit la plus belle eau de l'univers. » (57)

Pour d'Urfé, la raison n'est pas seulement le principe divin et universel de connaissance, elle est aussi la faculté spéculative exempte d'assistance surnaturelle. La raison, « étincelle divine », permet la connaissance des choses divines. Comme faculté spéculative, elle doit être acquise par l'homme afin de se souvenir de la participation à Dieu et des idées innées. Sur ce point, Honoré d'Urfé partage l'opinion de Plutarque (58). La volonté devra donc suivre la voix de la raison. Par le fait, la morale d'Urfé prend un caractère rationnel et volontaire, tout à fait dans la tradition de la fin du XVIe siècle. Les penseurs chrétiens interdisaient à la raison le domaine de la foi. Ils ont cependant gardé la plus haute confiance dans la raison humaine qui est

> « comme un rayon que Dieu a désiré dans l'esprit humain, de la source éternelle de sa lumière ; Jean dit à son sujet dans l'Evangile qu'elle illumine tout homme venant en ce monde.

---

(52) *E.M.*, II, 12, 365.
(53) *Ibid.*, II, 3, 250 ; I, 12, 128.
(54) *Ibid.*, I, 2, 17.
(55) *Ibid.*, II, 10, 341.
(56) *Ibid.*, II, 1, 237.
(57) *Ibid.*, I, 12, 128-129.
(58) *Ibid.*, I, 8, 71.

> Notre raison est donc comme un ruisselet désiré de la source de Dieu. » (59)

Une confiance nouvelle dans la raison et la puissance autonome de l'homme se développe, peu à peu, à la Renaissance, pour s'épanouir pleinement à l'aurore du XVIIe siècle. Le néo-stoïcisme, qui se caractérise par sa foi dans l'homme, constitue une morale laïque, à laquelle le christianisme ajoute ses certitudes. La vision néo-stoïcienne du monde diffère de celle de l'augustinisme qui s'était imposée pendant le Moyen Age. Antoine Adam définit ainsi la pensée néo-stoïcienne :

> « ... un Dieu qui est la raison infinie et increéée. Un univers qui est le reflet de cette raison. L'homme qui participe à l'intelligence divine et qui s'insère dans l'ordre divin... L'oeuvre du Christ ramenée à une sorte de sublimation de l'ordre naturel. » (60)

Une telle conception du monde, qui confère à la morale un caractère rationnel et volontaire, est aristotélicienne. La plupart des thèses défendues par Aristote ont en effet passé dans la tradition stoïcienne qui les a exagérées et parfois déformées. Les disciples de Panetius les rétabliront dans leur sens et, par l'intermédiaire de Cicéron et de Sénèque, le christianisme les retrouvera. Ainsi donc, Honoré d'Urfé a acquis ses idées, qui constituent une morale néo-stoïcienne dirigée par la raison et la volonté, autant par les commentaires de Sénèque et de Cicéron, que par les lecons de morale de ses maîtres et la lecture des ouvrages contemporains. Il est bien difficile d'opérer un tri. Mais il est certain que l'enseignement aristotélicien dispensé à Tournon lui a appris que l'activité volontaire et libre constitue l'objet propre de la morale et que la volonté se porte au bien présenté comme tel par la raison.

C'est l'opinion de Sénèque qui privilégie l'esprit au détriment du corps. N'est-ce pas aussi la lecon du Portique ? En fait, Platon en est le responsable et ce n'est pas le seul exemple de l'influence du platonisme sur le stoïcisme. Il avait parlé de l'inhabitation d'un dieu dans l'esprit de l'homme (61). Cicéron et Sénèque reprirent à leur compte cette pensée (62). L'auteur des *Lettres à Lucilius* qualifie la raison de « in corpus humanum pars divini spiritus mersa » (63). Dès lors, à la fois dans la tradition du Portique et dans celle du néo-platonisme, quand il s'agira de qualifier la raison, nos moralistes de la fin du XVIe siècle parleront de son origine divine. Ont-ils subi l'influence de Sénèque ou celle de la tradition florentine ? Marsile Ficin, en effet, dans la *Theologia Platonica* affirme la distinction de nature entre le corps et l'esprit et déclare que

---

(59) Vivès, Préface du *Traité de la Vérité et de la foi chrétienne,* Bâle, 1543, cité par J. Dagens, *op. cit.,* p. 254.

(60) A. Adam, *Sur le problème religieux dans la première moitié du XVIIe siècle,* p. 21, cité par J. Maurens, *op. cit.,* p. 17.

(61) *Timée,* 90 bc.

(62) Cicéron, *Tusculanes,* V, 13, 38, « Humanus autem animus decerptus ex mente divina. »

(63) *Lettres à Lucilius,* 66, 12.

l'esprit humain est « scintilla quaedam mentis superioris » (64). N'est-ce pas la même expression qui revient sous la plume d'Urfé ? Pibrac n'a-t-il pas appelé l'homme, « rayon de la divinité », « un desgout de la source éternelle » ? (65) Montaigne a rappelé que la raison « loge dans le sein de Dieu » (66) et Charron affirme que l'esprit est « parcelle, scintille, image et defluxion de la divinité ». (67)

La raison apparaîtra donc, dans la tradition néo-stoïcienne, comme le principe de l'action morale. Sénèque avait proclamé l'autonomie absolue de la raison humaine qui, pour exercer son activité, a le critère de la nature. Essentiellement, la raison est le guide de la volonté. Dans la ligne de l'aristotélisme, St-Thomas d'Aquin avait affirmé : « nil volitum nisi praecognitum ». Du Vair écrit :

> « Ce qui peut adresser ceste volonté à bien, c'est la droite raison qui est la règle qui conduit toutes choses à la fin à laquelle Dieu les a créées. » (68)

Charron définit ainsi cette éthique née de la renaissance du stoïcisme :

> « Voicy donc la vraye preud'hommie suivre nature, c'est-à-dire la raison. Le bien, le but et la fin de l'homme auquel gist son repos, sa liberté, son contentement, et en un mot sa perfection en ce monde, est vivre et agir selon nature, quand ce qui est en luy le plus excellent commande, c'est-à-dire la raison à vray. La preud'hommie est une droite et ferme disposition de la volonté, à suivre le conseil de la raison. Or cecy est en la puissance de l'homme, qui est maistre de sa volonté, il la peut disposer et contourner à son plaisir, et en cela est le propre de l'homme, ainsi la peut-il affermir à suivre tousjours la raison. » (69)

Cependant, la volonté ne peut s'exercer dans tous les domaines. Les stoïciens distinguent, en effet, les choses qui sont en nous et celles qui sont hors de nous. Honoré d'Urfé rappelle cette distinction fondamentale d'Epictète et il ajoute :

> « Hors de nous sont les grandeurs, les Empires, la richesse, les enfans, la santé, et telles autres choses subjectes à la Fortune. En nous est la constance, la prudence, la force, la justice, la magnanimité, la vaillance ; et bref tout ce qui procède de l'es-

---

(64) M. Ficin, *Theologia Platonica*, 1, XI, c. 2 (édition de R. Marcel, Paris, *Les Belles Lettres*, 1964, t. II, p. 95). Il est à remarquer que dans la première édition du deuxième livre des *Epistres Morales*, d'Urfé, traduisant plus littéralement le texte de Ficin, écrit : « l'esprit qui est une etincelle de la divinité » (II, 163 v°, et 164 v°). Dans l'édition de 1627, nous lisons : « rayon de la divinité » (II, 5, 250).

(65) *Les Quatrains de Pibrac suivis de ses autres poésies*, éd. J. Clarétie, Paris, Lemerre, 1874, n° 13, p. 77.

(66) *Essais*, II, 12.

(67) P. Charron, *De la Sagesse trois livres*, éd. Amaury Duval, Paris, 1827, réimpression Slatkine Reprints, 1, I, ch. I, t. I, p. 21.

(68) G. du Vair, *De la Sainte Philosophie*, éd. G. Michaut, Paris, Vrin, 1945, p. 32.

(69) Charron, *de la Sagesse*, éd. citée, II, 3, 10.

prit. Or s'il mesadvient des choses qui sont de nous, nous en sommes coulpables : car elles sont entierement en nostre puissance : et n'y a personne qui en ait la disposition que nous. Mais des autres, tant s'en faut que nous en devions estre taxez, que la perte, qui en est supportée avec prudence, en est louäble. Parce que n'ayant nul pouvoir sur telles choses, la disposition en est à ceux de qui elles dépendent. » (70)

Epictète, en effet, dès le début du *Manuel,* oppose « les choses qui dépendent de nous » à « celles qui ne dépendent pas de nous » :

« Celles qui dépendent de nous, c'est l'opinion, le vouloir, le désir, l'aversion : en un mot tout ce qui est notre œuvre. Celles qui ne dépendent pas de nous, c'est le corps, les biens, la réputation, les dignités : en un mot tout ce qui n'est pas notre œuvre ». (71)

Il enseigne qu'il faut nous détacher des choses qui ne sont pas en notre puissance. Pour cela, il convient de ne pas réagir spontanément devant les événements. Cette distinction est celle qu'expose d'Urfé. Il modifie seulement la liste de chacune des catégories de « choses », pour mettre en valeur les qualités que le sage doit acquérir. La pensée reste la même et nous la découvrons chez du Vair et Charron, tant elle était familière aux néo-stoïciens. Charron distingue les maux internes et les maux externes (72) et du Vair nous conseille, afin de ne pas nous tromper, de regarder

« si c'est chose qui soit en notre puissance ou non, s'il est en notre puissance, il nous peut être bien ou mal, mais en ce cas, nous le rendons bien et conservons tel ; s'il est hors de notre puissance, il ne nous est ni bien ni mal, et, par conséquent, nous le devons ni chercher, ni fuir. » (73).

Du Vair applique ensuite ce principe à la vie individuelle (74). La distinction énoncée par d'Urfé n'est donc ni nouvelle ni personnelle ; elle répète celle du *Manuel,* en mettant en lumière la responsabilité de l'homme.

Cependant, même quand il s'agit d'événements qui ne dépendent pas de nous, nous aurons à lutter contre l'opinion que nous avons des choses et non contre les choses elles-mêmes. L'opinion est, en effet, ennemie de la raison :

« Combien que ceste fortune ne fasse ses plus grands effects que par la force des illusions dont elle trompe la cognoissance de la verité : si est-ce que la puissance que nostre imagination luy donne, est en effects si grande que la seule opinion de son pouvoir estonne la pluspart de ceux qui n'ont accoustumé ses esbloüissemens. » (75)

---

(70) *E.M.*, I, 2, 14-15.
(71) Epictète, *Manuel,* I. Nous lisons la même distinction au livre I des *Entretiens.*
(72) Charron, *De la Sagesse,* III, 20 et 21.
(73) *Philosophie morale des Stoïques,* pp. 72-73.
(74) *Ibid.*, pp. 107-113.
(75) *E.M.*, I, 4, 29.

Il nous convient donc d'avoir recours au remède de l'expérience, de la constance et de l'honneur, « ces Numes invincibles » (76), pour lutter contre l'opinion qui est fausse et jette le trouble dans notre âme.

Epictète avait mis en garde contre l'opinion, et, à sa suite, les penseurs stoïciens et néo-stoïciens ont répété cette leçon comme un refrain :

> « Ce qui trouble les hommes [écrit Epictète], ce ne sont point les événements, mais les jugements qu'ils portent sur les événements... Lors donc que nous éprouvons entrave, trouble, chagrin, n'accusons jamais personne d'autre que nous-mêmes, c'est-à-dire nos propres jugements. Accuser les autres de ses malheurs, c'est le fait d'un ignorant ; s'accuser soi-même, c'est le fait de l'homme qui commence à s'instruire ; n'accuser ni un autre ni soi-même c'est le fait de l'homme instruit. » (77)

Sénèque, lui aussi, met en cause l'opinion, source d'erreurs (78), et Plutarque écrit :

> « ...des choses qui nous adviennent contre nostre volonté, les unes nous griefvent et nous offensent par nature ; les autres, et la pluspart, par opinion et mauvaise accoustumance, nous apprenons à nous en fascher. » (79)

Il est bien difficile, là encore, de déterminer si d'Urfé a emprunté cette pensée à Epictète ou bien à Plutarque ou à Sénèque, ou s'il a subi l'influence de la lecture des moralistes, ses devanciers. Du Vair fustige « cette inconsiderée opinion que nous prenons des choses » et il cite Belleau :

> « L'opinion, qui n'a rien de certain,
> Qui toujours bruit et se travaille en vain,
> Qui se bâtit une ferme assurance
> Sur le sablon de légère inconstance. »

Il conclut que l'opinion trouble « nostre repos » et « soulève en nous les passions qui sont les vrais sédicieux de notre âme »(80). Plus tard, Charron prétendra qu'elle est

> « mère de tous maux, confusions, désordres... un vain et leger, crud et imparfait jugement des choses, tiré et puisé des sens exterieurs et du bruit commun et vulgaire, s'arrestant et tenant bien en l'imagination, et n'arrivant jamais jusqu'à l'entendement pour y estre examiné... [... au point que ...] « les hommes sont tourmentés par les opinions qu'ils ont des choses, non par les choses mesmes ». (81)

De l'opinion naît la crainte, cause de notre trouble devant les maux qui ne dépendent pas de nous, car « l'appréhension est tous-

(76) *Ibid.*, I. 4, 31.
(77) Epictète, *Manuel*, V.
(78) Sénèque, *Lettres à Lucilius*, 94, 13.
(79) Plutarque, *op. cit.*, *Du contentement ou repos de l'esprit*, 74 C.
(80) *Traité de la Constance*, pp. 22-23.
(81) *De la Sagesse*, t. I, p. 410.

jours plus grande que le mal mesme » (82). Elle est une entrave à l'exercice de la raison : « au lieu où la peur se loge, la raison ne sçauroit habiter » (83) ; elle ne laisse en nous « une seule retraite qu'elle ne recherche pour se cacher » (84). Il faut s'efforcer de la chasser, en prenant de fermes résolutions, afin qu'il ne lui reste en nous aucun accueil possible. Ceci suppose un long entraînement avant l'affrontement du danger, parce qu'alors, « quelques fois la crainte masquée s'escoule facilement en nous sous apparence de raison » (85). Cependant, il faut éviter l'attitude opposée à la crainte, la témérité. On ne peut en effet savoir à l'avance quelle sera notre conduite en face des attaques de la Fortune (86). Le sage, en somme, doit fuir tout ce qui trouble la raison, afin d'avoir l'esprit sain et lucide et l'âme bien préparée à tout ce qui peut survenir dans la vie. Comme un soldat, il doit se préparer au combat de la vie, en sachant ce qui l'attend et en refusant les dangereuses chimères et la crainte que risquent de provoquer l'imagination et les faux jugements. Il cherchera à acquérir un bien qui lui donnera la maîtrise de soi. Nous voyons apparaître, dans la morale enseignée par Honoré d'Urfé, cet élément essentiel du bien stoïcien, qui est la vérité. Tout ce qui tente, d'une façon ou d'une autre, de la masquer ou de lui donner une fausse apparence sera combattu en conséquence.

Epictète a prôné cette sage conduite (87). Et, dans la même ligne de pensée, Sénèque écrit que ce qu'il y a de plus grand, c'est « une âme »..., qui, en face du danger n'est « ni téméraire ni poltronne », qui affronte sa fortune, « bonne ou mauvaise sans effroi et sans trouble » (88). Sa sérénité assure le bonheur. Cicéron, dans les *Tusculanes*, cite parmi les passions fondamentales qui dérivent de l'opinion, le désir, la joie, le chagrin et la crainte. Cette dernière est « l'opinion d'un mal imminent et tel qu'il semble intolérable », « une espèce de repliement et de panique de l'âme », « châtiment commun à tous les sots dont l'esprit s'écarte de la raison » (89). Pour les néo-stoïciens, la crainte est cause d'erreur et de trouble. Nous relevons cette considération dans un discours prononcé à l'Académie du Palais :

> « Metus, c'est-à-dire Crainte, (dit un auteur anonyme), n'est autre chose, selon Cicéron au quatriesme livre des Tusculanes, qu'une opinion du mal qui nous prend devant les yeux, lequel nous estimons intollérable » (90).

L'auteur ajoute que si la Fortune « repousse les couards », il ne faut pas, du moins, « estre téméraire ; mais il ne faut craindre

(82) *E.M.*, I, 4, 54.
(83) *Ibid.*, I, 4, 34.
(84) *Ibid.*, I, 4, 35.
(85) *Ibid.*, I, 4, 36.
(86) *Ibid.*, I, 4, 34.
(87) *Manuel*, I, 1 ; I, 5.
(88) *Quaest, nat.*, 3, pr., 10-16.
(89) *Tusculanes*, IV, 6, 11 ; IV, 7, 14 ; IV, 16, 35.
(90) E. Frémy, *op. cit.*, p. 328.

de façon qu'on perde erreur » (91). Amadys Jamin, reprenant la même idée, déclare :

> « La crainte est un mauvais interprète des choses qui se font, et la crainte, selon tous ceux qui en ont escrit, est une fascherie ou une perturbation naissante d'une opinion qu'on a de quelque mal prochain qui peut apporter ruyne, mort ou douleur et qui semble ne se pouvoir aisèment supporter » (92).

Du Vair, dans la *Philosophie des Stoïques,* invite à fuir la crainte (93) et répète, dans le *Traité de la Constance,* ce que les moralistes de l'Académie du Palais avaient déclaré :

> « De tous les maux la crainte est le plus grand et le plus fâcheux » (94).

En 1601, donc postérieurement à la composition du premier livre des *Epistres Morales,* Charron déclare que « faillent ceux qui mettent vaillance en une témérité inconsidérée » (95). La tradition néo-stoïcienne est alors déjà bien établie autour de thèmes que chaque auteur reprend à son compte : ainsi Juste-Lipse, dans la *Manuductio,* affirme que les maladies les plus terribles de l'âme sont la crainte et l'espoir, puisque rien n'arrive au sage qui soit susceptible de le surprendre (96). Eviter la crainte est, pour la fin du XVIe siècle, l'expression d'un idéal qui repose sur la thérapeutique stoïcienne. Celle-ci s'efforce d'apaiser les frayeurs et manifeste un souci de dignité, en purifiant l'homme de tout ce qui risque de ternir la haute idée que l'on se fait de lui. Les néo-stoïciens sont moins soucieux de rigueur et de démonstration que d'utilité ; une volonté de libérer l'homme se révèle ainsi.

Voilà pourquoi, quand il veut enseigner à Agathon une conduite morale, Honoré d'Urfé brosse un tableau de sa vie, marquée plus par le malheur que par le bonheur. Les réflexions qu'il nous livre sur le thème de la Fortune sont d'origine livresque et s'appuient, en même temps, sur sa propre expérience, au moment où les événements se sont ligués pour abattre son espoir. A cette conception pessimiste de la vie, il oppose une conduite qui a son principe dans une foi optimiste en l'homme seul qui, semblable au soldat, combat pied à pied contre tout ce qui cherche à ébranler son courage. Sa vie, constate-t-il, est une longue suite d'infortunes (97) ; d'ailleurs, c'est le destin de l'homme de traîner, à sa naissance,

> « comme un destin inevitable, une longue chaîne d'infortunes et de miseres. Qui est celuy, si tu l'enquiers, qui en son âme ne trouve un exain d'ennuis, et qui ne croye sa charge plus mal aisée à supporter que celle de tout autre ? Et il est vray, sans mentir, que chacun en soy-mesme a les plus grands malheurs. » (98)

---

(91) Id., *ibid.*, p. 335.
(92) Id., *ibid.*, p. 355.
(93) *Philosophie morale,* p. 84.
(94) *Traité de la Constance,* p. 18.
(95) *De la Sagesse,* t. 3, p. 154.
(96) L. Zanta, *op. cit.*, pp. 210-221.
(97) Voir, par exemple, *E.M.*, I, 10, 98.
(98) *Ibid.*, I, 1, 3.

Rien, en effet, n'est plus inconstant que la Fortune (99), car « celuy qui poursuit ceste Fortune est desja pris d'elle, et de ses sorciers allechements. » Personne n'acquiert aisément ses avantages, car elle fuit « ceux qui la suivent » et suit « ceux qui la fuyent. » (100) Tout dans l'univers est sujet à la Fortune (101). Tous les biens sont fragiles et les grandeurs sont bien vite abattues. La vie de ce « grand Prince » que fut le duc de Nemours en est un exemple :

> « Mais pour Dieu ! regarde quel beau theatre a esté sa vie aux divers evenements des choses du monde ! Le voila comblé de trophées, et de puissances, et à peine avons-nous tourné l'oeil qu'il ne luy reste plus que le ressouvenir des choses... Toutes ses grandeurs : toutes ses esperances : toutes ses victoires que sont-elles devenuës ? Un seul malheur les a accablees et esgalees à la terre. » (102)

D'Urfé multiplie les exemples de puissances abattues par la Fortune, après avoir été aidées par elle. Il tire la leçon suivante :

> « Hô comme la Fortune vend finement ses biens, et avec un prix bien haut : puisque ses bons heurs sont peu asseurez, et ses malheurs si certains, que rien ne les peut soulager. » (103)

Le thème de l'homme en butte aux coups malheureux de la Fortune est développé dans *L'Astrée.* Honoré d'Urfé illustre par des exemples l'inconstance de la Fortune qui n'épargne pas les puissants de ce monde. A travers les réflexions de l'auteur et les histoires qui émaillent le roman, nous sentons encore l'expérience personnelle, car le style laisse transparaître un émouvant accent de sincérité. Seule la deuxième partie de *L'Astrée* semble moins marquée par le pessimisme. D'Urfé, au moment de sa composition, connaît à nouveau les honneurs et il a derechef confiance dans la vie. Les autres parties nous proposent souvent, par la bouche des vieillards ou des druides, des leçons de sagesse qui ont un caractère nettement plus religieux que dans *Les Epistres Morales.* Honoré d'Urfé, quand il parle de la Fortune, pas plus que dans *Les Epistres Morales,* n'évite les clichés. Torrismond apprend qu'il n'y a

> « rien au monde de durable, et que la Fortune, qu'avec raison on peut peindre à deux visages, afin d'entre-mesler les maux aux biens, ne veut pas que les humains ayent tousjours la veue de l'un seulement, qu'au contraire elle leur monstre tantost l'un et tantost l'autre, selon qu'il luy plaist de se tourner. » (104)

Le vieillard qui a recueilli Dorinde développe ainsi l'image bien connue de la roue de la Fortune :

---

(99) *E.M.*, I, 18, 171, « Ne bastis donc plus tes desseins sur un sable si mouvant que ceste Fortune : puis qu'en toy-mesme tu as tant d'exemples de sa constante inconstance. »
(100) *E.M.*, I, 2, 10.
(101) *Ibid.*, I, 5, 47.
(102) *Ibid.*, I, 2, 7-8.
(103) *Ibid.*, I, 3, 20.
(104) *Astrée*, III, 3, 87.

« Ma fille... la terre n'est pas comme l'on dit ferme et immobile. C'est le Ciel qui l'est, et ce lieu où nous sommes ne demeure jamais un moment en un poinct pour nous enseigner que du bien ny du mal qui nous arrive, il n'en faut point estre ny trop eslevé ny trop abbatu. Car, comme vous voyez les rayons d'une roue qui tourne, estre tantost haut et tantost bas, de mesme est-il des hommes, tant qu'ils sont sur ceste terre inconstante, de sorte qu'il se faut contenir aux bonheurs, comme en une chose qui passe legerement, et aux malheurs, comme en ce qui ne peut durer guiere longuement. » (105)

Ceux qui sont parvenus au faîte de la puissance sont les plus frappés :

« Seigneur, [dit Oronte à Celiodante] si ceux qui commandent aux royaumes et aux empires, avoient un particulier privilege de ne devoir jamais estre attaquez de la Fortune, je dirois que vous auriez occasion de vous plaindre de l'estat où elle a pris plaisir de vous reduire. Mais puis que nous voyons les sommets des plus hautes montagnes d'ordinaire plus agitez et tourmentez des vents et des orages, que les vallons et les plaines ; et que de mesme les plus hautes puissances de la terre sont plus exposées aux tempestes de la Fortune..., sous quel pretexte, seigneur, vous pouvez-vous plaindre d'une loy générale et commune à tous les grands ? Vostre naissance relevée par dessus celles des hommes ordinaires, vous affranchit bien des petits maux, et des petites infortunes ausquelles le peuple est subjet, d'autant que ce sont des tributs indignes des grands personnages, mais les grandes afflictions et celles encore parmy les plus grandes qui semblent insupportables au commun, ce sont les propres des grands princes et des grands roys comme vous estes. » (106)

Personne n'échappe à cette loi de la Fortune ; Cryséide constate

« que la Fortune ne se plaist pas seulement à troubler la monarchie et les grands Estats, mais encore passe son temps à monstrer sa puissance sur les personnes privées afin... de donner cognoissance à chacun qu'il n'y a rien sous le Ciel sur quoy son pouvoir ne s'estende. » (107)

Pas même les bergers du Lignon n'en sont exempts :

« Je vous asseure, [dit Astrée] que par tout, la Fortune se plaist à se jouer des humains, aussi bien dans ces bois que dans les grandes citez, et aussi bien dans nos cabanes, et sous nos toicts couverts de chaume que dans les superbes tours, et sous les lambris de leurs palais. » (108)

---

(105) *Ibid.*, IV, 7, 431. C'est une reprise de l'image qui se lit dans la première partie : « ...la Fortune se plaist de tourner le plus souvent sa roue du costé où l'on n'attend le moins son tour. » (I, 2, 61).

(106) *Ibid.*, IV, 10, 606.

(107) *Ibid.*, III, 7, 365-366.

(108) *Ibid.*, IV, 5, 225.

L'histoire de Damon est un exemple de l'acharnement de la Fortune (109). Tantôt elle harcèle les personnages, depuis leur naissance, tantôt elle les comble de bonheur et aide ceux qu'elle aime (110), tantôt, parce qu'elle est inconstante, elle accable de malheurs, ne laissant jamais les « hommes ... asseurez en leur contentement » (111). Elle se plaît, d'ailleurs, à « tourner le plus souvent sa roue du costé où l'on attend moins son tour » (112).

L'expérience a ouvert les yeux d'Honoré d'Urfé sur l'inconstance de la Fortune. Mais dans les pages qu'il lui consacre s'exhale aussi une bouffée de souvenirs des auteurs latins. Horace lui rappelle que le malheur frappe les grands et que les hauts sommets sont plus fréquemment touchés par la foudre (113). Sénèque, maintes fois, dans les *Dialogues* et les *Lettres à Lucillus,* recommande de ne pas se fier à la Fortune ; c'est la leçon du dialogue de la *Providence,* de la *Constance du Sage* et de la *Tranquillité de l'âme.* Les *Lettres à Lucilius* mettent en garde contre les assauts de la Fortune :

> « La Fortune n'élève jamais si haut un homme qu'elle s'abstienne de tourner en autant de menaces les licences qu'elle lui concéda. Le temps est au calme. Ne t'y fie pas : un instant suffit pour bouleverser la mer. Le même jour, en ces mêmes parages où ils évoluaient gaîment, des vaisseaux plongent aux abîmes. » (114)

Cicéron insiste sur les événements malheureux de la vie et la défiance que le sage doit toujours avoir à l'égard du bonheur (115).

A ces leçons de l'Antiquité païenne se surajoutent celles du christianisme. Après la Bible, les Pères de l'Eglise et les sermons des prédicateurs renchérissent sur la vanité du bonheur terrestre, en enseignant que notre vie s'écoule dans une « vallée de larmes ». Il serait aisé de montrer comment les sermonnaires insistent sur l'instabilité des biens de ce monde. Les néo-stoïciens, fidèles à la fois au stoïcisme, à l'épicurisme et aux leçons du christianisme, rappellent constamment cet enseignement à leurs lecteurs. La fin du XVIe siècle, troublée par les guerres civiles qui rendaient instable le bonheur matériel, devenait une illustration de la condition misérable de l'homme. Il fallait se prémunir contre les assauts de la Fortune et acquérir la fermeté d'âme nécessaire pour se conduire avec prudence et magnanimité.

Le Sage se conduit selon sa conception de la divinité. Les Grecs soumettaient leurs dieux à la Nécessité qui distribue à chacun son sort. Les Epicuriens, afin de préserver l'homme de la crainte, ont

---

(109) *Ibid.*, III, 6, 302. L'histoire de Damon est l'illustration de cette réflexion : « Je penserois avoir une grande occasion de me douloir de la fortune qui m'a si cruellement et si continuellement poursuivy depuis le jour de ma naissance... »

(110) *Astrée*, III, 4, 182.

(111) *Ibid.*, I, 1, 11.

(112) *Ibid.*, I, 2, 61.

(113) Horace, *Odes et Epodes,* II, 10, vers 9 est sq.

(114) *Lettres à Lucilius*, 4, 7.

(115) *Tusculanes,* III, 28-31.

fait reposer le monde sur le hasard, de telle sorte que rien n'est prévisible et que les dieux ne distribuent ni récompense ni châtiment. Les stoïciens soutinrent, au contraire, que tout est prévisible et préordonné par la Providence. Selon Chrysippe, le destin et la Providence s'identifient et les dieux savent d'avance tout ce que produira l'enchaînement des causes. Il tente de sauvegarder la liberté de l'homme, en montrant que tout ce qui arrive par le destin est inévitable, mais que, logiquement, le contraire aurait pu se produire (116). La morale stoïcienne tient compte de la liberté du sage. Comment notre volonté peut-elle intervenir si le destin est la loi suprême ? Chrysippe étudie la Providence en montrant que « rien ne manque dans les œuvres de la nature qui fait tout d'une manière admirable ». Il adopte la formule d'Aristote : « La nature ne fait rien en vain ». Dieu agit toujours par bonté, car il est propice et bienveillant. Les stoïciens donc, à la suite de Chrysippe, défendirent vigoureusement la Providence, mais en un sens fataliste qui en détruit fondamentalement la vraie notion, puisque l'action bienfaisante de Dieu se déploie selon des lois immuables et nécessaires. Cicéron reprit cette question et examina les théories stoïciennes, notamment dans le *De natura deorum*. Sénèque se posa le problème de Dieu et de la Providence. Selon lui, une seule puissance domine l'univers, à laquelle on peut attribuer les noms que l'on veut. Elle est un dieu-destin ou un dieu-Providence (117). De toutes façons, le mal a sa raison dans quelque bien qui nous échappe. Cicéron, ainsi que Sénèque, met l'accent sur un dieu bon comme la nature avec laquelle il se confond. Le *De natura deorum* veut prouver que l'homme est fait pour ce monde dont l'organisation est harmonieuse (118).

Les Pères de l'Eglise complétèrent le stoïcisme en ajoutant à la conception de la loi naturelle le dogme de la chute originelle (119). Les humanistes du XVIe siècle adoptèrent la même attitude, en cherchant à concilier les deux doctrines du stoïcisme et du christianisme. Cette confrontation est faite par Pomponace qui examine, dans le *De fato*, les trois philosophies qui ont étudié le rôle de la Providence et de la liberté humaine : celle d'Aristote, qui lui semble ne pas réserver de place à la Providence et à la liberté, celle des Stoïciens, où la Providence est admise comme nécessité et celle du christianisme qui tente de concilier la Providence et la liberté (120). Confrontant le stoïcisme et le christianisme, Pomponace préfère la conclusion chrétienne. Il appartiendra à Juste-Lipse et à du Vair d'exposer clairement la solution néo-stoïcienne de ce problème. Juste-Lipse répète tous les arguments stoïciens qui mettent en valeur le dogme de la Providence ; cependant, le Destin, décret immuable, est soumis à Dieu. Juste-Lipse préserve la liberté humaine : Dieu ne peut ni violenter ni supprimer la volonté. Il faut

(116) Voir A. Rivaud, *op. cit.*, t. I, pp. 378 sq.
(117) Sur l'idée de Dieu chez Sénèque, voir A. de Bovis, *La Sagesse de Sénèque*, Paris, Aubier, 1948, pp. 151 sq.
(118) *De natura deorum*, l. 11.
(119) Voir L. Zanta, *op. cit.*, pp. 174-175.
(120) Id., *ibid.*, p. 41.

donc que l'homme ne s'afflige pas devant les événements, mais cherche à comprendre. Les malheurs qui l'assaillent viennent de Dieu, donc ils ont leur utilité. Peut-être même subissons-nous parfois les peines d'un juste châtiment (121).

Du Vair, sans considérations philosophiques, étudie la même question et la vulgarise afin que chacun de ses lecteurs puisse en tirer une règle pratique de conduite. Dans la deuxième partie du *Traité de la Constance,* il examine le problème de la Providence et du Destin. Il établit les rapports entre eux et délimite la liberté de l'homme. Dieu, dit Orphée, a établi une loi dans l'Univers, qu'on peut appeler Nature (122). Il gouverne le monde et en prend constamment soin. La Providence est ce « soin perpétuel que Dieu a eu au gouvernement de tout ce qu'il a créé ». Peu importent les noms attribués à la sagesse divine :

> « Les uns l'attribuent à cet ordre qu'ils appellent Nature, les autres à une necessité fatale, les autres aux hasards et à la fortune. En quoi ils semblent avoir plutôt changé le nom que la puissance de la Providence. » (123)

Du Vair adopte les idées de Sénèque. Mais ce Destin

> « qui a préordonné toutes choses, a ordonné que notre volonté serait libre, tellement qu'en notre volonté, s'il y a quelque necessité, elle n'est autre sinon qu'elle est nécessairement libre. » (124)

En fait, du Vair conçoit la Providence en chrétien. Elle n'est plus pour lui un déterminisme soumis à la fatalité aveugle, ni un ordre préétabli par une intelligence souveraine qui se désintéresserait des créatures. Elle est un mouvement d'amour continuel. Du Vair, dans le deuxième livre de la *Constance,* montre comment la Providence sauvegarde la liberté humaine et tire le bien du mal (125). Dieu est bon, même quand il nous envoie des maux :

> « L'effet, sans doute, en est toujours bon et la fin n'est certainement jamais autre que notre bien et profit. » (126)

Contre les maux qui se présentent, la pensée de la Providence est, pour Honoré d'Urfé, comme pour du Vair, le meilleur secours. D'Urfé est un homme d'action, il cherche des mobiles à la conduite qu'il prône et il adopte sans discussion le dogme de la Providence et de l'amour de Dieu, mêlant la pensée de Sénèque aux lecons chrétiennes. Le fondement de sa morale ne diffère ni de celui de Sénèque ni de celui de du Vair. Pourquoi s'étonner s'il parle de la Fortune au lieu de Dieu (127) ? Pas plus que pour du Vair il n'y a pour lui de différence. Il tient pour acquis l'ordre qui règne dans

(121) Id., *ibid.*, pp. 177-179.
(122) Voir R. Radouant, *op. cit.*, p. 257.
(123) *De la constance*, p. 89.
(124) *Ibid.*, p. 101.
(125) Voir, à ce propos, R. Bady, *op. cit.*, p. 210.
(126) *De la constance*, p. 128.
(127) Sur ce point, voir Sœur M. Goudard, *op. cit.*, p. 68.

le monde par le fait de la Providence ; il insiste surtout sur la sollicitude de Dieu à l'égard de l'homme :

> « Si la terre, et tout ce que nous voyons en cet Univers, est disposé et conduit par la particuliere providence de Dieu, et non point du hazard, ny de soy-mesme ? Qui dira l'homme pour qui ces choses ont été créées, estre une vague tourmentée sur la mer, joüet du rencontre et de la Fortune ? Ne seroit-ce pas blasphemer contre le Créateur de toutes ces choses, et l'accuser de faute de jugement, s'il avoit seulement soing de ces choses inanimées, et qu'il a créées pour l'homme, et qu'il laissast à la Fortune la libre disposition de cet homme, qu'il a voulu former à sa semblance ? Que si nous advoüons (comme necessairement toutes personnes raisonnables y seront forcées) que les choses qui nous arrivent sont conduites de la mesme main qui nous a creez, et à qui nostre naissance nous a tenu lieu de pere, et au cours de nostre vie de gouverneur, et de protecteur ; comment pourrons-nous nous plaindre de ce qui nous advient, puis que celuy qui l'ordonne ainsi, sçait et veut mieux nostre bien que nous ne le sçavons desirer ?
>
> Avoir opinion que Dieu vueille mal à ses creatures, ce seroit non moindre ingratitude que tres grande impiété, veu que nous avons tant de tesmoignages de son amitié, que nous en pouvons ouvrir les yeux que tout à coup nous n'en voyons une infinité se présenter à nous.
>
> Que s'il nous aime, qui pourra penser que l'amitié de Dieu soit plus froide que nos affections mortelles, ou qu'elle n'ait pas autant de puissance en luy que nous en esprouvons en nous ? Mais si entre nous l'amy n'espargne rien pour ce qui est du service de son amy, et qu'il croit estre son advantage, pourquoy aurons-nous opinion que ceste infinie bonté qui est tout amour, défaille envers les hommes de ceste mesme volonté ? » (128)

Cette page résume la pensée d'Honoré d'Urfé sur Dieu, amour et bonté. Il conduit toutes les affaires du monde (129), sa bonté et sa miséricorde sont infinies. Il connaît tous « les vices ausquels l'homme est de nature enclin » et, par conséquent, Il ne châtie jamais « sans y appeller ensemble son amitié et sa miséricorde » (130). C'est Dieu qui nous envoie le bien et le mal, et, parce qu'il est Dieu, nous devons lui obéir :

> « Et qui sera le profane qui juge que Dieu doyve plutost luy obeir en ce qu'il voudra, que luy à Dieu ? Et sans mentir, puis que c'est luy qui nous verse le bien et le mal, si la disposition en estoit nostre, il ne seroit plus Dieu, ains nostre ministre. » (131)

Or, comme Dieu aime ses créatures, Il sait mieux que nous ce qui nous est nécessaire (132) et Il nous envoie l'épreuve proportionnée à nos forces (133). Donc, tout ce qui arrive est pour notre bien :

---

(128) *E.M.*, II, 11, 345-347.
(129) *Ibid.*, I, 3, 27.
(130) *Ibid.*, I, 6, 298-299.
(131) *Ibid.*, I, 19, 188.
(132) *Ibid.*, I, 19, 190.
(133) *Ibid.*, I, 6, 49.

> « Quant à moy, Agathon, qui sçay fort asseurement, que la moindre fueille d'un arbre ne peut tomber, sans que Dieu le face, qui sçay aussi que Dieu aime l'homme comme son œuvre : je ne doute pas que tout ce qui nous arrive ne soit pour nostre bien. » (134)
>
> « La nature imite Dieu en ses œuvres, nous voyons que de la matiere qu'elle trouve, elle en produit ce qu'elle peut de plus parfaict. De mesme Dieu fait de nous ce qui se peut de mieux. Mais tout ainsi que la nature ne crée par la matiere, mais la forme, et perfectionne seulement, aussi Dieu nous laissant nostre libre volonté, fait de nous, et tire de nos actions tout le mieux dont nous sommes capables. » (135)

La volonté libre est le fondement de la morale stoïcienne. Les personnages de *L'Astrée* se conduisent librement. Ils sont en butte à la Fortune, et ils cherchent, au milieu de leurs misères, la source du bonheur. La Providence divine leur apparaît souvent comme un réconfort. Les druides, surtout Adamas, et les vieillards, à force de méditation, ont découvert la toute-puissance, l'infinie bonté de Dieu, et donc leur bonheur. Ils sont les sages de *L'Astrée,* médecins des âmes qui souffrent, et ils ne laissent pas de rappeler à leurs patients le rôle de la Providence. Le raisonnement d'Honoré d'Urfé, dans *L'Astrée,* est semblable à celui des *Epistres Morales* et il n'est pas rare de rencontrer, ici et là, les mêmes expressions. Damon justifie les nombreux malheurs qui l'ont frappé, en considérant Tautatès comme le maître des hommes :

> « Je penserois avoir une grande occasion de me douloir de la fortune qui m'a si cruellement et si continuellement poursuivy depuis le jour de ma naissance, ou pour le moins, depuis que je me sçay cognoistre, si je ne considerois que ceux qui s'en plaignent sont plus cruels envers le grand Tautates qu'ils ne sont envers les hommes, puis que nous laissons bien à chacun la libre disposition de ce qui est sien, et nous ne voulons pas qu'il puisse à son gré disposer de nous comme si tout l'univers, et tous les hommes particulierement n'estoient pas siens, et faicts de ses mains. » (136)

Tautatès n'est pas un Dieu despote, il est Amour, il a fait le monde par amour et c'est par amour qu'il le maintient (137). L'univers n'est donc pas conduit par le hasard, c'est la Providence qui dirige les événements (138). Elle est le fruit de la sagesse divine, et, comme telle, elle est nécessairement juste. Non seulement Dieu ne peut rien nous commander d'inique (139), mais encore il convient de lui faire confiance en lui obéissant :

> « En luy obeissant, [dit Adamas], je ne crains point de faillir, car, mon enfant, il faut que vous sçachiez qu'il ne commande jamais que ce qui est juste et louable, et quoy que l'igno-

(134) *Ibid.*, II, 11, 351.
(135) *Ibid.*, II, 11, 348.
(136) *Astrée*, III, 6, 302.
(137) *Ibid.*, III, 4, 217.
(138) *Ibid.*, III, 7, 422, « En fin, considérant qu'il n'y a rien en ce monde qui soit conduit par le hazard, mais tout par la sage providence des dieux. »
(139) *Ibid.*, II, 2, 286.

rance humaine fasse quelques fois juger le contraire, nous voyons tousjours qu'à la fin celuy qui ne se despart point de ce qu'il luy ordonne, surmonte toutes difficultez, et esclaircit toutes ces petites doubtes qui pouvoient obscurcir la gloire de ses actions. » (140)

Il faut se persuader que les dieux ne sont ni « menteurs, ny abuseurs ». (141) Damon a découvert cette sagesse confiante, grâce au druide qui lui enseigna que Dieu

« nous aymant mieux que nous ne sçaurions nous aymer, il n'y a pas apparence que tout ce qu'il nous ordonne ne soit pour nostre avantage, encores que quelquefois les medecines qu'il nous donne soient ameres et difficiles à avaller. » (142)

L'Astrée répète donc les idées exprimées dans *Les Epistres Morales,* mais elle insiste sur l'espérance de lendemains meilleurs et sur les devoirs de l'homme à l'égard de Dieu. La troisième et la quatrième partie, notamment, situent la sagesse dans l'espérance. Le Chevalier inconnu déclare à Galathée :

« Voyez-vous, madame, comme l'on ne doit jamais desespérer de l'assistance du Ciel... » (143)

Et quand Alexis-Céladon désespéré souhaite la mort, Adamas, en directeur de conscience, lui donne ce conseil :

« Mon enfant, ceux qui vivent sans espérance d'allegement en leurs miseres offensent non seulement la providence de Tautates, mais aussi la prudence de ceux qui ont pris le soing de leur conduitte. » (144)

Le vieillard qui réconforte Dorinde lui recommande la confiance en la sagesse divine :

« ...haussez les yeux au Ciel, et croyez que celuy qui les a faits n'a pas eu la puissance de les faire, qu'il n'ait aussi la prudence de les conduire, et si vous le croyez ainsi, comme veritablement il est, pouvez-vous trouver mauvaise la fortune qu'il vous ordonne, puis que cette souveraine prudence ne sçauroit faillir en chose qu'elle fasse ? Consolez-vous donc et esperez qu'à leur tour vous jouyrez des plaisirs et des contentemens qui vous sont necessaires, et cependant je vous offre toute assistance que vous voudriez retirer de moy. » (145)

Cependant, les dieux n'acceptent pas que l'homme soit passif ; il doit participer par son effort personnel à l'acquisition du bonheur. Les dieux « n'aident guiere à ceux qui ne s'aident point eux-mesmes » (146).

---

(140) *Ibid.*, III, 5, 242.
(141) *Ibid.*, III, 6, 334.
(142) *Ibid.*, III, 6, 316. Voir également la réponse de Daphnide à Adamas ; elle insiste sur l'amour de Dieu et elle reprend la comparaison des médecines qui sont amères (III, 3, 84).
(143) *Ibid.*, III, 6, 296.
(144) *Ibid.*, III, 1, 25. Bellaris déclare à Arimant : « ...je sçay asseurement que les dieux aident de faveurs inesperees ceux qui esperent en eux... »
(145) *Ibid.*, IV, 7, 432.
(146) *Ibid.*, II, 7, 284.

Les devoirs de l'homme ne s'arrêtent pas là. Il faut encore remercier Dieu pour les grâces prodiguées. Quand on le remercie, Il est généreux en bienfaits, sinon, on encourt son juste châtiment (147). Les dieux aiment les hommes, ceux-ci doivent en retour les aimer :

> « ...c'est le plus grand commandement qu'ils nous facent que de les aimer. » (148)

L'Astrée, plus que *Les Epistres Morales,* nous propose l'image d'un Dieu personnel et vivant. Ici, les idées stoïciennes dominent, là, une conception chrétienne de Dieu, cachée derrière celle de Tautatès et des autres dieux gaulois, se révèle. La loi du malheur ne pèse plus inexorablement sur l'homme, l'espérance s'impose comme un devoir. La notion de grâce apparaît, conçue comme une étroite collaboration entre Dieu et l'homme. La pensée d'Urfé est stoïcienne, conforme à celle de Sénèque, mais le christianisme l'adoucit d'une confiance en un bonheur possible assuré par Dieu. L'espérance du sage est chrétienne, teintée de confiance en l'homme, selon la morale enseignée par les Jésuites. Il importe que l'homme fasse preuve de volonté et ne se laisse pas fléchir. Il doit essayer de comprendre, non point les desseins de Dieu, mais que la vie est faite d'épreuves pour que sa volonté se fortifie.

Honoré d'Urfé apprend à Agathon à rester ferme, constant, courageux devant l'épreuve. L'infortune a en effet cet avantage de mettre en valeur les qualités de l'homme. Le bonheur offert par la Fortune n'est d'ailleurs qu'un faux bien,

> « et plus son amitié est grande envers quelqu'un, et plus elle luy fait ressentir ses enchantemens. Fuyons donc et hayssons cette Sorciere, afin que nous soyons par ainsi garantis du bien faux que son amitié rapporte. » (149)

Le malheur n'est donc pas l'infortune, mais la prospérité. Elle est à la racine de notre mal, car, confiant dans la réussite matérielle, nous présumons de nos capacités ; nous ne nous connaissons pas, faute d'avoir fait l'épreuve de nos forces :

> « Quel homme s'il n'a esté particulièrement favorisé du Ciel, a rendu preuve estant en un extreme bon-heur de se recognoistre ? Qui est-ce qui ne s'est laissé emporter au-delà de la raison, ou par l'ambition, ou par la vengeance, ou par l'avarice, ou par la volupté ? Et cela c'est, d'autant que quand tout reüssit à souhait, la presomption nous empesche de tourner les yeux à ce que nous sommes. » (150)

Tandis que les faveurs de la Fortune font naître les vices, les adversités sont sources de vertu. Certes, elles peuvent être

> « chastimens de nos erreurs, mais aussi les soufflets quelquesfois qui vont allumant nos armes en la vertu, d'autant que

(147) *Ibid.,* III, 6, 311.
(148) *Ibid.,* II, 2, 71.
(149) E.M., I, 18, 180.
(150) *Ibid.,* II, 5, 276 ; I, 14, 148.

comme un souffle fait sortir bien souvent mille étincelles, d'un tison à moitié assoupi, aussi une seule adversité fait plusieurs fois étinceller mille genereuses actions de l'homme genereux. » (151)

Les adversités sont « médecines salutaires » (152), car elles sont l'occasion de paraître tels que nous sommes :

« ...l'homme fait alors estinceler ses perfections quand la Fortune l'outrage plus cruellement... Car c'est bien plus de valeur de se maintenir à soy-mesme, estant attaqué de plusieurs que quand on n'a point d'ennemy. Et aussi d'avoir un jugement bien sain entre toutes les maladies de la Fortune qu'en la santé, et au repos du bon-heur. » (153)

Il y a là une forfanterie de soldat qui a besoin de combattre. Et, pour lors, la Fortune qui frappe seulement les gens capables de lutter, fuit les pusillanimes :

« Ceste chimere (car ainsi il me plaist d'appeler la Fortune) a ceste coustume de ne dresser jamais ses traits en lieu où la peine qu'elle y prend ne puisse estre égalée par l'effet qui en reussit. » (154)

Plutôt que de souhaiter la prospérité à nos amis, il faut demander au ciel de leur accorder l'occasion de prouver leur fermeté d'âme :

« Car ce n'est moins les offenser de leur desirer qu'ils ne ressentent point la fortune ennemie que de faire mauvais jugement du courage d'un homme d'honneur. » (155)

Voilà pourquoi Honoré d'Urfé remercie la Fortune de le tant tracasser :

« Aussi tant s'en faut que je me plaigne du sang que j'ay respandu estant blessé, ny de la douleur que j'ay ressentie avant que d'estre pensé, que je m'en loüe : et la remercie du jugement qu'elle fait de mon mérite, me croyant digne de ses coups, et si souvent redoublez. » (156)

Les personnages de *L'Astrée* victimes de l'adversité donnent des preuves de grandeur d'âme qui leur valent les plus beaux éloges. Placidie, Damon, Ligdamon, Cryséide, entre autres, sont constamment en butte à l'infortune. La leçon de leur conduite apparaît comme une illustration des réflexions livrées par *Les Epistres Morales*. Les conseils prodigués à Agathon semblent empruntés à Sénèque. Ce goût pour la lutte contre l'adversité, ces termes qui appartiennent au vocabulaire militaire laissent deviner l'influence de l'auteur du dialogue sur la *Providence*. Sénèque y démontre que le malheur est une épreuve profitable à l'homme de bien.

(151) *Ibid.*, II, 5, 278.
(152) *Ibid.*, I, 15, 149.
(153) *Ibid.*, II, 2, 241-242.
(154) *Ibid.*, I, 10, 103-104.
(155) *Ibid.*, II, 2, 239-240.
(156) *Ibid.*, I, 10, 106.

Après avoir affirmé que l'homme vraiment épris de vertu désire une épreuve à sa taille, parce que « sans adversaire le courage s'étiole » (157), il ajoute que la Fortune « choisit à dessein les plus rudes antagonistes » (158). Un peu plus loin, Sénèque prétend que les prospérités « tombent aussi bien sur le vulgaire et les natures communes » et que

> « pour se connaître, il faut s'être éprouvé : on n'apprend qu'en faisant l'essai de quelles forces on dispose. Aussi voit-on certains hommes se jeter au-devant du malheur trop lent et procurer ainsi à leur vertu, que l'obscurité guettait, l'occasion de resplendir. Oui, l'homme de cœur parfois aime l'adversité comme le soldat valeureux aime la guerre. » (159)

Voilà, en somme, les idées développées par d'Urfé, la pensée est la même, le style a la même énergie et le même caractère sentencieux. Juste-Lipse développe la même pensée dans le *De Constantia*, où il cherche une consolation et une force contre le mal présent. Langius enseigne comment les maux servent à l'exercice des gens de bien, en les éprouvant, en les portant en avant. L'épreuve trempe les âmes :

> « L'affliction est la pierre de touche de la valeur des hommes et ne trompe jamais. » (160)

Dans le *Traité de la Constance*, Guillaume du Vair explique que les malheurs sont des faveurs précieuses :

> « L'homme ne devient vraiment homme, c'est-à-dire courageux et constant, qu'entre les adversités. C'est l'affliction qui lui fait connaître ce qu'il a de force, c'est elle qui, comme le fusil du caillou, tire de l'homme cette étincelle de feu divin qu'il a eue au cœur et fait paraître et reluire sa vertu. Il n'y a rien si digne de l'homme que de surmonter l'adversité ; ni moyen de la surmonter qu'en la combattant, ni moyen de la combattre qu'en la rencontrant. » (161)

Ces considérations, du Vair les a empruntées à Lipse qui les avait lui-même découvertes chez Sénèque (162). Honoré d'Urfé put connaître tout autant le traité de la *Providence* que le de *Constantia* de Lipse et le *Traité de la Constance*. Il est difficile de trancher, tant ces auteurs suivent de près le dialogue de Sénèque. Comme Sénèque, ils ne se contentent pas de justifier l'adversité en en montrant les avantages. Ils essaient de déterminer la conduite du sage en face du malheur. Tous s'accordent pour établir que la sagesse est dans la constance.

Constance, voilà bien l'un des maîtres-mots du néo-stoïcisme, à la fin du XVIe siècle. C'est la leçon qu'avec une note personnelle et

---

(157) *De providentia,* II, 2 ; II, 4.
(158) *Ibid.*, III, 3 et 4.
(159) *Ibid.*, IV, 1 ; IV, 3 et 4.
(160) Juste-Lipse, *De Constantia,* 1, II, ch. 8.
(161) *Traité de la Constance,* p. 130.
(162) Voir R. Radouant, *op. cit.*, p. 262.

souvent chrétienne Juste-Lipse, du Vair et d'Urfé enseignent (163). S'il faut accepter tout ce qui arrive, convient-il de faire taire la sensibilité et de demeurer totalement impassible ? Tel fut le problème qu'eurent à résoudre, autant les stoïciens de l'Antiquité que les moralistes néo-stoïciens du XVIe siècle.

Epictète enseignait l'acceptation « de ce qui arrive comme il arrive » (164), et le refus de tout mouvement de révolte. Cicéron, à la suite de Chrysippe et de Zénon, concevait le sage comme celui qui « ne connaît pas la crainte quand il faut subir et souffrir » (165). Sénèque recommandait d'avoir confiance en soi et de se préparer sans cesse au combat, afin de n'être pas surpris et de ne céder jamais au plus fort de la lutte (166). Calme, raison, volonté, prévoyance et mépris des épreuves dictent la conduite du sage (167). Pourtant, Sénèque, dans les *Lettres à Lucilius,* se défendait de faire du sage un insensible (168). Plutarque, rappelant que l'homme est composé d'un corps et d'une âme, ne s'était-il pas dressé contre l'impassibilité stoïcienne ? S'il refusait à l'homme le droit de se laisser emporter à une douleur excessive, il ne consentait pas à être

> « de l'opinion de ceux qui louënt si haultement je ne sçay quelle brutale et farouche et sauvage impassibilité, laquelle n'est ny possible à l'homme ny utile... La raison veut que les sages hommes ne soient en telles adversitez ny impassibles, ny aussi trop passionez. » (169)

C'est cette constance modérée qu'adoptent les moralistes de la fin du XVIe siècle. Si Pibrac, pour assurer la tranquillité de l'âme, accepte les moyens stoïciens, il en refuse le but, l'impassibilité, et il enseigne le précepte de Plutarque plutôt que celui de Zénon :

> « Aussi ne retranchons pas tout ce qui est peut estre de profitable et de louable en ceste emotion avec ce qu'elle a de dommageable. Mais que la raison qui est par dessus et qui doit commander aux affections face comme le soigneux jardinier qui cultive ce qu'il y a d'utile aux plantes et aux arbres fruitiers, esmondant le sauvage et le superflu. » (170)

Montaigne admire la résignation muette et instinctive des paysans (171), mais, comme Plutarque, il déclare impossible l'impassibilité. Il n'existe pas celui qui ne s'émeut jamais (172). Juste-Lipse et du Vair tempèrent à leur tour les leçons des anciens stoïques.

---

(163) Sur l'emploi du mot constance au XVIe siècle, voir R. Bady, *op. cit.*, pp. 195 sq.
(164) *Manuel,* VIII.
(165) *Tusculanes,* IV, 24, 53.
(166) *De tranquillitate animi,* X, 4 ; XI, 1 ; XI, 9 ; *De canstantia sapientis,* III, 5 ; *Epitres à Lucilius,* 4, 5 ; 45, 9 ; 59, 14-17.
(167) *Epîtres à Lucilius,* 107, 3, « Tu ne peux les éviter, tu peux les mepriser. »
(168) *Ibid.,* 71, 27.
(169) Plutarque, *op. cit., Consolation envoyée à Apollonius sur la mort de son fils,* 243 A et D.
(170) Cité par J. Maurens, *op. cit.,* p. 76.
(171) *Essais,* III, 12.
(172) *Ibid.,* I, 30. Sur l'impassibilité chez Montaigne, voir H. Dréano, *La religion de Montaigne,* pp. 162-163.

Dans le *De Constantia,* où Juste-Lipse cherche une consolation et une force contre le mal présent dont il est victime, Langius, à l'école de Sénèque, conseille la constance (173). La même idée sera développée plus tard, en 1604, dans la *Manuductio.* Du Vair, surtout, consacrera de nombreuses pages à la conduite du sage devant les malheurs. Pour lui, le courage, qui inclut nécessairement la liberté, est la vertu essentielle. Dans la *Philosophie morale des Stoïques,* il résume ainsi la sagesse :

> « ...Tout ce que nous pouvons faire est d'entreprendre avec prudence, poursuivre avec espérance et supporter ce qui arrive avec patience. » (174)

Le Traité de la Constance nous fait découvrir un moraliste plus humain. Certes, il proclame que nous devons accepter ce que nous ne pouvons changer, qu'il faut suivre les leçons de la constance et nous planter « droits sur les pas de notre devoir, tournant toujours le visage devers l'adversité » (175). Aucune souffrance ne peut abattre le sage ; l'adversité lui est d'ailleurs nécessaire pour entraîner et durcir sa volonté (176). Mais l'auteur du *Traité de la Constance* n'admet pas que l'homme demeure impassible devant la souffrance. Nous comprenons son mouvement de révolte :

> « Ou les larmes ne sont pas chose naturelle et marque d'une juste douleur, ou nous les devons rendre au mal auquel la nature est plus offensée, qui est en la ruine et subversion de notre pays... » (177)

Par la suite, du Vair fait remarquer la malfaisance de la tristesse (178). Son stoïcisme est tempéré. Le but visé est la victoire sur soi-même et une indifférence aux choses extérieures, afin d'acquérir le bonheur malgré les malheurs qui nous frappent. Le christianisme fera de cette conquête de la sérénité d'âme la base de son ascèse, mais, depuis Maldonat (179) jusqu'à Saint François de Sales (180), aucun moraliste chrétien n'admet l'impassibilité stoïcienne. Prévoir, se résigner et lutter sont les principes fondamentaux de la morale chrétienne. Elle demande d'assumer la souffrance selon la pensée de Sénèque, mais elle apporte cette note essentielle au dogme chrétien : la participation de l'homme aux souffrances du Christ et à la Rédemption.

---

(173) Voir L. Zanta, *op. cit.*, p. 168.
(174) *Philosophie morale des Stoïques,* p. 112.
(175) *Traité de la Constance,* p. 151.
(176) Sur la constance dans l'œuvre de Du Vair, voir R. Bady, *op. cit.*, pp. 199 sq.
(177) *Traité de la Constance,* pp. 11-12.
(178) Voir R. Radouant, *op. cit.*, p. 343.
(179) Dans ses cours de philosophie à Paris, le P. Maldonat, vers 1564-1570, critiqua le stoïcisme au nom de la doctrine chrétienne et de l'aristotélisme. Il rappela que la doctrine chrétienne tenait compte du corps de l'homme. Le P. Senault a reproché aux stoïciens d'avoir placé le sage au-dessus de la Fortune et d'avoir établi son bonheur dans la seule volonté (Miloyevitch, *op. cit.*, p. 94 et 147).
(180) Voir J. Eymard d'Angers, *art. cit.*, in *Etudes franciscaines,* 1952, p. 151.

Une seule fois, dans *Les Epistres Morales,* Honoré d'Urfé met en parallèle les souffrances de l'homme et celles du Christ. Racontant les derniers instants du duc de Nemours, il rapporte que celui-ci se fit apporter un crucifix par le Père Esprit :

> « Mon Père dit-il à ce Saint Religieux, Nostre Seigneur ne mourut-il pas aussi en saignant ? Et luy ayant respondu qu'ouy : Or prions le donc, continua-t-il, puis qu'il honore la fin de mes jours de quelque ressemblance de la sienne, que comme il respandit son sang pour laver la faute d'autruy, que celuy que je respands puisse tellement laver les miennes propres, qu'elles en soyent effacées en sa presence. Lors comme ravy en ceste consideration, il arresta de sorte les yeux sur les playes qu'il voyoit au Crucifix, que quelque abondance de sang qu'il perdit, quels remedes qu'on luy fit, on ne veid jamais qu'il les en retirast. » (181)

Ailleurs, la pensée d'Honoré d'Urfé se calque sur celle de Plutarque, de Sénèque et des néo-stoïciens. La seule originalité est dans le début du premier livre. D'Urfé repasse dans son esprit les mésaventures qui lui ont valu deux emprisonnements. Sous le coup de l'offense, il songe plus à la vengeance qu'à se forger une fermeté d'âme. Sans aucune modération, sa sensibilité crie et il ne peut retenir ses plaintes, parce qu'il a été trahi. Cependant, peu à peu, son ardeur encore juvénile se calme pour laisser davantage place à la raison. Une solution de constance apparaît et la fougue se calme progressivement, bien qu'il soit encore « éperdu » du coup qui l'a frappé (182). Comme Sénèque, comme Lipse et du Vair, il accepte l'ordre des choses :

> « Ne vueillons donc point nous fascher contre le Ciel : et si le feu est chaud, si l'eau moüille, et si ce qui est pesant descend en bas : c'est une loy éternellement establie que ces choses auroyent ce naturel, et non point d'avantage ny plus propre en eux que l'inconstance en ceste Chimère. » (183)

S'appuyant sur les exemples héroïques de l'Antiquité et sur la conduite du duc de Nemours pendant sa vie et les heures de son agonie, Honoré vante la constance stoïcienne. Avec « l'expérience des choses » et l'honneur, la constance fait partie de « ces Numes invincibles » auxquels nous devons recourir (184). Il convient donc de supporter ce qui se présente à nous :

> « Mais moy je te conseille, que si tu as du bien, tu en jouysses, avec asseurance que tu en peux avoir encor d'avantage : et si tu as du mal, que tu le supportes le plus doucement que tu pourras. Car la patience suffit pour nous rendre supérieurs de toutes les plus fascheuses infortunes. » (185)

---

(181) *E.M.*, I, 9, 94.
(182) *Ibid.*, I, 8, 68.
(183) *Ibid.*, I, 14, 147.
(184) *Ibid.*, I, 4, 31.
(185) *Ibid.*, I, 11, 115 ; voir également, I, 11, 120-121. Dans ce passage d'Urfé répète le conseil d'Epictète, *Manuel,* IV.

Il ne s'agit cependant pas d'une conduite passive ; en fait, c'est un combat qui se livre entre la Fortune et la vertu prise, ici, au sens de courage. Est-ce pour cela que le sage devra être impassible, quand il est éprouvé ? Non point. Comme du Vair ou Montaigne, d'Urfé n'accepte pas l'idéal du sage impassible ainsi qu'une statue. Il ne s'agit cependant point de fuir le danger, mais bien de l'affronter :

> « Doncques il ne nous est permis de fleschir aux ennuis, mais si est bien de les ressentir. Il nous est defendu de les craindre, mais non pas de les eviter sans honte, comme le Soldat doit bien parer aux coups, mais non pas les redouter. Et encor qu'il les ressente, si est-ce qu'il ne doit reculer un pas pour les fuyr. Et estant blessé, il peut donner remede à sa playe mais non point deshonnestement. Et pourquoy ne me veux-tu estre aussi doux que ces plus rudes et desnaturez Stoïques ? Permets, puis que je suis blessé, et que je n'ay peu eviter le coup, de chercher ma guerison, pourveu que ce soit honorablement. » (186)

Il ne partage point l'opinion de Pyrrhon :

> « Ce barbare (tel pouvoit-il estre nommé pour ceste opinion) vouloit que le sage fust vuide d'affection, et que sans vouloir, ou sans rejetter une chose plus qu'une autre, il fust indifferent en toutes, sans se plus esmouvoir au bien qu'au mal, et ainsi le rendant inaccessible à la douleur, luy ostoit le choix que la nature mesme ne refuse pas aux animaux plus imparfaicts. »

D'Urfé approuve plutôt l'opinion de Crantor :

> « car, dit-il, de ne ressentir point les douleurs, est en l'ame une cruauté, et au corps une lethargie : Mais au contraire, je veux que le sage les evite, si honnestement il le peut : et s'il le peut et qu'il ne le face, qu'il ne soit point tenu pour sage : que si l'occasion lui oste les moyens de la pouvoir, je veux bien qu'il les ressente comme homme : mais j'ordonne aussi qu'il les supporte comme sage homme. » (187)

La pitié envers ceux qui souffrent ne sera pas davantage étrangère au cœur du sage. En fait, une morale pratique se dégage des *Epistres Morales*. S'il ne se prépare pas à cette vie constamment semée d'embûches, l'apprenti à la sagesse risque d'être surpris et facilement vaincu. C'est pourquoi, il doit être prudent et prévoyant. Un soldat s'entraîne au combat, afin d'être prêt le jour de la bataille et il examine souvent ses armes ; le sage se prépare à la constance, à « l'expérience des choses » :

> « ...ce sont là des armes que tu dois préparer... tu les dois visiter bien souvent, et avec l'estude et la prudence, les tenir en estat, que tu n'ayes à les nettoyer quand l'occasion requerra que tu t'en serves. » (188)

(186) *Ibid.*, I, 20, 194-195.
(187) *Ibid.*, I, 19, 191-192.
(188) *Ibid.*, I, 4, 32.

La prudence que nous devons cultiver, quand la Fortune nous laisse en repos, confère la force et le calme de la vie et elle a cet avantage de ne laisser point entrer en nous la crainte qui est le vice le plus dangereux :

> « ...La Prudence donne à toutes les choses où elle est meslée une certaine force et douceur, qui raporte un tres-grand repos à ceux qui en usent. De là vient que les ennemis avec tant d'artifice taschent de nous surprendre, et mesmes des costez que nous n'avons preveus... Il faut donc se préparer. Mais en cela ne fais pas comme ces temeraires qui tousjours croyent leurs forces plus grandes, et celles de l'ennemy plus petites qu'elles ne sont... Tu diras peut estre, que la raison retiendra ton cœur à son devoir : Mais tiens pour certain, Agathon, qu'au lieu où la peur se loge, la raison ne sçauroit habiter... Cette craintive passion ne laissant en l'âme une seule retraitte qu'elle ne recherche pour se cacher. » (189)

Puisque c'est au commencement d'une entreprise que se révèlent les qualités de l'homme, il convient que nous manifestions notre courage, dès le premier assaut de la Fortune. C'est pourquoi Honoré d'Urfé conseille à Agathon de se préparer (190) et de ne point attendre le moindre mal, mais le pire :

> « Fay ainsi : s'il y a apparence que quelque mal te doyve arriver, prepare toy à ce qui est plus insupportable ; et te persuade qu'il ne se peut éviter. Par ce moyen, s'il t'avient, tu le supporteras d'autant plus aisement que les coups preveus nuisent moins. S'il ne t'advient pas, tu t'en resjouyras, non comme ayant evité un mal, mais comme ayant acquis une bonne Fortune. » (191)

La constance, fruit de l'expérience, de la prudence et d'une conduite soumise à la raison, raidit la volonté et conduit à cette magnanimité requise dans l'âme du stoïcien et faite d'une ambition modérée (192), qui ne place pas le bonheur dans les biens matériels.

La conduite des personnages de *L'Astrée* est une application de cette leçon des *Epistres Morales* ; elle fournit des exemples d'une volonté ferme dirigée par la raison, d'une prudence et d'un courage qui ne se laisse pas fléchir. Beaucoup de personnages souffrent, mais des vieillards éprouvés par la vie, des druides ou des gens de condition sociale inférieure les convient à méditer la leçon de morale stoïcienne. Tel est le cas de Halladin, l'écuyer de Damon, qui dit à son maître :

> « Les dieux se plaisent autant à favoriser de leurs grâces ceux qui essayent avec courage et prudence de s'ayder eux-mesmes en leurs infortunes, qu'à combler de disgrace ceux qui perdant le cœur et le jugement, ne sçavent recourir qu'aux prieres et aux vaines larmes. » (193)

(189) *Ibid.*, I, 4, 33-35.
(190) *Ibid.*, I, 4, 35-36.
(191) *Ibid.*, I, 11, 108. Honoré d'Urfé analyse les avantages de cet « avant-jeu de dix ans vécus dans l'infortune ». Voir *E.M.*, I, 14, 145.
(192) *Ibid.*, I, 31, 203.
(193) *Astrée*, III, 1, 30.

Diane prétend que la douleur la plus grande est celle qui est la mieux ressentie et Phocion lui répond :

> « Cela est vray... pour le regard d'une ame troublée, mais non pas si elle est mesurée à la raison, car alors chaque chose est estimée telle qu'elle est ; et bien souvent quand la passion est cessée, nous rions de ce que nous avons pleuré. » (194)

Le sage juge tout à sa juste valeur, et, fuyant les mouvements importuns d'une sensibilité trop vive, il s'exerce à la prudence et se tient constamment sur la défense :

> « Or de tout nostre discours, continua Phocion,... nous pouvons apprendre qu'il n'y a lieu en l'univers qui soit entierement exempt des coups de la fortune, et que nous devons nous tenir tousjours en deffense contre elle, afin que, quand elle nous viendra attaquer, non seulement nous puissions luy resister, mais que, sans prendre l'ombre pour le corps qui ordinairement est plus grande, nous mesurions avec la raison et non pas avec le ressentiment, les coups que nous recevons d'elle, pour y donner le remede que non pas les pleurs, qui le plus souvent sont inutiles, mais que la prudence nous peut presenter. » (195)

Le sage se comporte non point avec impétuosité devant l'épreuve, mais toujours avec prudence et modération. Le plus vieux des deux messagers de la reine Argire, à Marcilly, commence ainsi l'histoire de Rosanire, Céliodante et Rosiléon :

> « La patience et l'impetuosité sont deux moyens avec lesquels les hommes peuvent faire de grandes choses, parce que l'une fait effet avec la force et la violence, en heurtant ce qui s'oppose à son dessein, et l'autre, en temporisant et lassant l'ennemy, elle en emporte la victoire, si bien qu'il semble que par deux contraires chemins elles parviennent à un mesme but. Je croy bien que celuy qui pourroit avoir ces deux qualitez ensemble, devroit estre estimé plus qu'homme, mais d'autant que la foiblesse humaine rarement les peut embrasser, je pense que, toutes choses bien balancées, la patience et la modération sont beaucoup plus louables et plus utiles, comme plus fondées sur le discours de la raison, et que l'impetuosité beaucoup plus aisement emporte celuy qui la prend pour sa guide dans des ruines et des precipices inevitables. » (196)

Nous sommes loin de la fougue du jeune Honoré d'Urfé dans le premier livre des *Epistres Morales*. Avec l'âge, l'homme découvre la grandeur de la modération, beaucoup plus efficace, parce que plus sûrement fondée sur une volonté ferme. Nous retrouvons ici la comparaison établie dans *Les Epistres Morales,* entre la conduite du jeune homme et celle plus pondérée du vieillard. Rien ne peut abattre la vaillance, car elle est preuve de confiance dans les forces de l'homme. Oronte, rappelant à Céliodante l'exemple de courage de son père Policandre, affirme que

---

(194) *Ibid.*, IV, 5, 226.
(195) *Ibid.*, IV, 5, 226-227.
(196) *Ibid.*, IV, 10, 569.

« ...le courage d'un homme ne peut jamais estre vaincu que par sa faute, n'y ayant accident de fortune qui le puisse abattre si sa volonté ne le trahit, et ne consent à sa desfaicte. » (197)

Pas plus qu'Honoré d'Urfé, les personnages de *L'Astrée* ne sont insensibles au malheur. Ils sont hommes et leur sensibilité réagit, malgré le courage qu'ils manifestent. Céliodante s'est conduit en sage, parce qu'il a prévu les coups de la Fortune, mais, dit-il à Oronte,

« j'ay ressenti, je l'advoue, ce changement de bonne en mauvaise fortune, mais comme sensible et non pas comme faible et abattu de courage. » (198)

Voici encore cette réflexion de Damon, qui est un autre exemple de l'homme victime du malheur :

« Et toutesfois, si en la violence du mal, il peut estre permis de jetter quelque soupir, non pas pour se douloir, mais seulement pour tesmoignage que l'on le ressent, ne vous estonnez point, madame, je vous supplie, si en la suite de ce discours, vous me voyez quelquefois contraint de souspirer par le souvenir de tant d'infortunes » (199).

Les femmes de *L'Astrée* demeurent fermes et inébranlables dans ce qui leur apparaît comme leur devoir. Elles n'ont cependant pas un cœur de marbre. Capables de se maîtriser en public, elles attendent d'être seules pour donner libre cours à leurs plaintes.

Ne jamais se départir de la raison, rester lucide et ferme devant les vicissitudes de la vie, se préparer aux infortunes dont tout homme de bien est frappé, telle est la conduite du sage, selon Honoré d'Urfé, disciple du néo-stoïcisme. Mais l'épreuve suprême de la constance est la mort, car sa pensée trouble l'esprit par la peur. Il importait donc aux stoïciens, qui cherchaient à procurer à leurs disciples la tranquillité d'esprit, de faire taire l'appréhension de la mort. En faisant appel au raisonnement, ils enseignent constamment qu'il faut accepter ce qu'on ne saurait changer et que l'homme, soumis aux lois naturelles, doit mourir. Alors, pourquoi craindre la mort, puisque Dieu est bon ? Dès lors, le mépris de la mort est une excellente préparation à l'héroïsme. Epictète a recommandé à ses disciples de n'avoir « ni peur de la pauvreté, ni de l'exil, ni de la prison, ni de la mort », « mais d'avoir peur de la peur. » (200)

Cette démarche de pensée est celle de Plutarque, celle de Sénèque et de Cicéron. Pour l'auteur des *Lettres à Lucilius,* la mort, comme la douleur, appartient à l'ordre universel et il importe de s'y résigner. Si un mouvement instinctif nous la fait redouter, il relève de l'opinion et il est déraisonnable. Pour dissiper l'effroi que la mort suscite, Sénèque fait appel à la raison. Aussi détaille-t-il les avantages que le trépas peut offrir, telle la suppression des

(197) *Ibid.*, IV, 10, 606.
(198) *Ibid.*, IV, 10, 607.
(199) *Ibid.*, III, 6, 302.
(200) Epictète, *Entretiens,* II, 39.

maux de la vie (201). Sénèque détermine encore la conduite du sage à l'égard de la mort. Peut-il fuir ? Non, sans doute. Se résignera-t-il ? Recherchera-t-il la mort ? Il faut accepter la mort et même, dans certains cas, l'homme pourra choisir volontairement de mettre un terme à sa vie. La conduite à tenir est liée à la conception de l'au-delà. Sénèque, à l'encontre de Panetius qui ne voyait d'autre récompense pour le sage que la sérénité d'esprit, croit qu'après la mort l'âme du sage parvient à une contemplation des Vérités éternelles. Un homme sensé ne doit donc pas pleurer à la pensée de la mort (202) :

> « Un jour, pour toi, les secrets de la Nature se dévoileront, ces ténèbres où tu es se dissiperont, et, de toutes parts, une lumière brillante te baignera. » (203)

C'est le thème développé dans la *Consolation à Marcia* :

> « Ce n'est que l'image de ton fils qui est morte, un reflet bien peu ressemblant ! Lui, il est éternel, et le voici maintenant dans une condition meilleure, libéré de ce fardeau qui lui était surajouté, et rendu enfin à lui-même... Rougis d'avoir une conduite basse ou vulgaire, et de pleurer les tiens, qui ont changé leur sort pour un sort meilleur. »

Marcia doit songer que son père et son fils la voient, puisqu'ils peuvent contempler la terre où ils découvrent qu'il n'y a rien de souhaitable (204). Une telle pensée est liée au mépris des biens terrestres qui sont voués à l'oubli. N'est-ce pas la même consolation qu'adresse Plutarque à Apollonius lorsqu'il apprend la mort de son fils ? Les mêmes raisonnements veulent apaiser la douleur, sans, pour cela, éteindre la sensibilité :

> « S'il est ainsi donc que la vie de l'homme soit telle comme tous ces grands personnages la descrivent, n'est-il pas plus raisonnable de reputer heureux ceux qui sont delivrez de la servitude à laquelle on est subject et en icelle, que non pas de les deplorer ou lamenter, comme la pluspart des hommes font par ignorance ? » (205)

Pourquoi d'ailleurs se tourmenter à propos de la mort, puisqu'elle ressemble à un sommeil et que, c'est « un mesme estat celuy d'apres la mort que celuy de devant la vie » (206). Après la mort, quand l'esprit sera libéré du corps, nous pourrons contempler les « choses à nud » ; les dieux ne font que nous redemander « ce qu'ils nous avoient presté pour un peu de temps seulement » (207). Il convient à Apollonius et à sa femme de ne pas se livrer sans mesure au chagrin :

---

(201) *Consolation à Marcia,* 19, 5 ; 20, 1-2.
(202) Sur la pensée de la mort dans l'œuvre de Sénèque, voir A. de Bovis, *op. cit.,* p. 141 ; P. Grimal, *op. cit.,* pp. 60 sq.
(203) *Epîtres à Lucilius,* 102, 60 sq.
(204) *Consolation à Marcia,* XXIV.
(205) Plutarque, *op. cit.*, *Consolation envoyée à Apollonius sur la mort de son fils,* 246 F.
(206) *Ibid.,* 248 A.
(207) *Ibid.,* 252 A.

« Tu feras doncques sagement,... en te revenant de ceste vaine affliction que tu donnes et à ton corps, et à ton âme, en ton accoustumance, ordinaire et naturelle façon de vivre : car ainsi comme lorsqu'il vivoit entre nous, il n'eust pas esté aise de voir ny toy son père, ny sa mère, tristes et desolez, aussi maintenant qu'il est conversant et faisant bonne chère avec les dieux, il ne prendroit pas plaisir à voir l'estat où vous estes. »

Plutarque conseille à Apollonius une « plus tranquille et paisible maniere de vivre, laquelle sera trop plus agreable et au defunct ton fils... » (208)

Le stoïcisme de Plutarque et de Sénèque n'est pas une fade résignation à la condition naturelle de l'homme, la soumission aveugle à une loi. Il lègue aux humanistes, qui en sont déjà convaincus par leur foi chrétienne, la certitude d'une vie immortelle et heureuse dans l'au-delà. La doctrine chrétienne se sépare pourtant, en partie, de cet optimisme stoïcien, puisque, pour elle, la mort est à la fois un mal et un bien : un mal puisqu'elle nous est value par la faute originelle, un bien parce qu'elle est l'entrée dans une vie nouvelle où règne la justice. Nous savons comment Montaigne s'est d'abord habitué, comme Sénèque, à l'idée de la mort, afin de vivre plus tranquille, se plaisant à penser que « philosopher, c'est apprendre à mourir ». La mort nous prêche le détachement de cette vie et de ses commodités, c'est pourquoi, il faut être « toujours boté et prest à partir ».

En fait, aucun moraliste du XVIe siècle n'apportera des idées originales sur cette question. Tous reprennent les plus éloquentes paroles de l'Antiquité païenne et chrétienne, pour affirmer que la mort n'est que le terme des douleurs de la vie et le passage à l'éternité. Ce sont, confondues, les idées de Cicéron, de Sénèque, de Plutarque et des Pères de l'Eglise, qui sont développées par chacun des auteurs (209). La plupart des idées avancées par Montaigne avaient déjà été énoncées, quelques années auparavant, par Duplessis-Mornay, dans le *Discours de la vie et de la mort* (210). Cet ouvrage est une des premières imitations de Sénèque et il participe pour une grande part au mouvement néo-stoïcien du XVIe siècle (211). Qu'y apprenons-nous que nous n'ayons lu dans la *Consolation à Marcia* ou dans les *Lettres à Lucilius* ? Nous avons peur de la mort,

---

(208) *Ibid.*, 255 E.

(209) Il faut encore tenir compte de l'influence exercée par l'opuscule d'Erasme, *Liber cum primis de praeparatione ad mortem*. Les œuvres d'Erasme furent largement répandues au XVIe siècle, et Henri Bremond affirme que le *Liber cum primis de praeparatione ad mortem* fut à la source de cette littérature « dévote et consolatrice, qui, pendant deux siècles au moins, enseignera l'art de mourir doucement à d'innombrables chrétiens... » (*Histoire littéraire du sentiment religieux en France*, Paris, 1932, t. IX, pp. 358-359).

(210) Du Plessis-Mornay, *Excellent discours de la vie et de la mort*, s.l., 1576.

(211) Voir P. Villey, *Les sources et l'évolution des Essais de Montaigne*, Paris, Hachette, 1908, 2 vol., t. 2, p. 69. Voir également l'article de J. Eymard d'Angers, in *Etudes franciscaines*, 1952, pp. 4 et 5.

> « parce que nous l'appréhendons, non telle qu'elle est en soi, mais triste, have et hideuse, telle qu'il plaist aux peintres la nous representer ès parois. » (212)

La mort est un terme à nos misères ; elle est précédée de douleur, certes, mais la guérison d'une plaie fait également souffrir. Il faut nous y habituer, puisque notre vie est un « continuel mourir » (213). Au lieu de nous plaindre, réjouissons-nous parce que la mort est la « naissance d'un jour éternel » (214). Le corps est une prison où l'âme est en exil, le ciel est la patrie de l'homme (215).

Les mêmes réflexions reviennent dans les ouvrages de du Vair. La mort, dit-il dans la *Philosophie Morale des Stoïques,* n'a rien d'épouvantable, il nous appartient de nous disposer à ne point la craindre et de nous « point effrayer quand elle se présente » (216). Même leçon dans le *Traité de la Constance,* qui ajoute que « la vie se mesure par la fin » (217) et qu'une vie sans fin nous attend après notre mort (218). La *Sainte philosophie* laisse prévoir, dans l'au-delà, un bonheur indicible :

> « Quand vous aurez passé le seuil de cette vie, vous verrez ce que nulle bouche ne peut dire et nulle oreille ne peut ouïr. » (219)

Pierre Charron, après du Vair et Montaigne, répètera que « c'est chose excellente d'apprendre à mourir », que c'est à la mort qu'on juge de la vie (220), que la mort est remède à nos maux et promesse d'une vie sans fin où nous verrons « le ciel tout entier, et la lumière toute en son lieu » (221).

C'est dans ce concert de recommandations et de promesses de bonheur qu'entrent *Les Epistres Morales,* fidèles à Sénèque, à Plutarque et donc à la tradition néo-stoïcienne du XVIe siècle qui déborde largement sur le XVIIe siècle. Dans *Les Epistres Morales,* rien n'est original de ce point de vue là encore. Nous y lisons les mêmes mises en garde que chez du Vair, chez Montaigne ou du Plessis-Mornay, et cela nous laisse penser que tous ont eu recours à une source commune, Sénèque et Plutarque. La seule marque d'originalité d'Honoré d'Urfé est l'analyse de son expérience personnelle et le récit de la mort du duc de Nemours. Le « cotidie morimur » de Sénèque, repris par du Vair, se retrouve sous sa plume : « L'homme ne va vivant que comme allant à la mort... » (222) Pourquoi donc se regimber, puisque, comme dit Crantor, nous sommes tous

---

(212) *Excellent discours.*, éd. Mario Richter, Milan, Società editrice Vita e pensiero, 1964, p. 67.
(213) *Ibid.*, p. 69.
(214) *Ibid.*, p. 70.
(215) *Ibid.*, p. 72.
(216) *Philosophie morale des Stoïques,* p. 96.
(217) *Traité de la constance,* p. 55.
(218) *Ibid.*, p. 184.
(219) *De la Sainte philosophie,* p. 18.
(220) *De la Sagesse,* t. I, p. 238.
(221) *Ibid.*, p. 249.
(222) *E.M.*, I, 13, 133.

liés « à ceste fatale destinée du trespas » (223). Il est donc inutile, et, en tous cas, indigne d'un sage, de verser des pleurs sur celui qui est mort, car les larmes ne peuvent pas effacer le déplaisir que nous ressentons (224). Il convient de faire appel à la raison, et non à la sensibilité qui est cause de l'opinion, pour savoir comment se comporter en face de la mort. Au début de 1598, Honoré d'Urfé tombe malade, et, se croyant sur le point de mourir, il tente de se comporter en stoïcien. Quand il a recouvré la santé, il écrit la lettre 6 du deuxième livre des *Epistres Morales,* où il analyse les sentiments éprouvés, afin que son exemple serve à Agathon. Les idées développées dans cette lettre sont celles tant de fois ressassées par les philosophes de l'Antiquité et les moralistes du XVIe siècle. A Agathon qui exprime son contentement de la guérison de son ami, mais fait remarquer qu'il est plus aisé « de philosopher en discours », et lui demande si ses enseignements n'ont point été ébranlés par l'approche de la mort, Honoré d'Urfé répond :

> « Je te diray, Agathon, pour respondre à ta curiosité, que je croy la mort estre plus espouvantable à l'âme que douloureuse au corps, et beaucoup plus espouvantable à qui seulement en a ouy parler, qu'à celuy qui l'a veüe et recognuë de pres. » (225)

S'appuyant sur son expérience personnelle, il reprend à son compte les remarques de Sénèque :

> « ...j'espere que tu cognoistras que l'horreur de la mort est plutost en une imagination blessée, qu'en une saine raison. » (226)

Pourquoi craint-on la mort ? A cause des souffrances qui l'accompagnent ? A cause de la passion qui s'est emparée de nous et a aveuglé notre raison ? Parce que nous redoutons ce qui se passe après la mort ? Honoré d'Urfé répond méthodiquement à chacune de ces questions. Puisque l'homme est composé d'un corps et d'une âme et que l'un et l'autre sont fortement unis, « l'âme se deult des blessures du corps » (227). Comment pourrions-nous craindre les douleurs qui devancent la mort, puisque nous sommes prêts à supporter les plus cruelles souffrances pour guérir (228) ? Alors, redoutons-nous « ce qui suit le corps apres la mort » ? Mais le corps est devenu insensible (229). Ce qui nous fait souffrir, c'est plutôt le déplaisir de laisser tous les biens terrestres auxquels nous nous sommes attachés notre vie durant. Mais, en nous dépouillant de l'humanité, « nous nous despoüillerons ainsi de toutes ses im-

(223) *Ibid.*, I, 2, 21. Sur le thème de la mort dans *Les Epistres Morales,* voir Sœur M. Goudard, *op. cit.*, pp. 73-80.

(224) *E.M.*, I, 13, 134. Cette lettre 13 est une consolation adressée à Agathon après la mort du duc de Nemours.

(225) *E.M.*, II, 6, 279.

(226) *Ibid.*, II, 6, 281.

(227) *Ibid.*

(228) *Ibid.*, II, 6, 283-284.

(229) *Ibid.*, II, 6, 285.

perfections » (230). Reprenant le vers d'Homère, « Le sommeil et la mort sont frères et sœurs jummeaux », il rapporte le commentaire qu'en fait Plutarque dans sa *Consolation* envoyée à *Apollonius sur la mort de son fils* (231). En réalité, ceux qui craignent ce qui doit advenir après la mort,

> « redoutent sans plus le chastiment de leurs mauvaises actions passees, le jugement desquelles ils croyent esloigner demeurant en terre ignorants, qui ne sçavent pas qu'en quel lieu que le vice soit, il traine son supplice avec luy... » (232)

Cependant, ils ignorent que celui dont ils redoutent le jugement est un Dieu bon et miséricordieux. Alors pourquoi avoir peur ?

> « Dieu qui nous a fait, sçait mieux que nous-mesmes les vices auxquels l'homme est de nature enclin, et ainsi l'excuse et le patiente. Et d'autant qu'il l'aime comme son ouvrage il ne le chastie jamais sans y appeler ensemble son amitié et sa misericorde. » (233)

Cette dernière considération, qui est le fruit d'une méditation sur une parole de Mercure Trismégiste, rejoint les réflexions des stoïciens et des néo-stoïciens sur la bonté divine et la justice immanente. Dans cette suite de réflexions, Honoré d'Urfé met davantage l'accent sur la fermeté d'âme dont il a fait preuve. Il aime rappeler sa constance calquée sur celle des personnes vertueuses et il propose à Agathon sa propre conduite en exemple :

> « ...dès que je recogneus le peril de mon mal, je me resclus à le supporter avec le mesme visage et la mesme constance que j'avois loüée aux personnes de vertu. » (234)

La présence de la mort fut pour lui l'épreuve de sa constance. Sa pensée est stoïcienne et sa conduite, pendant la maladie qui l'accable, n'aurait pas été récusée par un disciple de Sénèque ; aucune ouverture vers la pensée d'un au-delà chrétien, tout au plus, cette remarque empruntée à Platon :

> « ...c'est par la seule mort que nous pouvons parvenir à nostre perfection. » (235)

Le ton de cette lettre est froid, les sentiments sont analysés sèchement ; malgré l'expérience personnelle qui l'inspire, cette sixième épître est une dissertation de morale où sont développées sans originalité la plupart des recommandations des stoïciens.

La consolation à une princesse qui a perdu son mari au retour d'un long voyage (236) est tout aussi impersonnelle. Honoré d'Urfé déclare que tout ce qui nous arrive procède de la main de Dieu, que le prince, dont les hommes ont admiré les vertus, ne manque

---

(230) *Ibid.*, I, 6, 293.
(231) *op. cit.*, 246 G.
(232) *E.M.*, II, 6, 297-298.
(233) *Ibid.*, II, 6, 298-299.
(234) *Ibid.*, II, 6, 280.
(235) *Ibid.*, II, 6, 299.
(236) *Ibid.*, II, 11 et 12.

de rien dans son bonheur, puisqu'il est dans le sein du Créateur de toutes choses (237) ; qui plus est, il est devenu Dieu, car la béatitude et Dieu,

> « c'est une mesme chose... Or si ceux qui meurent en Dieu, ont la beatitude, ils doivent donc avoir la divinité... » (238)

Comme Plutarque dans la *Consolation à Apollonius* qui fournit la plupart des idées de cette douzième lettre, d'Urfé prétend que le défunt jouit d'une vie heureuse et il laisse entendre à la princesse que ses larmes risquent de lui déplaire. Plutarque, nous l'avons vu, donne le même avertissement à Apollonius : une tranquille manière de vivre « sera trop plus agréable et au defunct ton fils », écrit-il. D'Urfé a senti l'intérêt de cette remarque. Il déclare donc que le Prince, « voyant toutes choses en Dieu... void ses larmes, et oyt ses plaintes et desolations. » (239) Il a cependant affirmé que le bonheur céleste est parfait. Cette contradiction le conduit à écrire cette curieuse page, construite sur une subtile distinction entre la passion et la compassion :

> « Et ne croit-elle point que s'il estoit aussi capable de ressentir le mal, comme il est impossible que nulle douleur entre au lieu où il est, que ceste veüe ne luy amoindrit beaucoup le bien qu'il possede ? Il n'en faut nullement douter : car il l'a trop cherement aimée pour se plaindre à ses desplaisirs. Mais la passion luy estant ostée, la compassion ne l'a pas abandonné pour cela. Si bien qu'ayant augmenté cette affection qu'en luy elle a recogneüe envers elle à la mesure de ses autres vertus (car c'est vertu d'aimer ce que l'on doit) cette triste veüe que elle luy donne se change en pitié : Et la pitié (si quelque chose le peut toucher) diminüe en quelque sorte son entier contentement. » (240)

Les réticences et les distinctions montrent à quel point d'Urfé est mal à l'aise dans sa fidélité à Plutarque (241). Les développements moraux des *Epistres Morales* paraissent souvent une mosaïque d'idées empruntées aux moralistes de l'Antiquité, sans qu'y préside un essentiel souci d'unité. D'Urfé sacrifie à la tradition, mais nous souhaitons souvent une originalité que nous cherchons en vain dans ces considérations sur la mort. Seul nous émeut le récit de la mort du duc de Nemours, parce que nous y sentons, à la fois, l'émotion du témoin et la constance chrétienne de celui qui meurt. La mort du duc de Nemours est pour d'Urfé digne d'être imitée, et cet exemple est celui d'une mort chrétienne. Montaigne nous a laissé le récit de l'agonie de son ami La Boétie, du Vair

---

(237) *Ibid.*, II, 12, 367.
(238) *Ibid.*, II, 12, 369-370.
(239) *Ibid.*, II, 12, 373.
(240) *Ibid.* Sur une autre contradiction des *Epistres Morales* (II, 6, 294 et II, 6, 300), voir Sœur M. Goudard, *op. cit.*, p. 77.
(241) D'Urfé suit encore de très près la *Consolation à Apollonius* dans un autre passage des *Epistres Morales* (II, 6, 293 sq.). En effet, non content de répéter la citation d'Homère faite par Plutarque, il reprend l'essentiel du commentaire (246 G H) et il en est de même pour une citation de Platon (247 B ; *E.M.*, II, 6, 299-300).

nous fait assister, à la fin du dernier entretien du troisième livre du *Traité de la Constance,* à la mort du Président Christophe de Thou (242). Mais, ici et là, le stoïcisme païen et le christianisme se mêlent ; dans le récit d'Urfé la foi chrétienne domine incontestablement. La mort du duc de Nemours est davantage celle d'un chrétien que celle d'un stoïque. En revanche, les derniers instants de Clidaman, qui, à certains égards, rappellent ceux du duc de Nemours, ne manquent pas d'être dignes d'un stoïque de l'Antiquité. A Guyemants qui souhaite que Tautatès ne le fasse pas mourir, Clidaman répond :

> « Guyemants..., nous sommes tous en sa main, il peut disposer de nous, et pourveu qu'il me face le bien de laisser cette vie avec la bonne réputation que mes ancestres m'ont acquise je demeure content et satisfaict du temps que j'ay vescu. » (243)

En faisant à Lindamor ses dernières recommandations d'obéissance à Amasis, Clidaman meurt dans la tranquillité d'une âme droite et sereine :

> « ...je pense avoir tousjours faict les actions d'un homme de bien et ... je vais attendre l'autre vie avec ceste satisfaction, que je croys avoir passé celle-cy sans reproche. » (244)

D'Urfé ne s'attarde pas, dans *L'Astrée,* à de longues considérations sur la mort. Il relate les coutumes de la sépulture païenne (245), il note la netteté de la connaissance après la mort (246), et vante le bonheur des âmes enfin dépouillées du corps (247). Dans *L'Astrée,* la mort est plus désirée que redoutée.

Est-ce à dire qu'Honoré d'Urfé approuve le suicide ? La question n'est pas posée par *Les Epistres Morales,* mais les personnages malheureux de *L'Astrée,* n'éprouvant que douleurs morales dans leur amour, songent souvent à mettre fin à leurs peines, en se donnant la mort. Aucun personnage, cependant, ne se suicide. Tous se lamentent, crient qu'ils ne peuvent plus supporter de vivre, et quand, comme Damon, ils mettent leur projet à exécution, un événement fortuit les sauve, ou bien, dans leur détresse, un sage les réconforte et leur présente le suicide comme un acte défendu par les dieux. Le Conseil des Six-cents ne permet pas à Olimbre et Ursace de se donner la mort, sans avoir obtenu la permission de l'aimée (248). Honoré d'Urfé présente un seul argument en faveur

---

(242) Voir R. Bady, *op. cit.,* p. 214 et n. 75.
(243) *Astrée,* III, 12, 699.
(244) *Ibid.,* III, 12, 699.
(245) Ibid., II, 5, 190.
(246) *Ibid.,* II, 5, 190.
(247) *Ibid.,* II, 5, 192.
(248) *Ibid.,* II, 11, 556 sq. Montaigne rapporte également cette coutume du Conseil des Six-Cents (*Essais,* II, 3). Nous relevons les passages suivants de *L'Astrée,* où les personnages désirent la mort ou tentent de se suicider : II, 6, 232-241 (Damon, par désespoir, se jette dans la Garonne) ; II, 6, 255 (Madonte raconte qu'elle eut plusieurs fois envie de se précipiter par une fenêtre) ; II, 8, 351 ; II, 10, 408 (Ursace est sauvé par un ami) ; II, 11, 436 (Calidon déclare à Célidée qu'il a souhaité se donner la mort, mais que la crainte d'offenser Tautatès l'en a empêché) ; II, 11, 550 sq. (Ursace et Olimbre

du suicide : l'impossibilité de supporter la douleur quand elle excède les forces. Le suicide lui apparaît, en définitive, comme une solution de lâcheté. Alcandre, par exemple, fait remarquer que,

> « comme que ce soit, c'est un signe de peu de courage de fuyr, pour n'avoir pas le cœur de supporter les coups de l'ennemy. » (249)

Le vieux chirurgien qui soigne Ursace après sa tentative de suicide fait valoir le même argument :

> « ...c'est un deffaut de courage de se tuer, pour ne pouvoir supporter les coups du desastre, et tout semblable à celuy qui s'enfuiroit le jour d'une bataille, de peur des ennemis. Car ceux qui se donnent la mort pour quelque desplaisir qu'ils prevoyent, ou qu'ils souffrent, s'enfuyent veritablement de ce monde à faute de courage, et pour n'oser soustenir les coups de la fortune. Ce n'est pas à dire pour cela que les hommes, comme esclaves, soient obligez d'endurer toutes les indignitez que ceste fortune leur fait, ou leur prepare. » (250)

Le chirurgien laisse entendre qu'il existe des motifs légitimes de suicide ; c'est pourquoi il rapporte qu'à Marseille existe le Conseil des Six-cents. Honoré d'Urfé, pourtant, ne pouvait désavouer ces stoïques de l'Antiquité qui, par constance, et non par faute de courage, se sont donné la mort. Voilà pourquoi Silvandre, son porte-parole, affirme que celui qui se suicide ne manque pas de courage. Selon lui, il ne faut retenir qu'un seul argument contre le suicide : la faute contre les dieux. C'est bien dans ce long propos de Silvandre qu'il faut découvrir la pensée de l'auteur de *L'Astrée* :

> « Vous avez ouy dire la vérité..., mais personne qui l'entendist bien ne vous aura jamais dit qu'il faille esperer en une chose où il n'y a point d'esperance. Et, c'est ce que je disois maintenant, que mon mal estoit desesperé, non pas que je conclue que pour cela je vueille d'un glaive m'ouvrir l'estomach, ou me precipiter dans un abysme, car encore que je n'estime pas cette action un deffaut de courage comme vous dites, je la tiens encore pire, parce que c'est une impiété qui se commet contre le grand Tautates, d'autant que l'homme estant l'ouvrage de ses mains, et duquel il se peut servir comme le potier des vazes de terre qu'il a faits à sa volonté, c'est une grande impiété d'aller contre l'ordonnance de ce Grand à qui nous sommes, et à qui nous devons tout ce que nous avons. Et s'il luy plaist nous voir souffrir des peines et des travaux infinis, ne sommes-nous pas impies de vouloir contrarier son dessein par une mort précipitée ? Mais que ce ne soit un tesmoignage d'un courage genereux de ne vouloir souffrir un honteux supplice, et

---

devant le Conseil des Six-Cents) ; II, 11, 558 (suicide feint d'Ursace) ; II, 8, 459 (Cryséide veut se donner la mort près du tombeau des deux Amants) ; III, 7, 395 (Cryséide veut se suicider car elle est contrainte d'épouser un homme laid) ; IV, 3, 130-131 (Tirinte désire se donner la mort à cause de son amour pour Silvanire). A ces divers épisodes il convient d'ajouter la tentative de suicide de Céladon.

(249) *Astrée*, IV, 5, 249.

(250) *Ibid.*, II, 12, 551.

de l'esviter par une douleur encore plus grande, je ne pense pas, Alcandre, qu'il y ait personne qui, aprés avoir bien pensé, le vueille soustenir. » (251)

Le suicide est une faute commise contre les dieux qui possèdent des droits sur l'homme ; plus grave que l'homicide ou même le parricide, elle est punie par Tautatès (252). La pensée d'Honoré d'Urfé est fidèle à la morale chrétienne (253) et à celle de la plupart des néo-stoïciens. Nous savons que Sénèque et Cicéron étaient favorables au suicide. Dans le *de Finibus,* Cicéron rappelle, en ces termes, la doctrine du Portique :

> « Pour l'homme, en effet, chez qui l'emporte le nombre des choses conformes à la nature, le convenable est de demeurer dans la vie ; mais pour l'homme chez qui ou l'emporte ou paraît devoir l'emporter le nombre des choses contraires, le convenable est de quitter la vie. » (254)

Sénèque pense que si la raison, en pleine lucidité, a jugé qu'il était bon de mourir, rien ne peut s'opposer à cette solution. La vie est remise en toute propriété à celui qui la détient et celui qui se donne la mort accomplit un acte moral :

> « Faible et lâche quiconque meurt par crainte de la douleur ; fou quiconque vit en vue de la douleur. » (255)

C'est laisser entendre que le suicide est obligatoire, quand la douleur ne permet plus le libre exercice de la raison (256). Pas une seule fois, tandis que Sénèque expose son opinion sur le suicide, la pensée ne lui vient que le sage puisse avoir des comptes à rendre à un autre que lui-même ; pas une seule fois, il n'est question des droits de la divinité sur l'homme. Montaigne, quant à lui, relate un certain nombre de suicides, par exemple celui de Caton et de Sénèque. Il les admire et il conclut par la formule célèbre empruntée à Sénèque :

> « S'il est mauvais de vivre en necessité, au moins de vivre en necessité il n'est aucune necessité. » (257)

En fait, Montaigne hésite à prendre parti :

> « Outre l'authorité qui en défendant l'homicide, y enveloppe l'homicide de soy-mseme, d'autres philosophes tiennent que nous ne pouvons abandonner cette garnison du monde sans le

(251) *Ibid.,* IV, 5, 249.
(252) Voir les conseils du druide à Damon (*Astrée,* III, 6, 312).
(253) Voir Saint Thomas, *op. cit.,* IIa, IIae, q. 59, 3, ad 2 et q. 64, 5 ; q. 124, I, ad. 2, et IIIa, q. 47, 6 ad 3 (le suicide est considéré comme un péché mortel, à moins que Dieu ne l'inspire) ; IIa, IIae, q. 59, 3 ad, IIa IIae, q. 64, 5 c. et III a, q. 47 (celui qui se donne la mort commet une injustice envers Dieu, puisqu'il est propriété de Dieu, sa créature et son image. Il est en outre injuste à l'égard de la Cité et de la communauté. C'est pourquoi il est puni selon la loi divine et selon la loi humaine en étant privé de la sépulture chrétienne).
(254) *De finibus,* III, 60-61.
(255) *Epîtres à Lucilius,* 58, 36.
(256) Voir A. de Bovis, *op. cit.,* pp. 136-137.
(257) *Essais,* I, 14.

commandement exprés de celuy qui nous y a mis et que c'est à Dieu, qui nous a icy envoyés, de nous donner congé quand il luy plaira, non à nous de le prendre. » (258)

Montaigne considère le suicide comme légitime en certains cas, et comme une preuve de force d'âme, quand il est accompli avec lucidité, ce qui explique son admiration pour Caton, et Sénèque. François le Poulchre réprouve la mort de Caton, parce que la théologie n'autorise pas le suicide et que c'est un manque de maîtrise de soi (259). L'opinion de Guillaume de Vair est plus modérée. S'il n'encourage pas au suicide, puisqu'il est chrétien, il cite parmi les exemples de mort vertueuse celle de Caton d'Utique (260). Du Plessis-Mornay condamne catégoriquement le suicide :

« Le chrétien doit volontiers sortir de cette vie, mais il n'en doit pas lâchement fuir. Le chrétien est ordonné de Dieu pour y combattre ; il ne peut quitter son rang sans encourir reproche. Mais s'il plaît à ce grand capitaine l'en rappeler, qu'il prenne sa retraite en foi et qu'il obéisse de franc courage. Le chrétien n'est pas pour soi-même, mais pour Dieu. » (261)

Ni Juste-Lipse, dans la *Manuductio,* n'écrit en faveur du suicide, malgré son désir de concilier stoïcisme et christianisme (262), ni Saint François de Sales n'admire la conduite de Caton (263).

Honoré d'Urfé, une fois de plus, expose donc une morale qui respecte le dogme chrétien. La condamnation du suicide lui paraît si légitime qu'il ne juge pas utile de l'examiner dans *Les Epistres Morales*. En revanche, le thème du désespoir lui fut imposé, dans *L'Astrée,* autant par l'analyse de l'amour que par une tradition bien établie dans les romans pastoraux (264). Mais lui seul met l'accent sur la conduite stoïque de ses personnages et raisonne sur les motifs qui condamnent le suicide. Derrière le romancier se cache le moraliste néo-stoïcien. Le suicide n'est pas le seul problème moral qu'il se pose.

S'il n'est pas permis de se donner la mort, est-il nécessaire, au nom du devoir, d'aller au-devant de la douleur ? Honoré d'Urfé nous en donne deux exemples au moins et il ne cache pas son admiration pour la conduite de ces deux femmes, Bellinde et Célidée. La première, malgré son amour pour Célion, oblige celui-ci à aimer Amaranthe. Elle fait ce sacrifice au nom de son amitié pour Amaranthe. Malgré sa douleur, elle sait retenir ses larmes et rester

---

(258) *Ibid.*, II, 3 ; sur la question du suicide dans l'œuvre de Montaigne, voir M. Dréano, *op. cit.*, pp. 165 sq.

(259) *Passe-temps,* (1596-1597), 1. II, f. 1-2, cité par R. Bady, *op. cit.*, p. 190.

(260) Voir l'art. de J. Eymard d'Angers, *op. cit.*, pp. 402-403 et p. 402, n. 75.

(261) *op. cit.*, p. 77, cité par J. Eymard d'Angers, *art. cit.*, p. 14.

(262) Voir F. Strowski, *Pascal et son temps,* Paris, Plon, 1921, 3 vol., t. I, p. 69.

(263) Voir le *Traité de l'Amour de Dieu,* Lyon, Cœursillys, 1614, pp. 905-906. Saint François de Sales oppose la mort de Caton à celle des martyrs chrétiens qui n'ont pas eu en vue leur propre gloire.

(264) Voir, par exemple, la fin du *Sireine,* ou encore les *Bergeries de Juliette* où Arcas qui tente de se suicider avec son épieu est sauvé par Juliette (t. I, f. 31).

opiniâtrement fidèle à sa décision (265). L'exemple le plus admirable est celui de Célidée. Thamire a élevé Calidon comme son fils. Tous deux aiment Célidée. Le jugement rendu par Léonide contraint Célidée à épouser Thamire. Calidon se meurt de tristesse. Pour éviter que ses deux amants souffrent, Célidée se défigure volontairement avec une bague (266). « Estrange et généreuse action », juge Lycidas (267). Célidée désire, par cet acte, se délivrer de la servitude dans laquelle elle est contrainte de vivre et, en même temps, libérer Thamire et Calidon. Avant de se défigurer, elle dit :

> « Ceste beauté, est cause que Calidon manque à son devoir, et que Thamire mesme a moins de soin qu'il devroit avoir à sa propre conservation ; rachetons-les et nous aussi, eux, des fautes où ils sont tombez, et nous, du desplaisir que nous en avons. Et par la perte d'une chose de si peu de durée que la beauté, payons leur rançon et la nostre, afin qu'à l'advenir nous puissions vivre en liberté, et hors de cette continuelle inquiétude. » (268)

Le courage de Célidée se manifeste dans un sacrifice volontaire qui eût forcé l'admiration des plus sévères stoïques. Montaigne cite la conduite de Spurina, semblable à celle de Célidée. Cet épisode, raconté par Valère Maxime, peut avoir inspiré l'histoire de Célidée (269). Montaigne condamne cet excès de vertu :

> « pour en dire mon advis, j'admire telles actions plus que je ne les honore : ces excez sont ennemis de mes règles. » (270)

Honoré d'Urfé, quant à lui, ne désapprouve pas, car il pense qu'il n'y a pas d'excès dans la vertu.

III. — La vertu.

En faisant de la vertu le but de la vie morale et en s'attachant à la définir, Honoré d'Urfé adopte l'attitude des néo-stoïciens qui se réclament autant d'Aristote ou de Platon que de Sénèque, Plutarque ou Cicéron. La question est étudiée sous plusieurs aspects : la vertu s'acquiert-elle ? se situe-t-elle dans un juste milieu ? A-t-elle, en elle-même, sa propre récompense ?

---

(265) *Astrée*, I, 10, 390 sq.
(266) *Ibid.*, II, 11, 435 sq.
(267) *Ibid.*, II, 11, 468.
(268) *Ibid.*, II, 11, 448.
(269) *Essais*, II, 33. Montaigne a emprunté cet épisode à Valère-Maxime (*op. cit.*, l. IV). Le recueil de Boccace, *De casibus virorum et feminarum illustrium*, vulgarisa ce récit, d'après lequel Spurina était d'une beauté si extraordinaire que tous en étaient amoureux. Pour y remédier, il se mutila la face. Voir, à ce propos, P. Villey, *op. cit.*, t. I, p. 81. L'épisode de Célidée peut encore être rapproché du récit de *l'Heptaméron*, nouvelle X. Sur cette question, voir la communication de R. Lebègue, Académie des Inscriptions et Belles-lettres, 1959.
(270) *Essais*, II, 33.

Jamais l'effort n'est absent de la morale néo-stoïcienne. Par conséquent, on ne naît pas vertueux, on le devient. Honoré d'Urfé, qui vient de recommander la préparation « de longue main » à la lutte contre l'adversité, montre, en s'appuyant sur le témoignage de Plutarque, la nécessité d'un effort constant pour acquérir la vertu. Il reprend en partie le texte de Plutarque, change les formules et garde l'exemple en le développant davantage ; parfois, il rend d'une façon plus concise la pensée de l'auteur du « *Comment il faut nourrir les enfants* ». Qu'on en juge :

Plutarque, *Moralia*	*Epistres Morales,* I, 8
Comment il faut nourrir les enfants	
1 F — « C'est que pour faire un homme parfaittement vertueux il faut que trois choses y soient concurrentes, la nature, la raison et l'usage. J'appelle raison la doctrine des preceptes, et usage l'exercitation. Le commencement nous vient de la nature, le progres et accroissement des preceptes de la raison : et l'accomplissement de l'usage et l'exercitation : et puis la cime de perfection, de tous les trois ensemble. S'il y a defectuosité en aucune de ces trois parties, il est forcé que la vertu soit aussi en cela defectueuse et diminuée : car la nature sans doctrine et nourriture est une chose aveugle, la doctrine sans nature est defectueuse, et l'usage sans les deux premiers est chose imparfaitte. Ne plus ne moins qu'au labourage il faut premierement que la terre soit bonne : secondement que le laboureur soit homme entendu : et tiercement que la semence soit choisie et eleuë : aussi la nature represente la terre, le maistre qui enseigne, ressemble au laboureur, et les enseignements et exemples reviennent à la semence. Toutes lesquelles parties j'oserois bien pour certain asseurer avoir esté conjointes ensemble és ames de ces grands personnages qui sont tant celebrez et renommez par tout le monde ».	p. 71 — « Plutarque souloit dire, que pour rendre une personne vertueuse, trois choses y doivent estre unies, la Nature, la Raison, et l'Usage. Il faut que la Nature nous incline, que la raison nous force, et que l'usage nous retienne. La Nature nous est un don du Ciel, la Raison s'acquiert et l'Usage se fait. La Nature c'est le commencement, la Raison l'accroissement, et l'Usage l'accomplissement : et les trois ensemble la perfection. La nature sans la Raison et l'Usage, c'est un bon champ qui demeure en friche pour n'estre ny semé, ny labouré. La Raison sans la Nature et l'Usage, c'est une semence qui ne germe point, pour n'estre point mise en terre. » P. 72 — « Et l'Usage sans la Nature et la Raison, c'est un Laboureur qui chaume, pour n'avoir ny semence ny terre. Trois choses qui separees, sont du tout inutiles, et joinctes ensemble toute l'utilité de la vie humaine. »
2 BC — L'exemple des Chiens de Lycurge est développé par Plutarque.	p. 72 — « Et en cela ressouviens-toy des chiens de Lycurgus. »

Plutarque, *Moralia*	*Epistres Morales, I, 8*
2 AB — « Y a-t-il chevaux au monde, s'ils sont bien domtez et dressez de jeunesse qui ne deviennent enfin obeissans à l'homme pour monter dessus ? Au contraire si l'on les laisse sans dompter en leurs premiers ans, ne deviennent ils pas farouches et revesches pour toute leur vie, sans que jamais on en puisse tirer service ? et de cela ne se faut-il pas esmerveiller, veu qu'avec soing et diligence l'on apprivoise, et rend on domestiques les plus sauvages et les plus cruelles bestes du monde ».	p. 72 — « Mais n'as-tu jamais pris garde pourquoy il y a des chevaux qui ne veulent tourner à une main ; et d'autres sont aussi prompts presque que nostre volonté, à tout ce qu'il nous plaist ? Cela vient que l'un n'a point esté dressé, et l'autre a passé par les mains d'un bon escuyer. »
2 B — « Quel besoing doncques est-il de discourir plus longuement sur ce propos ? car il est certain que les meurs et conditions sont qualitez qui s'impriment par long traict de temps : et qui dira que les vertus morales s'acquièrent aussi par accoustumance, à mon avis, il ne se fourvoyera point ».	p. 73 — « Car il est certain que les bonnes conditions et les bonnes mœurs, sont qualitez qui s'impriment par longs traits de temps : et qui s'acquierent par habitude. » (271)

En suivant Plutarque, Honoré d'Urfé s'écarte de Platon qui prétend que la vertu est une faveur divine. Pour l'auteur des *Epistres Morales,* elle s'acquiert et nous la conservons par l'usage qui en fait une habitude. Le sage doit donc s'exercer continuellement à la vertu, faute de quoi il risque de la perdre. Par exemple, les trois vertus de constance, de tempérance et de prudence, « ces grandes et vaillantes amazones » (272),

> « aussi tost que nous naissons, elles viennent visiter nostre cœur. Si elles le trouvent défensable elles le marquent pour une de leurs retraites. Si elles recognoissent qu'il soit commandé par trop de vices, ou qu'il ne soit capable d'estre munitionné des vertus nécessaires, ou tel autre grand défaut, elles l'abandonnent à l'ennemy, et n'y rentrent plus, si nous ne venons à vaincre par aprés avec l'artifice, la mauvaistié de la place. » (273)

La raison améliore notre nature qui est un don variable de l'un à l'autre. La comparaison du laboureur et de son champ éclaire le sens de ces réflexions d'Urfé sur la vertu. Nous verrons ailleurs quel rôle joue la raison et comment elle peut être corrompue par l'ignorance. La vertu est une habitude acquise par notre volonté libre qui suit le jugement :

---

(271) *E.M.*, I, 8, 71-73.
(272) *Ibid.*, I, 12, 125.
(273) *Ibid.*, I, 12, 125.

> « La vertu comme je t'ay desjà dit, consiste en la volonté et en l'action. Il est tout certain que l'action difficilement peut estre en sa perfection : mais il ne tiendra qu'à nous que la volonté ne le soit : car elle est toute puissante en l'homme. » (274)

En effet, comment dire vertueux un homme qui, ayant la volonté bonne, commettrait des actions mauvaises ? Est-il possible d'accomplir de bonnes actions avec une volonté mauvaise (275) ? Assurément, Honoré d'Urfé emprunte sa pensée à Plutarque, mais il ne s'éloigne pas de la doctrine d'Aristote :

> « Mais à fin de m'expliquer, [écrit-il], et que tu cognoisses que je ne m'esloigne pas de l'opinion d'Aristote, voicy quelle est la diffinition qu'il en donne : la vertu est une habitude par eslection, consistant en mediocrité, ayant esgard à nous, qui se gouverne avec raison, selon le jugement d'un homme prudent. » (276)

Aristote, en effet, prétend que la vertu morale est l'œuvre de la volonté libre. Elle implique d'abord un élément naturel tel que certains individus sont prédestinés à la vertu. Ceux-ci doivent, cependant, afin de ne pas s'abandonner à la passion, fournir un effort. La volonté, qui est régie par la raison, peut s'éduquer, afin d'acquérir la vertu et d'en faire une habitude (277). Cette question fut fort débattue entre 1580 et 1600, mais sans graves contestations. On s'accorda pour dire que la vertu ne consiste pas en quelques actes isolés, mais en un acte se répétant jusqu'à devenir une habitude (278), qui peut cependant se perdre, puisqu'elle n'est pas naturelle :

> « Elle nous est aucunement naturelle, [écrit Du Perron, dans son *Traité des vertus morales*] en tant que les commencements dépendent de la nature, mais quant à la perfection elle ne dépend pas de la nature, mais de l'opération et de l'exercice de l'homme. Nature nous en a donné la puissance et même l'inclination ; par l'exercice nous en acquerons l'habitude. » (279)

Acquise par l'effort volontaire, la vertu est nécessairement lutte et peine. Aucun stoïcien de l'Antiquité n'a présenté comme facile le chemin qui mène à la vertu. Pour Sénèque, la vie est un combat que le sage livre chaque jour. Plutarque prétend que « devant la vertu est mise la sueur » (280). On connaît les revirements de Montaigne à ce propos, qui affirme d'une part que « la vertu refuse la facilité pour compagne » et « demande un chemin âpre et épi-

---

(274) *Ibid.*, II, 10, 341-342. Honoré d'Urfé écrit encore : « Et à fin que tu entendes mieux ce poinct, il faut que tu sçaches, que cette vertu consiste en deux choses, c'est à sçavoir en la volonté, et en l'action. » (II, 9, 327).

(275) *Ibid.*, II, 9, 327.

(276) *Ibid.*, II, 9, 326.

(277) Voir, à ce propos, A. Rivaud, *op. cit.*, t. I, pp. 297-299.

(278) Voir, par exemple, Montaigne, *Essais*, II, 9.

(279) *Traité des Vertus morales*, in *Diverses œuvres de l'illustrissime Cardinal du Perron*, Paris, Estienne, 1622, pp. 788-789, cité par R. Bady, *op. cit.*, p. 141.

(280) Plutarque, *op. cit.*, 15 H.

neux » (281), et, d'autre part, que « logée dans une belle plaine fertile et florissante » elle est « ennemie professe et irréconciliable d'aigreur, de déplaisir, de crainte et de contrainte ayant pour guide nature, fortune et volupté pour compagnes. » (282).

En fait, Montaigne laisse entendre que l'acquisition de la vertu est difficile, mais qu'une fois acquise elle assure la facilité. Aucun moraliste ou philosophe du temps n'expose des vues opposées à celles de Montaigne. Honoré d'Urfé pense aussi que la vertu n'est pas dans la facilité. Il conseille, en effet, de fuir la mollesse, de courir « par ce chemin difficile de la vertu » (283) et d'affronter l'adversité qui rend vertueux (284). En cela, la vertu est différente du vice qui est, pourtant, beaucoup plus attirant :

> « ...dès l'aage que nous avons la cognoissance du bien et du mal, la vertu et le vice se présentent à nous : le vice nous montre ses richesses, ses voluptez, et le chemin pour y aller tres-aisé. Au contraire, la vertu nous propose une tres belle couronne : mais pour y aller elle nous montre un chemin raboteux, et tellement plein de ronces et d'espines, qu'il est à juger que peu de personnes le vont frayant. » (285)

Rechercher la difficulté, c'est nous rendre différents des animaux qui vont où l'appétit les pousse. Voilà précisément la leçon de sagesse que donne Avite à Sigismond :

> « Souvenez-vous comme je vous ay dit si souvent, qu'un homme de bien ne doit pas seulement suivre la vertu aux choses qui luy plaisent, et qui sont aisées, mais beaucoup plus aux difficiles, et en celles qui semblent luy rapporter de l'incommodité et du desplaisir ; car autrement les animaux qui se laissent emporter aux sens, et qui n'ont point d'autre lumière que celle de leur appetit, pourroient estre aussi vertueux que les hommes, puis qu'aux choses qui leur plaisent, ils y sont aussi prompts, et plus encore que nous ne sçaurions estre ; mais en ce qui nous contrarie, c'est en quoy nous faisons voir que nous sommes raisonnables et non pas sensuels. » (286)

Le plaisir que procure la vertu est dans la victoire qui jamais n'est aisée. C'est pourquoi, la vertu n'apparaît difficile qu'à ceux qui la méconnaissent, ou la reconnaissent telle par lâcheté :

> « Or il est tout certain, que les hommes communément croyent le sentier de la vertu si malaisé à tenir, soit par l'ignorance, qui rend tout ce qui est incogneu difficile, et presque impossible, soit par une lascheté dont le vice endort d'une pesante lethargie, qu'ils ne le regardent qu'à regret, et avec envie de ceux qui le veulent suivre. » (287)

---

(281) *Essais*, II, 11.
(282) *Ibid.*, I, 26.
(283) *E.M.*, I, 16, 162.
(284) *Ibid.*, II, 5, 278.
(285) *Ibid.*, I, 19, 185.
(286) *Astrée*, IV, 8, 450.
(287) *E.M.*, III, 1, 380 ; voir également, III, 1, 377.

La pensée d'Honoré d'Urfé rejoint celle de Montaigne à ce propos. La vertu demande, par conséquent, un effort constant. Mais doit-elle consister seulement dans la médiocrité, comme le pense Aristote ? La formule du juste milieu est communément admise par les moralistes néo-stoïciens. Pourtant, certains contestent l'autorité d'Aristote et ne désirent se fier qu'à leur raison. Jean Bodin, dans le *Paradoxe sur la vertu,* affirme qu'Aristote s'est trompé sur ce point (288), et que la vertu ne peut consister en un juste milieu entre deux extrêmes. Bodin la rattache à l'entendement, car toute vertu est intellectuelle. De ce fait, comment serait-il possible de limiter le rôle de l'entendement dont le but est de connaître le bien et le mal ? D'ailleurs, dit-il, les disciples d'Aristote réservent l'obligation du juste milieu uniquement à la vertu morale et les exemples de la nature contredisent la doctrine de la médiocrité. Dans le cas de la libéralité, par exemple,

> « c'est le devoir de la prudence de prendre garde qu'est-ce, quand, où, combien, à qui, comment et à quelle fin on donne. Mais d'autant que quelqu'un aura plus fait de bien à qui le mérite, d'autant sera-t-il plus louable... Ce ne sont pas les médiocrement justes, tempérants ou vaillants, qu'on estime dignes des plus grandes louanges. » (289)

Du Perron est fidèle aux interprétations traditionnelles d'Aristote, quand il examine cette question dans le *Traité des vertus morales*. Analysant le cas de la libéralité, il déclare qu'il ne veut point être à demi-libéral, mais entièrement, tout en évitant la prodigalité comme l'avarice. Le juste milieu, dont parle Aristote, situe donc la vertu entre deux vices (290). A cette explication de la doctrine aristotélicienne s'oppose Montaigne, pour qui il peut y avoir excès dans la vertu :

> « On peut et trop aimer la vertu et se porter excessivement en même action juste. » (291)

Honoré d'Urfé exclut de la vertu toute idée de modération. Il affirme que « nulle vertu n'est vrayement vertu, qui ne soit extremement vertu » (292). Puisque la vertu consiste « en la volonté et en l'action », celle-ci doit être médiocre, et celle-là extrême. Cependant, l'auteur des *Epistres Morales* tient à montrer qu'en soutenant cette opinion il reste fidèle à Aristote qui fait consister la vertu « en mediocrité ayant esgard à nous » :

> « Et en cela il nous montre comme par apres il l'explique, qu'il faut avoir esgard au lieu, au tems, et aux personnes. Car il est tout certain, que la liberalité commande quelquesfois de donner plus, ou moins, selon ces trois choses : mais cela ne

(288) *Le Paradoxe de M. Jean Bodin, doctes et excellens discours de la vertu touchant la fin et souverain bien de l'homme.* L'ouvrage a d'abord paru en latin en 1596, puis il fut traduit et publié en 1598 après sa mort. Voir, à propos de cet ouvrage, R. Bady, *op. cit.*, p. 137 et n. 19.

(289) *Paradoxe...*, Paris, 1604, pp. 70-80, cité par R. Bady, *op. cit.*, p. 138.

(290) Voir, à ce propos, R. Bady, *op. cit.*, pp. 139-140.

(291) *Essais*, I, 30.

(292) *E.M.*, II, 9, 325.

touche point à la vertu, qui en effect doit estre entierement vertu, et à laquelle rien ne peut estre adjousté. Or ce à quoy on ne peut rien adjouster, est sans doute extreme. Mais c'est à nous, à qui cette mediocrité touche, c'est à dire, aux effects que nous devons produire par elle. » (293)

Le propos d'Aristote ne concerne que les applications de la vertu ; l'intention de l'homme vertueux devra être extrême. Cependant, comme chaque âme n'a pas les mêmes capacités, « ce qui est extremité aux uns » est « mediocrité aux autres selon les objects sur quoy elle agit » (294). Ainsi donc, fidèle à la pensée d'Aristote, Honoré d'Urfé écrit :

« Les vertus morales consistent certes en mediocrité, eu esgard à nous : mais... les contemplatives ne peuvent avoir nulle extremité vicieuse. » (295)

Il partage l'opinion de Bodin et, comme lui, il utilise le procédé du paradoxe si cher aux stoïciens de l'Antiquité. Les paradoxes qui ont été si souvent reprochés à ces philosophes sont la conséquence de leur logique et tendent à présenter le sage comme un idéal situé sur un sommet impossible à atteindre. Ainsi, quand Cicéron présente les paradoxes des stoïciens (296), il commence avec raison par l'identification du bien et de la moralité, présentée comme exigence la plus haute. Il note, dans le *De Finibus,* que les paradoxes soulèvent l'admiration, puis le rire et que, à y regarder de près, ils ne paraissent pas toujours convaincants (297). Il en donne une définition, en rappelant que, pour les stoïciens, seul le sage est beau et libéré :

« C'est ce que les Grecs appellent des « paradoxes », terme que nous pourrions rendre par « choses qui émerveillent » (298).

Il reproche ainsi aux stoïciens de « croire à la possibilité de deux thèses contraires » (299). Juste-Lipse, quant à lui, considère que les meilleurs remèdes à la maladie et à la crainte sont les « decreta » qu'il développe en les classant sous le nom de « paradoxes », tout en constatant qu'ils heurtent la coutume, mais qu'ils y reviennent par une autre voie (300). D'Urfé raisonne-t-il autrement ? Comme il aime jouer avec les idées et manier les syllogismes, les paradoxes lui plaisent et il ne se fait pas faute d'y avoir recours dans *Les Epistres Morales.*

---

(293) *Ibid.,* II, 9, 326. Cet exemple de la libéralité analysé par tous les moralistes est celui développé par Aristote. Voir, à ce propos, A. Rivaud, *op. cit.,* t. I, p. 300.

(294) *E.M.,* II, 4, 264-265.

(295) *Ibid.,* II, 4, 263-264.

(296) Cicéron, *Paradoxes.*

(297) *De Finibus,* IV, 19, 52 sq.

(298) *Ibid.,* IV, 27, 74.

(299) *Ibid.,* IV, 27, 78.

(300) Juste-Lipse, *Manuductio,* l. III, dissert. II, cité par L. Zanta, *op. cit.,* pp. 210-211.

Le paradoxe de la vertu extrême lui permet de montrer comment l'ambition peut être, à la fois, un bienfait et un vice, selon qu'elle est extrême ou modérée. Alors qu'elle est condamnée par tous les moralistes, Honoré d'Urfé soutient qu'elle est vertu, quand elle est modérée, « car qu'est-ce autre chose la magnanimité que cette modérée ambition ? » (301). Elle a, en effet, poussé à la gloire les Alexandre, les César, les Auguste. Grâce à elle, nous avons le désir de vaincre les épreuves, « car ce chatoüillement nous alleche aux difficultez d'un attraict incroyable » (302). Mais elle peut être aussi la pire des maladies dans l'âme du vertueux, parce que, quand elle est extrême, elle contraint à réaliser justement ou injustement le dessein qu'elle propose (303). La connaissance et de son objet et de notre propre mérite est seule capable de la régler pour en faire une vertu qui sera volonté du bien ou magnanimité, puisqu'elle est désir de perfection. L'ambition est-elle extrême ? Elle devient un vice (304). Ni Amadys Jamin, dans son discours à l'Académie du Palais (305), ni du Vair, dans la *Philosophie morale des Stoïques,* n'ont admis l'ambition comme une vertu. Du Vair refuse même de se ranger aux côtés de « ceux qui ont voulu flatter l'ambition », en faisant

> « accroire qu'elle serait à la vertu comme un degré pour y monter : pour ce, disoient-ils, que pour l'ambition l'on quitte les autres vices et enfin l'on quitte l'ambition, même pour l'amour de la vertu » (306)

La condamnation d'Honoré d'Urfé est beaucoup plus modérée. En fait, l'ambition soulève le problème beaucoup plus général de la passion. Sur cette question, Honoré d'Urfé se sépare des stoïciens de l'Antiquité, partisans de l'apathie, pour se rapprocher de Plutarque, des moralistes chrétiens et des néo-stoïciens. En effet, la morale de la fin du XVIe siècle a toujours un aspect pratique. S'il faut cultiver en nous la vertu, c'est afin de supporter avec constance les épreuves. Pour cela, il importe de connaître ce que sont les passions pour, ou bien les extirper de notre âme, ou bien les utiliser au mieux. Tel est le problème. Aristote, dont la plupart des thèses ont passé dans la tradition stoïcienne qui souvent les a déformées, analyse le jeu de l'activité morale, afin de mieux comprendre la nature des vertus et des passions. Selon lui, il y a en nous un élément naturel, spontané et inconscient, auquel s'oppose une activité consciente et volontaire, qui est l'entendement. De l'élément involontaire, partie inférieure de l'âme, relèvent les passions. Les affections sont indifférentes, mais nécessaires à l'activité hu-

---

(301) *E.M.*, I, 21, 203.
(302) *Ibid.*
(303) *Ibid.*, I, 21, 202.
(304) *Ibid.*, I, 21, 206-207 ; sur l'ambition et la connaissance, voir *E.M.*, I, 14, 140-141.
(305) *Discours de l'honneur et de l'ambition,* in E. Frémy, *op. cit.*, p. 306. Dans le même ouvrage on trouvera un autre discours sur l'honneur et l'ambition (p. 313).
(306) *Philosophie morale,* p. 80.

maine (307). Elles peuvent être réglées par les jugements de la raison pratique ou leur résister. Selon Platon, Aristote les répartit en deux catégories, l'irascible et le concupiscible. Les passions, comme les affections, ne sont pas vicieuses d'elles-mêmes. Aristote, adoptant le critère moral de la raison, définit la vertu comme « une disposition morale qui s'accorde avec la droite raison » et qui s'en accompagne (308). Les passions donc peuvent suivre ou ne pas suivre le jugement de la raison pratique ; elles remportent la victoire uniquement sur la connaissance relevant de la sensibilité (309). Cicéron définit la passion comme « un ébranlement de l'âme opposé à la droite raison et contraire à la nature. » (310)

Les stoïciens se séparent d'Aristote pour penser que toutes les passions sont vicieuses. Identifiant vertu et connaissance, ils estiment que toutes les passions procèdent de l'opinion (311). Les néostoïciens retiennent de toutes ces théories une thèse éclectique, faite d'aristotélisme et de stoïcisme. En accord avec Aristote, Ronsard professe que les passions relèvent de la partie inférieure de l'âme :

> « En la partie inférieure de l'âme, qui est la sensualité, il y a un mouvement naturel que nous appelons passion, comme est ire, crainte, douleur, joie, tristesse. »

Ce mouvement, qui est lié au corps et donc aux sens, peut être modéré par la raison, mais ne doit point être déraciné, parce que « tant que nous aurons foie et cœur, veines, artères et sang, nous aurons des perturbations. » (312)

Cette critique des stoïciens n'est pas isolée et elle est liée à celle de l'impassibilité. Les Péripatéticiens l'affirment, et Montaigne ne le conteste pas, les passions sont indispensables à la vie de l'âme ; sans elles, il n'y aurait point d'action, point de vertu même :

> « La plupart des belles actions de l'ame procedent et ont besoin de cette impulsion des passions. La vaillance ne se peut faire sans l'assistance de la colère. La compassion sert d'aiguillon à la clémence et la prudence de nous conserver est gouvernée et éveillée par notre crainte. Et combien de belles actions, par l'ambition ? Combien par la présomption ? Aucune éminente et gaillarde vertu n'est enfin sans quelque agitation déréglée... » (313)

Pibrac a-t-il pensé autrement, quand, dans son discours de *L'ire*, il se dresse contre les stoïciens ?

> « N'estimons donc pas que la vertu consiste à ne se sentir aucunement émouvoir de cette passion... Aussi ne retranchons pas tout ce qui peut être de profitable et de louable en cette

---

(307) *De anima*, l. III, ch. 10, 433a.
(308) *Morale à Nicomaque*, l. VI, ch. 13, 1144 b. Voir A. Levi, *op. cit.*, p. 10.
(309) *Ibid.*, VII, 3, 14.
(310) *Tusculanes*, IV, 6, 11, « aversa a recta ratione contra naturam animi commotio. »
(311) Voir, par exemple, Cicéron, *Tusculanes*, IV, 7, 14, et sur cette question, A. Levi, *op. cit.*, p. 11.
(312) In E. Frémy, *op. cit.*, pp. 227-228.
(313) *Essais*, II, 12.

émotion avec ce qu'elle a de dommageable. Mais que la raison qui est par dessus et qui doit commander aux affections fasse comme le soigneux jardinier qui cultive ce qu'il y a d'utile aux plantes et aux arbres fruitiers, émondant et coupant le sauvage et le superflu... » (314)

L'idéal n'est donc pas de supprimer les passions, mais de les utiliser en les accordant avec la raison. C'est, en effet, du dérèglement du jugement que provient tout le mal, explique du Vair. Au lieu de juger en faisant appel à la raison, le passionné suit inconsidérément l'opinion. C'est pourquoi, il faut empêcher que la passion « n'occupe en notre âme plus de lieu et d'autorité qu'elle ne doit » (315). Ni Saint François de Sales, ni les autres auteurs spirituels de l'époque, ne considèrent les passions comme des abstractions ; tous sont d'accord pour les utiliser au mieux.

Aristote et Plutarque restent les maîtres à penser d'Honoré d'Urfé, dans sa conception de la vertu et de la passion. Aristote lui fournit la base sur laquelle il édifie sa théorie ; Plutarque, en lui rappelant que sans les passions il n'y a plus de vice, et qu'il faut les dompter et s'en faire des alliées, lui indique une règle de conduite. C'est dans le troisième livre des *Epistres Morales* qu'Honoré d'Urfé étudie ce qu'est l'âme où siègent l'entendement et l'appétit convoiteux et colère :

« L'Entendement c'est la partie par laquelle l'ame s'appelle raisonnable, car c'est le siege de la raison : et l'autre au contraire est le siège des appetits, des affections et passions, et est contrariante à la raison. » (316)

L'homme est composé d'un corps et d'une âme, et si sa volonté n'est pas réglée par la raison, il s'apparente à la brute qui suit ses appétits :

« Lors que nous voyons des personnes qui entierement reglées à ceste raison, commandent à leurs appetits, et restreignent les sens selon l'honnesteté et le devoir, c'est un signe que leur volonté est juste et réglée comme elle doit estre... » (317)

D'elles-mêmes, les passions, comme les affections, ne sont donc pas mauvaises (318). Tout dépend de l'âme dans laquelle elles se logent,

« parce que proprement la forme des passions, et des affections, c'est la perfection, ou l'inperfection de l'ame. » (319)

---

(314) E. Frémy, *op. cit.*, pp. 278-279.

(315) cité par J. Eymard d'Angers, *art. cit.*, p. 404.

(316) *E.M.*, III, 9, 520-521. Auparavant d'Urfé établit la traditionnelle distinction entre l'irascible et le concupiscible. Cette distinction qui se trouve chez du Vair est étrangère au stoïcisme, et provient de la scolastique. Voir, à ce propos, l'article de P. Mesnard, « Du Vair et le néo-stoïcisme », in *RHP*, 2e année, 1928, p. 149.

(317) *E.M.*, III, 9, 529-530.

(318) *Ibid.*, II, 7, 301.

(319) *Ibid.*, II, 7, 302.

Toutes les âmes, en effet, ne possèdent ni le même jugement, ni la même volonté (320). Nous trouvons ici l'application de la théorie formulée par Plutarque à propos de la vertu. Honoré d'Urfé, pour faire comprendre comment la passion dépend de la qualité de l'âme et, par conséquent, du jugement et de la volonté, s'appuie sur deux exemples, celui de Phaëton et de ses chevaux, qui n'a rien d'original, et celui du cours d'eau, emprunté à ses propres observations, puisqu'il évoque « l'Isaire », l'Arc, la Maurienne et la « Tarentèze ». Les chevaux, qui représentent les passions, ne sont pas à blâmer. Le responsable, c'est Phaëton qui n'a su les guider (321). Les hommes usent bien ou abusent des mêmes affections ; ils ne sont donc pas tous bons, ni tous mauvais. Il en est de même des cours d'eau, dont les uns sont paisibles, les autres impétueux. Pourquoi certains sont-ils impétueux ? A cause du lieu « qui baisse en des endroits, et releve en des autres », ou bien, parce que le cours d'eau descend d'une montagne, ou bien, enfin, parce que les vents soulèvent l'eau (322). Ainsi en est-il des passions. Elles peuvent rencontrer une âme inégale, « alors aux endroicts où ces vertus defaillent, les passions se laissent couler d'une tres grande impetuosité » (323), ou bien les passions peuvent naître d'une grande ambition ou « d'une téméraire outrecuidance » (324). Les vents sont les espérances « que les plus grands nous font concevoir, ou que nostre courage mesme esmeut en nous » (325).

Faut-il donc extirper les passions de notre âme ? Non, certes. Comme la vertu, le vice naît d'une habitude :

> « si est-ce que comme une vertu se peut perdre, aussi peut-on laisser un vice si l'on veut. » (326)

Supprimer le vice n'est pas extirper la passion ! Il convient de faire usage de raison et de volonté, pour aplanir notre âme et remédier aux défauts qui y demeurent. La conduite morale est affaire d'exercice. Les ambitions seront donc freinées par la raison, et les espérances seront réglées par la prudence. La pitié, quand elle n'est pas modérée, devient la compassion, à laquelle le sage ne doit pas s'adonner ; l'espérance, faute d'être dirigée par la raison, se mue en envie et trouble notre tranquillité, parce qu'elle est un vice (327). Les passions, parce qu'elles manifestent la valeur de notre jugement et de notre volonté, sont les « vrais tesmoins de

---

(320) *Ibid.*, II, 7, 303.
(321) *Ibid.*, II, 7, 302.
(322) *Ibid.*, II, 7, 304 sq.
(323) *Ibid.*, II, 7, 305.
(324) *Ibid.*, II, 7, 306.
(325) *Ibid.*, II, 7, 306.
(326) *Ibid.*, II, 7, 307.
(327) Sur l'espérance, voir *E.M.*, II, 7, 308 : I, 18, 171, 176, 178-179. Selon Honoré d'Urfé, il faut combattre l'espérance parce que l'homme doit se contenter de ce que lui a donné la nature. L'espérance trouble l'homme et le rend inconstant. Elle se confond ainsi avec l'envie qui éperonne l'ambition (*E.M.*, I, 5, 38-45). Par conséquent, selon ce que nous avons déjà remarqué, l'ambition est mauvaise quand elle est extrême. La condamnation de l'espérance et de l'ambition est un thème souvent développé par les néo-stoïciens. Il en va de même de la compassion qui se distingue de la pitié.

ce que nous sommes ». Ou bien nous les tenons sous les lois de la raison, ou bien nous nous conduisons honteusement, en nous laissant vaincre par elles (328).

Pour se conduire en sage, il faut donc offrir à la volonté un objet jugé comme bon ; mais d'abord et avant tout, nous devons nous connaître nous-même. Le « connais-toi » delphique est, de toutes les règles morales héritées de l'Antiquité, la plus fameuse dans les trente dernières années du XVIe siècle. Personne ne conteste que ce précepte doit présider à la quête du sage. Le Caron, en 1583, constate que le « connais-toi » est « aujourd'hui en la bouche de chacun » (329). Chaque fois qu'un moraliste aborde le problème de la vertu et de la passion, ce mot vient sous sa plume, car nul ne peut assumer sa condition d'homme sans se connaître soi-même. Parmi les conseils que Ronsard prodigue dans son *Institution pour l'adolescence du roi,* figure celui-ci :

> « Le vray commencement pour en vertu accroistre
> C'est (disoit Appolon) soy-mesme se cognoistre,
> Celuy qui se cognoist est seul maistre de soy,
> Et sans avoir Royaume il est vraiment un Roy. » (330)

Pibrac, dans ses *Quatrains,* lui fait écho :

> « Qui a de soy parfaicte cognoissance,
> N'ignore rien de ce qu'il fault sçavoir,
> Mais le moyen asseuré de l'avoir,
> Est se mirer dedans la sapience. » (331)

Jacque Davy du Perron, dans le *Discours de la cognoissance* qu'il prononça à l'Académie du Palais en présence d'Henri III, affirme que

> « ...la première philosophie et première connoissance... c'est de se connoistre soy-mesme et ce qui est en elle » (332).

Mais comment faut-il entendre la connaissance de soi ? S'agit-il d'une connaissance de l'homme considéré comme distinct de toutes les créatures, ou bien est-ce une connaissance personnelle qui fait découvrir à chacun ses capacités et ses tendances ? Montaigne y a d'abord vu l'étude de l'homme, puis il a cédé au désir de se peindre lui-même. En se peignant, il a peint les autres hommes.

En analysant ses sentiments dans *Les Epistres Morales* et en nous faisant part de ses résolutions et de sa lutte contre la Fortune, d'Urfé a-t-il eu une autre intention que celle d'être d'abord un exemple pour ses lecteurs ?

> « Toutesfois comme des fleurs plus ameres l'abeille tire son miel, j'ay pensé que de ce fascheux temps je pourroy tirer quelque soulagement par ma plume. Or tel qu'il a esté je te le mets

---

(328) *E.M.*, II, 7, 310.
(329) cité par R. Bady, *op. cit.*, p. 91.
(330) Ronsard, *Discours,* vers 85-89, cité par R. Bady, *op. cit.*, p. 91.
(331) Pibrac, *op. cit.*, quatrain X, p. 77.
(332) E. Frémy, *op. cit.*, p. 343.

devant les yeux, non point pour en recevoir ton jugement, mais a fin que tu t'en serves, si tu en as affaire. C'est pour ta necessité, et non point pour ta dispute que je t'en fay part. » (333)

Certes, quand Honoré d'Urfé conseille la connaissance de soi, il ne s'agit point du profit que les autres peuvent en tirer. Se connaître conduit à la vertu, c'est une sorte d'examen qui permet d'avoir une juste opinion des forces de notre âme, et de porter sur nous-même un jugement susceptible de révéler jusqu'où nous pouvons nous hausser ; c'est savoir jusqu'où nous devons aller dans notre vertu, afin d'éviter l'extrémité vicieuse, eu égard à nous. Là encore, l'auteur des *Epistres Morales* adopte la pensée de Plutarque :

« ...toutes choses ne conviennent pas à tous, ainsi faut en obeissant à la sentence d'Apollo Pythique, apprendre à cognoistre soy-mesme, et puis user de soy, et s'adonner à ce à quoy l'on est né, et non pas forcer la nature, en la tirant par les cheveux, en maniere de dire, tantost à une imitation de vie, et tantost à une autre. » (334)

D'Urfé considère la connaissance de soi comme « la principale forteresse du sage » (335). Elle est liée à l'autre précepte delphique, « rien de trop ». Honoré d'Urfé conclut ainsi son chapitre sur la conduite à tenir à l'égard des passions :

« Or contre ces vents impétueux, la prudence, comme j'ay dict, doit estre opposée, et se ressouvenir des deux préceptes qui estoient escrits au temple d'Apollon en Delphe : Cognois toy-mesme et Rien de trop. » (336)

La connaissance de soi n'est pas étrangère à la morale de Sénèque. Comment, en effet, affronter les hasards de la vie sans se connaître ? Et l'épreuve elle-même ne conduit-elle pas à la connaissance de nous-même ? Juste-Lipse, avec raison, réfère le « connais-toi toi-même » à Platon aussi bien qu'à Sénèque (337). En fait, il semble que les sources de ce précepte ne sont pas exclusivement stoïciennes, mais relèvent aussi et surtout de la tradition syncrétiste de l'Ecole de Florence. D'Urfé suit-il Erasme, qui dans *l'Enchiridion* considère la connaissance de soi, comme « caput sapientiae » et « unica ad beatitudinem via » (338) ? Erasme lui-même s'inspire de Pic de la Mirandole qui, dans l'*Oratio de hominis dignitate,* se réfère à Platon (339). Il est impossible de mettre en doute l'influence de Pic de la Mirandole sur la pensée d'Honoré d'Urfé, quand il invite au « Connais-toi » comme un acheminement à la connaissance de Dieu :

---

(333) *E.M., Au lecteur.*

(334) Plutarque, *op. cit., Du contentement ou repos de l'esprit,* 72 E.

(335) *E.M.,* II, 5, 268.

(336) *Ibid.,* II, 7, 309-310.

(337) *Manuductio,* II, dissert. 7. Voir, à ce propos, A. Levi, *op. cit.,* p. 52 et n. 5.

(338) In *Opera omnia,* Lyon, 1704, t. 5, col. 12 et 16, cité par A. Levi, *op. cit.,* p. 53.

(339) Voir A. Levi, *op. cit.,* p. 53, n. 5.

« Ne te souviens-tu point d'avoir leu que sur la porte du Temple d'Apollon, il y avoit ces deux preceptes engravez : RIEN DE TROP, et plus bas, COGNOIS TOY-MESME ? Et me dis, si jamais tu as sçeu pourquoy ces Anciens l'avoyent faict ? Je te diray quant à moy, que j'ay tousjours jugé que c'estoit une deffence qui se faisoit à tous ceux qui vouloient entrer dans le temple, afin qu'ils ne visent point les mysteres de Dieu sans y estre preparez par ces deux moyens qui leur estoient proposez : et que le premier RIEN DE TROP signifioit la vertu morale qui enseigne de reduire les appetits et les affections à une mediocrité : et que l'autre COGNOIS TOY-MESME, c'estoit dans la cognoissance des choses naturelles. Car l'homme estant le petit monde, celuy qui cognoistra soy-mesme, cognoistra aussi comme un abrégé tout l'univers : et cela d'autant qu'une ame impure c'est à dire soüillée de vices, et qui est ensevelie dans les tenebres, pour le premier defaut ne merite pas de jouyr de ceste souveraine pureté qui est en Dieu. » (340)

Pic de la Mirandole avait écrit :

« En effet ce « meden agan », c'est-à-dire « ne quid nimis » — pas d'excès — prescrit justement la norme et la règle de toutes les vertus par la voie du juste milieu dont traite la morale. Puis ce « gnôti seauton », c'est-à-dire connais-toi toi-même, nous excite et nous exhorte à la connaissance de toute la nature dont la nature humaine est le point de rencontre et comme le composé, car celui qui se connaît en soi-même connaît tout, comme ZOROASTRE d'abord et Platon, dans l'*Alcibiade,* l'ont écrit... » (341)

A la suite de Pic de la Mirandole, et selon la tradition florentine, Honoré d'Urfé fera de la connaissance de soi un acheminement vers la connaissance de Dieu. Peut-on nier une influence aussi nette de la philosophie florentine sur Honoré d'Urfé ? En terminant la lettre 7 du deuxième livre des *Epistres Morales* sur les passions et après avoir rappelé les préceptes de Delphes, il cite Marsile Ficin. C'est une preuve qu'à cette époque d'Urfé commençait à s'initier à la pensée florentine qui va dominer tout le livre III. Les néo-stoïciens furent en effet influencés par la pensée du maître de Florence. Le courant de spiritualité qui s'éveille et s'oppose au néo-stoïcisme, avec Bérulle comme chef de file, fait aussi du « connais-toi » delphique comme un acheminement vers Dieu (342). Moralistes néo-stoïciens et maîtres de spiritualité recourent à une tradition commune. Les liens entre le néo-stoïcisme et la spiritualité qui naît à l'aube du XVIIe siècle sont étroits. L'un et l'autre prêchent un ascétisme qui conduit à la connaissance des valeurs. L'un et l'autre enseignent qu'il faut vaincre les vices qui nous aveuglent, s'examiner pour se connaître et acquérir le jugement qui découvre que les vraies valeurs sont celles de l'esprit et non point du corps. La connaissance nous propose ce qui nous convient et vers quoi notre volonté doit ensuite tendre. Voilà pourquoi Honoré d'Urfé condamne l'ignorance :

---

(340) *E.M.*, III, 9, 517-518.

(341) *De dignitate hominis,* traduction de A. Tripet, Lausanne, Editions Rencontre, 1968, p. 37.

(342) Voir J. Dagens, *op. cit.*, pp. 271-272.

« L'imperfection de nos desseins ne procède pas tousjours de l'impuissance, mais de l'ignorance bien souvent, qui nous fait vouloir des choses que nous ne devrions pas, et là dessus enchantez des imaginations qu'elle nous presente, nous nous laissons emporter à l'entreprise de plusieurs choses, qui depuis estant esclairées en nous par la raison, sont recogneuës ou mauvaises, ou inutiles. » (343)

La connaissance confère donc à l'acte sa valeur morale. La faute n'existe que dans la mesure où elle est connue clairement comme telle :

« De là vient, que l'ignorant qui fait une méchanceté, peut estre en quelque sorte excusé, mais nullement celuy qui sçait bien ce que c'est. » (344)

C'est la théorie d'Aristote, le « nil volitum nisi praecognitum » de Saint Thomas d'Aquin, le fruit, sans doute, de l'éducation morale reçue par Honoré d'Urfé, autant que de la lecture des philosophes. Le faux jugement est la cause de nos erreurs. En effet, nous donnons notre adhésion à de fausses valeurs, parce que nous sommes persuadés d'y trouver notre bonheur. Faute d'avoir distingué ce qui appartient au corps et à l'esprit, nous devenons les victimes des passions. Le corps n'est qu'un valet, le maître est l'esprit. Qu'adviendra-t-il si le valet prend la place du maître (345) ? Il nous faut, par conséquent, juger où nous portent nos désirs :

« Or, Agathon, veux-tu sçavoir quelle juste reigle je trouve pouvoir bien dresser nos desirs, et nos desseins, ne confondons rien ensemble : je veux dire, ne desirons point pour l'esprit ce qui est du corps, ny pour le corps ce qui est de l'esprit... »

A l'esprit il faut les choses spirituelles qui sont les vertus contemplatives et morales :

« Et quand il se présentera quelque chose que tu veuilles desirer, interroge-toy toy-mesme, et te demande sans flatterie : souhaitte-je ces choses pour mon corps, ou pour mon esprit ? Si c'est pour le corps, ne vueille rien davantage, que ce que la loy de Nature t'oblige, qui est de vouloir justement sa conservation sans superfluité. Si c'est pour l'esprit, ne vueille pour luy que ce qui le peut contenter, ou rendre meilleur, et ne l'abaisse point par tes desirs à rien de moindre qu'il est. » (346)

Dès lors, un ordre des grandeurs terrestres s'établit : grandeurs de la domination et des voluptés, grandeur de la science, grandeur de la vertu morale. Toutes, en définitive, « se vont conclure en Dieu » (347). Ni la domination, ni la volupté ne peuvent combler les désirs de notre âme (348). La grandeur de la science ? Mais,

(343) *E.M.*, II, 8, 312 ; voir encore, II, 8, 315.
(344) *Ibid.*, II, 8, 315.
(345) *Ibid.*, I, 5, 38.
(346) *Ibid.*, II, 8, 315-317.
(347) *Ibid.*, II, 9, 320.
(348) *Ibid.*, II, 9, 320 sq. D'Urfé développe l'idée platonicienne que l'âme est ronde et ne peut être remplie par les triangles que sont les choses du monde. Cette image est commentée par Plutarque : le ciel « est rond comme

« celui qui aura la cognoissance d'une des moindres parties de cet Univers, ne peut l'avoir entierement, sans cognoistre en quelque sorte celle qui la touche. Et de cette cognoissance vient le desir d'en avoir la science parfaite... » (349)

La connaissance du tout n'est possible qu'en Dieu, où tout se voit parfaitement. Il reste donc la vertu. C'est par elle que nous nous approchons le plus facilement de Dieu (350). Seule elle nous offre le bonheur, car la science est outrecuidante, elle nous enseigne des vanités et provoque l'arrogance (351).

La défiance à l'égard de la science, de la volupté et de la domination, fait partie des thèmes ressassés par le stoïcisme et la morale chrétienne. Du Vair nous conseille de considérer d'abord la nature et la fin de ce qui se présente à nous, car, souvent, une confusion s'établit entre ce que nos sens désirent et ce que l'entendement reconnaît pour bien (352). « L'inclination et la fin du désir de l'homme » tendent toujours à la divinité, et à nous faire posséder, dès cette vie, les béatitudes que nous remarquons en Dieu (353). Avant d'atteindre à cette souveraine félicité, il convient de purger notre âme de toutes les cupidités (354). En Dieu seul se trouvent la sagesse, la puissance et la vérité (355).

Cependant, la vertu ne peut-elle, sur terre, assurer le bonheur de l'homme ? D'Urfé, d'abord, rappelle, comme Sénèque, que les vertus « sont enchainées l'une avec l'autre » (356). Le vertueux qui règle ses actions d'après les lois de la raison vise au bien et trouve sa récompense dans son seul accomplissement. D'Urfé cite Platon qui enseigne « que la vertu est son mesme loyer » (357). Ainsi, le sage, en ses actions, ne peut être « sans un tres-grand loyer : ny le meschant sans un tres-grand supplice. » (358)

Les stoïciens ont soutenu la même idée ; Sénèque écrit que « seule la vertu procure une joie éternelle, sûre » (359). Epictète n'avait-il pas prétendu qu'il était inutile de chercher pour un homme de bien « une récompense plus grande que celle de l'accom-

---

une boule, qui est la premiere et la plus parfaicte de toutes les figures, car elle est seule de toutes qui ressemble à ses parties, pour ce qu'estant rond, il a les parties rondes aussi, voyla pourquoy Platon dit, que l'entendement et la raison qui est la plus divine partie de l'homme, a esté logée dedans la teste qui approche de la forme ronde. » (*Le premier livre des opinions des Philosophes*, 442 C). Plutarque écrit encore : « Et pourroit-on à bon droict conjecturer, que les Egyptiens auroient voulu comparer la nature de l'univers au triangle, qui est le plus beau de tous. » (*De Isis et Osiris*, 330 B). Il est probable que d'Urfé a emprunté sa comparaison à Plutarque.

(349) *E.M.*, II, 9, 324.

(350) *Ibid.*, II, 10, 332.

(351) *Ibid.*, II, 10, 334.

(352) Voir, à ce propos, P. Mesnard, *art. cit.*, p. 150.

(353) *Traité de la constance*, p. 202.

(354) *Sainte philosophie*, p. 16.

(355) *De la constance*, p. 203.

(356) *E.M.*, I, 20, 199 ; Sénèque, *Epîtres à Lucilius*, 66, 13.

(357) *E.M.*, I, 13, 137 ; Platon, *République*, III, 402.

(358) *E.M.*, I, 16, 161 ; I, 3, 22, « celuy a vescu assez, qui s'est tousjours montré vertueux. » I, 3, 21 « ...parfait contentement ».

(359) *Epîtres à Lucilius*, 27, 3.

plissement de ce qui est bon et juste » (360) ? Chrysippe, rapporte Plutarque, « en son premier livre d'exhortation a escrit, le vivre heureusement gist et consiste seulement à vivre selon la vertu, et toutes autres choses accessoires, dit-il, ne nous touchent ny appartiennent en rien, ny ne nous servent de rien à cela » (361). La morale d'Urfé est indépendante, semblable à celle de Pomponace, qui affirme que la « récompense essentielle de la vertu est la vertu elle-même, qui rend l'homme heureux » (362).

Pour Honoré d'Urfé le sage ne se contente pas d'être vertueux, il doit aussi le paraître. Sa récompense, en effet, sera sa réputation et sa gloire. Il ne se retire pas dans sa tour d'ivoire, loin des hommes ; au contraire, parce qu'il a le souci de sa perfection, il se préoccupe des autres, pour qui il est un exemple de conduite. Par conséquent, il importe, avant tout, d'avoir bonne réputation. Celle-ci « est si délicate que comme à l'œil, le moindre festu luy rapporte une extreme douleur » (363). La calomnie est une blessure faite à la réputation des ancêtres et à l'honneur acquis au prix de durs efforts (364), En effet, le vertueux, parce qu'il est vertueux, expose sa vie aux yeux de tous : « Qui est le vertueux qui n'a pas voulu avoir reputation de vertueux ? » (365) Pour Honoré d'Urfé, être reconnu vertueux est une récompense de la vertu :

> « Conduis-toy de cette sorte : Ne vueille pas seulement estre vertueux, ains aussi tasche de faire paroistre que tu le sois. Une des plus grandes punitions du vice est d'estre tenu pour vicieux : et une des plus grandes récompenses de la vertu, est d'estre recognu pour vertueux. » (366)

Mais il y a plus. Conserver la vertu dans l'ombre, c'est commettre une faute envers le prochain, en le frustrant d'un bien auquel il a droit. C'est pourquoi, Honoré d'Urfé refuse d'accepter le vieux proverbe, « cache ta vie » :

> « Vivons donc : mais vivons en public, et n'observons point ce vieux proverbe, *cache ta vie,* pour le moins tant que nous serons parmy les hommes, vivons au jour, et donnons plustost grandes sommes d'argent, si nous les avons, pour faire chanter nos actions, que non point pour les couvrir de silence. » (367)

Notre vertu sera un exemple pour les autres, notamment pour nos descendants qui auront le devoir de s'en montrer dignes. Le duc de Nemours laisse, parmi ses dernières recommandations à ses amis, celle-ci :

---

(360) Epictète, *Discours*, III, 24.
(361) Plutarque, *op. cit., Des communes conceptions contre les Stoïques,* 574 F.
(362) Pomponace, *De immortalitate,* ch. XXIV, cité par L. Zanta, *op. cit.,* p. 47 .
(363) *E.M.,* I, 20, 196.
(364) *Ibid.,* I, 20, 196.
(365) *Ibid.,* I, 21, 201.
(366) *Ibid.,* I, 21, 208.
(367) *Ibid.,* I, 21, 216.

> « N'ostez jamais de vostre memoire le lieu d'où vous estes yssu : et quels exemples de Vertu vos Ancestres vous ont laissez, à fin qu'à leur imitation, vous ne fassiez chose indigne d'eux. Et vivez toujours avec ce dessein, de laisser à ceux qui viendront de vous, plustost de la gloire de vostre memoire, que de grands bien de vostre heritage. » (368)

L'honneur, c'est donc la fidélité à la renommée des ancêtres. Il est aussi la considération acquise auprès des hommes par nos actions. Honoré d'Urfé unit les deux formes d'honneur en cette formule :

> « ...Je desire de sauver des ruines de ma fortune, comme Aenee son Anchises de celles de Troye, ceste reputation que mes peres m'ont laissée : et ce petit Iulus mon fils ; j'entends l'honneur que je me suis par mes actions acquis : je porte ceste ancienne gloire à son imitation sur ma teste, et la jeune je la conduits par la main. » (369)

L'honneur n'est pas dans la facilité, mais dans la difficulté, le sacrifice de soi-même et l'épreuve volontairement acceptée :

> « Le champ de l'honneur est bien different des autres, d'autant que ceux-là se sement du grain, qui apres estre germé fleurit et fructifie : mais cestuy-cy se seme d'espines, lesquelles estans creües ne fleurissent que du sang que leurs pointes nous desrobent par leurs blesseures. Et comme bien souvent l'abondance des fleurs donne cognoissance de celle du fruict, de mesmes plus ses espines sont fleuries de nostre sang, plus aussi nous promettent-elles d'honneur et de gloire. » (370)

La gloire est ainsi liée à la victoire fièrement remportée, et souhaiter à un ami une vie sans infortune, ce serait lui dérober « un tres grand commencement de gloire » (371). En effet, ce qui est valable et recherché, ce n'est pas seulement le jugement d'autrui et les récompenses du monde, mais aussi, et peut-être plus encore, une fidélité au devoir que l'on se fixe dans la mesure des forces découvertes par la connaissance de soi-même. Sans doute le comble de la gloire est-il cet accord de la réputation et de la satisfaction éprouvée après une sorte de dépassement de soi-même. Voilà pourquoi, selon le mot d'Aristote,

> « l'honneur peut seulement naistre [de la vertu]... Que si le vray honneur est seulement en la vertu, celuy qui cherche l'honneur ne cherche-il la vertu sans y penser ? » (372)

Cette morale de la grandeur, fruit d'une confiance sans limite dans la liberté, ne va pas sans l'amour-propre et sans l'orgueil d'avoir transformé la Fortune en destin : « L'occasion de ma gloire

(368) *Ibid.*, I, 9, 90-91.
(369) *Ibid.*, I, 20, 196.
(370) *Ibid.*, II, 2, 243.
(371) *Ibid.*, II, 2, 240.
(372) *Ibid.*, I,I 10, 343 ; voir, également, I, 4, 32, « l'honneur par sa beauté nous maintiendra tousjours en nostre devoir. »

procède de ce qui est en moy » (373), s'écrie Honoré d'Urfé. Avec quelle vanité il énumère à Agathon quelles furent les occasions de sa gloire (374) ! Quand Célidée décide de se mutiler le visage, a-t-elle en vue d'abord le bien de Thamire et de Calidon, ou sa propre gloire faite d'orgueil et de défi à l'admiration des autres ?

> « Ne dis-tu pas qu'au lieu que chacun m'adoroit belle, chacun me mesprisera laide ? Tant s'en faut, cette action si peu accoustumée me fera admiréee, et contraindra chacun de croire qu'il y a quelque perfection cachée en moy, plus puissante que ceste beauté qui se voyoit. » (375)

La gloire s'acquiert par l'action extraordinaire, elle est dans le défi jeté aux autres par une conduite inaccoutumée. L'homme, par conséquent, n'est pas un isolé dans son désir de perfection.

Aristote, dans son *Ethique à Nicomaque,* conseillait de rechercher les honneurs, afin de « se convaincre de sa propre valeur », et à condition d'accepter l'estime des gens de bien capables de reconnaître le vrai mérite (376). Fidèle à la pensée d'Aristote, Saint-Thomas lui-même « célèbre le magnanime dans sa poursuite raisonnée de l'amour vrai » (377), et pour sa recherche d'un honneur obtenu par l'acte difficile. Zénon et Chrysippe cachaient leur goût de l'admiration, dans le désir de défier la conduite des autres, au point qu'Epictète s'écriait avec indignation :

> « Qui sont-ils ceux dont tu désires être admiré ? Ne sont-ils pas ceux dont tu as l'habitude de dire qu'ils sont des fous ? Quoi ! c'est par des fous que tu veux être admiré ? « (378)

Un conflit s'élève donc entre deux conceptions de la sagesse, celle qui recherche la gloire comme récompense et épanouissement de la vertu et celle qui se contente de la satisfaction cachée de la conscience. Sénèque se range à l'avis de ceux qui prétendent que la vertu doit trouver sa récompense dans la louange des hommes : « Efforce-toi d'être loué, à tout le moins d'être connu », conseille-t-il à Lucilius, dans une des dernières lettres qu'il lui adresse (379). Pourtant, malgré le prix qu'il attache à la renommée, il éprouve une défiance à l'égard de l'admiration des hommes et il considère essentiellement la satisfaction de la bonne conscience (380).

Honoré d'Urfé n'est pas l'homme de ce compromis. Il suit Sénèque dans la mesure où il maintient que le sage doit sauvegarder sa réputation, mais il se range aux côtés de Plutarque qui examine « si ce mot, cache ta vie, est bien dit » et pense que le sage ne doit pas dissimuler sa vertu :

---

(373) *Ibid.*, I, 5, 48.
(374) *Ibid.*, I, 10, 98.
(375) *Astrée*, II, 11, 447.
(376) *Ethique à Nicomaque*, I, 5. 5.
(377) E. Gilson, *Les idées et les lettres,* p. 191, cité par J. Maurens, *op. cit.*, p. 78.
(378) *Entretiens,* I, XXI, 4.
(379) *Epîtres à Lucilius,* 120, 22.
(380) *Ibid.*, 81, 19.

« ...pourquoy veux-tu que celuy-là cache sa vie ? à fin qu'il n'enseigne à personne, à fin qu'il ne donne à personne ny envie ni exemple de bien faire ? Si jamais Themistocles n'eust esté cogneu des Atheniens, jamais la Grece n'eust point repoulsé Xerces et si Camillus n'eust point esté cogneu des Romains à l'adventure ne fust Rome demourée ville. » (381)

Plutarque, encore, rapporte la conduite de Livius Drusus qui promit six mille écus à ses ouvriers, pour qu'ils fassent en sorte que l'on voie en sa maison de tous côtés (382). Sénèque, en liant la vertu à l'honneur, permit aux humanistes d'épurer et de raviver une tradition venue du Moyen-Age, qui manifestait un appétit de gloire attaché au nom, au rang et aux avantages nobiliaires. Le sage était le chevalier qui, sans peur, affrontait les obstacles, fuyait la honte de la couardise et conservait intact l'honneur attaché à sa famille et à son nom. Le stoïcisme et la tradition scolastique se lièrent, au XVIe siècle, pour fortifier la foi en l'efficacité de l'effort et réagir contre un laisser-aller, en vantant la constance qui trouve sa récompense dans la gloire. Montaigne choisit l'abri de sa librairie, refusa de n'être vertueux qu'en public et concèda avec difficulté un rôle à la gloire acquise par la vertu (383).

L'éducation reçue par d'Urfé ne l'invitait-elle pas à placer dans l'honneur la récompense de la vertu ? Les Jésuites n'ont-ils pas considéré la gloire comme un principe de morale, en créant dans leur collège une atmosphère d'héroïsme (384) ? Honoré ne vécut-il pas dans une famille aristocratique où la renommée des ancêtres servait d'exemple ? Sa vie de soldat ne lui apprit-elle pas que la lâcheté était le pire déshonneur et la vaillance la garantie de la gloire ? Cette passion inspira à son frère, l'abbé Antoine d'Urfé, ses deux dialogues sur la vaillance et l'honneur (385). Cette œuvre sent l'aristocrate soldat, plus que l'homme d'église. Mais l'idéal qui lui fut inculqué par les Jésuites n'unissait-il pas les deux exigences ? Qu'est-ce que l'honneur ?, se demande Antoine d'Urfé : « Le lustre extérieur de la vertu » (386). Il ne réside pas dans l'opinion d'autrui. Il est indépendant des jugements du monde, il est l'éclat de la vertu. Seuls les vertueux sont capables de le percevoir (387). L'honneur fait donc partie intégrante de la vertu. Le salaire de la vertu est l'honneur, « parce qu'il accompagne et ensuit tousiours necessairement l'interieur accomplissement de la vertu. » (388)

---

(381) Plutarque, *op. cit.*, 291 GH, cité par Sœur M. Goudard, *op. cit.*, p. 90.

(382) Id, *ibid.*, *Instruction pour ceux qui manient les Affaires d'estat,* 162 G.

(383) *Essais*, II, 16. Sur l'attitude de Montaigne à l'égard de la gloire, voir l'ouvrage de F. Joukovsky, *La gloire dans la poésie française et néo-latine du XVIe siècle,* Genève, Droz, 1969, pp. 255-262.

(384) Voir F. de Dainville, *op. cit.*, pp. 150-155.

(385) *L'Honneur, premier Dialogue du Polemophile, et la Vaillance, second Dialogue du Polemophile,* Lyon, 1592. Sur le culte de la gloire au XVIIe siècle, voir A. Levi, *op. cit.*, pp. 177-201.

(386) A. d'Urfé, *op. cit.*, pp. 5-6, cité par R. Bady, *op. cit.*, p. 151.

(387) Id., *ibid.*, p. 16, cité par R. Bady, *op. cit.*, p. 151.

(388) Id., *ibid.*, p. 22.

Ces réflexions d'Antoine d'Urfé n'ont pas l'énergie du style qui fait l'originalité des *Epistres Morales*. Elles laissent à penser que l'éthique de l'honneur était un sujet dont les deux frères s'entretinrent. Ce fut une question qui passionna la fin du XVIe siècle. Pibrac écrit :

> « Ayme l'honneur plus que ta propre vie. » (389)

Amadys Jamin déclare, dans le *Discours de l'honneur et de l'ambition,* que

> « l'honneur suict toujours la vertu affin de remunerer ceux qui la reçoivent volontiers et luy portent reverence. Et la remuneration qu'il donne pour tel effect se nomme la *vraye gloire,* qui n'est autre chose sinon la louange des gens de bien tous ensemble accordans la voix non corrompue de ceux qui sçavent droictement juger d'une excellence vertu. Telle gloire se nomme *vraye* ; elle est resonnante et repond à la vertu comme l'écho respond à la voix et la suit tousjours comme l'ombre suit le corps. » (390)

Du Vair reconnaît que, si le

> « Vrai honneur est l'éclat d'une belle et vertueuse action, qui rejaillit de notre conscience à la vue de ceux avec qui nous vivons, et, par une réflexion en nous-mesmes, nous apporte un témoignage de ce que les autres croient de nous, qui se tourne en un grand contentement d'esprit »,

du moins,

> « la vertu ne recherche point un plus ample ni plus riche théâtre pour sa gloire que sa propre conscience. » (391)

Amadys Jamin, du Vair, Montaigne Antoine et Honoré d'Urfé illustrent donc des conceptions différentes de la sagesse. Montaigne et du Vair assignent comme récompense à la vertu la satisfaction de la conscience, Amadys Jamin, Antoine d'Urfé, Honoré d'Urfé ignorent les dangers d'un excessif attachement à la réputation. Pour eux, la satisfaction de la conscience après l'accomplissement du devoir ne saurait être séparée de la gloire. Parce qu'il est confiant dans la nature humaine, plus désireux d'épreuves que de

---

(389) *Quatrains,* 34.

(390) In E. Frémy, *op. cit.*, p. 307. Sur l'évolution de la gloire au XVIe siècle, voir l'excellente mise au point de F. Joukovsky, *op. cit.*; voir également l'article de A. Jouanna, « Recherches sur la notion d'honneur au XVIe siècle », in *Revue d'histoire moderne et contemporaine,* 1968, pp. 597-623. Dans la deuxième moitié du XVIe siècle, nombreux furent les ouvrages qui traitèrent de l'honneur ; citons entre autres, P. Possevin, *Les dialogues de l'honneur,* traduits en français par Claude Gruget, Paris, 1557 ; Jeronimo de Urrea, *Les dialogues du vray honneur militaire,* trad. par G. Chapuis, 1585 ; La Noue, *Discours politiques et militaires,* Bâle, 1587 ; Guillaume d'Incieu, *La Precedence de la Noblesse,* 1593 ; G. de la Chassagne, sgnr de Pressac, *Cleandre ou de l'honneur et de la vaillance,* Paris, 1593 ; J. Bodin, *Republique,* Paris, Du Puys, 1576.

(391) *Traité de la constance,* pp. 80-81. Du Vair écrit encore : « la vertu ne doit-elle chercher la gloire, mais seulement être disposée à la recevoir par le témoignage de ceux qui jugent sincérement de son mérite ? Celui qui aime la louange et l'ostentation, quitte l'obéissance de la raison, pour suivre celle de l'opinion ; car il se propose de plutôt plaire à autrui qu'à soi-même. » (p. 112).

tranquillité, plus soldat que philosophe, Honoré d'Urfé s'attache avec passion à l'honneur. Il prépare l'éthique de la gloire qui triomphera dans le théâtre de Corneille.

Honoré d'Urfé est pourtant convaincu que la récompense de la sagesse ne s'achève qu'en Dieu. Mais parce qu'il se range aux côtés de ceux qui acquiescent à l'affirmation d'une volonté stoïque et d'une sagesse lucide, et qu'il est le représentant d'une caste qui a vécu l'aventure héroïque des guerres de religion, il affirme la primauté des vertus morales sur les vertus intellectuelles. Les unes, qui sont contemplatives, s'arrêtent à la connaissance des choses intelligibles et assurent une félicité contemplative, les autres, qui concernent les actions extérieures de l'homme, conduisent à la félicité civile (392). Il faut donc distinguer deux sortes de bonheur : celui de l'homme vivant, qui consiste à vivre raisonnablement avec des « appetits modestes et conduits par la raison, ce qui est la vraye vertu morale » (393), et celui auquel l'homme est capable de parvenir après sa mort, non seulement sa propre nature, mais encore avec « l'aide survenante de Dieu » (394). La vertu morale n'est pourtant point étrangère à Dieu, quoiqu'on en ait dit, et elle convient à l'homme dans sa condition actuelle. Certes, l'entendement constitue la noblesse de l'homme et trouve dans la contemplation sa félicité. Si d'Urfé a formulé cet argument contre les stoïciens et les cyniques, c'est parce qu'il recherchait « non pas la felicité de l'homme mortel, mais celle à laquelle il estoit capable de pouvoir parvenir apres sa mort... » (395)

Mais, quand il s'agit de la félicité de l'homme vivant, c'est l'homme entier, composé d'un corps et d'une âme, qu'il faut envisager :

> « ...et ainsi pour ne frustrer tout ce composé de ce qui luy appartient, nous disons, que non pas la plus grande seulement, mais la seule et particulière de l'homme c'est celle qui luy vient des vertus morales que nous appellerons felicité humaine ou civile. » (396)

Honoré d'Urfé ménage ainsi la volonté libre à laquelle il fait confiance pour assurer le bonheur sur terre, et l'aide de Dieu, nécessaire pour goûter à la félicité céleste, après la mort. Son néostoïcisme est l'union de la pensée stoïcienne de l'Antiquité et du dogme chrétien. Dans un tel débat qui passionna les moralistes des vingt dernières années du XVIe siècle, d'Urfé se range ainsi aux côtés de Ronsard qui, à l'Académie du Palais, s'opposa à Desportes et Amadys Jamin. Ronsard exalta l'action aux dépens de la contemplation, vanta les difficultés et l'utilité immédiate de la vertu morale, car,

> « que sert la contemplation sans l'action ? De rien, non plus qu'une épée qui est tousjours dans un fourreau ou un couteau qui ne peut couper. » (397)

---

(392) *E.M.*, III, 9, 531.
(393) *Ibid.*, III, 10, 545-546.
(394) *Ibid.*, III, 10, 545.
(395) *Ibid.*, III, 10, 544-545.
(396) *Ibid.*, III, 10, 547.
(397) In E. Frémy, *op. cit.*, p. 230.

Le point de vue de Ronsard était contestable, parce que son jugement s'appuyait sur le seul critère de l'utilité. Desportes ne se fit pas faute de le remarquer, car les vertus morales sont inséparables des vertus intellectuelles. Comme Amadys Jamin, Desportes fit valoir que la science et la sapience rapprochent seules l'homme de Dieu, parce que l'entendement assure la grandeur (398). Pour eux, la félicité humaine n'est pas dans l'action, mais dans un repos déchargé de tout souci.

Deux conceptions de la vie s'affrontent et d'Urfé apporte dans ce débat sa note originale : influencé par le néo-platonisme et marqué profondément par la foi chrétienne, il a une autre conception de la vertu contemplative. Toutefois, il ne perd jamais de vue que le sage a un rôle à jouer dans la Cité et, en cela, il est le disciple d'Aristote.

*
**

Nous découvrons ainsi la complexité des idées morales du XVIIe siècle. Les moralistes, qui sont avant tout des humanistes au sens plein et au sens restreint du terme, ont bu à toutes les sources que l'Antiquité offrait à leur soif de découverte. Honoré d'Urfé semble s'être adressé à l'Antiquité grecque et latine et, surtout, nous semble-t-il, à Epictète, à Sénèque, à Cicéron et à Plutarque. Les textes traduits et commentés au collège ne furent pas étrangers à son goût pour la morale de l'effort ; la spiritualité des Jésuites l'a encouragé à l'exercice de la raison et de la volonté libre. Il ne nous apparaît pas que l'œuvre des moralistes du XVIe siècle lui ait inspiré telle ou telle pensée précise ou telle ou telle formule, comme celles qui se présentent sous la plume de Charron inspiré par Montaigne. Constatons que les idées qu'il développe se groupent autour de thèmes bien précis que nous retrouvons autant dans les discours de l'Académie du Palais que dans les œuvres de Montaigne, de Lipse et de du Vair. Un fond commun de réflexions s'était ainsi constitué auquel chacun apporta sa contribution personnelle selon son éducation et son tempérament. Ne cherchons donc pas l'originalité d'Urfé dans le choix des thèmes, mais plutôt dans les formules et dans l'accent particulier qu'il donne à telle règle de conduite. Elle est dans l'énergie qu'il prône et dans la victoire sur soi-même qu'il vante avec une conviction et une ardeur conformes à celle du soldat qu'il est. Elle est dans l'ascension de la pratique de la vertu vers la foi en un Dieu-Amour qui assure, dans l'audelà, une union de bonheur qui déifie l'homme. Elle est surtout dans son apologie de l'honneur qui s'insère dans ce courant dont l'épanouissement se fera au XVIIe siècle, sous la forme d'une éthique de la gloire.

Déjà chez d'Urfé se dessinent les grands traits du héros lucide de Corneille, dont l'orgueilleuse confiance en soi est la caractéristique. Dans *Les Epistres Morales* et dans *L'Astrée,* s'affirme le moi,

(398) Id., *ibid.*, pp. 231-240.

en même temps qu'il s'épure dans le sens du bien. Déjà, s'y révèle le goût pour la gloire terrestre qui exalte le « dépassement de l'homme ». Plus d'humilité ni de sentiment de la faiblesse ou de la misère, mais une confiance dans la grandeur de l'homme et dans sa volonté ; nulle inquiétude métaphysique ou religieuse. Nous y sentons naître la morale indépendante de la fin du XVIe siècle, pour qui « la gloire seule décide de la valeur », et où les « passions sont des forces ou « vertus » qui sont illustres, éclatantes, belles, grandes, lorsqu'elles vont à la satisfaire » (399).

Une telle morale ne fut pas l'idéal commun, mais elle est significative de l'âme d'une époque et la marque de ce début du XVIIe siècle qu'on a appelé « âge de l'héroïque et du sublime ». La morale d'Urfé contient en germes les idées du Grand siècle ; elle manifeste son goût pour les débats de morale. Ils cesseront d'être une recherche de conduite pratique, pour se fixer sur des questions de morale théorique. Dans *Les Epistres Morales,* le sage est surtout l'homme certain d'un bonheur trouvé dans l'exercice de la vertu, expression de l'homme affronté à ses difficultés, et jamais désintéressé de celles des autres. Malgré ses tentations pour la contemplation, d'Urfé donne la primauté à l'action, dont la récompense est la gloire tant extérieure qu'intérieure, « une belle passion », aux dires de Balzac (400). Sur elle s'édifiera la théorie de l'amour-estime ; sur la morale néo-stoïcienne se construira « la vie de cette génération turbulente, raisonneuse, héroïque, de la Fronde » (401).

(399) O. Nadal, « L'éthique de la Gloire au XVIIe siècle », in *Mercure de France,* vol. 308 (1950), p. 27.
(400) *Ibid.,* p. 34.
(401) H. Busson, *La Religion des Classiques,* Paris, P.U.F., 1948, p. 193.

CHAPITRE III

L'HOMME ET SA DESTINEE

Si le premier livre et une partie du deuxième livre des *Epistres Morales* enseignent à Agathon une morale théorique et pratique, dont l'essentiel repose sur l'idéal néo-stoïcien du XVIe siècle, néanmoins, d'Urfé ne se borne pas à répéter les leçons de courage que ses devanciers et ses contemporains moralistes ont prodiguées à leurs lecteurs. La pensée de la mort n'est pas seulement pour lui une occasion d'étaler sa grandeur d'âme ou de rechercher une consolation en se réfugiant dans une philosophie de résignation. Elle est, et nous l'avons senti dès le deuxième livre des *Epistres Morales,* le point de départ d'une méditation métaphysique sur la destinée humaine, sur le bonheur auquel l'homme a droit sur terre sans doute, mais qui s'accomplit pleinement dans l'au-delà. Ce sujet, qui est étudié dans le troisième livre, est peu évoqué dans *L'Astrée,* si peu même qu'il ne vaudra pas la peine d'en parler. Adamas et Silvandre s'attachent davantage à la vertu de l'amour ou aux leçons de conduite morale capables de forger l'âme de l'homme idéal appelé à vivre dans une société idéale.

Au moment où paraît le troisième livre des *Epistres Morales,* en 1608, les esprits sont à la recherche d'un équilibre. La paix politique est rétablie ; cependant, le trouble règne dans les âmes, le rationalisme fait son chemin et il s'impose de proclamer que l'homme a une destinée qui le sépare des autres créatures et compose sa grandeur. En ce domaine, assurément, d'Urfé répète les leçons de philosophie entendues au collège. Son esprit imprégné d'un enseignement aristotélicien et chrétien ne se départit point du souci de conformer sa pensée aux dogmes de la théologie sur l'âme et le bonheur. Mais, en outre, se mêlent à ses propos des considérations nettement néo-platoniciennes et imprégnées profondément de la lecture de Pic de la Mirandole et des philosophes arabes. Il semble bien que Marguerite de Valois ne fut pas étrangère à ces nouvelles préoccupations. Honoré d'Urfé ne lui dédia-t-il pas l'édition de 1608 de ses *Epistres Morales,* en lui déclarant que « ces discours »... lui « sont acquis dès leur naissance » ? Et, ajoute-t-il,

> « Encore pour le subject qu'ils traictent, il est raisonnable que comme à leur première idée ils soient rapportez à vos yeux, pour voir s'ils ont presque conformité avec le patron sur lequel ils ont esté tirez. Car, Madame, leur principal subject c'est l'ame. »

Antoine d'Urfé avait dédié à Marguerite la première des *Epistres philosophiques* qu'il se proposait de publier, *De la Beauté qu'acquiert l'Esprit par les Sciences* (1). De son côté, Anne d'Urfé lui fit hommage de son *Himne de Saincte Susanne* (2). C'est dire en quelle considération la famille d'Urfé tenait celle qui fut un temps la châtelaine d'Usson et réunissait une cour d'admirateurs qui communiaient avec elle en Platon. Honoré d'Urfé la rencontra-t-il à Usson ? Nous ne le savons (3). Mais, alors qu'il était à Paris, il dut fréquenter l'hôtel de la rue de Seine, où se réunissaient les esprits les plus curieux de l'époque. Marguerite ne possédait-elle pas une bibliothèque où figuraient des œuvres néo-platoniciennes, des ouvrages de Kabbale et de nombreux livres qui l'initièrent à la philosophie et l'acheminèrent à l'élévation de son esprit ? Dans le cercle de Marguerite de Valois, qui comptait des érudits comme Champagnac, Dupleix et Coëffeteau, où s'évoquaient des questions de métaphysique, d'Urfé dut se trouver à l'aise. Convient-il néanmoins de tout accorder à l'influence de Marguerite de Valois ? Initia-t-elle d'Urfé à la pensée platonicienne, à la Kabbale ? Il ne nous faut pas oublier qu'à La Bastie ces idées étaient débattues et vécues. La fréquentation de Marguerite de Valois permit, sans doute, à l'auteur des *Epistres Morales* de se préoccuper davantage de la situation de l'homme et des problèmes de son âme. Les conversations et le même goût pour les mêmes lectures incitèrent d'Urfé à choisir le thème de ce troisième livre des *Epistres*. La pensée des « prisci theologi », celle de Pic de la Mirandole et de Ficin, y voisinent avec la doctrine aristotélicienne.

I. — *LES EPISTRES MORALES* ET LA PENSÉE DES « PRISCI THEOLOGI ».

Les Pères de l'Eglise avaient établi que la doctrine chrétienne était conforme aux enseignements de la « prisca theologia ». Ne considéraient-ils pas que Platon devait sa pensée à ces auteurs préchrétiens et aux écritures juives ? Les XVe et XVIe siècles continuèrent cette tradition. La découverte du platonisme et le désir de l'intégrer au christianisme, les éditions de textes jusqu'alors mal connus, excitèrent la curiosité (4). Lefèvre d'Etaples, Pontus de Tyard, Ramus, Philippe Duplessis-Mornay écrivirent des œuvres où les « prisci theologi » apportent leur témoignage. Symphorien Champier, philosophe et historien, Guy Le Fèvre de la Boderie ne firent point défaut à cette mode qui s'imposait. Il conviendrait d'ajouter d'autres noms, en une longue liste qui irait d'Amaury Bouchard à Guillaume Postel et prouverait que l'intérêt de tous ces écrivains pour la « prisca theologia » a commencé et s'est poursuivi sous l'influence italienne (5).

---

(1) Voir, à ce propos, C. Longeon, *op. cit.*, p. 227.
(2) Id., *ibid.*, p. 205.
(3) Voir l'ouvrage de J.H. Mariéjol, *La vie de Marguerite de Valois, reine de Navarre et de France (1553-1615)*, Paris, Hachette, 1928, pp. 325 sq.
(4) Sur la « prisca theologia », voir l'excellent article de D.P. Walker « The prisca Theologia in France », in *JWCI*, XVII (1954), pp. 204-259.
(5) Id., *ibid.*, pp. 205-207.

Les *Orphica,* les *Oracles* de Zoroastre et surtout les *Hermetica* sont les principaux textes qui constituent cette ancienne théologie. Les œuvres attribuées à Orphée occupent une place importante. Il est considéré comme le plus ancien des Grecs, le maître de Pythagore et de Platon. Les textes orphiques cités au XVIe siècle sont soit des fragments de vers utilisés surtout par les Pères grecs et Proclus, soit les *Hymnes orphiques* du IIe ou IIIe siècle avant J.C. (6). Les éditions des textes orphiques furent nombreuses au XVIe siècle. Henri Estienne publia un nombre important de fragments orphiques dans son Ποίησις φιλόσοφος (7). Une autre collection en parut, en 1588, et une traduction latine des *Hymnes orphiques* avait été publiée, en 1555 (8). Marsile Ficin, notamment dans la *Theologia platonica,* cite abondamment Orphée, et il avait d'ailleurs traduit les *Hymnes orphiques,* en 1462 (9). Orphée était, à ses yeux, le type du poète inspiré qui révèle des vérités religieuses essentielles pour l'interprétation de Platon (10). En effet, chez les Anciens, il passait pour avoir appris différents rites en Egypte et les compilateurs et les philosophes de la Renaissance le considéraient comme un théologien et un prêtre (11). Pic de la Mirandole, dans son *De dignitate hominis,* l'entoure de respect, puisqu'il est à l'origine de la philosophie la plus profonde :

> « ...j'ai apporté ma manière d'interpréter les poèmes d'Orphée et Zoroastre. Orphée, chez les grecs, est lu presque intégralement. Zoroastre chez les grecs est lu incomplètement ; il l'est plus chez les Chaldéens. Tous deux sont les pères estimés et les maîtres de la sagesse antique. Car, pour ne pas parler de Zoroastre, dont il est souvent fait état chez les platoniciens, avec une extrême et constante vénération, le chaldéen Jamblique écrit que Pythagore a considéré la théologie orphique comme un modèle sur lequel lui-même devait façonner et former sa propre philosophie. On dit que les paroles de Pythagore sont appelées sacrées pour la seule raison qu'elles dérivent des institutions orphiques ; c'est de là que découlèrent, comme de

---

(6) Voir, à ce propos, l'article de D.P. Walker, « Orpheus the theologian and Renaissance Platonists », in *JWCI,* XVI (1953).

(7) *Poesis philosophica, vel saltem, Reliquiae poesis philosophicae, Empedoclis, Parmenidis..., Adjuncta sunt Orphei illius Carmina qui a suis appellatus fuit* ὁ θεολόγος, 1573.

(8) *Orphei poetae vetustissimi opera, jam primum ad verbum translata..., per Renatum Perdrierum Pariensem,* Bâle, 1555. L'autre collection des fragments orphiques est intitulée, Ὀρφεως ἐπη θεολογικα, Paris, S. Prévosteau, 1588. Voir, à ce propos, l'art. cité de D.P. Walker, « The prisca Theologia... », p. 203, n. 10.

(9) Voir P.O. Kristeller, *Supplementum Ficinianum,* Florence, 1937, I, *CXLIV-V.* Jusqu'en 1500 les *Hymnes orphiques* ne furent pas publiés. Les Ὀρφεως Ἀργοναυτικα, Florence, 1500 contiennent les *Hymnes orphiques* et les *Hymnes de Proclus.*

(10) Sur le contenu et l'influence des *Hymnes orphiques,* voir l'article cité de D.P. Walker et, du même auteur, « Le chant orphique de Marcile Ficin », in *Musique et poésie au XVIe siècle,* Paris, CNRS, 1956, p. 22 ; voir également l'ouvrage de F. Joukovsky, *Orphée et ses disciples dans la poésie française et néo-latine du XVIe siècle,* Genève, Droz, 1970, pp. 30 sq.

(11) Marsile Ficin, dans ses œuvres, met l'accent sur trois aspects importants d'Orphée : il est un des prêtres antiques (*Epist. lib. I, M. Ficinus Alexandro Bracchio,* in *Opera omnia,* 1576, t. I, p. 673), Orphée a organisé les mystères (*M. Ficinus Petro Divitio,* in *op. cit.,* t. I, p. 927), le Dieu d'Orphée est un Dieu-Amour (*Commentaire sur le Banquet,* éd. R. Marcel, Paris, Les *Belles Lettres,* 1956, I, c. 3, pp. 138-139).

leur dernière source, la secrète doctrine des nombres et tout ce que la philosophie grecque produisit de grand et sublime. Mais selon la coutume des théologiens antiques, Orphée enveloppa les mystères de ses dogmes sous des fables, les plaça sous l'ombre d'un voile poétique au point que, si quelqu'un lit ses hymnes, il a l'impression qu'il n'y a rien au-dessous, si ce n'est simples fables ou niaiseries. » (12)

Pour Pic de la Mirandole, Orphée est donc un anneau d'une chaîne de théologiens qui aboutit à Platon. Possesseur de la révélation primitive, il annonce les vérités chrétiennes. Cela n'échappera pas à Symphorien Champier qui, dans le *Liber de quadruplici vita* (13), invoque l'autorité d'Orphée, pour définir la nature du dieu suprême. Les disciples de Ficin ont porté tout autant de considération à Zoroastre et à Pythagore (14).

Mais le premier anneau de cette chaîne de théologiens est bien, à leurs yeux, Hermès Trismégiste. Les *Hermetica* se répartissent en deux groupes : d'abord, l'*Asclepius* ou *de Voluntate divina*, un dialogue qui a survécu seulement dans la traduction latine d'Apulée et, d'autre part, le *Pimandre* ou *de sapientia et potestate Dei* et *les définitions d'Asclepius*, un groupe de cinquante dialogues en grec. Bien que les humanistes aient reconnu à ces œuvres une origine égyptienne, elles datent du IIIe siècle avant J.C. et semblent provenir surtout du platonisme alexandrin (15). Le *Pimandre* fut traduit et publié par Marsile Ficin, en 1471 (16). Outre la publication du *Pimandre* et de l'*Asclepius* par Lefèvre d'Etaples (17), le XVIe siècle français devait connaître plusieurs éditions des *Hermetica*, notamment celle de Du Préau, en 1549 (18), celle de Turnèbe, en 1554 (19),

---

(12) *De dignitate Hominis*, trad. de A. Tripet, éd. citée, p. 57.

(13) Lyon, 1507, f. D 8 v° ; voir également Ch. de Bourgueville, *L'Atheomachie*, Paris, 1564, pp. 62 sq. ; M. de la Porte, *Les Epithetes*, Paris, 1571, art. *Orphée*.

(14) Ficin a publié un recueil des pensées de Pythagore, *Pythagorae philosophi aurea verba ;* François Habert publia *Les divins Oracles de Zoroastre*, Paris, 1558.

(15) Voir O.P. Kristeller, « Marsilio Ficino e Ludovico Lazarelli. Contributo alla diffusione delle idee ermetiche nel Rinascimento », in *Annali della R. Scuola normale di Pisa*, ser. II, VII (1938), pp. 256-257 ; J. Festugière, *La révélation d'Hermès Trismégiste*, Paris, 1944, t. I, Introduction ; D.P. Walker, « The Prisca Theologia », p. 208 ; L. Menard, *Hermès Trismégiste, traduction complète précédée d'une étude sur l'origine des livres hermétiques*, Paris, Perrin, 1925, pp. V-XCIX.

(16) *Mercuri Trismegisti Liber de Potestate et Sapientia Dei e Graeco in Latinum traductus a Marsilio Ficino*, 1471.

(17) En 1505 cet ouvrage fut dédié à G. Briçonnet, et publié sous le titre, *Pimander, Mercurii Trismegisti Liber de Voluntate divina. Item crater Hermetis A Lazarello Septempedano*, Paris. En 1507, Champier publia les *Definitiones Asclepii*, dans la traduction de Lazarelli, avec ses propres commentaires et il dédia l'ouvrage à Lefèvre d'Etaples. Dans le *De Triplici vita*, Champier reproduisit beaucoup des commentaires de Lefèvre d'Etaples.

(18) *Mercure Trismegiste Hermes tres ancien theologien et excellent philosophe, de la puissance et sapience de Dieu. Item de la volonté divine. Avecq'un Dialogue de Loys Lazarel poëte Chrestien intitulé le Bassin d'Hermes, le tout traduit de latin en françois par M. Gabriel Preau*, Paris, E. Groulleau, 1549. L'ouvrage est dédié au Cardinal de Lorraine et il reproduit l'argument de Ficin et les commentaires de Lefèvre.

(19) Edition du grec, "Ερμου του τρισμεγιστου Ποιμανδρης..", Paris, 1554.

et celle de François de Foix de Candale, en 1574 (20). Ce dernier, en 1579, fut l'auteur d'une traduction française du *Pimandre*, accompagnée de commentaires, le tout dédié à la reine Marguerite (21). Il est intéressant de lire ce que déclarent ces éditeurs des *Hermetica*. Pour Marsile Ficin,

> « Mercure Trismégiste est le premier auteur de la théologie. Orphée a été le second. Aglaopheme a été initié aux Mystères d'Orphée. Il a eu comme successeur Pythagore qui a suivi Philolaüs, précepteur de notre divin Platon. » (22)

Du Préau reproduit, dans sa préface, une partie de cet argument de Ficin. François de Foix de Candale, comme Ficin, fait du Trismégiste le fondateur de la théologie naturelle :

> « Nous dirons qu'il a connu Dieu comme les autres philosophes par les œuvres de la nature. Il avait assez de savoir pour ce faire, attendu que nous trouvons que toutes bonnes escolles de philosophie comme la Pythagorique, Platonique, et Aristotélique et autres ont pris leur meilleur et plus beau de son escolle. » (23)

François de Foix reconnaît que Mercure Trismégiste a été favorisé d'une pré-révélation et il prétend retrouver dans son œuvre la quasi totalité de la religion chrétienne. Duplessis-Mornay, dans son traité *De la Vérité Chrestienne* (24), sans aller aussi loin, affirme que l'œuvre du Trismégiste est la source de toutes les sagesses (25). Ainsi, se manifeste ce besoin de découvrir dans la « prisca theologia » l'universalité et l'antiquité de la foi en un Dieu unique et en l'immortalité de l'âme. En fait, dans la même perspective et par nationalisme sans doute, la théologie des druides devint pour nos humanistes l'origine de la pensée des grecs et, qui plus est, de celle des Egyptiens et de Moïse même (26).

Dès lors, quand d'Urfé accorde aux druides un rôle important, et quand, dans *Les Epistres Morales*, il fait appel aux « prisci theologi » que nous avons cités, il n'est pas un isolé. Il participe à ce mouvement de renouveau de l'hermétisme, qui caractérise la fin

---

(20) François de Foix publia une édition en grec et en latin, *Mercurii Trisgemisti Pimandras utraque lingua restitutus, D. Francisci Flussatis Candallae industria*, Bordeaux, 1574.

(21) *Le Pimandre de Mercure Trismegiste de la Philosophie Chrestienne cognoissance du Verbe divin, et de l'excellence des œuvres de Dieu, traduit de l'exemplaire grec, avec collation de tres-amples commentaires, par Monsieur de Foix, de la famille de Candalle..., à tres-Haute, tres-illustre, et tres-puissante Princesse, Marguerite de France, Roine de Navarre, fille et sœur des Rois tres-Chrestiens*, Bordeaux, S. Millanges, 1579. A propos des commentaires de François de Foix, voir J. Dagens, « Le commentaire du Pimandre de François de Foix de Candale », in *Mélanges d'Histoire Littéraire offerts à D. Mornet*, Paris, Nizet, 1951, pp. 21 sq.

(22) Ficin, *Théologie platonicienne*, éd. R. Marcel. T. III, l. XVII, c. I, p. 148.

(23) *Le Pimandre de Mercure Trismegiste.., Préface*, sans pagination.

(24) Cet ouvrage fut publié en 1581.

(25) Sur l'influence d'Hermès Trismégiste, voir J. Dagens, *op. cit.*, pp. 21 sq.

(26) Voir D.P. Walker, *art. cit.*, pp. 213-216.

du XVIe siècle et le début du XVIIe siècle. Orphée, le Trismégiste et Pythagore confirment ce que la raison naturelle révèle et leurs propos servent de preuves. Orphée est cité une fois, dès le premier livre des *Epistres Morales,* et six fois dans la suite (27), Mercure Trismégiste est cité 9 fois (28), Zoroastre, 3 fois (29), et Pythagore, 2 fois (30). Remarquons toutefois que ni les uns ni les autres ne servent de preuve à l'universalité de la foi. *Les Epistres Morales* n'exposent d'ailleurs jamais d'une façon explicite les dogmes de la foi chrétienne.

L'originalité d'Urfé est de faire appel à Hermès, Orphée ou Zoroastre, pour confirmer sa conception de Dieu bon et miséricordieux, de l'homme qui a le pouvoir de s'élever jusqu'à Dieu, en se faisant le contemplateur de l'œuvre divine. Seul, d'ailleurs, Pythagore invite plus à l'action qu'à la contemplation. Mais n'est-ce pas un besoin d'étaler son érudition qui porte d'Urfé à citer Orphée, Pythagore ou Zoroastre, à côté du *Pimandre* ou de l'*Asclepius* ? Ses citations d'Hermès Trismégiste semblent toutes empruntées à l'édition latine de Ficin et non point aux traductions de du Préau ou de François de Foix de Candale. Dans *Les Epistres Morales,* ces citations des anciens théologiens jouent, nous semble-t-il, un rôle secondaire. L'auteur prétend montrer qu'il n'ignore rien de ces œuvres, mais il ne pénètre pas leur contenu.

II. — *LES EPISTRES MORALES* ET LA GRANDEUR DE L'HOMME.

Honoré d'Urfé préfère abreuver sa pensée à cette autre source du courant néo-platonicien que fut la Kabbale et qui, au début du XVIe siècle, s'introduisit en France par la publication des œuvres de Pic de la Mirandole et par l'intermédiaire de Jacques Lefèvre d'Etaples (31). Symphorien Champier, le premier, présenta la Kabbale aux Français, en 1516 :

> « On rencontre deux genres de sciences chez les hommes, [dit-il] ; le premier nous vient de Dieu sans intermédiaire ou par celui d'un ange. Les hébreux l'appellent cabale, nous autres réception... c'est une science infuse. » (32)

François 1er demanda à Jean Thénaud, franciscain d'Angoulème, de lui exposer ce qu'est la Kabbale. Pour répondre, Thénaud com-

(27) *E.M.*, I, 13, 135 ; II, 4, 266 ; II, 7, 294 ; II, 7, 299 ; II, 2, 388 ; III, 5, 446 ; III, 8, 500.
(28) *Ibid.*, II, 6, 266, 267 ; II, 7, 298 ; II, 10, 343 ; III, 1, 382, 388, 393, 396 ; III, 2, 404.
(29) *Ibid.*, II, 9, 328 ; III, 1, 390, 394.
(30) *Ibid.*, I, 13, 131, 136.
(31) Voir F. Secret, *Les Kabbalistes chrétiens de la Renaissance,* Paris, Dunod, 1964, p. 150.
(32) *Index eorum omnium..*, f. v°, cité par F. Secret *op. cit.*, p. 152.

posa la *Saincte et tres Chrestienne Cabale* (33) et ensuite, en prose, le *Traité de cabale* où il cite Reuchlin, Ricius et Pic. Nombreux, ensuite, furent ceux qui s'intéressèrent à la Kabbale, de Guillaume Postel aux frères Guy et Nicolas Le Fèvre de la Boderie ses disciples, de Blaise de Vigenère à son cousin Claude Duret, de Pontus de Tyard à Philippe du Plessis-Mornay et Jean Bodin (34).

Il est difficile d'affirmer qui détermina, chez d'Urfé, le goût pour la kabbale, mais il est troublant de constater que dans la bibliothèque de Marguerite de Valois figuraient, outre plusieurs ouvrages de Marsile Ficin traduits pour elle par Guy Le Fèvre de la Boderie, l'*Encyclie* qui avait été dédié au Duc d'Alençon, la *Galliade* et la traduction de l'*Heptaplus* par Nicolas le Fèvre de la Boderie. Il est certain que l'auteur des *Epistres Morales* découvrit la Kabbale avant 1603, puisque nous lisons au deuxième livre :

> « Veux-tu, Agathon, que je cabalise avec toy ? Escoute ce que les Cabalistes en dient. » (35)

Il s'y intéressa surtout à l'époque où il écrivit le troisième livre dans lequel, après avoir cité Pic de la Mirandole, il déclare : « ...reçois-en le parachevement en la monnoye que les Cabalistes m'ont donnée. » (36) Plutôt qu'une tradition religieuse où il chercha à puiser des motifs d'apologétique et d'exégèse, la Kabbale fut, pour d'Urfé, un système philosophique qui révèle Dieu, sa création, et la place de l'homme dans l'univers.

Elle lui fournit, en effet, une partie des éléments dont il composa une allégorie pour illustrer la thèse du degré des êtres dans la création. Chaque être est un reflet plus ou moins fidèle de Dieu et possède en lui une image plus ou moins parfaite de la Beauté (37). Nous étudierons plus loin les sources de cette allégorie, mais, d'ores et déjà, disons qu'il n'est point de kabbaliste qui n'ait rappelé les degrés du monde et la participation des créatures à Dieu (38).

Dans le livre III des *Epistres Morales*, est exposée cette même thèse de l'ordre de l'univers, sous une forme moins complexe, où est mise davantage en valeur la participation des créatures à leur créateur. Tandis que le deuxième livre s'attache surtout au degré de beauté des créatures et montre comment aimer est une aspiration à l'amour de Dieu, le troisième livre, davantage influencé par la Kabbale, insiste sur l'influx qui passe du créateur dans ses créatures et les ramène à lui, pour leur communiquer la béatitude. Dieu, « celuy qui est », laisse pendre à ses mains une chaîne

(33) Voir, à ce propos, F. Secret, *op. cit.*, p. 153 ; J.L. Blau, *The Christian interpretation of the Cabale in the Renaissance*, pp. 97 sq. On trouvera dans cet ouvrage d'abondants extraits de la *Saincte et tres Chrestienne Cabale*, pp. 121 sq.

(34) Pour l'histoire de la Kabbale en France, voir l'ouvrage de F. Secret, *op. cit.*, pp. 151-217.

(35) *E.M.*, II, 4, 259.

(36) *E.M.*, III, 4, 437. A propos de ces passages des *Epistres Morales*, voir l'article de F. Secret, « Une source oubliée des *Epistres Morales* d'Honoré d'Urfé », in *BHR*, 1968, pp. 694 sq.

(37) *E.M.*, II, 4, 259 sq.

(38) Voir *infra*, chapitre IV.

« qui descend jusques aux infimes parties de l'univers. A ceste chaine pendent toutes les choses qui ont estre, les unes attachées aux premiers chainons, les autres attouchant à celles-cy, vont ainsi s'entr'accrochant jusques au centre. Et comme le fer, touché de l'aimant, en reçoit une certaine vertu, par laquelle il peut attirer un autre fer, et luy donner la mesme force, qu'il peut aussi communiquer à un autre, estans tous attirez au mesme aimant par ceste vertu. De mesme la vertu, participee de celuy qui Est, par l'attouchement du premier chainon, se communique à tous les autres qui sont entr'accrochez l'un sous l'autre : et par la mesme vertu les sous-tient et attire à soy. » (39)

La comparaison de la chaîne qui unit les hommes à Dieu est fondamentale dans la philosophie de la Kabbale. Cette chaîne est celle d'Homère. Elle relie toutes les créatures à Dieu. Nous en trouvons une explication sous la plume de Charpentier, dans la *Platonis cum Aristotele in universa philosophia comparatio,* et elle est un thème favori de comparaison chez les néo-platoniciens du XVIe siècle (40). Marguerite de Valois, expliquant comment, en 1575, son esprit s'ouvrit à l'intelligence du monde, sans doute sous l'influence de la kabbale à laquelle elle commençait à s'initier, résume en ces termes ce symbole :

« Lisant en ce beau livre universel de la nature tant de merveilles de son Createur que tout ame bien née, faisant de cette cognoissance une eschelle de laquelle Dieu est le dernier et le plus hault eschelon, ravie, se dresse à l'adoration de cette merveilleuse lumiere et splendeur de cette incomprehensible essence ; et faisant un cercle parfait, ne se plaist plus à aultre chose qu'à suivre cette chaisne d'Homère, cette agréable encyclopédie, qui, partant de Dieu mesme, retourne à Dieu mesme, principe et fin de toutes choses. » (41)

Thénaud, dans la *Saincte et tres crestienne Cabale,* insiste sur l'influx qui se répand dans toutes les créatures. Il chante les « troys mondes, cest assavoir angelic celeste et elementaire qui ne font fors ung monde » :

« L'un a l'autre est en durable aliance
Duy et joinct par un commun accord
Si que l'influx qui des haultz vient et sort
Est mieulx receu que du passif lactif
Ou que le germe en forme sensitif
En tel façon que ce quest en lung deulx
Se treuve tout es autres mondes deux
Quoy quil soit mieulx et plus parfaictement
Es suserains qui sont sans mouvement. » (42)

---

(39) *E.M.*, III, 4, 437.

(40) Ire partie, p. 368, « In quo nonnulli notaverunt Homeri Catenam auream, per quam coelesti descendunt in terram, terrenaque contra in caelum rapientur. Instante vera hominum generatione, animae secundum eumdem Platonem facere dicuntur vitae futurae optionem... » Marsile Ficin parle aussi de la chaîne d'Homère dans la *Théologie platonicienne* (éd. Marcel, t. II, l. XIII, c. IV, p. 239). Mais l'interprétation du symbole n'est pas la même dans *Les Epistres Morales.*

(41) *Mémoires,* éd. Guessard, p. 76, cité par Mariéjol, *op. cit.,* pp. 329-330.

(42) *La Saincte et tres-Chrestienne Cabale,* l. II, c. I. in J.L. Blau, *op. cit.,* p. 137.

Dans son *Traicté de la Cabale,* Thénaud consacre un livre entier aux

« quatre mondes, lesquels perfont l'universel, qui sont tellement unis et distincts que l'union et accord d'iceux avecques leur different font perdurable et incredible harmonie et proportion declarative de la puissance de Dieu. Lesdits mondes sont l'angelic, le celeste, l'elementaire et l'humain, et comment l'humain est l'union et le lien de tous les autres mondes. » (43)

Pic de la Mirandole développe la même thèse et l'illustre par le mythe biblique de l'échelle de Jacob (44). Dans le *Comento sopra una Canzona,* il expose comment les créatures se répartissent en trois degrés dans l'univers (45).

En réalité, quand Honoré d'Urfé s'adresse à la kabbale, il pille l'œuvre de Pic de la Mirandole, « ceste grande merveille de son siecle » (46). Nos kabbalistes du XVIe siècle ont lu Pic de la Mirandole et ont puisé dans son œuvre l'essentiel de leur pensée. D'Urfé suit leur exemple. La place qu'il accorde à l'homme lui est tout entière empruntée. Dans cette échelle des êtres imaginée par Pic, l'homme jouit d'une situation privilégiée.

Le contenu de l'œuvre attribuée à Hermès Trismégiste met l'accent sur les relations entre l'homme et le cosmos. Peut-être le XVIe siècle a-t-il mieux senti que nous l'importance de cette découverte, par son respect pour la magie. L'*Asclepius* et le *Pimandre* surtout enseignent que l'homme régénéré a de nouveau gagné le pouvoir sur la nature par son origine divine (47). Pic de la Mirandole ouvre son *Oratio de dignitate hominis* par une citation tirée de l'*Asclepius,* à propos de l'homme considéré comme un grand miracle. Les historiens de la Renaissance voient dans ce discours de Pic un grand tournant dans l'histoire de l'Europe, car il accorde à l'homme une place privilégiée qui constitue sa grandeur. Les possibilités immenses que Pic reconnaît à la nature humaine expliquent le succès de l'œuvre auprès des catholiques et les réticences des protestants à s'y référer. *L'Oratio* part du pincipe que l'homme créé par Dieu est le créateur de lui-même. Il est, en effet, le chef-d'œuvre de Dieu et la seule créature qui dispose de la liberté entière de forger elle-même sa nature. Les autres créatures, une fois créées,

---

(43) Cité par F. Secret, *op. cit.,* p. 155.

(44) *De dignatate hominis.* Nous renvoyons à l'édition des œuvres de Pic de la Mirandole par E. Garin, G. Pico della Mirandola, *De hominis dignitate. Heptaplus. De Ente et Uno. E sritti vari...,* Florence, Vallecchi, 1942, coll. Edizione nazionale dei Classici del Pensiero italiano, p. 114.

(45) *Commento dell'illustrissimo Signor Conte Joanni Pico Mirandolano sopra una canzona de amore composta da Girolamo Benivieni, ... secondo la mente et opinione de'Platonici,* « Sopra questo tre gradi è esso Dio autore e principio d'ogni creatura, la quale come in suo primo fonte ha la divinità essere causale e da lui immediatamente procedendo nella natura angelica ha el secondo essere, cioè formale. Ultinamente nell'anima razionale reluce dalla natura angelica a lei partecipata... » (éd. Garin, p. 463).

(46) *E.M.,* III, 1, 382.

(47) Voir F. A. Yates, « The hermetic tradition in Renaissance Science », in *Art, Science and History in the Renaissance,* Baltimore, J. Hopkins Press, 1967, pp. 255-274 ; D.P. Walker, *Spiritual and demonic Magic from Ficino to Campanella,* Londres, The Warburg Institute, 1958, pp. 40 sq.

sont parfaites dans leur genre et ne peuvent progresser, alors que l'homme a le pouvoir d'atteindre à la divination absolue. Il doit, pour cela, se purifier de ses passions, grâce à la morale, et pénétrer les mystères de la création, pour connaître la magnificence de Dieu et s'élever jusqu'à l'identification avec Dieu par l'Amour. Une telle harangue, qui devait inaugurer la défense des 900 thèses où était affirmée l'harmonie de la pensée antique, de la sagesse des Juifs et des vérités chrétiennes, fut « le manifeste de la Renaissance », selon le mot d'Eugenio Garin (48). Pic manifeste son insatisfaction à l'égard des arguments avancés avant lui par les philosophes, pour prouver la grandeur de la nature humaine. Ils sont « importants, mais non les principaux », dit-il (49). L'essentiel réside dans le fait que l'homme fut créé pour comprendre le sens de l'univers et aimer la beauté du monde créé par Dieu :

> « Mais, une fois son œuvre achevée, l'artisan désirait qu'il y eut quelqu'un pour comprendre la raison de son ouvrage, pour en aimer la beauté, en admirer la beauté. » (50)

C'est pourquoi Dieu décida de créer l'homme, non pas à son image, mais avec la faculté de la créer, et il le plaça au-dessus de toutes les créatures (51). L'homme est donc l'ouvrier de lui-même, auteur de sa propre destinée, pouvant, ou bien s'abaisser par la concupiscence au rang des brutes, ou bien, par l'œuvre de la raison, s'élever jusqu'à Dieu et s'unir à Lui. Il ne se situe pas au milieu de l'univers parce qu'il est entre le sensible et l'intelligible, mais parce qu'il réunit en lui les opposés et devient, à la fois, le contemplateur et le Créateur de l'ordre universel (52).

La première lettre du troisième livre des *Epistres Morales*, afin de montrer « que de toutes les choses créées, l'homme se peut rendre celle qu'il luy plaist ; qu'il est la jointure et le Mariage de l'Univers : Et pourquoy c'est la creature la plus admirable » (53),

---

(48) Cité par J. Dagens, *op. cit.*, p. 273. Sur l'importance du *De dignitate hominis* et le rôle de la philosophie de l'homme pendant la Renaissance, voir l'article de P.O. Kristeller, « The philosophy of Man in the Italian Renaissance », in *Studies in Renaissance Thought and Letters*, Rome, Edizioni di Storia e Letteratura, p. 261.

(49) *De dignitate hominis*, p. 102, « Magna haec quidem, sed non principalia. »

(50) *Ibid.*, p. 102, « Sed, opere consommato, desiderabat artifex esse aliquem qui tanti operis rationem perpenderet, pulchritudinem amaret, magnitudinem admiraretur. »

(51) Voir L. Braghina, « Alcune considerazioni sul pensiero morale di Giovanni Pico della Mirandola », in *L'opere e il pensiero di Giovanni Pico della Mirandola nella storia, dell'umanismo, Convegno internazionale, 15-18 septembre 1963*, Florence, Istituto Nazionale di Studi sul Rinascimento, 1965, pp. 19-20.

(52) Voir, sur cette question, E. Garin, *G. Pico della Mirandola, vita e dottrina*, Florence, 1937, p. 203 ; G. Semprini, « L'Amore come Ascensus alla pax unifica », in *Convegno internazionale*, Florence, p. 44 ; Tilgher, « L'uomo cameleonte di Pico della Mirandola », in *Moralità*, Rome, 1938 ; A.M. Schmidt, *op. cit.*, pp. 143-144.

(53) *E.M.*, III, 1, 377.

utilise abondamment l'*Oratio de dignitate hominis,* au point de suivre presque littéralement le texte latin ou seulement bouleverser l'ordre de l'argumentation de Pic de la Mirandole :

Epistres Morales, III, 1, 382 sq.

« Picus ... rapporte qu'Abdala, grand philosophe entre les Arabes, respondit à ceux qui luy demanderent ce qu'il y avoit en l'Univers de plus admirable, que c'estoit l'homme. Et Mercure Trismegiste, parlant à son Asclepius, dit aussi, que l'homme est un grand miracle entre toutes les creatures, animal digne d'estre reveré, et presque adoré. »

Honoré d'Urfé insiste sur les faiblesses de l'homme. Celui-ci est le « plus remply de miseres, et plus sujet aux calamitez d'une imparfaicte nature. » Il a un corps «impuissant, nud, et necessiteux de toute sorte de secours. » Il a aussi une âme faible et son entendement lui fait reconnaître « les miseres a quoi il est sujet. »

p. 384. « Je sçay bien que les Perses disoient, l'homme estre l'Hymenee et l'assemblage de l'Univers, et qu'y ayant cinq degrez des choses, le corps, la Qualité, l'Homme, l'Ange et Dieu ; le corps estant tout corporel, et Dieu tout spirituel, ne pouvoient se toucher d'autant que deux extremes contraires ne sçauroient se joindre sans un milieu, qui tienne et de l'un et de l'autre : non plus que l'Ange, qui est sans matiere avec la qualité, qui n'en peut estre depoüillée, il a fallu que le juste mariage de l'Univers et ce qui assemble ces contraires, ait esté l'Homme, qui par son corps est corporel, comme le Corps et la Qualité et par son ame spirituel, comme l'Ange et Dieu ...De mesme, l'homme est tellement le milieu de toutes choses, qu'il est de la nature de toutes choses, et qu'estant attaché aux inferieures, il ne delaisse point les superieures... »

p. 389. Toutes les créatures sont déterminées par leur nature. Honoré d'Urfé cite l'exemple des éléments légers ou pesants, celui de l'herbe et des plantes, celui des animaux.

« Les brutes ne peuvent s'empes-

Pic de la Mirandole, *Oratio de dignitate hominis,* éd. E. Garin, pp. 102 sq.

« Legi... in Arabum monumentis, interrogatum Abdalum Sarracenum, quid in hac quasi mundana scaena, admirandum maxime spectaretur, nihil spectari homine admirabilius respondisse. Cui sententiae illud Mercurii adstipulatur : « Magnum, o Asclepi, miraculum est homo. »

Pic de la Mirandole dit que toutes les explications de l'admiration due à l'homme sont insuffisantes.

p. 102. « Et (quod Persae dicunt) mundi copulam immo hymenaeum, ab angelis, teste Davidi, paulo deminutum. »

p. 104. Pic de la Mirandole rappelle les différents degrés des êtres du monde : les intelligences dans la région supracéleste, les esprits immortels, le monde inférieur peuplé de toutes sortes d'animaux. Dieu, l'Artisan ou suprême Architecte, désira que quelqu'un pût admirer son œuvre. Mais comme il n'y avait pas dans les Archétypes de quoi façonner une nouvelle race, puisque tout avait été rempli, façonné et distribué aux ordres supérieurs, moyens et inférieurs, Dieu décida qu'à l'homme à qui rien ne pouvait être attribué en propre serait commun tout ce qui avait été donné en particulier à chacune des créatures. Il le plaça donc au milieu du monde.

p. 106. Dieu s'adressant à l'homme lui dit que les autres créatures ont une nature régie par des lois : « Definita ceteris natura intra praescriptas a nobis leges coercetur. »

p. 124. « Bruta simul atque nascuntur id secum afferunt. »

cher de suivre les sens, et faut que naturellement elles leur obeissent, estant au sortir du ventre de leur mere les mesmes animaux qu'elles seront. »

« Mais à l'homme seul, il a laissé ceste prerogative qu'il est l'artisan de soy-mesme : et se peut donner telle forme qu'il luy plaist... »

p. 391. « Et par ainsi, comme dit Picus sur ce propos, si des semences qui sont en luy, et des germes de tous genres de vie que Dieu luy a donnez, il cultive ce qui sera vegetatif seulement, il se fera une plante. Car, si ce n'est pas l'escorce que nous voyons aux arbres, qui les rend arbres, mais leur stupide et insensible nature : pourquoy ne dirons-nous pas celuy qui n'a soin que d'accroistre et fortifier son corps, estre une herbe, ou une plante, et s'il ne se soucie que de ce qui est des sens seulement, ce sera une brute, d'autant que si ce n'est pas la peau qui nous les fait dire telles, mais la puissance sensitive qu'elles ont, quand quelqu'un s'adonne aux sens et aux voluptez brutales, seulement, crois-tu de voir un homme quand tu les regardes ? Nullement, Agathon : c'est un bœuf ou un cheval, sous la figure d'un homme.

Que s'il desdaigne les autres facultez qui sont en luy, et s'adonne entierement à la raisonnable, c'est un celeste animal.., pourquoy ne dirons-nous pas celuy qui s'eslevant à la contemplation des choses spirituelles, mesprise les inferieures, et se ravit dans les secrets de la pure intelligence, n'estre plus un terrestre ny celeste animal, mais un Ange qui donne vie à une chair humaine ? »

p. 393. « Et si sans se contenter de nulle qualité et nul estre des creatures, il se remet dans le centre de l'unité, estant un esprit avec Dieu, dans le solitaire esbloüissement du Pere, qui est constitué sur toutes choses, pourquoy n'outrepassera-il pas la sublimité de toutes choses, ainsi que Trismégiste nous tesmoigne lors qu'il dit : L'homme s'il veut, passe en la nature de Dieu, comme s'il estoit Dieu luy-mesme.»

« Tu nullis angustiis coercitus, pro tuo arbitrio, in cujus manu te posui, tibi illam praefinies. »

p. 106. « Nascenti homini omnifaria semina et omnigenae vitae germina indidit Pater. Quae quisque excoluerit, illa adolescent et fructus suos ferent in illo ; si vegetalia, planta fiet. »

p. 108. « Neque enim plantam cortex sed stupida et nihil sentiens natura. »

p. 106. « si sensualia, obbrutescet ; »

p. 108. « neque jumenta corium, sed bruta anima et sensualis... si quem videris deditum ventri, humi serpentem hominem, frutex est, non homo quem vides ; si quem in phantasiae, quasi Calypsus, vanis prestigiis caecutientem ex subscalpenti delinitum illecebra sensibus mancipatum, brutus est, non homo quem vides. »

p. 106. « si rationalia, caeleste evadet animal ; si intellectualia,, angelus erit et Dei filius. »

p. 106. « Et si nulla creaturarum sorte contentus in unitatis centrum suae se receperit, unus cum Deo spiritus factus, in solitaria Patris caligine, qui est super omnia constitutus, omnibus antestabit. »

p. 394. « ce privilege que l'homme a de se pouvoir rendre ce qu'il veut et luy plaist d'estre. »	*p. 106.* « cui datum habere quod optat, id esse quod velit. »
p. 388. « Et Asclepius nous interpretant ce que les anciens dans leurs mysteres nous ont voulu enseigner par les changements de Prothée, dit qu'ils ont entendu par luy la nature de l'homme, qui peut se changer en mieux ou en pis, comme il luy vient à gré. »	*pp. 106-107.* « Quis hunc nostrum chamaelonta non admiretur ? aut omnino quis aliud quidquam admiretur magis ? quem non immerito Asclepius Atheniensis, versipellis hujus et seipsam transformantis naturae argumento, per Proteum in mysteriis significari dixit. »

Pic de la Mirandole représente bien, par son optimisme et son humanisme, le Quattrocento italien. Honoré d'Urfé s'en sépare, en mettant l'accent sur les faiblesses de l'homme et il s'inscrit dans la ligne de ce christianisme tendu qui caractérisera le XVIIe siècle français. Pour d'Urfé, l'homme est miracle, mais il est faible et néant aussi. Malgré un optimisme en accord avec celui de Pic de la Mirandole, il ne dissimule pas son angoisse :

> « Et ainsi, ô Abdala, l'homme certes doit bien estre admiré, mais c'est parce que trainant une si miserable vie, il ne la veut toutesfois laisser que par force : et c'est sans doute un grand miracle, ô Trismegiste, que ceste ame raisonnable aime si fort ce corps, qui ne l'est point, et se plaise tant en sa compagnie, que les choses plus raisonnables et plus conformes à son essence luy soyent desplaisantes, si pour en jouyr il faut qu'elle s'esloigne de luy. » (54)

Nous croyons entendre en écho les paroles de Bérulle :

> [L'homme] « est miracle d'une part et de l'autre un néant ; il est celeste d'une part et terrestre de l'autre. C'est un ange, c'est un animal, c'est un néant, c'est un miracle. » (55)

Foix de Candale, dans son commentaire du *Pimandre,* en invitant les chrétiens à méditer le « connais-toi toi-même », avait rappelé, à la suite de Saint Paul, qu'en l'homme il y a deux parties, l'une spirituelle, l'autre charnelle, et qu'afin de connaître Dieu il faut livrer un combat spirituel (56). D'Urfé délaisse l'aspect religieux de la question. Il montre que la faiblesse de l'homme met davantage en valeur sa grandeur. Dans *Les Epistres Morales,* il n'apparaît aucune dissonnance entre les conceptions chrétienne et humaniste, aucun conflit entre la sagesse païenne et la sagesse chrétienne. D'Urfé ne critique pas Pic de la Mirandole, il reproduit la pensée, les mots mêmes de l'*Oratio.*

Il adopte, d'ailleurs, la même attitude à l'égard de l'*Heptaplus.* Il en laïcise la pensée, en omettant les citations de la Bible et toutes les allusions au christianisme. L'*Heptaplus* avait été révélé à la fin du XVIe siècle par la traduction de La Boderie (57). Pic

(54) *Ibid.,* III, I, 383-384.
(55) Bérulle, *Opera omnia,* p. 969, cité par J. Dagens, « Pic de la Mirandole et la spiritualité de Bérulle », in *Colloques internationaux du CNRS,* I, *Pensée humaniste et tradition chrétienne aux XVe et XVIe siècles,* Paris, CNRS, 1950, p. 282.
(56) *Op. cit.,* ch. II, sect. II, p. 104.
(57) La traduction de l'*Heptaplus* fut publiée en même temps que celle de l'*Harmonie du Monde* de François Georges, Paris, Macé, 1578. Le premier ouvrage fut traduit par Guy Le Fèvre de la Boderie et le second par Nicolas.

avait attaché toute son attention à cette œuvre qui étudie, à la lumière du récit de la *Genèse,* la constitution de l'univers. Il le divise en monde physique, céleste, angélique et divin et les trois derniers livres traitent des rapports entre ces mondes et la félicité de la vie éternelle qui est l'union avec Dieu célébrée dans l'*Oratio de dignitate hominis*. Ici, se découvre la grandeur de l'homme, car la particularité de la nature humaine est de réunir en elle l'essence des autres créatures. L'homme est donc le nœud, le mariage de l'univers et non point un quatrième monde (58) ; il est, selon une idée héritée du pythagorisme, adoptée par les Stoïciens et diffusée par le néo-platonisme, le résumé des harmonies de la création, un microcosme (59).

D'Urfé reprend à son compte cette thèse, quand il écrit :

> « Je sçay bien que les Perses disoient, l'homme estre l'Hymenee et l'assemblage de l'Univers, et qu'y ayant cinq degrez des choses, le Corps, la Qualité, l'Homme, l'Ange et Dieu... il a fallu que le juste mariage de l'Univers, et ce qui assemble ces contraires, ait esté l'Homme, qui par son corps est corporel, comme le Corps et la Qualité, et par son ame spirituel, comme l'Ange et Dieu... De mesme l'homme est tellement le milieu de toutes choses, qu'il est de la nature de toutes choses... » (60)

La conclusion d'Honoré d'Urfé est que l'homme, « estant attachè aux [choses] inférieures »,

> « ne délaisse point les superieures : et n'y ayant rien en l'Univers qui ne soit corporel ou spirituel, luy qui est tous les deux, peut fort bien convenir à tout ce qui a estre. Aussi par un certain instinct de nature, il monte à ce qui est au-dessus, et descend à ce qui luy est au-dessous. » (61)

L'homme peut donc se transformer comme il le veut et c'est ainsi que se pose le problème de son bonheur.

Honoré d'Urfé est à nouveau fidèle à la pensée de Pic de la Mirandole qui a consacré l'*Heptaplus* à la solution de cette question. L'un et l'autre se livrent à une étude du mouvement qui entraîne l'âme vers le souverain bien et trouve, en celui-ci, son

---

(58) *Heptaplus*, éd. Garin, p. 300, « non tam quartus mundus, quasi nova aliqua creatura, quam trium quos diximus complexus et collegatio. »

(59) Dans la préface de l'*Heptaplus,* Pic de la Mirandole écrit : « Tritum in scholis verbum est, esse hominem minorem mundum, in quo mixtum ex elementis, corpus et caelestis spiritus et plantarum anima vegetalis et brutorum sensus et ratio et angelica mens et Dei similitudo conspicitur. » (p. 192). François de Foix de Candale propose l'interprétation suivante de l'homme microcosme : « Et les anciens n'ayant connaissance du vray Dieu, et voyans en l'homme tant de vertus et de puissances, ne sçachans dont elles venoient, l'ont nommé petit monde comme considerans toutes vertus du monde en sa cognoissance et jugement. » (*op. cit.*, p. 376) Sur cette question, voir L. Braghina, *art. cit.*, pp. 18-19.

(60) *E.M.*, III, 1, 384. La division des choses en cinq degrés a été établie par Marsile Ficin qui écrit : « Ascendimus hactenus a corpore in qualitatem, ab hac in animam, ab anima in Angelum, ab eo in Deum, unum, verum, et bonum, authorem omnium atque rectorem. » (*Théologie platonicienne*, t. I, p. 39).

(61) *E.M.*, III, 1, 385-386.

terme. S'appuyant sur Aristote et faisant appel aux idées fondamentales du néo-platonisme, Honoré d'Urfé prétend que nous pouvons acquérir la félicité, qui est « l'assemblage et l'union de toutes sortes de contentement, et outre laquelle, mesme le désir ne sçauroit s'estendre. » (62) En effet, le désir de savoir est un appétit naturel à l'homme, et le suprême bien est la cause de toutes les causes. C'est par une étude du mouvement, empruntée à Aristote, qu'Honoré d'Urfé entame l'étude de cette question. Selon Aristote, dans le *Traité du Ciel,* il y a deux sortes de mouvements, l'un linéaire, l'autre circulaire ; seul ce dernier est infini. Or, le désir de l'homme qui s'adresse à un but certain est linéaire (63). Dieu ne peut avoir créé l'homme sans une fin, car il serait la seule créature à en être privée. Dieu seul est un assouvissement à l'appétit de savoir qui est en l'homme (64). L'étude du mouvement est chère aux penseurs néo-platoniciens, puisqu'on la trouve dans l'œuvre de Ficin et de Pic de la Mirandole (65). La véritable et totale félicité doit être en définitive un mouvement circulaire qui seul rend compte du nécessaire retour de la créature à son créateur. Quand d'Urfé conclut cette étude sur le bonheur, il emprunte ses idées à Pic de la Mirandole qui distingue une félicité naturelle et une félicité surnaturelle méconnue des philosophes de l'Antiquité et qui nécessite l'aide de Dieu. La huitième lettre du troisième livre des *Epistres Morales* est presque tout entière empruntée, souvent littéralement, à l'*Heptaplus.*

Epistres Morales, III, 8.	*Heptaplus*
p. 505. « Et par ce que ceste felicité contemplative s'acquiert de deux sortes, l'une par soy et en soy, et l'autre par le bien et dans le bien mesme, ils l'ont comme je te disois, divisee en naturelle et en surnaturelle... »	*p. 326.* « Est autem felicitas (ut theologi praedicant) alia quam per naturam, alia quam per gratiam consequi possumus. Illam naturalem, hanc supernaturalem appellant. »
p. 447. « Et par là nous voyons, que veritablement la felicité c'est le retour de chaque chose à son principe. Aussi si ceste souveraine felicité (comme disoient les Anciens) *Doit estre un bien suffisant de soy,* quel peut-il bien estre si ce n'est ceste supreme bonté, qui n'est pas seulement le Bon, mais le Bon de tous les Bons ? »	« Felicitatem sic definio : reditus uniuscujusque rei ad suum principium. Felicitas enim est summum bonum, suum bonum id est quod omnia appetunt... »
p. 506. « Je te diray en premier lieu, que j'appelle felicité l'acquisition de ce bien à quoy tend toute	*pp. 327-328.* « Felicitas enim possessio atque adeptio est hujus primi boni. Bonum hoc adipisci dupli-

(62) *Ibid.,* III, 2, 397-398.
(63) *Traité du Ciel,* I, 7.
(64) *E.M.,* III, 2, 413-414.
(65) M. Ficin, Commentaire du *Liber de Divinis Nominibus* de Denys l'Aréopagyte, in *Opera omnia,* éd. 1641, t. II, pp. 43-44. Voir également, le commentaire du 2e livre des *Ennéades* de Plotin, t. II, pp. 559 sq. ; Pic de la Mirandole, *Heptaplus,* p. 334.

creature, soit sensiblement, soit insensiblement ; car Dieu a mis des aimants naturels aux choses mesmes insensibles, par lesquels il les attire à soy : outre que s'estant mis en toutes, plus ou moins parfaictement, toutesfois, il leur permet de jouyr de luy selon que leur nature en participe. »

p. 507. « *C'est Jupiter ce que tu vois partout. Et de Jupiter toutes choses sont pleines. Disent les Poëtes.* Et cela c'est d'autant que toute nature a autant en soy de Dieu qu'elle a de bon : de sorte que si elle s'acquiert et possede soy-mesme en sa perfection, elle acquiert autant de Dieu qu'elle en a, et l'acquisition de Dieu estant la felicité, il s'ensuit que toute chose qui acquerra et possedera la propre perfection de sa nature, acquerra et possedera de mesme sa felicité. Et c'est celle-cy qui est naturelle, et qui s'acquiert par l'Estre, qui est moindre ou plus grande selon la nature de chaque chose, et de laquelle sont capables, soient les animaux, soient les choses insensibles. Et c'est pourquoy nous voyons les pesantes tendre tousjours en bas, et les legeres en haut: parce qu'en cela gist la perfection de leur nature, et les plantes se nourrir, croistre et produire les fleurs, les fueilles et les fruicts. Les animaux aussi cherchent les choses qui leurs sont propres, et fuïr les autres, et travailler à la conservation de leur espece. L'homme tend bien aussi à sa felicité, ce n'est pas insensiblement, ains par la volonté et par election: car il a par dessus toutes les creatures corporelles une plus vive ressemblance de Dieu, ayant la volonté et l'Entendement, qui sont les vrais instrumens de la parfaicte et entiere felicité. Et c'est pourquoy les Anges, qui ont mesme ceste Intelligence plus parfaicte, sont aussi de leur nature plus capables de ce souverain bien... »

D'Urfé développe la comparaison du soleil pour expliquer comment les êtres, selon leur place par rapport à Dieu, sont capables d'une plus ou moins grande félicité,

citer possunt res creatae, aut in se ipsis, aut in ipso. Nam et in se ipso hoc bonum est super omnia exaltatum, suae inhabitans divinitatis abyssos et per omnia diffusum in omnibus invenitur, hic quidem perfectius, illic imperfectius, pro rerum conditione a quibus participatur. »

p. 328. « Unde, ut scribunt poetae, Iupiter est quodcumque vides et Iovis omnia plena sunt. Unaquaeque igitur natura cum in se Deum habeat aliquo modo, quia tantum Dei habet quantum habet et bonitatis (bona autem omnia quae Deus facit), reliquum ut cum perfectam omnibus numeris suam habet naturam, se adepta Deum quoque in se adipiscatur, et si adeptio, ut comprobavimus, est felicitas, quam et majorem et minorem diversae res pro naturarum diversitate sortitae sunt... Haec ignis dum agit, suam adeptus perfectionem felix est quantum capax ipse felicitatis. Feliciores plantae, quae praeterea vitam ; feliciora animantia, quae etiam cognitionem sortita, ut plus perfectionis ita plus etiam in se ipsis divinitatis inveniunt. Optima omnium mortalium conditione homo qui, sicut natura, ita naturali felicitate aliis praestat, praeditus intelligentia et libertate arbitrii, praecipuis dotibus et ad felicitatem maxime conducentibus. Suprema inter creaturas angelica mens et substantiae nobilitate et finis consecutione, cujus maxime particeps quia illi et juncta et proxima est... Qua propter et pro naturarum capacitate gradatim felicitatis ratio variatur. Quare et de hac solum loquuti philosophi, felicitatem uniuscujusque rei in optima operatione suae naturae collocaverunt... »

p. 509. « ainsi que leur nature le requiert, selon laquelle chaque chose a naturellement une plus grande perfection de félicité.

Or les Philosophes qui n'ont eu autre lumière que celle que la nature leur a donnée, n'ont peu voir plus outre que ceste felicité, qu'avec beaucoup de raison ils ont mise en la bonne et parfaicte operation de la nature de chaque chose. »
p. 510. « Je dis avec beaucoup de raison, estant impossible que rien de soy puisse s'eslever plus haut que son pouvoir ne peut attaindre. Car si rien ne peut faire davantage (n'estant aidé que de sa propre force) que ce que sa propre force peut faire (autrement il seroit plus fort que soy-mesme) il ne peut de sa nature rien acquerir de plus parfaict que la perfection de sa nature : et ceste felicité est celle que je t'ay dict, Agathon, que chaque chose peut attaindre en soy et par soy, et que pour ceste occasion nous nommons naturelle aux choses insensibles par leur estre, et aux ames raisonnables par election et par volonté. Mais encore n'est-ce pas l'entiere et parfaicte pour les hommes, quoy qu'Aristote et plusieurs autres Philosophes dient, qu'elle soit en la parfaicte action de la parfaicte nature de chaque chose ? »
D'Urfé déclare ensuite que la félicité parfaite réside dans la possession de toutes les choses que l'homme « animal intellectuel » désire :
« Et parce qu'il en void par dessus sa nature plusieurs qui sont tresbonnes il faut pour y parvenir qu'il sorte de soy-mesme. Mais rien ne peut naturellement sortir de soy par sa propre force : car à ce qui est par dessus la nature de chaque chose, la chose de soy ne sçauroit parvenir. »

Pic de la Mirandole résume ensuite la pensée d'Avicenne, d'Averroès et des Platoniciens sur la félicité de l'homme. Il ne réprouve pas ces opinions, « si de naturali se tantum felicitate dicere videantur. Certum enim per eam non posse hominem aut angelos altius evehi quam ipsi dicant. Quod vel hac ratione maxime comprobatur, quoniam si nixum propria fortitudine nihil supra se ipsum potest assurgere (alioquin se ipso esset validius), utique nihil nitens per se ipsum ad felicitatem maius aliquid vel perfectius sua natura assequi poterit. Sed dicant mihi philosophi, si haec in rebus sola felicitas, cur vel ipsi fatentur inter animalia solum hominem natum ad felicitatem ? »

Pic de la Mirandole rappelle que la suprême félicité de l'homme se trouve en Dieu, souverain bien et principe de tout :
« Ostendimus item, quod et ostendemus, res creatas non posse viribus suis ad hanc postremam, sed ad illam dumtaxat accedere... »
Cette dernière félicité est la félicité naturelle : « Adde quod res per illam se ipsis potius quam Deo restituuntur, non id assequutae ut ad suum pricipium redeant, sed hoc tantummodo ne a se ipsis discedant. »
Dieu seul peut tirer l'homme à la félicité surnaturelle. Après avoir cité les paroles du Christ, « Nemo venit ad me, nisi Pater meus traxerit illum », Pic de la Mirandole poursuit ainsi à propos de la félicité surnaturelle :

« Que si la pierre monte bien contre sa nature, c'est par une vertu survenante qui est plus forte que sa nature mesme, mais jamais nous n'appellerons ce mouvement-là naturel, aussi ne devons-nous faire la felicité qui sortant de nous, nous esleve par dessus nostre nature, à laquelle les hommes peuvent bien estre attirez, mais non pas aller : et les Anges mesmes y peuvent bien estre eslevez et non pas monter : Mais les brutes, les plantes, ny les pierres, ne peuvent ny y aller, ny y estre attirées : car ce souverain bien ne peut estre jouy, que par ce qui le cognoist, et ces choses n'ayant point d'entendement ne peuvent l'entendre. »

« Bruta autem et quae infra hominem, nec ire nec trahi ad illam possunt. Ideoque solus homo et angelus ad eam sunt facti felicitatem quae est vera felicitas. Potest vapor conscendere in altum, sed non nisi attractus radio solis ; lapis et corpulenta omnis substantia neque per illum tolli in sublime potest. Hunc radium, hanc vim divinam, hunc influxum, gratiam appellamus, quia Deo et Hominem et Angelum gratos efficiat. »

p. 513. « Et voicy la comparaison que Picus fait de ces deux felicitez au mouvement droit par lequel les elemens sont portez à leur propre demeure, c'est la figure de la felicité que chaque chose peut acquerir par la propre perfection de sa Nature. Le mouvement circulaire, par lequel le corps revient au mesme terme d'où il est party, c'est l'image de la surnaturelle, par laquelle la creature revient à son premier principe : aussi en rond ne se meuvent que les corps immortels et incorruptibles, comme de mesme à Dieu ne retourne que la substance incorruptible et immortelle. De plus, les elemens en leurs mouvemens droits n'ont affaire de nulle aide exterieure pour parvenir à leur poinct et demeure, ayant la pesanteur ou la legereté qui les y attire ou esleve naturellement. De mesme par sa propre vertu toute chose aussi peut obtenir la felicité naturelle :

p. 514. « Mais les corps celestes, encor que le mouvement circulaire leur soit propre, si ne peuvent-ils toutesfois tourner d'eux-mesmes, et faut qu'ils ayent un divin moteur, et quoy que capables de ce mouvement, si ne sçauroient-ils se le donner eux-mesmes, comme aussi nous ne sçaurions sans Dieu nous eslever à ceste felicité, quoy que nous soyons capables de la recevoir. »

p. 334. « Corpora enim aliqua in rectum, aliqua in orbem feruntur. Motus rectus, quo elementa ad proprias sedes geruntur, figurat felicitatem, per quam in propriae naturae perfectione res stabiliuntur. Motio circularis, per quam corpus ad eumdem unde abscedit terminum circumvolvitur, expressima imago est verae felicitatis, per quam creatura ad idem principium redit a quo processerat. Sed vide quam omnia utrimque conveniunt. In orbem non moventur nisi immortalia et incorrupta corpora. Ad Deum non redit nisi immortalis et aeterna substantia. Elementa, ut suos motus perficiant, non alia indigent vi, quam indito sibi a genitura vel gravitatis impetu vel levitatis, quemadmodum ad naturalem felicitatem singula proprio impetu, propria vi feruntur. At vero caelestia, etsi idonea sint motui circulari, non ipsa tamen sibi sufficiunt ad hunc motum explendum, divino opus motore, qui illa verset et circumvolat. Denique sic perpetuae apta circuitioni illa corpora sunt, ut non facere eam sed suscipere possint. »

Cette comparaison entre le mouvement rectiligne et le mouvement circulaire est donc une traduction fidèle de l'*Heptaplus*. Ici, d'Urfé indique sa source, mais il n'en est pas toujours ainsi. Quand il définit la félicité naturelle et la félicité surnaturelle, il copie Pic de la Mirandole sans le nommer. Néanmoins, il introduit parfois une réflexion personnelle pour mieux faire comprendre la pensée qui lui paraît trop abstraite. La comparaison de cette huitième lettre avec l'*Heptaplus* nous permet aussi de découvrir l'intention d'Urfé dans *Les Epistres Morales*. Il est, en effet, manifeste que chaque fois que Pic de la Mirandole confirme sa pensée par l'Ecriture, notre auteur cesse de le copier. Dans l'*Heptaplus*, l'*Ancien* et le *Nouveau Testament* sont cités dans un souci d'établir une concordance entre la philosophie néo-platonicienne ou la Kabbale et le dogme chrétien ; dans *Les Epistres Morales*, d'Urfé dépouille sa pensée de toute marque chrétienne. Il s'adresse à des gens du monde qu'il veut ramener à une vie orientée vers un au-delà de bonheur. La doctrine néo-platonicienne lui fournit l'occasion de montrer à ses lecteurs que la conduite morale proposée par le néo-stoïcisme est loin de satisfaire aux aspirations de l'homme.

Quand l'*Heptaplus* s'appuie sur les affirmations des théologiens, Honoré d'Urfé ajoute un raisonnement purement aristotélicien. L'homme, dit-il,

> « peut désirer quelque autre chose outre ce qui est de sa nature... Or est-il qu'il reste encore place en nostre desir pour la surnaturelle felicité : d'autant qu'en ayant la cognoissance, si nous n'en avons la possession, nostre desir ne peut estre remply. » (66)

Aristote, « et plusieurs autres philosophes », ont placé la suprême félicité de l'homme « en la parfaicte action de la parfaicte nature de chaque chose » (67). Même quand il veut prouver que l'homme désire un bonheur surnaturel, d'Urfé a recours à un argument aristotélicien : le désir est de la chose connue et n'est satisfait que par sa possession. Veut-il montrer que le bonheur suprême est une union intime entre l'âme et Dieu ? Il s'appuie sur la thèse du *De anima* : « Τὸ αὐτο ἐστι τὸ νοῦν καὶ τὸ νούμενον (68) et sur la définition de l'âme par sa puissance de devenir tout : « τῷ πάντα γένεσθαι » (69). Il écrit, en effet :

> « L'ame autant qu'elle sera capable de recevoir Dieu, elle sera la mesme chose avec Dieu : et cela d'autant que l'intelligible et l'entendement en acte, ne sont qu'une mesme chose, car l'entendement se conjoinct avec elle, comme disent les Péripatetiques, parce que la forme de la chose entendue est dans l'entendement comme attachée. Or les choses dont la forme n'est qu'une, ne sont qu'une aussi : et puisque la forme de la chose intelligible est celle qui forme l'entendement, il faut que l'en-

---

(66) *E.M.*, III, 8, 511.
(67) *Ibid.*, III, 8, 510.
(68) *De anima*, III, 4.
(69) *Ibid.*, III, 5.

tendement qui entend, et la chose qui est entendüe, ne soyent qu'un aussi ! » (70)

Une telle argumentation n'est pourtant pas étrangère à la pensée de Pic de la Mirandole dont les œuvres s'appuient le plus souvent sur le platonisme et la kabbale, et parfois sur l'aristotélisme.

III. — Dieu et l'ame.

Par la raison seule nous découvrons la nécessité d'une félicité surnaturelle pour l'homme. Elle est liée à l'existence et à la nature de Dieu et de l'âme. C'est pourquoi, *Les Epistres Morales* proposent une étude de ces deux questions.

Comme Dieu, « ce sage et prudent ouvrier », a établi pour ses créatures « une fin qu'il a cogneu leur estre propre, et selon leur nature, et à laquelle elles pouvoyent atteindre » (71), il importe de déterminer la nature de cette fin. Honoré d'Urfé affirme que tous les peuples, depuis le commencement des temps, ont connu qu'il y avait un Dieu, « c'est à dire, une essence tres-parfaicte et tres-contente, par laquelle ils pouvoyent estre rendus heureux. » (72) Mais l'ignorance s'étant peu à peu glissée parmi les hommes, très peu, « et ce peu encores renfermé dans un fort petit angle de la terre », conservèrent « la pure et vraye cognoissance de Dieu ». Les autres, se ressouvenant que ce Dieu devait les rendre heureux, « se le figurerent tel qu'ils jugeoient en eux-mesmes estre la chose qui les pouvoit le plus contenter », et ainsi naquirent les conceptions de ces dieux si nombreux, « car chacun a dressé selon sa propre opinion un Autel particulier, non point à un Dieu, mais à son appétit sensuel. » (73)

D'une part, Honoré d'Urfé adopte la thèse néo-platonicienne, selon laquelle les révélations pré-chrétiennes ont été faites aux Juifs. Celles-ci auraient été communiquées à l'Egypte, où Moïse aurait enseigné les prêtres ou leur aurait laissé ses livres. C'est ainsi que se serait ensuite transmise aux Grecs, par l'intermédiaire des « prisci theologi », la connaissance de Dieu. Mornay affirme que cette imparfaite révélation vint aux Grecs par l'intermédiaire de Moïse ; c'est l'opinion partagée par des catholiques comme La Boderie. Pontus de Tyard et des protestants comme Ramus, ou d'autres comme Servet et Postel (74). La foi en Dieu se serait donc préservée pure dans l'angle de la terre formé par la Palestine et l'Egypte, comme en témoigne l'œuvre d'Hermès Trismégiste.

D'autre part, l'auteur des *Epistres Morales* enseigne à Agathon que la raison naturelle est capable de démontrer l'existence de Dieu et il partage l'opinion de Duplessis-Mornay qui écrit :

> « Or comme tous hommes peuvent lire en ce livre tant du monde que de soy-mesmes ; aussi n'y a-t-il eu peuple quelconque

(70) *E.M.*, III, 8, 515.
(71) *Ibid.*, III, 2, 419.
(72) *Ibid.*, III, 3, 421.
(73) *Ibid.*, III, 3, 421-422.
(74) Voir, à ce propos, D.P. Walker, *art. cit.*, pp. 210-212.

> soubs le ciel, qui n'y ait apprins et aperceu une Divinité, encor que, selon la diversité des imaginations, ils l'ayent diversement concüe. » (75)

Parce qu'ils jugeaient selon l'appétit plus que selon la raison, beaucoup n'ont point découvert la nature du souverain bien. Honoré d'Urfé expose, pour les réfuter, les diverses conceptions du souverain bien dans la philosophie antique : celle de Zénon, d'Epicure, des Stoïciens, de Démocrite, des Péripatétiques, et des vieux Académiques (76). Il a probablement entendu cet exposé pendant ses études de philosophie. En outre, la *Physologia Stoïcorum* de Juste Lipse lui a fourni un résumé de ces doctrines (77). Aucune d'entre elles ne conduit à ces deux biens de l'âme « qui sont Paix et Lumière », selon la leçon du *De dignitate hominis* de Pic (78).

En effet, la raison humaine, enfermée dans la prison qu'est le corps, n'a qu'une « blafarde lumière » sur le souverain bien, à tel point que ni Platon ni Aristote ne purent en avoir une connaissance parfaite :

> « Mais, Agathon, ces deux excellens et admirables esprits se sont bien autant eslevez qu'il estoit possible, avec les aisles de la nature, si ne sont-ils toutesfois encor parvenus à ce point indivisible, auquel toutes les lignes qui tirent à ce centre doivent aboutir. Ce que nous devons trouver estrange ; car n'ayans point plus de force de s'eslever que celle que la nature leur donnoit, ils n'ont peu outrepasser ceste nature, et ainsi arrestez dans ses limites, ils ont creu que le bien parfait de l'homme y estoit entierement enclos. » (79)

Tel était, en effet, le débat des philosophes de la fin du XVIe siècle : l'homme peut-il, par sa raison, découvrir Dieu, ou bien a-t-il besoin d'une révélation ? Honoré d'Urfé se range aux côtés de ceux qui croient que la kabbale fournit cette parfaite connaissance de Dieu à laquelle ni Platon, ni Aristote n'ont pu atteindre. C'est l'opinion de Pic de la Mirandole qui a étudié non seulement Platon et Aristote, mais aussi la kabbale, Hermès Trismégiste et Denys l'Aréopagite. Ce dernier a, en effet, sa place parmi les « prisci theologi », ainsi que La Boderie le chante dans sa *Galliade* :

> « Comme de l'Infiny de la Coronne ronde
> Decoule la Sagesse au sourgeon eternel,
> Tout ainsi par rondeurs son ruisseau perennel
> Es siecles retornez se retorne en ce monde.

---

(75) *Verité de la Religion Chrestienne,* Anvers, 1581, p. 13 et pp. 485-486. Cette recherche d'explication au grand nombre de dieux a d'abord été présentée par Ficin dans son commentaire du livre des *Noms divins* de Denys l'Aréopagite. Carpentier reprend à son compte cette explication selon laquelle les attributs de Dieu expliquent les multiples dieux : « ...istas vero varias attributiones, veteres in Deo considerantes, caelestium atque Deorum multitudinem induxerunt. » (*Op. cit.*, 1re partie, pp. 255-256).

(76) *E.M.*, III, 3, 422-432.

(77) Sur ce point, voir Sœur M. Goudard, *op. cit.*, pp. 131-132.

(78) Pic de la Mirandole expose notamment dans le *De dignitate hominis* comment la théologie et la philosophie conduisent à la paix de l'âme.

(79) *E.M.*, III, 3, 434.

En Luz Israël beut de sa source feconde,
Moyse en arrousa le terroir solennel
Qui est baigné du Nil, le Grand Mercure isnel
L'y puisa, et depuis Orfée encor l'y sonde ;
Puis le divin Platon d'Egypte la derive
En la ville où Palas feist naistre son Olive,
Et d'Athenes Denis sur Seine la borna :
Si que Paris sans pair de la ville à Minerve,
De Thrace, Egypte et Luz fut faite la reserve,
Où le Rond accomply des Sciences torna. » (80)

Denys l'Aréopagite, en fait, s'inspira de Platon, de Proclus, et surtout de Plotin dont, cependant, il se sépara, pour s'attacher à un Dieu personnel qui fait participer tous les êtres créés à son unité, à sa bonté, à sa sagesse et à sa beauté. Postérieure au IVe siècle, l'œuvre de Denys a christianisé la doctrine de Plotin, selon laquelle Dieu est naturellement inconnaissable. Pour Denys, chaque créature descendant de Dieu participe de Lui selon sa nature, et doit, avec l'aide de l'ordre qui lui est immédiatement supérieur, être illuminée et parvenir à la perfection et au bonheur par l'union avec Dieu (81). Le commentaire de Ficin et le texte même de Denys apportèrent à Honoré d'Urfé sa conception de Dieu, comme celui qui dispose au Bon,

> « de telle sorte que tout reçoit et prend de sa bonté, selon qu'il est capable, et ceste disposition et attrait force tellement l'ame au Bon, que comme dit Platon, *Elle ne sçauroit ne le point vouloir...* Comme tout le bien que les Creatures ont, vient par la participation qu'elles ont selon leur nature de ce supreme Bien: de mesme pour leur perfection il faut qu'elles y retournent. » (82)

Dieu est aussi comparé au soleil, et l'entendement à l'œil qui voit, grâce à la lumière (83). Cette comparaison revient sous la plume de Ficin qui commente Denys l'Aréopagite et elle est naturellement reprise par Pic de la Mirandole (84). Ni la conception de Dieu ni les comparaisons n'ont chez d'Urfé une originalité. Les thèmes sont ceux du néo-platonisme, issu lui-même d'une masse de textes où chacun a puisé pour aboutir à une mystique, selon laquelle la félicité est une union parfaite avec Dieu après la mort et atteinte par une purification de l'âme. C'est l'ascèse recommandée par tous les auteurs spirituels du début du XVIIe siècle. Après avoir lu Ficin et Pic de la Mirandole, nous constatons que c'est bien chez eux qu'Honoré d'Urfé a puisé sa doctrine.

---

(80) Galliade, *Sonnet au duc d'Alençon,* cité par D.P. Walker, *art. cit.,* p. 220.

(81) Sur l'émanation de la bonté de Dieu, voir M. Ficin, *Théologie platonicienne,* t. II, p. 239.

(82) *E.M.,* III, 4, 446.

(83) *Ibid.,* III, 4, 442.

(84) Voir, par exemple, Ficin, *Opera omnia,* t. II, p. 38 ; Pic de la Mirandole, *Heptaplus,* p. 288. Cette comparaison se trouve encore développée par François Georges, *op. cit.,* 70 E. Sur le thème du soleil à la Renaissance, voir la communication de F. Secret, « Le soleil chez les Kabbalistes chrétiens de la Renaissance », in *Le Soleil à la Renaissance, sciences et mythes,* Colloque international d'avril 1963, Paris, PUF, 1965, p. 214 sq.

La félicité de l'homme est un sujet qui occupe une place importante dans les œuvres philosophiques et théologiques du Moyen-Age jusqu'au XVIIe siècle. A parcourir la *Somme théologique* de Saint Thomas, ou les œuvres philosophiques de Charpentier, nous nous apercevons que de nombreux chapitres sont consacrés à ce problème. Il est en effet la base de la foi chrétienne à laquelle tous s'efforcent de ramener les conclusions de la philosophie païenne. Admettre que la félicité est un suprême bien n'est pas suffisant, encore faut-il soutenir qu'elle est « posée en la supreme partie de la chose qui est rendue heureuse », c'est-à-dire en l'âme (85). Honoré d'Urfé propose donc une étude de l'âme, de sa nature et de son origine.

Nous avons déjà constaté la place importante réservée à l'étude de l'âme dans les cours de philosophie des collèges de Jésuites. Henri Busson a montré combien cette question a particulièrement préoccupé tous les esprits de la seconde moitié du XVIe siècle. Nous nous apercevons que tous les traités se répètent les uns les autres, pour démontrer l'origine spirituelle de l'âme et affirmer son immortalité et son individualité (86). L'extension du rationalisme et l'influence grandissante des libertins qui jettent le doute sur l'immortalité de l'âme sont à l'origine de ces ouvrages d'apologétique (87). La Renaissance, en même temps qu'elle fit revivre toutes les philosophies de l'Antiquité, provoqua la naissance du rationalisme et du scepticisme. En parlant du cours professé par Maldonat au collège de Clermont à partir de 1564, Richeome écrit :

> « Entre ces erreurs estoit celuy de la mortalité de l'ame..., vieille semence jetée par Satan à petit bruit au champ de ce monde, dès le commencement... La plus part des escoles se trouverent en peu de temps infectées de son poison.
>
> Alors le P. Jean Maldonat commença ses lectures publiques de philosophie prenant à exposer l'œuvre d'Aristote de l'Ame, avec un grand concours et approbation, non seulement des escoliers, mais aussi des docteurs et regens qui le venoient ouyr. Il donna à droite bute contre cette heresie, et soustint l'assertion de l'immortalité de l'ame selon la vraye philosophie et la foi catholique, et en fit à part un abregé apres qu'il eust achevé les leçons des livres d'Aristote. » (88)

A vrai dire, si l'on en juge d'après l'œuvre de Saint Thomas, les théologiens, pour établir la fin de l'homme et sa félicité, ont tous, depuis le Moyen Age, traité de l'origine de l'âme. Cette question s'imposait donc plus que jamais à la fin du XVIe siècle et au commencement du XVIIe siècle. Si Honoré d'Urfé examine ce problème dans ses *Epistres Morales,* était-ce dans un but apologétique ? Cet ouvrage est une sorte de résumé de toutes les thèses morales et philosophiques à la mode. Il est une mosaïque d'idées diverses disposées selon un ordre rigoureux, qui proviennent soit de l'ensei-

---

(85) *E.M.*, III, 5, 451.
(86) Voir H. Busson, *op. cit.*, pp. 379-516.
(87) Voir R. Pintard, *op. cit.*, t. I, pp. 40 sq.
(88) Cité par H. Busson, *op. cit.*, p. 433.

gnement reçu au collège, soit des divers traités si répandus alors. *Les Epistres Morales* exposent, pour les réfuter ensuite, les hérésies les plus répandues sur la nature de l'âme, sa matérialité, son origine angélique et non point divine, son universalité selon la doctrine d'Averroès.

Honoré d'Urfé prête à Agathon les deux premières objections, afin de pouvoir discourir sur l'origine de l'âme :

> « Tu dis donc, que ceste ame ne procede pas de Dieu immédiatement, mais d'une cause seconde, qui doit estre le Pere, ou l'intelligence. Et que ce soit le Pere, tu t'efforces de le prouver ainsi. Si les autres animaux esveillent bien de la puissance de la matiere les formes aux animaux qui naissent d'eux, pourquoy seroit l'homme de plus imparfaicte condition ? Que si l'ame est propre et naturel acte du corps (autrement des deux il ne se feroit pas un composé) il faut qu'en la matiere il y ait une puissance naturelle passive qui soit propre à recevoir ceste ame. Mais à chaque puissance naturelle passive doit respondre quelque autre puissance naturelle active : ou bien il s'ensuivroit qu'imprudemment la nature auroit fait quelque chose d'inutile, ou en quoy ses correspondances ne seroient pas bien observées, ce qu'il n'y a pas apparence qui soit avenu en nulle de ses œuvres, estant conduite par la sapience Eternelle : mais moins encores l'homme qui est son chef-d'œuvre. Et par ainsi il faut avoüer qu'il y a quelque Agent naturel qui engendre l'ame raisonnable, qui ne peut estre que le Pere. Aussi puisque chacun selon son espece s'engendre un semblable, si l'homme n'engendre point l'ame, estant la forme de l'homme : et la forme donnant l'Estre à la chose formée, s'ensuivroit, que l'homme n'engendre point l'homme.
>
> Voilà tes raisons, par lesquelles tu tasches de prouver que le Pere engendre l'ame de son fils. » (89)

Cette objection d'Agathon n'est autre que la doctrine de la plupart des stoïciens. Honoré d'Urfé la réfute de la façon suivante : puisqu'aucune puissance active ne peut agir au-dessus de son genre et que de la part du père il n'y a que le corps qui contribue à la génération, il s'ensuit que l'âme est matérielle, si le père l'engendre. Or l'âme, parce qu'elle se comprend elle-même et qu'elle est capable de jugement, est immatérielle. Elle est donc l'œuvre d'une puissance spirituelle. D'autre part, la puissance de la nature n'est pas de créer, mais de faire seulement, c'est-à-dire d'opérer sur la matière. Or les âmes ne peuvent pas être faites, car autrement elles seraient tirées de la matière et donc divisibles et mortelles (90).

Sans doute Honoré d'Urfé a-t-il lu cette thèse dans les ouvrages de morale stoïcienne, comme la *Physiologia Stoïcorum* de Juste Lipse. Mais sa présentation tout autant que sa réfutation laisse penser que notre auteur en a entendu l'exposé pendant qu'il étudiait la philosophie à Tournon. Objection et réfutation sont faites selon les formes de la scolastique traditionnelle et sont le résumé des manuels si nombreux, publiés au XVIe siècle. Tous se répètent

(89) *E.M.*, III, 5, 452-453.
(90) *Ibid.*, III, 6, 478 sq.

et il y a tout lieu de penser que les cours de philosophie, calqués sur ces ouvrages, présentaient et réfutaient de la même façon les objections contre la spiritualité de l'âme. Saint Thomas avait déjà combattu cette hérésie, dans la *Somme contre les Gentils* ; dans la *Somme Théologique,* il avait établi avec netteté que l'âme ne peut pas être faite, mais qu'elle est créée (91).

La fidélité à la pensée de la scolastique nous semble encore plus nette, quand Honoré d'Urfé prouve que l'âme est créée immédiatement par Dieu. Il suppose qu'Agathon objecte que les Anges et les Intelligences supérieures peuvent être les auteurs de l'âme. Cette objection est présentée et examinée par Saint Thomas dans la *Somme Théologique.*

Epistres morales. III, 5. 453-454

« Aristote dit : *Ce qui est parfait engendre son semblable* : les puissances immaterielles sont beaucoup plus parfaites que les materielles. Que si celles-ci, selon leur espece, produisent leurs semblables, à plus forte raison les Anges pourront produire quelques substances incorporelles de nature inférieure, qui sera l'Ame. De plus l'ordre est beaucoup plus parfait és choses spirituelles qu'és corporelles. Que si nous voyons que les corps inférieurs se font par la puissance des superieurs, pourquoy ne dirons-nous pas que les Esprits inferieurs, qui sont les ames, sont faits par les Esprits superieurs qui sont les Intelligences ? »

Somme théologique, I, q. XC, art. 3

« 1 - Praeterea, perfectum est quod potest sibi simile facere, ut dicitur (Métaph., lib. V, text. 21)
2 - Major enim ordo in spiritualibus est quam in corporabilibus. Sed corpora inferiora, ut Dionysius dicit (*De div. nom.,* cap. 4, p. I, Aliquant. ante finem lect. 2 et 3 Ergo et inferiores spiritus, qui sunt animae rationales, producuntur per spiritus superiores, qui sunt angeli.
3 - Sed spirituales substantiae sunt multo magis perfectae quam corporales. Cum ergo corpora faciant sibi similia secundum speciem, multo magis angeli poterunt facere aliquid infra se, secundum speciem naturae, scilicet animam rationalem. »

Honoré d'Urfé s'écarte de la *Somme théologique,* pour emprunter la réfutation de cette objection à la *Théologie platonicienne* de Ficin à qui rien de ce qui touche à l'âme n'est resté étranger. Comme Ficin, d'Urfé prouve que la création ne peut provenir que d'une vertu infinie :

Epistres Morales, III, 7, 494-495

« Tant l'art que la Nature, tout ce qu'elles font, ce n'est que produire en acte, ce qui n'est qu'en puissance. Le Sculpteur produit en acte la statuë : mais d'une pierre tellement preparee, qu'en quelque sorte elle a desja la statuë en puis-

Théologie platonicienne
(lib. V, cap. XIII, éd. Marcel, t. I, pp. 205-206)

« Praeterea, tam ars quam natura quicquid agit, ex potentia quadam producit in actum. Sculptor ex lapide ita praeparato ad statuam, ut quodam modo habeat statuam in potentia, statuam actu fabricat ; homo ex semine in cuius virtute

(91) *Somme théologique,* I, q. XC, a.2. Honoré d'Urfé découvrit l'essentiel de sa doctrine sur la création dans la *Théologie platonicienne* de M. Ficin, t. I, p. 205.

sance. L'Animal engendre de mesme l'Animal de ce en quoy la vertu de l'Animal est desja. Or ceste Matiere de laquelle l'Art et la Nature font quelque chose, est quelquesfois fort obeïssante et preparee à l'ouvrage que l'on veut faire, et d'autres fois au contraire fort contrariante et malpropre : et ainsi la puissance est quelquefois plus proche et quelquefois plus esloignéee de l'acte en quoy elle doit estre produite. L'air en puissance n'est pas fort loin de devenir feu : l'eau l'est beaucoup d'avantage. Il sera donc fort aisé, que l'air soit changé en feu, et fort difficile, que l'eau le puisse estre. Ces choses ainsi posées, il faut que celuy qui agit, soit d'autant plus puissant que l'intervalle est plus long entre la puissance et l'acte, de laquelle, et auquel l'œuvre le doit déduire. Or la distance entre le rien et l'estre est infinie, tant par ce que du Rien à l'estre il n'y a nulle proportion, que d'autant que nulle distance ne peut estre imaginée plus grande que celle-cy. Mais la distance qui n'a ny proportion, ny fin, ne peut estre outrepassée que par la puissance qui n'a nulle proportion aux autres puissances, et qui est sans fin. Il n'y en a point qui ait ces conditions de puissance que Dieu seul ; et par ainsi il n'y a que luy seul aussi qui puisse de rien produire quelque chose en Estre. »

homo est generat hominem. Materia illa ex qua ars et natura aliquid faciunt, interdum oboediens multum et apta ad opus existit, interdum ineptior, ita ut materiae potentia alias minus, alias magis distet ab actu operis fabricandi.

Parum distat aeris potentia ab ignis effectu ; longe vero ab hoc aquae potentia. Facile itaque est ex aëre, difficile ex aqua ignem accendere. Unde apparet tanto potentiorem esse oportere eum qui agit, quanto longius intervallum est inter potentiam illam et actum, a qua in quem opus suum est deducturus. Distantia vero inter nihil et esse est infinita, tum quia in nihilo nulla est proportio ad esse, tum quia nulla distantia maior hac esse aut excogitari potest. Distantiam vero proportione et fine carentem sola illa vis potest transcendere, quae nullam habet ad alias vires proportionem nec habet finem. Virtus huiusmodi solus est Deus. Omnia enim a Dei potentia exceduntur. Solus itaque Deus aliquid ex nihilo in esse perducit. »

Marsile Ficin démontre ensuite que Dieu seul est l'acte de l'essence, et que la création exige « une faculté opérante infinie ». Honoré d'Urfé omet ces détails et aborde la question essentielle : les âmes sont-elles créées par un intermédiaire ? La réponse est donnée par la *Théologie platonicienne* que d'Urfé traduit à nouveau :

Epistres Morales, III, 7, 495-496

« Et quant à ce qu'ils disent que Dieu est bien l'autheur de cette creation, mais que l'Ange en est l'instrument, il faut considerer quelle est la nature de tout instrument. Car si je ne me trompe, nous pouvons dire qu'il est de telle nature, qu'estant meu de quel-

Théologie platonicienne, (l. V, c. XIII, éd. Marcel, pp. 207-208)

« Sed forsitan putabit quispiam animam ita fieri a Deo, ut per angelum tamquam medium efficiatur atque Deus in ea creatione sit opifex, angelus instrumentum. Quae quidem opinio ideo videtur absurda, quoniam instrumentum hanc habet naturam, ut ipsum ab alio

qu'un, il en meut un autre, et agit en suject où il transporte la forme du premier Agent, par intervalle de temps : mais la creation ne requiert ny le suject, ny se fait avec le temps, ny avec mouvement. De plus, si l'acte de la creation veut une puissance infinie, y a-il rien de si hors de propos, que de dire, que Dieu pour la parfaire premierement rende ceste vertu qui est en luy infinie à fin de la mettre en l'Ange, qui est d'une nature terminée, et apres la rende une autre fois infinie pour parfaire l'acte de la creation ? »

motum moveat aliud, afficiat subjectum aliquod formamque principalis agentis traducat in subjectum per temporis intervallum. Creatio autem neque subjectum exigit, neque fit motu, vel tempore. Rursus si creationis opus virtutem requirit immensam, quid absurdius quam ad id exsequendum virtutem ipsam quae in Deo immensa est, prius in angelo, cuius natura terminata est, terminari, deinde opus illud quod ad immensam virtutem spectat peragere ? »

La démonstration de la *Théologie platonicienne* est rigoureuse. Honoré d'Urfé traduit, sans plus, le texte de Marsile Ficin dont il vante les connaissances :

> « Outre que le Genie de Platon en a tant revelé à ce grand Marsile Ficin, que personne qui aura leu ce qu'il en a si doctement et subtilement escrit, ne sçauroit entrer en doute. » (92)

Honoré d'Urfé pouvait-il ajouter quoi que ce soit à la démonstration de Marsile Ficin ? Il lui fallait cependant prouver que l'âme créée par Dieu seul n'est pas universelle, comme l'a professé Averroès. Honoré d'Urfé repousse celle thèse avec énergie. Comment, en effet, admettre un « entendement universel », puisque parmi les hommes qui voient tous les jours les mêmes choses, les uns découvrent la vérité et les autres restent dans l'erreur ?

> « Que s'il n'est pas recevable de dire le froid et le chaud estre en mesme temps en mesme sujet, encor que ces deux qualitez viennent de deux differentes causes, à sçavoir du feu et de l'eau, ne le sera-il encores moins de dire, qu'en mesme temps il y a deux contraires opinions en cest entendement, encores qu'elles y soient mises par diverses causes ? » (93)

Si, par ailleurs, il y a une âme universelle, l'immortalité, qui est la survivance des âmes individuelles, n'est pas possible et l'homme est trompé, puisque chacun désire l'immortalité. Dès lors, s'il en était ainsi, l'âme se haïrait elle-même et ne serait pas heureuse et donc n'égalerait pas les autres intelligences qui sont heureuses (94).

La thèse d'Averroès fut de nombreuses fois réfutée au XVIe siècle. Saint Thomas et les scolastiques avaient déjà combattu l'averroïsme et Ficin lui avait consacré une longue discussion (95). En 1529, la première édition française de l'œuvre d'Averroès parut

(92) *E.M.*, III, 5, 462.
(93) *Ibid.*, III, 6, 475.
(94) *Ibid.*, III, 6, 477.
(95) Ficin, *Théologie platonicienne*, t. III, pp. 8sq. Voir, à ce propos, P.O. Kristeller, *Il pensiero filosofico di Marsilio Ficino*, Florence, Sansoni, 1953, p. 95.

à Lyon, mais sa réfutation avait précédé sa publication (96). Les commentaires d'Aristote par Averroès connurent cependant un certain succès en France, au cours de la première moitié du XVIe siècle (97). Nous savons aussi la méfiance que l'averroïsme provoquait dans les milieux chrétiens et combien le *Ratio studiorum* recommandait aux professeurs de philosophie de le combattre car, avec lui, s'introduisait le rationalisme. Pour le réfuter, d'Urfé reprend l'argumentation devenue traditionnelle depuis Saint Thomas et Ficin qui, l'un et l'autre, ont combattu l'existence d'un entendement universel (98).

Si d'Urfé repousse la théorie de l'âme universelle, il se rallie à Platon, pour croire en la préexistence de l'âme. Il montre à Agathon que celui qui veut se rendre immortel doit s'appliquer aux choses de l'âme, car l'âme,

> « encor qu'elle fasse toutes ses actions avec le temps, si est-ce qu'estant produitte, ou pour mieux dire, estant un rayon de la Divinité, elle a en Dieu commencé ses actions avant le temps. Et d'autant que les actions de l'ame ne peuvent entre elles se finir que par le commencement d'une autre, nous pouvons dire qu'elle n'a jamais nulle separation à son action : tout ainsi que le temps, quoy qu'il soit divisé en momens, n'a point eu d'intervalles depuis qu'il a commencé d'estre temps. » (99)

Une telle théorie est le reflet de la pensée platonicienne, partagée tout autant par Héroet que par du Bellay, mais, chez ceux-ci, elle sert plutôt de preuve à une sorte de prédestination de deux âmes à s'aimer. D'Urfé croyait-il à la préexistence des âmes ? Nous avons ici une preuve supplémentaire que notre auteur pille, selon les besoins du moment, tel ou tel philosophe, sans se soucier toujours de l'unité de sa pensée.

Le livre III des *Epistres Morales* expose les thèses les plus connues sur l'origine et la destinée de l'âme. Or, à côté d'Averroès, un autre philosophe arabe tenait une place importante, Avicenne. Curieux de tout ce qui touche à la destinée de l'homme, d'Urfé ne négligea point la pensée de ce philosophe et il emprunta la plupart de ses idées à l'ouvrage d'Alpago, *Avicennae philosophi praeclarissimi* (100). La plupart des théories d'Avicenne sur l'origine de l'âme y sont exposées et réfutées, mais l'essentiel du livre est consacré à la destinée et à la félicité de l'homme, objet principal du dernier livre des *Epistres Morales*.

---

(96) Voir H. Busson, *op. cit.*, pp. 123 sq.

(97) Id., *ibid.*, pp. 193-199.

(98) Voir, notamment, Ficin, *op. cit.*, t. III, pp. 71 sq. Ficin montre par ailleurs que, d'une façon générale, Averroès a mal interprété la pensée d'Aristote (t. III, p. 8). Cette même opinion est exprimée par d'Urfé dans *Les Epistres Morales* (III, 6, 470). Honoré d'Urfé a donc probablement puisé l'essentiel de sa réfutation de l'averroisme dans la *Théologie platonicienne* de Ficin.

(99) *E.M.*, II, 3, 251. Honoré d'Urfé explique encore ainsi pourquoi « l'esprit qui est eternel ne peut estre satisfait en ses desirs, que par les choses eternelles. » (I, 5, 38 sq). Voir, à ce propos, Sœur M. Goudard, *op. cit.*, pp. 137 sq.

(100) *Avicennae philosophi praeclarissimi ac medicorum principis, compendium de anima, de Mahad..*, Venise, 1546. Voir, à ce sujet, F. Secret, *art. cit.*, pp. 687 sq.

Honoré d'Urfé ne cite jamais le nom d'Alpago, mais, par deux fois, les *Aphorismes* et le *De Almahad* (101). L'ouvrage d'Alpago est une anthologie de l'œuvre d'Avicenne, qui présente la pensée du philosophe arabe, des définitions précises, les problèmes de l'âme et des comparaisons avec le christianisme (102). Nous devons à Honoré d'Urfé un exposé clair, méthodique et précis de cet important thème de discussion philosophique. D'abord, il définit les termes utilisés par les Arabes et, ensuite, il présente une classification des différentes sectes et la réfutation de chacune d'entre elles.

Trois termes arabes sont utilisés par d'Urfé dans cet exposé : Alhansor, Althenasach, Mahad. Les choses qui procèdent de Dieu par une cause seconde,

> « retournent à ces causes secondes, pour estre en leur repos, et s'arrestent en leur Alhansor (comme disent les Arabes) » (103).

La définition en est donnée dans le *Tractatus de Deffinitionibus et Quaesitis*... et commentée par Alpago (104). Il en est de même pour Althenasach :

> « Et quant à ceux qui ont tenu, que l'ame changeoit d'un corps en l'autre, que les Arabes ont nommé Althenasach... » (105)

La doctrine de l'Althenasach est longuement étudiée par Avicenne ; d'Urfé se borne à résumer et simplifier (106). Le terme essentiel de tout cet exposé est celui de Mahad (107), qu'Honoré d'Urfé définit comme le « retour de l'homme à son principe » (108). En effet, le problème de la félicité est celui du Mahad qui contraint Avicenne et, à sa suite, Honoré d'Urfé, à examiner l'origine et la nature de l'âme. Nous avons vu déjà comment l'auteur des *Epistres Morales* a prouvé que l'âme n'était point matérielle et comment il a réfuté la théorie d'Avicenne qui refusait la création immédiate de l'âme par Dieu.

Dans la cinquième épître, il fait un exposé précis, tiré du livre d'Avicenne sur le *Mahad,* des différentes sectes qui se sont attachées au retour de l'âme à son principe. Après avoir prêté à Agathon les objections qui tendent à prouver que l'âme ne procède pas immédiatement de Dieu et doit faire son retour, « non point

(101) *E.M.*, III, 5, 463, « Mais, comme Avicenne a tres bien remarqué dans ses Aphorismes, nostre ame n'entend son essence, que d'autant qu'elle est denuee de toute matiere. », III, 7, 491, « Mais Avicenne ne prend pas garde que dans le livre qu'il nomme ALMAHAD... »

(102) Sur Alpago, voir F. Secret, *art. cit.*, p. 687, n. 4.

(103) *E.M.*, III, 4, 449 ; voir aussi, III, 5, 459 et 470.

(104) *Op. cit.*, f. 128 r°, « Alhansor est nomen radicis primae in subjectis. » Dans son commentaire, Alpago ajoute : « Id est hoc nomen alhansor apud Arabes nomen appropriatum rei, quae est prima radix subjectum. »

(105) *E.M.*, III, 5, 465.

(106) *Avicennae*.., f. 40 v°, 41 v°, 47 v°.

(107) Manad est une faute d'impression pour Mahad. Cette faute se retrouve dans la suite de la lettre (III, 5, 456), mais elle a été corrigée dans la 7e épître (III, 7, 490-491).

(108) *E.M.*, II, 7, 490 ; cf. *Avicennae*..., « Almahad quidem in lingua arabica derivatur ex dictione arabica Alhaud, id est ex reversione, et ejus veritas seu ejus essentia vel deffinitio est locus, aut dispositio in qua res aliqua jam fuerit, et ab ea separata ad ipsam postea revertitur. » (f. 40 r°).

à Dieu, qui est la cause première et universelle, mais à son intelligence qui est sa cause plus proche », il propose de joindre les demandes d'Agathon aux « objections de ceux qui ont disputé de la félicité » :

> « Tous les anciens philosophes, et mesme les Arabes, lors qu'ils ont parlé de leur Mahad, se sont divisez en quatre sectes. Les premiers ont nié tout à fait le retour de l'ame et du corps à nul principe : les deuxiemes ont dit que le corps seul devoit faire ce retour : les autres que c'estoit l'ame seule : et les derniers, que c'estoit et l'ame et le corps... » (109)

Avicenne écrit :

> « Mundus opinatur de Mahad, secundum duas, sectas, in quarum altera est minor numerus hominum, qui deficiunt intellectu, et negant ipsum Mahad : in altera vero est turba magna hominum, qui habent manifestam cognitionem, et intellectum, et affirmant Mahad praedictum: et in his quidem cadit differentia, quidam enim attribuunt Mahad corporibus solum : quidam vero animabus tantum. Et quidam animabus, et corporibus tantum. » (110)

Honoré d'Urfé simplifie et clarifie le texte d'Avicenne ; il procède ensuite à l'examen des diverses doctrines et consacre une page entière à réfuter l'opinion de ceux qui nient le retour de l'âme et du corps. Nous ne lisons pas cette réfutation chez Avicenne, qui fait peu de cas de ce petit nombre d'hommes qui manquent d'intelligence. Honoré d'Urfé considère que cette objection ne doit pas être examinée à la légère. En effet, au moment où il écrit, le matérialisme professé par les libertins gagne du terrain (111). En revanche, il a lu, dans Avicenne, l'exposé et la réfutation de la doctrine de ceux qui croient que le corps seul opère le Mahad. Là encore, il procède avec méthode et rappelle que, confondant l'âme et la vie, les partisans de cette opinion se partagent en trois sectes bien différentes :

> « car les uns (comme je t'ay dit) ont tenu l'ame mortelle et procedant de la matiere : quelques autres au contraire l'ont tenüe immortelle et incorporelle, toutes fois ils ne luy donnoient point de dernier retour. Pythagore a esté le chef d'une de ces sectes, et Averroès de l'autre : ... Par ainsi tu vois que ceux qui ont tenu ceste seconde opinion se sont divisez en trois sectes : les premiers faisants l'ame mortelle, les seconds s'imaginant une Metempsycose ou changement d'un corps en l'autre :

---

(109) *E.M.*, III, 5, 456.

(110) *Avicennae...*, f. 40 v°. Peu auparavant, dans son commentaire du 1er chapitre du *De Almahad*, Alpago écrit : « Notandum, quod mahad est nomen commune ad omnem reversionem hominis post mortem, sive sit illa reversio secundum corpus tantum, sicut dixerunt Arabes vanaloquentes, sive sit secundum animam tantum, quae revertitur post separationem a corpore ad suum esse simplex, quod habuit ante unionem cum corpore : et in reversione praedicta anima consequitur praemium aut poenam. » (f. 40 r°).

(111) Voir H. Busson, *op. cit.*, pp. 602 sq.

et les derniers nous privant particulierement tous d'ame raisonnable, et n'en laissant qu'une seule pour tous. » (112)

Nous avons déjà examiné comment d'Urfé a réfuté la théorie d'Averroès. Quand il s'agit de prouver que l'âme n'est pas mortelle, l'auteur des *Epistres Morales* fait appel aux *Aphorismes* d'Avicenne :

« Si le Pere ou la Nature faisoient l'ame, puis qu'il n'y a que le corps qui contribue quelque chose à la generation de la part du Pere, et que la Nature n'agit que sur une matiere, il s'ensuivroit que l'ame seroit materielle. Mais, comme Avicenne a tresbien remarqué dans ses Aphorismes, *nostre Ame n'entend point son Essence ny autre, que d'autant qu'elle est denuée de toute matiere* : parce que tout ce qui entend quelque chose ne peut estre materiel. » (113)

Honoré d'Urfé poursuit son raisonnement, en empruntant à la fois à Avicenne et au commentaire d'Alpago :

« Et c'est pour ceste raison que les ames des brutes ne peuvent entendre ce qu'elles sont : et que toute leur lumiere ne provient que de la puissance estimative qui en elles est ce que l'Entendement est en nous. » (114)

Toute la suite du raisonnement est un résumé des pages du *De Almahad* consacrées à cette question (115).

Voici encore l'exposé de la métempsychose ou de l'Althenasach des Arabes :

« Et quand à ceux qui ont tenu, que l'ame changeoit d'un corps en l'autre, que les Arabes ont nommé Altenasach, ils ont esté trompez, premierement par l'authorité de Pythagoras, qui a esté l'un des plus grands personnages de son temps : et puis pour ne pouvoir comprendre quel estoit l'estat de l'ame separee de toute matiere. Car leur semblant que n'ayant plus d'instrumens corporels pour agir, elle demeureroit inutile, et comme contre Nature, ils estimoient impossible : voire mesme il y en

(112) *E.M.*, III, 5, 459-460, 461-462.

(113) *E.M.*, III, 5, 462-463. Cf. *Avicennae...*, f. 115 r°, « Anima humana non intelligit essentiam suam nisi quia ipsa est denudata. »

(114) *E.M.*, III, 5, 463. Cf., *Avicennae...*, *Aphorisme* 24, f. 115 r°, « Et animae quidem brutorum animalium non sunt denudatae : quare non intelligunt essentias suas, quoniam intelligens aliquid est denudatum a materia. » Alpago commente ainsi cet aphorisme : « Nota quod animae brutorum ex hoc, quod non sunt denudatae a materia, non intelligunt essentiam suam ut infra dicit Avicenna aphorisma 26. Et non cognoscunt nisi per virtutem existimativam, quae in brutis tenet locum intellectus. Anima igitur humana non intelligit vera intellectione essentiam suam, nisi quia est denudata a materia. » L'aphorisme 26 est le suivant : « Animae brutorum animalium sunt aliud ab homine seu ab anima humana, quia ipsae non sunt denudatae, quare ipsae non intelligunt essentias suas. Quod si appraehenderent essentias suas, non appraehendunt eas nisi per virtutem existimativam, quare essentia ipsorum non est ab eis intelligibilis, et existimativa in eis est loco intellectus. » (f. 116 r°).

(115) *Avicennae...*, f. 60 sq.

avoit qui maintenoient, que si elle ne rentroit en un autre corps, elle ne pouvoit point estre du tout... Ce fust ceste mesme consideration qui contraignit Ebencora, grand philosophe arabe, ne voulant point advouër *L'Althenasach,* dans le corps des brutes ou des hommes, de dire que l'ame apres la separation du corps en revestissoit un autre subtil, et beaucoup plus conforme à son Essence, dans lequel elle demeuroit longuement, et puis en prenoit encor un autre, qui l'estoit d'avantage : et alloit ainsi changeant, jusques à ce qu'elle en trouvoit un qui estoit presque comme spirituel, avec lequel elle agissoit fort librement, s'y estant peu à peu accoustumee. » (116)

D'Urfé emprunte ces renseignements à Avicenne qui, par deux fois, expose la doctrine d'Ebencora (117). Il y ajoute l'explication de Bengemar. Non seulement il fait sien le texte d'Avicenne, mais il cite comme paroles de Bengemar le résumé proposé par le *De Almahad :*

Epistres morales, III, 5, 468.	*Avicennae...,* f. 60 v°
« Mais qui aura leu attentivement Bengemar, l'un des principaux entre les Arabes, qui ont tenu l'opinion d'Altenasach, cognoistra bien l'intention de Pythagoras en sa Metempsycose : car il est tout certain que ce sage mondain, a eu plus d'esgards en cela au reglement des mœurs, qu'à la recherche de la verité... Et voicy les mesmes paroles de Bengemar : Les mœurs depravées demeurent aux ames apres la separation du corps : car leur existence au corps n'estant ny par meslange, ny par impression en la matiere, mais par la seule trace que les puissances corporelles leur impriment, et la necessité de ses ope-	« Neque adversatur in hoc intentio de Althenasach, quam dixerunt excellentes philosophi sicut Plato et Pythagoras, et sequentes Pytagoram. Illud enim quod illi philosophi affirmaverunt de Althenasach est sicut quaedam similitudo: seu metaphora, et est sicut sermo legis divinae. Intentio enim ipsorum fuit improbare habitus malos, seu mores malos : qui remanent in animabus post separationem earum a corporibus. Quando animae ipsae malignae fuerint et vitiosae. Et cum hoc castigantur, seu cruciantur animae, et sunt ac si ipsae adhuc essent in corpore : quoniam existentia ipsarum in corporibus

(116) *E.M.,* III, 5, 465-467.

(117) *Avicennae..,* « ...Miramur de eo quod affirmavit Ebencora in suis argumentis ad probandum, quod animae non consequantur Althenasach, id est permutationem de corpore in corpus : tunc in tempore quo animae reperiuntur inter duo corpora : seu in tempore medio inter separationem animarum a corpore primo, et inter permutationem ad corpus secundum animae existerent frustra ; sed in natura non reperitur aliquid frustra quare etc. Iste autem Ebencora prohibet, et dicit esse impossible, et inconveniens, quod animae existant frustra in tempore finito seu terminato, et ponit esse necessarium, quod anima remaneat frustra tempore infinito, et mirabilius hoc est : quod dicit scilicet : quod animae post separationem a corpore induunt corpus subtile non simile istis corporibus : et quod animae non liberantur a materia subito vel immediate : immo post tempus quare istae animae non sunt frustra. » (f. 58 r°) Alpago commente encore la pensée d'Ebencora dans le passage suivant : « ... quod affirmavit Ebencora philosophus, est mirabile : ipse enim putavit quod anima separatur a corpore, et permutatur in corpus subtile. » (f. 85 v°)

rations qui n'y peuvent estre faites sans elles, ces mesmes traces demeurent en l'ame apres la separation : et la disposition de l'ame estant alors telle qu'elle estoit quand elle demeuroit au corps ; et parce que ce n'est pas toutes fois le mesme qu'elle vient de despoüiller, il faut croire qu'elle rentre en un autre. Et d'autant que ces mauvaises impressions luy adviennen principalement par l'Appetit convoiteux et par la Colere, et que tous deux sont les propres des animaux irraisonnables ; avec raison on peut dire, que ces ames, qui les ont receües et retenües, rentrent dans les corps des brutes, desquelles elles ont eu les vices. »

non est cum permixtione, et vicinitate, et impressione in materia. Immo est cum vestigio in eis impresso, a virtutibus corporalibus : et cum indigentia operationis earum in corpore : seu et cum operatione earum : quae non possunt fieri nisi in corpore... Quando existit unum istorum, vel una duarum intentionum, et est vestigium a virtutibus corporalibus impressum in anima remanens post separationem ipsius a corpore : tunc depositio animae hujusmodi existit ac si esset in corpore. Et quoniam vestigium malum, vel impressio mala, seu dominans super animam ac si esset in corporibus super animam ac si esset in corporibus brutorum concupiscentium scil. lasciventium vel gulosorum aut leoninorum. Et haec quidem fuit intentio philosophorum praedictorum : Quando dixerunt quod animae malignantium viciosorum permutantur post mortem ipsorum in corpora habentia istos habitus malos scil. leoninos et concupiscibiles. Et dico quod plurima dicta eorum in quibus fundantur illi, quos inveni et audivi de secta Althenasach sunt assumpta ex dictis et auctoritatibus Platonis et Bengamar philosophi et aliorum. »

Après avoir démontré qu'il n'y a point d'âme raisonnable comme le conçoit Averroès, il restait à prouver que l'âme qui n'entend, si elle n'est dépouillée de matière, peut, contre l'opinion des partisans de l'Althenasach, être « en un lieu qui est quantité, et se mouvoir et agir » (118). Honoré d'Urfé ne cesse alors d'emprunter ses idées à Avicenne, tout en appuyant son raisonnement sur la philosophie aristotélicienne. Après avoir établi que

> « l'entendement n'entend ny ne comprend nulle chose (comme par exemple l'homme) qu'il n'acquiere une certaine forme universelle significative des hommes, que les Platoniciens et mesme les Arabes, appellent forme et espece intelligible... » (119),

Honoré d'Urfé poursuit, en étudiant le point et l'étendue (120) et il conclut, avec Avicenne, que « puisque nostre ame les [les formes universelles] comprend, elle est sans doute toute dénuée et despoüillee de toute matiere » (121).

---

(118) *E.M.*, III, 6, 473.
(119) *Ibid.*, III, 6, 480 ; cf. *Avicennae...*, f. 126 v° et 68 v°.
(120) *E.M.*, III, 6, 483 : cf. *Avicennae...*, f. 68 v°, 69 r°.
(121) *E.M.*, III, 6, 485 ; cf. *Avicennae...*, f. 122 r°.

Cette âme, quoiqu'incorporelle, peut agir et être en quelque lieu. C'est encore à Avicenne qu'Honoré d'Urfé emprunte ce raisonnement tout entier, en le rendant toutefois plus clair, dans la mesure où un sujet aussi abstrait le permet (122).

L'épître VII examine les deux derniers points concernant le Mahad. L'âme seule fait-elle ce retour, ou bien l'âme et le corps ? Telle est la question. Honoré d'Urfé se sépare ici de la doctrine d'Avicenne, qui tient que l'âme seule fait le retour à son principe, c'est-à-dire à son intelligence créatrice, l'Ange. C'est pourquoi, il expose la pensée d'Avicenne et en note les contradictions :

> « ...Mais Avicenne ne prend pas garde, que dans le livre qu'il nomme Almahad, il se contredit evidemment : car ayant tenu que la souveraine felicité de l'ame, estoit la contemplation de l'Intelligence de qui elle est formée, sans passer à celle de Dieu, il dit peu apres, que la perfection des ames raisonnables, c'est d'estre faites Essences depoüillés de toute alteration et changement, et de devenir telles que les mesmes Intelligences. Car la felicité et la perfection de deux mesmes choses n'estant qu'un mesme bien, il s'ensuit que si la perfection des ames est d'estre semblables, et telles que les Anges, que leur félicité aussi sera une mesme chose. Or la felicité des Intelligences n'est pas la contemplation et vision d'elles-mesmes, mais celle de Dieu, et par ainsi celle de l'ame ne sera pas de s'arrester à l'intelligence, mais de passer à la veüe et à la contemplation de Dieu. » (123)

Avicenne définit ainsi la félicité de l'âme en l'opposant au bonheur sensuel :

> « Amplius appraehensibilia ipsius, seu illa quae appraehenduntur ab ipsa, sunt convenientia nobiliora, quoniam quae appraehenduntur ab ipsa sunt intentiones certae, et firmae, et formae spirituales, et principium entium omnium primum cum sua dignitate, et excellentia et angeli creatoris nostri, et quidditates, corporum caelestium, et aelementorum, et essentiae ipsorum. Amplius perfectiones ipsius animae rationalis nobiliores sunt quam perfectiones virtutum sensitivarum. Nam perfectiones animarum rationalium, est quod ipsae fiant essentiae expoliatae ab omni alteratione, et multiplicatione, vel diversificatione : in quibus sunt species omnium entium : et sint denudatae a materia, quare ipsae sunt essentiae similes essentiae intelligentiarum : vel similes intelligentiis, et eis conformes, vel proportionatae. Verum essentia, vel radix ipsarum est spirituosa creatoris nostri. » (124)

En s'appuyant sur les contradictions qu'il découvre chez Avicenne, Honoré d'Urfé conclut que la félicité de l'âme est de voir et de contempler Dieu, et non point l'Ange qui ne peut, d'ailleurs,

---

(122) *E.M.*, III, 6, 485 ; cf. *Avicennae...*, ff. 68 v° sq. Dans la *Théologie platonicienne* Marsile Ficin se préoccupe de ce problème de l'étendue de l'âme et de son lieu. Nous y lisons aussi une étude du point. Voir *op. cit.*, t. I, p. 234 et 301, t. III, p. 28.

(123) *E.M.*, III, 7. 491-492.

(124) *Avicennae...*, f. 81 v° et 82 r°.

être l'instrument de la création de l'âme, comme cela a été prouvé auparavant.

En même temps qu'il s'écarte de la pensée d'Avicenne, Honoré d'Urfé se sépare de Platon qui prétendait que l'âme seule est le tout de l'homme. Il soutient que celui-ci est l'union de l'âme et du corps et que seuls ont raison ceux qui affirment que l'âme et le corps ont à faire leur retour :

> « Comme entre les Arabes et les Althenuyens ont fort bien recogneu, quoy que fondez sur des mauvaises maximes, et ce sont ceux-cy entre les autres qui ont tenu le retour de l'ame et du corps, ainsi que nous avons dit, à sçavoir le corps à son Alhansor, (si toutesfois les tenebres, selon leur doctrine, peuvent obtenir ce nom, desquelles ils disoient que la substance du corps estoit faicte) et l'ame à son Alanie, c'est à dire à sa premiere et propre substance, qu'ils disoient estre la lumiere. Car ces Althenuyens, comme leur nom en arabe le demonstre (car Etnes signifie deux) mettoient deux principes de toutes choses naturelles, à sçavoir la lumiere et les tenebres : et disoient que l'ame estoit une substance lumineuse, procedante du monde de lumiere, et meslee au corps : et que le corps estoit une substance obscure engendrée du monde des tenebres. Et d'autant que chaque chose, disoient-ils, est lors heureuse quand elle fait Mahad c'est à dire retour à son principe, ils tenoient que la félicité du corps devoit estre alors qu'estant destaché de toute substance lumineuse, il retouneroit purement obscur dans le monde des tenebres, et s'uniroit avec luy : Et que celle de l'ame estoit sa sortie de ce monde des tenebres au monde de lumiere, en penetrant jusques aux estoiles : auxquelles ils croyoient la source de toute lumiere : et au contraire disoient que la demeure de ceste substance lumineuse entre les tenebres, estoit son infelicité. » (125)

Dans le *De Almahad,* Avicenne présente ainsi la secte des Althenuyens :

> « Et quidam... affirmant animam esse substantiam lucidam procedentem ex mundo lucis permixtam corpori, quod est substantia obscura, vel tenebrosa generata ex mundo tenebrarum. Et isti quidem sic opinantes insequuntur sectam Almagius, et Altenniae, et eorum qui incedunt via ipsorum : felicitas enim et beatitudo apud eos est liberatio lucis a tenebris, et ejus penetratio ad sydera caelestia, et ejus ex hoc mundo tenebrarum ad mundum lucis. Infelicitas vero, et cruciatus est permanentia ipsius lucis in mundo tenebrarum. » (126)

Ailleurs, Avicenne rappelle ainsi le fondement de la doctrine d'Almagius et des Althenuyens :

> « In fide enim, vel lege Almagius praedicta dicitur, quod ex luce provenit bonum, et tenebra malum. Et quod lux, et tenebra tantum sunt duo principia omnium. » (127)

---

(125) *E.M.*, III, 7, 499-500.
(126) *Avicennae...*, f. 41 r°.
(127) *Ibid.*, f. 46 v°.

C'est au commentaire d'Alpago que d'Urfé emprunte l'étymologie d'Althenuyens :

> « Secta Althenuie, et secta Almanuei in hoc conveniunt, quod lux : et tenebrae sint principia rerum naturalium, et secta Althenuie ideo appellata est althenuie, quia posuit, et affirmavit duo tantum esse principia rerum naturalium, nam etnez Arabice idem est quod duo. Unde secta althenuie idem est, quod secta, quae ponit duo esse principia tantum. » (128)

Les ouvrages d'Avicenne et le commentaire d'Alpago fournissent donc à Honoré d'Urfé les matériaux nécessaires à son étude de l'âme et de sa félicité. Il est fidèle aux textes qu'il a sous les yeux. Il s'efforce de simplifier et presque toujours de clarifier cette étude peu facile à comprendre. Son originalité est là, certainement.

Elle est peut-être davantage dans la place qu'il ménage à la thèse pythagoricienne de la transmigration des âmes. Marsile Ficin avait plusieurs fois exposé et réfuté cette doctrine (129) ; Honoré d'Urfé l'examine longuement parce qu'elle a connu un regain d'intérêt à la fin du XVIe siècle. Tandis que l'athéisme gagne du terrain, le pythagorisme conquiert des adeptes parmi les chrétiens eux-mêmes. Par exemple, Viret, dans son *Exposition de la doctrine de la foy chrétienne,* en 1564, accorde une grande importance au nombre des pythagoriciens :

> « Il y en a mesme qui sont docteurs et qui lisent par les universitez, lesquels ne tiennent pas ceste opinion si secrette entre eux qu'ils n'en facent assez manifeste profession pour le moins entre leurs escholiers et familiers. Il y en a aussi qui se vantent de la cognoissance de beaucoup de langues et d'avoir remué beaucoup d'antiquitez, lesquels mesme en ont déclaré leur opinion par livres qu'ils ont escrits et se font à croire et veulent faire à croire aux autres avec eux que leur ame est celle mesme de plusieurs grands personnages et fort renommés qui ont jadis vescu au monde et qu'elle a dejà passé par plusieurs excellens corps qui ont fait de grandes choses, comme ils se promettent aussi qu'ils en feront de grandes, puisqu'ils ont celle mesme. » (130)

François Secret a fait justement remarquer que Viret visait Guillaume Postel, son ennemi (131), et il a établi quelle fut l'importance de ce problème de la métempsychose au cours du XVIe siècle et comment il a préoccupé les milieux de la kabbale (132). Jacques Charpentier consacra à cette question un chapitre entier de sa *Platonis cum Aristotele in universa philosophia comparatio* (133).

---

(128) *Ibid.,* ff. 42 r°v°.

(129) *Théologie platonicienne,* t. III, p. 233 notamment. Voir encore *Opera omnia,* t. II, *In Timaeum,* pp. 438-439, *in Plotinum,* p. 662.

(130) *Dialogue XXIV,* cité par H. Busson, *op. cit.,* p. 491.

(131) F. Secret, *art. cit.,* p. 690 ; voir également, *Les Kabbalistes chrétiens de la Renaissance,* p. 15.

(132) Voir F. Secret, « Une source oubliée... », pp. 691 sq.

(133) Paris, 1573, 1re partie, p. 376 ; voir, à ce propos, F. Secret, *art. cit.,* p. 693, n. 3.

En exposant et en réfutant la doctrine de Pythagore, Honoré d'Urfé ne semble pas s'être assigné un but apologétique. Le ton du troisième livre des *Epistres Morales* cherche assurément à convaincre, mais l'exposé des théories laisse l'impression d'un cours de philosophie qui s'est voulu le plus complet possible, comme les multiples traités du XVIe consacrés au même sujet. Les deux ouvrages de philosophie de Charpentier en sont un exemple. Seule la présentation des *Epistres Morales* tranche par son originalité. L'intérêt nouveau du début du XVIIe siècle pour les questions de métaphysique fut pour d'Urfé une incitation supplémentaire à composer ce résumé des doctrines de l'âme et leur réfutation.

On sent constamment, dans le troisième livre des *Epistres Morales*, un désir de rester fidèle à l'enseignement officiel de l'aristotélisme, une méfiance à l'égard de l'averroïsme et des doctrines d'Avicenne, et, en même temps, une attirance pour les idées répandues par le néo-platonisme qui prit, à la fin du siècle de la Renaissance, une résonnance nettement religieuse. Dès lors, l'intérêt du troisième livre réside moins dans l'exposé fastidieux des doctrines de l'âme que dans cette recherche constante à s'appuyer sur Aristote, à établir l'accord de l'aristotélisme et de la pensée de Platon et, au total, à tenter, comme les humanistes du XVIe siècle, une synthèse entre la philosophie et la religion, qui s'achève par la mystique néo-platonicienne, plutôt que par la logique aristotélicienne. A partir de Marsile Ficin, l'œuvre de Platon est considérée comme une « propédeutique pour disposer au christianisme » (134). La *Théologie platonicienne* a pour sous-titre, *De immortalitate animorum*. Les nombreux traités de l'immortalité de l'âme, composés depuis l'œuvre de Marsile Ficin, nous permettent de découvrir que le thème fondamental de la philosophie qui gagne l'Europe entière met en valeur la noblesse et la dignité de l'homme. Elle promeut l'homme à une union avec Dieu, voire à devenir Dieu, comme l'enseigne Hermès Trismégiste. C'est dans cette préoccupation qu'il faut chercher la raison de l'importance accordée par d'Urfé aux problèmes de l'âme et celle de l'intérêt qu'il prête à la pensée d'Aristote et de Platon. Ainsi est illustrée la découverte du domaine qu'ont en commun la philosophie et la religion et en fonction duquel tous les autres problèmes humains se posent. Marsile Ficin a montré qu'Aristote n'a pas tout dit ; c'est pourquoi, il a proposé de suivre Platon et ses disciples, comme seuls philosophes susceptibles d'assurer le bonheur de l'homme (135). Jamais Ficin n'a mis Aristote en cause, quand il a constaté que la philosophie des Péripatéticiens minait la religion. Selon lui, les vrais coupables sont les averroïstes et les alexandristes qui ont trahi Aristote (136). Celui-ci et Platon nous mènent à la félicité, par deux voies différentes,

---

(134) R. Marcel, « Le platonisme de Pétrarque à Léon Hébreu », in *Actes du Congrès de l'Association Guillaume Budé à Tours et Poitiers, 3-9 septembre 1953*, Paris, Les Belles-Lettres, 1954, p. 315.

(135) Voir, à ce sujet, R. Marcel, « L'apologétique de Marsile Ficin », in *Pensée humaniste et tradition chrétienne aux XVe et XVIe siècles*, Paris, CNRS, 1950, p. 164.

(136) Voir, à ce propos, R. Marcel, *art. cit.*, p. 161.

« Platon traite divinement des choses naturelles et Aristote naturellement des choses divines. Aristote nous fait savans, Platon sages et bienheureux. » (137)

Voilà bien l'attitude des humanistes du XVIe siècle : rendre les hommes sages et les acheminer à cette perfection par l'intermédiaire de Platon et du néo-platonisme. La vogue de Platon devient ainsi l'un des traits marquants de la Renaissance. Les œuvres de Platon se répandent, certaines sont traduites, mais, longtemps, le platonisme se propage uniquement par les ouvrages de Ficin (138). Cette ferveur platonicienne qui se déchaîne au XVIe siècle ne s'accompagne d'aucune hostilité à l'égard d'Aristote. Monsieur Raymond Lebègue remarque qu'aucun traducteur français de Platon ne s'est permis, dans la préface, de lui « immoler Aristote et que la tentative de concilier Platon et Aristote ne fut pas seulement le but de Ficin, Ange Politien, Pic de la Mirandole et Bessarion en Italie, mais celle en France de Champier, de Le Roy, de Jean de Serres. » (139) Nous pouvons ajouter à cette liste l'œuvre de Charpentier.

Honoré d'Urfé manifeste constamment ce désir de conciliation. Platon est « le divin Platon » et Aristote est le philosophe d'une doctrine rigoureuse et constamment prouvée. L'un n'exclut nullement l'autre. Il quitte parfois Aristote pour platoniser, mais, qu'il s'agisse des vertus, de l'âme ou de la félicité, il réfère aux *Ethiques*, au *Traité du Ciel*, et surtout au troisième livre *De l'âme* qui a tenu une très grande place dans tous les traités de l'immortalité de l'âme au XVIe siècle (140). Cite-t-il Platon ? C'est à côté du *Sympose*, le *Timée*, la *République*, le *Livre des Lois* (141). Cependant, il semble connaître la pensée de Platon, surtout à travers la *Théologie platonicienne*.

D'une façon générale, les esprits du XVIe siècle n'ont réprouvé chez Platon que ce qui ne s'accordait pas avec la doctrine chrétienne. Honoré d'Urfé ne condamne pas, il se borne à montrer que ni Platon, ni Aristote n'ont pu, par la raison, atteindre à la découverte de la félicité suprême de l'homme, en Dieu seul, « encores que ce soit contre l'opinion de ce divin Platon ». Il ajoute :

« Mais il ne faut pas trouver cela estrange, puisque Aristote mesme que plusieurs par allusion au lieu d'Aristotelis ont nommé Aristontelos, pour avoir recogneu la bonne et veritable fin

---

(137) M. Ficin, *Opera omnia*, t. I, 858, cité par R. Marcel, *art. cit.*, p. 161.

(138) Sur la diffusion du platonisme en France, voir la communication de R. Lebègue, « Le Platonisme en France au XVIe siècle », in *Actes du Congrès de Tours et Poitiers*, 3-9 septembre 1953, Paris, Les Belles Lettres. 1954, pp. 331 sq. Voir, également, A. Lefranc, *Grands écrivains de la Renaissance*, Paris, Champion, 1969, pp. 68 sq.

(139) Communication citée, p. 340.

(140) Voici les passages des *Epistres Morales* où les citations d'Aristote sont importantes : III, 5, 409 (*De l'âme*, III), III, 1, 390 ; lll, 4, 263 ; ll, 6, 288 ; lll, 6, 422 (*Ethique*).

(141) *E.M.*, III, 4, 446 ; III, 7, 496-497. La première édition du premier livre des *Epistre Morales* manifeste cette connaissance de Platon. Nous y lisons en effet toutes les citations de Platon, sauf une (I, 13), qui figurent dans les éditions postérieures.

de l'homme, n'a pas luy mesme passé plus outre, lors qu'il en a parlé, que de la mettre en l'operation parfaicte de chaque nature : car la felicité estant naturelle, et surnaturelle, l'operation selon la Nature ne peut attaindre qu'à la naturelle, de sorte que l'autre a esté entierement mescogneuë de luy, qui toutesfois estoit la principale. Et cela c'est d'autant, que n'estant esclairez et l'un et l'autre que de la Nature, ils ne pouvoient rien voir par delà la Nature. » (142)

⁂

La Kabbale, avec les données de l'ancienne théologie, avec la pensée de Platon, de Plotin, de Ficin, de Pic de la Mirandole, et d'Aristote, constitue ce vaste mouvement néo-platonicien auquel d'Urfé ne refuse pas sa participation (143). Le néo-platonisme eut le mérite d'être une continuité de pensée, depuis les commentaires du *Timée* par l'Ecole de Chartres, et d'imprégner la pensée humaniste, par l'intermédiaire des œuvres de l'école de Florence et de la Kabbale (144). Il reste à savoir si le néo-platonisme résume la pensée de la Renaissance et s'il ne fut, comme on l'a prétendu, « qu'une doctrine floue faite plus pour la montre que pour l'usage, littéraire en un mot. » (145)

Considérons qu'aucune opposition n'existe entre le néo-stoïcisme et le néo-platonisme du XVIe siècle. L'un et l'autre système de pensée forment un tout, où les esprits tentent de découvrir une conduite de vie et un apaisement à leurs inquiétudes. Ainsi, aucune coupure n'existe entre le deuxième et le troisième livre des *Epistres Morales* : un homme, à travers les systèmes philosophiques en vogue à l'époque où il écrit, s'efforce de découvrir sa situation dans l'univers, sa raison d'être et la destinée de son âme. Il manque cependant à l'exposé du troisième livre des *Epistres Morales* le souffle de vie. La conviction est présente, mais la doctrine exposée ne semble pas toujours assimilée. C'est pourquoi, *L'Astrée* se fait peu l'écho de ces spéculations néo-platoniciennes. Honoré d'Urfé se contente d'y rappeler l'union étroite de l'âme et du corps (146), le destin de l'âme après la mort et son bonheur (147), et, ici-bas, son emprison-

---

(142) *E.M.*, III, 7, 502-503. Ramus, après avoir attaqué ceux qui ont mal interprété Aristote, écrit : « quia non Aristotelis ἄριστον, τελος, ἀλ λ'ἑαυτῶν κακοδαιμονος κάκιστον sequuntur » (*Pro philosophica parisiensis Academiae disciplina oratio*, Paris, M. David, 1552, f. 35 v°).

(143) P.O. Kristeller a bien mis en valeur cet aspect éclectique du néo-platonisme (*The Classics and Renaissance Thought*, p. 69 notamment). Voir également, à ce propos, la communication citée de R. Lebègue, p. 332. Monsieur Lebègue invite à parler de ficinisme, de plotinisme..., plutôt que de néo-platonisme.

(144) Voir, à ce propos, R. Klibansky, *The Continuity of the Platonic Tradition during the Middle Ages*, Londres, 1950, pp. 28-37.

(145) J. Maurens, *op. cit.*, p. 31.

(146) *Astrée*, II, 1, 34.

(147) *Ibid.*, II, 5, 190, 192 ; III, 10, 531.

nement dans le corps (148). L'influence néo-platonicienne ne s'y exerce profondément que dans la conception de l'amour, qui constitue l'intérêt primordial de *L'Astrée.* Le roman propose une félicité dans l'amour. Celle-ci ne se substitue pas à la béatitude promise par *Les Epistres Morales,* elle en est une étape (149). *Les Epistres Morales* et *L'Astrée* ne s'opposent pas ; les ouvrages se complètent.

---

(148) *Ibid.*, II, 5, 233.

(149) Voir, à ce propos, l'article de J. Grieder, « Le rôle de la religion dans la société de *L'Astrée* », in *RDS*, n° 93 (1971), pp. 8 sq.

CHAPITRE IV

LA CONCEPTION DE L'AMOUR

L'étude de l'amour contribua pour une très grande part à la propagation du néo-platonisme en France. Ce ne fut pas seulement un thème poétique ou romanesque, car les moralistes, préoccupés par les passions humaines, y découvrirent un sujet de choix qui leur offrait l'occasion d'une analyse et leur permettait surtout d'établir un idéal d'amour épuré, reflet de celui de Dieu.

A une société séduite par la dignité humaine et la liberté, d'Urfé offrait *L'Astrée,* « idéal du parfait amant » (1) et réhabilitation de la femme. Assurément, l'idéal proposé par *L'Astrée* était connu de ses lecteurs. Sous le règne d'Henri IV, Des Escuteaux et Nervèze avaient chassé de leur analyse romanesque ce qui appartenait à la tradition grivoise du Moyen Age remise à la mode par les nouvellistes et les conteurs italiens. Une volonté de purification de l'amour et de son expression leur est commune. Il est bien vrai que de ce point de vue, *L'Astrée* se conforme à une coutume, « et que tout ce qu'elle rapporte n'est pas entièrement nouveau » (2). Il est certain, encore, que la conception courtoise de l'amour n'est pas étrangère au roman et que les thèmes du pétrarquisme y sont présents. Aucune œuvre, certes, n'est totalement originale : tous les écrivains doivent à leurs aînés ; aucun d'entre eux n'échappe à l'influence des grands courants de pensée de son époque. Tous sont tributaires de ceux qui les ont précédés, et, en quelque sorte, les ont préparés. Ainsi en est-il de la conception de l'amour au XVIe siècle français. Les courants néo-platonicien et néo-stoïcien s'y mêlent à la tradition courtoise et au pétrarquisme. C'est une gageure que de vouloir retracer, dans son détail, l'origine de l'idéal d'amour proposé par d'Urfé. La matière en est riche, et surtout l'auteur de *L'Astrée* a été le seul à s'attacher aussi longuement, à travers le comportement de nombreux et divers personnages, à l'analyse de l'amour dans ses infimes nuances, ses âges, ses tempéraments, ses émotions ou ses méfaits (3). Il a surtout été le seul à composer une somme de l'amour qui fût lisible par les lecteurs mondains, complète, détaillée et non point sèche comme l'ouvrage d'Equicola.

---

(1) O. Nadal, *op. cit.,* p. 76.
(2) M. Magendie, *op. cit.,* p. 205.
(3) Sur les nuances de l'analyse dans *L'Astrée,* voir G. Charlier, *op. cit.,* pp. 39 sq.

Nous nous proposons seulement de retrouver, dans l'œuvre d'Honoré d'Urfé, les traces de l'amour courtois ou du pétrarquisme, pour nous attacher davantage à l'influence du courant néo-platonicien. Ici, nous laissons de côté la dette de *L'Astrée* envers les romans qui l'ont précédée.

*
* *

I. — L'amour courtois et le pétrarquisme dans *L'ASTREE*.

Sous Henri IV, dans la lutte contre la grossièreté des mœurs et du langage (4), les femmes jouèrent un rôle important. A ce moment, un mouvement mondain précéda celui de l'hôtel de Rambouillet (5). Un retour au respect de la femme s'imposait et il n'est pas surprenant qu'ait resurgi dans les pensées l'idéal courtois du Moyen Age. A vrai dire, malgré les attaques auxquelles il fut en butte, jamais il n'avait cessé de veiller dans les cœurs des lecteurs français, même quand les forces du libertinage tendaient à se déchaîner.

Au XVIe siècle, le *Roman de la Rose* fut toujours lu et Ronsard ne dédaigna pas d'y puiser (6). Les exploits d'*Amadis*, traduits par Herberay des Essarts, firent la joie des lecteurs et les aventures de Lancelot ou de Tristan furent à nouveau imprimées (7). Les ouvrages à la mode sous Henri II ne cessèrent de l'être sous Henri IV ou Louis XIII. Dans toutes les œuvres de la littérature courtoise, la préoccupation amoureuse apparaît au centre de l'activité humaine. La vaillance des chevaliers n'est plus dictée par la fidélité à Dieu ou au suzerain, mais par le « service d'amour », qui est une soumission du chevalier à sa « dame ». Le « service d'amour » se codifie en un certain nombre de règles qui honorent l'amour terrestre de tous les rites de l'amour divin. Pour plaire à sa dame, le chevalier doit, en effet, rechercher la perfection faite de vaillance alliée à l'élégance de l'homme de cour. L'amour, qui parfois pousse à agir contre la raison et contre l'honneur, comme le montre *Lancelot*, est également source de toute vertu et de toute prouesse, ainsi que le prouve *Yvain* ou le *Chevalier au Lion*. Soumis à des épreuves, le héros du roman courtois s'ennoblit en manifestant sa valeur. Cependant, la dame, toujours altière et inaccessible, n'est pas fléchie que par les exploits. Le chevalier doit aussi savoir aimer en souffrant en silence, avec discrétion, en s'humiliant et en restant fidèle et loyal. Soumis humblement aux caprices de sa dame, il sera récom-

---

(4) M. Magendie, *op. cit.*, pp. 232 sq. Voir, également, du même auteur, *La politesse mondaine et les théories de l'honnêteté en France, au XVIIe siècle, de 1600 à 1660*, Paris, Alcan, t. I.

(5) Voir G. Reynier, *Le roman sentimental avant l'Astrée*, pp. 169-198.

(6) Voir J. Festugière, *La philosophie de l'amour de M. Ficin et son influence sur la littérature française au XVIe siècle*, pp. 2-3.

(7) Id., *ibid.*, pp. 2-3 ; voir également, Bourciez, *Les mœurs polies et la littérature de Cour sous Henri II*, thèse, Paris, 1886.

pensé de sa constance, et payé de retour. Cet amour est presque toujours adultère (8). A cause du risque qu'elle court, la femme manifeste une supériorité constante.

Honoré d'Urfé paraît ne pas s'écarter de cette conception de l'amour. Néanmoins, l'amour célébré par *L'Astrée* n'est jamais adultère. Seuls les grands font fi des droits du mariage, mais leurs amours sont loin d'être courtoises. Cela dit, reconnaissons que d'Urfé nous présente des personnages que les lecteurs assidus des romans courtois, admirateurs d'Amadis ou de Lancelot, ne pouvaient dédaigner. D'ailleurs, faisant allusion, sans doute, aux mœurs dissolues des libertins de son temps, et s'adressant à Céladon à qui il fait part de ses hésitations à publier son roman, Honoré d'Urfé écrit, dans la *Préface* de la deuxième partie de *L'Astrée* :

> « Tu m'opposes des raisons qui pourroient estre recevables en un autre siecle, mais certes, en celuy où nous sommes, on se rira plutost de ta peine qu'on ne voudra imiter ta fidelité... Ah ! Berger, que l'aage où nous sommes est bien contraire à ton opinion ! Car on dit maintenant qu'aymer comme toy, c'est aymer à la vieille Gauloise, et comme faisoient les Chevaliers de la Table-ronde, ou le Beau Tenebreux. Qu'il n'y a plus d'Arc des loyaux amants, ny de Chambre deffendue pour recevoir quelque fruict de ceste inutile loyauté... » (9)

Et, après avoir concédé que « peut estre.... les amants reviendront à ceste perfection qu'ils méprisent maintenant », l'auteur poursuit :

> « Accorde leur d'abord sans difficulté, que veritablement tu aimes à la façon de ces vieux Gaulois qu'ils te reprochent, ainsi que tu les veux ensuivre en tout le reste de tes actions, comme ils le pourront aisement reconnoistre s'ils considerent quelle est ta religion, quels sont les dieux que tu adores, quels sacrifices que tu fais, et bref quelles sont tes mœurs et tes coutumes. » (10)

Ne nous méprenons pas pourtant ! Ces vieux Gaulois sont à la fois ceux qui vivaient au ve siècle et conformaient leurs mœurs à la doctrine des druides, et ceux qui aimaient comme les chevaliers de la Table ronde. En fait, pour d'Urfé séduit par la continuité de l'enseignement, les uns et les autres ont une même conduite. Pour lui, l'amour « à la vieille Gauloise » s'appuie sur la fidélité, l'obéissance à celle qu'on aime, la constance et le respect. Ces vieux Gaulois « cherchoient l'entrée du Temple d'amour, par celuy de l'honneur, et celuy de l'honneur par celuy de la vertu » et « mesprisoient et leur vie et leur contentement propre, pour ne tacher en rien la pureté de leur affection. » (11).

Céladon, double d'Honoré, a été « nourry et eslevé parmy ces honorables personnes », ces « bons vieux gaulois » qui étaient

---

(8) Sur l'amour courtois, voir J. Festugière, *op. cit.*, pp. 13 sq.
(9) *Astrée*, IIe partie, *L'autheur au berger Celadon*, pp. 3-4.
(10) *Ibid.*, p. 5.
(11) *Ibid.*

sans artifice et « n'avoient point la parole différente du cœur » (12). Son éducation, celle d'Urfé lui-même, a été celle d'un jeune aristocrate, dont l'enfance a été bercée par les prouesses des chevaliers des *Romans de la Table ronde,* dans une société où les rapports entre l'homme et la femme étaient le reflet du monde féodal, et où la femme tenait, dans le domaine des sentiments, la place du suzerain. Ce rôle de la femme fermement établi par le code de l'amour courtois, *L'Astrée* le rappelle en plus d'un endroit et l'attitude de Céladon à l'égard d'Astrée en est une excellente illustration. D'Urfé dit à Céladon qu'il servira « de guide tres-asseuré » à ceux qui veulent aimer comme ceux qui l'ont instruit. Comme le chevalier était au service de sa dame, Céladon est au service d'Astrée, Silvandre à celui de Diane. Ces termes de « service » ou de « servir » reviennent constamment sur les lèvres des amants de *L'Astrée.* Ecoutons, par exemple, Alcidon qui se soumet aux volontés de Daphnide :

> « Dieu vueille, madame, qu'en cecy je vous puisse aussi bien servir que vous le desirez. Car, quant à moy, sans qu'il soit necessaire de me rapporter tant de consideration, comme vous avez pris la peine de faire, il suffit de me dire que vostre volonté est telle... Et quoy que vous voyiez le trouble où vous m'avez mis par ce commandement, ne pensez pas, je vous supplie, qu'il procede d'ailleurs que de ma trop grande affection, qui ne me peut permettre de m'esloigner de vous ou d'en servir une autre (encore que ce soit par feinte) sans une tres-grande peine. » (13)

L'amour repose, en effet, sur la soumission totale à la volonté de l'aimée. Au grand prêtre Adamas qui lui reproche son manque de courage et d'amour, parce qu'il demeure loin d'Astrée, Céladon répond :

> « Ah ! d'amour ? non... Amour... me deffend de luy desobeir. Et puis qu'elle m'a commandé de ne me faire point voir à elle, appellez-vous deffaut d'amour, si j'observe son commandement ? » (14)

Cette soumission est, pour l'amant, cause de bonheur, puisqu'il obéit à l'aimée, et cause de souffrances, parce que c'est

---

(12) Il est intéressant de rapprocher des propos d'Honoré d'Urfé, ceux de Guy Le Fèvre de la Boderie dans sa dédicace, à Marguerite de France, de sa traduction du commentaire de Ficin, *Discours de l'honneste amour sur le Banquet de Platon, par Marsile Ficin..*, Paris, Jean Macé, 1578. Guy Le Fèvre de la Boderie déclare que « l'Amour vulgaire est un subject si commun et tant demené par noz poëtes qu'il semble, comme a bien dit un d'entre eux, que jusques icy ç'ait esté la Philosophie de France, chacun à qui mieux mieux s'employant à y rapporter du tout les belles et gentilles conceptions de son esprit... » Voir, à ce propos, Marsile Ficin, *Commentaire sur le Banquet de Platon,* traduction et présentation de R. Marcel, introduction, pp. 128-129.

(13) *Astrée,* III, 4, 170-171. Nous ne pouvons présenter un relevé complet des mots « service » et « servir » utilisés dans *L'Astrée,* tant ils reviennent fréquemment.

(14) *Ibid.,* II, 10, 396.

une épreuve difficile. Mais Céladon, qui est « le plus infortuné et le plus fidelle » des serviteurs d'Astrée, se déclare content de se soumettre aux ordres rigoureux de celle qu'il aime (15).

L'amant, pour obéir à celle qu'il aime, et par discrétion, doit souvent faire semblant d'en aimer une autre. Ainsi en fut-il pour Céladon. La prudence qui était une des lois du code de l'amour courtois se retrouve dans *L'Astrée*. L'un des premiers commandements d'amour est, « CELER ET TAIRE » (16), et « la souveraine prudence en amour est de tenir son affection cachée, ou pour le moins de n'en faire jamais rien paroistre inutilement. » (17) La discrétion apparaît, en effet, comme une forme de respect que l'amant doit porter à l'honneur de la femme aimée. Il a le devoir de chérir plus l'honneur de la « chose aymée » que sa propre conservation (18) et de ne point rechercher de plus grandes faveurs que celles qui lui sont accordées :

> « Tout chevalier d'honneur y est obligé par le nom seulement qu'il porte [dit Alcidon], et je cognois bien maintenant que c'est icy l'aventure de la parfaicte amour, puisque ce respect est l'une des principales ordonnances d'Amour. » (19)

Ces propos ne peuvent être plus clairs : à l'instar du chevalier des romans courtois, les héros de *L'Astrée* sont engagés dans l'aventure du parfait amour. Chevaliers, donc généreux, soumis et respectueux, ils ont des devoirs et non point des droits, et le moindre d'entre eux n'est pas la fidélité. Parce qu'elle éprouve de l'affection pour Céladon, Léonide lui rend visite dans sa retraite :

> « Le berger qui reconnut que le grand soin que la nymphe avoit de le visiter ne pouvoit proceder que d'amour, en receut du desplaisir, luy semblant que de le souffrir, il offençoit en quelque sorte la fidelité qu'il avoit promise à sa bergere... » (20)

A l'opposé de Céladon et de Silvandre, Hylas professe et pratique un amour inconstant : il n'a plus aucune des qualités du chevalier des romans courtois ; infidèle, il n'est pas respectueux de l'honneur de la femme aimée. Il est, en quelque sorte, l'hérétique de la religion d'amour, puisqu'il adopte des lois contraires à celles inscrites par Céladon dans le temple d'Astrée (21). Ces lois d'Amour

---

(15) *Ibid.*, II, 3, 97. Céladon écrit à Astrée : « Ne faites donc point de difficulté d'estendre plus outre encor, s'il se peut, vos commandemens, et je continueray en mon obeissance, à fin que si durant ma vie je n'ay peu vous asseurer de ma fidelité, les champs Elysées, pour le moins, et les ames bienheureuses qui y sont, recognoissent que je suis le plus fidelle, comme le plus infortuné de vos serviteurs. »

(16) *Astrée*, II, 11, 454.

(17) *Ibid.*, I, 1, 21.

(18) *Ibid.*, II, 2, 55.

(19) *Ibid.*, III, 3, 111.

(20) *Ibid.*, II, 8, 310.

(21) Amilcar déclare « qu'Hylas est un monstre en amour, c'est-à-dire hors de la nature des autres amants. » (*Astrée*, IV, 9, 490)

sont celles du code courtois, puisqu'elles imposent à l'amant la fidélité, le respect et la défense de l'honneur de sa dame (22).

Capable d'aimer ainsi, l'amant grandit en générosité, car l'amour est une vertu qui incite à toutes les autres, surtout aux vertus sociales. D'une façon générale, dans *L'Astrée,* comme dans le roman courtois, la femme exerce une influence ennoblissante sur l'amant ; c'est la seule justification de la supériorité constante dont elle fait preuve. *L'Astrée,* éloge de la femme, s'inscrit dans la tradition chevaleresque.

Cette conception d'amour raffiné, idéal, où les sens n'entrent que pour une part secondaire, ne s'était pas manifestée que dans les *Romans de la Table ronde.* Elle avait régné dans les cours d'Aliénor d'Aquitaine, de Marie de Champagne, de Marguerite de France. La coutume en était de s'en référer aux jugements de ces princesses pour la solution des questions d'amour ainsi que nous en offre la preuve le *Flos amoris* ou *De arte honeste amandi,* composé par André le Chapelain à la fin du XIIe siècle ou au début du XIIIe siècle. Traduit en français dès le XIIIe siècle, l'influence de cet ouvrage fut grande (23). Il édicte trente et une règles d'amour, montre comment s'est formé l'idéal courtois et exalte la femme pour les vertus qu'elle suscite. Les seigneurs et les dames y dissertent et raisonnent sur les questions d'amour ; bref, sans pouvoir aucunement affirmer une influence directe sur Honoré d'Urfé, l'esprit et le genre de l'ouvrage ne nous semblent pas totalement étrangers à *L'Astrée.*

Dans ce courant courtois se situe l'œuvre de Pétrarque. Elle eut une influence considérable sur la littérature amoureuse du XVIe siècle. Le *Canzoniere* n'est autre que le chant de l'amour courtois. Avec lui, le culte de la femme s'enrichit cependant de toutes les nuances psychologiques et la beauté féminine se stylise. La tristesse et la souffrance de la passion insatisfaite interdisent au poète de connaître la paix de l'âme. Les pétrarquistes italiens du XVe siècle et du début du XVIe siècle, poètes de cour surtout, retiendront de Pétrarque des images et des antithèses, qui deviendront des compliments galants.

Il nous apparaît nécessaire, dès maintenant, de rappeler l'éloge que d'Urfé adresse à Pétrarque, dans *L'Astrée* (24). Sans doute, le roman est-il « plus redevable au pétrarquisme qu'à Pétrarque lui-même » (25). Pourtant si nul n'a chanté avec plus de force que Pétrarque les souffrances de l'amour, il faut reconnaître que les personnages d'Urfé se plaignent des rigueurs de l'aimée et de la perte de leur liberté, du jour où ils ont commencé à aimer (26). Certes, Pétrarque célèbre la beauté de Laure, rayon divin, et son

---

(22) *Astrée,* II, 5, 181. Sur les rapprochements possibles entre la conception de l'amour dans *L'Astrée* et l'amour courtois, voir H. Bochet, *op. cit.,* pp. 72 sq.

(23) Sur l'influence de cet ouvrage, voir J. Festugière, *op. cit.,* pp. 15 sq.

(24) *Astrée,* III, 3, 134.

(25) M. Magendie, *op. cit.,* p. 206.

(26) M. Magendie rapproche un sonnet de Pétrarque sur la servitude de l'amour (*Triomphe d'amour,* in *Les œuvres amoureuses,* Paris, Garnier, s.d., p. 59) et les plaintes de Silvandre (*Astrée,* II, 1, 8). Voir M. Magendie, *op. cit.,* p. 207.

amour qui l'a conduit au souverain bien, mais si nous découvrons parfois dans *L'Astrée* cette même façon de décrire la beauté idéale de la femme ou de chanter l'amour honnête, nous sommes loin de trouver ici et là une communauté d'inspiration. L'imitation de Pétrarque nous apparaît superficielle. Chez celui-ci, ce sont les soupirs souvent monotones d'un amant, dans l'*Astrée* l'analyse de l'amour est approfondie ; d'Urfé se complaît dans l'analyse de mille nuances. A la suite des néo-platoniciens il ne se contente pas d'un code de l'amour courtois, il propose une philosophie de l'amour.

Pendant le XVIe siècle, en effet, s'épanouit en France la vogue de l'amour platoniste qui se mêle au pétrarquisme. Pourtant, l'un et l'autre représentent un esprit différent. Monsieur Saulnier a d'ailleurs défini le pétrarquisme comme « antiplatonisme » et analysé la différence entre les deux notions, platoniste et pétrarquiste :

> « Là où le platonisme pose la soumission de l'amant à l'aimée en tant qu'image de l'idée de beauté (et par suite soumission réciproque, si le couple s'entraime), le pétrarquisme pose la soumission du soupirant à la belle cruelle. L'amour platoniste est une communion, une ferveur de progrès mutuelle, excluant en particulier la jalousie : l'amour pétrarquiste est un combat, entre le refus de la dame, et les récriminations mal résignées de l'homme. L'amant platoniste voit dans sa belle un instrument de vertu, un gage d'ascension morale, il tâchera de la mériter : le pétrarquisme voit en elle une fin de plaisir, une promesse de jouissance, il tâchera de se la concilier. Tout est, dans le couple platonicien, sérénité chez l'aimé, patience chez l'amant ; tout, impatience chez l'amant, caprice chez l'aimé, dans le couple pétrarquiste... cette opposition du pétrarquisme au platonisme est déjà chez Pétrarque. Plus nette se fait-elle chez les émules, les bembistes et surtout les strambottistes. » (27)

Cette opposition n'apparaît pas toujours très nette dans les œuvres de la littérature française au XVIe et au début du XVIIe siècle. *L'Astrée* nous en est un exemple. Elle est un amalgame d'amour courtois, de pétrarquisme et de néo-platonisme, qui occasionne des subtilités d'analyse où il est souvent difficile d'établir de nettes distinctions de sources. Si, par exemple, des amants se plaignent des rigueurs de l'aimée ou s'ils éprouvent la jalousie ou s'ils se lamentent sur l'absence, faut-il ne voir là qu'une influence du pétrarquisme ou bien ne convient-il pas aussi d'y reconnaître les effets d'un amour imparfait par la faute de l'amant ou de l'aimé ? L'idéal de l'amour est celui du néo-platonisme avec ses joies, certes, mais aussi ses peines, ses difficultés qui sont sujets de plaintes ; l'amant est un homme, il souffre, il est jaloux et il est à la quête de l'amour parfait, source du bonheur. Les bergers connaissent la paix de la vie pastorale, mais, puisqu'ils courent l'aventure du parfait amour, leur cœur cherche le bonheur et cette quête n'est pas sans tourment.

---

(27) V.L. Saulnier, *Le Prince de la Renaissance lyonnaise, initiateur de la Pléiade, Maurice Scève, italianisant, humaniste et poète (1500-1560)*, Paris, Klincksieck, 1949, 2 vol., t. I, pp. 207-208.

L'Astrée prend ainsi sa place dans l'engouement pour la théorie de l'amour platoniste et se veut, à travers le pétrarquisme, le courant courtois et le néo-platonisme, une encyclopédie pour apprendre aux hommes, qui l'ont oublié, à aimer bien. Une illusion ? Peut-être, mais, en tous cas, une belle illusion. Les romans pastoraux du XVIe siècle étaient, en cette matière, de timides essais ; les ouvrages philosophiques s'étaient multipliés en Italie et en France, il manquait une œuvre dont le sujet unique fût l'amour. *L'Astrée* fut cette œuvre, au carrefour de toutes ces influences, mais, surtout, elle fut l'écho des réflexions du néo-platonisme.

II. — La conception néo-platonicienne de l'amour dans *Les Epistres morales.*

La doctrine de l'amour se répandit en France, non seulement grâce aux quatre traductions du *Commentaire* de Ficin sur le *Banquet* de Platon (28), mais encore par Pic de la Mirandole, dans le *Comento sopra una canzona de amore da Girolamo Benivieni* (29), par Pietro Bembo dans les *Asolani* (30), par Mario Equicola dans le *Libro di natura d'amore* (31), par Léon Hébreu, dans ses *Dialoghi d'amore* (32) et par Caviceo, dans le *Libro del Pelegrino* (33). Ajou-

---

(28) Voir, à ce propos, Marsile Ficin, *Commentaire sur le Banquet de Platon*, texte présenté et traduit par R. Marcel, introduction pp. 123-131 (nos références seront faites à cette édition du *Commentaire*). Sur la philosophie de l'amour de M. Ficin, voir P.O. Kristeller, *Il pensiero filosofico di Marsilio Ficino,* Florence, Sansoni, 1953, pp. 107-113 ; M. Francon, *Leçons et notes sur la littérature française au XVIe siècle,* Cambridge, Massachussets, Harvard University Press, 1967 ; J. Festugière, *op. cit.*, pp. 21-39 et pp. 63 sq.

(29) Il fut traduit par G. Chappuis sous le titre, *Le commentaire du tres-illustre Comte Jean Picus Mirandulanus, sur une Chanson d'Amour, composee par Hierosme Benivieni Citoyen Florentin, selon l'opinion des Platoniciens, Mis en François par G.C.T.*, Paris, Lucas Breyel, 1588.

(30) Il y eut 3 traductions françaises. La première fut publiée sous le titre, *Les Azolains de Monseigneur Bembo, de la Nature d'Amour, traduicts d'italien en françois, par Jehan Martin, ... par le commandement de Monseigneur le Duc d'Orléans,* Paris, de Vascosan, 1545. Les autres éditions sont de 1555 et de 1572. Nous renvoyons à l'édition française de 1545.

(31) La première édition est de 1525. L'ouvrage fut traduit et publié trois fois en français, au cours du XVIe siècle. La première traduction est la suivante : *Les six livres de Mario Equicola.., de la nature d'amour, tant humain que divin, et de toutes les differences d'iceluy.., mis en Françoys par Gabriel Chappuys tourangeau,* Paris, J. Houzé, 1584. Deux éditions suivirent en 1589 et 1598. Nous renvoyons à l'édition de 1589.

(32) La première édition est de 1535. Il y eut 5 traductions françaises. La première fut publiée sous le titre, *Philosophie d'amour de M. Leon Hebreu. Traduicte d'Italien en Françoys par le Seigneur du Parc Champenois. Dédié à Catherine de Médicis avec un sonnet du traducteur,* Lyon, 1551. La deuxième traduction semble devoir être attribuée à Pontus de Tyard et parut à Lyon, chez J. de Tournes en 1551, en 2 volumes, sous le titre, *Leon Hebrieu, de l'Amour.* Suivirent 3 autres éditions, 1559, 1577, 1595. Nous renvoyons à la traduction de Pontus de Tyard, Lyon, 1551. Nous indiquerons entre parenthèses les références à l'édition italienne suivante : Leone Hebreo, *Dialoghi d'Amore a cura di Santino Caramella,* Bari, Gius. Laterza e figli, 1929, coll. *Scrittori d'Italia.*

(33) La première édition est de 1520. Il y eut 10 traductions françaises ; la première parut en 1527 à Paris, la deuxième en 1528 à Lyon, et les autres en 1529, 1531, 1535, 1540. A propos de ces traductions, voir J. Festugière, *op. cit.*, pp. 156-157.

tons à ces œuvres le *Cortegiano* de Castiglione (34). Le *Commentaire* de Ficin fut à l'origine d'un nouveau genre littéraire et beaucoup d'auteurs italiens, autres que ceux que nous venons de mentionner, ont adopté son enseignement en tout ou partie, entre autres, Diacceto, Betussi, Sperone Speroni, Tullia d'Aragona, Varchi, Firenzuola, Piccolomini et Le Tasse (35). Chez tous, on retrouve la théorie exposée dans le *Commentaire sur le Banquet.* Cette conception de l'amour exerça sur la pensée de la Renaissance une importante influence que les divers *Trattati d'amore* reprirent, nuancèrent et teintèrent parfois d'aristotélisme (36).

En France, l'influence du *Commentaire* dépassa rapidement le cercle des humanistes, pour pénétrer dans la société, grâce d'abord à Symphorien Champier qui vulgarisa la doctrine de l'amour dans *la Nef des dames vertueuses* (37). En même temps qu'une plaidoirie en faveur des femmes, cet ouvrage, notamment dans le dernier livre, entend montrer comment l'amour est source de biens. Ici, Symphorien Champier traduit Ficin et, grâce à lui, la doctrine du *Commentaire sur le Banquet* devint accessible à tous. Malgré les réactions de Jean Bouchet, dans les *Angoysses et remèdes d'amour,* en 1536, nombreuses furent les œuvres françaises qui reflètent la pensée ficinienne. Gilles Corrozet, en 1542, écrivit un traité, *La deffinition et perfection d'amour,* dans lequel il définit l'amour, en traduisant en partie le *Commentaire* de Ficin (38). Différent de la volupté, l'amour doit permettre à l'homme d'accéder à l'amour divin (39). Sans nul doute, cet ouvrage contribua à répandre la pensée ficinienne dont la *Parfaicte Amye* d'Antoine Héroët et la *Délie* de Maurice Scève témoignent.

La *Parfaicte Amye* développe la doctrine de Ficin : amitié fatale, mort de l'amant en l'aimée et sa résurrection, ressemblance et origine de l'amour, théorie de la réminiscence, perfection mutuelle de ceux qui s'aiment (40). Aux souffrances de la passion peintes par Pétrarque, l'auteur de la *Parfaicte Amye* oppose un amour, principe de bonheur. Dans son poème de *L'Androgyne de Platon* il expose l'origine de l'amour d'après le mythe du *Banquet* de Platon, et il chante les peines des amants et surtout leurs joies quand

---

(34) L'ouvrage fut publié en 1528 et il y eut 10 éditions françaises avant 1600. Sur l'influence de Castiglione en France, voir M. Magendie, *La politesse mondaine et les théories de l'honnêteté en France au XVII*e *siècle de 1600 à 1660,* 2 vol., Paris, 1935.

(35) A propos de ces ouvrages, voir J. Ch. Nelson, *Renaissance Theory of Love, The context of Giordano's Eroici furori,* New York et Londres, Columbia University Press, 1958, pp. 67-162 ; R. Marcel, *op. cit.*, pp. 114-131 ; Nesca A. Robb, *Neoplatonism of the Italian Renaissance,* Londres, G. Allen et Unwin, 1935, pp. 176-211.

(36) Voir, à ce propos, J. Festugière, *op. cit.*, pp. 40-61 ; J.Ch. Nelson, *op. cit.*, pp. 75-120 ; A. Adam, « La théorie mystique de l'amour dans *L'Astrée* et ses sources italiennes », in *RHP,* 15 juillet 1937.

(37) L'ouvrage fut publié à Lyon, J. Arnolet, 1503. Sur cet ouvrage, voir J. Festugière, *op. cit.*, pp. 7-8 et 64-78.

(38) Il traduisit notamment l'oratio Ia, c. IV.

(39) Voir J. Festugière, *op. cit.*, pp. 78-82.

(40) Voir l'introduction de F. Gohin aux *Œuvres poétiques* d'Antoine Heroët, Paris, E. Droz, 1943, pp. XLII-XLVII.

« Deux cueurs en ung s'arrestent pour leur vie » (41)

Antoine Héroët était le protégé de Marguerite de Navarre qui contribua à la diffusion du platonisme en France (42). *L'Heptaméron* donne une définition de l'amant parfait qu'aucun néo-platonicien n'aurait récusé (43).

Le poète Maurice Scève est aussi le chantre du parfait amour, dans sa *Délie,* parue deux ans après la *Parfaicte Amye* d'Antoine Heroët. Tous les thèmes de Ficin y sont exploités : beauté, reflet de la Beauté divine, identification de la Beauté et de la Bonté, union mystique de l'amant et de l'aimée, éternel bonheur donné à ceux qui s'aiment d'un amour réciproque, ascension de l'âme vers la Beauté suprême (44). L'école lyonnaise avec Pernette du Guillet, Charles de Sainte-Marthe, fut fidèle à la conception platonicienne de l'amour. Il appartenait à du Bellay et à Ronsard de vêtir cette théorie de délicatesse poétique. Tous les thèmes ficiniens sont présents dans l'œuvre de Ronsard qui n'ignore pas non plus les *Dialogues d'amour* de Léon Hébreu. Mais il compose aussi des vers où il maltraite la philosophie du vrai amour (45).

Il ne nous est pas possible d'examiner dans le détail les œuvres du XVIe siècle qui ont exposé la doctrine de Ficin. Ni Castiglione, ni Bembo, ni Léon Hébreu, ni Pic de la Mirandole ne furent étrangers à beaucoup d'entre elles. Mais, tandis que des écrivains ont adopté en sa totalité la conception d'un amour où l'esprit l'emporte sur la chair, d'autres, plus sensuels, ont donné la primauté à la chair sur l'esprit. Marguerite de Valois, dont nous savons qu'elle fut une adepte du néo-platonisme, ne finit-elle pas par s'en amuser ? Dans *La Ruelle mal assortie* n'avoue-t-elle pas que l'ébattement des corps surpasse les délicatesses de la communication des esprits ? Ronsard pensa ainsi et Montaigne, étonné par cette vogue de l'amour platonique, écrivit :

> « Mon page faict l'amour et l'entend. Lisez luy Leon Hebreu et Ficin : on parle de luy, de ses pensées et de ses actions, et si, il n'y entend rien ... Laissons la Bembo et Equicola. » (46)

La seconde moitié du XVIe siècle oscilla entre le réalisme et les conceptions trop élevées du néo-platonisme.

D'Urfé ne méconnut point cette double tendance. En face de Silvandre, de Tircis et de Céladon, il campa Hylas, l'homme plus porté à céder aux séductions de la chair qu'à celle de l'esprit. Fidèle cependant à la tradition familiale et aux idées de Ficin, c'est

---

(41) *L'Androgyne de Platon,* vers 273.

(42) Sur Marguerite de Navarre protectrice d'Héroët, voir introduction aux *Œuvres poétiques* d'Antoine Héroët, p. X.

(43) *Héptaméron,* 1re journée, épilogue de la nouvelle 8. Dans l'épilogue de la nouvelle 19 de la 2e journée nous lisons encore : « Encores ay-je une opinion, dit Parlamente, que jamais homme n'aymera parfaictement Dieu, qu'il n'ayt parfaictement aymé quelque creature en ce monde. »

(44) Sur M. Scève, voir V.L. Saulnier, *op. cit.,* ; H. Weber, *La création poétique en France,* Paris, Nizet, 1955, t. I, pp. 160 sq.

(45) Voir J. Festugière, *op. cit.,* p. 138.

(46) *Essais,* III, 5.

la doctrine du *Banquet* qu'il proposa dans *Les Epistres Morales,* au deuxième livre (47). Il y définit ainsi l'amour :

> « un desir de beauté, la beauté et la bonté se confondent ensemble : car rien ne peut estre beau, qui ne soit bon ; ny bon, que ne soit beau, ainsi que Platon nous enseigne dans le Sympose. Or la bonté, c'est Dieu : car Dieu est seul bon, lequel ne se pouvant diviser, il s'ensuite que desirer la bonté, c'est desirer Dieu. » (48)

Il ajoute que « la beauté est un rayon de celle de Dieu » (49). Voilà bien la doctrine, hâtivement résumée, du *Banquet* et du *Commentaire* de Ficin. On ne peut mieux, et plus clairement, en rapporter l'essentiel, sous une forme concise. Ficin définit l'amour, « désir de beauté ». « Telle est en effet, pour les philosophes, la définition de l'amour », ajoute-t-il (50). La formule, dès lors, fit fortune. Pic de la Mirandole, Bembo, Léon Hébreu, Equicola, et, à leur suite, prosateurs et poètes français du XVIe siècle la répétèrent pour définir l'amour.

Il en fut ainsi de l'identité du Beau et du Bien, qui est l'un des principes de la pensée platonicienne. Selon Platon, l'homme est beau parce qu'il est bon et il est nécessairement bon, s'il est beau. Ainsi, la célèbre expression grecque, καλοςκἀγαθός, prend son sens plein ; le beau étant harmonie, il est le reflet de celle de l'âme qui est la bonté (51). Nous lisons encore, dans le *Commentaire* de Ficin, que la beauté est « un rayon de Dieu » et que « la bonté qui est en toutes choses est Dieu lui-même, par qui tout est bon (52).

Pic de la Mirandole, dans le *Commento sopra una canzona de amore* (53), résume la doctrine de Ficin, mais il s'inspire également d'Aristote et de ses disciples arabes. Aussi ne se contente-t-il pas de constater que l'amour est désir de beauté (54). Il ajoute que le désir est inclination vers le bien ou ce qui semble bien. Cela suppose donc la connaissance de l'objet désiré (55). C'est un aspect de la

(47) *E.M.*, II, épître 4 notamment.

(48) *Ibid.*, II, 4, 256-257.

(49) *Ibid.*, II, 4, 258.

(50) Ficin, *Commentaire,* or. Ia, c.4, p. 142.

(51) Sur cette identification du beau et du bon dans *Les Epistres Morales,* voir Sœur M. Goudard, *op. cit.*, p. 118, n. 29 et 30.

(52) Ficin, *op. cit.*, or. IIa, c.3, p. 149. Cette expression de la beauté, « rayon de Dieu », se lit chez tous les trattatistes.

(53) Nous renvoyons à la traduction du *Commentaire* de Pic de la Mirandole par G. Chappuis, publiée à la suite du *Discours de l'honneste Amour de Ficin,* Paris, 1588, ff. 193 sq. Nous indiquons chaque fois entre parenthèses les références à l'édition des œuvres de Pic de la Mirandole procurée par E. Garin.

(54) *Op. cit.*, f. 218 r°, « L'amour donc duquel il nous faut parler se peut ainsi definir, comme aussi Platon le definit, le desir de beauté. » (éd. Garin, p. 489).

(55) *Ibid.*, f. 218 v°, « Je dy que le désir n'est autre chose, que une inclination et force de celuy qui desire en ce, ou qui luy est vrayement convenable, ou qu'il estime estre tel : et une telle chose s'appelle bien, mais l'object du desir est le bien ou vray ou apparent.., dont se conclud que le beau est different du bon comme une espece de son genre, et non comme une chose exterieure d'une interieure. » (éd. E. Garin, p. 489).

question sur lequel Léon Hébreu insiste (56).

A leur suite, Honoré d'Urfé, dont la pensée est influencée par l'aristotélisme, écrit :

> « Car toute chose estant plus obligée par la loy naturelle à sa conservation propre, et à son bien, qu'à celuy de tout autre, sans doute le desir est loüable, qui nous veut faire avoir ce que sa cognoissance luy dit estre bon ou pour son estre, ou pour son bien estre. Car le desir est toujours du bien, ou de ce qui est estimé bien, n'y ayant nul homme raisonnable, qui puisse desirer pour soy ce qu'il cognoistra estre mauvais. » (57)

La beauté est plus ou moins grande, selon la perfection de l'être dans lequel elle resplendit. Les êtres se situent dans la hiérarchie, selon leur proximité de Dieu. Honoré d'Urfé résume la pensée de Marsile Ficin :

Epistres Morales, II, 4, 258	M. Ficin, *Theologia platonica,* or. 2, c. 3.
« La beauté aux Anges, sont les Idées ; aux ames, les raisons ; en la Nature, les semences ; et aux corps, les formes... »	Huiusmodi radius omnes rerum omnium speties in quattuor illis effingit. Speties illas, in mente ideas, in anima rationes, in natura se mina, in materia formas appellare solemus. » (58)
	Or. 2 a, c. 5
« Et comme les idées ont leur beauté de Dieu, plus, ou moins parfaictement, selon le degré de leur perfection : aussi nos ames et nos corps l'ont selon la leur, plus, ou moins capables ; mais telle qu'elle puisse estre, elle est toujours un rayon qui s'eslance du visage Divin, aussi bien en nostre essence, qu'en celle des Anges. Par ainsi, qui aime la beauté en nous, y aime aussi bien Dieu, que s'il aimoit ces tres-pures intelligences : car si nostre beauté est un rayon de celle de Dieu, sans doute en l'aimant nous aimons Dieu sans y penser ».	Quemadmodum vero solis radius unus corpora quatuor, ignem, aerem, aquam terramque illustrat, sic unus dei radius mentem, animam, naturam, materiamque illuminat. Atque ut in quatuor iis elementis quicumque lumen inspicit solis ipsius aspicit radium, perque ipsum ad supernam solis lucem intuendam convertitur. Ita quisquis decorem in quatuor istis, mente, anima, natura, corpore, contemplatur amatque, dei fulgorem in iis, perque fulgorem in hujusmodi, deum ipsum intuetur et amat. »

D'Urfé ne traduit pas littéralement. Il omet la comparaison du soleil, mais il garde l'essentiel de la pensée et répète parfois les termes de la *Theologia platonica.* La plus ou moins grande perfection de la beauté des êtres a été exposée par Ficin au chapitre précédent, dans un commentaire d'une lettre de Platon à Denys (59).

---

(56) L. Hébreu, *op. cit.,* t. I, p. 8, « La cognoissance de la chose soit aymee, soit desiree, precede et l'Amour et le Desir, j'entends celle cognoissance qui persuade et imprime un jugement de bonté. » (éd. Caramella, p. 9). Voir encore, *op. cit.,* t. I, p. 14 (p. 12).

(57) *E.M.,* II ,4, 257-258.

(58) Voir, également, *op. cit.,* Or. IIa, c.5, p. 152.

(59) M. Ficin, *op. cit.,* or. IIa, c.4, p. 150.

D'Urfé, en résumant cette analyse, éclaire la pensée de Ficin. La théorie platonicienne de l'ascension de l'amour humain à l'amour divin est déjà nettement exposée. Tout découle de ce principe que la beauté de nos corps, celle de nos âmes et celle des Anges, procèdent de Dieu. Par là, s'explique la doctrine de l'amour humain. Le principe est tellement essentiel que d'Urfé se réclame de l'autorité des Kabbalistes : « Veux-tu Agathon, que je cabalise avec toy ? » Dieu, perfection de toute chose, est au sommet d'une montagne faite de miroirs plus ou moins parfaits, qui reflètent plus ou moins nettement les objets. Au bas de la montagne, coule une rivière qui reflète les objets déjà reflétés par les miroirs ; l'image obtenue est évidemment mauvaise : « il ne s'y en voit que des legers lineameans » ; sur l'autre rive de cette rivière, s'élève une colline faite également de miroirs beaucoup moins clairs que les premiers,

> « desquels les uns qui sont les plus pres du bord, ne representent que la figure troublée qui est dans l'eau, non seulement par la reflexion de l'eau, mais aussi par celle qu'ils ont des miroirs mesmes qui sont à l'autre bord. »

D'Urfé propose l'interprétation suivante : la montagne est le « monde intelligible, sur lequel Dieu est ». Il se représente dans les miroirs qui sont les Anges. La rivière est le monde matériel ou la nature. La matière, en effet, ne reçoit pas ses formes directement de Dieu,

> « mais par une cause seconde, qui est la reflexion de ces miroirs en l'eau, où cette beauté de Dieu se represente troublée et changeante : d'autant que la matiere par ses changements va diversifiant ses formes. »

La colline est le « monde aimé raisonnable », nos ames,

> « qui reçoivent la beauté de Dieu, tant par la cognoissance qu'elles ont de ce monde materiel, que par la reflexion des idées, dont elles forment les raisons par la suite des discours. Les ames qui sont plus voisines du corps, c'est à dire, plus adonnées aux choses corporelles, ne retirent leur cognoissance que de ce qui est des corps : mais celles qui sont plus relevées, forment aussi leurs raisons par la cognoissance des Anges, qui leur sont au dessus. » (60)

Honoré d'Urfé est redevable à Ficin. Celui-ci montre que la beauté de Dieu se répand dans toutes ses créatures, mais à des degrés différents :

> « Le visage unique de Dieu se reflète donc successivement dans trois miroirs placés en ordre : l'ange, l'âme et le corps du monde. Dans le premier, qui est le plus proche, il se reflète très clairement, dans le second, qui est plus éloigné, d'une manière plus obscure et dans le dernier, qui en est très éloigné par rapport aux autres, d'une manière très obscure. » (61)

---

(60) *E.M.*, II, 4, 259-261.
(61) M. Ficin, *op. cit.*, or. Va, c.4, p. 185.

L'image fit fortune. Ainsi, Benivieni, dans le poème commenté par Pic de la Mirandole, la fait sienne (62). Léon Hébreu, définissant le désir de la beauté, analyse la qualité de l'impression de la beauté divine dans les créatures, de l'ange à la nature. Il expose deux théories, celle d'Avicenne et d'Algazel, et celle d'Averroès. Selon la première, l'impression de la beauté divine est semblable à celle du soleil dans un cristal clair, et par l'intermédiaire de celui-ci dans un autre moins clair et ainsi successivement jusqu'au moins transparent de tous. Ce dernier représente l'intellect humain. Selon Averroès, la beauté divine est comme l'éclat du soleil qui se réfléchit dans de nombreux miroirs de moins en moins clairs. Elle perd ainsi graduellement sa perfection, de la première intelligence à l'intellect humain. D'après ces deux doctrines, l'amour dépend du monde angélique dans tout l'univers créé (63).

En rapportant la comparaison des miroirs, Honoré d'Urfé prétend exposer la doctrine des Kabbalistes. En fait, il doit cette comparaison, en partie du moins, à Léon Hébreu et à Ficin. L'auteur des *Dialoghi d'amore,* après Ficin et Pic de la Mirandole, affirme la participation des créatures à la Beauté divine, mais à des degrés différents. Ficin et Hébreu suggérèrent donc à d'Urfé l'allégorie des miroirs. En exposant la doctrine d'Avicenne, Hébreu développe la comparaison du soleil dont la lumière traverse des verres plus ou moins transparents. Il appartenait à l'imagination d'Urfé d'inventer le reste : la réflexion de la beauté divine dans les miroirs, de ceux-ci dans une rivière et de là dans d'autres miroirs. Les trois mondes traditionnels sont représentés, avec au sommet, sur sa montagne, Dieu. La comparaison de la rivière qui reflète l'image des premiers miroirs pourrait bien encore avoir été suggérée à d'Urfé par cet autre passage du *Commentaire* de Ficin :

> « En outre, la lumière du Soleil dans l'eau est une ombre par rapport à la lumière plus claire que nous voyons dans l'air. Celle qui resplendit dans l'air est aussi une ombre comparée à celle qui éclate dans le feu et l'éclat du feu, une ombre en

(62) Stanza VII ; voir J.Ch. Nelson, *op. cit.*, p. 62.

(63) L. Hébreu, *op. cit.*, t. II, p. 214. (éd. Caramella, pp. 285-286). Sofia fait le résumé suivant de ces théories : « J'ay entendu la difference des deux opinions des Arabes, de la succession de l'impression de la beauté divine et de l'amour d'icelle, aux degrez intellectuelz de l'Univers, et pense comprendre que la premiere soit comparee à l'impression du Soleil en un clair crystal, et puis en un moins clair, et ainsi successivement, jusques à l'entendement humain qui est le moins clair, et dernier de tous : et la seconde ressemble l'impression aussi du soleil immediatement et directement en divers miroirs, mais l'un moins clair que l'autre : selon la dignité de leurs degrez, des la premiere intelligence, jusques à l'entendement humain, ainsi en l'une et l'autre maniere, je voy que l'amour depend du Monde angelique, en tout l'Univers créé... » Aux dires de Léon Hébreu, les Arabes prétendent que dans l'univers se forme un cercle qui va de Dieu à la matière et provoque l'ascension de tout l'univers jusqu'à Dieu : « Voila la ligne circulaire, que les Arabes font de l'Univers, de laquelle le commencement, est la divinité, de laquelle descendant d'un, en un successivement, lon vient jusques à la matiere premiere, plus eslongnee d'icelle divinité : et, de la dite matiere, on remonte de degré, en degré, approchant tousjours la divinité, jusques à ce qu'on revient à finir au poinct duquel on avoit commencé : asavoir en la beauté divine, par la copulation de l'entendement humain, avec elle. » (*op. cit.*, t. II, pp. 209-210 ; éd. Caramella, p. 283).

comparaison de la lumière qui brille dans le soleil lui-même. La même comparaison s'impose entre ces quatre beautés : celle du corps, de l'âme, de l'ange et de Dieu. » (64)

D'Urfé prétend cependant qu'il a l'intention de « cabaliser ». C'est pourquoi, François Secret découvre la source de cette allégorie dans un sonnet de Guy Le Fèvre de la Boderie paru en 1592, dans les *Diverses melanges poetiques* :

« Sur le sommet d'un mont plus qu'un miroir luysant
Je vy un homme assis d'une grandeur immense,
D'un regard lumineux, et de belle presence
Dont l'image luisoit dedans le mont plaisant.

Un torrent d'eau couroit au pied du mont gisant
Auquel de l'homme grand on voyait la semblance,
Et une pastourelle en doulce contenance
Pres du rivage alloit ses troupeaux conduisant.

Aussi tost que la nymfe aupres du fleuve arrive
Elle remire en l'eau cette figure vive.
Qui luy fait concevoir le simulacre beau

De ce grand homme assis sur la montagne sainte,
Si leve l'œil en haut, et void l'image peinte
Plus claire au mont luysant que non pas dedans l'eau. »
(65)

La part d'originalité d'Urfé ne réside, ni dans la théorie, ni dans l'interprétation du mythe, mais bien dans le détail de la comparaison qu'il a compliquée par souci de précision. On y retrouve son goût pour le phénomène de la réflexion de la lumière, image de l'illusion.

Etablir les degrés de la beauté dans les créatures, c'est du même coup affirmer la supériorité de l'âme sur le corps. Cette distinction et cette hiérarchie sont les thèmes les plus courants de la pensée néo-platonicienne :

« Je te diray bien toutesfois, [écrit d'Urfé], que d'autant que celuy est blasmable, qui pouvant faire deux loüables actions, se contente de la moindre (car c'est tesmoignage ou de peu de courage, ou de peu de prudence) que celuy aussi qui s'arreste entierement aux beautez du corps, sans s'eslever à celles de l'âme, ne peut-estre excusé de l'un de ces deux defauts.

Lors que Platon a dit, que pour rendre un homme entierement parfaict, il falloit seulement qu'il aimast, il entendoit sans doute qu'il deut aimer ces deux beautes de l'ame et du corps. » (66)

D'autre part, comment l'amant peut-il être aimé de retour, sinon à cause de ce qui est seul aimable, c'est-à-dire la beauté de l'âme ? « Donc pour estre aimé, le vray amant se rendra vertueux » (67). Les erreurs commises par les hommes proviennent de la corruption de leur jugement qui incline à aimer ce qui n'est pas aimable.

(64) M. Ficin, *op. cit.*, or. VIa, c. 17, p. 234.
(65) *Diverses melanges poetiques*, 1582, sonnet 3, cité par F. Secret, *L'ésotérisme de Guy Le Fèvre de la Boderie*, Paris Droz, 1969, p. 38.
(66) *E.M.*, II, 4, 261.
(67) *Ibid.*, II, 4, 262.

Mais, quand on aime vraiment, c'est-à-dire en ne s'attachant pas seulement au corps, il ne peut y avoir d'extrêmité vicieuse en amour. Nous découvrons ici, à nouveau, la distinction entre la vertu morale, qui consiste dans la « médiocrité, eu esgard à nous », et la vertu contemplative, « qui par la cognoissance du beau, esmeut le desir de la posseder ». On ne peut donc aimer avec excès. Et même si l'amour était une vertu morale, il « n'y sçauroit avoir nulle extremité » :

> « Ouy bien, [poursuit d'Urfé], plus aisement du defaut, car il y a peu d'action de l'ame, de qui, ce qui est extremité aux uns, ne soit mediocrité aux autres, selon les objets sur quoy elle agit »

Et notre auteur conclut ainsi cette démonstration :

> « Disons donc, Agathon, pour resolution de ce doute, qu'aux esprits grossiers les moindres ressentiments sont des extremitez. Mais à ces belles ames qui ont recogneu le rayon du visage divin, les plus violentes passions sont mediocres. Et encor est-il bien mal-aisé qu'elles puissent parvenir à ce poinct, ayant esgard à ce qui les produit, d'autant que la beauté estant une chose divine, l'affection humaine peut-elle estre trop grande pour aimer la Divinité. » (68)

En tout ceci, d'Urfé a contracté des dettes envers Marsile Ficin, mais parfois il doit davantage à Léon Hébreu. Ficin, selon « la coutume platonicienne », considère que « l'homme, c'est uniquement l'âme » (69). L'amant, le véritable amant, devra aimer l'âme. Nous verrons plus loin que d'Urfé ne blâme nullement l'amour du corps ; pour lui, comme pour les doctrinaires français de l'amour au XVIe siècle, il faut préserver la part de l'amour charnel. D'Urfé est en cela plus aristotélicien que platonicien. Mais c'est bien au *Commentaire sur le Banquet* qu'il emprunte sa page sur la beauté de l'âme qui consiste dans les vertus. Ficin s'adresse à Socrate et l'exhorte ainsi :

> « Qu'est-ce que je t'invite à aimer dans l'âme ? Sa beauté. Or c'est la lumière qui est la beauté des corps et c'est aussi la lumière qui est la beauté de l'âme. La lumière de l'âme, c'est la vérité que ton ami Platon semble demander uniquement à Dieu de tous ses vœux. Platon déclare que la beauté de l'âme est dans la vérité et dans la sagesse et que c'est Dieu qui l'accorde aux hommes. La vérité que Dieu nous accorde est une et identique, mais suivant ses différents effets, elle prend le nom des différentes vertus. » (70)

Ensuite, Ficin divise les vertus en morales et intellectuelles. Il recommande d'aimer également les unes et les autres, tout en reconnaissant la supériorité des vertus intellectuelles. Par conséquent, deux amours existent, celui du corps et celui de l'âme. Ce dernier

(68) *Ibid.*, II, 4, 265-266.
(69) M. Ficin, *op. cit.*, or. IVa, c.3, p. 171.
(70) Id., *ibid.*, or. VIa, c.18, p. 237.

seul est digne de l'homme. En effet, la véritable beauté est nécessairement incorporelle, car

> « la raison même de la beauté ne peut pas être le corps ; si elle était corporelle, elle ne conviendrait pas aux vertus de l'âme qui sont incorporelles... La beauté d'une personne plaît à l'âme, non pas en tant qu'elle réside dans une matière extérieure, mais dans la mesure où son image, transmise par la vue, est saisie ou conçue par l'âme. » (71)

Donc, s'adonner aux plaisirs du corps, c'est aimer comme les bêtes. Pourquoi certains préfèrent-ils le corps à l'âme, les plaisirs charnels à ceux de l'esprit ? L'âme de ces hommes, ignorante et corrompue par le corps, est

> « si flattée par les charmes de la forme corporelle qu'elle néglige sa propre beauté et, oublieuse d'elle-même, s'attache à la forme du corps qui n'est que son ombre. » (72)

Le même raisonnement et la même distinction se lisent dans le *Comento sopra une canzona* de Pic de la Mirandole (73). Castiglione enseigne qu'aimer uniquement la beauté du corps, c'est une erreur (74) et qu'il faut aimer l'esprit autant que le corps (75). Dans les *Asolani* de Bembo, le même précepte est énoncé (76). Chez Equicola, même leçon (77). Mais c'est dans les *Dialoghi d'amore* de Léon Hébreu, qui font une grande part à la connaissance dans l'origine et la nature de l'amour, que nous découvrons, avec le plus de netteté, la raison pour laquelle certains préfèrent le corps à l'âme. Il s'agit d'une erreur de jugement (78).

Le véritable amour s'adresse aux vertus de l'aimé. Cependant, Ficin déclare qu'on doit aimer avec modération, sauf Dieu :

> « La lumière et la beauté de Dieu qui est pure et absolument affranchie de toute autre condition peut être considérée sans aucun doute comme une beauté infinie. Or la beauté infinie réclame aussi un amour infini. Voilà pourquoi, je te supplie, Socrate, d'aimer tout le reste avec mesure et d'une manière limitée, mais d'aimer Dieu d'un amour infini et de ne fixer aucune mesure à l'amour divin. » (79)

Bembo est du même avis que Ficin (80). Pour Equicola, au contraire, l'amour est « loin » de la médiocrité » (81). Léon Hébreu étudie longuement cette même question. Il distingue entre l'amour des choses utiles et délectables et celui des choses honnêtes, entre

---

(71) Id., *ibid.*, or.Va, c.3, pp. 182-183.
(72) Id., *ibid.*, or. VIa, c.18, p. 235.
(73) Pic de la Mirandole, *op. cit.*, ff. 248 r° sq. (éd. Garin, p. 523).
(74) Castiglione, *op. cit.*, l. IV, f. XLI v°, « De là est que ceulx qui pensent en possedant le corps avoir fruition de la beauté, s'abusent. »
(75) Id., *ibid.*, l. IV, f. XLIX r°.
(76) Bembo, *op. cit.*, f. 78 r°.
(77) Equicola, *op. cit.*, f. 414 r°.
(78) Voir, à ce propos, J. Ch. Nelson, *op. cit.*, p. 86.
(79) M. Ficin, *op. cit.*, or. VIa, c.18, p. 238.
(80) Bembo, *op. cit.*, f. 77 r°.
(81) Equicola, *op. cit.*, f. 264 v°.

la vie morale et la vie contemplative. Les subtilités de son analyse rendent l'expression de sa pensée quelque peu obscure. Il semble, cependant, qu'il ne refuse pas l'excès à l'amour honnête ; du moins, il pense que le vice est dans le trop peu. (82)

Les Dialoghi d'amore ont pu suggérer ce problème à Honoré d'Urfé, mais il nous apparaît surtout qu'il a voulu rester logique avec la pensée qu'il avait exprimée à propos de la vertu. L'amour ne peut connaître l'excès, puisqu'il conduit, en définitive, à se transformer en Dieu. Seul l'excès de l'amour du corps est vice. L'amour physique est nécessaire seulement pour perpétuer l'espèce, mais réduire l'amour à cela est indigne de l'âme. L'amant doit se transformer en la chose aimée et s'élever de l'amour humain à celui de Dieu. Pour attirer à Lui, Dieu a donné à ses créatures « divers degrez » : aux anges, les intelligences pures ; aux hommes, il a fourni deux échelles, celle des « formes qui sont en la matière » et celle « des raisons qui sont en l'âme ». L'homme, fait de corps et d'âme, doit donc avoir « les aymants de l'un et de l'autre ». D'Urfé termine ainsi son épître :

> « Or tout ainsi que plus l'aymant attire violemment le fer à soy, plus aussi ce fer montre d'avoir de sympathie avec luy : de mesmes plus une beauté attire un amant à elle, plus cet amant a de sympathie avec la chose aimée, et il s'ensuit, la beauté estant une partie de Dieu invisible, que celuy qui aime plus ceste beauté a plus de divinité : Mais d'autant, comme je t'ay dit, qu'il y en a deux en l'homme : celuy qui n'en aime qu'une, a quelque imperfection en son essence, et celuy est parfaict qui les aime toutes deux. Et voicy les noms que je donne à leur difference : Celuy qui n'aime que le corps, s'appelle corporel, qui le seul esprit spirituel, et qui tous les deux, homme. Le premier est vertu honteuse, le deuzieme vice glorieux, et le dernier la vraye vertu humaine. » (83)

Cette formule est belle et résume la pensée d'Urfé. Elle nous semble, d'ailleurs, tout à fait originale. Mais il n'en est pas de même pour le reste de l'exposé. Les degrés de l'ascension vers Dieu, la transformation de l'amant en l'aimée, les diverses manières d'aimer, jusqu'à la comparaison avec l'aimant, tout est dans le *Commentaire* de Ficin.

Celui-ci, à plusieurs reprises, rappelle que l'amour du corps n'a pour but que de perpétuer l'espèce (84). L'essentiel de sa doctrine

---

(82) L. Hébreu, *op. cit.*, t. I, p. 35, « L'extremité superflue (ay je ouy dire) quant aux choses honnestes, est vertueuse : car lors plus est grande la vertu, quand plus elles sont aymees, desirees et suyvies diligemment : et au contraire, l'extremité du peu est vicieuse : pour ce que nul vice est plus grand, que de laisser et n'aymer ou faire conte des choses honnestes. » (Ed. Garin, pp. 23-24). En réponse à Sofia, Filone fait les distinctions suivantes : « En la contemplative le trop est seulement vicieux. » (t. I, p. 37 ; éd. Caramella, p. 24) Il est à remarquer qu'une erreur importante s'est glissée dans l'interprétation de Pontus de Tyard, car Hébreu écrit en réalité tout le contraire, « ne la contemplativa il vizio consiste solo nel poco ».

(83) *E.M.*, II, 4, 267-268.

(84) M. Ficin, *op. cit.*, or. IIa, c.8, p. 155, or. VIa, c.II, p. 223-225. Léon Hébreu écrit : « La generazione (come dice Aristotele) fu per remedio de la mortalità. » (*op. cit.*, éd. Caramella, p. 298). La formule de L. Hébreu est assez proche de celle d'Urfé.

est l'ascension de l'homme vers Dieu par l'amour humain. Nous découvrons ici la théorie de l'union mystique sur laquelle *L'Astrée* revient maintes fois. Nous nous y attarderons davantage un peu plus loin. Si d'Urfé, s'appuyant sur l'affirmation de Platon, rappelle que l'amant se transforme en la chose aimée, c'est qu'il a lu cette théorie dans le *Commentaire* de Ficin qui l'énonce plusieurs fois, tant elle est essentielle. Il écrit en effet :

> « Il arrive aussi très souvent que l'amant désire se transférer dans la personne aimée : ce qui est légitime, car, en fait, d'homme il désire et s'efforce de devenir Dieu. Qui donc ne changerait pas la condition humaine pour celle de Dieu ? » (85)

et encore :

> « Chaque fois que deux êtres s'entourent d'une mutuelle bienveillance, l'un vit dans l'autre et l'autre vit dans l'un. » (86)

Les trattatistes italiens, séduits par cette théorie, se borneront à paraphraser les propos de Ficin. Certains les approfondiront, comme notamment Léon Hébreu.

Puisque les créatures se répartissent, par rapport à Dieu, selon une hiérarchie bien déterminée, elles auront aussi un acheminement différent vers Dieu. Aimer, c'est entrer dans le circuit mystique qui se boucle en Dieu. Or, selon Ficin, l'homme a été éclairé de la beauté de Dieu par degrés : graduellement aussi l'âme, s'élevant de l'amour du corps, atteindra Dieu, où elle a découvert la Beauté (87). Une force attractive, semblable à celle de l'aimant qui donne à l'anneau la qualité qui le rend magnétique, émane de Dieu, passe dans les êtres et les contraint, pour ainsi dire, par l'amour, à faire retour à Lui. Ficin transpose l'argument que Socrate avait proposé à Ion pour expliquer l'inspiration (88). L'auteur du *Commentaire sur le Banquet,* qui a en vue l'âme de l'homme plus que son corps, place la perfection dans l'amour de l'âme et il écrit :

> « ...l'amour du contemplatif monte de la vue à l'intelligence, celui du voluptueux descend de la vue au toucher et celui de l'actif se maintient dans la vue. A ces trois amours on donne trois qualificatifs. Celui du contemplatif est divin, celui de l'homme actif est humain, et celui du voluptueux est bestial. » (89)

Voilà, nous semble-t-il, l'origine de la formule qui clôt la quatrième épître du deuxième livre des *Epistres Morales*. Les qualificatifs ont changé et l'originalité d'Urfé est d'avoir mis l'accent sur l'amour humain qui doit tenir compte du corps et de l'âme. Celle-ci est précieuse, certes, mais le corps attire aussi par sa beauté. Ainsi, cette épître est un petit traité de l'amour. Avec elle, entre 1598 et

---

(85) M. Ficin, *op. cit.,* or. IIa, c.7, p. 153.
(86) Id., *ibid.,* or. IIa, c.8, p. 156.
(87) Voir J. Festugière, *op. cit.,* pp. 34-35. M. Ficin, *op. cit.,* or. Va, c.4, p. 185, or. VIa, c.10, p. 219, or. VIa, c.18, p. 236, or. VIIa, c.I, p. 241.
(88) M. Ficin, *op. cit.,* or. VIa, c. 2, p. 200. Voir l'introduction de R. Marcel, pp. 84-85.
(89) M. Ficin, *op. cit.,* or. VIa, c.9, p. 212.

1603, d'Urfé apporte sa contribution à cette doctrine néo-platonicienne qui eut tant de succès. Elle est la preuve qu'il connaît déjà le *Commentaire* de Ficin, celui de Pic de la Mirandole et sûrement les *Dialoghi d'amore* de Léon Hébreu. L'exposé est donc sans grande originalité. D'autres ont écrit sur l'amour, d'Urfé sacrifie à la mode de l'époque.

III. — La doctrine de l'amour dans *L'ASTREE*.

Pourtant, à lire *L'Astrée,* nous nous apercevons que d'Urfé ne s'en tint pas à une connaissance servile des traités d'amour. On a prétendu que son roman est moins boursouflé d'érudition que l'épître que nous venons d'étudier (90). Rien n'est moins sûr cependant. Adamas, Céladon, Silvandre sont des érudits en la matière et Honoré d'Urfé ne nous épargne aucun raisonnement philosophique. Mais la conduite des personnages, leurs propos et leurs sentiments font oublier l'exposé parfois trop abstrait. A Silvandre et à Céladon, les amants parfaits, l'auteur de *L'Astrée* oppose l'inconstant Hylas. Les histoires qui illustrent tous les aspects de l'amour sont prétextes à des analyses raffinées. Elles confèrent au roman une incontestable supériorité sur tous les traités en vogue. *L'Astrée* reprend, un à un, les grands principes de la doctrine néo-platonicienne, exposés dans *Les Epistres Morales* et y ajoute tous les autres détails qui avaient été négligés. Aussi y découvrons-nous des considérations sur le dieu Amour et la naissance de l'amour, l'exposé de la théorie mystique de l'union et une énumération des bienfaits et des méfaits de l'amour.

Dans *le Banquet,* Phèdre déclare que l'Amour est une grande divinité chez les dieux et chez les hommes. Il est, en effet, le plus ancien de tous les dieux, puisqu'aux dires d'Hésiode, il est né avec le chaos auquel il a donné la forme (91). Ficin commente cette légende rapportée par Orphée, par le Trismégiste dans le *Pimandre,* et par Hésiode dans sa *Théogonie.* Il conclut que l'Amour a introduit, dans ce monde « sans force » qu'est le chaos, l'harmonie, la beauté et la lumière :

> « En tout par conséquent, dit-il, l'Amour accompagne le chaos, précède le monde, éveille ce qui dort, illumine ce qui est obscur, ressuscite ce qui est mort, forme ce qui est informe et perfectionne ce qui est imparfait. » (92)

Pic de la Mirandole ne s'écarte pas de la pensée de Ficin. Pour lui, le chaos est la matière « pleine de toutes les formes, mais confuse et imparfaite », et il est un désir de perfection. C'est l'amour qui la lui communique (93). Equicola répète que l'amour est né

---

(90) Voir, à ce propos, Sœur M. Goudard, *op. cit.*, p. 123. Sur la conception de l'amour dans *L'Astrée,* voir E. Winkler, *Komposition und Liebestheorien der « Astrée » des Honoré d'Urfé,* Breslau, 1930.

(91) *Banquet,* 178 a-c. ; Hésiode, *Théogonie,* vers 120.

(92) M. Ficin, *op. cit.*, or. Ia, c.4, pp. 138-141.

(93) Pic de la Mirandole, *op. cit.*, f. 233 v°, (éd. Garin, p. 504).

du chaos et qu'il est le plus grand de tous les dieux (94). D'Urfé, à son tour, prête de semblables propos à Silvandre :

« Amour que nos sages druides estiment estre le grand Tautates, que ceux qui enseignent dans les escoles des Massiliens disent estre le premier des dieux qui sortit hors du chaos, apres avoir osté la confusion et le desordre de cette inutile et lourde masse, et separé les choses mortelles des immortelles, voulut esclairer dessus toutes, et en les esclairant leur donner la vie et la perfection. » (95)

Amour est donc le plus grand de tous les dieux et il remplit l'univers entier (96). D'Urfé emprunte son idée, soit à Ficin, soit à Pic de la Mirandole, soit à Léon Hébreu qui a insisté sur l'universalité de l'amour, et du même coup à Platon lui-même. Il répète cette idée devenue l'un des refrains du courant néo-platonicien. Il convient cependant de noter la distinction entre ceux qu'il appelle « nos sages druides » et « ceux qui enseignent dans les escoles des Massiliens ». Les premiers identifient Tautatès, autrement dit Dieu, à l'Amour. Or, pour les chrétiens, Dieu se définit par l'amour. Ici, les druides nous paraissent donc être les théologiens chrétiens. Quant à « ceux qui enseignent dans les escoles des Massiliens » ne sont-ils pas les néo-platoniciens, Ficin et ses disciples ? Cette distinction n'est cependant pas toujours aussi nette (97). D'Urfé partage le souci commun aux humanistes du XVIe siècle de concilier le courant profane du néo-platonisme et la foi chrétienne. Le Dieu-Amour des Chrétiens est le même que Celui des « prisci théologi », qui mit l'ordre et la lumière dans le chaos originel. En peignant l'Amour comme un enfant aux yeux bandés qui aveugle ses victimes, Honoré d'Urfé concède à la mythologie la part qui lui était réservée dans les traités et dans les pastorales (98).

S'agit-il de l'origine de l'amour ? *L'Astrée* nous fournit beaucoup plus de précisions que *Les Epistres Morales*. D'Urfé insiste surtout sur la naissance de l'amour et sur le rôle de la connaissance et de la volonté. Il précise, complète et rectifie la doctrine ficinienne en s'inspirant de Pic de la Mirandole et de Léon Hébreu.

L'amour est un désir de beauté, d'Urfé l'a déjà écrit dans *Les Epistres Morales*. Céladon, répétant à Adamas la leçon d'un druide, précise qu'il y a plusieurs sortes de beautés :

---

(94) Equicola, *op. cit.*, f. 45 v° et ff. 127 r° sq.

(95) *Astrée,* III, 10, 527-528.

(96) *Ibid.*, II, 2, 52 ; II, 9, 372 ; II, 7, 307 ; II, 7, 284 ; III, 3, 104.

(97) Voir, à ce propos, A. Adam, *art. cit.*, p. 195, n. 1. Cependant les druides représentent souvent les néo-platoniciens, voir, par exemple, *Astrée,* II, 2, 79. Par ailleurs, Honoré d'Urfé établit une nouvelle distinction entre « les plus sçavans » et les ministres des temples. Silvandre en effet demande à Phillis à qui elle doit s'adresser pour connaître la volonté d'un dieu. Celle-ci répond : « ...à ceux qui sont prestres de leurs temples et qui ont accoustumé de servir à leurs autels. » Et Silvandre lui fait la remarque suivante : « Et pourquoy, ... ne vous adressez-vous plustost à ceux qui sont les plus sçavans, que non pas aux ministres de ces temples, qui le plus souvent sont ignorans en toute autre chose ? » (II, 3, 101). Cette remarque laisse supposer que « les plus sçavans » sont aussi les théologiens, ici donc les druides ou les néo-platoniciens.

(98) *Astrée,* II, 5, 203 ; III, 3, 94 sq ; III, 3, 105.

« Je me souviens à ceste heure qu'il y avoit un de vos druides qui taschoit de prouver qu'il n'y avoit que l'esprit, la veue et l'ouye qui deussent avoir part en l'amour. D'autant, disoit-il, que l'amour n'est qu'un desir de beauté, y ayant trois sortes de beauté, celle qui tombe sous la veue, celle qui est en l'harmonie, dont l'oreille est seulement capable, et celle en fin qui est en la raison, que l'esprit seul peut discerner. Il s'ensuit que les yeux, les oreilles, et les esprits seuls en doivent avoir la jouyssance. Que si quelques autres sentiments s'y veulent mesler, ils ressemblent à ces effrontez qui viennent aux noces sans y estre conviez. » (99)

Il n'est aucun des théoriciens de l'amour, italien ou français, qui, à la suite du *Commentaire* de Ficin, n'ait repris cette définition et n'ait distingué trois sortes de beautés, qui sont perçues par les yeux, la vue et les oreilles. Ficin écrit en effet :

« Il y a donc une triple beauté : celle des âmes, celle des corps et celle des voix. Celle des âmes est connue par l'intelligence, celle des corps est perçue uniquement par les yeux et celle des voix uniquement par les oreilles. Or, comme l'intelligence, la vue et l'ouïe sont les seuls moyens qui nous permettent de jouir de la beauté, et que l'amour est le désir de jouir de la beauté, il est toujours satisfait par l'intelligence, les yeux et les oreilles. » (100)

Pic de la Mirandole se contente d'une distinction entre la beauté corporelle et sensible, et la beauté intelligible (101). Léon Hébreu répète, en la développant, la distinction de Ficin et s'attache surtout à montrer la supériorité de la beauté perçue par l'entendement (102). Equicola se borne à résumer cette doctrine en une formule lapidaire :

« Platon fait la beauté de trois sortes : du corps, et ceste cy surprend l'œil : de la parole, et elle delecte l'ouïe, et de l'esprit, laquelle est considerée par l'entendement. » (103)

A notre avis, d'Urfé a été inspiré par Ficin, plus que par Pic de la Mirandole et Léon Hébreu. Céladon ne s'attarde pas au rôle des autres sens dans la perception de la beauté. Il fait seulement remarquer que, lorsqu'ils veulent jouir aussi de la beauté, ils sont comme « des effrontez qui viennent aux noces sans y estre conviez ». L'auteur du *Commentaire* énumère les troubles provoqués par le désir « qui naît des autres sens ». Adamas prodigue le même enseignement à Céladon :

---

(99) *Ibid.*, II, 2, 79. Voici encore cette définition donnée par Céladon : « Or, qu'est-ce qu'amour, ... sinon, comme j'ay ouy dire à Silvandre et aux plus sçavans de nos bergers, qu'un desir de la beauté que nous trouvons telle. » (I, 12, 482) Silvandre définit ainsi l'origine de son amour pour Diane : « ...cette amour que sa beauté a produit en moi. » (II, 3, 89). Voir, également, la déclaration de Damon à Madonte (II, 6, 214).

(100) M. Ficin, *op. cit.*, or. Ia, c.4, p. 142.

(101) Pic de la Mirandole, *op. cit.*, f. 226 v° (éd. Garin, p. 498).

(102) L. Hébreu, *op. cit.*, t. II, p. 105 (éd. Caramella, p. 227).

(103) Equicola, *op. cit.*, f. 152 r°.

« Que si nos desirs ne s'entendoient point au-delà du discours, de la veue, et de l'ouye, pourquoy serions-nous jaloux, pourquoy desdaignez, pourquoy douteux, pourquoy ennemis, pourquoy trahis, et en fin pourquoy cesserions-nous d'aimer, et d'estre aimez, puis que la possession que quelque autre pourroit avoir de ces choses n'en rendroit pas moindre nostre bonheur ? » (104)

La source de ce passage est bien le *Commentaire* de Ficin et point n'est besoin, pour l'expliquer, de recourir aux trattatistes comme Bembo (105) ou Varchi (106). Ils ont tous répété la même idée sans originalité aucune, comme le firent prosateurs et poètes français qui consacrèrent leurs œuvres au thème de l'amour (107).

La quatrième épître du deuxième livre des *Epistres Morales* a montré comment la beauté n'est qu'un reflet de celle de Dieu qui se répand dans les créatures, selon leur place par rapport à la source divine. Adamas, en d'autres termes, et à l'aide d'autres comparaisons, enseigne la même doctrine à Céladon. Ses propos sont d'abord une reprise presque littérale d'un passage du *Commentaire* de Ficin dont il supprime, pour le clarifier, tout ce qui est complexe, c'est-à-dire la théorie des cercles qui tournent autour de Dieu :

Astrée, II, 2, 78.	Ficin, *Com.*, or. II, c. 3, p. 149.
« Il faut donc que vous sçachiez que toute beauté procede de cette souveraine bonté, que nous appelons Dieu, et que c'est un rayon qui s'eslance de luy sur toutes les choses créées. »	« ... la Bonté qui est en toutes choses est Dieu lui-même, par qui tout est bon, et... la Beauté est un rayon de Dieu qui se répand dans ces quatre cercles qui tournent en quelque sorte autour de lui. »

Quelques pages plus loin, Ficin précise comment la beauté, rayon de la divinité, se répand en tout :

« Premierement dans l'intelligence angélique, deuxièmement dans l'âme du monde et dans toutes les âmes, troisièmement dans la nature et quatrièmement dans la matière corporelle. Ce rayon orne l'intelligence de la hiérarchie des idées, remplit l'âme de la série des raisons, féconde la nature avec les semences, orne la matière de formes. Or comme un seul et même rayon de Soleil éclaire les quatre éléments, le feu, l'air, l'eau et la terre, ainsi un seul et même rayon de Dieu éclaire l'intelligence, l'âme, la nature et la matière. » (108)

D'Urfé résume cette page, quand il fait dire à Adamas :

« Et comme le soleil que nous voyons, esclaire l'air, l'eau et la terre d'un mesme rayon, ce soleil éternel embellit aussi l'entendement angelique, l'âme raisonnable et la matiere ; mais, comme la clarté du soleil paroist plus belle en l'air qu'en

---

(104) *Astrée,* II, 2, 79-80.
(105) Bembo, *op. cit.*, ff. 89 r°, 100 v°, 126 r°, 127 r°.
(106) B. Varchi, *Lezzioni di Benedetto Varchi,* Florence, F. Giunti, 1590, p. 340, « E perche la bellezza si truova in tre cose, ne'corpi, nelle voci, e negl' animi. »
(107) Voir J. Festugière, *op. cit.*, pp. 63 sq.
(108) M. Ficin, or. IIa, c.6, p. 152.

l'eau, et en l'eau qu'en la terre, de mesme celle de Dieu est bien plus belle en l'entendement angelique qu'en l'ame raisonnable, et en l'ame qu'en la matiere. Aussi disons-nous qu'au premier il a mis les idées, au second les raisons et au dernier les formes. » (109)

N'est-ce pas ce qui a été écrit dans *Les Epistres Morales ?* Seule intervient la comparaison du soleil, dont Ficin, après Pseudo-Denys, a fait l'un de ses thèmes les plus chers. D'Urfé s'adresse, dans *L'Astrée,* à des lecteurs mondains qu'il veut éduquer ; c'est pourquoi il vulgarise la pensée de Ficin, en supprimant tout ce qui exige une profonde réflexion. Dans le roman, il n'est plus question de l'âme du monde, ni des semences ; seuls subsistent trois ordres de créatures : l'entendement angélique, l'âme raisonnable et la matière. Rapidement, alors que pour Ficin c'est une idée essentielle, Honoré d'Urfé note que c'est « un mesme rayon » du soleil, donc un même Dieu, qui éclaire les créatures. Le désir est si grand de présenter une doctrine claire, sans rien d'ardu, que sur la demande de Céladon, Adamas explique ce qu'est l'entendement, l'âme et la matière. Pour l'auteur de *L'Astrée,* l'unité de Dieu a moins d'importance que les degrés de la beauté des créatures. La lumière du soleil, réfléchie différemment par l'eau, l'air et la terre, en est le symbole. Le texte de Ficin a suggéré l'essentiel de la doctrine ; l'imagination du romancier a créé le reste. Adamas, qui s'adresse à un profane, Céladon, ne « cabalise » pas. La comparaison si compliquée de la beauté divine reflétée par les miroirs et la rivière disparaît au profit d'une image beaucoup plus simple. Les créatures ne possèdent la beauté que selon leurs capacités, comme des vases pleins d'eau :

> « Car tout ainsi que les grands en contiennent d'avantage que les petits, et que les petits ne laissent d'estre aussi plains que les grands, de mesme faut-il dire des choses capables de recevoir la beauté. Car il y a des substances qui, pour leur perfection, en doivent recevoir selon leur nature, beaucoup plus que d'autres, qui toutesfois ne se peuvent dire imparfaictes, ayant autant de perfection, qu'elles en peuvent recevoir ; et c'est de celle-cy que sera vostre maistresse, que sans offense vous pouvez dire parfaicte, et advouer moindre que ces pures intelligences dont je vous ay parlé. » (110)

Léon Hébreu, plus que Ficin, a mis l'accent sur le degré de beauté dans les créatures selon leurs capacités. En cela encore, il est plus aristotélicien (111). Peut-être est-ce aux *Dialoghi d'amore* que d'Urfé a emprunté cette idée qui est à l'origine de sa comparaison des vases pleins d'eau.

Puisque la beauté procède de Dieu qui est « souveraine bonté », elle est nécessairement bonne. C'est du moins ce que d'Urfé affirme, après Platon et Ficin : « Vous m'avez cent fois advoué que l'amour

---

(109) *Astrée,* II, 2, 78.
(110) *Ibid.,* II, 2, 78.
(111) L. Hébreu, *op. cit.,* t. II, p. 198, « Aussi l'infinie beauté divine, s'imprime au fini intellect angelique, ou ame bien heureuse : non selon son infinité, mais selon la finie capacité de l'intellect, qui la cognoit. » (éd. Caramella, p. 277).

est de soy-mesme bon. » (112) Il ne s'attarde guère à cette constatation, comme si elle allait de soi. Peut-on trouver dans *L'Astrée* une seule femme belle qui soit mauvaise ? Astrée et Diane sont des beautés aussi parfaites qu'elles peuvent être sur terre. Leur beauté qui est à l'origine de l'amour de Céladon et de Silvandre, reflète celle de leur âme. Comme chez Platon, la beauté physique, dans *L'Astrée,* accompagne toujours celle de l'âme, donc la bonté. Une femme est-elle mauvaise, cherche-t-elle à faire du mal ? Elle est laide. C'est le cas de la sorcière Mandrague.

Comment serait-il possible d'aimer ce qui est mauvais, puisque, selon le mot de Silvandre, « tout ce qui est bon est aymable » (113) et que l'amour est « un desir de beauté et du bien qui deffaut » (114) ? Platon l'a déjà affirmé (115). Mais c'est Léon Hébreu qui fournit à d'Urfé l'idée et la formule. Dans les *Dialoghi d'amore,* nous lisons en effet que « la mère de l'amour est la connaissance du beau qui manque » (116). Il est vrai que Léon Hébreu fait intervenir ici la théorie de la connaissance, mais nous verrons plus loin quelle importance elle revêt dans *L'Astrée.* Chez d'Urfé, comme chez Léon Hébreu, nous découvrons une longue discussion sur l'amour qui est désir. Peut-il être de ce qui est possédé ?

Léon Hébreu consacre à cette question le début de son ouvrage. Hylas et Silvandre en font le sujet d'une longue dispute. L'auteur des *Dialoghi d'amore* commence son premier dialogue en faisant dire à Filone que nous aimons les choses que nous possédons et que nous désirons ce que nous n'avons pas (117). Au troisième dialogue, il déclare que ce n'est pas l'amour, mais le plaisir, qui naît de la possession (118). Par conséquent, selon Léon Hébreu, l'amour est un désir de ce que nous n'avons pas. Il est une sorte de perfection en puissance, qui n'a pas la possession actuelle de la beauté désirée. Mais le désir ne peut être que des choses qui sont, car il est impossible d'avoir connaissance de celles qui ne sont point (119).

---

(112) *Astrée,* II, 9, 507. Pour tous les trattatistes la beauté est la bonté. Cela semble aller de soi. Cependant, Léon Hébreu n'accepte pas aussi catégoriquement cette identité. Voir, à ce propos, J.Ch. Nelson, *op. cit.*, p. 99.

(113) *Astrée,* III, 9, 529.

(114) *Ibid.*, II, 9, 383.

(115) *Banquet,* 200 b-e, Socrate fait remarquer à Agathon que l'on ne peut aimer ce que l'on possède.

(116) L. Hébreu, *op. cit.*, éd. Caramella, p. 313, « ... la madre de l'amore è la cognizione del bello che manca. » Varchi, comparant l'amour humain à l'amour divin, définit celui-là par ce qui manque : « ...l'Amore in Dio non presuppone mancamento, come l'humano. » (*op. cit.*, p. 308).

(117) L. Hébreu, *op. cit.*, début du 1er dialogue.

(118) Id., *ibid.*, t. II, pp. 68 sq. « ... nous donnasmes autre diffinition à Amour que au desir, car nous dismes que le Desir est une affection de vouloir qu'une chose qui n'est point, soit : ou ceste mesme voluntaire affection de jouir en union de la chose estimée bonne, laquelle nous deffaut... Davantage il fut, me semble, declaré, que l'Amour aussi bien que le Desir, presuppose tousjours quelque default de la chose... Tellement, qu'en effect, tout bien consideré, le Desir et l'Amour sont une mesme chose... Ce fut aussi ce qui m'esmut sus la fin de nostre autre discours, de dire l'Amour estre un Desir d'union avec la chose aymee. » (éd. Caramella, p. 207).

(119) Id., *ibid.*, t. II, p. 78, « Il est certes, veritable, que l'Amour (ainsi que tu as dit) est des choses qui sont: car de celles qui ne sont point, lon ne peult avoir congnoissance et lon ne peult aymer ce que lon ne congnoit point. » (éd. Caramella, p. 212).

Cette dernière affirmation, nous la lisons aussi dans *L'Astrée*, où Céladon essaie de raisonner Tircis, « le desolé berger » :

> « Or, qu'est-ce qu'amour, dit Celadon, sinon comme j'ay ouy dire à Silvandre et aux plus sçavants de nos bergers, qu'un désir de la beauté que nous trouvons telle ? — Il est vray, dit l'estranger. — Mais, repliqua Celadon, est-ce chose d'homme raisonnable de desirer une chose qui ne se peut avoir ? — Non certes, dit-il. — Or, voyez donc, dit Celadon, comme la mort de Cleon doit estre le remede de vos maux, car puis que vous m'advouez que le desir ne doit estre où l'esperance ne peut atteindre, et que l'amour n'est autre chose que desir, la mort qui, à ce que vous dites, vous oste toute esperance, vous doit par conséquent oster tout le desir, et le desir mourant, il traîne l'amour dans un cercueil... » (120)

L'amour n'est-il cependant qu'un désir ? D'Urfé se pose la même question que Léon Hébreu et il oppose Silvandre à Hylas dans une longue dispute. A ce propos, Hylas, dont les conceptions de l'amour sont différentes de celles de Silvandre, défend sa conduite d'inconstant. Voici le raisonnement de Silvandre :

> « Tu dis donc, Hylas, qu'il n'y a point d'amour parfaicte, sans l'acquisition du bien désiré, parce qu'amour n'est qu'un desir du bien qui deffaut ... Or respond-moy donc, berger. Desire-t-on ce que l'on possede ? tu diras que non, puis que le desir n'est que de ce qui deffaut. Mais si l'amour, comme tu dis, n'est qu'un desir, ne vois-tu pas que posseder ce que l'on desire, c'est faire mourir l'amour, puis que personne ne desire ce qu'elle possede ? »

A la réponse d'Hylas :

> « Et comment ... on n'aime point ce que l'on possede ? »

Silvandre réplique :

> « Cela n'est pas ... ce que je dis, mais c'est pour te monstrer que l'amour n'est pas seulement le desir de la possession, comme tu nous voulois persuader, et qu'au contraire cette possession la fait plutost mourir que vivre. » (121)

En fait, Silvandre ne refuse pas à Hylas que l'amour puisse coexister avec la possession de l'objet désiré. Mais il suppose aussi le consentement de l'autre pour atteindre à la perfection. C'est dire que l'assouvissement d'un seul est le plaisir égoïste, momentané, non durable, qui ne doit pas être confondu avec l'amour :

> « Car les autres plaisirs dont tu fais tant de compte, ne sont que ceux qu'un amour bastard donne aux animaux sans raison, et à ces hommes qui s'abbaisant par dessous la nature des hommes se rendent presque animaux privez de raison. » (122)

---

(120) *Astrée*, I, 12, 482.

(121) *Ibid.*, II, 9, 385-386. S'adressant à Léonide, Adamas définit ainsi l'amour : « ...tout amour est pour le desir de chose qui deffaut : le desir estant assouvy, n'est plus desir ; n'y ayant plus de desir, il n'y a plus d'amour.» (I, 9, 331). Voir encore, I, 6, 222 et IV, 9, 516.

(122) *Astrée*, II, 9, 389.

Les propos de Silvandre n'ont pas le caractère philosophique, subtil et complexe, de l'exposé de Léon Hébreu. Filone établit au début du premier dialogue, une différence entre le désir des choses utiles et celui des choses délectables qui n'est qu'un appétit. Dans le premier cas, l'amour n'accompagne pas le désir, mais, dans le deuxième cas, dès que nous avons ce que nous désirons le plus souvent, il meurt et se transforme en horreur (123). En une page, d'Urfé résume le problème posé par Filone et il dévie vers le sujet cher aux trattatistes, celui de l'amour charnel, tel que déjà il avait été succintement exposé dans *Les Epistres Morales*.

Pour Honoré d'Urfé, rechercher uniquement l'amour sensuel est vil et bas (124). Puisque la beauté est révélée par la vue, l'ouïe et l'entendement, elle est celle du corps et de l'esprit. Chaque fois que les autres sens s'assurent la primauté, l'homme s'adonne à l'amour sensuel qui est cause de multiples ennuis, juste vengeance de l'Amour dont la pureté est profanée (125). C'est pourquoi l'amour est le désir de la beauté du corps, certes, mais aussi et surtout celui de l'âme. L'auteur de *L'Astrée* nous livre cette réflexion à propos de la beauté de Bellinde :

> « Il est tout certain... que la vertu despouillée de tout autre agencement, ne laisse pas d'estre d'elle-mesme agreable, ayant des aymants tant attirans, qu'aussitost qu'une ame en est touchée, il faut qu'elle l'aime et la suive. Mais quand ceste vertu se rencontre en un corps qui est beau, elle n'est pas seulement agreable, mais admirable, d'autant que les yeux et l'esprit demeurent ravis en la contemplation et en la vision du beau. » (126)

Nous pourrions croire que Célidée veut mettre fin à l'amour de Thamire et de Calidon, en se mutilant le visage. En réalité, en agissant ainsi, elle découvre celui qui l'aime vraiment. S'adressant à son miroir, avant de se déchirer le visage avec un diamant, elle dit :

> « Ne dis-tu pas qu'au lieu que chacun m'adoroit belle, chacun me mesprisera laide ? Tant s'en faut, cette action si peu accoustumée me fera admirer, et contraindra chacun de croire qu'il y a quelque perfection cachée en moy, plus puissante que cette beauté qui se voyoit. »

Et elle ajoute, en parlant de Thamire :

---

(123) L. Hébreu, *op. cit.*, t. I, p. 23 : « En oultre, ces choses delectables ont une proprieté, que soudain que l'on en ha ce qu'on desiroit, cessant le Desir, l'Amour aussi le plus souvent se perd : et quelques fois d'autant qu'on les aymoit, d'autant lon s'en fasche et viennent en horreur, et contre cœur... : ainsi advient il de toutes choses qui delectent materiellement, desquelles egallement et le Desir, et l'Amour cessent par la jouissance et satisfaction de contentement tellement que, comme ilz vivent ensemble, aussi ensemble ilz meurent et prennent fin. » (éd. Caramella, pp. 16-17).

(124) M. Magendie fait remarquer que l'abandon aux sens est réservé dans *L'Astrée* aux personnages secondaires, par exemple Ormanthe ou Olympe (*op. cit.*, p. 262).

(125) Voir, par exemple, la leçon qu'Adamas donne à Céladon, *Astrée*, II, 2, 79 ; Silvandre met en valeur la supériorité de l'âme sur le corps (III, 2, 51).

(126) *Ibid.*, I, 10, 390.

« ...si son amitié n'est fondée que sur ma beauté, ce sera dans un peu de temps qu'elle se perdra ; s'il m'aime pour les autres conditions qu'il peut avoir recognues en moy, voyant que j'auray donné ceste beauté pour me rendre du tout sienne, il me devra aimer et estimer davantage. Bref, faisons nous paroistre telle que nous desirons d'estre crue. » (127)

En découvrant la laideur de Célidée, Calidon « a perdu ceste folle passion qu'il luy portoit » et Thamire a continué de l'aimer (128), parce que son amour, grâce à l'entendement, s'est adressé à la véritable et supérieure beauté de l'esprit. Pourtant, Thamire n'hésitera pas à tout entreprendre, pour rendre à sa maîtresse l'harmonie de son visage. C'est que, pour d'Urfé, la beauté est à la fois celle de l'âme et du corps, et l'amour parfait est celui de l'un et de l'autre, avec une préférence accordée à l'esprit, donc à la vertu et aux mérites de l'aimée.

Cela va plus loin encore. L'amant idéal est certainement celui qui préfère l'esprit au corps. Il a su dépouiller la beauté de l'aimée de tout ce qu'elle a de matériel. Son amour n'a plus rien de périssable et, par delà la mort de l'aimée, il survit encore. Céladon n'a rien compris à l'amour de Tircis pour Cléon ; Hylas, épris uniquement des plaisirs du corps, non plus. Mais Silvandre, le penseur et le théoricien subtil de l'amour, le comprend et il motive ainsi son jugement en faveur de Tircis :

« Des causes debatues devant nous, le point principal est de sçavoir si amour peut mourir par la mort de la chose aimée : sur quoy nous disons qu'une amour perissable n'est pas vray amour, car il doit suivre le sujet qui luy a donné naissance. C'est pourquoy ceux qui ont aimé le corps seulement, doivent enclorre toutes les amours du corps dans le mesme tombeau où il s'enserre, mais ceux qui outre cela ont aimé l'esprit, doivent avec leur amour voler apres cet esprit aimé jusques au plus haut-ciel, sans que la distance les puisse separer ... » (129)

Silvandre ne rejette pas l'amour du corps. Il condamne ceux qui n'ont aimé que le corps et il loue ceux qui « outre cela ont aimé l'esprit ». Il ne s'agit plus seulement des vertus de l'aimée, mais de l'amour de la beauté de l'âme.

D'Urfé, nous l'avons constaté à propos des *Epistres Morales,* ne manque pas du sens des réalités dans sa conception de l'amour. L'homme est un composé de corps et d'esprit. Il est constamment tiraillé par les deux ; les sens, qui incitent au vice quand ils ne sont

---

(127) *Ibid.,* I, 11, 447.

(128) *Ibid.,* II, 11, 453. Il convient de rapprocher de l'histoire de Célidée celle de Dorinde enlaidie par la petite vérole. Périandre qui en était amoureux l'abandonne. En revanche, Mérindor lui conserve son affection. Celui-ci fait à Dorinde l'aveu suivant : « Je ne nieray pas que vostre beauté ne m'ait appellé à vous, et qu'elle ne m'ait donné la volonté de vous servir, mais depuis que je ne m'en suis approché, et que j'ay eu le bonheur de recognoistre ce que vous valez, ô Dorinde ! qu'il y a eu d'autres liens plus forts que ceux de vostre visage qui m'ont retenu en vostre service, et que ceux-là sont foibles au prix de ceux que je dis ! » (*Astrée,* IV, 4, 182-183).

(129) *Ibid.,* I, 7, 267.

pas modérés par la raison, le sollicitent. Jamais il ne parvient à l'amour pur sans effort. L'amant de *L'Astrée* reste toujours homme, donc un être imparfait. Silvandre analyse fort bien le rôle des sens, quand il déclare à Paris :

> « Nous sommes hommes, c'est à dire que nous ne sommes pas parfaicts, et que l'imperfection de l'humanité ne peut estre ostée tout à coup. Nous sommes bien raisonnables, mais aussi y a-t'il quelque chose qui contrarie à la raison, autrement il n'y auroit point de vices. Et c'est ceste partie de laquelle je n'ay peu encores obtenir ce poinct dont vous parlez, car les sens sont infiniment puisssants en celuy qui ayme, et quoy que l'ame soit celle qui ayme, si est-ce qu'avec les beautez de l'ame elle ayme aussi celles du corps. Et bien souvent, tout ainsi qu'avec les sens corporels, elle sent les choses corporelles et se plaist au goust, aux senteurs et aux attouchements, de mesme, aymant avec les mesmes sens elle se plaist de voir, d'ouyr et de toucher ce qu'elle ayme, ne pouvant faire divorce d'avec eux, et separer son plaisir du leur, luy semblant que c'est leur faire tort de jouir seule de ces contentements, dont ils ont esté les commencements. Et toutefois, si elle ne recherchoit que sa perfection comme elle y est obligée par la raison, elle devroit rejetter bien loing ces considerations, puis que la nature nous a seulement donné les sens pour instruments, par lesquels nostre ame recevant les especes des choses vient à leur cognoissance, mais nullement pour compagnons de ses plaisirs et felicitez comme trop incapables d'un si grand bien. » (130)

Silvandre oppose ainsi la réalité à l'idéal. Il sait que l'âme a deux vies, l'une avec le corps, l'autre avec elle-même. La première « anime le corps », et l'autre, « donne la vie à l'âme ». Celle-là est commune à l'homme et aux animaux, celle-ci l'est à l'homme et aux « pures pensées ». A Hylas qui lui reproche un amour qui « ne se mesle que des choses de la pensée et de l'imagination », Silvandre répond de la sorte : « Il n'y a point de doute... que les autres, il les laisse à l'instinct que la nature donne à chacun. »

Ne nous y méprenons pas, pourtant. Silvandre s'explique. Son amour n'est pas celui d'Hylas qui donne sa préférence à l'amour sensuel, mais, pour cela, néglige-t-il le corps ? Qu'est-ce donc que l'amour humain ? Voici comment Silvandre le définit :

> « O Hylas ! si tu sçavois aymer, tu ne parlerois de ceste sorte, ny ne confondrois pas toutes choses comme tu fais. Quand mon ame vid en sa pensée et en ses contemplations, laisse-t-elle pour cela de donner la vie à ce corps qu'elle anime ? nullement. Le soleil qui est, comme nous avons dict, le vray symbole de l'amour, esclairant les choses celestes, laisse t'il de jetter ses rayons sur les corps qui sont ça bas ? Et pourquoy veux-tu que l'amour esclairant nostre entendement, et formant les pensées de nostre ame, ne donne pour cela les desirs aux corps qui luy sont naturels ? Non, non Hylas, il n'y a que ceste difference : ceux qui ayment comme je fais, ils n'ont les desirs desquels tu parles, que parce qu'ils ayment, mais ceux qui ayment comme toy, ils n'ayment que parce qu'ils ont ces desirs. » (131)

---

(130) *Ibid.*, II, 1, 17.
(131) *Ibid.*, III, 10, 532.

C'est donc un équilibre entre l'amour du corps et celui de l'esprit. La beauté physique a tout autant sa part dans la naissance de l'amour que la beauté de l'esprit. Elle est même la première, puisque, par la suite seulement, — et ce sera le rôle de la raison —, la beauté de l'esprit devra l'accompagner.

D'Urfé a été sensible à la relativité de la beauté physique ainsi qu'à son caractère éphémère. Silvie pose en termes très clairs ce problème :

> « Il faut que ce soit autre chose que la beauté qui fasse aimer, autrement une dame qui seroit aimée d'un homme, le devroit estre de tous. » (132)

A cette question, Céladon propose plusieurs réponses, dont la première est la plus naturelle, fondée sur une théorie de la connaissance :

> « ...toutes beautez ne sont pas veues d'un mesme œil, d'autant que tout ainsi qu'entre les couleurs il y en a qui plaisent à quelques uns, et qui déplaisent à d'autres, de mesme faut-il dire des beautez, car tous les yeux ne les jugent pas semblables, outre qu'aussi ces belles ne voyent pas chacun d'un mesme œil, et tel leur plaira, à qui elles tascheront de plaire, et tel au rebours, à qui elles essayeront de se rendre desagreables. » (133)

Hylas, avec sa faconde méridionale, développe plus longuement la même idée. « La beauté et la laideur ne sont qu'une opinion », selon lui, et, « bien souvent », ce que « nous estimons beau nous semble laid », selon que l'opinion nous le commande. S'adressant à Corilas, incapable de saisir un raisonnement philosophique, il dresse un véritable catalogue des divers types de femmes dont la beauté est estimée différemment, selon les pays. Les Gaulois préfèrent les femmes dont la peau est blanche, les Maures, celles qui sont noires et les Transalpins aiment « celles qui sont hautes en couleur ». Les Gaulois ont un faible pour les « délicates » plutôt maigres, tandis que d'autres estiment les grandes et grasses. Les Grecs « louent l'œil noir, toute la Gaule estime l'œil vert ». Les Européens aiment les petites bouches, les lèvres délicates et les nez harmonieux, les Africains, les grandes bouches, les lèvres grosses et le nez camus, voire écrasé. La beauté consiste donc dans l'opinion de celui qui la contemple (134). L'amour change les yeux, il ne les bouche pas et, « d'autant qu'il n'y eut jamais de laides amours, jamais un amant ne trouva sa maistresse laide. » (135)

Relative, la beauté l'est encore par rapport à l'Idée. Cette théorie est seulement évoquée par Hylas :

> « ...si tu estois aussi sçavant que ton maistre Silvandre, je te demanderois s'il y a une Idée de la beauté. Et je m'assure qu'il ne me le nieroit pas, et qu'il diroit avec moy, que plus les choses belles s'en approchent, et plus elles doivent aussi estre estimées et belles et parfaites. » (136)

---

(132) *Ibid.*, I, 10, 387.
(133) *Ibid.*, I, 10, 387.
(134) *Ibid.*, IV, 2, 77-78.
(135) *Ibid.*, I, 12, 481.
(136) *Ibid.*, IV, 2, 77.

La célèbre théorie platonicienne des Idées nous semble éclairer le sens de ces paroles adressées par Silvandre à Phillis :

> « Et quand vous me dites que cette cette Diane est telle que les yeux ne doivent la regarder que pour l'*idolatrer*, pourquoy ne dites-vous *adorer* ? puis que s'il y a quelque chose en terre qui pour ses imperfections merite les autels et les sacrifices, je croy que c'est cette Diane que je n'idolatre pas comme vous, mais que j'adore pour la vraye Diane en terre, qui esclaire dans le ciel, et qui commande dans les enfers. » (137)

Selon Platon, ici-bas, par delà l'apparence du corps, sans recourir au raisonnement, l'âme, qui a autrefois vécu dans le monde éternel des Idées, en garde une réminiscence confuse. L'âme de Silvandre, éprise d'abord de la beauté du corps et de l'esprit, s'élève jusqu'à la contemplation du monde réel des Idées pures. Ainsi Diane cesse d'être vue par Silvandre comme un souvenir et une représentation terrestre de l'Idée. Aimer l'image d'un dieu pour elle-même, c'est de l'idolâtrie. L'adoration dépasse la représentation matérielle de l'objet aimé pour atteindre l'objet même. L'adoration d'une maîtresse s'adresse à l'esprit, mieux, en lui et par lui, à l'idée pure, dont il n'est que le reflet. Diane devient la « vraye Diane en terre ». L'entendement seul est capable de cette découverte. Dans son temple, Astrée, placée au rang des déesses, est adorée. Elle est l'Idée d'Astrée. A la vue de son portrait, Paris déclare qu'il « a esté mis en ce lieu par quelqu'un qui ne [l'] aime pas seulement [Astrée], mais qui l'adore. » (138) Cependant, Adamas fait une mise au point importante, à ce propos. Un temple en l'honneur d'Astrée a été construit. Peut-elle y être honorée ? Dieu seul n'a-t-il pas ce droit ?

> « Et ne craignez... de faillir envers Dieu, pourveu que vous y honoriez ceste Astrée comme l'un des plus parfaicts ouvrages qu'il ayt jamais faict voir aux hommes. » (139)

Les deux points de vue de Silvandre et d'Adamas se complètent tout à fait dans l'esprit du XVIe siècle, constamment soucieux d'unir philosophie et religion. Avec Adamas, le souci religieux prime ; avec Silvandre, philosophe profane, domine le néo-platonisme. Les deux pensées ne nous semblent pas inconciliables et nous savons qu'Adamas, surtout dans la deuxième partie de *L'Astrée*, sous le couvert de la religion druidique, enseigne plusieurs dogmes fondamentaux du christianisme.

Point n'est besoin de rechercher longuement la source des propos de Silvandre. D'Urfé respecte la doctrine platonicienne de la réminiscence, en laissant de côté tout ce qui concerne l'oubli de l'âme emprisonnée dans le corps. Silvandre, comme Céladon, s'est élevé du corps à l'esprit jusqu'à la contemplation et l'adoration de l'Idée. Honoré d'Urfé a connu cette doctrine en lisant Platon, mais plus sûrement Ficin, Pic, Equicola et Léon Hébreu. De Maurice

---

(137) *Ibid.*, III, 9, 507.
(138) *Ibid.*, II, 5, 191.
(139) *Ibid.*, II, 8, 327.

Scève à Joachim du Bellay, peu nombreux sont les poètes français qui ne l'ont pas développée. Mais l'auteur de *L'Astrée*, séduit par cette théorie qui lui permet d'élaborer une véritable religion de l'amour, abandonne sa forme érudite, pour lui communiquer un renouveau dans l'interprétation. Elle lui fournit l'occasion de faire de la femme véritablement aimée, une divinité, et du vrai amant, un adorateur qui s'élève jusqu'à l'union mystique.

L'ensemble des idées d'Honoré d'Urfé sur la nature de l'amour, la beauté et sa relativité ne revêt pas un caractère original. Tout cela, il l'a lu dans les œuvres des néo-platoniciens. Les idées sont les mêmes, leur expression seule a changé.

Tous, quels que soient les noms ou les classifications adoptés, condamnent l'amour sensuel parce qu'il est le fruit d'un instinct de nature, et affirment la suprématie de l'esprit sur le corps. Si Marcile Ficin distingue trois amours (140), Pic de la Mirandole se borne à définir l'amour bestial et l'amour raisonnable (141). C'est à cette distinction que s'arrête Honoré d'Urfé. Il ne reprend pas les termes du *Comento sopra una Canzona,* mais il établit une différence entre un amour qui s'attache à la beauté sensible et celui qui confère plus d'importance à celle de l'esprit découverte par l'entendement et non point par les sens. Ficin, surtout, a inspiré à d'Urfé sa théorie de la beauté perçue par la vue et par l'ouïe. Il s'attache à montrer la supériorité de l'esprit sur le corps qu'il ne néglige pourtant pas. Pour lui, « la beauté première et vraie n'est pas dans le corps » (142) ; la beauté, c'est celle de l'esprit orné de vertus (143) et elle n'est pas corporelle (144). La beauté physique est relative. Ficin rapporte les propos adressés par Diotime à Socrate :

> « Aucun corps n'est absolument beau, car il est beau dans une partie et laid dans une autre, ou il est beau aujourd'hui et un autre jour laid, ou il est jugé beau par l'un et laid par l'autre. » (145)

Pic de la Mirandole, sans insister sur la relativité de la beauté, ne prétend pas non plus que le corps est source de beauté. Il fait remarquer que la nature corporelle se corrompt et que la raison doit épurer l'amour du corps et atteindre l'Idée (146).

Léon Hébreu partage la même opinion. Les *Dialoghi* établissent deux sortes d'amour, l'amour sensuel et le vrai amour, c'est-à-dire celui qui nous porte à aimer le corps et l'âme (147). L'homme est

---

(140) M. Ficin, *op. cit.*, or. VIa, c.9, p. 212.

(141) Pic de la Mirandole, *op. cit.*, ff. 248 r° sq (éd. Garin, pp. 524-525).

(142) M. Ficin, *op. cit.*, or. VIa, c.18, p. 236.

(143) Id., *ibid.*, p. 237.

(144) Id., *ibid.*, or. Va, c.3, p. 182.

(145) Id., *ibid.*, or. VIa, c.18, pp. 235-236.

(146) Pic de la Mirandole, *op. cit.*, ff. 248 r° sq. (éd. Garin, p. 524).

(147) L. Hébreu, *op. cit.*, t. I, p. 87, « L'amour est de deux sortes. Le premier est engendré du desir, ou, vrayment, de l'appetit sensuel : quand l'homme, desirant une personne, il l'ayme : et cest amour est imparfait, car estant fils, engendré du desir il depend d'un vicieux et fraile commencement... Mais l'autre Amour est celuy duquel le Desir est engendré : et non luy du desir, ou de l'appetit : ains, premierement aymant parfaitement, la force de l'Amour, contraint l'Amant de desirer l'union spirituelle, et corporelle avec la personne aymee... » (éd. Caramella, p. 51).

en effet sollicité par les deux beautés, celle du corps et celle de l'âme, et, parfois, il est attiré par la première plus que par la seconde. Mais la beauté de l'esprit est supérieure à celle du corps (148), et réside dans l'ornement des vertus : les aimer est le fait de l'amour honnête (149). Le jugement que nous portons sur la beauté physique est relatif (150). Cependant, il apparaît bien que n'aimer que le corps est condamnable (151). L'amour honnête est le désir de l'union spirituelle et corporelle avec la personne aimée. Léon Hébreu donc, plus que Ficin et Pic de la Mirandole, réserve au corps une part importante dans l'amour humain.

Le problème n'avait pas échappé aux autres trattatistes italiens. Pour Bembo, s'attacher plus au corps qu'à l'âme, c'est préférer la partie la moins noble et se ravaler au rang des bêtes (152), car les beautés physiques sont éphémères (153). La vraie beauté réside dans l'harmonie de l'âme qui consiste dans celle des vertus, et « le bon amour... est un desir de beaulté de courage et de corps » (154). Bembo est fidèle à la pensée de Ficin, et il insiste plus sur l'amour divin que sur l'amour humain. D'Urfé en est plus proche dans *Les Epistres Morales* que dans *L'Astrée.*

Le *Courtisan* de Castiglione expose la progression ficinienne de l'amour humain à l'amour divin, mais, s'il montre que l'attirance pour la seule beauté physique est une erreur (155), il laisse, du moins, sa part légitime à l'amour sensuel (156). Les yeux peuvent s'abuser sur la beauté du corps (157), l'important est de ne pas se conduire comme les bêtes.

Equicola, mieux que tous les autres, définit clairement l'amour humain. Il rappelle que, selon Alberti, il convient d'aimer la femme vertueuse (158). Il y a, en effet, deux amours, et l'amour honnête est celui qui s'adresse aux vertus et aux bonnes œuvres (159). Il ne s'agit point, pourtant, de n'aimer que l'esprit, car les sens ont leur part dans la révélation de la beauté :

---

(148) Id., *ibid.,* t. II, 49, « ... ainsi que l'homme est atteint de deux amours divers, se treuvent aussi deux sortes de Beautez, asavoir l'intellectuelle, et la corporelle : aussi ay je bonne cognoissance que la beauté intellectuelle est plus excellente et orne d'ornement plus louable, que la beauté corporelle. » (éd. Caramella, p. 196).

(149) Id., *ibid.,* t. I, p. 117, « Ce sont les vertus morales et intellectuelles, pour lesquelles les hommes excellens et vertueux sont les vertueux et excellens aymez, engendrant le merite d'icelles vertuz l'amour honneste. » (éd. Caramella, p. 66).

(150) Id., *ibid.,* t. II, p. 92, « Parquoy, comme telle chose se treuve, qui à tous les sains semble douce, mais à l'un savoureuse et delectable, et à l'autre mal sade, et non savoureuse : ainsi y ha il telle chose, ou telle personne, que de tout vertueux sera estimee bonne, mais de l'un, outre la bonté sera en reputation de beauté : au moyen de laquelle il s'enamourera, et les autres non. » (éd. Caramella, p. 220).

(151) Id., *ibid.,* éd. Caramella, p. 58.

(152) Bembo, *op. cit.,* ff. 140 r° et 141 r°.

(153) Id., *ibid.,* ff. 145 r°v°.

(154) Id., *ibid.,* f. 126 v°. Voir, à ce propos, J. Festugière, *op. cit.,* pp. 42-43.

(155) Castiglione, *op. cit.,* l. IV, f. XLI v°.

(156) Id., *ibid.,* f. XLIX r°.

(157) Id., *ibid.,* f. XLVII v°.

(158) Equicola, *op. cit.,* f. 142v°.

(159) Id., *ibid.,* f. 142 v°.

« ... nous disons que l'amour est de l'âme, et qu'en icelle la beauté agrée, et elle se la reserve en la memoire.... Quiconque dit qu'il ayme seulement l'esprit en une belle et sage dame, se trouve loin du sentier de la vérité : quiconque dit aussi : j'ayme en une belle et prudente femme, le corps seulement, et la beauté d'iceluy, se depart totalement de ce qui est vray. Nous concluons que celuy, quiconque soit qui ayme vrayement, ayme l'esprit et le corps ensemble : je dy qu'il ayme necessairement, et par vigueur naturelle, l'un et l'autre, et certifie qu'en tel amour, l'un ne se peut separer de l'autre : les sens de l'amant requierent et veulent du corps aymé, la volupté sensuelle, comme leur fin : l'esprit du vray amant, demande et recherche l'amour de l'esprit aymé, et veut que l'on ayme reciproquement. L'amant donc veut l'amour, de l'esprit et du corps, il demande le fruict de l'amour et si ce fruit procède de l'esprit, qui nous hait en haine, nous nous courrouçons beaucoup plus, que si on ne l'avoit obtenu, parce que l'esperance se perd de l'amour mutuel et désiré. » (160)

D'Urfé trouvait, dans l'ouvrage d'Equicola, une doctrine claire. La réponse de Silvandre à Hylas en est un écho. Les poètes français du XVIe siècle, tantôt avaient insisté sur l'amour de l'âme, tantôt avaient établi l'honnêteté de l'amour dans le désir du corps et de l'âme. Scève appartient à la première catégorie (161). Pernette du Guillet chante l'amour de la vertu (162) et Antoine Héroët déclare que les vrais amants s'aiment l'un et l'autre pour leurs vertus (163). Et l'on se souvient de la définition du parfait amant proposée par *L'Heptaméron.* Pontus de Tyard, dans les *Erreurs Amoureuses,* reprend à son compte la doctrine ficinienne. Il adore la beauté de Pasithée ; ses yeux lui permettent d'en jouir, mais il découvre que cette beauté extérieure n'est que le signe de la vertu de son amie. L'amant qu'il est n'éprouve aucune volupté sensuelle, il est attiré par la beauté de l'âme (164). Joachim du Bellay, inspiré par l'œuvre de Pontus de Tyard, développe la même idée dans ses sonnets de l'*Honneste Amour* (165). Ronsard, qui connaît le *Commentaire* de Ficin et n'ignore rien de la doctrine platonicienne de l'amour, distingue le chaste amour de l'amour sensuel, mais il maltraite Léon Hébreu (166). Quand, parfois, il se laisse prendre à l'attrait de l'amour spirituel, il s'adresse à Ficin ou à ses disciples, mais la passion, le plus souvent, l'emporte et colore ses vers d'une tendresse humaine qui manque aux autres poètes du XVIe siècle.

Ce goût pour l'amour épuré n'était-il pas une tradition dans la famille d'Urfé ? Antoine, dans son épître *De la préférence des platoniciens aux autres philosophes,* a rappelé à Honoré que l'homme

---

(160) Id., *ibid.*, ff. 414v°-415r°.
(161) Voir, J. Festugière, *op. cit.*, p. 99.
(162) Id., *ibid.*, p. 109.
(163) A. Heroët, *La Parfaicte Amye,* vers 474sq.
(164) *Erreurs amoureuses,* in *Œuvres poétiques* de Pontus de Tyard, éd. Marty-Laveaux, Paris, Lemerre, 1875, I, 7, II, 3, 6, 14, III, 3 et 4, II, 34. Voir, à ce propos, J. Festugière, *op. cit.*, p. 133.
(165) Voir J. Festugière, *op. cit.*, pp. 137 sq.
(166) Id., *ibid.*, pp. 138-139.

« peut degenerer en bête par les voluptés corporelles » (167). Anne d'Urfé a écrit un *Hymne de l'honneste Amour,* où il déclare :

> « Soudain je dedaignay la beauté corporelle
> Comme une vanité subjecte au changement,
> Estant fort resolu d'aymer uniquement
> Celle que je conçois devoir estre immortelle...
> Bref la seule vertu me conduit à l'aymer ;
> La vertu vient du ciel, et j'ayme le celeste. » (168)

Il fallait à notre littérature un chantre de l'amour qui sût rappeler les réalités, mais qui, surtout, établit un juste équilibre entre l'amour du corps et de l'esprit. D'Urfé fut celui-là, plus disciple d'Equicola que de Ficin et des poètes français. Son idéal transparaît à travers les propos de Silvandre ; il exalte un amour qui dépasse celui du corps. Du moins, il ne néglige pas la part qui revient aux sens, parce qu'il tient compte de la dualité de l'homme, corps et esprit. A cette doctrine qu'il expose dans *L'Astrée,* il confère un caractère humain que les trattatistes italiens n'avaient pas su exprimer avec assez de netteté pour que les lecteurs pussent réellement en tirer profit. Il n'y a pas, dans *L'Astrée,* deux doctrines de l'amour, celle de Silvandre, d'Adamas et de Céladon, et celle d'Hylas et de Stelle, entre lesquelles l'auteur laisse le choix. D'Urfé refuse à l'amant la doctrine ficinienne, en situant son idéal d'amour dans une harmonie entre le corps et l'esprit. L'amant idéal, qui n'aime que l'âme, est-il, d'ailleurs, capable de cet amour pur, sinon lorsque l'aimée n'est plus de ce monde ? Cette question débattue dans *L'Astrée* nous semble empruntée à Varchi. Dans les *Lezzioni,* il se demande si les morts peuvent être aimés, et il conclut affirmativement (169). L'amour de Tircis pour Cléon et le jugement de Silvandre permettent à d'Urfé d'illustrer cette question suggérée par l'œuvre de Varchi.

Aucun problème posé par l'amour n'est étranger à *L'Astrée,* tant ce roman est une bible de l'Amour. Tout a été dit déjà, mais la vie manquait aux autres œuvres. Toutes ont répété que l'amour est désir de beauté et toutes ont tenté d'expliquer la naissance de l'amour. D'Urfé ne manque pas d'examiner cette question.

Parce que l'amour se lie à la beauté et, d'abord, à la beauté du corps, il est souvent subit et il paraît inexplicable. Il suffit d'un regard pour qu'il impose son empire : « aussi tost que je la vis, je l'aymai », dit Calidon à propos de Célidée (170). Et Laonice, éprise de Tircis, déclare :

---

(167) Lyon, J. Roussin, 1592, p. 33, cité par M. Magendie, *op. cit.,* p. 201.

(168) Cité par M. Magendie, *op. cit.,* p. 202. C'est dès 1587 qu'Anne d'Urfé a adopté les théories platoniciennes de l'amour. Voir, à ce propos, C. Longeon, « La genèse des œuvres d'Anne d'Urfé » in *CEF, Mélanges,* I, (1968), p. 106.

(169) B. Varchi, *op. cit.,* p. 408, « Se i morti possono amare, o essere amati ». Aprè savoir analysé les déclarations de Dante et de Pétrarque, Varchi conclut : « E cosi è manifesto in qual modo, e per qual cagione i morti possono amare i vivi, e essere da loro amati. » (p. 409). Il s'agit alors d'un amour de la beauté incorporelle.

(170) *Astrée,* II, 2, 48.

> « ...voyez comme le ciel dispose de nous sans nostre consentement ! Dés l'heure que je le veis, je l'aimay, et dés l'heure qu'il vid Cleon, il l'aima. » (171)

L'Amour est un dieu libre ; il émeut qui lui plaît (172) et les amants paraissent soumis à un destin supérieur qui se joue d'eux et les force à aimer. Damon le reconnaît, quand il déclare à Halladin :

> « Ce qui a fait naistre mon amour ..., c'est le destin auquel le Ciel m'a soumis, et pource il ne faut jamais penser qu'il se change, que le Ciel et le destin n'en fasse de mesme. » (173)

La beauté, en effet, n'explique pas tout. Comment une femme belle ne serait-elle pas aimée de tous, s'il en était ainsi (174) ? L'amour a donc une loi, celle de la sympathie (175). Qu'est-ce que la sympathie ? Adamas la définit de la manière suivante :

> « ... cette conformité que nous rencontrons d'avoir les uns avec les autres, et laquelle est la veritable source de l'amour, et non pas comme plusieurs ont creu que ce fust toute beauté ; car si la beauté estoit la source de l'amour, il s'ensuivroit que toutes les belles personnes seroient aimées de tous. Et au contraire, nous voyons que non point les plus beaux et les plus dignes, mais ceux là seulement qui reviennent le plus à nostre humeur, et avec lesquels nous avons le plus de conformité, sont ceux que nous aimons le plus. » (176)

Mais en quoi consiste cette conformité ? Adamas l'analyse. D'abord, selon lui, les âmes sont toutes créées par Tautatès en leur perfection, qui est l'entendement. Ainsi, l'âme, par sa forme, est raisonnable et Tautatès la rend « par participation, intellectuelle ». Or, poursuit Adamas,

> « ... ceste participation, elle la prend de ceste pure intelligence de la planete qui domine alors qu'elle est créée, et cette perfection qu'elle reçoit luy est tellement agreable, qu'elle brusle toute d'amour de l'intelligence qui la luy participe. Et tout ainsi que l'amant se forme une idée en sa fantaisie de la chose aimée, le plus parfaictement qu'il luy est possible, afin d'y replier les yeux de son ame, et se plaire en cette contemplation, lors qu'il est privé de la veue du visage bien-aimé ; de mesme, cette ame, amoureuse de la supreme beauté de cette intelligence, et de cette planete, lors qu'elle entre dans ce corps à qui elle donne la forme, elle imprime non seulement ses sens et le corps etheré dans lequel les plus sçavans disent qu'elle est

---

(171) Ibid., I, 7, 249.
(172) *Ibid.*, I, 10, 386.
(173) *Ibid.*, III, 6, 327. Voir également, I, 8, 294-295.
(174) *Ibid.*, I, 10, 387, Silvie dit : « Si crois-je toutesfois, qu'il faut que ce soit autre chose que la beauté qui fasse aimer, autrement une dame qui seroit aimée d'un homme, le devoir estre de tous. »
(175) *Ibid.*, III, 7, 422. Le père d'Arimant dit à propos de l'amour de son fils pour Cryséide : « Je veux conclure par là que les dieux qui n'assemblent jamais les contraires sans quelque lien de sympathie, ne les auroient pas poussez à ceste bonne volonté, qu'elle ne fust desjà entre eux. »
(176) *Ibid.*, III, 5, 264.

enveloppée, pour apres se joindre comme par un milieu à celuy que nous voyons, mais aussi sa fantaisie de ce caractère de la beauté de laquelle elle a esté ardemment esprise dans le Ciel. Et d'autant plus qu'elle en peut rendre la figure et la ressemblance parfaicte, d'autant plus aussi se plaist-elle à la considerer et à la revoir, et se plaisant en cette contemplation, elle se donne une certaine naturelle disposition d'estimer bon et beau tout ce qui luy ressemble, et à repreuver generalement tout ce qui luy est dissemblable. » (177)

Une telle théorie, qui établit, en quelque sorte, une prédestination en amour, soulève un certain nombre d'objections auxquelles Adamas répond successivement. Diane demande pourquoi il n'y a pas toujours réciprocité d'amour ? Selon le druide, parce que le corps est imparfait, la représentation est souvent imparfaite. L'âme se fait une image la plus parfaite qu'elle peut de la planète et de l'intelligence qu'elle aime, mais la représentation dans le corps est plus ou moins fidèle, selon que l'âme, qui lui confère la forme, le rencontre plus ou moins bien disposé. Ainsi donc, celle qui a la « representation plus parfaicte de l'intelligence et de la planette, sera aimée par sympathie de celuy qui l'a aussi encore plus malfaicte. » Quand l'âme rencontre une matière « bien disposée, l'idée est bien représentée ». Dès lors, cette âme, ou bien méprise, ou bien méconnaît l'autre, parce que trop peu ressemblant. C'est un amour par sympathie qui n'est pas mutuel (178).

Hylas, l'inconstant, veut alors savoir pourquoi l'on cesse d'aimer et pourquoi l'on hait même la personne naguère aimée. Les représentations faites par l'âme dans le corps sont, selon Adamas, corporelles,

> « car en la fantaisie, elle met les lineamens, comme un amant en son imagination ceux de la chose bien-aymée, et les represente de telle sorte en ses sens, et en sa complexion, qu'elle rendra son humeur melancolique, si elle tient de Saturne, ou joyeuse, si c'est de Jupiter, et ainsi des autres. Et apres, comme nous avons desja dit, elle prend une si grande coustume de contempler, et d'apprendre ces choses, qu'elle en faict une habitude laquelle, encores qu'il soit difficile de changer ou de perdre, toutesfois, ainsi que toutes les autres, peut estre et changée et perdue. » (179)

L'amour cesse donc faute de volonté ou à cause de la nonchalance de l'amant.

A son tour, Astrée interroge. Elle désire savoir pourquoi l'on aime une personne, après l'avoir vue longtemps sans l'aimer. A cette question, Adamas donne plusieurs réponses. Au commencement, cette personne n'avait pas « encore le caractère de la beauté de cette intelligence » et, par la suite, elle l'a acquis. Cependant, par

(177) *Ibid.*, III, 5, 263-264. Il convient de rapprocher de ce passage les propos de Diane qui résument la théorie de la sympathie : « ...l'amour procede de cette sympathie, qui est une image representée en nous de l'intelligence, et de la planete sous laquelle nous naissons. » (III, 5, 268).
(178) *Ibid.*, III, 5, 265-266.
(179) *Ibid.*, III, 5, 266.

souci de clarté, Adamas présente une autre explication. L'âme, qui est enveloppée dans le corps comme dans une prison, comprend et entend par les sens, par des représentations corporelles, « quoy qu'elle contemple les substances incorporelles ». Or, les sens sont trompeurs, ils peuvent nous abuser et nous conduire à des jugement erronés. Ainsi en est-il du malade qui, parce qu'il a le goût « dépravé », juge tous les aliments mauvais ; ainsi en est-il encore de la vision qui est déformée par les lunettes ou le milieu à travers lequel on regarde l'objet. Une fois que les sens ont représenté pour vraies toutes ces erreurs, le jugement se forme faux et la volonté se porte à l'objet qui lui est présenté. Si nous voyons quelque temps sans aimer pour ensuite aimer, c'est que nous avons été victimes d'une erreur de notre vue. Ces erreurs une fois dissipées, nous découvrons la vérité, et l'âme, « lors recognoissant cette ressemblance, se met à aimer ardemment ce qu'auparavant elle avoit veu sans aimer, et sans s'en soucier. » (180)

Mais comment cette théorie de la ressemblance peut-elle expliquer que les personnes belles sont habituellement aimées de tous ? Il faudrait que tous fussent nés sous la même planète. Telle est l'objection de Diane. La réfutation présentée par Adamas est, à vrai dire, assez complcxc. Toutes les choses qui sont belles ou bonnes ont une conformité entre elles. Or, les planètes et les intelligences « qui leur president » ne sont bonnes ni belles, sinon dans la mesure où elles ressemblent à leur suprême beau ou bon. Cette beauté et cette bonté, quoique placées en des sujets divers, ont toujours de la conformité. Il ne faut donc pas trouver étrange que plusieurs aiment les personnes qui sont belles, quoiqu'elles ne soient pas nées sous la même planète. Chacun remarque en elles quelque chose qui est conforme à la beauté de sa propre planète (181).

Les diverses questions posées à Adamas permettent à d'Urfé de préciser sa pensée. Les réponses n'ont pas toujours la clarté souhaitée. La doctrine exposée dans *L'Astrée* est moins claire que celle du *Commentaire* de Ficin. Malgré son souci de vulgarisation, d'Urfé est parfois plus obscur que son modèle. La doctrine d'Adamas est empruntée à Platon et à Ficin. En effet, elle est un mélange de la théorie de la réminiscence, qu'il est facile de reconnaître, et des propos de Ficin dans le *Commentaire*.

La thèse de Ficin repose sur le principe que deux êtres qui s'aiment sont de même nature. Mais quel est le fondement de cette identité de nature ? Pour Ficin, il ne s'agit pas d'une conjonction astrale commune à deux êtres. L'identité se fonde « sur une loi qui veut qu'un être né sous un signe particulier, reproduise en lui la qualité de ce signe. » (182) Ainsi, chaque être porte en lui une

(180) *Ibid.*, III, 5, 267-268.
(181) *Ibid.*, III, 5, 268-269.
(182) R. Marcel, *Marsile Ficin, Commentaire sur le Banquet,* introduction, p. 86. Pour Ficin, il y a une bonne et une mauvaise astrologie. La bonne astrologie fait partie de la théologie et nie le déterminisme astral sur l'âme. Selon lui, les astres imposent à l'homme un destin, une « humeur », dès l'instant où l'âme se joignant au corps subit l'influx des planètes de son ciel de naissance. Ainsi Ficin refuse le déterminisme de l'astrologie vulgaire par la dis-

image de la planète sous le signe de laquelle il est né. Voilà l'origine d'une ressemblance spirituelle. Mais la matière corporelle où l'âme est emprisonnée a répondu plus ou moins parfaitement aux projets de cette âme. Quand deux âmes de même nature se trouvent en présence, l'une ayant reproduit au mieux l'image de son « dieu » ou de sa planète, l'autre n'en ayant représenté qu'une mauvaise image, un courant circule de l'être le moins parfait à l'être le plus parfait :

> « Tous les deux, [écrit Ficin], se plaisent mutuellement, en raison d'une certaine ressemblance de leur nature. Toutefois celui qui est considéré comme le plus beau plaît davantage. Ce qui fait que certains aiment surtout, non pas ceux qui sont les plus beaux, mais les leurs c'est-à-dire ceux qui sont nés comme eux, même s'ils sont moins beaux que beaucoup d'autres. » (183)

Le corps n'a d'intérêt que dans la mesure où il perçoit cette image. Par lui s'opèrent les sensations et, grâce à l'esprit qui lui permet de communiquer avec le corps, l'âme contemple les idées qu'elle porte en elle, et elle juge. Ainsi, nous avons la révélation de notre parenté avec un inconnu et l'amour prend naissance. Nos sens peuvent cependant nous tromper.

Dans le *Commentaire* de Ficin, d'Urfé a trouvé la réponse aux objections qu'il présente ; il lui appartint de donner à ces idées une forme plus vivante qui n'est pas sans rappeler celle des *Dialoghi d'amore* de Léon Hébreu, où Filone dialogue avec Sofia. Nous y retrouvons d'ailleurs la théorie de la conformité de la nature (184), et surtout celle de la conjonction astrale beaucoup plus longuement développée (185). Il est possible que d'Urfé s'en soit inspiré. Mais il eut aussi à sa disposition un résumé de toutes les théories sur la naissance de l'amour, dans l'ouvrage d'Equicola. Nous y lisons la doctrine de François Catani :

> « Au dernier chapitre, il cherche la cause pour laquelle nous sommes pareillement affectionnez à tout ce qui est beau. Il ne veut pas que la cause vienne de la conformité du père et de la mère, et encore moins louë ceux-là lesquels pensent réduire à la nature et au ciel, l'origine de ces diverses affections, comme autheurs des choses inférieures. Il veut comme platonique, qu'estans les âmes raisonnables au nombre des choses divines,

---

tinction entre l'action sur les corps et l'action sur les âmes. L'âme emprisonnée dans le corps cesse de subir directement les impulsions des astres, pour être simplement tentée par les humeurs du corps. Voir, à ce propos, P.O. Kristeller, *Il pensiero filosofico di Marsilio Ficino*, Florence, 1953, pp. 229 sq. ; G. Gadoffre, « Ronsard et le thème solaire », in *Le soleil à la Renaissance, sciences et mythes*, pp. 508 sq. Les propos d'Adamas nous laissent deviner cette distinction. Nous savons, par ailleurs, combien d'Urfé villipende l'astrologie et, d'autre part, la loue. Il semble accepter la bonne astrologie et refuser la mauvaise, comme il établit une distinction entre la magie et la sorcellerie.

(183) M. Ficin, *op. cit.*, or.Va, c.6, p. 206.

(184) L. Hébreu, *op. cit.*, I, p. 116 (éd. Caramella, p. 66). Parmi les causes de la naissance de l'amitié, Filone cite « la conformité du naturel et de la complexion de l'un à l'autre homme. »

(185) Id., *ibid.*, éd. Caramella, pp. 96 sq.

> il est nécessaire qu'aucunes soient de la perfection es premiers degrez, les autres es seconds, et veut que ceste distribution ayt origine du premier intellect, qu'il a nommé Ange et monde intelligible. Il affirme et croit que les ames de chacun ordre ayent plus d'affinité et convenance, comme si je disois : les âmes sous l'administration de Jupiter, conviennent mieux entre elles, que celles qui sont sous l'administration de Mars. Celuy donc est affectueusement observé de nous, lequel se reduit à nostre ordre, et celuy est adoré, qui procede de l'ame du mesme ordre. » (186)

Ailleurs, après avoir rapporté le mythe platonicien de l'Androgyne, Equicola écrit :

> « Que pensons-nous que ceste fable nous apporte autre chose, sinon que la similitude du génie, de l'Estoile et de l'Idée est necessaire en amour ? » (187)

Et, après avoir rappelé les diverses théories qui s'affrontent, il se pose une question semblable à celle d'Hylas :

> « D'où vient que si par la rigueur du Ciel, nous aymons aujourd'hui quelqu'une d'une ardeur demesurée, nous l'avons demain en haine, la raison en semble cachée et secrette. »

Il rapporte la réponse des astrologues et celle d'Aristote. Les premiers pensent que les planètes et les signes en sont la cause. Mais, Aristote

> « pense que nostre fantaisie se change, si nous ne trouvons ce que nous avons imaginé, et que toute nostre volonté et appetit se peut vaincre avec la raison, et changer en mieux, si nous ne voulons estre du nombre de ceux entre lesquels Ovide met Medee. Laquelle cognoissant le meilleur, et le loüant, se prend au pire. » (188)

Puis, il évoque la théorie des physiciens et d'Avicenne. Il nous semble que l'origine de l'explication d'Adamas se trouve dans la conception aristotélicienne de l'amour. D'Urfé eut, grâce au livre d'Equicola, un large échantillonnage d'idées qui furent à l'origine de sa réflexion. Constatons, en tous cas, qu'il fit un amalgame complexe de la théorie de la réminiscence et de celle de la participation à la planète, qu'il lut, sans aucun doute, dans Ficin. Le *Commentaire* est bien à l'origine de sa pensée. Les autres lectures lui apportèrent des détails et des sujets de réflexion.

Pour expliquer l'origine de l'amour, Honoré d'Urfé a aussi recours au mythe des aimants, qui est une autre manière de présenter la théorie de la sympathie. Il s'agit, ici encore, de montrer que la beauté n'explique pas totalement la naissance de l'amour. Céladon s'est proposé d'en chercher l'origine dans l'opinion que chacun a de la beauté, mais il y ajoute l'explication de Silvandre qui, quand on lui demande pourquoi il n'est pas amoureux, répond

---

(186) Equicola, *op. cit.*, ff. 48 r°v°.
(187) Id., *ibid.*, f. 237r°.
(188) Id., *ibid.*, ff. 244v° - 245r°.

qu'il n'a pas encore trouvé son aimant. C'est le thème de la création de toutes les âmes par Dieu et donc de leur préexistence. Dieu, selon Silvandre, les a toutes touchées d'une pièce d'aimant. Les âmes des femmes et celles des hommes furent ensuite logées dans des lieux séparés. Quand Dieu envoie les âmes dans les corps, il conduit celles des femmes dans le lieu où se trouvent les pierres d'aimant qui ont touché les âmes des hommes et celles-ci sont menées où sont rangées les pierres d'aimant qui ont touché les âmes des femmes. Chacune des âmes se munit d'une pierre magnétique. Mais certaines prennent à la dérobée plusieurs de ces pierres. Dès que l'âme logée dans le corps rencontre une autre âme qui a son aimant, il est impossible qu'elle ne l'aime pas. Celles qui ont plusieurs pierres sont aimées de plusieurs, et, quand il n'y a pas réciprocité d'amour, c'est que l'une des deux âmes ne possède pas son aimant.

Cette explication suscite plusieurs questions qui ont déjà été posées. Pourquoi un berger aime-t-il parfois plusieurs bergères ? La réponse est fort ingénieuse. La pièce d'aimant qui le toucha s'est cassée et l'âme du berger est attirée par toutes les âmes des femmes qui en possèdent un morceau. Pourquoi encore certains, comme Timon d'Athènes, n'ont-ils jamais aimé ou ne suscitèrent-ils jamais l'amour de personne ? Céladon répond :

> « L'aymant de celui-là... ou estoit encore dans le magazin du grand Dieu, quand il vint au monde, ou bien celuy qui l'avoit pris mourut au berceau, ou avant que ce Tymon fust nay, ou en aage de cognoissance. De sorte que quand nous voyons quelqu'un qui n'est point aimé, nous disons que son aymant a esté oublié. »

Timon d'Athènes n'a point été aimé parce que, par la faute des « ames larronnesses », certaines n'ont pu avoir une pierre au moment de leur entrée dans un corps. Il reste enfin à savoir pourquoi, après avoir longuement aimé une personne, on vient à la quitter pour en aimer une autre. Il est répondu à Corilas, l'auteur de cette objection, que

> « ... la piece d'aymant de celuy qui venoit a se changer, avoit estée rompue, et que celle qu'il avoit aimée la premiere en devoit avoir une piece plus grande que l'autre, pour laquelle il la laissoit, et que tout ainsi que nous voyons un fer entre deux calamites, se laisser tirer à celle qui a plus de force, de mesme l'ame se laisse emporter à la plus forte partie de son aymant. » (189)

Il convient de rapprocher de ce mythe le symbole de l'aimant expliqué par Silvandre qui a gravé sur une pierre un cadran dont l'aiguille se tourne du côté de la Tramontane. Il y inscrivit ces mots : « j'en suis touché »,

> « voulant signifier, que tout ainsi que l'esguille du quadran estant touchée de l'aimant se tourne tousjours de ce costé là, parce que les plus sçavans ont opinion que, s'il faut dire ainsi,

(189) *Astrée*, I, 10, 387-388. Le mythe des aimants fut repris par Corneille dans la *Suite du Menteur*, acte IV, sc. I, vers 1235-1243. Voir, à ce propos, O. Nadal, *op. cit.*, p. 89 et p. 341, n. 5.

l'element de la calamite y est, par ceste puissance naturelle, qui fait que toute partie recherche de se rejoindre à son tout : de mesme son cœur, atteint des beautez de sa maistresse, tournoit incessament toutes ses pensées vers elle. » (190)

Nous avons vu que le magnétisme passionnait les esprits du XVIe siècle (191). Mais la lecture de Platon et de son exemple de la pierre magnétique développé dans *Ion* fournit aussi à Honoré d'Urfé un point de départ. Le mythe illustre l'idée que « toute partie recherche de se joindre à son tout », comme le fait remarquer Silvandre. Le mythe de l'Androgyne est rapporté par les traités italiens et chanté par les poètes français du XVIe siècle. Dans *L'Astrée,* il n'en est nulle part clairement question. D'Urfé a-t-il voulu faire œuvre d'originalité en composant le mythe de l'aimant ? C'est fort possible. La fable est ingénieusement inventée, parfois puérile, mais l'explication est, en définitive, la même que celle de l'Androgyne, fournie par Platon et ses disciples. Platon, dans *Le Banquet,* fait dire à Erixymaque que chacun de nous est « fraction complémentaire » (192), et convoite l'unité (193). Ficin, qui, dans son *Commentaire,* analyse le mythe de l'Androgyne, définit l'amour comme un « désir » et un « effort pour reconstituer l'être total » (194). La fable d'Urfé en rend nettement compte et elle trouve son complément dans la théorie de la sympathie qui, outre qu'elle maintient la thèse de la préexistence des âmes, y ajoute celle de la réminiscence.

Jacques Ehrmann découvre ailleurs, dans *L'Astrée,* le souvenir du mythe de l'Androgyne. Il prétend que Céladon est « un parfait exemple de personnage androgyne » (195). Il est vrai qu'une phrase comme celle-ci est assez révélatrice d'une intention :

« Alexis..., encore que revestue en fille, ne pouvoit se despouiller du personnage d'homme que la nature luy avoit donné. » (196)

Quand il partage la chambre d'Astrée, Céladon a peine à maîtriser ses instincts ; mais il s'avance aussi très loin dans son rôle de femme en acceptant qu'Astrée soit son « serviteur ». Alexis-Céladon est appelé à toutes les orientations amoureuses et sexuelles. Pourtant, y voir le signe flagrant d'une inversion « réversible » où « toute anomalie est normale, où toute anormalité est naturelle, où valeurs et contre-valeurs amoureuses et sexuelles se correspondent pour s'annuler, s'annulent pour se réaffirmer », nous semble exagéré (197). Le thème du déguisement, si courant dans la littérature romanesque, peut à lui seul justifier ce célèbre épisode d'Alexis-Céladon. D'Urfé avait ainsi l'occasion d'introduire un élé-

---

(190) *Astrée,* II, 3, 98.
(191) Voir supra, 1re partie, ch. II.
(192) *Banquet,* 191 d.
(193) *Ibid.,* 193a.
(194) M. Ficin, *op. cit.,* or.Va, c.2, p. 168.
(195) J. Ehrmann, *op. cit.,* pp. 22-23.
(196) *Astrée,* IV, 5, 213.
(197) J. Ehrmann, *op. cit.,* p. 23.

ment de sensualité qui n'était pas pour effrayer ses lecteurs. Mais, considérer le mythe de l'Androgyne, comme le fait Jacques Ehrmann, c'est en oublier l'interprétation la plus courante au XVIe siècle. Les auteurs, plutôt que de s'attaquer à l'explication des anomalies sexuelles, y ont découvert la signification de l'amant en quête de sa moitié, pour reconstituer l'union qui est le vrai amour. L'Androgyne rend compte de la naissance de l'amour et d'Urfé a voulu le rappeler, sans doute, dans son mythe des aimants.

La théorie de la sympathie et le mythe des aimants laissent entendre que l'amour est involontaire. Il n'en est rien pourtant. L'amour vrai, défini par *L'Astrée,* est raisonnable et volontaire. Il est un désir de beauté. Or, celle-ci est relative ; la vue et l'ouïe nous livrent des sensations qui peuvent être causes d'erreurs. La raison, qui est le privilège des hommes, doit donc intervenir pour rectifier les données des sens. C'est pourquoi, Célidée distingue l'amour de désir et l'amour raisonné :

> « J'ay ouy dire..., qu'on peut aymer en deux sortes : l'une est selon la raison, l'autre selon le desir. Celle qui a pour sa reigle la raison, on me l'a nommée amitié honneste et vertueuse, et celle qui se laisse emporter à ses desirs, amour. Par la premiere, nous aymons nos parents, nostre patrie et en general et en particulier tous ceux en qui quelque vertu reluit ; par l'autre, ceux qui en sont atteints sont transportez comme d'une fievre ardente, et, commettent tant de fautes, que le nom en est aussi diffamé parmy les personnes d'honneur, que l'autre est estimable et honorée. Or j'advoueray donc sans rougir que Thamire a esté aymé de moy ; mais incontinent j'adjouteray pour sa vertu, et que de mesme j'ay esté aymée de Thamire, mais selon la vertu. » (198)

L'amour est donc un désir qui relève, en définitive, non point de l'appétit sensible, mais de l'appétit raisonnable. Il est, par définition, totalement différent du plaisir. Une mise au point est établie par Diane, la bergère sensée, réfléchie et méfiante, parce qu'elle a été victime de l'amour :

> « ..., ce qui plait n'est pas tousjours ny honorable ny raisonnable, et cela n'estant pas, la vertu nous ordonne de nous en deporter, et quant à moy, j'aymerois mieux la mort que de faire autrement. » (199)

---

(198) *Astrée,* II, 2, 61. Sur la difficulté de distinction entre l'amour et l'amitié dans *L'Astrée,* voir l'article d'A. Grange, « Remarques sur quelques structures du vocabulaire de l'amour dans la pastorale romanesque au début du XVIIe siècle », in *Travaux de Linguistique, CIER sur l'expression contemporaine,* Université de Saint-Etienne, t. II (1972), pp. 112 sq. Les paroles de Célidée laissent bien entendre la différence entre amitié et amour. L'amitié est toujours honnête, l'amour, quand il n'est pas réglé par la raison, devient passion et entraîne une conduite désordonnée. Nous remarquons encore une différence très nette entre les deux mots, quand Paris, après avoir reproché à Diane d'agir envers lui avec courtoisie et civilité seulement, ajoute : « mon affection vous demande quelque chose davantage, c'est à dire non pas amitié, mais amour pour amour. » (III, 5, 258). D'autre part, plus d'une fois l'amitié se transforme en amour, voir, par exemple, II, 9, 357 ; III, 4, 172.

(199) *Astrée,* II, 6, 270.

C'est dire, comme le fait remarquer Astrée, que « rien de raisonnable ne peut estre honteux » (200). L'amour implique donc un jugement. Diane dit à propos de Silvandre : « je le juge homme de bien » (201). L'amour est honnête et humain, dans la mesure où il est raisonnable. Adamas reproche à Céladon, non point de s'être éloigné d'Astrée, car c'est une façon de lui faire connaître combien il l'aime, mais de persister aussi longuement dans une telle attitude devenue déraisonnable :

> « ... il est temps que vous reveniez en vous mesmes, et que vous luy fassiez paroistre que vous n'estes pas seulement amoureux, mais homme aussi, et que si le desplaisir vous a jusques icy osté l'usage de la raison, la raison toutesfois vous est demeurée qui, peu apres, a repris sa force, afin qu'elle ne se repente pas d'avoir affectionné un amant qui n'estoit pas homme. » (202)

Rebelle à la raison, la passion entraîne aux pires méfaits. Si l'amour est désir de beauté de l'âme qui est bonté, comment reconnaître celle-ci autrement que par la raison ? L'amour suppose donc nécessairement la connaissance. Dans une exhortation adressée à Alcidon et Daphnide, Adamas résume cette doctrine :

> « Le Grand Tautates, qui, par amour, a fait tout cet univers et par amour le maintient, veut non seulement que les choses insensibles, encores que contraires, soient unies et entretenues ensemble par liens d'amour, mais les sensibles et les raisonnables aussi. Et c'est pourquoy, aux elemens insensibles, il a donné des qualités qui les lient ensemble par sympathie : aux animaux, l'amour et le desir de perpetuer leur espece ; aux hommes, la raison qui leur apprend à aimer Dieu en ses creatures, et les creatures en Dieu. Or, cette raison nous enseigne que tout ce qui est aimable se doit aimer selon les degrez de sa bonté, et, par ainsi, ce qui en aura plus, devra aussi estre plus aimé. Et toutesfois, d'autant que nous ne sommes point obligez à ceste amour, sinon en tant que ceste bonté nous est cogneue, il s'ensuit que, plus le bon est recogneu, plus aussi doit-il estre aimé. Mais puisque Dieu a fait toute chose pour l'amour, et que la fin de quelque chose est toujours plus parfaite, nous pouvons aisement juger que, puis que toutes les choses bonnes ont l'amour pour leur but, que de toutes l'amour est la meilleure. Or, cognoissant cette bonté de l'amour, nous sommes plus obligez par les lois de la raison d'aimer l'amour que toute autre chose, et plus cet amour est recogneu, plus aussi le devons-nous aimer. » (203)

Le rôle de la raison est de reconnaître la bonté qui fait nécessairement naître l'amour, puisque le bon seul est aimable. Voici ce que Silvandre dit à Phillis à ce propos :

> « ... il faut que vous sçachiez, bergere, que tout ce qui est bon est aymable, mais il n'est pas aymé pour cela, parce que le

(200) *Ibid.*, II, 6, 271.
(201) *Ibid.*, II, 6, 269.
(202) *Ibid.*, II, 8, 316.
(203) *Ibid.*, III, 4, 217-218.

bon, s'il n'est recogneu, est comme un thresor caché, qui ne se peut faire estimer que quand quelqu'un en a la cognoissance. Et Dieu mesme, qui est le Bon de tous les bons, ne seroit pas pas aymé s'il ne se faisoit pas cognoistre. » (204)

En conséquence, nous ne pouvons aimer que ce que nous connaissons et l'amour prend ainsi un caractère nettement intellectuel. Aux dires de Silvandre qui, par là encore, s'oppose à Hylas prétendant qu'il n'a jamais connu une des femmes aimées, l'amour implique un jugement qui se modifie au fur et à mesure que la connaissance de l'aimée se développe :

« Nous ne pouvons aimer que nous ne cognoissions la chose que nous aimons. »

En s'appuyant sur ce principe, Silvandre répond à Hylas par le raisonnement suivant :

« Ceste preuve que tu as faicte.., est celle qui te doit faire advouer ce que je viens de dire. Car tu aimois ce que tu cognoissois, c'est à dire qu'ayant opinion qu'elles eussent les perfections que tu jugeois aimables, tu les aymois, mais ayant recogneu la verité, tu as laissé de les aymer, et par là tu vois que la cognoissance de la perfection que tu t'estois imaginée, estoit la source de ton amour. Et à la verité, si la volonté dont naist l'amour, ne se meut jamais qu'à ce que l'entendement juge bon, n'y ayant pas apparence que l'entendement puisse juger d'une chose dont il n'a point la cognoissance, je ne sçay comment tu te peux imaginer qu'on puisse aimer ce qu'on ne cognoist point. Je t'advoueray bien toutesfois que tout ainsi que la veue se trompe quelquefois, de mesme l'entendement se peut decevoir, et juger aimable ce qui ne l'est pas ; mais tant y a que l'amour vient de la connoissance, soit-elle fausse ou vraye. » (205)

Voilà donc comment nous devons comprendre la formule : l'amour est « un désir de beauté que nous trouvons telle » (206). Le premier jugement, qui a pour origine les données de nos sens, peut être erroné, lorsque nous croyons découvrir la bonté là où elle n'est pas. Mais quand la bonté accompagne la beauté extérieure qui en est le reflet, l'amour augmente au fur et à mesure que croît la connaissance. La thèse d'Hylas s'appuie sur un principe tout contraire. Il prétend en effet qu'il serait au comble du bonheur, si celle qu'il aime admirait tout ce qu'il dit et tout ce qu'il fait. De cette admiration proviendrait la bonne opinion qui, à son tour, serait cause de l'amour. Silvandre lui démontre que l'admiration repose sur la connaissance :

« ... les plus sçavants disent que l'admiration est la mere de la verité, et cela, d'autant qu'admirant quelque chose, l'esprit de l'homme est naturellement poussé à rechercher d'en avoir cognoissance, et cette recherche fait trouver la vérité. Et ainsi, Hylas, quand tu dis qu'elle t'admireroit, tu dis de mesme, qu'elle

---

(204) *Ibid.*, III, 10, 529-530.
(205) *Ibid.*, II, 9, 387.
(206) *Ibid.*, I, 12, 482.

essayeroit de te cognoistre, et te cognoissant, elle trouveroit que si elle avoit estimé quelque chose en toy, elle s'estoit trompée, et alors en te meprisant, elle admireroit de t'avoir admiré. » (207).

La connaissance devient donc une explication de la fin d'un amour, quand elle rectifie l'opinion. Les yeux font naître l'amour, et la connaissance des mérites le nourrit :

« Mais, tout ainsi que ce qui produit quelque chose, n'est pas ce qui la nourrit, et qui la met apres en sa perfection, de mesme devons nous dire de l'amour, parce que si nos agneaux naissent de nos brebis, et qu'au commencement ils tirent quelque legere nourriture de leur laict, ce n'est pas toutesfois ce laict qui les met en leur perfection, mais une plus ferme nourriture qu'ils reçoivent de l'herbe dont ils paissent. Aussi les yeux peuvent bien commencer et eslever une jeune affection, mais lors qu'elle est creue, il faut bien quelque chose de plus ferme et de plus solide, pour la rendre parfaicte, et cela ne peut estre que la cognoissance des vertus, des beautez, des merites, et d'une reciproque affection de celle que nous aymons. Or quelques unes de ces cognoissances prennent bien leur origine des yeux, mais il faut que l'âme par apres se tournant sur les images qui luy en sont demeurées au rapport des yeux et des oreilles, les appelle à la preuve du jugement, et que toutes choses bien debattues, elle en fasse naistre la verité. Que si ceste verité est à nostre advantage, elle produit en nous des pensées dont la douceur ne peut estre esgalée par autre sorte de contentement que par l'effet des mesmes pensées. Que si elles sont seullement advantageuses pour la personne aymée, elles augmentent sans doute nostre affection, mais avec violence et inquiétude. » (208)

Nous découvrons ici l'un des motifs du tourment de celui ou de celle qui aime mal. Cependant, les mérites de la personne aimée se jugent aux actes. C'est du moins le conseil que la sage Cléontine donne à Célidée :

« ... la plus seure cognoissance procede des effects. C'est pourquoi pour discerner de quelle façon nous sommes aymees, considerons les actions de ceux qui nous ayment : si nous voyons qu'elles soient dereglées et contraires à la raison, à la vertu, ou au devoir, fuyons les comme honteuses ; si, au contraire, nous les voyons moderées, et n'outrepassant point les limites de l'honnesteté, et du devoir, cherissons-les et les estimons comme vertueuses. » (209)

Pour bien aimer, il faut donc qu'il y ait présence et fréquentation de la personne aimée. Cependant, la connaissance suppose la liberté de l'entendement ; c'est pourquoi d'Urfé analyse les avantages et les inconvénients de l'absence. Tantôt elle est, pour l'amant, cause de tourments et de plaintes, car l'amour qu'il éprouve s'adresse plus au corps qu'à l'esprit ou n'est pas réciproque ou repose sur une fausse opinion, tantôt elle suscite un amour plus

(207) *Ibid.*, III, 5, 261.
(208) *Ibid.*, II, 1, 13.
(209) *Ibid.*, II, 2, 61. A propos de l'amour-estime, voir O. Nadal, *op. cit.*, p. 91.

épuré et plus heureux. Il est certain que l'absence facilite la liberté de l'esprit et un jugement plus sain, par conséquent. Silvandre analyse ainsi ces avantages :

> « Et c'est pourquoy il ne faut point douter que l'absence n'augmente l'amour, pourveu toutesfois qu'elle ne soit pas si longue que les images receues de la chose aymée se puissent effacer, soit que l'amant eslongné ne se represente que les imperfections de ce qu'il ayme, parce qu'Amour qui est ruzé et cauteleux ne luy a peint que ces images parfaittes en la fantaisie, soit que l'entendement estant desja blessé ne vueille tourner sa veue que sur celles qui luy plaisent, soit que la pensée en semblables choses adjouste tousjours beaucoup aux perfections de la personne aymée. Tant y a que celuy veritablement n'a point aymé, qui n'augmente son affection, estant esloigné de ce qu'il ayme. » (210)

Silvandre n'ignore rien de la psychologie de l'amant et, s'il connaît les dangers d'une longue absence, il découvre aussi ses avantages, quand elle est modérée :

> « Mais qui ne sçait que les troubles mouvements des sens empeschent infiniment la clarté de l'entendement, et que comme aux contre-poix d'une orloge l'un ne peut monter que l'autre ne descende, aussi, quand les sens s'eslevent, l'entendement s'abaisse, et se releve au contraire quand les sens sont abaissez. Que s'il en est ainsi, ne m'avouerez-vous pas qu'en absence l'entendement de celuy qui ayme agira beaucoup plus parfaittement, que quand, transporté par les objets qui se presentent à ses yeux, il ne peut faire autre chose que regarder, desirer, et souspirer ? Que si jamais vous avez voulu penser profondement à quelque chose, souvenez-vous, Madame, si la sage nature ne vous a pas appris de mettre la main sur vos yeux, afin que la veue ne divertist les forces de l'entendement ailleurs, et par ceste raison vous concluerez selon ce que j'ay dit. Que si l'amour s'augmente par la cognoissance de la perfection aymée, puis que nous l'avons beaucoup plus grande estant absents, c'est sans difficulté que nous aymons davantage eslongnez que presens. » (211)

L'amour le plus élevé trouve, en effet, son achèvement dans la contemplation qui n'a plus besoin du support des sens. L'amant parfait voit, contemple, adore par la pensée et se trouve continuellement ainsi auprès de celle qu'il aime. Silvandre l'explique à Phillis qui sourit de ses propos, parce qu'elle est persuadée que la pensée ne saurait suffire :

> « ... mais si vous diray-je bien que de la façon que j'y suis, j'y suis plus parfaictement que vous, puis que le plus souvent que vous y estes de la présence, vous en estes infiniment esloigné par la pensée, qui vous emporte ordinairement fort loing

---

(210) *Ibid.*, II, 1, 13. Sur le thème de l'absence dans *L'Astrée* et dans les *Bergeries de Juliette*, voir M. Magendie, *op. cit.*, p. 222.
(211) *Astrée*, II, 1, 15-16.

de là, ne laissant où il semble que vous soyez, que le corps, qui est la moindre partie de vous, au lieu que la mienne n'ayant ny desir, ny contentement qu'aupres d'elle, elle n'en part jamais, pour quelque divertissement qui se puisse presenter. » (212)

Les « intelligences » n'adorent-elles pas Tautatès avec « la pure pensée » ? Ne parlent-elles pas avec lui par « la voye de la contemplation » ? Ainsi en est-il de Silvandre à l'égard de Diane :

« Et vous semble t'il que le moyen avec lequel je suis aupres de Diane soit inutile, et tant incapable de la servir, puis que je la sers et l'adore en terre comme ces pures pensées servent et adorent le grand Tautates dans le Ciel. » (213)

Il est évident que l'absence présente des dangers et que le désir légitime de l'amant est d'être près de celle qu'il aime. Jamais Silvandre n'affirme que l'amour peut se passer de la présence physique. Etre présent de corps et d'esprit, voilà l'idéal :

« J'avoue que si j'y pouvois estre et de la pensée et du corps, je serois encore plus content »,

avoue-t-il à Phillis. L'amour, en effet, tire son origine de la vue, de l'ouïe et de l'entendement et c'est en eux qu'il puise sa nourriture. C'est pourquoi il ne peut se passer ni de la présence physique ni des faveurs accordées par l'aimée. Autrement, il est voué à sa fin. Céladon, sur les conseils d'Adamas, se déguise en Alexis pour jouir de la présence d'Astrée. Le désir, qui est « de la chose qui deffaut », cesse d'être désir quand il est assouvi, mais il se maintient par l'espérance et les faveurs. Adamas fait la part du corps et de l'esprit dans cet équilibre qu'il propose en idéal à Léonide :

« ... le desir se nourrit de l'esperance, et des faveurs. Or tout ainsi que la mesche de l'amour s'estaint quand l'huile deffaut, de mesme le desir meurt, lorsque sa nourriture luy est ostée ; voilà pourquoy nous voyons tant d'amours qui se changent, les unes par trop, et les autres par trop peu de faveurs. » (214)

L'enseignement de Bélisard est le même que celui d'Adamas :

« J'ay dit que les extremes mespris, ou la surabondance des faveurs, peuvent sans plus faire esteindre l'amour. » (215)

Quelle est la nature des faveurs qui doivent être accordées pour maintenir l'amour ? Ce sont celles, dit Adamas, qui évitent l'excès. Elles demeurent dans les limites permises par l'honnêteté, c'est-à-dire le respect de l'honneur de la femme aimée. C'est une sage conduite qui ne s'enferme pas dans la pudibonderie. A la lecture de *L'Astrée,* nous découvrons des récits qui frisent l'érotisme, mais que leur auteur sait avec discrétion maintenir dans les limites de la bienséance. L'amant parfait est celui qui, ne faisant point à

(212) *Ibid.*, III, 9, 512.
(213) *Ibid.*, III, 9, 512.
(214) *Ibid.*, I, 9, 331-332.
(215) *Ibid.*, IV, 9, 516.

l'amour charnel une part plus grande qu'à l'amour de l'esprit, n'exige de sa maîtresse rien que la morale réprouve. Ainsi conçu, l'amour prend un caractère volontaire. Certes, la fréquentation fait parfois naître l'amour et maintes histoires de *L'Astrée* nous en fournissent une illustration. La bergère Daphnis conseille à Philandre d'adresser souvent la parole à Diane, afin d'acquérir ses bonnes grâces :

> « Car tout ainsi que l'oreille qui a accoustumé d'ouyr la musique, est capable d'y plier mesme la voix, et la hausser, et baisser aux tons qui sont harmonieux, encor que d'ailleurs on ne sçache rien en cest art ; de mesme la bergere qui oyt souvent les discours d'un amant, y plie les puissances de son ame, et encor qu'elle ne sçache point aimer, ne laisse à se porter insensiblement aux ressentimen de l'amour. » (216)

Mais cet amour qui s'est glissé dans l'âme n'est pas suffisant. Il doit être une élection, une décision de la volonté éclairée par la connaissance, car, dit Diane, « ... en amour la contrainte ne peut rien, et faut que sa naissance procede d'une libre volonté. » (217) Silvandre encore propose cette définition parfaitement claire :

> « ... l'amour estant un acte de la volonté qui se porte à ce que l'entendement juge bon, et la volonté estant libre en tout ce qu'elle faict, il n'y a pas apparence que ceste action qui est la principale des siennes despende d'autre qu'elle-mesme. » (218)

Thamyre ne conçoit pas l'amour autrement :

> « ... l'amour qui dépend de la volonté, il n'y a point de doute qu'elle ne soit du tout en nostre pouvoir, puis que Dieu ne nous a rien donné qui soit plus absolument à nous que ceste volonté, ce qui n'est pas des choses fortuites, comme la mer, ou la fortune. » (219)

---

(216) *Ibid.*, I, 6, 218 ; c'est la fréquentation de Silvandre qui fait naître progressivement l'amour dans le cœur de Diane, voir *Astrée*, II, 6, 265. Dans une lettre au chevalier Dizimieu placée à la fin de la *Philocalie,* Ducroset se demande si « la grande frequentation est bonne en amour », et il répond que les deux amants doivent être ensemble, si l'amour est réciproque : « car outre le plaisir et contentement que ceste veüe leur apporte, elle sert d'une grande edification, pour ce qu'ils se contraignent tous deux à se maintenir le plus modestement qu'ils peuvent, et à user les termes les plus choisis qu'il leur est possible, d'où ils prennent une habitude durable. » (éd. 1593, pp. 366 sq.) La fréquentation a donc pour Ducroset un but essentiellement moral. Le point de vue d'Urfé n'est pas le même. Il n'envisage pas le cas d'un amour réciproque. C'est la fréquentation qui insensiblement entraîne la réciprocité en amour.

(217) *Astrée,* I, 7, 243.

(218) *Ibid.*, II, 9, 386. Sur le sens du mot volonté dans *L'Astrée,* voir M. Magendie, *op. cit.*, pp. 303-304. La volonté, qui est une « inclination éclairée », est donc un mouvement naturel mais conscient. Cependant, dans *L'Astrée,* l'amour implique souvent un effort de la volonté au sens moderne, notamment quand l'amant doit rester constant. Ainsi Delphire blâme les amants qui sont « constans par hazard et non pas de resolution et de dessein. » (*Astrée*, IV, 6, 341).

(219) *Ibid.*, IV, 5, 232-233.

Aimer devient alors une disposition habituelle de notre âme. Parce qu'il aime, le berger se soumet aux volontés de la bergère. Son amour consiste en une volonté constante et lucide d'exécuter ce qui est agréable à la personne aimée. « Il n'y a rien que vous ne me puissiez commander », déclare Célion à Bellinde (220). Céladon, dans sa prière à Astrée, s'exprime-t-il tout autrement, quand il offre son cœur et sa volonté ?

> « Or ce que je viens offrir à vostre déité, c'est un cœur et une volonté, qui n'ont jamais esté dediez qu'à vous seule. » (221)

Un tel amour volontaire est nécessairement constant. Sa marque est la fidélité. La constance, qui n'est pas l'opiniâtreté, est nécessaire à cause du « seul désir de ne manquer point à ce que nous devons, et à nous-mesmes, et à ce que nous aimons » (222). Changer en amour, comme l'inconstant Hylas, c'est, ainsi que le remarque Thamire, manquer de volonté et d'entendement, et se réduire au rang des animaux :

> « et cela d'autant que la volonté qui ne se porte jamais qu'à ce que le jugement luy a dit estre bon, prenant un autre object, descouvre infailliblement que son jugement s'estoit trompé la premiere fois, ou la seconde. » (223)

Voilà pourquoi la théorie de la sympathie ne peut, sans difficulté, rendre compte de tous les changements en amour. Certains s'expliquent par l'erreur de jugement, mais la plupart, comme ceux d'Hylas, ont leur origine, soit dans la nonchalance, et ainsi l'habitude s'éteint par manque d'entretien, soit dans le défaut de volonté.

Cette analyse de l'amour, qui a son fondement dans la connaissance et dans la volonté, est une des caractéristiques de *L'Astrée*. Un tel amour se lie à la vertu, qui est le fruit de la lucidité et de la volonté, telle qu'elle est définie dans *Les Epistres Morales* et dans *L'Astrée*.

Le *Commentaire sur le Banquet* a-t-il enseigné à d'Urfé cette conception de l'amour ? Marsile Ficin accorde un rôle important à la raison. Elle guide et réfrène les instincts de l'homme, elle seule distingue l'homme des animaux et lui évite les dérèglements insensés (224). L'auteur du *Commentaire* développe cette idée en faisant remarquer que la fin de l'amour est la beauté dont nous ne jouissons que « dans la mesure où nous la connaissons par l'intelligence, la vue et l'ouïe. » (225) La connaissance intellectuelle tire son origine des sens (226). Les souffrances provoquées par l'absence s'ex-

(220) *Ibid.*, I, 10, 397.
(221) *Ibid.*, II, 5, 193.
(222) *Ibid.*, IV, 5, 229.
(223) *Ibid.*, IV, 5, 229 ; voir également, IV, 5, 230 sq.
(224) M. Ficin, *op. cit.*, or.Ia, c.4, p. 143.
(225) Id., *ibid.*, p. 143, « Hac vera ea parte fruitur qua cognoscimus. Cognoscimus mente, visuque et auditu. »
(226) Id., *ibid.*, or.Va, c.2, p. 179.

pliquent par « l'indigence », car la mémoire de l'amant doit être capable de conserver en elle l'image de l'aimée. Ses sens et son esprit exigent la présence physique, parce qu'ils sont trop faibles (227). Cependant, nous ne lisons dans le *Commentaire* de Ficin aucun développement précis ni sur la connaissance nécessairement préalable à l'amour lucide, ni sur le rôle de la volonté.

Pic de la Mirandole est plus net sur ce point. Dans le *Comento sopra una canzona,* il déclare que le désir ne peut être que des choses connues comme bonnes (228), et il analyse le rôle de la volonté dans l'amour humain qui est une élection (229). Bembo et Castiglione sont-ils plus précis ? Les *Asolani* placent l'amour humain sous le signe de la raison et de la volonté. Bembo distingue l'amour naturel et l'amour de volonté. L'homme jouit d'une volonté libre qui peut suivre ou non ce que conseille la raison (230). L'amour, qui s'adresse plus à l'esprit qu'au cœur, ne souffre pas de l'absence, car l'amant séparé retrouve en sa mémoire les beautés de celle qu'il aime (231). Bembo développe le thème ficinien de l'amour de la beauté spirituelle, mais, s'il insiste sur le rôle de la volonté, il néglige celui de la connaissance. Castiglione présente beaucoup plus nettement cette théorie de la connaissance et de la volonté en amour. Voici les paroles qu'il prête à Bembo :

> « Doncques je dis que, selon ce que les anciens ont deffiny, amour n'est aultre chose qu'un certain desir d'avoir fruition de beaulté, et pource que desir n'appete sinon que les choses congneues, il est tousjours besoing que la cognoissance procede du desir, lequel de la nature veult le bien, mais il est de soy aveugle, et ne le cognoit pas.., pourtant nature a ainsi ordonné que a chascune vertu cognoissante soit conjoincte une vertu appetitive.... L'homme par nature raisonnable... poeut par son election en s'enclinant au sentiment, ou s'eslevant à l'entendement, se ranger aux desirs tantost de l'une, tantost de l'autre partie. » (232)

L'amant parfait tourne son désir, « guydé par raisonnable election », vers « la beauté qui est bonne » (233). Séparé de l'aimée, le courtisan qui a réduit, avec l'aide de la raison, la beauté du corps à la « beaulté seule », ne souffre pas ; il est, au contraire, heureux, car il jouit de cette beauté

---

(227) Id., *ibid.*, or.Va, c.6, pp. 207-208.

(228) Pic de la Mirandole, *op. cit.*, f. 220 v°, « L'autre espece de desir n'est sinon entour les choses cogneues de celuy qui desire ; et la nature a ordonné, qu'à toute vertu cognoissante soit conjoincte une vertu appetitive, laquelle ayme et embrasse ce qu'elle cognoist et juge estre bien, et hait et rejette ce qu'elle juge estre mal. » (éd. Garin, p. 491).

(229) Id., *ibid.*, f. 222v°, « L'appetit suit les sens : l'election suit la raison, la volonté, l'intellect. L'appetit est ès bestes, l'election ès hommes, et en toute autre creature qui se trouve entre nous et les Anges : la volonté est aux Anges... La nature raisonnable mise entre ces deux, comme un milieu entre les extremes, inclinés ores d'une part, à sçavoir au sens, ores, de l'autre, s'eslevant à l'intellect, se peut accoster, par election propre, aux desirs de l'une et de l'autre. » (éd. Garin, pp. 493-494)

(230) Bembo, *op. cit.*, ff. 124 r°v°, 138 r°sq.

(231) Id., *ibid.*, ff. 101v°sq.

(232) Castiglione, *op. cit.*, l. IV, f. XLv°, f. XLIr°.

(233) Id., *ibid.*, l. IV, f. XLIIIr°.

> « avecques luy jour et nuict en tout temps et lieu sans doubte de jamais la perdre, se ramenant tousjours à memoire que le corps est chose tres differente de la beauté qui non seulement ne luy accroist point sa perfection, mais la luy diminue. » (234)

Ainsi son lot ne sera ni l'amertume ni les pleurs.

La pensée d'Adamas a trouvé ici son germe. Mais d'Urfé eut recours à un ouvrage plus précis que celui de Castiglione, pour élaborer la savante doctrine d'Adamas et de Silvandre sur le rôle de la connaissance et de la volonté en amour. Cet ouvrage fut celui de Léon Hébreu dont le caractère aristotélicien frappe dès les premières pages, où nous lisons des formules qui se retrouvent avec leur netteté dans *L'Astrée*.

Pour Léon Hébreu, il n'existe point d'amour sans connaissance de la beauté, ni, par conséquent, de ce qui manque (235). La connaissance ne procède pas uniquement des sens, de la vue et de l'ouïe, mais elle consiste essentiellement dans l'entendement (236). Parmi les trois sortes d'amour, naturel, sensitif et raisonnable volontaire, seul ce dernier est propre à l'homme. C'est pourquoi l'amour peut être défini comme « une affection de la volonté » (237). Puisque celle-ci n'existe pas sans raison, l'amour vrai est » fils de la raison » qui distingue l'homme des animaux (238).

Varchi, disciple de Léon Hébreu, développe les propos lus dans les *Dialoghi* et se demande si l'amour est ou non réglé par la raison (239), s'il provient du destin ou de l'élection. A cette dernière question, il répond qu'il trouve son origine dans les deux (240). Mais il accorde plus de noblesse à l'amour né de la raison (241).

D'Urfé a-t-il encore lu l'exposé de cette doctrine dans l'œuvre d'Equicola ? Les six livres de la *Nature d'amour* analysent en effet

---

(234) Id., *ibid.*, f. LIIr°.

(235) L. Hebreu, *op. cit.*, t. I, p. 7, « Pour ce que necessairement la cognoissance precede l'Amour : car, nulle chose peult estre aymée, si pour bonne elle n'est premierement congneue. Or comme pourroit lon cognoistre une chose laquelle ne seroit point ? » (éd. Caramella, p. 8)

(236) Id., *ibid.*, t. II, p. 105, « Toutefois la souveraine et plus grande congnoissance de l'homme, consiste en l'entendement abstrait : lequel contemplant en la science de Dieu, et des choses abstraites de matiere, se delecte et enamoure de la souveraine grace et beauté du createur, et facteur de toutes les choses : au moyen de quoy il arrive à la grande et derniere beatitude. » (éd. Caramella, pp. 227-228)

(237) Id., *ibid.*, t. I, pp. 119-120, « la congnoissance et amour raisonnable volontaire, est propre et peculiere de l'homme : car tous deux proviennent et sont administrez par la raison » — Sofie : « Vrayement je pense avoir aprins que l'Amour est proprement une affection de la volonté. » (éd. Caramella, p. 52).

(238) Id., *ibid.*, t. I, p. 89 (éd. Caramella, p. 52).

(239) Varchi, *op. cit.*, p. 403.

(240) Id., *ibid.*, p. 407, « L'amore procede da elezione : e ciascuno puo, e non amare ; e cosi devemio credere noi christiani, essendo l'altre, oppinioni di filosofi, e questa certezza di Teologi. Ma secondo coloro, che credono, che delle cose, che si fantno, alcune se ne facciano necessariamente, e dal fato, e alcune volontariamente, e dell'arbitrio nostro ; l'amore puo procedere dal destino, e taluolta dall'elezzione. »

(241) Id., *ibid.*, p. 404.

le rôle de la raison, qui dépasse les données des sens (242), et ils présentent l'amour comme le fruit de la volonté (243). L'amour « accidentel », qui se distingue de l'amour naturel, procède de « l'élection et libéral arbitre » et se divise en « honneste et non honneste » (244). Puisque l'amour est une élection, il convient que l'aimée l'entretienne en se faisant désirer. Equicola conseille à la femme de rester dans son honnête équilibre, entre le trop et le trop peu des faveurs qu'elle doit accorder, car elle doit songer à la conservation de son amour (245). Mais, si le livre de *La nature d'amour* aborde le problème de l'inconstance, nous n'y lisons rien qui puisse, de près ou de loin, suggérer des rapprochements avec *L'Astrée,* sur cette question.

La doctrine de l'origine de l'amour découverte chez Ficin et chez Léon Hébreu a suggéré à d'Urfé ses développements sur l'inconstance ; mais en cela, il doit sans doute beaucoup plus aux romans courtois. Il lui fallait trouver un fondement à la règle de la fidélité qui faisait partie du code d'amour courtois. Les exposés philosophiques de Ficin et de Léon Hébreu le lui fournirent. S'agissant de la conception intellectuelle et volontaire de l'amour, il doit davantage à Léon Hébreu. Le néo-platonisme l'a séduit. Formé par les Jésuites qui lui ont enseigné une morale de la volonté lucide, toujours en quête de la clarté qui caractérise la philosophie aristotélicienne, il trouva, dans les *Dialoghi d'amore,* une nourriture qui satisfit mieux son esprit. Parmi les écrivains de son temps, il est le seul à avoir mis autant l'accent sur le rôle de la connaissance et de la volonté. Là encore réside son originalité, puisque seul Héroët avait timidement chanté la croissance de l'amour en même temps que celle de la connaissance :

> « Car j'aymay devant que le cognoistre
> Et vis l'amour, en le cognoissant croistre »,

dit la Parfaicte Amye (246).

Seul, d'Urfé a célébré l'absence, en proposant une conduite raisonnable d'homme qui ne s'abandonne ni aux larmes ni aux gémissements des amants plus attachés à la présence physique qu'à l'esprit. Mieux que tous les autres écrivains, il a présenté un amour humain, équilibré, où la condition de l'homme tiraillé entre les sens et l'esprit n'est cependant pas oubliée. Il a ainsi dépassé les auteurs qui exposaient la doctrine ficinienne, comme Bembo ou Castiglione ; puisant, chez eux, seulement les idées qui lui convenaient ou les thèmes qui lui plaisaient, il a su les rénover en y adjoignant la pensée de Pic de la Mirandole et surtout celle de Léon Hébreu. De cette façon, il leur donna un tour jusque là méconnu qui caractérise *L'Astrée,* surtout à partir de la deuxième partie.

---

(242) Equicola, *op. cit.*, f. 412r°.

(243) Id., *ibid.*, f. 265v°, « Xenophon dispute si l'amour est volontaire ou forcé : qu'il le soit par la propre vertu de nostre vouloir est demonstré. »

(244) Id., *ibid.*, f. 142v°.

(245) Id., *ibid.*, f. 311v° ; sur la constance en amour, ff. 245r° sq.

(246) Heroët, *Parfaicte Amye,* vers 87-89.

Jamais d'Urfé ne propose à ses lecteurs l'idéal d'un amour qui s'élève jusqu'à l'union avec Dieu. Il s'arrête en cours de route. Mais, fidèle à la pensée néo-platonicienne, il élève l'amour jusqu'à l'union de deux esprits, au-delà de toutes les contingences du corps. Sa doctrine repose sur la thèse de la réciprocité et sur celle de l'amour raisonnable et volontaire.

Comment l'amour serait-il parfait, si l'aimée ne partageait les sentiments de son amant ? Sans la réciprocité, l'amour ne peut croître. Pour illustrer cette loi, Silvandre raconte à Phillis que

> « Jadis Venus, voyant que son fils demeuroit si petit, s'enquit des dieux, quel moyen il y a de le faire croistre : à quoy il luy fust repondu qu'elle luy fist un frere, et qu'il parviendroit incontinent à sa juste proportion, mais que tant qu'il seroit seul, il ne croistroit point. » (247)

C'est le mythe d'Eros et d'Antéros représenté dans le temple d'Astrée. Deux amours sont peints qui se disputent deux branches de myrthe et de palme entortillées. Leurs flambeaux allumés et tombés à côté d'eux mêlent leurs flammes, avec cette inscription : « nos volontez de mesme ne sont qu'une ». Les arcs sont entrelacés l'un dans l'autre, au point que les deux amours ne peuvent que tirer ensemble ; les flèches de l'un sont dans le carquois de l'autre. Silvandre commente ainsi ce tableau à la troupe des bergers assemblés autour de lui :

> « ces deux amours.., gentile troupe, signifient l'Amant et l'Aymé. Cette palme et ce mirte entortillez signifient la victoire d'amour, d'autant que la palme est la marque de la victoire et le mirte de l'amour. Doncques l'Amant et l'Aymé s'efforcent à qui sera victorieux, c'est à dire à qui sera plus amant. Ces flambeaux dont les flames sont assemblées et qui pour ce subjet sont plus grandes, montrent que l'amour reciproque augmente l'affection. Ces arcs entrelassez et liez de sorte ensemble que l'on ne peut tirer l'un sans l'autre, nous enseignent que toutes choses sont tellement communes entre les amis que la puissance de l'un est celle de l'autre, voire que l'on ne peut rien faire sans que son compagnon y contribue autant du sien : ce que le changement des fleches nous apprend encores mieux. On peut encore cognoistre par cette assemblée d'arcs et de flammes, et par cet eschange de fleches, l'union de deux volontez en une et, comme disent les plus sçavants, que l'Amant et l'Aymé ne sont qu'un. De sorte, à ce que je puis voir, ce tableau ne vous veut representer que les efforts de deux amants pour emporter la victoire l'un sur l'autre, non pas d'estre le mieux aymé, mais le plus remply d'amour, nous faisant entendre que la perfection de l'amour n'est pas d'estre aimé, mais d'estre amant. » (248)

Nous lisons encore, dans la première partie de *L'Astrée,* la description du deuxième tableau de l'histoire de Damon et Fortune. Il représente le mythe d'Eros et Antéros et le commentaire d'Adamas est le même que celui de Silvandre, puisqu'il y découvre la loi de la réciprocité d'amour :

---

(247) *Astrée,* II, 3, 102.
(248) *Ibid.,* II, 5, 179-180.

« ... Voyez cet Anteros, qui avec des chaisnes de roses et de fleurs, lie les bras et le col de la belle bergere Fortune, et puis le remet aux mains du berger : c'est pour nous faire entendre que les merites, l'amour, et les services de ce beau berger, qui sont figurez par ces fleurs, obligerent Fortune à un amour reciproque envers luy. Que si vous trouvez estrange qu'Anteros soit ici representé plus grand que Cupidon, sçachez que c'est pour vous faire entendre que l'amour qui naist de l'Amour, est tousjours plus grande que celle dont elle procede. » (249)

Equicola semble être le premier à avoir interprété le mythe d'Eros et d'Antéros au sens de la réciprocité d'amour (250). Il n'est pas possible d'affirmer que d'Urfé a découvert l'explication qu'il prête à Silvandre et Adamas, uniquement dans le livre de *La Nature d'Amour*. Antoine Heroët a en effet chanté ce mythe dans un poème intitulé *De n'aymer point sans estre aymé,* dont la source est probablement l'ouvrage d'Equicola (251).

Platon a établi, dans *Phèdre,* que l'amour véritable est toujours partagé (252). Ficin, dans le *Commentaire,* a distingué l'amour simple et l'amour véritable. Il y a amour simple, quand « l'aimé n'aime pas l'amant. Dans ce cas l'amant est complètement mort... Par contre, quand l'aimé répond à l'amour, l'amant vit au moins en lui. » (253) Ceux qui s'aiment parfaitement sont donc amants l'un et l'autre et, par conséquent, conduisent leur amour à la perfection. Hébreu a analysé cette nécessité de l'amour réciproque (254), et, en France, plus et mieux que Maurice Scève (255), Antoine Héroët a chanté les douceurs de « ce merveilleux contre-eschange » (256). D'Urfé a illustré cette loi de l'amour par le tableau d'Eros et d'Antéros. Les commentaires d'Adamas et de Silvandre nous permettent, par leur clarté, de comprendre comment la loi de réciprocité confère à l'amour la perfection : en définitive, elle consiste dans l'union spirituelle des deux êtres qui s'aiment.

Silvandre, citant « les plus sçavants », explique que les flambeaux qui unissent leurs flammes, et que les arcs et les flèches mêlés signifient l'union de deux volontés en une. L'amour contraint l'amant à aliéner sa volonté, pour la soumettre à celle de l'aimée. Les Six-cents le rappellent à Ursace dans leur jugement :

« ... l'amant ne doit pas vivre pour soy, mais pour la personne aymée, et par consequent ne peut ny ne doit disposer de sa vie, sans la permission de celuy à qui elle est. » (257)

---

(249) *Ibid.,* I, 11, 444.
(250) Equicola, *op. cit.,* f. 49v°, ff. 128v°-130.
(251) Héroët, *op. cit.,* p. 90.
(252) *Phèdre,* XXXV-XXXVI.
(253) M. Ficin, *op. cit.,* or.IIa, c.8, p. 156. La question longuement débattue par Léon Hébreu et par Varchi fut de savoir si l'amant est supérieur à l'aimé. Le premier conclut que l'aimé est source de divinité et donc supérieur à l'amant. Varchi déclare que l'amant n'est pas supérieur à l'aimé, sauf quand il s'agit de l'amour céleste (*op. cit.,* p. 351).
(254) L. Hébreu, *op. cit.,* t. I, pp. 298 sq. (éd. Caramella, pp. 166 sq.)
(255) Scève, *Délie,* XLIX, CXXXVI ; voir, à ce propos, J. Festugière, *op. cit.,* p. 98.
(256) Héroët, *Parfaicte Amye,* vers 362 sq.
(257) *Astrée,* II, 12, 556.

Ce principe explique pourquoi l'amant doit se soumettre totalement aux volontés de l'aimée. Céladon, pour justifier sa retraite loin d'Astrée, déclare à Léonide que l'amant,

> « dès l'heure qu'il commence à devenir tel, il se depouille tellement de toute volonté et de tout jugement, qu'il ne veut ny ne juge plus que comme veut et juge celle à qui son affection l'a donné. » (258)

Abandonner sa propre volonté ne suffit pas. Par définition, l'amour exige, — parce qu'il est un désir d'union —, la transformation de l'amant en l'aimée, pour ne faire plus qu'un avec elle :

> « la personne qui aime, desire presque se transformer en la chose aimée » (259),

dit Phillis. Mais le « *presque* » restreint la conception du véritable amour. Celui-ci ne se satisfait pas d'à peu près ; il est le désir de l'union totale qui ne se réalise pas sans la réciprocité ni la fidélité. En effet, « rien ne peut estre le prix d'amour que l'Amour mesme » (260). L'amour se définit par la réciprocité. Phillis l'explique à Diane qui hésite à répondre à l'affection de Silvandre :

> « Pensez-vous... que Silvandre puisse vivre en vous et mourir en soy-mesme si vous ne le voulez ? L'amour (ô ma sœur) est un de ces mestiers qui ne peut se faire par une seule personne. » (261)

L'union souhaitée est donc possible seulement dans l'amour unique et elle implique la constance. Désir d'union, l'amour est indivisible, et il « n'est plus amour, aussi tost que la moindre partie luy deffaut. » (262) Comment l'amant infidèle saurait-il plaire à celle qu'il aime, se soumettre à ses volontés et ne pas la trahir (263) ? Deux êtres qui s'entr'aiment doivent donc se transformer en un seul. Hylas professe l'inconstance, parce qu'il n'a compris ni l'exigence de l'amour qui n'est pas celui des corps, ni la nécessité de la réciprocité. L'amour, pour lui, n'est pas soumission, mais désir d'une satisfaction personnelle et, en somme, égoïsme. Thamire lui oppose sa conception du parfait amour :

> « ... il n'en est pas ainsi de l'amour, de qui la perfection est tellement en l'unité, qu'elle ne peut jamais estre parfaite, qu'elle n'ait atteint cet un auquel elle tend. Et cela est cause, ainsi que nos druides nous enseignent, que de deux personnes qui s'entr'ayment, l'amour n'en fait qu'une ; ce qui est aisé à comprendre, puis que, s'il est vray que chaque personne ait une propre et particuliere volonté, il s'ensuit, si l'aymant et l'aymée

---

(258) *Ibid.*, II, 7, 283. Il convient de rapprocher des propos de Céladon, ces déclarations de Laonice : « ... je suis tellement toute à Tircis, que je n'ay pas mesme ma volonté. » (I, 1, 30).

(259) *Ibid.*, I, 8, 274.

(260) *Ibid.*, I, 1, 28. Voir également, II, 2, 51, « ... celuy qui aime, n'a point de plus violent desir que d'estre aimé de la chose aimée... »

(261) *Ibid.*, IV, 6, 282.

(262) *Ibid.*, II, 9, 381.

(263) *Ibid.*, I, 8, 289.

n'en ont qu'une, qu'ils ne soient donc qu'une mesme personne. » (264)

Ainsi, l'amour parfait n'est pas celui des corps, mais celui des esprits, puisque seul l'esprit peut se transformer en un autre (265). Dès lors, puisqu'il est transformation en l'autre et aliénation totale de la volonté propre, l'amour est perte de soi-même et, en quelque sorte, mort. Voilà, en effet, ce que constate Ursace :

> « .... je pense que l'Amour a beaucoup de ressemblance avec la mort, et que comme on ne peut mourir à moitié, que de mesme on ne sçauroit aymer à demy. » (266)

Mais, puisque l'amour est réciproque, cette mort à soi-même fait vivre en l'autre. C'est comme un échange de vie par la mort. Aimer, selon Silvandre,

> « c'est mourir en soy, pour revivre en autruy, c'est ne se point aimer que d'autant que l'on est agreable à la chose aimée, et bref, c'est une volonté de se transformer, s'il se peut entierement en elle... » (267)

La Fontaine de Vérité d'Amour illustre cette transformation réciproque de l'aimée et de l'aimant. Les oracles envoient vers elle tous les amants infortunés. Elle a la propriété de leur montrer s'ils aiment vraiment et s'ils sont vraiment aimés :

> « ... celuy qui y regarde dedans, y voit sa maistresse, et s'il est aimé, il se voit aupres, et s'il en aime quelqu'autre, c'est la figure de celuy là qui s'y voit. » (268)

Le druide fournit à Guyemants et à Clidaman l'explication de ce symbole ;

> « Or l'esprit qui n'est que la volonté, la memoire et le jugement, lors qu'il aime, se transforme en la chose aimée ; et c'est pourquoy lors que vous vous presentez icy, elle reçoit la figure de vostre esprit, et non pas de vostre corps, et vostre esprit estant changé en Silvie, il represente Silvie, et non pas vous. Que si Silvie vous aimoit, elle seroit changée aussi bien en vous, que vous en elle ; et ainsi representant vostre esprit vous verriez Silvie, et voyant Silvie changée, comme je vous ay dit, par cet amour, vous vous y verriez aussi. » (269)

La Fontaine de Vérité d'Amour est un symbole « de toutes les choses qui nous peuvent faire voir la mesme chose » et « le temps, les services et la perseverance le peuvent faire. » (270) Le véritable

---

(264) *Ibid.*, IV, 5, 233. Alexis déclare à Astrée : « Le principal effect de l'amour a tousjours esté l'union. » (IV, I, 44)

(265) Ibid., II, 6, 264.

(266) *Ibid.*, II, 12, 503. Voir, également, la déclaration de Phillis à Silvandre : « o ignorant berger, .. ne nous as-tu cent fois enseigné que celuy-là meurt en soy-mesme qui en ayme parfaictement quelque autre ? » (IV, 6, 282).

(267) *Ibid.*, I, 8, 290.

(268) *Ibid.*, I, 3, 93.

(269) *Ibid.*, I, 3, 93.

(270) *Ibid.*, III, 4, 208.

amour a son achèvement dans le sacrifice de soi-même, pour revivre en l'autre (271). Mais d'Urfé explique cette transformation. Pour cela, il a recours soit à la théorie de la connaissance, soit à celle du désir. L'amour, nous l'avons vu, est connaissance. Or, celle-ci n'est autre que l'identité du connaissant et de l'objet connu. Une telle explication nécessite la définition de l'âme, qui ne se confond pas avec le corps. L'âme, dit Silvandre,

> « ce n'est rien qu'une volonté, qu'une memoire, et qu'un entendement. Or si les plus sçavans dient que nous ne pouvons aymer que ce que nous cognoissons, et s'il est vray que l'entendement et la chose entendue ne sont qu'une mesme chose, il s'ensuit que l'entendement de celuy qui ayme est le mesme qu'il ayme. Que si la volonté de l'amant ne doit en rien differer de celle de l'aymé, et s'il vit plus par la pensée, qui n'est qu'un effect de la memoire, que par la propre vie qu'il respire, qui doutera que la mémoire, l'entendement, et la volonté estant changée en ce qu'il ayme, son ame qui n'est autre chose que ces trois puissances ne le soit de mesme ? » (272)

Silvandre demande encore à Hylas :

> « N'as-tu pas appris dans les escoles des Massiliens que l'entendement qui entend, et ce qui est entendu, ne sont qu'une mesme chose ? » (273)

Pour Honoré d'Urfé, la théorie de la connaissance ne suffit pas, car l'amour est une action de l'âme. En aimant, elle n'agit point en elle-même, mais elle opère en la chose aimée ; par le fait, l'amant vit en celle qu'il aime. Silvandre s'efforce ainsi de faire comprendre à Phillis pourquoi il a déclaré qu'il était dans le cœur de Diane :

> « Estre en quelque lieu s'entend de deux sortes : l'une, quand le corps occupe une place, et lors la surface de la chose connue est le lieu ; l'autre, c'est quand l'ame, qui est toute spirituelle, agit en quelque lieu. Car rien ne pouvant agir immédiatement en quelque lieu qu'il n'y soit, il s'ensuit que, si mon ame agit de cette sorte dans le cœur de Diane, qu'elle y est. Or si, comme nous avons dit autresfois, l'ame vit mieux où elle ayme, que où elle anime, puis que le vivre est une action immediate de l'ame, il s'ensuit que si j'ayme Diane, je suis veritablement en elle. » (274)

Quand un amour réciproque lie l'amant et l'aimée, l'union est si parfaite qu'on ne peut plus distinguer l'un de l'autre. Ainsi, chez les amants il n'y a plus de désir qui se porte hors d'eux-mêmes, puisqu'ils sont un. C'est encore à Hylas que Tircis donne cette explication de l'amour, mort à soi-même et vie :

> « Amour..., est si grand dieu, qu'il ne peut rien desirer hors de soy-mesme : il est son propre centre, et n'a jamais dessein qui ne commence et ne finisse en luy. Et partant, Hylas, quand

---

(271) A propos de la Fontaine de Vérité d'Amour, voir H. Bochet, *op. cit.*, pp. 111-112.

(272) *Astrée*, II, 6, 264. Voir la même définition de l'âme, I, 3, 93.

(273) *Ibid.*, II, 9, 387.

(274) *Ibid.*, III, 2, 50.

> il se propose quelque contentement, c'est en luy-mesme d'où il ne peut sortir, estant un cercle rond, qui par tout a sa fin et son commencement, voire qui commence où il finit, se perpetuant de cette sorte, non point par l'entremise de quelque autre, mais par sa seulle et propre nature...
>
> Si vous entendiez..., de quelle sorte par l'infinie puissance d'amour deux personnes ne deviennent qu'une, et une en devient deux, vous connoistriez que l'amant ne peut rien desirer hors de soy-mesme. Car aussi-tost que vous auriez entendu comme l'amant se transforme en l'aymée, et l'aymée en l'amant, et par ainsi deux ne deviennent qu'un, et chacun toutesfois estant amant et aymé, par consequent est deux, vous comprendriez, Hylas, ce qui vous est tant difficile, et advoueriez que, puis qu'il ne desire que ce qu'il ayme, et qu'il est l'amant et l'aymée, ses desirs ne peuvent sortir de luy-mesme. » (275)

Ficin, dans son *Commentaire du Banquet*, montre que l'amour exige le don total de soi qui trouve sa récompense dans une vie nouvelle en l'aimée :

> « ...Quiconque aime est mort à lui-même... Chaque fois que deux êtres s'entourent d'une mutuelle bienveillance, l'un vit dans l'autre et l'autre vit dans l'un. De tels êtres s'échangent tour à tour et chacun se donne à l'un pour recevoir l'autre..... O heureuse mort que suivent deux vies ! O admirable échange, dans lequel chacun se sacrifie à la place de l'autre, en possède un autre, et ne cesse point de se posséder soi-même ! O gain inestimable, quand deux êtres ne font qu'un, au point que chacun d'eux par un seul devient deux.... » (276)

D'Urfé a emprunté à Ficin, les idées qui forment la substance de sa théorie de l'amour ; plus précisément, nous y découvrons l'origine des propos de Tircis : l'Amant et l'Aimée ne font qu'un et, néanmoins, chacun devient deux. Le thème de l'union mystique n'a pas inspiré tous les trattatistes : il ne se lit ni chez Bembo, ni chez Castiglione (277). Les *Asolani* rappellent seulement le mythe de l'Androgyne et concluent que l'homme et la femme, « joincts ensemble », ne peuvent être qu'unité (278). Castiglione évoque ce thème seulement pour analyser le désir d'union par le baiser (279). Si Mario Equicola rappelle « que l'amant se transforme en l'aymée, c'est à dire en la nature, mœurs et estre d'icelle, s'acommodant à toutes ses complexions » (280), il ne s'attarde pas à exposer la doctrine de Ficin, mais il se contente d'écrire :

> « Si quelqu'un nomme Amour volontaire mort, quel qu'il soit, il n'a erré, veu que le vray amoureux est mort, par laquelle le mourir est la vie et mourant elle se redouble. » (281)

Remarquons qu'Equicola présente peu fidèlement la doctrine ficinienne puisque, pour lui, la mort de l'amant est celle de son

---

(275) *Ibid.*, II, 6, 262-263.
(276) Voir, à ce propos, A. Adam, *art. cité.*, p. 196.
(277) Voir, à ce propos, A. Adam, *art. cit.*, p. 196.
(278) Bembo, *op. cit.*, f. 72 r°.
(279) Castiglione, *op. cit.*, f. Lv°-LI.
(280) Equicola, *op. cit.*, ff. 263v°-264r°.
(281) Id., *ibid.*, f. 176v°.

corps. D'Urfé s'est inspiré de la doctrine platonicienne commentée par Marsile Ficin. Dans le *Commentaire,* il a lu cette thèse suffisamment développée pour y trouver ample matière à ses propos. Il en découvrit un exposé encore plus copieux dans les *Dialoghi* de Léon Hébreu. Celui-ci déclare, en effet, que

> « la définition propre de l'amour parfait de l'homme et de la femme est la conversion de l'amant en l'aimé avec le désir que l'aimé se convertisse en l'amant. » (282)

Et il ajoute :

> « Un tel amour est un désir d'union parfaite de l'amant en la personne aimée, laquelle ne peut être sans une totale pénétration de l'un dans l'autre. » (283)

Enfin, nous lisons dans les *Dialoghi* ce calcul étrange, qui était beaucoup moins compliqué dans le *Commentaire* de Ficin :

> « Chacun se transformant en l'autre, se fait deux, à savoir amant et aimé ; et deux fois deux font quatre, si chacun d'eux est deux et tous deux sont un et quatre. » (284)

La formule de Tircis est beaucoup plus proche de celle de Ficin que de cette arithmétique complexe. D'ailleurs, d'Urfé suit, à notre sens, plutôt Ficin que Léon Hébreu, dans l'exposé de cette doctrine. Nous ne trouvons pas non plus, dans les *Dialoghi,* le thème de la mort et de la vie de l'amant et de l'aimée, qui donne à la théorie de Ficin, puis à celle d'Urfé, poésie et valeur métaphysique.

Benedetto Varchi est plus fidèle à Ficin que son maître Léon Hébreu. Les *Lezzione* développent le thème de l'union, celui de la destruction de la personnalité et celui de la mort (285). D'Urfé a sans doute lu les *Lezzione,* mais il ne lui fut point nécessaire de recourir à cet ouvrage, puisque cette doctrine est tout entière exposée dans le *Commentaire* de Ficin. C'est à lui que les écrivains français se sont adressés. Symphorien Champier a, sans scrupule, reproduit, dans la *Nef des Dames,* des passages entiers de la deu-

---

(282) L. Hébreu, *op. cit.*, t. I, p. 86, « ... La vraye et propre diffinition du parfait Amour de l'homme envers la femme n'est autre qu'une conversion de l'amant en l'aymee avec desir que l'aymee soit convertie en l'amant. » (éd. Caramella, p. 50) On lit encore cette réflexion de Filone : « Mais celuy qui est transporté en contemplation, perd non seulement les sens avec le sentiment du froid et du chaud : ains encore demeure vuide de toute cogitation et fantaisie, exceptée de celle chose qu'il contemple. Et encore celle meditation qui reste à l'amant pensif et contemplant, le fait estre tant hors de tout autre souvenir, qu'il ne pense aucunement en soy, mais seulement en la personne aymée. Voire (qui plus est) qu'en telle meditation le poure amant n'est en soy mesme, ains en celle qu'il contemple et desir. » (t. II, p. 10 ; éd. Caramella, p. 176). Silvandre développe la même idée quand il affirme qu'il n'est plus en lui-même, mais dans le cœur de Diane.

(283) Id., *ibid.*, I, 98 (éd. Caramella, p. 56).

(284) Id., *ibid.*, II, 96 (éd. Caramella, p. 222).

(285) Varchi, *op. cit.*, p. 369, « Amare non è altro che desiderio di godere con unione la cosa o bella o stimata bella, il che non vuol significare se non che l'amante se transformi nella cosa amata, con desiderio che ella in lui se transformi. » Voir encore, p. 334 et p. 388.

xième oraison, sur l'union, la mort et la vie des amants (286). Avec Maurice Scève, nous voyons apparaître en poésie le thème de la mort et de la vie des amants (287). C'est Antoine Heroët qui, le mieux, a su chanter ce changement singulier par lequel l'amant et l'aimé se ressuscitent l'un l'autre après être morts à eux-mêmes (288). Marguerite de Navarre, nous l'avons dit, n'a pas ignoré non plus cette doctrine néo-platonicienne. Mais d'Urfé ne doit rien à ces écrivains, pas plus qu'à ceux de la Pléiade, pour le développement de cette thèse essentielle de la doctrine du parfait amour. Il n'a pas fait œuvre neuve, sinon en imaginant le symbole de la Fontaine de vérité d'Amour, dont aucune source proposée jusqu'à maintenant n'apparaît satisfaisante (289). Il a parfaitement intégré à son roman la doctrine néo-platonicienne de l'amour, sans négliger d'en rendre compte.

Il se trouvait en face de deux explications très différentes de l'union : celle de la connaissance et celle de l'action (290). La première est exposée par Pic de la Mirandole. Il établit en principe que nous ne pouvons aimer que ce que nous connaissons. Or, connaître une chose c'est la posséder (291). Nous voyons ici l'origine des paroles de Tircis :

> « Or si les sçavans disent que nous ne pouvons aimer que ce que nous connaissons, et s'il est vray que l'entendement et la chose entendue ne sont qu'une mesme chose, il s'ensuit que l'entendement de celuy qui aime est le mesme qu'il aime. »

La thèse développée par Pic de la Mirandole, puis par d'Urfé, est d'origine aristotélicienne (292). Les propos de Tircis traduisent

---

(286) Champier, *op. cit.*, l. IV ; voir, à ce propos, J. Festugière, *op. cit.*, pp. 72-73.

(287) *Délie*, CXXXVI :

« L'heur de nostre heur en flambant le desir
Unit double ame en un mesme pouvoir :
L'une mourant vit de dous desplaisir,
Qui l'autre vive a fait mort recevoir. »

cité par J. Festugière, *op. cit.*, p. 98.

(288) *La parfaicte Amye*, vers 127 sq. Ducroset écrit : « Quand nous avons recerché une Damoiselle quelque espace de temps, par le benefice duquel nous avons peu faire preuve des vertus qui la recommandent, nous nous transformons aucunement en elle, ne respirans que ses propres desirs, et prenons tout le plaisir qui se peut imaginer à la frequentation de la chose aimée... » (*Philocalie, Lettre au chevalier Dizimieu*, p. 366) Nous constatons que si Ducroset parle de la transformation de l'amant en l'aimée, il ne considère que la soumission aux volontés de l'aimée. Nous sommes loin de la théorie de l'amour exposée par d'Urfé.

(289) Voir, à ce propos, M. Magendie, *op. cit.*, pp. 112 sq. et p. 114, n. 2. Patru déclare : « La fontaine de la vérité d'amour n'est autre chose, à mon avis, que le mariage, qui est en effet, la dernière épreuve d'amour. » (*op. cit.*, IIe partie, p. 109). Cette explication ne rend nullement compte du sens symbolique que d'Urfé a attaché à la fontaine.

(290) Sur toute cette question, voir A. Adam, *art. cit.*, pp. 200 sq. Nous empruntons à cet article l'essentiel de notre exposé.

(291) Pic de la Mirandole, *op. cit.*, f. 221v°, « ...et a esté subtilement declaré par les Philosophes, comme cognoistre les choses est une maniere de les posseder : dont s'ensuit le commun dire d'Aristote, que nostre ame a toute chose, pour ce qu'elle cognoit toute chose. » (éd. Garin, p. 492).

(292) Cette thèse sera reprise et longuement complétée par Hébreu ; voir, à ce propos, A. Adam, *art. cit.*, pp. 201 sq.

la thèse essentielle du *De anima* : « τὸ αὐτὸ ἐστι τὸ νοοῦν καὶ τὸ νοούμενον » (293). C'est plus précisément la doctrine averroiste, car, lorsque Tircis définit l'âme comme une volonté, une mémoire et un entendement, il laisse entendre que « l'esprit ne joue en aucune manière, par rapport à l'objet connu, le rôle du contenant à l'endroit du contenu, mais qu'il devient cet objet même ». Il suffit à d'Urfé d'appliquer à l'amour humain l'enseignement des averroïstes sur l'union de notre esprit avec l'intellect agent (294). Cette thèse avait déjà été développée par Léon Hébreu, puis Varchi (295).

Honoré d'Urfé propose une autre explication empruntée à Ficin, celle de l'action, que Silvandre expose à Phillis, pour lui faire comprendre qu'il est dans le cœur de Diane, puisque l'âme ne peut être que là où elle agit. L'auteur du *Commentaire sur le Banquet* écrit :

> « On dit que celui qui aime meurt, parce que sa pensée, oublieuse d'elle-même, ne pense plus qu'à celui qu'il aime. Or s'il ne pense plus à lui, il ne pense certainement plus en lui. Il s'ensuit qu'une âme ainsi affectée n'opère plus en elle-même, puisque la principale opération de l'Ame est précisément la pensée. Celui qui n'opère plus en soi-même n'est plus en soi-même. Car il y a identité entre ces deux choses : exister et agir. Il n'y a pas d'existence sans opération et l'action ne dépasse pas l'existence. Personne ne peut agir où il n'y a pas d'être et partout où il y a l'être, il y a l'agir. Donc, puisqu'elle n'agit pas en elle-même, l'âme de l'amant n'est pas en elle-même... » (296)

Ficin poursuit en remarquant que l'amant est mort à lui-même et ne peut revivre dans l'aimée qu'à la condition d'être aimé de retour. Or, quand Silvandre fournit cette explication de l'union, il n'est pas certain d'être aimé. D'Urfé tronque ici de son essentiel le texte du *Commentaire,* ou, du moins, il est plus fidèle à Varchi dont les *Lezzione* suivent de près la doctrine de Ficin, sans toutefois évoquer la nécessité de l'amour réciproque (297).

---

(293) Aristote, *De anima,* III, 4, cité par A. Adam, *art. cité.,* p. 202. La théorie de la connaissance a été développée par d'Urfé dans *Les Epistres Morales,* pour caractériser la félicité surnaturelle où l'homme sera intimement uni à Dieu.

(294) Voir A. Adam, *art. cit.,* p. 202.

(295) Id., *ibid.,* A. Adam cite cette phrase de Varchi : « L'uomo, mediante gl'habiti delle virtù, e delle scienze, puo copulare l'intelleto possibile coll'agente, cioè fare che siano un medesimo ; e conseguemente che egli intenda senza discorso, e cosi sia tutte le cose, non più in potenza, ma in atto, non altramente che l'intelligenza stesse. E in questa copulazione consiste... l'ultima felicità humana. » (*op. cit.,* pp. 442-443)

(296) M. Ficin, *op. cit.,* or.IIa, c.8, p. 156.

(297) Varchi suit de très près la pensée de Ficin, quand il écrit : « Hora la cogitativa degl'amanti, sdimenticatisi di se medesimi, si converte nella cosa amata, e quivi pensa, e quivi discorre : dunque opera quivi cioè nell'amato : dunque è in lui : dunque non è nell'amante ; non potendo essere in medesimo tempo in due luoghi : dunque l'amante non opera in se : dunque non è in se, dunque è morto in se : e cosi è vero tutto quello, che s'è detto. » (*op. cit.,* pp. 334-335) M. Adam, après avoir exposé la théorie de l'action, tant d'après le *Commentaire* de Ficin que d'après les *Lezzione* de Varchi, écrit : « Cette explication, pas une seule fois, Honoré d'Urfé ne l'a reprise à son compte » (*art. cité,* pp. 200-201). Il nous apparaît cependant que cette explication a été reprise par Honoré d'Urfé dans le passage de *L'Astrée* que nous avons cité, III, 2, 50.

Nous avons rappelé ce passage de *L'Astrée,* où Tircis a déclaré que, dans l'amour parfait qui unit intimement deux êtres au point de n'en faire qu'un, l'amant ne désire rien hors de soi-même. D'Urfé ne s'éloigne pas de l'explication ficinienne de l'union. Il la pousse tout simplement à l'extrême : si deux êtres qui s'aiment parfaitement sont intimement unis, ils deviennent un seul être. Dès lors, leur âme devenue une ne peut ni désirer ni agir hors d'elle-même.

Toute créature retourne à son principe, Dieu. Mais il est remarquable que, pour Tircis, qui compare l'amour à un cercle, le principe de sa vie est non plus Dieu, mais l'Amour. Ainsi le cercle commence en l'Amour, qui est vie de l'âme, et se boucle en lui. Cette image développée par Ficin et par Pic de la Mirandole (298), pour expliquer comment tout part de Dieu et revient à Lui comme à son principe, d'Urfé la laïcise en quelque sorte. Il n'est pas question pour Tircis d'une ascension de l'âme vers Dieu, mais d'une suprême félicité éprouvée dans l'amour parfait qui, parce qu'il est parfait, est son propre principe et retourne à lui-même, où il goûte une totale satisfaction. Il s'agit donc d'une religion de l'Amour.

Pic de la Mirandole fournit à d'Urfé une autre interprétation philosophique de l'union, qui s'appuie sur la théorie aristotélicienne de la connaissance. La pensée néo-platonicienne l'a séduit, mais sa formation philosophique l'a accoutumé à se référer à l'aristotélisme. Les œuvres de Pic de la Mirandole et de Léon Hébreu, avec leurs références à Aristote, à Ficin et à la tradition judéoarabe, n'étaient pas pour lui déplaire, à cause de leur caractère éclectique. Tous les trattatistes présentaient l'amour humain comme une ascension vers l'amour de Dieu. *Les Epistres Morales* ne négligent pas cet aspect de la doctrine finicienne. Mais nous en chercherions en vain un développement précis dans *L'Astrée.* D'Urfé se contente de formules assez vagues, jamais développées, qu'il énonce pour vanter les bienfaits de l'amour.

En effet, les personnages de *L'Astrée* développent et illustrent le thème du bonheur et des malheurs causés par l'amour. Dans leurs propos nous découvrons l'éloge de la femme, celui plus général de l'amour, et aussi l'analyse ou, parfois, le froid énoncé des misères des amants.

---

(298) La comparaison du cercle est exposée plus clairement par Pic de la Mirandole. Après avoir montré que l'amour de la beauté incite la nature angélique à se convertir en Dieu, « pour ce que toute chose acquiert d'autant plus sa perfection que plus elle se conjoinct à son principe », Pic de la Mirandole écrit : « et iceluy est le premier cercle, c'est à dire la nature angelique, laquelle procedant de l'indivisble unité de Dieu par le mouvement circulaire, d'une interne intelligence, retourna parfaictement à icelle, et toute nature laquelle est propre à ce faire s'appelle cercle, pour ce que la nature circulaire et ronde, retourne au mesme poinct, où elle commence. Ceste propriété se trouve seulement en deux natures, en l'angelique et en la raisonnable, et pour ceste mesme cause, ces deux seules natures sont capables de felicité, pour ce que la felicité n'est autre chose que parvenir à son souverain bien et derniere fin. » (*op. cit.*, ff. 234 v° sq., éd. Garin, pp. 504 et sq.) Ce retour à l'unité est exposé par Pontus de Tyard, voir, *Œuvres, Solitaire premier,* Genève, Droz, 1950, pp. 12-13.

Dans le roman dédié tout entier à l'amour, les femmes jouent le rôle principal. Elles sont le nœud des histoires et sont plus souvent admirées que honnies. Dans une tirade éloquente, Silvandre les loue ainsi :

> « ... j'advoue et je l'advoue avec verité, que les femmes sont veritablement plus pleines de merite que les hommes, voire de telle sorte que, s'il est permis de mettre quelque creature entre ces pures et immortelles intelligences, et nous, je croy que les femmes y doivent estre, parce qu'elles nous surpassent de tant en perfection, que c'est en quelque sorte leur faire tort que de les mettre en un mesme rang avec les hommes, outre que nous pouvons avec raison les estimer un juste milieu pour parvenir à ces pures pensées (c'est ainsi que les plus sçavans les nomment presque ordinairement), puisque nous apprenons par l'experience que c'est d'elles que toutes les plus belles pensées que les hommes ont, prennent leur naissance, et que c'est vers elle qu'elles courent, en elles qu'elles se terminent. Et qui doutera qu'elles ne soyent le vray moyen pour parvenir à ces pures pensées, et que Dieu ne nous les ait proposées en terre pour nous attirer par elles au Ciel, où nos druides nous disent devoir estre notre eternel contentement ? Quant à moy, je l'avoue, je le croy, et je suis prest à le maintenir jusques à la fin de ma vie... » **(299)**

Cet éloge n'est-il qu'une transposition du *Banquet,* où Diotime explique à Socrate que l'Amour est un démon chargé de servir d'interprète et d'intermédiaire entre Dieu et les hommes (300) ? Nous retrouvons, dans ces louanges, l'essentiel de la doctrine développée par Ficin : l'ascension de l'âme jusqu'à Dieu en qui elle éprouve la suprême félicité. La femme est donc le « démon », l'esprit intermédiaire entre l'homme et Dieu, parce qu'elle est le symbole de la beauté et de l'amour, comme les « démons » sont intermédiaires entre les choses « célestes et les choses terrestres » (301). Par le fait, la femme a plus de perfection que l'homme, puisqu'elle nous attire au ciel. Quand elle est belle, comme Astrée, elle représente « l'un des plus parfaicts ouvrages » que Dieu nous « ayt jamais faict voir » (302), et l'adorer, c'est adorer Dieu à travers elle. Il est vrai que dans *L'Astrée,* d'une façon générale, « l'âme ne cherche plus Dieu à travers l'amour humain.., se replie sur l'objet même de son amour, et, parvenue à sa perfection, s'y repose », au point que « la durée, non l'Eternel, reste son viatique. » (303)

A l'époque où d'Urfé écrivit cet éloge, la querelle des femmes, qui s'était développée au XVIe siècle, n'avait pas perdu son intérêt (304).

---

(299) *Astrée,* III, 9, 512. Ici, d'Urfé distingue très nettement « les plus sçavans » et les druides. Les premiers exposent la doctrine néo-platonicienne, les seconds y ajoutent une nuance religieuse. On peut rapprocher de ce passage, *Astrée,* II, 9, 385. Silvandre dit à Hylas que les mérites et la beauté des femmes « peuvent bien les eslever encor plus haut que la condition la plus relevée qui soit en terre. » Voir, sur cette question, R. Lathuillère, *op. cit.,* t. I, p. 347.

(300) *Banquet,* 201c sq.

(301) M. Ficin, *op. cit.,* or.VIa, c.2, p. 201.

(302) *Astrée,* II, 8, 327.

(303) O. Nadal, *op. cit.,* pp. 75-76.

(304) Voir, H. Bochet, *op. cit.,* p. 96 ; M. Magendie, *op. cit.,* pp. 229 sq.

Les détracteurs de la femme avaient encore leurs partisans et les libertins ne voyaient en elle qu'un objet de plaisir. *L'Astrée* leur répondait, notamment par cet éloquent éloge de Silvandre. Le néoplatonisme montrait, dépourvu le plus possible de son appareil d'érudition, que la femme est supérieure à l'homme (305). Capable de l'élever jusqu'à Dieu, elle inspire à l'homme ses plus belles pensées. Ficin, après Platon, n'avait-il pas affirmé que l'amour est source de bienfaits (306) ?

En se servant de la comparaison du soleil, Silvandre présente ainsi la femme :

> « Et parce que l'homme n'a jamais esté créé que pour cognoistre, aymer et servir ce grand Tautates, et que nous ne pouvons rien comprendre qui auparavant ne soit representé à nostre ame par des especes corporelles, avec lesquelles nous nous formons les idées des choses que nous entendons, il voulut nous mettre devant les yeux un corps si parfait qu'il peust en quelque sorte nous representer ce qu'il vouloit que nous recogneussions de luy, afin que le cognoissant, nous vinssions à l'aymer, et en l'aimant à le servir. Et d'autant qu'il n'y a rien de si beau ny de si pur que ce grand Tautates, il choisit donc dans le sein de la matiere, celle qu'il jugea la plus pure et la plus parfaicte, et puis l'embellit de toutes les beautez, et l'accomplit de toutes les perfections, dont un corps peut estre capable et le nomma soleil. Ce soleil incontinent se fit voir d'un costé à l'autre du ciel, donna vie et mouvement à tout ce qui estoit sur la terre, et fit des effets tant admirables que plusieurs, estant abusez de luy recognoistre tant de perfections, l'ont creu estre ce grand Dieu, duquel il n'estoit toutefois qu'une bien imparfaite ressemblance, et l'ont adoré comme s'il eust esté celuy qu'il representoit.
>
> Doncques, Phillis, si vous voulez cognoistre en quelque sorte quel est ce grand Tautates Amour, il faut que vous l'appreniez par les choses que vous voyez en ce soleil, et qui tombent sous vos sens... » (307)

Ainsi, l'amour, comme le soleil, communique la vie à toutes les créatures de l'univers ; comme le soleil éclaire, ainsi l'amour « donne la veue de l'entendement à tous les esprits », il rend clairvoyants ceux qui sont aveugles ; comme le soleil crée les saisons, ainsi l'amour nous fait connaître le Printemps, « en faisant produire en nos esprits les fleurs des espérances », l'Eté, « en nous donnant les fruicts », l'Automne, « en nous en laissant jouyr », l'Hiver, « en nous donnant l'entendement de les sçavoir longuement conserver ». Le soleil est donc « le vray symbole de l'amour. » (308)

---

(305) Un éloge de la femme est développé par Castiglione, *op. cit.*, l. IV, ff.LVIIIr°v°. Voir également, Marguerite de Navarre, *Heptaméron*, 2e journée, 19e nouvelle, p. 151. Parlamente dit : « encores ay-je une oppinion que jamais homme n'aymera parfaictement Dieu, qu'il n'ayt parfaictement aymé quelque creature en ce monde. »

(306) M. Ficin, *op. cit.*, or.Ia, c.4, pp. 140 sq. Il est possible que l'influence de Pétrarque ne soit pas étrangère à l'éloge de la femme développé par d'Urfé. Voir, à ce propos, Sœur M. Goudard, *op. cit.*, p. 127 ; B. Germa, *op. cit.*, p. 107 .

(307) *Astrée*, III, 10, 528.

(308) *Ibid.*, III, 10, 532.

Cette comparaison n'est pas une nouveauté (309). Sous la plume de Ficin, le soleil est le symbole de Dieu. Comme Tautatès est le Dieu-Amour, le soleil est l'amour. Honoré d'Urfé emprunte la substance des propos de Silvandre au *Commentaire* de Ficin :

> « Denys avait raison de comparer Dieu au soleil, car, de même que le soleil éclaire et réchauffe le corps, ainsi Dieu accorde aux âmes la lumière de la vérité et l'ardeur de la charité.... C'est un fait que le soleil procrée les corps visibles et les yeux qui les voient ; les yeux, en leur donnant un esprit lucide pour qu'ils voient, les corps, en leur donnant les couleurs pour qu'ils soient vus ».

Ficin ajoute que la lumière du « divin soleil est toujours présente en tous », et qu'elle réchauffe, vivifie, excite, comble et fortifie. Ce qu'Orphée exprime divinement en disant qu'elle « elle réchauffe tout et se répand sur tout ». (310) Sensible aux beautés de la nature, d'Urfé manifeste son originalité par la comparaison des saisons avec les bienfaits de l'amour. Dès le début de la troisième partie, il entend prouver à ses lecteurs que l'amour est principe de vie :

> « ... Aymer que nos vieux et tres sages peres disoient *Amer*, qu'est ce autre chose qu'abreger le mot d'*animer*, c'est à dire, faire la propre action de l'ame. » (311)

Au fil des pages, d'Urfé égrène l'énumération des bienfaits de l'amour. Nous n'avons retenu que les plus caractéristiques d'entre eux. L'amour, qui est source de vie, est capable de transformer la conduite de l'amant. Imparfait quand il commence à aimer, il s'engage sur le chemin de la vertu, afin d'être plus aimable. L'amour ajoute de la perfection à l'âme. Selon Madonte, il en fut ainsi pour Damon :

> « Et voyez comme ceux qui blasment l'amour ont peu de raison de le faire. Lors que ce jeune homme commença de me servir, il estoit homme sans respect, outrageux, violent, et le plus incompatible de tous ceux de son aage ; au reste, vif, ardant et courageux, que le nom de temeraire luy estoit mieux deu que celuy de vaillant. Mais depuis que l'amour l'eust vivement touché, il changea toutes ces imperfections en vertu, et s'estudia de sorte de se rendre aymable, qu'il fut depuis le miroir des chevaliers de Torrismonde. » (312)

Les plus nobles actions sont souvent inspirées par l'amour, car « il n'est jamais dans une belle ame sans la remplir de mille desseins genereux » (313). Mais, surtout, les bienfaits dont il est l'auteur sont indicibles et seuls ceux qui aiment bien sont capables de les connaître, ainsi que Tircis l'affirme à Hylas :

---

(309) Voir, à ce propos, G. Gadoffre, communication citée in *Le soleil à la Renaissance*, pp. 504 sq.
(310) M. Ficin, *op. cit.*, or.IIa, c.3, pp. 145-146.
(311) *Astrée*, III, *L'autheur à la rivière de Lignon*, p. 7.
(312) *Ibid.*, II, 6, 210.
(313) *Ibid.*, I, 2, 62.

« .... mais aussi vous estes privé de ces douceurs et de ces felicitez, qu'Amour donne aux vrais amants, et cela miraculeusement (comme toutes ses autres actions) par la mesme blessure qu'il leur a faite. Que si la langue pouvoit bien exprimer ce que le cœur ne peut entierement gouster, et qu'il vous fust permis d'ouyr les secrets de ce Dieu, je ne croy pas que vous ne voulussiez renoncer à vostre infidelité. » (314)

Voici encore la leçon de Silvandre à Hylas :

« Et contente-toy pour ce coup de sçavoir que le bien dont amour recompense les fidelles amans, est celuy-là mesme qu'il peut donner aux dieux, et à ces hommes qui s'eslevant pardessus la nature des hommes, se rendent presque dieux. » (315)

Depuis les discours de Phèdre et de Diotime (316), il n'est pas un seul théoricien de l'amour, pas un seul poète inspiré par le néoplatonisme, qui n'ait mêlé sa voix à ce chœur de louanges. Phèdre voit en l'amour une source de courage et de vertu. Diotime va plus loin encore, en présentant l'amour comme un désir d'immortalité ; l'amant, s'élevant par degrés au-dessus du sensible, atteint finalement au Beau. N'est-ce pas cet ineffable bienfait dont parle d'Urfé et qui apparente aux dieux l'homme qui aime ?

Il est quatre vertus que Ficin reconnaît à l'amour : la justice, la tempérance, le courage et la sagesse (317). D'Urfé les évoque en bloc et s'attache avec plus de complaisance au courage, la vertu chevaleresque par excellence, dont les romans courtois sont l'illustration. Ficin, comme Platon, accorde à l'amour un rôle plus important. Ces vertus ne sont que des vertus morales. L'amour, quand il est parfait, donne à l'amant cet ineffable bonheur de s'élever jusqu'à Dieu qui est lui-même amour (318). Ainsi, l'homme qui aime goûte une joie divine. Pic de la Mirandole n'a-t-il pas, lui aussi, tenté d'analyser ce bonheur suprême auquel conduit l'amour (319) ?

Bembo et Castiglione n'ajoutent rien à la louange de Ficin. Dans les *Dialoghi*, Filone explique à Sofia que, quand la personne très belle est aimée d'un homme à l'âme claire et « elevée de la matière », dans qui reluit la beauté divine, alors, elle est déifiée en lui. Ainsi est divin l'amour de Filone pour Sofia (320). A un tel concert de louanges, Equicola ne pouvait rien ajouter. Les écrivains français du XVIe siècle furent réduits à répéter ce que

(314) *Ibid.*, I, 1, 29.
(315) *Ibid.*, II, 9, 389.
(316) *Banquet*, 195a, sq. ; 104c sq.
(317) M. Ficin, *op. cit.*, or.Va, c.8, pp. 192 sq, or. VI a, c.10, pp. 218 sq., or. VIIa, c.16, pp. 260 sq.
(318) Id., *ibid.*, or.VIIa, c. 15, p. 259.
(319) Pic de la Mirandole, *op. cit.*, f. 254r°.
(320) L. Hébreu, *op. cit.*, II, p. 415, « Mais quand la personne tres belle, est aymee d'un homme de gentil entendement, ayant l'ame claire, et eslevee de la matiere, et auquel la beauté divine reluise souverainement : alors la personne aymee est grandement deifiee en cestuy, qui tousjours l'adore, pour divine... Or pour parler de l'amour mien envers toy, Sophie, il est certain que ton illustre beauté tant spirituelle, que corporelle, le fait grandement divin. » (éd. Caramella, p. 390).

leurs devanciers avaient écrit. Presque tous, à l'imitation de Pétrarque, ont insisté sur l'aspect amer et doux de l'amour. Il n'est guère de trattatistes à avoir omis cette double caractéristique. Nous pouvions donc nous attendre à lire dans *L'Astrée* le rapprochement souvent développé, « aimer-amer ». Il n'en est rien. D'Urfé, cependant, se complaît souvent à faire gémir ses bergers. Dans une pastorale, c'était une mode à laquelle il fallait sacrifier. La douleur de l'amant, dans *L'Astrée,* est causée par l'absence, par le manque de réciprocité, par la passion violente. Elle nous semble plus un thème littéraire qu'une occasion, pour d'Urfé, à se livrer à une analyse psychologique, comme celles dont il a, lui seul, le secret. Il s'est attaché plutôt à la souffrance que provoque la jalousie ou à la folie dont la cause est la passion. Ce sont les misères des amants qui aiment mal ou sont mal aimés.

Nombreuses sont les réflexions des personnages sur la jalousie. Silvandre se demande si l'on doit être jaloux quand on aime. Les lois d'amour ne font pas mention de la jalousie, parce que, quand on aime bien, on éprouve la paix de l'âme. Astrée, pourtant, victime de la jalousie, a chassé Céladon loin d'elle. Elle croit que son amant s'est noyé et elle se considère comme responsable de cette mort. Elle essaie de justifier sa jalousie, mais Silvandre affirme que

> « s'il est impossible que deux contraires soient en mesme temps en mesme lieu, il l'est encores plus que l'amour et la jalousie soient en un mesme cœur. » (321)

Il est vrai que, connaissant la jalousie de Lycidas, Silvandre tourmente Phillis par ces propos. Son argumentation est pourtant sérieuse : l'amour est un désir, la jalousie est une crainte, ces deux sentiments ne peuvent coexister dans l'âme. Diane renchérit : « ..... Quand la froide jalousie naist, il faut que l'amour meure. » (322) Astrée, qui assiste à ce débat, refuse une telle opinion :

> « Je tiens pour chose si veritable que la jalousie procede de l'amour, que pour ne mettre cette opinion en doubte, je n'en veux point disputer, de peur d'estre contrainte (si les répliques me défaillent) d'avouer qu'estant jalouse je n'ay point aymé... » (323)

Phillis oppose à Silvandre les constatations quotidiennes : des bergers sont devenus jaloux après un long amour, et ceux-là continuent à aimer. Silvandre répond qu'après avoir été sain, on peut être malade, puis recouvrer la santé. Mais il n'est pas impossible qu'un amour entaché de jalousie cesse. D'ailleurs, qu'est-ce que l'amour, sinon « un desir extreme qui se produit en nos ames, de voir la personne aymée, de la servir, et de luy plaire autant qu'il nous est possible » ? Et la jalousie,

> « n'est ce point une crainte de rencontrer celle qu'on a aymée, une nonchalance de luy plaire, et un mespris de la ser-

---

(321) *Astrée*, II, 3, 93.
(322) *Ibid.*, II, 3, 93.
(323) *Ibid.*, II, 3, 93-94.

> vir ? Et qui pourra croire que ces effets si contraires procedent d'une mesme cause ? » (324)

Diane résume la pensée de Silvandre, en cette comparaison pittoresque :

> « La jalousie est sans doute signe d'amour, tout ainsi que les vieilles ruines sont temoignages des anciens bastiments, estans d'autant plus grandes que les edifices en ont esté superbes et beaux. » (325)

Les propos de Silvandre et de Diane cherchent à inquiéter Phillis, assurément. Mais, pour d'Urfé, la jalousie est un mal ; la deuxième partie de *L'Astrée* en témoigne. Adamas affirme à Céladon que la jalousie est, comme tous les autres tourments dont souffrent les mauvais amants, une punition du dieu Amour (326). Palémon déclare que l'amant sans reproche n'est pas jaloux (327). Céladon croit que « la jalousie est l'une des plus sensibles blessures dont l'amant puisse estre atteint » (328). L'exemple de Damon prouve qu'elle conduit aux pires excès (329). Elle est, pour l'aimée, une véritable tyrannie (330). Dans la quatrième partie de *L'Astrée* elle est condamnée parce qu'elle naît de la crainte (331), et Diane prononce un jugement qui résume tous les griefs relevés contre la jalousie, fille de l'amour,

> « mais naturelle, et non pas légitime, et toutesfois presque inseparable. Aussi voyons-nous que c'est de cette jalousie que ces petits divorces et petites dissentions naissent, que les plus sages ont toujours dit estre des renouvellements d'une plus grande amour. Il faut toutesfois entendre que cette jalousie en doit bien estre la mere, mais non pas long-temps la nourrice ; car si elle continue de leur donner longuement le laict, au lieu de petites dissentions, et de petits divorces, on la void changer en de grandes desunions, et dangereuses haines, qui trainent tousjours en fin la mort indubitable de l'amour. » (332)

La jalousie est fille illégitime de l'amour et nous concevons bien qu'il ne peut en être qu'ainsi. Pour d'Urfé, l'amour vrai est fidèle et suppose une confiante réciprocité, faute de quoi il n'est pas parfait. Comment n'eût-il pas condamné la jalousie ? Certes, elle est un thème du roman pastoral, mais aucun des romanciers qui ont précédé d'Urfé ou l'ont inspiré ne s'est attaché à découvrir pourquoi elle est condamnable. Chez eux, depuis le *Roman de Tristan,* elle accompagne la passion et fait partie de ses tourments. Les poètes en ont tiré des prétextes pour gémir sur l'amour. Ni les uns, ni les autres ne l'ont analysée avec autant de finesse que l'auteur de

---

(324) *Ibid.*, II, 3, 94.
(325) *Ibid.*, II, 3, 95.
(326) *Ibid.*, II, 2, 79.
(327) *Ibid.*, II, 9, 373.
(328) *Ibid.*, II, 7, 305.
(329) *Ibid.*, II, 6, 237.
(330) *Ibid.*, II, 8, 358.
(331) *Ibid.*, IV, 6, 290.
(332) *Ibid.*, IV, 6, 347-348.

L'Astrée. Nous sommes en droit de nous demander s'il ne doit pas son analyse à son expérience personnelle, plus qu'à une méditation sur les conséquences logiques de sa conception du véritable amant. A dire vrai, nous avons découvert peu d'études de la jalousie dans les œuvres consacrées à l'amour. Rien chez Ficin, ni chez Pic de la Mirandole ; des allusions fugitives aux tourments de l'amour, dans les *Asolani* ; aucune étude de ce sentiment dans les *Dialoghi*. Seul Varchi en fait l'objet de deux leçons (333), où, après avoir examiné l'opinion de ceux qui prétendent qu'elle est un vice, il conclut que plus l'amour vulgaire est grand, plus la jalousie est grande, mais qu'il est une jalousie d'un autre ordre, plus noble, qui accompagne l'amour vertueux et contemplatif (334). D'Urfé ne trouva dans l'œuvre de Varchi que des éléments de réflexions (335). Equicola ne lui fournit aucune analyse précise, sinon quelques opinions sur la jalousie (336). L'auteur de *L'Astrée* fut seul capable d'en analyser et d'en illustrer les méfaits. La jalousie ronge l'âme de ceux qui n'aiment pas honnêtement.

Ceux-ci sont la proie d'autres tourments, à tel point qu'ils ne sont jamais capables de goûter le repos. Leur trouble les conduit parfois même à la folie, tel est le cas d'Adraste (337) ou de Rosiléon (338). Parce que leur amour n'est pas payé de retour et que la passion n'est plus guidée par la raison, un désespoir s'empare de leur esprit et leurs actes sont insensés. Dédaigné par Doris, Adraste est l'amant qui n'est plus maître de lui. Il n'a pas eu la volonté de se soumettre au jugement de Léonide.

D'autres personnages, parce que la passion les a entraînés au désespoir, tels Céladon, Damon (339), Ursace (340), Thamyre (341), tentent de se suicider ou en manifestent le désir. Ficin a évoqué les désordres causés par la passion (342). Mais d'Urfé nous semble davantage influencé par le personnage de Fortunio ou d'Arcas des *Bergeries de Juliette* (343), ou par Le Tasse (344), que par les remarques de Ficin. Ici, l'influence de la pastorale est plus

---

(333) Varchi, *op. cit.*, pp. 308 sq. et 375.

(334) Id., *ibid.*, p. 375, « ... quanto e piu grande l'amore, tanto è ancora maggiore la gelosia, favellando nell'amor volgare ; non che ancora nel virtuoso, e contemplativo non si truovi gelosia, ma è d'un altre spezie, tanto piu nobile quanto è piu nobile detto Amore. »

(335) Il est difficile de déterminer si Honoré d'Urfé a été beaucoup influencé par l'œuvre de Varchi. Il a pu y lire un exposé méthodique de la conception néo-platonicienne de l'amour, des réponses abondantes aux questions qu'il se posait et parfois même des formules qu'il a traduites. Ainsi, Varchi écrit : « l'amore non ha altro guirledone che l'amore » (*op. cit.*, p. 363). Honoré d'Urfé traduit : « l'amitié n'a point d'autre moisson que l'amitié. » (*Astrée*, I, 8, 290). Voir, sur ce point, A. Adam, *art. cit.*, pp. 198-199, n. 3.

(336) Equicola, *op. cit.*, ff.287r°-290v°.

(337) *Astrée*, II, 9, 379.

(338) *Ibid.*, IV, 10, 567 sq.

(339) *Ibid.*, II, 6, 232 et 241.

(340) *Ibid.*, II, 10, 408.

(341) *Ibid.*, II, 11, 436 ; voir également, IV, 5, 249.

(342) M. Ficin, *op. cit.*, or. VIIa, c.3, pp. 245 sq., c.4, pp. 246 sq.

(343) *Bergeries de Juliette,* t. I, ff. 7° v°sq et 79 r°sq. Voir, à ce sujet, H. Bochet, *op. cit.*, pp. 87-88.

(344) Voir, Ch. Banti, *op. cit.*, p. 49 ; Ch. B. Beall, *art. cit.*, p. 52.

importante que celle des traités qui avaient plus insisté sur les bienfaits que sur les méfaits de l'amour.

La conception de l'amour, dans *L'Astrée,* nécessiterait encore une étude de l'influence de la société. Si l'amour est volontaire, les personnages ont-ils, néanmoins, le droit d'aimer qui ils veulent ? Le rang social s'y oppose parfois, mais il arrive que les mérites y suppléent. Cependant, souvent, la bergère aimée se soumet aux volontés d'une famille qui prend pour elle les décisions d'aimer ou ne pas aimer, en fonction des avantages matériels qui en découlent (345). Nous sommes à une époque où les mérites du rang ont autant d'importance que ceux de l'esprit. La mésalliance est fuie au nom de la raison. Cryséide résume les motifs qui l'ont engagée à déclarer son amour à Arimant :

> « Ne croyez point, Arimant, que j'aye faict quelque chose à la volée ou sans une meure deliberation. Quand j'ay commencé de recevoir vostre bonne volonté, j'avoue que ç'a esté sans dessein et seulement parce que vostre recherche m'y convioit, mais quand je vous ay donné la mienne, croyez aussi, si vous ne voulez avoir mauvaise opinion de moy, que ce n'a point esté sans avoir longuement debattu en moy-mesme si je le devois faire, et si je ne serois point blasmée d'une telle election. J'ay consideré votre maison, parce que je n'eusse voulu offencer mes ancestres, et j'ay trouvé que les vostres avoient toutes les qualitez qui me pouvoient contenter. J'ay regardé votre personne, et je n'ay rien veu qui ne m'ayt esté agreable, soit en l'esprit, soit au corps. J'ay recherché vostre vie, et je n'y ai rien remarqué qui ne fust et honorable et estimable, l'honneur et la vertu l'ayant accompagnée tousjours, en toutes vos actions. Bref, j'ay tourné les yeux sur la verité de vostre affection et il m'a semblé que veritablement vous m'aymez. » (346)

Il n'en est pas toujours ainsi, et l'amour entre, parfois, en conflit avec le devoir dicté par la famille ou par l'honneur. L'amour d'Eudoxe pour Ursace en est un bel exemple, où les droits de la naissance l'emportent sur ceux du cœur. Mariée à l'empereur Valentinian, pour qui elle n'éprouve aucune inclination et qui la maltraite, la fille de Théodose lui reste fidèle et n'acceptera jamais, même devenue libre, de sacrifier son honneur à son amour (347). Dans *L'Astrée,* s'annoncent les conflits cornéliens. Il faut rechercher l'origine de ces obstacles auxquels les amants s'affrontent, surtout dans l'*Aminta* du Tasse ou le *Pastor fido* de Guarini (348). Le thème de l'honneur est étranger au néo-platonisme (349).

***

(345) Voir, à ce propos, M. Magendie, *op. cit.,* p. 305.
(346) *Astrée,* III, 7, 383.
(347) *Ibid.,* II, 10, 407 sq. Voir, à ce propos, O. Nadal, *op. cit.,* p. 93.
(348) Voir, O. Nadal, *op. cit.,* pp. 91-92.
(349) Sur la notion d'honneur au XVIIe siècle et son évolution, voir O. Nadal, *op. cit.,* pp. 93 sq.

La conception de l'amour exposée dans *L'Astrée* est redevable à plusieurs sources. Cet amour, qui est civilité, respect de l'honneur et soumission à la femme aimée, porte la marque du milieu social d'Honoré d'Urfé (350). Il est redevable à la tradition pastorale (351), ainsi qu'à l'expérience et à l'observation. Cette doctrine minutieusement enseignée repose fondamentalement sur la pensée néo-platonicienne dont les représentants sont Ficin, Pic de la Mirandole, Léon Hébreu, Varchi. Somme toute, elle doit peu aux trattatistes mondains comme Castiglione ou Bembo, ni aux écrivains français du XVIe siècle qui tous ont bu aux sources où Honoré d'Urfé lui-même s'est abreuvé. Qu'il ait lu *Le Banquet,* c'est possible, mais qu'il ait eu souvent recours aux commentaires de Ficin et de Pic de la Mirandole, aux *Dialoghi d'Amore* de Léon Hébreu ou à l'ouvrage d'Equicola nous paraît certain. Cependant, si d'Urfé est, dans *Les Epistres morales,* esclave des œuvres dont il s'inspire, *L'Astrée* prouve qu'il a su dominer les problèmes pour composer un roman original par la délicatesse et la subtilité des analyses. Honoré d'Urfé a été amoureux : cela seul explique la pertinence de ses propos, car, dit Silvandre à Phillis, on ne peut comprendre l'amour qu'en aimant (352).

Pour prendre son essor, la pensée d'Urfé a besoin d'un support. Il a eu recours à l'aristotélisme et surtout au néo-platonisme. *L'Astrée* développe amplement l'exposé sommaire de la doctrine de Ficin présenté dans le deuxième livre des *Epistres Morales*. Prétendre que *L'Astrée* n'est pas « la glorification de l'amour platonique » nous semble inacceptable (353). D'Urfé a fait appel, au sein du courant néo-platonicien, à des systèmes divers, mais sa pensée repose sur des œuvres précises, moins mondaines que philosophiques. C'est pourquoi, les ouvrages de Bembo ou de Castiglione, qui ont souvent été évoqués parmi les sources possibles, ne sont pas suffisants pour, à eux seuls, rendre compte de la doctrine exposée dans *Les Epistres Morales* et dans *L'Astrée.*

Le mérite le plus important d'Honoré d'Urfé est d'avoir conféré une vie, et donc un agrément, à l'exposé de sa conception de l'amour. Les discussions philosophiques de *L'Astrée* auraient pu être fastidieuses. En fait, elles ne le sont jamais, car notre auteur cherche presque toujours à rendre claires les questions ardues, à les simplifier, et il a le mérite de mettre face à face des personnages qui échangent avec passion leurs arguments et parfois sou-

---

(350) Voir, à ce propos, H. Bochet, *op. cit.*, p. 62.

(351) Voir *infra* IIIe partie.

(352) *Astrée,* II, 3, 101 sq.

(353) Le mot est de Ph. Godet, « Le roman de l'amour platonique, *L'Astrée* », in *Vie contemporaine,* t. IV, 6e année, (1893), p. 552, cité par M. Magendie, *op. cit.*, p. 200. Jusqu'à la publication de l'article d'Antoine Adam sur la théorie mystique de l'amour dans *L'Astrée,* aucune étude précise des sources n'avait été entreprise. Reure cite sans précision Platon, Ficin, Bembo, Héroët, Scève comme sources possibles. Pflaum déclare que cette théorie lui semble provenir de l'ouvrage de Léon Hébreu (*Die Idee der Liebe,* Tubingue, 1926, p. 38). Sur cette question, voir encore l'article imprécis et fantaisiste de J.H. Probst, « Tournon et *L'Astrée* d'Honoré d'Urfé. Ses symboles et son ésotérisme », in *Le Symbolisme,* n° 6/334, Juillet - août 1957, pp. 347-358.

lèvent, par leurs répliques pleines d'à propos, l'hilarité des spectateurs. Il a l'art du dialogue et son génie est d'avoir chassé l'ennui qui se dégageait des dialogues trop stagnants et secs de Filone et Sofia dans les *Dialoghi* de Léon Hébreu. Pour donner plus d'intérêt aux discussions sur l'amour, il a illustré les aspects essentiels de la doctrine par des histoires, et, surtout, il a créé le personnage d'Hylas. A la fidélité prêchée par Silvandre et illustrée par la conduite de Tircis et de Céladon, Hylas oppose l'inconstance, dont il fait sa règle de vie :

« J'ayme à changer, c'est ma franchise
Et mon bonheur m'y va portant. » (354)

Il illustre l'égoïsme de l'amoureux et le refus d'éterniser l'amour. Infatué, il aime vanter ses succès et ses abandons, car, loin d'accepter un état de servitude, il se veut disponible à l'égard de la femme (355). Personnage haut en couleur, sûr en amour comme en ses propos, Hylas permet à d'Urfé de présenter sa conception de l'amour sous tous ses aspects contradictoires et de la fonder dialectiquement (356). Il a un rôle d'interlocuteur, mais n'est point l'élément d'une parodie (357). L'auteur de *L'Astrée* présente une galerie complète d'amoureux, l'inconstant devait en faire partie. Ce personnage est sans doute un représentant de la mode de l'inconstance qui se répandait depuis la fin du XVIe siècle. Au début du XVIIe siècle, une réaction contre la rudesse des mœurs, la grossièreté et la désinvolture des hommes en amour, se manifesta. D'Urfé y participe et son roman établit un code de l'amour fidèle, parfait et honnête (358). Hylas était donc un personnage nécessaire dans *L'Astrée* (359). D'Urfé lui donne tort, seul un petit nombre de bergers approuve sa conduite.

Ce serait pourtant donner du roman une image peu fidèle que d'ignorer les passages licencieux de *L'Astrée* (360). L'érotisme ne répugnait pas au goût des lecteurs du XVIIe siècle. Par là, le roman est suffisamment réaliste pour ne pas laisser l'impression d'un idéal impossible à atteindre (361). D'Urfé propose un amour humain, néanmoins dépouillé d'une grossièreté qui l'apparenterait aux instincts des animaux. Son idéal est celui de l'amour honnête où le corps et l'âme

---

(354) *Astrée,* I, 7, 246.
(355) Voir O.Nadal, *op. cit.*, p. 77.
(356) Voir J. Ehrmann, *op. cit.*, p. 48.
(357) Id., *ibid.*, ; voir encore, B. Gorma, *op. cit.*, p. 80.
(358) Voir M. Magendie, *op. cit.*, pp. 248 sq. Dès le XVIe siècle se dessinent dans notre littérature un courant réaliste et un courant idéaliste. Voir, à ce propos, E. Giudici, *Spiritualismo e carnascialismo,* Naples, 1968, pp. 85-295.
(359) Dans *Psyché,* La Fontaine fait dire à Gélaste : « Sçavez-vous quel homme c'est que l'Hylas dont nous parlons ? C'est le véritable héros de *L'Astrée,* c'est un homme plus nécessaire dans le roman qu'une douzaine de Céladons. » (coll. *Les Grands Ecrivains de France,* t. VIII, pp. 108-109), cité par M. Magendie, *op. cit.*, p. 243.
(360) Voir, par exemple, un épisode de l'histoire d'Ursace et Eudoxe (*Astrée,* II, 12, 509 sq.)
(361) Voir O.Nadal, *op. cit.*, p. 75.

ont un rôle. De la doctrine néo-platonicienne, devaient naître deux courants, au XVIIe siècle, celui de l'amour mystique, qui s'adresse à Dieu, exposé par St François de Sales et Laurent de Paris (362), et celui de l'amour humain qui ne fait qu'entrevoir l'ascension de l'âme vers Dieu, pour se complaire en l'union totale, transformation des deux amants l'un en l'autre. Ici et là, l'objet de l'amour n'est pas le même, mais c'est la même façon d'aimer ; ici et là, transparaît la même aspiration au bonheur suprême. Cause de joies profondes, quand il est bien conçu, l'amour, dans *L'Astrée,* est aussi source de vie et de poésie.

---

(362) Voir, Dubois-Quinard, *Laurent de Paris. Une doctrine du pur amour au début du XVIIe siècle,* 1959. A propos de la doctrine de l'amour de Dieu dans l'œuvre de St François de Sales, et de ses rapprochements avec *L'Astrée,* voir F. Strowski, *Saint François de Sales. Introduction à l'histoire du sentiment religieux en France au XVIIe siècle,* Paris, Plon, 1898, pp. 411 sq.

TROISIEME PARTIE

LES PASTORALES ET LES POESIES

« ces bienheureux bergers et bergeres du Lignon... »

(*Astrée*, III, 11, 626)

CHAPITRE I

LES SOURCES LITTERAIRES DE L'ASTREE

La place qu'Honoré d'Urfé réserve dans *L'Astrée* à l'exposé des théories néo-platoniciennes de l'amour ne dut pas paraître une initiative originale aux lecteurs du XVIIe siècle. D'autres, avant lui, tels Montemayor et Cervantès, les avaient développées dans leurs pastorales. D'Urfé s'est proposé d'illustrer le thème de l'amour sous tous ses aspects. Le *Sireine,* un timide essai de poème pastoral, n'avait retenu du sujet rebattu de l'amour « doux - amer » que l'aspect douloureux. *L'Astrée* répond au projet plus ambitieux de fouiller l'âme humaine en proie à l'amour, en analysant les joies et les peines, en éclairant par des histoires la psychologie amoureuse du prince, du chevalier ou du berger, de l'adulte, de l'adolescent ou de la jeune fille qui sent s'éveiller en elle les premiers émois de la passion. D'Urfé laisse l'impression d'avoir voulu tout dire sur l'amour. Dès lors, il est illusoire de vouloir connaître dans leurs détails les sources de chacun des épisodes du roman.

Au moment où Honoré d'Urfé compose et publie la première partie de *L'Astrée,* la France est à la recherche d'un genre littéraire qui soit l'expression de son goût nouveau et de son idéal de vie. *L'Astrée* répond à ces besoins et trouve ainsi son originalité. L'ouvrage arrive à point, puisqu'il voit le jour quand se maintient la vogue du roman de chevalerie, quand naît celle de la pastorale dramatique et que commencent à se dessiner les tendances du roman sentimental. Le goût des lecteurs au lendemain des guerres de religion nous aidera à découvrir quels furent les ouvrages dont Honoré d'Urfé a subi l'influence : romans chevaleresques ou pastoraux, histoires tragiques ou sentimentales, pastorales dramatiques ou épopées. Tout en gardant un caractère nettement pastoral, *L'Astrée* a toutes les caractéristiques des romans appréciés à l'époque.

***

I. - Le gout romanesque au XVIe siècle et au début du XVIIe siècle.

L'évolution de la littérature romanesque fut brisée par les guerres de religion. Avec le siècle naquit le roman sentimental, puis les guerres de religion tournèrent les esprits vers les récits d'aventures chevaleresques ou tragiques, enfin, sous le règne d'Henri IV, la littérature romanesque connut un regain de faveur. Les événements politiques expliquent en partie l'évolution du goût des lecteurs.

Au début du XVIe siècle, le roman satisfit le goût des lecteurs pour les récits d'aventures, et, malgré une place importante accordée à l'amour, il ne se détacha pas des abstractions. L'analyse sentimentale était superficielle et l'amour souvent considéré dans ses réalités grossières (1). Notre littérature romanesque avait besoin d'idées et de modèles. L'Italie et l'Espagne les lui ont fournis.

L'Italie fit connaître les œuvres de Boccace dont le *Décaméron,* puis le *Fiammette* recueillirent un vif succès (2). Elles révélèrent aux lecteurs l'émotion délicate et parfois tragique qui se lie à l'amour. L'*Histoire de Griseldis* (3) offrait un modèle de résignation féminine auquel les lecteurs ne restèrent pas indifférents, car la vie mondaine et la galanterie courtoise, qui se développèrent sous François Ier, contribuèrent au goût pour l'analyse sentimentale révélée par l'Italie. Le *Filocolo,* roman d'aventures chevaleresques, remit en honneur, grâce à ses treize questions, les débats sur l'amour (4).

La littérature espagnole, entre 1526 et 1539, fit découvrir à la France ses romans dont le plus important fut la *Carcel de Amor* de Diego Fernandez de San Pedro (5). Par le récit de prouesses chevaleresques il plut aux milieux aristocratiques. Il révéla surtout aux lecteurs français la conception espagnole de l'amour (6).

L'Italie donc fit apprécier les nouvelles sentimentales et l'Espagne enseigna à la France le culte de la femme et les sacrifices exigés par l'amour. L'ouvrage qui représente le mieux ces diverses influences est l'*Heptaméron* de Marguerite de Navarre. Inspiré par le *Décaméron* de Boccace, il offre un intérêt particulier, car il est un mélange de crudité médiévale, d'une conception grave de l'amour qui tend à le concilier avec la vertu, et de discussions morales qui préparent les entretiens mondains du règne d'Henri IV.

Les guerres de religion ne favorisèrent pas le développement de la littérature sentimentale. Les batailles ont exalté le goût des

---

(1) Sur les origines du roman sentimental en France, voir G. Reynier, *Le roman sentimental avant l'Astrée,* Paris, A. Colin, 1908.

(2) La traduction du *Décaméron* entreprise en 1414 par Laurent de Premierfait et Antonio d'Arezzo fut imprimée pour la première fois en 1485. Elle fut rééditée en 1503, 1521, 1534, 1537, 1540, 1541. Ces nombreuses rééditions attestent le succès de l'œuvre dans la première moitié du XVIe siècle. La première version de la *Fiammette* parut en 1532 à Paris, et la même année à Lyon.

(3) G. Reynier, *op. cit.,* p. 17 sq.

(4) Ces questions furent traduites isolément en 1531 et furent publiées sous le titre suivant : *Treize elegantes demandes d'amours, premierement composees par le tres faconde poete Jehan Boccace et depuis translatees en Francoys : lesquelles sont tres bien debatues, jugees et deffinies...,* Paris, Galliot du Pré. Ces questions furent ensuite éditées avec le *Filocolo* en 1542 par Adrien Sevin sous le titre : *Le Philocope de messire Jehan Boccace...,* Paris, Denys Janot. Il y eut encore deux éditions en 1555 et 1575. Au XVIe s., les 13 questions devinrent, avec les *Arrests d'Amour* de Martial d'Auvergne, les modèles de ce genre littéraire. Voir à ce propos, G. Reynier, *op. cit.,* p. 49, n. 2.

(5) La première traduction date de 1526 et connut 4 éditions entre 1526 et 1533. En 1556, parut une édition bilingue qui connut un important succès.

(6) Voir G. Reynier, *op. cit.,* p. 76 sq.

émotions violentes et on rechercha les aventures héroïques dans les romans, ou bien on tenta d'oublier les malheurs présents par la lecture d'histoires amusantes. Jamais, depuis 1540, ne cessa l'intérêt pour l'*Amadis de Gaule* (7), car, selon Herberay des Essars, on y trouve

> « tant de rencontres chevaleureuses et plaisantes, avec infiniz propos d'amours si delectables à ceulx qui ayment ou sont dignes d'aymer, que toute personne de bon jugement se doit persuader (voyre quasi contraindre) à lire son histoire pour le passe-temps et plaisir qu'il pourra percevoir en la bien voyant. » (8)

Les gentilshommes furent attirés par les récits des batailles et des exploits audacieux dont ils trouvèrent des exemples dans la série des *Amadis,* ou dans le *Palmerin d'Angleterre,* le *Primaleón de Grèce, Geriléon d'Angleterre,* le *Nouveau Tristan, Ogier le Danois, Gerard d'Euphrate,* le *Chevalier Marbrian,* la *Chronique de Turpin* (9) ou le *Roland furieux* de l'Arioste, traduit en 1543 et réédité de nombreuses fois (10).

Les temps troublés détournèrent les lecteurs de la vie intellectuelle, et les rendirent avides de dénouements tragiques. Ce goût assura le succès des *Histoires tragiques* de Bandello. Les six premières histoires furent traduites par Boaistuau, les autres furent adaptées plutôt que traduites par Belleforest et ne cessèrent d'être réimprimées jusqu'à la fin du XVIe siècle (11). L'amour occupe une place importante dans ces histoires. Il y est peint avec son cortège de maux, comme les viols, les homicides, les adultères, les supplices, les vengeances. Le *Printemps* d'Yver, l'*Esté* et les *Nouvelles histoires tragiques* de Poissenot tentèrent de satisfaire ce goût du tragique (12).

Les esprits passionnés d'aventures extraordinaires assurèrent le succès des romans grecs. Amyot traduisit l'*Histoire Aethiopique* d'Héliodore (13) ; *Daphnis et Chloé* (14), *Les Amours d'Ismenius* (15),

---

(7) En 1540, parut la traduction des quatre premiers livres par Herberay des Essars. Sur les éditions successives de la traduction de l'*Amadis de Gaule,* voir E. Baret, *De l'Amadis de Gaule et de son influence sur les mœurs et la littérature au XVIe et au XVIIe siècle ; Le premier livre d'Amadis de Gaule* publié sur l'édition originale par H. Vaganay, Paris, Hachette, 1918, 2 vol. introduction.

(8) *Prologue du translateur.*

(9) Voir, à ce propos, G. Reynier, *op. cit.*, p. 158.

(10) Il fut traduit par Jean Martin, Lyon, S. Sabon, 1543.

(11) Des trois volumes publiés par Bandello, Belleforest tira sept volumes d'histoires. Le succès de son adaptation fit oublier l'œuvre originale. Sur l'influence de Bandello, voir R. Sturel, « Bandello en France au XVI siècle », in *BI*, tomes XIII-XVIII (1918) ; G. Hainsworth, *Les Novelas exemplares de Cervantès en France au XVIIe siècle. Contribution à l'étude de la nouvelle en France,* Paris, Champion, 1933.

(12) Voir G. Reynier, *op. cit.*, p. 158.

(13) *L'Histoire Aethiopique de Heliodorus, contenant dix livres, traitant des loyales et pudiques amours de Theagenes Thessalien et Chariclea Aethiopienne,* Paris, V. Sertenas, 1547.

(14) *Les Amours pastorales de Daphnis et Chloé,* Paris, Sertenas, 1559.

(15) *Les amours d'Ismenius, traduictz du grec d'Eustachius en Françoys* par Jean Louveau, Lyon, G. Rouville, 1559. Une autre traduction due à H. d'Avost fut publiée à Paris, Bonfous, 1582.

les *Amours de Clitophon et de Leucippé* (16) furent ensuite présentés par divers traducteurs. Mais la cruauté des guerres de religion et l'insécurité du lendemain n'incitaient guère à la lecture de la pastorale dont Nicole Collin avait tenté de faire apprécier le charme en traduisant la *Diana* de Montemayor (17). Pour apprécier les romans pastoraux il fallait le temps de paix durable assuré par Henri IV. Entre 1593 et 1599, une trentaine de romans parurent, puis entre 1600 et 1610 plus de soixante (18). Le goût qui s'était dessiné jusqu'aux alentours de 1575 se maintint pour les romans de chevalerie, les histoires tragiques, les romans grecs et leurs imitations, mais le roman sentimental répondait de plus en plus aux besoins des lecteurs.

Les romans de chevalerie furent réimprimés sous une forme rajeunie et ramassée (19). Malgré les remarques d'Etienne Pasquier qui prétend que l'on oubliait l'*Amadis de Gaule* (20), il semble pourtant que ce roman n'ait pas totalement perdu son crédit. Sans le dédaigner complètement, la nouvelle société lui reprochera cependant de manquer de vraisemblance (21). En effet, un intérêt se manifeste de plus en plus pour les récits de voyages réels et pour l'histoire. Les troubles politiques et l'insécurité ont disparu, le goût de la culture renaît et l'évasion réclame un cadre réel. Audiguier répond à ce goût nouveau en publiant en 1606, *La Flavie de la Menor* (22) dont l'action est située en Gaule. Des épisodes pastoraux dont le sujet est la douceur et l'amertume de l'amour s'y mêlent à des aventures et des combats, de telle sorte que nous y découvrons l'influnce du roman de chevalerie, de la pastorale et du roman sentimental issu des romans grecs (23). Ceux-ci fournissent désormais les modèles d'amours fidèles dont s'éprennent de plus en plus les lecteurs.

La société de ce temps de paix se caractérise par une influence de plus en plus croissante des femmes et par un progrès de la moralité lié au renouveau de l'amour platonique. Après les batailles

(16) Après des traductions partielles en 1545 et 1556, la traduction complète due à Belleforest parut en 1568 : *Les Amours de Clitophon et de Leucippe escrits en grec par Achille Statius*, Paris, 1568. Deux autres éditions en furent données : Paris, J. Borel, 1578 ; Lyon, 1586.

(17) Avant 1592, cette œuvre ne connut que deux rééditions, en 1579 et 1587.

(18) Voir la bibliographie du roman sentimental au XVIe siècle et dans les premières années du XVIIe siècle dressée par G. Reynier, *op. cit.*, p. 358 sq.

(19) G. Reynier cite plusieurs recueils de romans de chevalerie publiés en 1584 et 1597 (*op. cit.*, p. 177).

(20) E. Pasquier, *Recherches de la France*, VI, ch. VII. De son côté, L'Estoile nous apprend qu'Henri IV était un fervent lecteur des *Amadis* (*Mémoires - Journaux*, Septembre 1608).

(21) Sorel, *Histoire comique de Francion*, éd. Colombey, p. 128. C'est pourtant à cette époque que Beroalde de Verville publie un long roman de chevalerie, *Les Aventures de Floride, l'Infante determinee et le Cabinet de Minerve...*, Tours et Rouen, Mettayer, 1593-1601, 5 parties. Les autres romans qui sont publiés sont beaucoup plus courts. Nervèze imitera l'Arioste dans *Les Amours d'Olympe et de Birene* (1599) ; Des Escuteaux mêlera la galanterie aux exploits guerries dans *Les Adventureuses fortunes d'Ipsilis et d'Alixe* (1602).

(22) Paris, T. du Bray, 1606.

(23) G. Reynier, *op. cit.*, p. 189.

de la Ligue, la querelle des femmes s'épanouit en une abondante floraison de romans qui bannissent la gaillardise, pour louer les qualités féminines. Désormais, les héroïnes de romans sont fidèles, les héros constants et respectueux des femmes. Ils ont toutes les qualités nécessaires pour mériter l'estime de leur dame (24). La moralité liée à cette conception de l'amour s'impose au romanciers et les lecteurs cherchent un écho à leurs aspirations nouvelles.

Ce goût explique l'influence qu'exercèrent alors sur notre littérature les œuvres italiennes et espagnoles. Elles ont chacune leurs caractères propres que le génie français a adaptés. Les esprits cultivés furent séduits par le charme délicatement sensuel de la pastorale italienne ; la gravité et le langage pittoresque de la pastorale espagnole provoquèrent un engouement tout aussi vif.

Les œuvres italiennes influencèrent le roman à partir du dernier quart du XVIe siècle (25). On attribue à tort une importance capitale à l'*Arcadie* de Sannazar. En effet, la traduction qu'en donna Jean Martin, en 1544 (26), fut la seule au XVIe siècle et elle ne fut pas rééditée. Si l'*Arcadie* eut le mérite de fixer le cadre traditionnel de la pastorale, elle n'eut pas d'influence directe sur nos productions pastorales, sauf sur les *Bergeries* de Belleau, en 1565. Les écrivains y trouvèrent des héros trop abstraits pour en être profondément touchés (27).

Ce défaut fut corrigé par l'*Aminta*, pastorale dramatique du Tasse. Dès sa publication, elle suscita l'enthousiasme des lettrés et des courtisans amoureux de l'élégance italienne. Quatre ans après l'édition de Crémone, en 1584, Abel l'Angelier l'imprima en France. Trois traductions se succédèrent à la fin du XVIe siècle, et le XVIIe siècle goûta longtemps cet ouvrage (28). Le succès de l'*Aminta*

---

(24) Id., *ibid.*, p. 216 sq., sur les romans qui furent publiés au début du XVIIe siècle.

(25) Sur l'italianisme en France aux XVIe et XVIIe s., voir Rathery, *Influence de l'Italie sur les lettres françaises depuis le XIIIe siècle jusqu'au règne de Louis XIV*, Paris, F. Didot, 1853 ; *L'Italianisme en France au XVIIe siècle*, Actes du 8e Congrès de la Société française de Littérature comparée, in *SF*, supplément au n° 35 (mai-août 1968).

(26) *L'Arcadie de Messire Jacques Sannazar, gentil-homme Napolitain, excellent Poete entre les Modernes, mise de l'Italien en Françoys par Iehan Martin...*, Paris, M. de Vascosan, 1544.

(27) Voir à ce propos, J. Marsan, *La pastorale dramatique en France à la fin du XVIe siècle et au commencement du XVIIe siècle*, Paris, Hachette, 1905, pp. 145-150.

(28) La Brosse en donna d'abord une traduction en prose, *Aminte pastorale de Torquato Tasso*, Tours, J. Mettayer, 1591 ; elle fut réimprimée à Tours en 1593, puis à Lyon en 1597. G. Belliard publia une édition bilingue, *Aminte fable boscagere du Seigneur Torquato Tasso Italien mise en prose françoise...*, Paris, Abel Langelier, 1596. Cette édition fut reprise à Rouen en 1598, 1603 et 1609. Sur l'influence de l'*Aminta* aux XVIe et XVIIe s., et sur ses traductions, voir J. Marsan, *op. cit.*, pp. 151 sq. ; Ch. B. Beall, *La fortune du Tasse en France*, University of Oregon, coll. *Studies in Literature and Philology*, n° 4, Janvier 1942 ; « Noterelle sulla fortuna del Tasso in Francia », *Bergomum*, décembre 1937, pp. 188 sq. ; R. Bray, *Formation de la doctrine classique en France*, Paris, Nizet, 1966 ; D. Dalla Valle, « La pastorale dramatique en France et l'influence de l'Aminta », in *L'Italianisme en France*, *SF*, sup. au n° 35 (Mai-Août 1968), pp. 95 sq.

explique celui du *Pastor fido* de Guarini qui voulut rivaliser avec le Tasse. En même temps que se poursuivaient les éditions de l'*Aminta* en langue française, parut la première version du *Pastor fido* (29). Les éditions, traductions et adaptations successives de cette œuvre témoignent de l'attrait qu'elle exerça sur le public français (30). Il y découvrit une expression subtile de l'amour, une intrigue complexe, des scènes de jalousie. Ces caractéristiques convenaient au goût de l'époque et faisaient oublier les grossièretés gauloises naguère à la mode.

L'*Aminta* ne fut pas la seule œuvre du Tasse à être admirée par les Français. *La Jérusalem délivrée* fut publiée en France dès 1581 et elle fut traduite en prose, en 1595, par Blaise de Vigenère. Cette traduction connut plusieurs réimpressions jusqu'en 1617. Une traduction en vers fut assurée par Jean de Vignau en 1595, puis par Pierre de Brach, en 1596. Des écrivains l'imitèrent et l'on a pu dire que ce fut l'ouvrage italien qui a exercé l'influence la plus profonde sur le roman français au début du XVIIe siècle (31). Cette œuvre satisfaisait le goût pour les prouesses chevaleresques et pour l'analyse sentimentale.

L'influence italienne s'exerça donc en deux directions : analyse de l'amour et récits épiques dans la tradition chevaleresque. La pastorale apportait son rêve de paix et avec l'épopée italienne s'éveillait le souvenir de l'*Amadis* et des romans courtois. En fait, depuis la deuxième moitié du XVIe siècle, on assistait à la naissance de ces deux courants où l'Espagne joua, avant l'Italie, un rôle important.

Depuis le règne de François Ier, les courtisans avaient rivalisé de zèle pour apprendre la langue espagnole. A la fin du siècle, la *Carcel de Amor* continua à séduire les lecteurs par sa conception d'un amour purifié. La *Diana* de Montemayor avait franchi les

(29) *Le Berger fidelle, pastorale traduicte de l'Italien du Seigneur Baptiste Guarini,* Chevalier, Paris, J. Mettayer, 1595. Cette traduction anonyme semble être due à Rolland Brisset, voir J. Marsan, *op. cit.*, pp. 154-155. Sur les autres éditions et les adaptations du *Pastor fido* aux XVIe et XVIIe s., voir J. Marsan, *op. cit.*, p. 154 n. 3, p. 155 n. 2 et 3.

(30) Piedro Duodo, ambassadeur vénitien, put écrire à Guarani que le *Pastor fido* faisait les délices des dames de France. Cette lettre est citée par Rossi, *Battista Guarini ed il Pastor fido, studio grafico-critico con documenti inediti,* Turin, Loescher, 1886, p. 237.

(31) M. Magendie, *Le roman français au XVIIe siècle, de l'Astrée au Grand Ctrus,* p. 37. La première édition française de la *Jérusalem délivrée* fut publiée à Lyon en 1581. La traduction en prose de B. de Vigenère fut publiée en 1595, puis en 1599, 1610, 1617. La traduction en vers de Jean de Vignau fut réimprimée deux fois en 1595. Voir, à ce propos, l'article de Ch. B. Beall, « Note sur la *Jérusalem délivrée* et le roman français », in *RLC,* 19e année (1939), pp. 274-280. Le premier roman inspiré directement par la *Jérusalem délivrée* fut celui de Pierre Joulet, *Amours d'Armide,* Paris, Langelier, 1596. Avant 1615, ce roman connut 9 réimpressions. En 1597 parut l'œuvre d'un anonyme, *Clorinde ou l'Amante tuée par son Amant,* Paris, Claude de Monstr'œil ; cet ouvrage fut réimprimé à Langres en 1598. En 1599, Nervèze publia *Hierusalem assiégée, où est descrite la delivrance de Sophronie et d'Olinde, ensemble les Amours d'Hermine et de Tancrede.* Après le succès de tels ouvrages, la mode en fut aux suites de la *Jérusalem,* et les romans qui s'en inspirèrent ne cessèrent de paraître jusqu'à la fin du XVIIe siècle.

Pyrénées à peu près en même temps que l'*Amadis de Gaule,* dans la deuxième moitié du XVIe siècle (32). Cette pastorale n'était pas encore traduite que Belleforest, pour l'avoir lue dans le texte original, en subissait une influence profonde dans sa *Pyrénée,* en 1571 (33). C'est en 1578 que Nicole Collin publia en français les sept livres de la *Diana* (34). Gabriel Chappuis fit paraître à Lyon les deux suites d'Alonso Perez et de Gil Polo en 1582, et en 1587 les trois parties furent imprimées à Paris (35). Au début du XVIIe siècle, en 1603, parut une édition bilingue due à Pavillon (36). En 1623 et 1631 furent encore publiées deux versions françaises composées par Antoine Vitray (37). L'œuvre eut donc le succès mérité quand la paix fut assurée et que les esprits purent en toute quiétude en apprécier les charmes. La *Diana* et ses suites devinrent alors un ouvrage que ne put ignorer un homme cultivé. Montemayor offrait l'exemple d'une pastorale nouvelle, transformée et humanisée, parce qu'elle mettait l'accent sur l'analyse des sentiments plus que sur les événements extérieurs. Ses continuateurs rendirent malheureusement l'intrigue de plus en plus extérieure et, à l'exemple des romans grecs, ils remplacèrent progressivement la volonté des personnages par les fantaisies de la Fortune. Diversement appréciée en son temps, la suite d'Alonso Perez nous apparaît d'une qualité médiocre (38). La *Diana enamorada* de Gil Polo intéressa par les événements qu'elle narre et par une recherche de la vraisemblance. Elle est cependant aussi éloignée de la *Diana* que la pastorale italienne. Le *Pastor de Filida* de Luiz Galvez de Montalvo, totalement différent de l'ouvrage de Montemayor et de celui de Gil Polo, se rapproche de l'*Arcadie* de Sannazar (39). Cette œuvre, embarrassée

---

(32) Sur l'influence de l'Espagne aux XVIe et XVIIe siècles, voir G. Lanson, « Etudes sur les rapports de la littérature française et de la littérature espagnole au XVIIe siècle (1600-1660) », in *RHLF,* 1896 ; Morel-Fatio, *Etudes sur l'Espagne,* Paris, H. Champion, 1895 ; J. Marsan, *op. cit.,* pp. 162 sq. ; G. Hainsworth, *op. cit.,* p. 31 sq.

(33) *La Pyrenee et Pastorale amoureuse contenant divers accidents amoureux...,* Paris, Gervais Mallot, 1571.

(34) *Les sept livres de la Diana de G. de Montemayor, esquels par plusieurs plaisantes histoires sont descritz les variables et estranges effects de l'honneste amour...,* Reims, J. de Foigny, 1578. Cet ouvrage fut réimprimé à Reims en 1579.

(35) *La Diane de Georges de Montemayor, traduicte de l'espagnol en françois,* Paris, N. Bonfons, 1587. En 1592 parut à Tours une nouvelle édition avec l'épisode d'Abindarraz qui ne figurait pas dans les précédentes éditions. Voir, à ce propos, J. Marsan, *op. cit.,* p. 162 n. 5. Sur les traductions françaises de la *Diana,* voir F. Lachèvre, *Glanes bibliographiques et littéraires,* Paris, 1929, T. I, pp. 3 sq. ; Menendez y Pelayo, *Origines de la Novela,* T. 1, pp. CDXLIX sq.

(36) *Los siete libros de la Diana de Montemayor où sous le nom de bergers et bergeres sont compris les amours des plus signalez d'Espagne, traduits de l'Espagnol en François et conferez és deux langues, par S.G. Pavillon,* Paris, A. Du Breuil, 1603.

(37) Les continuations de la *Diana* écrites par Alonso Perez et par Gil Polo n'eurent pas toutes deux le même succès. On prisa davantage la suite d'A. Perez, voir à ce propos Hurtado, La Serna y Gonzalez Palencia, *Historia de la literature española,* Madrid, 1943, p. 373. Cervantès la jugea sévèrement et la condamna au feu (*Don Quichotte,* 1re partie, ch. VI).

(38) Voir, à ce propos, Menendez y Pelayo, *op. cit.,* T. I, p. CDLXXVIII.

(39) M. I. Gerhardt, *op. cit.,* p. 191.

par un fatras mythologique, n'offre pas la variété des récits épisodiques et se présente surtout comme un roman à clefs qui laisse une impression d'ennui, quand on a goûté le charme et la fraîcheur du roman de Montemayor. D'ailleurs le *Pastor de Filida* n'a pas séduit les lecteurs français.

Tel ne fut pas le cas de la *Galatea* qui commença la carrière littéraire de Cervantès en 1585. Elle est une imitation assez étroite de Sannazar, mais ses discussions philosophiques inspirées de Léon Hébreu, ses récits intercalés et ses analyses psychologiques finement fouillées lui donnent un tour original (40). Mal accueillie en Espagne, elle a connu du succès en France, bien qu'elle ne fût jamais traduite (41). Les lecteurs du début du XVIIe siècle l'ont appréciée comme les *Nouvelles Exemplaires* (42), si l'on prête foi à Marquez Torrès qui prétend qu'au cours d'une conversation avec des gentilshommes français de l'Ambassade le nom de Cervantès a été prononcé. Alors, écrit-il dans son approbation à la deuxième partie de *Don Quichotte,*

> « Ils ont à peine entendu ce nom qu'ils ont commencé d'exprimer leur admiration, mettant au plus haut point l'estime qu'on avait en France et aux pays voisins pour les ouvrages de cet auteur : la *Galatea* (que quelques-uns d'entre eux connaissent presque par cœur), la première partie de cet ouvrage-ci, et les Nouvelles... » (43)

On lisait donc en espagnol la *Galatea* comme les *Nouvelles exemplaires.* (44) Le succès des pastorales espagnoles, comme celui des pastorales italiennes, dénote la tendance de la littérature du règne d'Henri IV. Elle se caractérise par la purification de l'amour et par un recul du roman d'aventures et de l'histoire tragique au profit du roman sentimental. Les romans pastoraux espagnols répondaient à ce goût des lecteurs. En France, cependant, le roman pastoral fut un genre négligé. En effet, à part la *Pyrenée* de Belleforest, pendant la période qui s'étend de 1575 à 1607, nous trouvons les *Bergeries de Juliette* de Nicolas de Montreux dont le premier livre parut en 1585 et le cinquième en 1598, la *Philocalie* de Ducroset en 1593, la *Bergere Uranie* de Favre en 1595. Mais de 1598 jusqu'en 1607, date de la publication de la première partie de *L'Astrée,* à part des épisodes isolés, aucun roman pastoral ne fut publié. En revanche, entre 1593 et 1607, furent édités 28 romans de chevalerie et d'aventures, 10 histoires tragiques dont aucune entre 1605 et 1607, et 46 romans sentimentaux (45). Les pastorales n'eurent vrai-

---

(40) Id., *ibid.*, p. 192.

(41) Nous ne connaissons que l'adaptation qu'en publia Florian, *Galatée, roman pastoral imité de Cervantès.* Selon G.H. Hainsworth, rien ne prouve une traduction de 1618 citée par les bibliograpies (*op. cit.*, p. 35, n. 2).

(42) *Les Nouvelles exemplaires* furent traduites en 1615 par d'Audiguier et Rosset. Selon Sorel, les narrations de Cervantès eurent grand succès « à cause que les dames les pouvoient lire sans apprehension » (*Bibliothèque françoise,* éd. 1667, pp. 178-179).

(43) Cité par G. Hainsworth, *op. cit.*, p. 35.

(44) A la faveur des mariages espagnols la langue espagnole devint populaire en France. Dans la première moitié du XVIIe siècle il n'est guère d'auteur de quelque importance qui ignore cette langue.

(45) Voir G. Reynier, *op. cit.*, p. 383, *Tableau chronologique des romans publiés de 1593 à 1610, classés par genre.*

ment de succès qu'au théâtre, puisqu'entre 1585 et 1607 on dénombre 17 pastorales dramatiques (46). Nicolas de Montreux a tenté de répondre à l'attente du public. Auteur de plusieurs pastorales dramatiques, il a compris qu'il convenait de composer un roman qui répondît au goût nouveau par une analyse sentimentale, par des récits d'aventures et quelques histoires tragiques. Les *Bergeries de Juliette* se présentent comme un roman d'amour qui, sous la fiction pastorale, introduit, au moyen de récits épisodiques, toutes les formes romanesques en vogue. C'est un témoignage des goûts littéraires à la fin du XVIe siècle. Faute d'une autre œuvre qui répondît mieux aux aspirations, ce long roman en cinq volumes eut un succès indéniable, puisque le premier volume eut six éditions, le deuxième trois éditions. Mais l'enthousiasme du début s'est vite refroidi, car les trois derniers volumes ne furent réédités qu'une seule fois (47). Nicolas de Montreux n'a pas su varier la composition de son roman écrit sous l'influence des œuvres de Montemayor et de Gil Polo. La lecture en devient trop rapidement monotone, parce que chaque partie est invariablement constituée par cinq journées où reviennent dans le même ordre ennuyeux les épisodes pastoraux, de brèves poésies, de longs commentaires sur l'amour, un récit pastoral en vers, une histoire assez souvent tragique empruntée aux nouvellistes italiens et enfin une énigme. Le succès des deux premiers livres prouve cependant que les lecteurs attendaient une œuvre aussi complexe où tous les genres se mêlaient. La désaffection à l'égard des trois derniers volumes montre suffisamment que l'œuvre n'atteignit pas le but désiré. Sorel fait justement remarquer que ce roman est « si embrouillé que l'on y comprend quasi rien » et qu'il est plein « de discours ennuyeux et hors de propos, et où se trouvent beaucoup de choses sans jugement. » (48)

Il manquait aux *Bergeries de Juliette* la variété, la finesse d'analyse psychologique et surtout le vraisemblable. Les bergers de Nicolas de Montreux sont dépourvus de la réalité exigée par la société du début du XVIIe siècle. Celle-ci, idéaliste par son rêve de bonheur et d'amour, manifestait aussi un goût pour le réalisme. Dès 1594, un romancier présenta son ouvrage en prétendant qu'il était le récit « d'Amours françois et non estrangers, veritables et non controuvez » (49). Le roman dut se localiser dans un cadre précis, bien souvent national, et suivre de plus près la nature en laissant au théâtre le monde de l'illusion. La forme pastorale, trop invraisemblable, avait des difficultés à se lier au roman. Plus tard, Charles Sorel, dans sa *Bibliothèque Françoise,* mettra l'accent sur l'invraisemblance des personnages et des histoires du roman pastoral :

---

(46) Voir J. Marsan, *op. cit.*, pp. 504 sq., *Bibliographie des pastorales dramatiques françaises.*

(47) G. Reynier, *op. cit.*, p. 195 et pp. 368 sq.

(48) *Anti-Roman,* cité par M. Magendie, *op. cit.*, p. 174. Sur les *Bergeries de Juliette,* voir M. Magendie, *op. cit.*, pp. 174 sq. ; J. Marsan, *op. cit.*, pp. 166 sq.

(49) *Amours de Lydamas et Myrtille,* Toulouse, A. Seve, 1594, f° 4, a, cité par G. Reynier, *op. cit.*, p. 197.

« Plusieurs ont jugé qu'il y avoit là, quelque chose d'incroyable, de faire parler et agir des bergers et des bergeres avec la plus grande politesse du monde et comme pourroient faire les courtisans les plus adroits, au lieu que les personnes champestres sont ordinairement grossieres et stupides. On vouloit des histoires feintes qui representassent les humeurs des personnes comme elles sont et qui fussent une naïve peinture de leur condition et de leur naturel. » (50)

La société mondaine du règne d'Henri IV a trouvé dans le roman une image à la fois embellie et réelle d'elle-même. Il fallait cependant un auteur apte à saisir les aspirations de ses contemporains et à maîtriser l'ample matière dont la littérature française du Moyen Age et du XVIe siècle et la littérature pastorale et romanesque de l'Espagne et de l'Italie avaient donné connaissance. Honoré d'Urfé en fut seul capable et ainsi s'explique le succès de *L'Astrée* qui est le reflet du goût des lecteurs du début du XVIIe siècle.

II. — Les lectures d'Honoré d'Urfé

Il est possible de faire un relevé assez précis des lectures d'Honoré d'Urfé avant et pendant la rédaction de son roman, car nous avons des certitudes pour un certain nombre d'entre elles. Il lut les pastorales espagnoles et italiennes qui s'étaient répandues largement pendant le dernier quart du XVIe siècle. *Les Epistres Morales* nous en fournissent la preuve. Dans le premier livre, terminé en septembre 1595, le nom de Gil Polo revient trois fois, à partir de la deuxième épître, et une citation extraite de la *Diana enamorada* y est faite (51). D'Urfé, à cette époque, avait certainement lu la *Diana* de Montemayor. Aurait-il prêté attention à l'ouvrage de Gil Polo, s'il n'avait connu les malheurs de Sireno ? *Le Sireine* fut achevé à Chambéry, le 24 novembre 1596, et se présente comme un début de la *Diana*. Honoré d'Urfé y fixe l'essentiel du roman tel qu'il l'a lu. Nous n'avons aucune preuve précise d'une lecture de la continuation de Perez. *Les Epistres Morales* nomment deux fois Perez et le citent quatre fois. En fait il ne s'agit pas d'Alonso Perez, comme on l'a cru et répété, mais d'Antonio Perez très connu au début du XVIIe siècle pour ses lettres et ses

(50) *Bibliotheque françoise*, éd. de 1664, p. 158.

(51) *E.M.*, I, 11, 115, « Dernierement lisant Gil Polo, il me donne un tel conseil,

Mas pues que la Fortuna en el bien, y en el mal, tiene por tan natural la inconstantia : lo que toca al hombre prudente, es no bivir cofiado en la possession de los bienes : ny deseperado en el suffrimiento de los males : entes bivir con tanta prudentia que sepas sen los deleytes, como cosa que no ha de durar, y los tormentos como cosa que puede ser senescida. » C'est le début du livre IV de la *Diana enamorada* (éd. Menendez y Pelayo, T. 2, p. 376, col. 2). Pour éclairer le sens de la citation, d'Urfé remplace « ella » par « la Fortuna ». L'impression fautive de l'édition de 1627 doit être corrigée ainsi : *vivir* et non *bivir, antes* au lieu de *entes, tenescida* et non *senescida.*

Le nom de Gil Polo est encore cité dans les deux passages suivants : *E.M.*, I, 12, 119 ; I, 12, 120.

aphorismes (52). Quant à la *Galatea* de Cervantès, elle n'est citée que dans le deuxième livre des *Epistres Morales* (53). Honoré d'Urfé a donc lu la *Galatea* vers 1598, à l'époque où commence l'engouement des Français pour les œuvres de Cervantès.

Dès le premier livre des *Epistres Morales* et dès la première édition, l'*Aminta* est citée trois fois (54) et la *Jérusalem délivrée* deux fois (55). Honoré d'Urfé cite encore l'*Aminta,* au début de

---

(52) Les citations d'Antonio Perez sont les suivantes : *E.M.*, I, 1, 2 « El amor, (dit Perez) es como carbunco que se haze luz en lo obscuro » ;
Ibid., I, 4, 30 : « Comme dit Perez, Fortuna nos es mas que estimation, opinio vanidad y huomo. »
Ibid., I, 4, 32 : « Et que no aydateo que no tenga dos caras, una de dolor à la primera vita, otra de consuelo à la consideration. »
Ibid., I, 5, 38 : « Comme dit l'Espagnol, Mritos y favor manantiales de invidia. »

Ces citations ne figurent pas dans la première édition de 1598. A. Perez publia ses lettres de 1604 à 1611 et la première traduction française parut en 1612. Des sentences furent extraites de ses lettres et furent traduites par Jacques Gaultier, *Aphorismes ou sentences dorées extraictes des Lettres tant espagnoles que latines d'Anthoine Perez, faictes françoises par Jacques Gaultier*, Paris, 1602. Honoré d'Urfé n'eut point recours à cette édition car deux des citations qu'il fait (*E.M.*, I, 1, 2 ; I, 4, 32) n'y figurent pas. Il s'est donc adressé au texte espagnol.

Nous donnons les références à l'édition suivante : *Relaciones de Antonio Perez Secretario de Estado, que fue del Rey de España Don Philippe II deste nombre,* Paris, 1624. Les références à cette édition seront indiquées entre parenthèses. *E.M.*, I, 1, 2 (livre III, 3e part., p. 55) ; *ibid.*, I, 4, 30 (livre I, p. 17, aphorisme n° 204 : Fortuna no es mas que estimacion, opinion, vanidad, Humo.) ; *ibid.*, I, 4, 32 (livre III, 3e part., p. 81 : Ningun daño ay, que no tenga dos caras, una de dolor à la primera vista, otra de consuelo à la consideracion. ») ; *ibid.*, I, 5, 38 (livre I, p. 10, aphorisme n° 78).

Sur Antonio Perez et le succès de ses lettres au XVIIe siècle, voir Felix Robiou, *Essai sur l'histoire de la littérature et des mœurs pendant la première moitié du XVIIe siècle,* Paris, Douniol, 1858, T. I, pp. 285-294 ; G. Lanson, « Etudes sur les rapports de la littérature espagnole au XVIIe siècle », *RHLF,* III, pp. 47-52 ; R. Lathuillère, *op. cit.*, pp. 294-299.

(53) *E.M.*, II, 2, 243 : « C'est pourquoy il me semble que Nysida de Cervantes dit fort à propos dans sa Galathée :
Mil penas cuesta una gloria,
Un contento mil enojos.
Saben lo bien estos ojos
Y mi causada memoria. »

C'est une citation tirée du 5e livre de la *Galatea* (coll. Clasicos Castellanos, Madrid, 1961, T. II, p. 100). M. Magendie a tort quand il prétend que les citations espagnoles des *Epistres Morales* sont tirées particulièrement de Cervantès (*op. cit.*, p. 137, n. 4).

(54) *E.M.*, I, 1, 3 : « Piace nol figlio di Padre crudele » (*Aminta,* acte I, sc. I) ; *E.M.*, I, 2, 8 : « E monstro l'ombra d'una breve notte... (*Aminta,* Acte I, sc. I : « Mostrommi l'ombra d'una breve notte ») ; *E.M.*, I, 15, 154 :
« Ohi me come presso
Altri trovar, se me trovar non posso ?
Se perduto ho me stesso, quale acquisto
Faro mai che mi piacia ?
Disoit le pauvre Aminte. » (*Aminta,* Acte I, sc. 2).

(55) *E.M.*, I, 10, 104 : « Si come il folgore non cade
In basso pian, ma seu l'eccel se cime. »
(*Jérusalem délivrée,* chant VII, str. 9).
E.M., I, 12, 118,
« Cossi a l'egro fanciul porgiamo aspersi
Di soave licor gli orli del vaso
Succhi amari ingannato in tanto ei beve,
Et da lingano suo vita riceve. » (*Jérusalem délivrée,* ch. I, st. 3). Sur

la première partie de *L'Astrée,* dans le discours de l'*Autheur à la Bergere Astrée* :

> « ... la pluspart de la trouppe est remplie d'Amour qui dans l'Aminte fait bien paroistre qu'il change et le langage et les conceptions, quand il dit :
>
> « Queste selve hoggi raggionar d'Amore
> Sudrano in nova guisa, e ben parrassi
> Che la mia deità sin qui presente
>
> In se medesma, non ne suoi ministri
> Spirero nobil senzi à rozi petti
> Radolciro de le lor lingue il suono. » (56)

La *Philocalie* de Ducroset nous permet de savoir que la première ébauche de *L'Astrée* était beaucoup plus tributaire de l'*Aminta* que la rédaction définitive de la première partie (57). Dans la deuxième partie, Honoré d'Urfé appelle le Tasse « ce grand oracle qui de nostre temps a parlé delà les Alpes » et il traduit sous forme de madrigal un passage de l'*Aminta* (58). D'autres poésies permettront d'établir avec certitude l'influence de l'*Aminta* sur *L'Astrée.*

Si d'Urfé ne cite jamais l'*Arcadie* de Sannazar, il ne l'ignore pourtant point. Il explique, dans son discours à la *Bergere Astrée,* qu'il a préféré situer son roman en Forez plutôt que dans une « Arcadie comme le Sannazare » (59).

Voilà donc les lectures avouées par l'auteur de *L'Astrée.* Il reste toutes les autres, dont il a subi l'influence et que les divers épisodes de *L'Astrée* nous laissent découvrir avec plus ou moins de certitude. Elles sont celles de ses contemporains : romans pastoraux, romans de chevalerie, romans grecs, histoires tragiques, nouvelles italiennes et espagnoles. Comment d'Urfé pouvait-il ignorer les *Bergeries de Juliette,* cette œuvre conçue comme une somme romanesque ? Maurice Magendie en a établi clairement les ressemblances avec *L'Astrée* et il nous semble inutile d'y revenir dans le détail (60). Après avoir lu le roman d'Honoré d'Urfé, les *Bergeries de Juliette* nous ont paru mortellement ennuyeuses. Il nous semble discutable de déclarer avec certitude que l'auteur de *L'Astrée* s'en inspira presque littéralement parfois. Ne faut-il pas plutôt attribuer ces ressemblances d'expressions à une source commune, sans doute espagnole ? Et ce n'est pas parce que les *Bergeries de Juliette* sont écrites en cinq volumes que d'Urfé a conçu son roman en autant de tomes (61). Baro propose une raison tout aussi discutable (62).

---

l'influence du Tasse à la fin du XVIe s. et au XVIIe s., voir J. Marsan, *op. cit.*, pp. 148-154 ; Ch. B. Beall, *op. cit.* ; Ch. Banti, *op. cit.*

(56) *Astrée I,* p. 7 ; *Aminta, Prologue,* vers 75 sq.

(57) Jean Ducroset nous fait connaître les noms des personnages du roman que d'Urfé préparait : à côté des personnages principaux, Céladon et Astrée, figure Amynthe. Son rôle est devenu mineur ensuite.

(58) *Astrée,* II, 3, 116 ; *Aminta, II,* 2 ; voir, à ce propos, Ch. Banti, *op. cit.*, p. 48 ; Magendie, *op. cit.*, p. 165.

(59) *Astrée,* I, *A la Bergere Astrée,* p. 7.

(60) M. Magendie, *Du nouveau sur l'Astrée,* pp. 174-195.

(61) Id., *Ibid.*, p. 174.

(62) *Astrée,* Préface de la IVe partie. Baro prétend que d'Urfé a voulu faire de *L'Astrée* une tragi-comédie pastorale en 5 actes.

Honoré d'Urfé a utilisé amplement l'héritage laissé par la littérature de chevalerie que l'*Amadis* avait remise en honneur. S'il n'est pas fait mention de l'*Amadis* dans *L'Astrée,* d'Urfé parle, du moins, du Beau Ténébreux, des chevaliers de la Table ronde (63), de l'Arc des Loyaux Amants et de la Chambre défendue, de la cour légendaire du roi Artus (64). Par plus d'un épisode les romans courtois sont présents dans *L'Astrée*. Les vertus de générosité et de vaillance du chevalier, les prouesses dans les batailles et le merveilleux épique remettent souvent en mémoire les œuvres du Moyen Age. L'image dégrossie du chevalier présentée par l'*Amadis* devient progressivement celle de l'honnête homme proposée par *L'Astrée* (65). L'amour lui a fait gagner la discrétion et la faiblesse. Comme ses contemporains, Honoré d'Urfé a aimé le récit des prouesses audacieuses. Le *Primaléon* lui a inspiré le stratagème de Lindamor (66). Le *Roland furieux* de l'Arioste lui a fait surtout apprécier les aventures de Guenièvre.

Les *Histoires tragiques* de Bandello ont inspiré peu d'épisodes de *L'Astrée.* D'ailleurs, les histoires du roman d'Urfé ne sont pas tragiques, sauf celle de Damon et Fortune qui a un caractère pastoral. Le *Décaméron* et le *Filocolo* ont marqué *L'Astrée* de leur empreinte, de même que l'*Heptaméron.* La plupart des œuvres importantes qui ont participé à la formation de notre roman sentimental à la fin du XVIe siècle ont fait partie des lectures d'Honoré d'Urfé, du roman grec de Longus à ceux d'Héliodore et d'Achille Tatius (67). Mais peut-on être certain, quand il s'agit d'œuvres dont se sont inspirés les auteurs de pastorales, italiens ou espagnols ? Il est délicat d'établir la source de la plupart des histoires de *L'Astrée.* Nous sommes, en effet, souvent réduits à des hypothèses. Afin de mettre en valeur l'ampleur des lectures d'Honoré d'Urfé, nous allons examiner les sources qui ont été proposées pour les principaux épisodes de *L'Astrée.* Pour plus de facilité, nous distinguerons l'intrigue principale du roman, les histoires qui s'y rattachent et celles qui sont épisodiques (68).

---

(63) *Ibid.*, III, *L'Autheur au berger Celadon,* p. 4 : « Car on dit maintenant qu'aymer comme toy, c'est aymer à la vieille Gauloise, et comme faisoient les chevaliers de la Table-Ronde, ou le Beau-Tenebreux. Qu'il n'y a plus d'Arc des Loyaux Amants, ny de Chambre deffendue pour recevoir quelque fruict de ceste inutile loyauté. »

(64) *Ibid.*, I, 2, 60. Alcippe s'est rendu à Londres, « vers le grand Roy Artus, qui en ce mesme temps,... institua l'ordre des Chevaliers de la Table Ronde. » ; III, 12, 667 : « ...à l'imitation d'Artus Roy de la Grande Bretagne, lors qu'il mettoit les jeunes bacheliers et escuyers au rang des chevaliers. »

(65) Voir H. Bochet, *op. cit.*, p. 85.

(66) A. Adam, « Le Prince Desguisé de Scudéry et l'Adone de Marino », in *RHP,* 15 janvier 1937. Le *Primaléon* a été traduit plusieurs fois en français, notamment le 1er livre en 1572, le 2e en 1577, le 3e en 1579, et le 4e en 1583. Nous n'avons découvert dans le *Primaléon* aucun autre épisode susceptible d'avoir inspiré H. d'Urfé.

(67) Huet, *Traité de l'origine des romans,* Paris, J. Mariette, 1711, pp. 78 et 127.

(68) Pour plus de facilité nous avons adopté la classification des histoires de *L'Astrée* établie par J. Marsan, *op. cit.*, pp. 436 sq. Nous avons cependant omis les histoires pour lesquelles nous n'avons pas de source à proposer.

L'intrigue principale comprend des histoires pastorales et des histoires chevaleresques. Les premières sont représentées par l'histoire de Céladon et d'Astrée, et par celle de Silvandre et de Diane.

On a prétendu que l'histoire de Céladon était une imitation du *Roman de la Violette* ou de *Gérard de Nevers* (69). Cet ouvrage raconte les amours de Gérard et d'Euriant. Gérard, fils du Comte de Nevers, et Euriant, sa cousine germaine, se sont promis leur amour. Liziart, Comte du Forez, parie le Comté de Forez contre le Comté de Nevers qu'il séduira Euriant. Il échoue dans son entreprise, mais, avec la connivence d'une gouvernante, il voit Euriant au bain, et distingue, sous son sein, un signe en forme de violette. Gérard, confondu par ce que lui raconte Liziart, cède le Comté de Nevers et s'enfuit. Après de multiples aventures, et quand, enfin, il reconnaît l'innocence d'Euriant, Gérard provoque Liziart en duel. Celui-ci vaincu avoue son crime avant de mourir. Gérard épouse Euriant et devient Comte de Forez. En fait, l'histoire de Céladon et d'Astrée et celle de Gérard ont un rapport très lointain. Céladon ne fuit pas par jalousie, il est chassé par Astrée. La trahison, le désespoir de Céladon et la fidélité des deux amants sont des thèmes de la littérature pastorale. Par ailleurs, dans le *Roman de Gérard*, la psychologie laisse le pas au récit d'aventures. Il ne semble donc pas que ce roman ait exercé une influence quelconque sur *L'Astrée*. Peut-être est-ce parce qu'il y est question du Forez que cette source a été proposée.

Le désarroi de Céladon et d'Astrée a pour origine la jalousie de Sémire, amoureux d'Astrée. Celle-ci, qui a prêté foi au récit de Sémire, éprouve de la jalousie et chasse Céladon qui, de désespoir, se jette dans le Lignon. Il est recueilli par les nymphes de Galathée; Astrée le croit mort et le remords ronge son cœur. Il est possible que d'Urfé se soit inspiré des *Bergeries de Juliette*. Nicolas de Montreux y raconte l'histoire de Castor et de Bransil, assez semblable à celle de Céladon et d'Astrée. Castor, qui aime Elynde, ne veut plus revoir Bransil ; il se retire dans la solitude et meurt de faim. Elynde, qui a été instruite de la trahison de Castor, meurt sur le corps de Bransil (70). D'Urfé supprime la fin tragique de l'épisode des *Bergeries de Juliette*, et il analyse les sentiments de Sémire. Feignant l'amitié pour Céladon, le traître gagne la confiance d'Astrée, et, par des propos calculés, il provoque sa jalousie et sa colère. Le personnage du traître est traditionnel dans le roman de chevalerie et il joue un rôle important dans le *Pastor fido* de Guarini. Faut-il admettre que la continuation de la *Diana* d'Alonso Perez et l'*Arcadie* de Sannazar ont inspiré à d'Urfé le suicide de Céladon ? Dans la continuation de la *Diana*, Stele, poursuivie par le géant Gorforoste, tombe dans une rivière et elle est recueillie par

(69) Le roman de Gibert de Montreuil fut publié dans l'*Histoire de tres noble et tres vertueux prince Gerard, Comte de Nevers, et de la tres vertueuse et tres chaste princesse Euriant de Savoye, sa mye*, Paris, 1520. Sur l'influence de ce roman sur *L'Astrée*, voir l'article du Comte de Tressant, in *Bibliothèque Universelle des Romans*, 2e volume (15 juillet 1780), p. 3 ; H. Koerting, *op. cit.*, t. I, p. 90, n. 1.

(70) *Bergeries de Juliette*, t. II, 7v° sq. ; voir, M. Magendie, *op. cit.*, p. 183.

les nymphes (71). Sannazar analyse le désespoir de Carino qui, persuadé que sa maîtresse ne l'aime pas, se jette à la mer (72). Le rapprochement entre *L'Astrée* et le roman d'Alonso Perez semble relever de la pure fantaisie. Céladon ne tombe pas accidentellement dans le Lignon, il s'y jette volontairement, par désespoir. Comme Stele, il est recueilli par les nymphes, mais Galathée en devient amoureuse. Honoré d'Urfé s'attarde à l'analyse de ses sentiments. Quant à la tentative de suicide de l'amant désespéré, elle est un des thèmes de la pastorale italienne. On pourrait donc tout aussi bien rapprocher le désespoir et le suicide de Céladon de celui d'*Aminta* dans la pastorale dramatique du Tasse.

L'*Arcadie* de Sannazar n'est cependant pas totalement étrangère à l'histoire de Céladon et d'Astrée. Les bergers et Astrée, qui croient que Céladon est mort, lui élèvent un « vain » tombeau. Une cérémonie est célébrée par un Vacie (73). L'*Arcadie* décrit le sacrifice offert sur le tombeau d'Androgeo. Pendant la cérémonie, un pasteur prononce un long discours (74). D'Urfé décrit les rites funèbres avec plus de sobriété que Sannazar. Le Vacie prononce ces quelques mots : « Adieu, Celadon ! Adieu, et pour jamais à Dieu ! La terre où que tu sois, te puisse estre legere ».

D'Urfé, il est vrai, aime parfois les longues descriptions, mais son attention s'attache davantage à la psychologie d'Astrée et de Céladon. Nous constatons, par exemple, la différence entre le roman de Nicolas de Montreux et *L'Astrée*. Juliette croit que Belisair est mort de chagrin. Elle regrette d'avoir manifesté tant de froideur à l'égard de celui qui l'aimait (75). Astrée éprouve elle aussi du remords et ses propos offrent des analogies avec ceux de Juliette. C'est une nuit, avant de s'endormir, qu'Astrée confie ses sentiments à Diane (76). Cette confidence révèle le remords d'Astrée et elle illustre l'amitié qui lie les deux bergères. Leur conversation permet à Honoré d'Urfé d'éviter la monotonie du récit et d'analyser avec finesse les sentiments d'Astrée.

L'exil de Céladon, qui, après avoir fui le palais d'Isoure, s'est réfugié dans une grotte sur les bords du Lignon, n'est pas sans rapport avec celui d'Amadis. Oriane, jalouse, l'a banni de sa présence (77). Celui-ci se réfugie auprès de l'ermite Andahod qui lui

---

(71) Antoine Adam prétend que l'épisode de Céladon chez Galathée est une transposition de celui d'Ulysse chez Calypso raconté dans l'*Odyssée* (*Histoire de la littérature française du XVIIe siècle,* t. I, p. 112). Pour Noémi Hepp, l'hypothèse n'est pas vraisemblable, parce qu'il faudrait que « *l'Odyssée* appartînt au même titre que *l'Enéide* ou les *Métamorphoses,* à la culture de base de tous les hommes de plume du temps, ou bien qu'Honoré d'Urfé se fût personnellement signalé comme un amateur d'Homère. » (*Homère en France au XVIIe siècle,* Paris, Klincksieck, 1968, p. 257, n. 79). Rien ne prouve pourtant que d'Urfé n'avait pas lu l'*Odyssée.*

(72) Traduction de Jehan Martin, 1554, f. 51v° sq.

(73) *Astrée,* II, 8, 348-349.

(74) *Arcadie,* f. 28 v° sq ; voir M. Magendie, *op. cit.,* p. 192.

(75) T. I, f. 186 sq. ; voir M. Magendie, *op. cit.,* p. 192.

(76) *Astrée,* II, 8, 348-349.

(77) Nous renvoyons à l'édition complète, publiée à Anvers, G. Silvius, 1573, II, 11.

donne le nom de Beau-Ténébreux (78). Mais, ce qui n'est qu'un épisode dans l'*Amadis* constitue un important élément de l'histoire principale de *L'Astrée.* Adamas, qui vient rendre visite à Céladon, lui enseigne les secrets de la religion des druides et sa conception de l'amour, et il le décide à se déguiser en Alexis. En somme, l'exil de Céladon prépare la suite du récit. Nous ne saurions donc nous satisfaire d'un rapprochement entre cet épisode et les *Bergeries de Juliette,* où Ermande, chassé par Clodille, obéit et refuse de reparaître devant sa maîtresse (79).

S'agissant du déguisement de Céladon en Alexis, les sources proposées ne sont pas davantage satisfaisantes. Le *Pastor fido* de Guarini met en scène Dorinde qui, amoureuse de Silvio, se déguise en berger (80). Dans le *Décaméron,* la fille du roi d'Angleterre se déguise en abbé, passe la nuit avec Alexandre et finit par l'épouser (81). Céladon, déguisé en Alexis, gagne l'amitié d'Astrée et couche auprès d'elle. Un matin, Alexis aide Astrée à se vêtir de ses habits de druide et la tient dans ses bras. Le déguisement est un lieu commun de la pastorale qu'Honoré d'Urfé a utilisé d'une façon originale. Enchanté des scènes de privautés auxquelles donne lieu le déguisement de Céladon, l'auteur les répète au cours de son roman. Surtout, il analyse ce contentement sensuel qu'éprouvent Alexis et Astrée à être l'une près de l'autre. Comme Astrée ignore l'identité d'Alexis, d'Urfé a tiré ingénieusement parti de cette situation. Dans le *Pastor fido,* Myrtil et Amarillis qui s'aiment réclament chacun d'être égorgé à la place de l'autre par le prêtre de Diane (82) et, dans la *Jerusalem délivrée,* Olinde revendique, par générosité, la responsabilité du crime qui l'a fait condamner à mort par Aladin (83). Il est probable que ces deux épisodes ont suggéré à d'Urfé la scène de la quatrième partie de *L'Astrée* où Alexis et Astrée, aux mains de Polémas, se disputent le droit de mourir, chacune se prétendant fille d'Adamas. Mais Astrée ignore qu'Alexis est Céladon. Ainsi, le lecteur découvre cet aspect inexplicable de l'amour.

Les sources proposées pour l'histoire de Silvandre et de Diane montrent tout autant la supériorité de l'art d'Honoré d'Urfé. Nous connaissons l'épisode le plus touchant de l'histoire de Diane. Attaquée par un Maure, elle est défendue par Filandre qui est tué. Dans l'*Amadis de Gaule,* des barbares interviennent dans plusieurs épisodes. Trois nymphes de la *Diana* sont assaillies par trois sauvages hideux (84). Dans les *Bergeries de Juliette,* Eminda est attaquée par un sauvage que Philistel et Phillis tuent (85). Le Maure de *L'Astrée* est proche par son aspect physique des sauvages de

---

(78) II, 10 sq.. voir J. Marsan, *op. cit.,* p. 267 ; M. Magendie, *op. cit.,* p. 130.

(79) T. III, f. 263 r° sq. ; voir J. Marsan, *op. cit.,* p. 267 n. 2. Le thème de l'amant désespéré fuyant le monde se retrouve dans presque tous les romans pastoraux.

(80) Acte IV, sc. 2.

(81) 2e journée, 3e nouvelle ; voir J. Marsan, *op. cit.,* p. 269, n. 4.

(82) Acte V, sc. 2 ; voir, M. Magendie, *op. cit.,* p. 172.

(83) Chant II, str. 26 sq. ; voir Ch. B. Beall, *op. cit.,* p. 54 ; M. Magendie, *op. cit.,* p. 136.

(84) Livre II, pp. 87 sq. ; voir M. Magendie, *op. cit.,* p. 158.

(85) T. II, f. 347 sq. Une aventure semblable se lit au t. I, f. 152 r°.

la *Diana*. Filandre repousse le Maure qui l'attaque, en abandonnant Diane, comme les sauvages de la *Diana* combattent les bergers venus au secours des nymphes. Mais d'Urfé a tiré de cet épisode une histoire pathétique. Filandre mourant demande à Diane d'être sa femme. Elle accepte et, depuis, elle veut, par delà la mort, rester fidèle à Filandre. C'est pourquoi, elle est insensible à l'amour de Silvandre. Elle lutte aussi contre l'affection du berger, parce qu'il est une « personne incogneue » (86). Tout jeune, il a été enlevé à ses parents par des soldats. Montau, un personnage du *Pastor fido* de Guarini, est aussi de naissance inconnue, car enfant il a été emporté par une inondation. C'est parce qu'il est né de parents inconnus que Stele repousse l'amour de Delicio dans la continuation de la *Diana* de Perez (87).

D'Urfé analyse avec finesse la naissance et le développement de l'amour de Silvandre et de Diane. Silvandre et Phillis doivent servir Diane. Au bout de trois mois, Diane rend sa sentence et remet à Silvandre un chapeau de fleurs (88). Le *Filocolo* de Boccace raconte une histoire semblable. La fille du roi de Naples est nommée juge d'un débat où s'opposent deux chevaliers qui aiment la même dame. Elle voit que l'un a un chapeau de fleurs semblable au sien, elle le prend et le remplace par son propre chapeau. Un débat sur la valeur de ce don s'ensuit (89). Dans *L'Astrée,* l'épisode est adapté aux caractères des personnages. La sentence de Diane fait naître l'amour de Silvandre. Dans le *Filocolo* et dans *L'Astrée,* une discussion s'engage sur la valeur du don du chapeau de fleurs, mais Honoré d'Urfé lui a enlevé tout caractère abstrait.

Plusieurs histoires chevaleresques sont liées à l'intrigue principale de *L'Astrée,* notamment celle de Galathée et Lindamor, et celle de Dorinde, Gondebaud et Sigismond. Lindamor a fui pour éviter le courroux de Galathée. Celle-ci le croit mort. Pour reparaître devant elle, Lindamor se déguise en jardinier. Fleurial annonce à Galathée qu'un messager va lui apporter le cœur de son amant. Elle vient au rendez-vous et trouve Lindamor qui lui déclare son amour (90).

Le *Primaléon* permet des rapprochements intéressants avec l'histoire de Lindamor. Don Duardos s'éprend de Flerida, sœur de Primaléon. Une amie lui donne un gobelet qui a le pouvoir de rendre Flerida amoureuse, si elle y boit. Pour présenter le gobelet à Flerida, Don Duardos, habillé pauvrement, fait croire au jardinier de la princesse qu'il peut, à l'aide de formules magiques, découvrir un trésor dans le jardin. A cette histoire se mêle celle de Primaléon. La duchesse Gridonia, persuadée que Primaléon a tué son père, promet sa main à qui lui rapportera sa tête. Primaléon, sous un nom mystérieux, défend Gridonia. Ils s'éprennent l'un de l'autre, mais Gridonia exige la tête de Primaléon ; il déclare son nom et

(86) *Astrée,* III, 1, 18.
(87) Voir M. Magendie, *op. cit.*, p. 155.
(88) *Astrée,* III, 9, 520.
(89) Livre V, première question ; voir M .Magendie, *op. cit.*, pp. 116-118.
(90) *Astrée,* I, 9, 357-361.

offre sa tête (91). Il faut remarquer que Fleurial joue dans *L'Astrée* un rôle beaucoup plus important que le jardinier du *Primaléon*. Le roman espagnol a cependant fourni deux thèmes que d'Urfé a exploités d'une façon originale en les réunissant dans une seule histoire.

L'histoire de Dorinde, Gondebaud et Sigismond est beaucoup plus complexe que la précédente et révèle les qualités romanesques d'Urfé. Les *Sérées* de Guillaume Bouchet lui ont inspiré la scène où Ardilan déguisé en fille va porter un momon dans la maison d'Arcingetorix. Les *Sérées* rapportent, en effet, que le carnaval était prétexte à des momons ou momeries. Des personnes masquées s'introduisaient dans les maisons, et jetaient des défis aux dés (92). Ardilan profite de cette coutume pour séduire Darinée (93). Celle-ci a été choisie par Gondebaud pour être son intermédiaire auprès de Dorinde. Persuadée que le roi désire épouser Dorinde, Darinée accepte. Dans *l'Amadis de Gaule,* Dariolette favorise les entrevues d'Elisène et du roi Périon, parce que celui-ci a juré d'épouser Elisène (94). Le nom de Darinée a pu être inspiré par celui de Dariolette. Son rôle est très important dans le récit de *L'Astrée* et sa psychologie est longuement analysée. Ce personnage a donc une incontestable originalité.

Afin de faire mieux connaître les personnages principaux, d'Urfé a lié, plus ou moins naturellement selon les cas, des histoires épisodiques à celles de Céladon et Astrée, de Diane, d'Hylas et de Gondebaud. Ainsi, l'histoire d'Alcippe se rattache à celle de Céladon. Pour la composer, Honoré d'Urfé s'est inspiré de trois œuvres : l'*Heptaméron,* l'*Aminta* et la *Jérusalem délivrée.* L'*Heptaméron* rapporte l'histoire de Jambicque qui fait conduire chez elle, de nuit, un gentilhomme dont elle est amoureuse. Jambicque lui fait jurer de ne pas chercher à connaître son nom. Mais le gentilhomme fait une croix à la craie sur la robe de Jambicque et, de cette façon, la reconnaît facilement (95). Alcippe, pour identifier la femme qui le reçoit chez elle, coupe des franges à la couverture du lit. Ce sera, dans la vie d'Alcippe, le début d'une autre aventure et le motif de son départ de Gaule. Il aime Amarillis, mais celle-ci repousse d'abord son amour, parce que, dit-elle, « l'Amour et l'honneur » ne peuvent « demeurer ensemble » (96). Alcippe exprime sa douleur dans un sonnet sur les contraintes de l'honneur. N'est-ce pas aussi au nom de l'honneur que Silvia repousse l'amour d'Aminta (97) ? Le chœur du premier acte de l'*Aminta* ne regrette-t-il pas l'Age d'or où l'honneur n'imposait pas ses contraintes ? Cependant,

(91) *Histoire de Primaléon de Grece continuant le discours de Palmerin d'Olive Empereur de Constantinople,* traduite en François, par François de Vernassal, Paris, Galliot du Pré, l. II, ch. 16. Voir, à ce propos, A. Adam, « Le prince deguisé... », in *RHP*, 15 janvier 1937, pp. 34-35 ; du même auteur, *Histoire de la littérature française du XVIIe siècle,* t. I, p. 127.

(92) *Op. cit.,* 4e Serée, p. 151.

(93) *Astrée,* IV, 7, 365.

(94) I, 3 sq. ; voir, M. Magendie, *op. cit.*, p. 133.

(95) 5e journée, nouvelle 43 ; voir M. Magendie, *op. cit.*, p. 119.

(96) *Astrée,* I, 2, 50.

(97) Acte I, sc. 2 ; voir Ch. Banti, *op. cit.*, p. 33.

la relation entre la liberté de l'Age d'or et l'honneur disparaît de *L'Astrée*. Alcippe découvre le bonheur à la campagne. Dans sa jeunesse, il a dédaigné la vie pastorale pour s'adonner à la guerre, aux aventures et à la vie de cour, et, lassé des honneurs, il revient en Forez. Dans la *Jérusalem délivrée,* un sage vieillard, rencontré par Herminie, raconte sa vie. Dans sa jeunesse, il a méprisé les bergers et préféré la cour et les honneurs. Désabusé, il est revenu à la vie calme et solitaire dans les bois (98). L'histoire d'Alcippe a donc été inspirée par la vie plus ou moins légendaire de Pierre II d'Urfé et des souvenirs littéraires d'origines diverses.

L'histoire de Célion et de Bellinde illustre la générosité et le véritable amour. Bellinde découvre qu'Amaranthe aime Célion dont elle-même est amoureuse. Elle décide de se sacrifier pour son amie. Amaranthe finit par renoncer à son mariage avec Célion. Pour obéir à ses parents, elle accepte d'épouser Ergaste. Celui-ci, qui apprend l'amour réciproque de Célion et de Bellinde, se sacrifie à son tour. Il demande de partager l'amitié des deux jeunes gens (99). La *Galatea* et les *Bergeries de Juliette* développent un sujet semblable. Dans la pastorale de Cervantès, Timbrio et Silerio sont amis et aiment tous les deux Nysida. Timbrio dissimule son amour pour que Silerio puisse épouser Nysida (100). Une histoire racontée par Nicolas de Montreux est identique. Cepio et Fabio aiment Emilie. Celle-ci aime Cepio qui est pauvre. Fabio, témoin de la tendresse qui unit Cepio et Emilie, renonce à son amour et demande aux deux jeunes gens de le recevoir dans leur amitié (101). La supériorité d'Honoré d'Urfé sur ses modèles se manifeste dans la complexité de la situation qu'il crée et dans l'analyse de la fermeté stoïque, mais émue, de Bellinde. Trois personnages attachants et d'une psychologie différente, Bellinde, Célion et Ergaste, retiennent l'attention du lecteur. On remarque le développement du même thème dans le roman de Blaise de Saint Germain, *Les Amours de Florimond et Clytie,* paru, en 1607 (102), la même année que la première partie de *L'Astrée*. Cet épisode a pu être inspiré à Blaise de Saint Germain par la *Galatea* ou par les *Bergeries de Juliette*.

Il est certain qu'Honoré d'Urfé a emprunté beaucoup de situations à l'œuvre de Nicolas de Montreux. S'il n'a pas découvert dans son roman le modèle d'Hylas, il y a du moins lu un récit dont il s'est servi pour composer l'une des histoires liées à celle d'Hylas. L'histoire de Palénice nous apprend qu'Hylas fut chargé par son ami Clorian de déclarer son amour à Circène. Hylas, devenu amoureux de Circène, oublie la mission confiée par son ami et parle en son nom (103). Dans le roman de Nicolas de Montreux, Felicio doit faire parvenir à Diane une lettre de Moran. Au cours de sa mission,

(98) Chant VII, str. 12 ; voir M. Magendie, *op. cit.*, p. 136.
(99) *Astrée,* I, 10, 390 sq.
(100) Coll. Clasicos castellanos, l. II, pp. 127 sq. ; voir M. Magendie, *op. cit.*, p. 170.
(101) T. II, f. 90r° sq.
(102) Lyon, P. Rigaud ; sur cette influence, voir G. Reynier, *op. cit.*, p. 304 n.
(103) *Astrée,* II, 3, 116 sq.

il s'éprend de Diane et parle en son propre nom (104). L'épisode de *L'Astrée* met en relief le caractère inconstant d'Hylas qui devient amoureux dès qu'il voit un beau visage. D'Urfé a donc utilisé le récit de Nicolas de Montreux pour enrichir le portrait de l'inconstant aux multiples aventures d'amour. Le voici encore amoureux de Dorinde qui est aimée de Périandre. Les deux jeunes gens veulent savoir qui des deux aura le droit de courtiser Dorinde. Ils se confient les preuves d'affection qu'ils ont reçues (105). C'est probablement le *Roland Furieux* de l'Arioste qui a suggéré cet épisode à Honoré d'Urfé. Polinesse et Ariolant se confient les preuves d'affection qu'ils ont reçues de Guenièvre, afin de savoir qui des deux est le plus aimé (106). Comme Hylas, Polinesse voit dans ces confidences un moyen d'éloigner son rival.

A l'histoire de Galathée se rattachent l'histoire de Silvie et de Ligdamon, celle de Lydias et de Mélandre, celle de Damon et de Madonte et celle de Rosanire, Céliodante et Rosiléon. L'histoire de Silvie et de Ligdamon repose sur deux procédés romanesques, celui du miroir et celui de la ressemblance. Au moyen d'un miroir, Ligdamon révèle à Silvie son amour. De dépit « que quelqu'un l'osast », elle s'éloigne ; Ligdamon tombe malade (107). Marguerite de Navarre raconte l'histoire suivante dans l'*Héptaméron*. La reine de Castille demande à Elisor quelle est la femme qu'il aime. Elisor s'engage à révéler son nom au cours d'une partie de chasse. Il attache un miroir à son habit, la reine s'y voit et comprend qu'elle est aimée (108). D'une façon plus vraisemblable, Ligdamon se sert du miroir que Silvie porte à la ceinture. Ce thème est aussi développé par Sannazar, dans l'*Arcadie*. Garino raconte son amour pour une jeune fille. Il n'ose avouer son affection, mais son visage est tellement changé que la jeune fille lui demande le nom de celle qu'il aime. Il répond que la fontaine lui en révèlera le visage. La jeune fille s'y voit et s'éloigne de Carino qui, désespéré, devient malade (109). L'épisode de *L'Astrée* semble provenir de l'*Arcadie*, puisqu'il relate la colère de Silvie et la maladie de Ligdamon. Le miroir, plus vraisemblable à cause de la situation sociale de Silvie qui est une nymphe, a été substitué à l'eau de la fontaine. Ligdamon est un des personnages de *L'Astrée* dont la vie est très mouvementée. Il a le malheur de ressembler à Lydias. A cause de cette ressemblance, il est condamné à mort. Amerine, qui aime Lydias et le confond avec Ligdamon, le réclame pour époux (110). Le thème de la ressemblance a été exploité dans les *Nouvelles exemplaires* de Cervantès (111). Il ne semble cependant pas que la nouvelle des *Dos Don-*

---

(104) T. I, f. 88v° sq. ; voir M. Magendie, *op. cit.*, p. 182.
(105) *Astrée*, II, 4, 143 sq.
(106) Chant V, str. 20 sq., voir A. Cioranescu, *op. cit.*, t. I, p. 372.
(107) *Astrée*, I, 3, 78.
(108) 3e journée, nouvelle 24 ; voir M. Magendie, *op. cit.*, p. 121.
(109) f. 45 v° sq. ; voir M. Magendie, *op. cit.*, p. 143. Selon Ch. Banti, l'origine du passage est dans l'*Aminta*, où Aminta fait à Tirci le récit de son amour. Mais on n'y retrouve ni l'insistance de la femme aimée ni l'artifice du miroir. D'autre part, Aminta repoussé par Silvia ne tombe pas malade.
(110) *Astrée*, II, 8, 348-349.
(111) *Las dos Doncellas.*

cellas ait inspiré d'Urfé. L'histoire de Ligdamon et d'Amerine a plutôt été empruntée aux *Bergeries de Juliette.* Dellio aime Catulle. Il est pris par des pirates. Mais un jeune Allemand lui ressemble tant que Catulle elle-même s'y trompe. Invité par Catin, la servante de Catulle, à rejoindre sa maîtresse, l'Allemand se bat avec le guet et il est arrêté. Catin décide de profiter de la loi du pays. Elle revendique pour époux celui qu'elle prend pour Delio, puis elle s'enfuit pour ne pas être obligée de l'épouser. A peine libéré, l'Allemand s'enfuit aussi (112).

Le récit de l'*Astrée* diffère de celui des *Bergeries de Juliette* par les détails auxquels d'Urfé a donné plus de vraisemblance. Sorel l'a fait remarquer :

> « Voilà la ressemblance qui ressemble à celle de Lygdamon, excepté que l'Allemand vouloit bien estre pris pour Dellio ; au lieu que Lygdamon ne vouloit pas estre pris pour Lydias, et que la maîstresse de Lydias demande Lygdamon pour mari, au lieu que ce ne fut que la servante de la maistresse de Dellio qui voulut rachepter l'Allemand. » (113)

Pour composer cette histoire, Nicolas de Montreux a eu également recours au procédé du déguisement. Afin de délivrer Dellio qui est esclave, Catulle se déguise en homme, passe la mer, fait la guerre et devient prisonnière des Turcs (114). L'histoire de Lydias et de Mélandre est semblable. Mélandre est amoureuse de Lydias, elle vient de Londres en Gaule, déguisée en homme. Elle fait la guerre et elle est prisonnière des Francs (115). Deux autres personnages sont mêlés à cette histoire, Amerine et Mélandre. Honoré d'Urfé s'est donc ingénié à compliquer l'intrigue.

Tout aussi complexe est l'histoire de Damon et de Madonte qui occupe une place importante dans *L'Astrée.* Malgré son amour pour Madonte, Damon est séduit par Ormanthe (116). Son aventure ressemble à celle d'Amadis qui s'éprend de Brilaine dont Oriane est jalouse (117). Cependant, Damon est victime de la perfidie de Lériane qui joue un rôle important dans la suite du récit. Lériane, par jalousie, persuade au roi que Madonte se conduit mal et qu'elle a accouché d'un enfant. Reconnue coupable d'impudicité, Madonte est conduite au bûcher. Elle ne pourra être sauvée que si un chevalier triomphe de Léotaris et de son frère (118). Dans le *Roland furieux,* Guenièvre, accusée de se mal conduire, est condamnée à mort. Un chevalier inconnu fait éclater son innocence, en combattant contre Lurcain qui soutient l'accusation (119). Dans les deux récits, c'est un chevalier inconnu qui tente le combat. Ici et là, l'aventure se termine bien. Les faits racontés dans *L'Astrée* sont mieux enchaînés que dans le *Roland furieux* et les sentiments des

(112) T. I, f. 254 sq. ; voir M. Magendie, *op. cit.,* p. 186.
(113) *Anti-Roman, Remarques sur le huitiesme livre du Berger extravagant.*
(114) T. I, f. 276 v° sq. ; voir M. Magendie, *op. cit.,* p. 186.
(115) *Astrée,* I, 12, 459-473.
(116) *Ibid.,* II, 6, 246 sq.
(117) I, 209 sq. ; voir J. Marsan, *op. cit.,* p. 271 n. 2.
(118) *Astrée,* II, 6, 251 sq.
(119) Chant V ; voir A. Cioranescu, *op. cit.,* t. I, pp. 372 sq.

personnages sont davantage analysés. D'Urfé a, plus que l'Arioste, le souci de la vraisemblance. On a encore proposé comme source de ce récit la *Carcel de Amor* de Fernandez de San Pedro. Leriano aime Lauréole. Persio, jaloux parce qu'amoureux de Lauréole, convainc le roi que Leriano et Lauréole se fréquentent trop librement. Il soudoie trois individus qui soutiennent ses calomnies. Lauréole est condamnée à mort. L'un des trois complices est arrêté et confesse la vérité (120). Lériano a inspiré à d'Urfé le nom de Lériane. Cependant, Lériane joue un rôle opposé à celui de Lériano. Ne peut-on encore rapprocher de la condamnation à mort de Lériane celle d'Amarillis dans le *Pastor Fido* de Guarini ? Corisque aime Myrtil qui aime fidèlement Amarillis. Elle convainc Myrtil qu'Amarillis a un autre amant qu'elle rencontre tous les jours. Elle attire Amarillis dans une grotte et y fait venir son amant. Elle démontre ainsi aux prêtres de Diane qu'Amarillis a donné rendez-vous à Coridon. Amarillis, fiancée à Silvio, est reconnue parjure et condamnée à mort, selon la loi du pays. Corisque obtient finalement le pardon d'Amarillis (121). Corisque a pu inspirer à d'Urfé le personnage de Lériane, mais le stratagème de Corisque est différent de celui de Lériane. D'Urfé décrit avec minutie les préparatifs de la ruse de Lériane. Soucieux de moralité, il termine son histoire par le juste châtiment de Lériane. L'auteur de *L'Astrée* a ingénieusement combiné les éléments fournis par l'*Amadis,* le *Roland furieux,* la *Carcel de Amor* et le *Pastor fido* pour composer l'histoire de Damon et de Madonte.

L'histoire de Rosanire, Céliodante et Rosiléon est surtout redevable à *l'Amadis de Gaule.* Policandre, chevalier errant, revient dans son pays parce que son père est mort ; il abandonne Argire enceinte. Elle accouche secrètement, puis elle épouse, par raison d'Etat, le roi des Santons dont elle a un garçon, Céliodante. Elle substitue celui-ci au fils de Policandre et remet aux soins de Vérance le vrai Céliodante. Elle a placé à son cou le collier de Policandre qui porte cette inscription : « Roy, fils de Roy ». Céliodante se couvre de gloire. Il tue un lion qui, échappé des ménageries du roi, a attaqué Policandre. Grâce au collier, son origine royale est découverte (122).

Dans l'*Amadis de Gaule,* Elisène, fille du roi de Bretagne, est la maîtresse de Périon. Il la quitte. Elisène accouche clandestinement d'un garçon, Amadis. Dariolette le place dans un coffret qu'elle dépose sur une rivière. A côté de lui, elle met l'anneau de Périon et un parchemin qui affirme qu'il est fils de roi. L'anneau que porte Amadis permet, par la suite, d'établir qu'il est fils de Périon. Celui-ci a abattu un lion qui attaquait le roi Garinter (123). Il aime toujours Elisène et revient pour l'épouser. Policandre a oublié sa promesse de mariage. Il n'épousera Argire que beaucoup plus tard. Dans les deux récits sont développés le thème de la

(120) Trad. française, Lyon, P. Rigaud, 1583, pp. 97 sq.
(121) Acte III, sc. 6 ; voir M. Magendie, *op. cit.*, pp. 172-173.
(122) *Astrée,* IV, 10, 569 sq.
(123) I, 10, sq. ; cf. la reconnaissance d'Esplandian comme fils d'Oriane et d'Amadis, III, 70-72 sq. ; voir M. Magendie, *op. cit.,* p. 135.

prouesse du chevalier et celui de la reconnaissance. Mais d'Urfé complique l'intrigue par un récit et une analyse d'amour. Il retarde ainsi le dénouement et pique davantage la curiosité du lecteur. Le thème de la reconnaissance est, de cette façon, lié à une intrigue nouvelle qui se dénoue tragiquement par le désespoir et la folie de Rosiléon. La quatrième partie raconte la guérison de Rosiléon.

A partir de la troisième partie de *L'Astrée,* Honoré d'Urfé complique l'intrigue de ses récits. Tel est le cas de l'histoire de Cryséide et d'Arimant liée à celle de Gondebaud. Arimant aime Cryséide. Pour se rencontrer, ils ont recours à deux ruses avec la complicité de Clarine. Une échelle de soie permet à Arimant de se hisser jusqu'à la chambre de Cryséide. Afin de faciliter leur rendez-vous, Arimant et Cryséide, aidés par Clarine, ont drogué la vieille nourrice en lui faisant respirer un soporifique. Auparavant, Clarine a fait jurer à Arimant de respecter l'honneur de Cryséide. Pendant que Cryséide et Arimant s'abandonnent à leur bonheur, la boîte qui contient le soporifique tombe et la vieille nourrice s'éveille (124).

Les *Histoires Tragiques* de Bandello racontent comment Roméo a rejoint Juliette au moyen d'une échelle de soie (125). Honoré d'Urfé s'est surtout inspiré des *Nouvelles exemplaires.* Pour tromper son vieux mari Carrizale, Léonore lui enduit le pouls et les tempes d'une pommade qui doit le plonger dans un profond sommeil. L'amant a juré qu'il ne ferait rien qui fût contraire aux volontés de Léonore. Les deux amants jouissent de leur bonheur. Mais Carrizade a été témoin, car la drogue n'a pas agi assez longtemps (126). L'insistance de Cervantès et d'Urfé sur le serment de l'amant rend certain le rapport entre les deux récits. Mais nous constatons que l'auteur de *L'Astrée* a modifié la nouvelle de Cervantès pour lui donner plus de vraisemblance. Dans *L'Astrée,* il s'agit d'un soporifique et non d'un onguent, et, par précaution, il a été essayé sur un domestique qui ne s'est éveillé que lorsqu'on a enlevé la drogue de dessous son nez et qu'on lui a mis de l'eau fraîche sur le visage. Par ailleurs, l'auteur de *L'Astrée* se complaît à donner de nombreux détails sur la façon dont la vieille nourrice a été trompée. Celle-ci, voyant la tache laissée sur le plancher par le soporifique, croit qu'elle a vomi. Clarine nettoie la chambre et jette les ordures par la fenêtre. Un chien en est victime. Ainsi d'Urfé insère un épisode amusant qui confirme les effets de la drogue. Les gestes et les réflexions de la vieille nourrice ajoutent une note de vie à tout le récit.

Le souci de la réalité justifie la présence des récits historiques de *L'Astrée.* Il n'est pas question ici de revenir sur les sources historiques utilisées par Honoré d'Urfé. Nous ne signalerons que celles qui lui ont inspiré des détails souvent pittoresques pour agrémenter la narration. Tel est, par exemple, dans l'histoire

---

(124) *Astrée,* III, 7, 365 sq.

(125) Nouvelle IX, *Histoire de Roméo et de Juliette.*

(126) *Nouvelles exemplaires, Zeloso Estremeño.* Les *Nouvelles* ont paru pour la plupart vers 1612 ; Honoré d'Urfé, à ce moment-là, travaillait à la rédaction de la 3e partie de *L'Astrée.* Voir à ce propos, G. Hainsworth, *op. cit.,* pp. 36 sq.

d'Eudoxe et de Placidie, l'épisode de la piqûre d'abeille. Eudoxe a été piquée à la lèvre. Sous prétexte de guérir le mal par des mots mystérieux, Ursace lui baise la bouche (127). Honoré d'Urfé a certainement lu les *Amours de Clitophon et de Leucippé* dont la traduction a connu, nous l'avons dit, un important succès au XVIe siècle. Clitophon est amoureux de Leucippe. Il a vu que Leucippe a guéri une de ses femmes piquée à la main par une abeille, en disant des formules magiques près de la blessure. Il feint d'être piqué à la lèvre et demande à Leucippe d'appliquer son remède. Il en profite pour l'embrasser longuement sur la bouche (128). Nous lisons une scène semblable dans l'*Aminta* du Tasse. Aminta raconte à Tirci comment Silvia a soulagé les souffrances de Philis piquée à la lèvre par une abeille, en murmurant des formules près de sa bouche. Aminta feint d'être piqué à la lèvre. Afin d'être longuement embrassé, il prétend avoir encore mal (129). Peut-être le Tasse a-t-il emprunté cet épisode aux *Amours de Clitophon et de Leucippé*. Il y aurait alors toute chance pour que d'Urfé l'ait découvert dans l'*Aminta*. Dans *L'Astrée*, c'est la jeune femme qui est piquée par une abeille et Ursace lui propose son remède. Eudoxe le refuse d'abord, puis elle propose à Ursace de l'apprendre à sa suivante qui l'appliquera. Mais ainsi le remède est sans effet. Ursace peut enfin baiser les lèvres d'Eudoxe. Celle-ci se fâche et le repousse. C'est une jolie scène de comédie où disparaît l'ingénuité. Eudoxe est soucieuse de son honneur, Ursace est sensuel. D'Urfé reste fidèle à ces traits de caractère tout au long de cet épisode. Le dialogue entre Ursace et Eudoxe et l'analyse de l'émotion d'Eudoxe contribuent à donner du piquant à la scène. Honoré d'Urfé a le don de conférer vie et pittoresque aux récits qui lui ont été suggérés par ses lectures. Ses personnages vivent sous nos yeux.

Ce caractère crée une différence entre l'histoire d'Euric, Daphnide et Alcidon et ses sources. D'Urfé s'est probablement inspiré du *Don Quichotte* de Cervantès. Alcidon, amoureux de Daphnide, parle de sa maîtresse en termes si élogieux à Euric que celui-ci s'en éprend (130). Dans le *Don Quichotte*, Gardenio aime Lucinde et commet la faute de parler d'elle et de la montrer à son ami Don Fernand qui s'en éprend (131). L'épisode de l'artifice d'Alcyre révèle surtout l'ingéniosité d'Urfé. Clarinte est aimée d'Alcyre et d'Amintor. Celui-ci a sa préférence. Alcyre affirme cependant à Amintor qu'il est l'amant de Clarinte et qu'il se passe peu de nuits sans qu'il soit auprès d'elle. Afin d'égarer complètement Amintor, Alcyre s'engage à donner des preuves de sa familiarité avec Clarinte. Sous les yeux d'Amintor, il entre dans la maison de Clarinte, mais un jeu de portes lui permet de sortir aussitôt par ailleurs, sans être vu de son rival. Ainsi. Amintor est victime d'une illusion. Il tombe malade de chagrin (132).

---

(127) *Astrée*, II, 12, 496-499.

(128) *Romans grecs*, coll. La Pléiade, p. 896 ; Huet, *Traité de l'origine des Romans*, p. 78.

(129) Acte I, sc. 2 ; voir Ch. Banti, *op. cit.*, p. 50.

(130) *Astrée*, III, 3, 94 sq.

(131) 1re partie, ch. 24. Cette partie du *Don Quichotte* parut en 1605.

(132) *Astrée*, III, 4, 175-176.

Dans le *Roland Furieux,* Honoré d'Urfé a lu un récit semblable. Guenièvre est aimée de Polinesse et d'Ariodant. Elle aime Ariodant. Polinesse prétend à son rival qu'il ne se passe pas de nuit sans qu'il tienne Guenièvre dans ses bras. Il s'engage à en fournir la preuve. Caché sous le balcon de Guenièvre, Ariodant voit celle qu'il aime dans les bras de Polinesse. En réalité, c'est Dalinde à qui Polinesse a demandé de revêtir la robe de Guenièvre. Ariodant désespéré se jette à l'eau (133). Bien que les preuves fournies par Polinesse et par Alcyre ne soient pas identiques, l'idée de la supercherie a été inspirée à d'Urfé par le *Roland Furieux.* Les changements subis par le récit de l'Arioste s'expliquent par le soin que l'auteur de *L'Astrée* apporte à la vraisemblance et à la peinture des passions. Alcyre joue une véritable scène de comédie : jeux de physionomie, réticences ; Amintor supplie, enfin Alcyre avoue que Clarinte l'aime et qu'il peut le prouver. Les conséquences de la ruse sont identiques dans les deux œuvres. En lisant l'épisode de l'artifice d'Alcyre, l'histoire de Bonnivet, racontée par Marguerite de Navarre dans l'*Heptaméron,* se présente aussi à la mémoire. Bonnivet se rend chez une dame aimée d'un Italien, après s'être vêtu de la même manière que celui-ci. Il entre dans la maison sans être reconnu, arrive à une galerie où s'alignent plusieurs portes dont une seule donne accès à la chambre de la dame milanaise (134). Cette nouvelle de Marguerite de Navarre a pu fournir à d'Urfé l'idée d'un jeu de portes. Il a ainsi évité l'illusion du déguisement. C'était une ruse déjà utilisée par des personnages de *L'Astrée.* L'artifice d'Alcyre est une preuve d'un souci de variété.

Ce soin se manifeste dans les épisodes pastoraux, indépendants de l'histoire principale. L'un des plus intéressants est celui de Damon et Fortune. La magicienne Mandrague est éprise de Damon qui est aimé de Fortune et l'aime. Mandrague, grâce à son art, change les pouvoirs de la Fontaine de Vérité d'Amour. Damon voit Maradon auprès de Fortune, et Fortune y voit Melide auprès de Damon. Désespéré, Damon se tue, et Fortune meurt auprès de lui. Mandrague, prise de remords, maudit son art (135).

On connaît la *Bucolique* où Virgile met en scène une bergère qui, aidée de sa servante, essaie, à l'aide d'incantations et de cérémonies magiques, de ramener à elle Daphnis qu'elle aime et qui lui est infidèle (136). Cette *Bucolique* a sans doute suggéré à d'Urfé le nom de Damon. Mais nous n'y lisons ni le portrait de la magicienne ni la double fin tragique de cet épisode de *L'Astrée.* Pour écrire cette histoire, Honoré d'Urfé s'est plutôt inspiré de l'*Athlette,* une pastorale de Nicolas de Montreux. Athlette est une bergère aimée de deux bergers, Ménalque et Rustic. Elle aime Ménalque qui, de son côté, est aimé de la magicienne Delfe. Celle-ci, par vengean-

---

(133) Chant V, str. 21-52 ; voir A. Cioranescu, *op. cit.*, t. I, p. 372 ; M. Magendie, *op. cit.*, p. 128.

(134) 2e journée, nouvelle 14 ; voir, à propos de cette imitation, le *Colloque commémoratif du quatrième centenaire de la naissance d'Honoré d'Urfé,* in *BD,* année 1970, n° spécial, p. 161.

(135) *Astrée,* I, II, 441 sq.

(136) *Bucolique* VIII ; voir M. Magendie, *op. cit.*, p. 103.

ce, décide de faire mourir Athlette au moyen d'une pomme empoisonnée. Athlette est sur le point de mourir, quand, prise de remords, Delfe la sauve en lui donnant un contre-poison. Par un breuvage, elle guérit Rustic et elle-même de l'amour. Athlette et Ménalque peuvent vivre heureux (137). La trame du récit est semblable, mais simplifiée, dans *L'Astrée,* puisque seul Damon aime Fortune. Nous y retrouvons le thème de la magicienne amoureuse et jalouse. Cependant, le dénouement est différent. Celui de Nicolas de Montreux est heureux, celui d'Urfé est tragique. L'auteur de *L'Astrée,* qui propose son histoire sous la forme d'un commentaire de peintures, utilise l'épisode de Damon et Fortune pour illustrer les effets de l'amour. Le commentaire des tableaux incite Céladon à faire part de ses réflexions sur son sort et sur l'amour. Ainsi, malgré son apparente indépendance, cette histoire se lie à celle de Céladon et Astrée.

L'indépendance de l'histoire de Doris et Palémon par rapport à l'intrigue principale de *L'Astrée* est beaucoup plus accusée. Adraste, amoureux de Doris, est condamné par Léonide à l'aimer sans être aimé. Il devient fou :

> « Depuis son esprit se troubla, de sorte qu'il en perdit l'entendement et fit des folies si grandes, que ceux mesmes qu'il faisoit rire, ne pouvoient s'empescher d'en avoir compassion. » (138)

Il est enfin guéri par la cérémonie du clou. La folie d'Adraste rappelle celle de Tirci, l'un des personnages de l'Aminta. Dafné raconte que l'amour a troublé l'esprit de Tirci, qu'il erre dans les bois, et qu'il provoque « en même temps la pitié et le rire » (139). Mais n'est-ce pas aussi le cas de Fortunio dans les *Bergeries de Juliette* ? Fortunio aime Délie. Il en est dédaigné et il devient fou. Ses amis attristés ne peuvent pourtant s'empêcher de rire (140). Fortunio sera enfin guéri par l'eau d'une fontaine (141). Le berger devenu fou à cause de l'amour est un personnage traditionnel de la pastorale. D'Urfé s'est inspiré à la fois de l'*Aminta* et des *Bergeries de Juliette.* Il a puisé dans ces œuvres les traits principaux de son personnage. Mais, il l'a rendu amusant et surtout dramatique. La conduite d'Adraste illustre les méfaits de la passion. La scène de la guérison est inspirée par Nicolas de Montreux. D'Urfé la décrit longuement. Cette description enrichit le récit d'une note pittoresque et de couleur locale. L'auteur de *L'Astrée* a su ingénieusement faire attendre ce dénouement, afin de maintenir longuement l'intérêt du lecteur sur Adraste.

Trois histoires indépendantes de l'intrigue principale de *L'Astrée* ont un caractère dramatique qui les a fait classer à part : l'histoire de Tircis et de Laonice, celle de Célidée, de Thamyre et Cali-

(137) *Athlette pastourelle ou fable bocagere,* Paris, G. Beys, 1585 (jointe au t. I des *Bergeries de Juliette*).

(138) *Astrée,* II, 9, 379.

(139) Acte I, sc. I ; voir Ch. B. Beall, *op. cit.,* p. 52 ; ch. Banti, *op. cit.,* p. 49.

(140) t. I, f. 70v° sq. ; voir M. Magendie, *op. cit.,* pp. 181-182.

(141) t. II, f. 96 sq.

don et celle de Silvanire. La première illustre la fidélité à l'amour, par-delà la mort. Tircis reste obstinément fidèle à Cléon qui est morte (142). Est-ce à la *Diana* de Montemayor que d'Urfé a emprunté le sujet de cette histoire ? Belisa a aimé Arsileo. Elle le croit mort, mais elle lui porte la même affection que quand il était auprès d'elle (143). L'auteur de *L'Astrée* a rendu émouvante cette histoire en nous faisant assister au dévouement de Tircis et à la mort de Cléon. Il y a joint le récit des tentatives de Laonice pour imposer son amour à Tircis.

L'histoire de Célidée est un exemple de conduite stoïque. Célidée est aimée de Thamire et de Calidon. Thamire consent à céder Célidée à Calidon. Célidée se défigure pour ne pas être un objet de discorde. Thamire, seul, lui garde son amour, quand elle est devenue laide. Le thème des deux amis dont l'un se sacrifie pour l'autre a été développé par Boccace dans le *Décaméron* (144). A l'histoire de Célidée, deux sources ont été proposées. L'une est l'*Arcadia* de Sannazar où Argalus conserve son amour à Parthénie défigurée par un poison dont Demagoras lui a frotté le visage par jalousie (145). Dans l'une des nouvelles de l'*Heptaméron,* Floride, pour mieux résister à l'amour d'Amadour, se balafre le visage avec une pierre (146). Aux sources qui ont été proposées, nous pouvons ajouter celles de l'histoire de Bellinde et de Célion. Mieux que ses modèles Honoré d'Urfé a su, grâce à la vie qu'il donne à son récit et par les réflexions de Célidée, analyser la conduite de cette femme qui renonce volontairement à sa beauté. Dans *L'Astrée,* l'histoire devient aussi une illustration du thème de l'amour et de la beauté physique. Les détails, accumulés pour expliquer comment Célidée s'est procuré le diamant dont elle se taillade le visage, et son attitude à l'égard de Thamire et de Calidon, confèrent au récit intérêt et vraisemblance.

Honoré d'Urfé n'a cependant pas hésité parfois à faire intervenir le merveilleux dans son roman. Tel est le cas de l'histoire de Silvanire. Celle-ci est aimée de Tirinte. Sur les conseils d'Alciron, Tirinte présente à Silvanire un miroir qui l'endort et la rend comme morte. On l'enterre, mais, grâce à Alciron, elle revient à la vie. Silvanire refuse d'épouser Tirinte. Boccace, dans le *Décaméron,* raconte une histoire tout aussi étrange. Un abbé, séduit par la femme de Féronde, donne à ce dernier une poudre qui le fait passer pour mort. Il est mis en bière et en est retiré trois jours après (147). Une histoire des *Bergeries de Juliette* développe le même sujet. Afin d'enlever Miradapt qu'il aime, Siriach l'endort au moyen d'une poudre qu'il lui remet dans un anneau. On la croit morte, on l'enterre. Siriach l'arrache au tombeau et la transporte à bord d'un vaisseau (148). Il n'est pas certain que d'Urfé se soit inspiré du

(142) *Astrée,* I, 7, 259-269.
(143) Livre III, pp. 133 sq.
(144) 10e journée, 8e nouvelle, *Gesippe ou les deux amis* ; voir J. Marsan, *op. cit.,* p. 285.
(145) I, f. 54r°-87r° ; voir M. Magendie, *op. cit.,* p. 193.
(146) 1re journée, 10e nouvelle ; voir M. Magendie, *op. cit.,* p. 119.
(147) 3e journée, 8e nouvelle.
(148) T. III, f. 197 sq. ; voir J. Marsan, *op. cit.,* p. 378 n. 1.

Décaméron, car le contexte de la nouvelle de Boccace est très différent de celui du récit de *L'Astrée*. Le thème de la « morte vive » est ancien et se trouve déjà dans *Cligès* de Chrétien de Troyes (149). La mort apparente de Silvanire et l'enterrement sont invraisemblables. L'utilisation du miroir, un des éléments traditionnels de l'attirail du magicien, accentue le caractère maléfique d'Aglante et de Tirinte. La jalousie et l'amour passionné de Tirinte s'apparentent ainsi à ceux de Mandrague.

***

Ce relevé des sources littéraires de *L'Astrée* n'a pas la prétention d'être exhaustif (150). Il nous conduit du moins à plusieurs constatations.

Nous pouvons mesurer la dette d'Honoré d'Urfé à l'égard des ouvrages qui étaient les plus lus à la fin du XVIe siècle. *L'Astrée* se situe au carrefour de la mode de la pastorale qui éclôt au théâtre, du goût pour les histoires tragiques qui commence à décliner, de la passion toujours vive pour les prouesses chevaleresques et de la curiosité pour l'analyse sentimentale. Honoré d'Urfé a contracté une dette importante à l'égard de la *Diana* de Montemayor, des œuvres du Tasse, de l'*Amadis de Gaule,* du *Roland furieux,* de l'*Heptaméron* et des *Bergeries de Juliette*. Des emprunts d'origines plus diverses interviennent dans les deux dernières parties où les récits d'aventures ont tendance à prendre le pas sur l'analyse sentimentale.

Ces sources que nous avons indiquées concernent des thèmes d'histoires et des situations. Elles sont parfois nombreuses pour un seul épisode du roman. Elles nous font constater que le rapport entre le récit et les sources proposées n'est pas toujours évident et que l'art d'Honoré d'Urfé a parfois consisté à emmêler en un écheveau d'intrigues des situations empruntées à plusieurs œuvres. S'en tenir à une simple constatation des sources de *L'Astrée* serait défigurer l'œuvre.

La supériorité de *L'Astrée* sur les ouvrages qui ont fourni le sujet de tel ou tel épisode et le modèle de tel ou tel personnage se manifeste par une maîtrise de l'intrigue romanesque, par une incontestable finesse d'analyse psychologique découverte dans aucune œuvre antérieure et par une recherche de la vraisemblance. On pourrait s'étonner de ne voir faire mention nulle part des œuvres de Nervèze, du Souhait, des Escuteaux. Elles ont eu le mérite d'avoir ouvert la voie à *L'Astrée*. Elles ont enseigné aux lecteurs la pudeur, la constance en amour et elles manifestent ce goût du début du XVIIe siècle pour la conversation et l'analyse. Les sujets

---

(149) Pour enlever Fenice à Constantinople, Thesale, sa nourrice, lui donne un breuvage qui l'endort. On la croit morte et on l'enterre. Cligès fait ouvrir le cercueil et peut ainsi enlever Fenice. Voir, à ce propos, M. Magendie, *op. cit.*, p. 116, n. 6.

(150) Sur les sources de *L'Astrée*, on peut encore consulter les articles d'A. Lefranc, « Le roman au XVIIe siècle. Les clefs de *L'Astrée*. Les sources... », in *RCC*, t. XIII (1904-1905), t. XIV (1905-1906).

de ces romans ne sont qu'infortunées et chastes amours, développés en un style qui frise souvent le galimatias et dont on commença à se moquer, dès 1605 (151). Honoré d'Urfé leur doit d'avoir fait désirer le chef-d'œuvre que fut *L'Astrée*.

Il revient à la pastorale espagnole et italienne d'avoir exercé l'influence prédominante sur *L'Astrée*. Incité par son goût personnel et par celui de son temps, Honoré d'Urfé a attaché son intérêt à la pastorale, alors même qu'elle posait le problème du vraisemblable romanesque. Elle offrait l'avantage de fixer plus attentivement le regard sur la psychologie des personnages et de moins s'attacher aux événements extérieurs. Honoré d'Urfé y trouva des exemples d'analyse sentimentale. Celle-ci explique l'attrait qu'exerça son roman sur les lecteurs du XVIIe siècle.

(151) Voir G. Reynier, *op. cit.*, pp. 337-338.

CHAPITRE II

L'INFLUENCE DES PASTORALES

Après la tourmente de la guerre civile qui déchira le pays, la société nouvelle se forgea un idéal de bonheur dont l'Age d'or lui apparut comme l'image parfaite. Voilà pourquoi la vogue des histoires tragiques déclina, tandis que le goût des lecteurs s'inclinait vers la pastorale. La sécurité du lendemain libéra les esprits et permit de s'attarder aux subtilités de l'analyse psychologique. Le roman sentimental put s'épanouir. Mais, bien qu'il tentât de peindre un amour dégagé de toute tentation charnelle, il ne fut pas alimenté d'une sève suffisamment riche pour parvenir à sa pleine floraison. Ni du Souhait, ni Nervèze, ni des Escuteaux ne furent capables de satisfaire l'attente des lecteurs. La liberté et le bonheur de l'Age d'or dont chacun portait en soi le rêve, un autre genre que la pastorale pouvait-il les leur décrire ? N'était-elle pas l'occasion de leur proposer l'analyse sentimentale dont ils étaient avides ? La pastorale, qui, à ses origines, fut la manifestation de l'Europe méridionale, attira surtout les Foréziens, parce que leur province fut troublée par les guerres de la Ligue, et qu'ils éprouvaient le besoin de la douceur de vivre et d'aimer (1). Elle séduisit très tôt Honoré d'Urfé par sa teinte de tristesse, l'innocence et la pureté de l'amour qu'elle peignait et l'analyse psychologique de ses personnages. Le roman pastoral espagnol surtout lui fournit un cadre, des thèmes, des personnages pour *Le Sireine* et *L'Astrée*. La pastorale dramatique italienne lui inspira la *Sylvanire*. Il réunit tous les lieux communs de la tradition pastorale dans les *Tristes Amours de Floridon*.

***

I. — *LE SIREINE* ET L'INFLUENCE DE LA *DIANA* DE MONTEMAYOR.

Les *Bergeries* d'Honoré d'Urfé, dont parle Ducroset, étaient-elles un poème ou un roman ? Nous l'ignorons. Pourtant, nous savons que, dès 1593, l'intrigue de *L'Astrée* est bâtie dans son ensemble : amour de Céladon et d'Astrée, amour de Galathée pour Céladon, désespoir d'Astrée qui, convaincue que Céladon est mort, regrette

(1) Pour une explication de la vogue du genre pastoral en Forez, voir C. Longeon, *Une province française à la Renaissance...*, pp. 476 sq.

ses rigueurs et désire mourir. Cette intrigue semble calquée sur celle d'un roman espagnol. Vers cette époque, d'Urfé a lu l'œuvre de Montemayor, puisqu'il débute dans le genre pastoral en écrivant un long poème qui imite la *Diana*.

Le Sireine développe en effet un épisode qui devrait se situer avant le début de la pastorale de Montemayor. D'Urfé connaissait les œuvres de Perez et de Gil Polo qui ont donné une suite au roman de Montemayor. Son originalité a été d'imaginer le bonheur de Sireine avant son départ, ses sentiments pendant son absence et enfin son désarroi au retour. *Le Sireine* se termine sur une note de tristesse, peut-être dictée par les sentiments de son auteur. Nul ne campe des héros affligés, s'il n'est lui-même malheureux. Il nous importe surtout de connaître comment ce jeune homme a utilisé la matière que lui fournissait Montemayor (2).

Comme celle de la *Diana,* l'action du *Sireine* se situe sur les bords de l'Ezla et la Fontaine des Alisiers est témoin des serments d'amour de Sireine et de Diane. D'Urfé développe l'argument placé par Montemayor en tête de son œuvre. Dans les plaines de Léon, au bord de la rivière Ezla, il y avait une très belle bergère appelée Diana. Un amour réciproque et honnête la liait à Sireno. Silvano l'aimait aussi, mais son amour était repoussé. Sireno fut obligé de partir. Le cœur de Diana changea pendant son absence, et la bergère épousa Delio. Après un an d'absence, Sireno revint. Avant son arrivée, il avait appris la nouvelle du mariage de Diana (3). Quand le récit de Montemayor débute, Sireno revient sur les lieux où jadis il connut le bonheur auprès de Diana. D'Urfé imagine donc la scène de l'adieu, dont Sireine a gardé le souvenir.

La *Diana* révèle par bribes les adieux de Diana et de Sireno. Sireno tire de son sein un papier retenu par des cordons de soie verte et qui contient des cheveux. Ce sont ceux que Diana lui a donnés, au moment de son départ (4). A partir de ces éléments épars, d'Urfé recompose la scène, en bouleversant toutefois l'ordre du roman. Diane remet à son amant ce gage d'amour :

« Prens berger ce cordon heureux
Que je t'ay faict de mes cheveux,
Heureux parce qu'en mon absence

(2) Honoré d'Urfé écrivit ce poème peu de temps après sa sortie du collège. En effet, le libraire, dans l'avis qui précède *Le Sireine,* écrit que d'Urfé composa « cet essay de son esprit en son enfance, et à peine sorty de ses premieres etudes. » Des corrections et des additions importantes furent apportées en 1606, puis en 1618 à la première rédaction du *Sireine* dont le manuscrit est conservé à la Bibliothèque nationale (Ms. frs, n° 12486). Voir, à ce propos, W. Fisher, « Honoré d'Urfé's Sireine and the Diana of Montemayor », in *MLN*, vol. XXVIII (1913), p. 166. Le tableau suivant emprunté à W. Fisher permet de mesurer les modifications apportées par d'Urfé à la première rédaction :

	Manuscrit	*éd. 1618*	*éd. 1606*
Le despart	139 stances	149 stances	148 stances
L'absence	122 stances	170 stances	169 stances
Le retour	142 stances	284 stances	284 stances

(3) Nos références sont faites à l'édition suivante, *Los siete libros de la Diana,* Madrid, Espasa - Calpe, 1967 (coll. Clasicos Castellanos).

(4) *Ibid.,* l. I. p. 12.

Il sera tousjours pres de toy
Prens le pour gage de ma foy,
Et pour marque de ta puissance. » (5)

Elle ajoute à ce don celui d'une bague :

« Et reçoy ceste bague aussi,
Afin que tu sçaches ainsi
Que ces deux mains y sont serrées
Par des doubles fidelitez,
Que nos unies volontez
Ne sçauroient estre separées. » (6)

Dans la *Diana,* un chant de Doride évoque ces adieux. Diana a a donné à Sireno un bracelet de cheveux et une bague où sont gravées deux mains assemblées (7).

Puisque le poème pastoral d'Honoré d'Urfé se termine au moment où débute celui de Montemayor, certaines scènes du premier livre de la *Diana* se retrouvent dans la dernière partie du *Sireine.* Le « berger désolé », revenu sur les bords de l'Ezla, revit par la pensée les heures délicieuses passées en compagnie de Diana. Montemayor écrit :

« Pues llegando el pastor a los verdes y deleitosos prados que el caudaloso rio Ezla con sus aguas va regando, le vino a la memoria el gran contentamiento de que en algun tiempo alli gozado avia, siendo tan senor de su libertad, como entonces subjecto a quien sin causa lo tenia sepultado en las tinieblas de su olvido. » (8)

Honoré d'Urfé transpose ainsi cette scène :

« Doncques le berger arrivant
Où le doux Ezla va lavant
L'herbage qui ses bords tapisse
En mille replis gracieux,
Tous ces objets delicieux
Luy furent subjects de supplices.

D'autant qu'ils firent revenir
Aussitost à son souvenir
Le temps heureux, qu'en ceste place
Autrefois il avoit passé,
Temps, dont l'heur estoit effacé
Dessous l'obscur de sa disgrace. » (9)

Sireno se souvient que Diane avait écrit sur le sable du rivage : « Antes muerta que mudada » (10). Le même souvenir revient à la mémoire de Sireine :

---

(5) *Le despart,* str. CXXXIII.
(6) *Ibid.*, str. CXXXIV.
(7) *Diana,* éd. cit., l. II, p. 86, *Cancion de Diana.*
(8) *Ibid.*, l. I, p. 9, « Puis le berger arrivant aux verdoyantes et agréables prairies que le grand fleuve Ezla va arrosant de ses eaux, il lui vint en mémoire le temps heureux passé en cet endroit, quand il était encore maître de sa liberté, alors que maintenant il était soumis à celle qui le tenait sans raison dans les ténèbres de son oubli. »
(9) *Le Sireine, Le retour,* str. CXCVI - CXCVII.
(10) Montemayor, *La Diana,* l. I, p. 14, « Morte avant que changée ».

« Un jour assise vis à vis
De ceste rive, je la vis
Lors envers moy tant engagée,
Que pour moy seule elle vivoit,
Et là sur le sable escrivoit
Du doigt : Morte avant que changée » (11).

En fait, les sentiments de Diane n'ont pas changé. Montemayor laisse d'abord Sireno faire longuement le procès de l'inconstance de Diane. Au sixième livre seulement, Diana apprend à Sireno, près de la Fontaine des Alisiers, que la volonté de ses parents l'a contrainte à accepter Delio comme mari. Dans *Le Sireine*, Diane épouse Delio pour obéir à sa mère. La différence n'est pas importante (12).

Les personnages principaux des deux œuvres sont les mêmes et ils partagent les mêmes sentiments. Sireine est incapable de pardonner à Diane, il est, comme dans la *Diana*, le « berger désolé ». Silvan, ami de Sireine et son rival en amour, joue le même rôle et éprouve les mêmes sentiments que Silvano. Tous deux ont des motifs pour se plaindre des rigueurs de l'amour. Selvage, qui défend Diane, Doride, qui fut témoin de sa souffrance, et la nymphe Polidore, figurent dans les deux pastorales. L'époux de Diana, Delio, est riche des biens de la fortune et non de ceux de la nature : « aunque es ricado de los bienes de fortuna, no lo es de los de naturaleza », dit Silvano (13). Avec plus d'esprit, Silvan le qualifie ainsi :

« ... homme imparfaict
Et qu'à despit Nature a faict. » (14)

D'Urfé pousse parfois son imitation jusqu'à traduire son modèle espagnol. Walter Fischer a montré que, dans l'*Absence* et le *Retour*, les traductions littérales de Montemayor étaient moins nombreuses que dans le *Despart* où, sur 149 strophes de l'édition de 1618, 127 sont soit une transposition littérale, soit une paraphrase de la *Diana* (15). Souvent, la moitié d'un dizain de la pastorale espagnole fournit à d'Urfé la matière d'une strophe. Par exemple, Montemayor écrit :

« Este pastor se moria
por amores de Diana,
una pastora loçana
duya hermosura excedia
la naturaleza humana.
La qual jamas tuvo cosa

(11) *Le Sireine, le retour*, str. CCXIII.
(12) Voir, à ce propos, W. Fisher, *art. cit.*, p. 167.
(13) Montemayor, *Diana*, l. I, p. 30.
(14) *Le Sireine, le retour*, str. XCIIII.
(15) Voir W. Fisher, *art. cit.*, p. 166. On peut se demander si d'Urfé a utilisé le texte original de Montemayor ou s'il a eu recours à la traduction française de Nicolas Colin publiée en 1572 pour la première fois. Une étude de la traduction d'Urfé dans *Le Sireine* montre qu'elle est totalement indépendante de celle de Nicolas Colin. Nous avons déjà constaté qu'Honoré d'Urfé connaissait la langue espagnole et qu'il se référait aux textes espagnols plutôt qu'à une traduction.

que en si no fuesse estremada ;
pues ni pudo ser llamada
discreta, por no hermosa
ni hermosa por no avisada. » (16)

Ce passage du chant de Doride est transposé par Honoré d'Urfé de la façon suivante, dans le *Despart* :

Strophe XVII.

« Ce berger qu'Amour devoroit,
Des longs temps mourant adoroit
Des beautés la beauté plus belle
Une Diane estoit son cœur,
Mais la servant il eust tant d'heur
Que l'aimant il fut aimé d'elle.

Strophe XVIII.

Naissant ceste fille avoit eu
Tant de beauté, tant de vertu,
Et depuis devint si parfaicte
Que son nom n'eust jamais esté
Discrette à faute de beauté,
Ni belle pour n'estre discrette. » (17)

Les traits d'esprit de Montemayor sont soigneusement respectés par d'Urfé :

« El sol por ser sobre tarde
con su fuego no le ofende
mas el que de amor depende
y en el su coraçon arde
mayores llamas enciende. » (18)

Strophe XXVII.

« Alors le soleil qui baissoit
Le berger guere n'offençoit
Mais d'Amour la chaleur plus forte
Vivante au milieu de son cœur,
Par un beau soleil son vaincœur
Le brusloit bien d'une autre sorte. » (19)

---

(16) Montemayor, *La Diana,* l. II, p. 74, *Canto de la Nimpha,* « Ce berger mourait d'amour pour Diane, une bergère gracieuse, dont la beauté était surnaturelle et divine. Rien en elle qui ne fût exceptionnel ; on ne la traita jamais de spirituelle parce qu'elle manquait de beauté, ni de belle parce qu'elle manquait d'esprit. »

(17) Le manuscrit du *Sireine* révèle les tâtonnements d'Honoré d'Urfé pour transposer les vers de Montemayor :

Strophe 4 : « Le berger mouroit adorant
Ce berger adoroit mourant
Des beautez la beauté plus belle... »
Strophe 5 : « Car la beauté et la vertu
Avoient tellement combattu
A qui la rendoient plus parfaite... »

Voir l'article de W. Fisher, p. 166, n. 9.

(18) Montemayor, *op. cit.,* l. II, p. 175, *Canto de la Nimpha,* « Le soleil ne le blesse pas de ses feux, car c'est la fin de la journée, mais le feu tributaire de l'amour qui brûle dans son cœur allume de plus grandes flammes. »

(19) *Le Sireine, Le despart,* str. XXVII.

Parfois, la traduction d'Urfé est maladroite, et le manuscrit du *Sireine* prouve les tâtonnements (20), parfois une réminiscence de Virgile vient se mêler à celles de la *Diana* (21). Parfois encore, l'influence de l'*Arcadie* de Sannazar se fait sentir. Cette œuvre fournit, en effet, le nom du chien de Sireine, Mélampe, et l'épisode de la tentative de suicide. Sur le bateau qui le ramène dans sa patrie, Sireine entend des matelots raconter l'infidélité de Diane. De désespoir, il se jette à la mer et il est sauvé par les marins (22). Ce thème du suicide manqué est développé dans l'*Arcadie* (23), et devient traditionnel dans la pastorale du XVIIe siècle.

Honoré d'Urfé fait cependant preuve d'originalité dans *Le Sireine.* Si des maladresses font souvent regretter le charme de la *Diana, Le Sireine,* révèle, du moins, les qualités du futur auteur de *L'Astrée* : sens de la description et habileté à conduire le récit. La *Diana* offre une description du costume des nymphes. Montemayor les présente vêtues de robes blanches ornées de feuillage d'or, les cheveux tressés autour de la tête et rehaussés de perles d'Orient et d'un aigle d'or avec un diamant (24). La description des nymphes du *Sireine* laisse entrevoir une inspiration plus italienne qu'espagnole :

« Leurs cheveus voloient vagabonds
Esmeus du vent à petits bons
. . .
Comme soubs l'obscur de la nuict,
Au travers de quelques nuages,
Des nymphes luisoient amoureux
Au travers de leurs longs cheveux
Les rayons de leurs beaux visages.

Un lien de perles empouloit
Leur sein qui jeune poumeloit,
Et ses perles orientales
N'estoient pour enrichir leur sein,
Mais pour faire voir à dessein
Leurs blancheurs ne leur estre esgales.

Leurs robes blanches jusqu'en bas
Ostoient la veüe de leur pas,
Bien qu'entre-ouvertes soubs la hanche,

(20) Voir, W. Fisher, *art. cit.*, p. 168.
(21) Par exemple, la strophe XXXVI du *Despart* :
« Ce mal heur souffrir ne se peut,
De le fuyr, Amour ne veut
Encor' que je m'esloigne d'elle,
Le Cerf attaint fuit escarté,
Mais où qu'il aille, à son costé,
Pend tousjours la flesche mortelle. »
C'est une réminiscence de l'*Enéide,* IV, 69 :
« Qualis conjecta cerva sagitta,
...Fuga silvas saltusque peragrat
Dictaeos ; haeret lateri letalis arundo. »
Voir, à propos de cette imitation, W. Fisher, *art .cit.*, p. 168.
(22) *Le Sireine, le Retour,* str. XII-XXXVIII.
(23) Sannazar, *op. cit.*, f. 51 v°.
(24) Montemayor, *op. cit.*, l. II, p. 71.

Quelquefois si le vent poussoit
Le brodequin leur paroissoit
Qui monstroit la jambe plus blanche. » (25)

Ce passage révèle le sens du mouvement, de la lumière et du relief, qui créera le charme des tableaux et des descriptions de femmes dans *L'Astrée*.

Malgré des longueurs regrettables, le récit du *Sireine* maintient la curiosité du lecteur en éveil. Honoré d'Urfé y est parvenu en créant le personnage du messager qui n'existe pas dans la *Diana*, mais qui joue un rôle dans les pastorales italiennes et dans le roman grec. Berger et père nourricier de Sireine, le messager sert à la fois de narrateur et d'intermédiaire pour l'échange des lettres. Celles-ci, qui ne font pas beaucoup progresser l'action de la *Diana*, permettent dans *Le Sireine* de connaître les sentiments de Diane et de préparer l'événement qui cause le désespoir de Sireine. En effet, la première lettre, remise par le messager, affirme l'amour de Diane. Elle supplie Sireine de revenir à la hâte et, après les serments de fidélité, elle se termine par ces mots :

« Outre que ma mere se deult,
Et plus longuement ne me veult
Seule dans un lict solitaire,
Et souvent se fasche avec moy,
Mais pourveu que je sois à toy
A son gré me tance ma mere. » (26)

Le messager revient et trouble le bonheur de Sireine. La menace du mariage se fait plus pressante :

« Iuge combien peut contre tous,
D'une mere l'aspre courroux,
Et la violence d'un frere... » (27)

L'amour de Diane pour Sireine est pourtant toujours aussi profond. Grâce au messager et à une lettre de Diane, l'intrigue est née. Comme dans la *Diana* de Montemayor, d'Urfé donne à l'analyse des sentiments le pas sur l'événement extérieur. Toute l'action repose, jusqu'à la fin du poème, sur le drame qui se joue dans le cœur de Sireine et dans celui de Diane. Le mariage, la rencontre de Sylvain, le récit des nymphes n'en sont désormais que le prétexte et fournissent à Sireine l'occasion de laisser libre cours à son désarroi. La dernière partie du poème est dominée par la dernière lettre de Diane à Sireine et par celle de Sireine à Diane. Celle de Diane est encore une affirmation de son amour :

« Diane Sireine aymera
Tant que Diane elle sera
Sireine en fera-t-il de mesme ? » (28)

(25) *Le Sireine, le Retour*, str. CCXXXVI-CCXXXIX.
(26) *Ibid., l'absence*, str. LXXXI.
(27) *Ibid.*, str. XCV.
(28) *Ibid., Le retour*, str. CCXXXIII.

La lettre de Sireine, lue par Selvage, est un cri de désespoir et un souhait de mort. Diane dit à sa compagne la sincérité de son amour pour Sireine, et elle déclare que son honneur est désormais, pour elle, le seul devoir :

> « Donques pour offencer le moins,
> . . . .
> Je jure de l'aymer tousjours,
> Mais pour mon honneur, mes amours
> Si je puis je ne veux qu'il voye. » (29)

Ainsi naît, dans *Le Sireine,* le conflit de l'honneur et de l'amour que *L'Astrée* développera plus longuement. Les lettres échangées par les deux héros ont permis à l'auteur de situer le drame pastoral dans le cœur de ses personnages. D'Urfé, encore tout jeune homme, laisse entrevoir les qualités romanesques qui assureront le succès de *L'Astrée.* La douleur de deux amants vertueux et désespérés constitue l'intrigue du *Sireine,* comme celle de Céladon et d'Astrée sera le sujet du roman. A la première lecture, *Le Sireine* est sans originalité, parce qu'il porte les marques d'une œuvre de jeunesse. Pourtant, un goût pour l'analyse des sentiments et un sens de la situation dramatique s'y font sentir. *Le Sireine* répondait déjà au goût des lecteurs. Il ne connut pas moins de onze éditions jusqu'en 1619. Il fallait pourtant aux lecteurs une œuvre plus ample qui comblât mieux encore leur désir de l'analyse sentimentale. *Le Sireine* fut un prélude, *L'Astrée* fut la grande œuvre qui occupa la vie de son auteur. Honoré d'Urfé était né romancier et poète, sans doute plus romancier que poète, comme on s'est plu à le répéter. Parce qu'il était l'un et l'autre, il composa un roman pastoral qui, par le décor, le thème de l'amour et les personnages, se rapproche plus de la pastorale espagnole que de la pastorale italienne.

II. — L'Astrée.

Huet, dans son *Traité de l'origine des romans,* écrit que d'Urfé a pris l'idée de ses pastorales

> « ... comme tant d'autres choses et l'argument mesme de son *Sireine,* de la *Diane* de Montemayor, ou de l'*Aminte* du Tasse, ou du *Pastor Fido* de Guarini qu'il a aussi pillé sans scrupule, ou de quelqu'une des autres pastorales italiennes, qui sont en si grand nombre que Bartoli d'Urbin en avait ramassé jusqu'à quatre vingt. » (30)

Tous, selon Huet, ont pillé le roman de Longus. Ces propos ont créé une tradition critique selon laquelle d'Urfé aurait puisé son inspiration dans les romans grecs et plus dans les pastorales italiennes que dans les pastorales espagnoles (31).

---

(29) *Ibid.,* str. CCLXXXIII.

(30) Cité par M. Magendie, *op. cit.,* pp. 106-107.

(31) Voir N. Bonnafous, *op. cit.,* pp. 236-240 ; L. Feugère, *Les femmes poètes au XVI*[e] *siècle, étude suivie de Mlle de Gournay, d'Urfé, le Maréchal de Montluc, G. Budé, Ramus,* pp. 233-234 ; O.C. Reure, *op. cit.,* pp. 209-274 : A. Lefranc, *art. cit.,* in *RCC,* t. XIV (1905-1906), p. 216 ; H. Koerting, *op. cit.,* t. I, pp. 113 sq. ; P. Morillot, *Le roman en France depuis 1610 jusqu'à nos jours — Lectures et esquisses,* Paris, Masson, s.d., pp. 17 sq.

Que d'Urfé ait voulu composer un roman pastoral ne fait aucun doute. Il donne à la première partie de son œuvre le titre suivant : « *L'Astrée, de Messire Honoré d'Urfé, ou par plusieurs histoires, et souz personnes de bergers et d'autres sont deduits de divers effets de l'honneste amitié.* » Ce titre n'est pas sans étroite analogie avec celui de la *Diana* de Montemayor. Honoré d'Urfé a donc voulu, à l'origine, composer un roman dans la tradition pastorale espagnole. Peu à peu, nous semble-t-il, des éléments plus spécifiquement romanesques modifièrent le projet initial, En donnant à son roman un cadre espagnol, d'Urfé acceptait la tradition du genre et ses artifices. Pour découvrir les sources pastorales de *L'Astrée,* il n'est nécessaire de faire appel ni à l'œuvre de Théocrite ni à celle de Virgile (32), ni même de rechercher des ressemblances avec l'*Arcadie* de Sannazar. Les emprunts d'Urfé aux littératures anciennes sont peu importants. Et si *L'Astrée* semble parfois rappeler l'*Arcadie,* c'est que cette œuvre italienne, qui doit certainement beaucoup à Virgile, à Ovide ou à Théocrite, a servi de modèle à de nombreux écrivains antérieurs à d'Urfé. Doit-on, dès lors, affirmer que l'*Arcadie* est, en général, une source de *L'Astrée* ? Si *L'Astrée* subit des influences italiennes, elles ne sont que fragmentaires, irrégulières, et malaisées à préciser, comme on le constate en analysant les éléments qui composent le cadre pastoral.

Pendant plus d'un siècle, l'Espagne s'est engouée pour la pastorale italienne qu'elle a acclimatée dans le roman. C'est bien l'*Arcadie* de Sannazar qui lui a imposé son cadre pastoral. Mais, la pastorale italienne, — et ce sera sa caractéristique —, se situe dans une campagne idyllique, où les travaux sont gracieux et ne réclament aucune peine. La campagne y est un lieu de séjour rêvé par l'homme de la cour. L'Espagne, avec son observation réaliste, a modifié le cadre, en rappelant, de temps à autre, les réalités champêtres. Quoi qu'on en ait dit (33), si d'Urfé, familier des œuvres italiennes et homme de cour, idéalise la campagne forézienne, du moins, *L'Astrée* ne méconnaît point les réalités champêtres. Les bergères de l'Ezla lavent leur linge, les bergers s'occupent de leurs brebis, de leurs vaches ou de leurs bœufs. Celles du Lignon ignorent ces basses besognes, mais les brebis du Forez sont malades ou se perdent, leurs propriétaires s'inquiètent et ne négligent point la prospérité de leur troupeau. Rustiques, ils le sont moins que ceux de Montemayor ; toutefois, la campagne de *L'Astrée* n'est pas totalement idyllique. Plus proche de celle des pastorales espagnoles, elle se teinte d'une note discrète de réalisme.

Depuis l'*Arcadie,* il fut d'usage de glisser un éloge de la campagne dans le récit des aventures pastorales. Chez Sannazar, il est discret. L'auteur, homme de la ville, exilé en Arcadie, regrette les plaisirs de son « délicieux » pays. Il déclare qu'il n'est pas possible que les jeunes hommes nourris en ville puissent vivre en Arca-

---

(32) Voir M. Magendie, *op. cit.,* pp. 102-103. Pour justifier le choix du Lignon, Honoré d'Urfé rappelle cependant l'exemple d'Hésiode, d'Homère et de Pindare, et celui « des autres grands personnages de la Grèce... », (*Astrée,* I, *L'autheur à la bergere Astrée,* p. 7.

(33) Voir M. Magendie, *op. cit.,* p. 162.

die (34), Il recommande la solitude, car celui-là est heureux qui sait par modestie et courage se retirer du monde pour se contenter de sa fortune (35).

Il appartient à l'Espagne d'avoir créé la tradition de l'éloge de la campagne et non pas seulement celui de la solitude, loin des ambitions mondaines. Montemayor, certes, se complaît à décrire le luxueux palais de Felicia, mais la *Diana* débute par l'affirmation du bonheur qu'éprouva jadis Sireno dans la florissante campagne arrosée par l'Ezla. Il ne considérait point les bons ou mauvais succès de la Fortune. Il n'enviait pas la convoitise de l'ambitieux courtisan ni l'orgueil des mignons de cour (36)

Plus nettement encore que Montemayor, Gil Polo exalte la vie pastorale par opposition à la vie de cour (37). Cet éloge devient un couplet de la pastorale espagnole. Tout en maintenant la part importante de la tradition qui s'était créée en France, nous devons conclure que d'Urfé a trouvé, dans la *Diana*, puis dans la *Galatea* de Cervantès, confirmation à son goût pour la campagne, qui transparaît dans *L'Astrée* (38). Mais aucune pastorale n'a aussi bien chanté la douceur de la campagne que *L'Astrée*.

Le roman d'Urfé se distingue aussi nettement des pastorales italiennes et espagnoles par la peinture du paysage. *L'Arcadie* a, dans ce domaine encore, créé une tradition : le décor sera dès lors invariablement le même. Sannazar ne s'y attarde guère ; il se contente d'écrire :

> « Dessus le Mont Parthenio, qui n'est pas des moindres de la pastorale Arcadie, se trouve une belle plaine de bien petite estendue, pour autant que la situation du lieu n'en seroit autrement capable. » (39)

Montemayor n'est pas plus précis. « Le disgracié Sireno » descend « des montagnes de Léon » et arrive aux verts et délectables prés que le large fleuve Ezla va arrosant de ses eaux (40). Dans la *Diana enamorada* de Gil Polo, dans la continuation de Perez, la peinture du paysage est aussi réduite. Le *Pastor de Filida* ne lui réserve pas une place plus importante, et Cervantès, dans la *Galatea*, ne se soucie guère de situer les actions de ses personnages. Le décor extérieur intéresse peu les auteurs espagnols, seuls ont de l'importance

(34) Sannazar, *Arcadie*, f. 41 v°.
(35) Id., *ibid.*, f. 114 v°.
(36) Montemayor, *op. cit.*, l. I, p. 10.
(37) Gil Polo, *Diana enamorada*, in Menandez y Pelayo, *Origines de la Novela*, t. II, p. 355, col. 2. Diana vante les beautés de la campagne : « Cosas son maravillosas los que la industria de los hombres en las pobladas ciudades ha inventado, pero mas espanto dan las que la naturaleza en los solitarios campos ha producido. »
(38) Dans la *Galatea*, Cervantès introduit un débat sur la campagne et la cour dont Honoré d'Urfé a pu se souvenir. Darinto vante la supériorité de la campagne : « No te digo mas sino que conmigo puede tanto lo que de la vida pastoral conozco, que de buena gana trocaria la mia con ella. » Elicio lui répond : « ... te se dicir que hay en la rustica vida nuestra tantos resbaladeros y trabajos, como se encierran en la cortesana vuestra. » (t. II, l. IV, pp. 33 sq.)
(39) Sannazar, *op. cit.*, f. 3 v°.
(40) Montemayor, *op. cit.*, l. I, p. 10.

à leurs yeux les sentiments de leurs personnages. Dès lors, le décor où se font entendre les plaintes et les déclarations d'amour des bergers est invariablement et conventionnellement le même : un éternel été règne sur la campagne ; les bergers se rencontrent dans une grande prairie à l'herbe épaisse émaillée de fleurs dont les bergères aiment tresser des couronnes ou des guirlandes ; à l'heure où la chaleur devient insupportable, troupeaux et bergers s'assemblent près d'une fontaine aux eaux fraîches, ombragée de grands arbres. Le décor est ainsi planté, dont la monotonie est rompue par des buissons, quelques arbres et des fleurs. Il ressemble plus à un décor de théâtre qu'à celui d'un roman. Nicolas de Montreux l'adopta en en accentuant le caractère conventionnel.

Le paysage de *L'Astrée* semble le même. Jamais les bergers n'ont froid dans les plaines du Forez, l'air y est doux, le soleil les contraint à rechercher l'ombrage des arbres et la fraîcheur de la fontaine des Sycomores (41). Certes, elle n'est plus, comme dans *Le Sireine,* la fontaine des Alisiers de Montemayor ; l'Ezla a été remplacé par le Lignon et la grande prairie est devenue celle de La Pra. Ces différences sont insignifiantes. Qu'on relise pourtant le début de *L'Astrée* et l'on y sentira une originalité. Le pays est heureux, fertile, riche, comme celui des bords de l'Ezla ou du Tage, mais la scène s'enferme avec précision dans la plaine du Forez dont les pointes d'Isoure, de Marcilly et les chaînes de montagnes marquent les limites. Si la convention subsiste, d'Urfé la dissimule. Un air de réalité s'en dégage, une bouffée de bonheur envahit le lecteur et plus aucune lassitude ne s'empare de lui. Au fur et à mesure que d'Urfé écrit son roman, la description conventionnelle s'amenuise. De moins en moins souvent les bergers se réunissent près de la fontaine des Sycomores, seul subsiste le Lignon qui, bien qu'imposé par la tradition pastorale, donne à ce paysage une note de régionalisme.

Gil Polo avait déjà réagi contre le décor conventionnel de la *Diana* en décrivant la région de Valence (42). Cervantès avait donné sa préférence à la région qui borde les rives du Tage. En Italie, le Tasse, d'une façon très vague, à vrai dire, avait situé l'action de l'*Aminta* sur les rives du Pô. A ce goût pour le régionalisme qui fit progressivement abandonner le pays conventionnel de l'Arcadie vint s'ajouter, en Espagne, un nationalisme fervent. Montemayor inaugura la célébration des gloires de l'Espagne dans sa pastorale. Dès lors, se retrouva, sous la plume des continuateurs, l'éloge des célébrités nationales. Avec la *Diana,* la pastorale réduisit l'appareil mythologique et les réminiscences classiques, afin de revêtir un caractère plus humain et plus national.

L'influence de la pastorale espagnole sur l'œuvre d'Honoré d'Urfé coïncidait avec la tendance de la littérature française du XVIe siècle à devenir nationale en s'affranchissant des modèles anti-

---

(41) Voir, par exemple, *Astrée,* I, 10, 410, II, 3, 105 : « Ces bergers et bergeres alloient se promenant ensemble, cherchant les fresches ombres, et les agreables sources de fontaines... »

(42) Voir M.I. Gerhardt, *op. cit.,* p. 190.

ques et étrangers (43). Belleforest, comme Montemayor qu'il suit fidèlement, éprouve le besoin de célébrer les gloires de sa patrie, dans la *Pyrénée*. Il y manifeste son culte pour le coin de terre qui l'a vu naître et y vante les campagnes fertiles arrosées par la Garonne et la Save, les villages des Landes, de l'Armagnac et du Béarn, dominés par les Pyrénées. Le roman français, qui, sous l'influence de la société polie du règne d'Henri IV, devint mondain, continua à secouer le joug de l'Antiquité et des influences étrangères, en plaçant ses aventures en France. D'Audiguier situe dans l'ancienne Gaule l'action de son roman, *La Flavie de la Menor*, publié en 1606 (44). Tandis que Nicolas de Montreux s'était attardé à évoquer des paysages fastidieusement conventionnels, d'Urfé suivit la tradition qui se créait, en conférant un caractère national à *L'Astrée*. Le roman de la fin du XVIe siècle décrit, avec une certaine exactitude topographique, les régions de nos provinces. A l'imitation des *Bergeries* d'Urfé, Ducroset situe l'action de sa *Philocalie*, en Forez, et célèbre sa petite patrie de Crozet. En 1593, Honoré d'Urfé avait donc déjà songé à doter sa pastorale d'un caractère nettement régionaliste. A la conception nouvelle du roman il lui appartenait de donner une expression plus précise. Dans *L'Astrée*, il racontera des aventures françaises, souvent contemporaines, et situées en Gaule. Il leur donnera pour cadre sa province et décrira, sinon toujours avec pittoresque, du moins avec un charme nouveau, les paysages du Forez, de la région lyonnaise ou de la Savoie. Nul autre romancier n'avait eu un tel goût pour la précision topographique. Le Forez est idéalisé, mais le lecteur n'a pas l'impression d'être totalement dépaysé. Rêve et réalité s'allient poétiquement. La tradition pastorale subsiste et la précision lui confère un caractère de réalité. Les bergers de Nicolas de Montreux, comme ceux de Sannazar, consultent l'écho. Nous ne savons ni où, ni comment Silvandre, attristé, erre à l'aventure et interroge l'écho :

> « De fortune..., il se trouva sur le bord de la delectable riviere de Lignon vis à vis de ce rocher, qui estant frappé de la voix, respond si intelligiblement aux derniers accens. » (45)

Nous ne pourrions sans doute nous rendre à cet endroit, mais le récit, par la recherche de la précision topographique, prend un air de vraisemblance qui n'existe pas dans les pastorales étrangères. *L'Astrée*, tout en empruntant le cadre traditionnel de la pastorale, est l'œuvre la moins pastorale de toutes. L'auteur a subi consciemment l'influence du nouveau genre romanesque qui s'élaborait en France. Il a donné « une expression plus savante et plus complète à ce qui s'était traduit jusque-là sans expérience et sans art. » (46)

Par sa valeur morale et didactique, *L'Astrée* affirme, en effet, sa supériorité sur les autres romans contemporains. D'Urfé s'éloi-

---

(43) G. Reynier, *op. cit.*, pp. 269 sq.
(44) Paris, T. du Bray, in-12.
(45) *Astrée*, II, 1, 9.
(46) G. Reynier, *op. cit.*, p. 344. Sur la réalité géographique et son utilisation par les romanciers du début du XVIIe siècle, voir l'art. de E. Henein, « Romans et réalités (1607-1608) », in *RDS*, n° 104 (1974), pp. 33-36.

gne de la pastorale espagnole en en accusant le caractère qui répond le mieux aux aspirations de la nouvelle société attirée par l'analyse sentimentale. Nul autre genre littéraire ne se prêtait mieux à cela que la pastorale. L'unique préoccupation des bergers est l'amour ; il est le seul sujet de leurs débats. L'*Arcadie* avait ouvert la voie à l'analyse sentimentale, mais *L'Astrée* a une parenté beaucoup plus étroite avec la pastorale espagnole.

En effet, Sannazar ne se préoccupe pas du problème philosophique posé par l'amour. Jamais, d'ailleurs, la pastorale italienne n'a manifesté un goût pour le néo-platonisme dont la vogue gagnait la France et l'Espagne. Avec le Tasse s'exprima même un refus délibéré de tout débat philosophique. Dans l'*Aminta,* l'amour n'est pas raisonneur, il n'est que sentiment. Les livres qui traitent de la science d'amour apparaissent vains au Tasse :

« Amore, in quale scola,
Da qual mastro s'apprende,
La tua si lunga e dubbia arte d'amare ?
Chi n'insegna a spiegare
Cio che la mente intende,
Mentre con l'ali tue sovra il ciel vola ?
No gia la dotta Atene,
Né'l Liceo nel dimostra ;
Non Febo in Elicona,
Che si d'Amor ragiona,
Come colui ch'impara. » (47)

Le *Pastor Fido* de Guarini, malgré ses prétentions de s'opposer à son modèle, ne fit pas une part plus belle aux considérations d'école sur l'amour. Sa conception de l'amour, moins sensuelle que celle du Tasse, ménage une place aux conseils d'une banale sagesse de conduite. En cela, l'influence du *Pastor Fido* ne se laisse nullement sentir dans *L'Astrée.* D'Urfé s'est plutôt soumis au Tasse, en campant le personnage d'Hylas qui oppose à Silvandre son expérience et prétend que l'amour refuse toute discussion philosophique.

La large place accordée aux débats philosophiques rapproche *L'Astrée* de la pastorale espagnole qui confère à l'amour un caractère toujours sérieux et grave. L'amour, dans *L'Astrée,* n'est plus l'instinct grossier et brutal auquel satisfont les bergers de Nicolas de Montreux. Si les personnages laissent parfois libre cours à leur sensualité, mais discrètement la plupart du temps, ils éprouvent toujours de l'intérêt aux discussions philosophiques. Mises à la mode en Italie par les dialogues de Léon Hébreu, celles-ci ne trouvèrent qu'en Espagne leur place dans le roman pastoral. Elles répondaient à la conception mystique qui est particulière à l'Espagne

---

(47) Le Tasse, *Aminta,* chœur de l'acte II, « Amour, dans quelle école, de quel maître apprend-on ton art d'aimer si long et incertain ? Qui nous enseigne à expliquer ce que comprend l'intelligence tandis qu'avec tes ailes tu voles par dessus le ciel ? Pas plus la docte Athènes que le Lycée ne nous le démontre, ni Phoebus sur l'Hélicon qui disserte sur l'amour comme quelqu'un qui l'étudie. »

et fait réellement de la femme une divinité digne d'être rituellement adorée (48).

Parce que Montemayor est admirateur de l'œuvre de Léon Hébreu, le sujet favori des bergers de la *Diana* est l'amour. La pastorale atteint son point culminant au livre IV. Les bergers tourmentés se rendent chez la sage Felicia. Dès leur arrivée, s'institue une cour d'amour devant laquelle Felicia expose l'essentiel des théories de Léon Hébreu, afin de ramener la paix dans les cœurs. A Sireno qui s'interroge sur le rôle de la raison, elle répond :

> « ... il ne semble pas que pour ce que l'amour a pour mere la raison, il faille penser qu'il ne se regle ny gouverne par elle : ainsi tu as à presuposer, que puisque la raison de la cognoissance l'a engendré, moins souvent elle veut qu'elle le gouverne. Il est tellement effrené que le plus souvent il vient au dommage et prejudice de l'amant, et d'ailleurs la plus part de ceux qui ayment bien viennent à se haïr eux mesmes qui est contre raison et droit de la nature. Et celle-là est la cause pourquoy il est peint aveugle et manque de raison... » (49)

Felicia continue par des remarques traditionnelles sur l'amour peint nu, avec des ailes, et armé d'un arc. Elle rappelle encore à Sireno qu'« Euripide disoit que l'amant vivoit dans le corps de l'aimé » (50) et elle établit la célèbre distinction entre l'amour honnête et l'amour vicieux :

> « Autres disent que la difference n'est autre entre l'amour vicieux et celuy qui ne l'est, sinon que l'un se gouverne par raison, et l'autre ne se laisse gouverner par elle,... Il faut que tu sçaches si l'amour que porte l'amant à sa maistresse (combien qu'il soit enflammé d'une affection effrénée) naist de la raison et de la vraye cognoissance et jugement, qui pour ses vertus seules l'a jugée digne d'estre aimée, que tel amour à mon advis (et je ne me trompe point) n'est illicite ny deshonneste, parce que tout amour de ceste façon ne tend à autre fin sinon à aimer la personne à cause d'elle mesme sans esperer autre interest ny guerdon de ses amours. » (51)

---

(48) Dans la *Carcel de Amor*, Leriano défend les femmes en montrant que l'amour humain est en quelque sorte semblable à l'amour divin : « ...elles nous font contemplatifs, car tant nous adonnons à la contemplation de la beaulté et grace de celle que nous aymons et tant pensons a la nostre passion que, quant cherchons à contempler celle de Dieu, tant tendres et ouverts avons les cueurs qu'il semble que en nous autres mesmes recevons les playes et les tourmens siens. Dont se congnoist que par cecy nous aydent a acquerir perpetuelle beatitude. » (éd. de 1526, f. 77, b., cité par G. Reynier, *op. cit.*, p. 98, n.1).

(49) Pour faciliter la compréhension de ce passage nous citons la traduction de Pavillon, *Los siete libros de la Diana de Montemayor où sous le nom de bergers et bergeres sont compris les amours des plus signalez d'Espagne...*, Paris, A. du Breuil, 1603, f. 227 r°.

(50) Id., *ibid.*, f. 227 v°. Silvain affirme aussi à Polidore que l'amour « transporte tout homme hors de soy, et en fait le propre de la personne aymee. » (f. 229 v°).

(51) Id., *ibid.*, f. 228 r° et 229 r°.

Les propos de Felicia sont parfois une traduction littérale des explications de Léon Hébreu (52) et les idées du *Courtisan* de Castiglione y sont aussi évidentes. Les bergers de Montemayor, raisonneurs en amour, s'écartent de la réalité pastorale. Alonso Perez, qui se considérait pourtant comme l'héritier littéraire de Montemayor, adoptera une attitude différente devant la matière pastorale. Le néo-platonisme, dans lequel s'enracine la vision pastorale de Montemayor, disparaît, pour laisser place à un amour-passion qui se manifeste par l'inconstance. Parisiles, le prêtre de Jupiter, refuse de discuter sur l'amour, car il faudrait traiter des puissances de l'âme et de leur rôle ; or, cela, plutôt que propos de bergers, est dispute d'école (53). Perez remplace le monde idéal de la *Diana* par un monde sensuel. Gil Polo reste, quant à lui, fidèle à la pensée de Montemayor. Les trois premiers livres de son ouvrage présentent des cas d'amour qui se résolvent dans le quatrième. Tandis que, pour Montemayor, l'amour est supérieur à la raison et trouve une solution surnaturelle symbolisée par l'eau enchantée, pour Gil Polo, la raison domine l'amour et le stoïcisme est la règle de la sagesse humaine (54). La *Galatea* donne une importance nouvelle aux discussions sur l'amour. Cervantès présente plusieurs théories, et campe des personnages qui sont comme l'illustration des divers aspects de l'amour. A cause de cela, la *Galatea* nous semble revêtir une importance particulière. Cervantès imite Montemayor, mais il introduit des discussions galantes qui, sans se départir d'une certaine érudition, ne diminuent pas l'intérêt du lecteur. La conception de l'amour est exposée en deux grands discours du quatrième livre et fournit matière à un véritable exercice académique au cours duquel Lenio, l'indifférent, veut démontrer que l'amour et tous ses effets sont mauvais. Pour Tirsi, au contraire, l'amour est bénéfique (55). L'argumentation de Lenio est scolastique et stoïcienne. La conception de Tirsi est néo-platonicienne. Il définit l'amour, comme désir de beauté, et répète la distinction de Léon Hébreu entre amour et désir, entre l'amour utile, honnête et délectable ; il déclare comme les néo-platoniciens que l'amour est bon, qu'il ne peut donc naître que d'un bon principe et ne trouve sa satisfaction qu'en Dieu (56). Cervantès ne nous fait grâce ni de longs exposés mythologiques (57), ni du développement traditionnel sur la peinture de Cupidon (58). Elicio est le berger raisonneur de la *Galatea*. Au troisième livre, il avait discuté avec Erastro sur le rôle de la connaissance de la beauté et sur les erreurs de l'entendement (59). Les

---

(52) A propos de l'influence de Léon Hébreu sur la *Diana* de Montemayor, voir Avalle-Arce, *La Novela pastoril Española,* Madrid, Revista de Occidente, 1959, pp. 66 sq.

(53) Sur la conception de l'amour dans la continuation d'A. Perez, voir Avale-Arce, *op. cit.*, pp. 86 sq.

(54) Sur Gil Polo, voir Avalle-Arce, *op. cit.*, pp. 98 sq.

(55) Cervantès, *Galatea,* éd. cit., t. 2, l. IV, pp. 43 sq. ; à propos de la *Galatea,* voir Avalle-Arce, *op. cit.*, pp. 207 sq.

(56) Voir notamment t. II, pp. 58 sq.

(57) *Galatea*, t. II, l. IV, p. 51.

(58) *Ibid.*, t. II, l. IV, p. 68.

(59) *Ibid.*, t. I, p. 201.

réflexions sur les maux de l'amour, les considérations sur la jalousie, la non-réciprocité et l'absence sont fréquentes dans la *Galatea* (60). Les histoires illustrent les thèses exposées par les personnages.

Cette tendance de la pastorale à raisonner sur l'amour trouve donc son origine dans la *Diana* et son apogée dans la *Galatea*. Nous pouvons affirmer que la pastorale espagnole, et plus particulièrement celle de Cervantès, a engagé Honoré d'Urfé dans cette voie. Ces discussions philosophiques ne surprirent pas les lecteurs français qui avaient éprouvé du plaisir à la lecture de la *Diana*, puis de la *Galatea*. Une littérature « paradoxale », composée sur les sentiments, avait fleuri dans la deuxième moitié du XVIe siècle, pour trouver son expression la plus spirituelle dans les *Extravagances d'amour*, en 1604 (61), et les *Paradoxes d'amour* du sieur de la Valletroye (62). Les problèmes de l'absence, de l'inconstance, de l'oubli, du bonheur ou du malheur en amour y sont examinés. Ces recueils fournirent aux romanciers des sujets de discussions et même d'épisodes. En prenant pour modèle la pastorale espagnole, Honoré d'Urfé répondit à l'attente du public cultivé du début du XVIIe siècle. Le premier, il a su exploiter le thème de la jalousie que le roman sentimental avait jusque-là refusé. La pastorale espagnole lui en a révélé l'importance et le pathétique. Mais il y a ajouté la richesse d'érudition acquise au cours de ses lectures personnelles de Ficin, Pic de la Mirandole, Varchi. La *Diana* et la *Galatea* l'ont incité à introduire dans son roman les discussions philosophiques; il les a complétées, et, surtout, il a su éviter la lassitude que provoquaient les trop longs et trop pédants exposés de Felicia, d'Elicio ou de Lenio (63). Là furent son art et son originalité. Tout naturellement, il en est venu à continuer la tradition pastorale des questions d'amour, mais en la rénovant.

La *Diana* de Montemayor satisfaisait au goût du XVIe siècle pour les discussions subtiles sur les questions d'amour (64). Il est inutile de revenir sur le succès des *Arrests d'Amour* de Martial d'Auvergne et du *Filocolo* de Boccace. Les deux ouvrages ont incité les

---

(60) *Ibid.*, t. I, pp. 225 sq. Ces thèmes, y compris celui de la jalousie, avaient été déjà développés par Montemayor (*Diana*, l. IV, pp. 195 sq.) Voir, à ce propos, M. Magendie, *op. cit.*, p. 152.

(61) Paris, M. Guillemot, 1604.

(62) Voir G. Reynier, *op. cit.*, p. 250, n. 1.

(63) Honoré d'Urfé a probablement emprunté à Montemayor la distinction des trois puissances fondamentales de l'âme, la mémoire, l'entendement et la volonté (*Astrée*, II, 6, 264). Cf. les propos de Cinthia : « Mas lo que a mé me parece es que quando uno se parte de la presencia de quien quiere bien, la memoria la queda por ojos, pues solamente con ella vee lo que dessea. Esta memoria tiene cargo de representar al entendimiento lo que contiene en si y del entenderse la persona que ama, viene la voluntad, que es la tercera potencia del anima, a engendrar el desseo, mediante el qual tiene el ausente pena por ver aquel que quiere bien. De manera que todos estos efectos se derivan de la memoria, como de una fuente adonde nace el principio del desseo. » (*Diana*, l. IV, p. 202).

D'Urfé tire de cette distinction des trois puissances de l'âme une explication de la transformation de l'amant en l'aimée. Il ajoute donc aux propos de Cinthia sa propre érudition.

(64) Voir de Loménie, *art. cit.*, p. 471.

romanciers à placer leurs amoureux devant des obstacles réels. La pastorale espagnole aida d'Urfé à prendre conscience des ressources romanesques qu'offraient ces cas d'amour. Si, dans la pastorale de Montemayor, Felicia, des bergers et des nymphes se font juges des cas d'amour, trop souvent la monotonie de leurs propos gâte notre plaisir. Parce qu'ils manquaient d'imagination ou, plus certainement, de finesse dans l'analyse psychologique, les prédécesseurs français d'Honoré d'Urfé furent condamnés à se répéter ennuyeusement. Nicolas de Montreux inscrivit des discussions galantes au programme de chacune des journées de ses *Bergeries de Juliette*. Toutes les questions traditionnelles y sont examinées : débats classiques sur les femmes, l'absence, abandon ou changement en amour. Mais quel pédantisme ! quel étalage d'érudition dans les exposés philosophiques de Juliette !

Honoré d'Urfé, homme du monde qui s'adressait à des hommes du monde, a introduit le charme et la diversité dans ces débats attendus. Ce ne sont pas seulement des discussions philosophiques entre Hylas et Sylvandre et qui, bien qu'elles rappellent les « disputes » scolastiques, ne manquent pas de piquant, grâce à la conviction enthousiaste des interlocuteurs, mais des plaidoiries souvent éloquentes et, en tous cas, toujours convaincues. Des sentences, dont le style est calqué sur celui des arrêts judiciaires, mettent fin aux querelles qui opposent les amants. En respectant les sujets développés par la pastorale espagnole, d'Urfé a évité la médiocrité de Nicolas de Montreux. Tout en faisant œuvre didactique, il a donné à *L'Astrée* un caractère vivant, en concrétisant les discussions trop abstraites, en inclinant vers le drame intérieur ce qui n'était que lyrisme dans la pastorale et en campant des personnages variés et pleins de vie.

La pastorale, préoccupée essentiellement de l'amour, risquait de devenir autobiographique. Sannazar figure parmi les personnages de son *Arcadie*. Il raconte sa propre déception d'amour, et les autres personnages jouent le rôle de confidents et de conseillers. Parce que l'Espagne était trop pudique pour accepter un aveu aussi net, l'intrigue de Montemayor est une confidence camouflée. Aucun lecteur n'en fut dupe, cependant. Cervantès, amoureux de dona Catalina de Palacios Salazar, se met en scène dans le personnage d'Elicio et il peint celle qu'il aime, sous les traits de Galatée. Son roman devient ainsi une confidence et un hommage. Dans *L'Astrée*, Honoré d'Urfé ne s'écarte donc point de la tradition espagnole, en confiant ses sentiments. Sa démarche est semblable à celle de ses prédécesseurs espagnols.

Pour composer un tableau aussi complet que possible des multiples aspects de l'amour et garder à leur œuvre un caractère romanesque, les auteurs espagnols eurent tendance à voiler du vêtement pastoral les intrigues de la cour. Dans son épître liminaire aux *Curiosos lectores*, Cervantès déclare que beaucoup de ses bergers ne le sont que par l'habit (65). Les lecteurs se sentirent invités à identifier les personnages de la *Galatea* et y parvinrent, non sans

(65) *Galatea*, t. I, p. 8.

quelque vraisemblance, semble-t-il (66). Honoré d'Urfé, en transposant dans *L'Astrée* les aventures d'Henri IV et d'autres personnages connus à la cour, en n'hésitant pas à mettre en scène des parents ou des familiers du château de la Bastie, n'innovait donc point ; il ne s'écartait pas du genre pastoral solidement établi par l'Espagne. Les clés qui circulèrent en France au XVIIe siècle n'ont rien de surprenant, puisque la mode en existait déjà en Espagne et assurait, en partie, le succès des œuvres (67).

L'habit de berger sert donc de déguisement. C'est pourquoi, chevaliers et gens de cour se retrouvent à la campagne, loin des soucis de la ville, pour tenter de découvrir conseils et remèdes à leurs peines d'amour. Plus que dans la pastorale espagnole, rois, princes, gentilshommes et chevaliers se côtoient dans *L'Astrée* et les bergers sont tous d'origine noble. Montemayor et Cervantès se complaisent à décrire le costume de leurs bergers. Ils donnent un nom aux chiens qui rassemblent les troupeaux à la tombée de la nuit. D'Urfé passe sous silence ces réalités. Le chien d'Astrée vient folâtrer de contentement autour de Céladon et son nom, Mélampe, est un souvenir de *L'Arcadie* (68). La brebis préférée d'Astrée porte sur la tête « en façon de guirlande » des rubans de diverses couleurs (69). Tandis que Montemayor s'efforce d'apporter une note de variété au costume de ses bergères en revêtant Belisa d'un cotillon bleu pâle et d'un corsage qui fait apprécier les rondeurs de sa poitrine, d'Urfé se satisfait d'une monotone uniformité des vêtements. Ses bergers portent l'habit de bure, une houlette et une panetière.

L'auteur de *L'Astrée* s'intéresse davantage à la beauté et au costume des nymphes. Comme dans la pastorale de Montemayor, elles ont un rang supérieur à celui des bergers. La *Diana* les place dans l'entourage de Felicia, Honoré d'Urfé les fait vivre à la cour d'Amasis. Autant il se contente de notations vagues sur l'incomparable beauté des bergères, autant il s'attarde à décrire celle des nymphes

> « dont les cheveux esparts alloient ondoyans sur les espaules, couverts d'une guirlande de diverses perles ; elles avoient le sein decouvert, et les manches de la robe retroussées jusques sur le coude, d'où sortoit un linomple deslié, qui froncé venoit finir auprès de la main, où deux gros bracelets de perles sembloient le tenir attaché. Chacune avoit au costé le carquois rempli de flesches, et portoit en la main un arc d'ivoire ; le bas de leur robe par le devant estoit retroussé sur la hanche, qui laissoit paroistre leurs brodequins dorez jusques à my jambes. » (70)

Les nymphes de *L'Astrée* surpassent en beauté celles de la *Diana*. A la description surchargée de Montemayor, d'Urfé substitue un choix de détails qui unissent la beauté physique à l'élégance

---

(66) Voir l'introduction de Avalle-Arce à l'édition citée, p. XXX.

(67) Sur la confidence et la réalité historique dans les romans du début du XVIIe siècle, voir l'art. cit. de E. Henein, pp. 30-33.

(68) *Astrée*, I, 1, 10.

(69) *Ibid.*

(70) *Ibid.*, I, 1, 15.

du costume. L'harmonie du corps de Galathée est celle des femmes peintes pendant la Renaissance italienne :

> « ...cette belle, dont les cheveux s'alloient recrespants en ondes, n'estans couverts que d'un chapeau de verveine. Vous eussiez veu ce bras nud, et ceste jambe blanche comme albastre, le tout gras et poli, en sorte qu'il n'y avoit point d'apparence d'os, la greve longue et droite, et le pied petit et mignard, qui faisoit honte à ceux de Thetis. » (71)

Carnation blanche et chevelure blonde sont, dans la tradition pastorale, des marques d'une grande beauté. Celle des bergères de *L'Astrée* est figée et immuable, évoquée et non point décrite. Les femmes de *L'Astrée,* pourtant, sont plus ou moins belles. Floriante est brune, Stelle et Olympe séduisent plus par leur coquetterie que par leur beauté physique (72). Les femmes, les rois et les chevaliers, habitués à l'élégance de la cour, ne cachent point leur admiration pour les belles manières des bergers et bergères du Forez.

La beauté uniforme de ces personnages risquait de provoquer la monotonie, si Honoré d'Urfé n'avait varié leur caractère. La simplicité de l'intrigue de l'*Arcadie* et la forme dramatique de la pastorale italienne imposaient un nombre restreint de personnages. Avec Montemayor, puis surtout avec Cervantès, le roman pastoral s'est peuplé de personnages plus nombreux et divers, afin de rendre plus précise l'analyse sentimentale. Honoré d'Urfé emprunte des noms aux personnages des pastorales espagnoles. Mais, comme son dessein est de fouiller l'âme humaine, il met en scène plus de 293 personnages dont 180 jouent un rôle essentiel dans l'action principale ou les histoires intercalées. Nous savons d'où viennent et où vont les personnages de la pastorale espagnole. Au début des longs récits de leurs aventures, ils nous informent de leur origine et, parfois, de leur parenté. Mais les indications de ce genre sont brèves et peu nombreuses. 130 personnages de *L'Astrée* ont une généalogie qu'il a été aisé de dresser parce que, pas une seule fois, d'Urfé ne se contredit (73). Il se révèle un auteur romanesque de premier ordre, en maîtrisant une ample matière. Ses personnages rappellent ceux de la *Diana*, du *Pastor de Filida,* de la *Galatea,* de l'*Aminta* ou du *Pastor Fido*. Nombreux sont ceux qui se retrouvent dans toutes les pastorales : bergères indifférentes, passionnées ou jalouses, bergers amoureux ou désespérés, amants fidèles dont le Beau Ténébreux de l'*Amadis* a gravé définitivement les traits et l'attitude. Mais, à lire les pastorales qui ont précédé *L'Astrée,* nous éprouvons une impression de monotonie, tant ces bergères, ces bergers, ces nymphes, ces chevaliers et ces grandes dames se ressemblent. Parmi ces personnages, Cervantès introduit dans la *Galatea* des âmes naïves de jeunes filles qui s'éveillent à l'amour, mais leur psychologie est seulement esquissée. Nicolas de Montreux ne se montre pas meilleur psychologue, et les héros de son roman lassent

---

(71) *Ibid.*, I, 5, 168-169. Sur l'art d'Honoré d'Urfé dans ses descriptions de femmes, voir Sister Mac Mahon, *op. cit.*, pp. 60-61.

(72) *Astrée,* I, 8, 309 ; I, 5, 181 ; I, 6, 234.

(73) Voir Appendice IV : *Généalogie des personnages de l'Astrée.*

par leur manque de vie. Le premier, Honoré d'Urfé a singulièrement enrichi le fond sentimental de la pastorale, en composant réellement des caractères. La pastorale italienne a livré des types de personnages, la pastorale espagnole en a ébauché les caractères, notre auteur leur a donné une physionomie originale. Il a l'art de saisir le trait dominant, de camper un personnage et de lui prêter mouvement et vie. Sur le devant de la scène, il place des personnages traditionnels, et, derrière eux, se meut une foule variée, composée de coléreux, comme Damon ou Gondebaut, de généreux, comme Ergaste, d'ambitieux, comme Polémas, de légers, comme Lycidas. Les femmes sont coquettes, indifférentes, gaies, spirituelles, amoureuses, oublieuses encore comme Galathée. Les jeunes filles sont tendres et d'Urfé a peint avec délicatesse l'éveil de leurs premières émotions d'amour. D'autres sont délibérées : Floriante qui, poursuivie par Hylas, se laisse tomber, bien à propos, derrière un buisson (74), Ormanthe, qui, sur les conseils de Lériane, s'évertue à rendre Damon infidèle (75), Olympe, qui « fit tant la folle avec Lycidas », qu'elle en devint enceinte (76), Stelle, l'inconstante, d'un âge « tout propre à commettre beaucoup d'imprudences, quand on a la liberté » (77), qui se moque de tous ceux qui l'aiment et finit par être châtiée, en étant à son tour trompée par Sémire. D'autres sont des cœurs dévoués, prêts à tous les sacrifices, comme Cléon, et l'amitié profonde qui unit certaines bergères est empreinte de délicatesse. Aucune pastorale, aucun roman sentimental du XVIe siècle ne nous avait présenté une aussi riche galerie de portraits.

Ni les Espagnols, ni les Italiens n'ont mis en scène, aussi bien qu'Honoré d'Urfé, des personnages inconstants. Hylas assura, pour une bonne part, le succès de *L'Astrée*. Il est le moqueur, l'infidèle, qui donne la réplique au trop sérieux Silvandre. La pastorale italienne avait représenté l'amour sensuel sous les traits du Satyre. Hylas joue un rôle de séducteur qui n'a rien à voir avec celui du Satyre qui effraie les jeunes filles plutôt qu'il ne les attire. Certes, il « a le poil tirant sur le roux » (78), il n'a pas un physique de jeune premier, il est « chauve » (79), mais il a une faconde méridionale, il sait argumenter, convaincre, il est « de la plus gracieuse et plus heureuse humeur » (80). Il fallait aux lecteurs français un personnage qui, par sa légère frivolité, les reposât des trop sérieux discours sur l'amour honnête. Tour à tour sceptique, séducteur, sophiste, Hylas est déjà Don Juan et ce n'est pas dans la pastorale que nous en trouvons l'ancêtre. Il est le descendant de Galaor l'inconstant, qui fut, peut-être, plus prisé des Français que le Beau Ténébreux (81). Galaor, comme Hylas, est jeune, ironique et galant; il sait demander le prix de ses services et les femmes paient volon-

(74) *Astrée*, I, 8, 308-309.
(75) *Ibid.*, II, 6, 232.
(76) *Ibid.*, I, 4, 135.
(77) *Ibid.*, I, 5, 181.
(78) *Ibid.*, I, 8, 479.
(79) *Ibid.*
(80) *Ibid.*, II, 3, 110.
(81) Voir J. Marson, *op. cit.*, p. 137.

tiers. Il est le Drion de la *Pyrénée* qui se moque des « Philosophes amadysés » (82), ou le Philopole du *Monophile* de Pasquier, qui considère que la nature impose le changement en amour et que l'amant fidèle est ridicule (83). Pasquier oppose, d'une façon sèche et dogmatique, Philopole et Monophile qui défendent deux conceptions de l'amour. Son ouvrage manque de vie et prend l'allure d'un exposé sous la forme d'un dialogue monotone. Galaor n'est qu'une esquisse de personnage. A Honoré d'Urfé revient le mérite d'avoir donné couleur et présence à l'inconstant. Il répond au désir ressenti par Perez de voir plus l'inconstance et la sensualité en amour que la fidélité et la passion épurée. Dans le monde du début du XVIIe siècle, Hylas eut plus d'un modèle, et il plut, sans conteste, à ceux qui n'avaient pas été convertis aux délicatesses mystiques du néoplatonisme. Hylas était le personnage nécessaire dans la galerie des portraits de *L'Astrée.*

Honoré d'Urfé rénove donc le roman pastoral par son talent d'animateur de personnages. A l'art du romancier il allie la technique théâtrale, si bien que plus d'un passage de *L'Astrée* pourrait être aisément mimé. Le roman est assurément imprégné de l'influence de la *Diana* de Montemayor, mais il nous laisse entrevoir souvent les qualités théâtrales de son auteur : il voit ses personnages agir devant lui, et il les peint en action, jamais figés dans une attitude. Les actes de chacun sont révélateurs du caractère. Honoré d'Urfé fait parler ses personnages et les dialogues ne sont jamais monotones, jamais stagnants, les répliques sont toujours pleines d'à-propos. Ainsi, *L'Astrée* tient de la pastorale dramatique dont l'*Aminta* est le chef-d'œuvre incontesté.

III. — *LA SYLVANIRE.*

Honoré d'Urfé a manifesté de bonne heure son goût pour le théâtre et nous connaissons son premier essai qui laisse entrevoir ses futures qualités. Sa *Moresque,* dont il nous offre le texte dans la *Triomphante Entrée,* n'est pas sans fraîcheur. Encore engoncée dans une érudition scolaire, dépourvue de l'élégance d'expression, elle n'en est pas moins la première pastorale de notre auteur. Le théâtre pastoral était d'ailleurs à l'honneur dans les collèges de Jésuites (84). En 1585, Nicolas de Montreux publia l'*Athlette* et, en 1587, Fonteny le *Beau Menteur.* Puis, le genre devint si populaire que le règne d'Henri IV connut la publication d'environ 20 pastorales. Par la suite, la vogue n'en diminua point. Hardy écrivit des pastorales, dont cinq ont été conservées. Racan, avec les *Bergeries* publiées en 1625, composa la première pastorale française qui fit date dans l'histoire de notre théâtre (85). Il obtint le privilège du

(82) F. de Belleforest, *La Pyrenee,* Paris, G. Mallot, 1571, p. 118, cité par J. Marsan, *op. cit.,* p. 137.

(83) Voir M. Magendie, *op. cit.,* p. 124.

(84) A propos du succès des pastorales dans les collèges, voir J. Marsan, *op. cit.,* pp. 178-179.

(85) Voir, à ce propos, A. Adam, *op. cit.,* t. I, p. 202.

roi, le 8 avril 1625 ; Honoré d'Urfé reçut celui de *La Sylvanire* ou la *Morte-Vive,* le 12 avril de la même année.

La Sylvanire ne fut publiée qu'en 1627, après la mort de son auteur, peut-être par les soins de Borstel (86). La pièce avait probablement été achevée peu de temps avant l'obtention du privilège et ne fut jamais jouée (87). Cependant, elle a été mise en chantier quelques années plus tôt, ainsi qu'Honoré d'Urfé le laisse entendre dans sa dédicace à Marie de Médicis :

> « ... Ses habits Italiens ne vous peuvent estre Estrangers, et mesme c'est par votre commandement qu'elle est ainsi revestuë, y ayant quelques années qu'il pleust à vostre Majesté de me le commander. »

Marie de Médicis, après avoir lu les trois premières parties de *L'Astrée,* aurait-elle demandé à Honoré d'Urfé une adaptation d'un épisode en vers libres, à la manière italienne, ou bien aurait-elle eu connaissance de l'épisode de Silvanire, publié plus tard dans la quatrième partie de *L'Astrée,* ou bien d'Urfé lui aurait-il fait part de son projet de composer une pastorale dramatique ? Ceci revient à nous demander si la pièce de théâtre a été écrite avant ou après l'épisode de *L'Astrée.* Peut-on conclure que l'épisode romanesque est une transposition de Baro ?

Jules Marsan affirme que la Morte-Vive fut d'abord un sujet de théâtre, car les modèles dont d'Urfé s'inspire ne sont plus ceux de *L'Astrée,* « les préoccupations sont d'un autre ordre » (88). Dannheisser, qui conclut dans le même sens, ajoute que les personnages sont de vrais bergers et non point des aristocrates déguisés, comme dans les autres récits de *L'Astrée,* et que l'épisode de Silvanire est comme un corps étranger dans le roman (89). Certes, beaucoup d'épisodes du roman sont plus chevaleresques que pastoraux. Mais, des récits aussi pastoraux que celui de Silvanire ne manquent point ; telles sont les histoires de Tirsis et de Laonice, de Delphire et de Taumatès, de Céladon et d'Astrée.

Carrington Lancaster (90) fait remarquer que, dans la pièce, la défense des amants est assurée par Hylas et, dans *L'Astrée,* par Silvandre. Le personnage auquel d'Urfé devait naturellement confier ce rôle est bien Silvandre, le défenseur de l'amour idéal, plutôt qu'Hylas, inconstant et sceptique. L'épisode en prose serait donc la forme originale et, par la suite, afin d'introduire un élément comique dans sa pastorale dramatique, Honoré d'Urfé aurait substitué Hylas à Silvandre. L'argument est sérieux. L'épisode de Silvanire paraît s'insérer naturellement parmi les histoires de *L'Astrée.* Le changement de ton qu'elle introduit se décèle ailleurs, dans l'histoire de Damon et Fortune. Honoré d'Urfé est un romancier qui ne s'est pas enfermé dans un genre de narration établi une fois

(86) Paris, R. Fouet. Nos références sont faites à cette édition.
(87) Sur cette question, voir C. Lancaster, *op. cit.,* part. I, p. 257.
(88) J. Marsan, *op. cit.,* Appendice II, p. 440.
(89) E. Dannheisser, « Zur Quellenkunde der « Silvanire », in *Romanische Forschungen,* t. V (1890), pp. 59-64. Voir également, B. Germa, *op. cit.,* p. 22.
(90) C. Lancaster, *op. cit.,* part I, vol I, pp. 258 sq.

pour toutes. Ses préoccupations, dans l'histoire de Silvanire, ne semblent pas étrangères à celles des trois premières parties de *L'Astrée*.

Cependant, des contradictions évidentes, entre l'épisode de Silvanire et le contexte de la quatrième partie, des maladresses de style et de composition laissent apparaître l'antériorité de la pastorale dramatique (91). Mais, il demeure certain que *La Sylvanire* emprunte à *L'Astrée*. Des personnages, comme Adraste et Hylas, qui fournissent le comique nécessaire à la pastorale dramatique, sont familiers aux lecteurs de *L'Astrée*. Néanmoins, *La Sylvanire* est surtout redevable à la pastorale italienne.

Maints éléments sont familiers à la pastorale traditionnelle et proviennent de l'*Aminta* du Tasse et du *Pastor Fido* de Guarini. La préface de la pièce établit indiscutablement l'influence des œuvres italiennes. Certes, l'habit dont d'Urfé a revêtu sa pastorale est le vers libre dont il fait longuement l'éloge. Mais, cet habit dont il dit qu'il est sans défaut, « puis qu'il est sur le patron de tant de grands personnages, qu'il est impossible qu'ils y ayent laissé quelque imperfection », n'est-il pas aussi la structure dramatique qu'il adopte ? Peut-on douter que ces « grands personnages » ne soient le Tasse et Guarini, qui ont assuré à la pastorale dramatique sa forme la plus achevée ? Dans son avis *Au Lecteur*, d'Urfé ne cache pas son admiration pour les auteurs italiens :

> « ... je considerois que sans vanité les Italiens se peuvent vanter d'estre aujourd'huy les plus exacts observateurs des lois de la Poësie dramatique, tant en la composition, qu'en la representation de tels Poëmes... car je voyais Le Tasse, duquel la Hierusalem est admirable ; l'Arioste dont le Roland furieux a tant esté approuvé de chacun ; le Guarini, de qui les vers Lyriques sont si pleins d'esprit, et d'amour ;... »

Si l'auteur ne cite point l'*Aminta*, il nous est du moins facile de reconnaître son influence sur *La Sylvanire*. Le Tasse intitule sa pièce, *Aminta, Favola Boschereccia*, et d'Urfé, *La Sylvanire* ou *la Morte-Vive, fable bocagere* (92). La structure des deux pièces est semblable : un prologue et cinq actes dont chacun se termine par un chœur qui le commente. Dans l'*Aminta*, l'Amour travesti en berger prononce le prologue, dans *La Sylvanire*, Fortune, déguisée en bergère, y prend la parole. Le Tasse, au cinquième acte, fait dialoguer le chœur avec Elpino, d'Urfé, au cinquième acte aussi, établit un dialogue avec le chœur des bergers, dans les scènes six et sept. Tandis que l'*Aminta* se termine par un épilogue où Vénus

---

(91) Sur cette question, voir l'article de B. Yon, « Les deux versions de la *Sylvanire* d'Honoré d'Urfé », *RHLF*, n° spécial, 1977. Bernard Yon démontre d'une façon convaincante que l'épisode de *L'Astrée* a été introduit dans la 4e partie par Baro.

(92) Sur l'influence de l'*Aminta* en France, voir Ch. Banti, *op. cit.*, pp. 10 sq. ; sur la littérature italienne et la comédie française au XVIe siècle, voir P. Toldo, « La Comédie française de la Renaissance », in *RHLF*, t. 6 (1899), pp. 571-608, t. 7 (1900), pp. 263-283. P. Toldo conclut que la complexité forme le cachet particulier du théâtre italien. Il faut toutefois remarquer que l'intrigue de l'*Aminta* est simple, mais que celle du *Pastor fido* est complexe.

cherche Amour, *La Sylvanire* s'achève par un chœur. Les deux auteurs ont un même souci des unités de lieu, de temps et d'action. Honoré d'Urfé, plus que le Tasse, se préoccupe de bien situer le lieu où se déroule l'action de sa pièce. Il s'agit évidemment du Forez et des bords du Lignon.

L'auteur de *La Sylvanire* n'est pas un imitateur servile du Tasse. Assurément, la place, la forme poétique et le rôle des chœurs sont semblables. Mais d'Urfé y développe le thème de la Fortune et de l'Amour, tandis que le Tasse montre que le fléau qui pèse sur l'humanité est l'honneur, opposé à l'amour et au bonheur sans contrainte de l'Age d'or. Si, dans les deux pièces, nous retrouvons le sujet si rebattu des bienfaits et des méfaits de l'amour, il nous apparaît toutefois que les préoccupations qui animent les deux auteurs ne sont plus tout à fait semblables. Quarante ans séparent les deux pièces, une mentalité nouvelle s'est éveillée, un goût nouveau est né. Le Tasse a recherché la simplicité qui a assuré la perfection de sa pastorale. Son intrigue est dépouillée de tout élément superflu : une bergère insensible, Silvia, passionnée pour la chasse, est aimée d'un berger, Aminta. Celui-ci, malgré le mépris de Silvia, continue à l'aimer. Il est si épris que, croyant Silvia morte victime d'un loup, il se précipite du haut d'un rocher pour rejoindre dans la mort celle qu'il aime. Silvia est vivante, elle recueille entre ses bras son amant légèrement blessé et la pièce se termine par le bonheur des deux amants. Dix personnages assurent le déroulement de la pastorale.

Honoré d'Urfé met en scène quatorze personnages dans *La Sylvanire*. Il abandonne la simplicité de l'intrigue de l'*Aminta*, pour mettre en scène une chaîne d'amoureux. Sylvanire est aimée de Tirinte et d'Aglante. Fossinde aime Tirinte qui la méprise. Le Tasse a évité, jusqu'au cinquième acte, de placer Aminta et Silvia l'un en face de l'autre, si bien que la perfection de la pièce provient de l'analyse psychologique. Aucun événement extérieur n'est représenté sur la scène, tout est relaté par les personnages. La pièce pouvait s'achever par le tableau d'Aminta dans les bras de Silvia. D'Urfé ne néglige aucun événement ; il parle aux yeux plus qu'au cœur : les parents de Sylvanire, Hylas, Alciron exposent longuement leurs théories ; Tirinte explique sa ruse du miroir ; Sylvanire meurt et ressuscite en scène ; nous assistons au jugement des druides.

Par son goût pour les péripéties, par la complexité de l'intrigue et la longueur de la pièce, d'Urfé est plus proche de Guarini. Comme la plupart des autres auteurs de pastorales, il n'a pas cherché à égaler la simplicité du Tasse. Avec le *Pastor Fido*, la pastorale s'est acheminée vers la tragi-comédie. Le Tasse avait créé un modèle parfait de pastorale, Guarini a composé une pièce où les auteurs de pastorales vont puiser inlassablement. Le *Pastor Fido* met en scène 18 personnages, et l'intrigue est complexe, avec une chaîne d'amoureux qui comporte, reconnaissons-le, beaucoup plus d'anneaux que celle de *La Sylvanire*. Silvio, passionné de chasse, doit pour des raisons d'Etat, épouser Amarille. Il est aimé de Dorinde et Mirtil est amoureux d'Amarille. Corisque, recherchée par le Satyre, aime Mirtil. A la fin de la pièce, Silvio épouse Dorinde, et Mirtil Amarille. Corisque, qui a trompé la confiance d'Amarille pour gagner l'amour de Mirtil, sera condamnée à rester seule, en punition de son crime. D'Urfé a donc simplifié l'intrigue du *Pastor fido* et compliqué celle de l'*Aminta*. *La Sylvanire*, par ses analyses psychologiques, est plus proche de l'*Aminta*. Il lui manque pourtant la finesse des observations du Tasse ; d'Urfé ne recrée point l'atmosphère délicatement sensuelle qui fut à l'origine du succès de la pièce italienne.

Une étude plus détaillée de *La Sylvanire* nous convaincra davantage de l'influence exercée par l'*Aminta*. Comme Silvia, Sylvanire est insensible à l'amour et tout entière vouée à la chasse. Silvia déclare à Dafné :

> « Altri segua i diletti dell'amore,
> (Se pur v'é nell'amor alcun diletto) :
> Me questa vita giova : e'l mio trastullo
> E la cura dell'arco, e degli strali ;
> Seguir le fere fugaci, e le forti
> Atterrar combattendo ; e, se non mancano
> Saette alla farettra, o fere al bosco,
> Non tem'io che a me manchino diporti. » (93)

Avec plus d'abondance verbale, Sylvanire loue à Fossinde les plaisirs de la chasse :

> « Car dites-moy n'est-il pas vray, Fossinde,
> Qu'entre tous les plaisirs
> Que nous pouvons avoir,
> Rien ne peut egaler
> Le doux contentement
> Que la chasse nous donne ? » (94)

A ses yeux, aucune occupation n'a autant de prix que la pénible chasse :

> « Et quelquefois, berger,
> Allant au bois dès le plus grand matin,
> Le dard au poing, ou bien l'arc et la flèche,
> La robe retroussée,
> Telles comme les nymphes
> Qui vont suivant Diane
> Poursuivre vivement
> La beste mal menée
> Jusqu'aux derniers abbois. » (95)

Honoré d'Urfé oppose à l'insensibilité de Sylvanire les arguments d'Hylas et de Fossinde, comme le Tasse met en scène Dafné qui, dans des propos empreints d'une note sensuelle, conseille à Silvia d'aimer :

---

(93) Le Tasse, *Aminta*, Acte I, scène I, « D'autres suivent les plaisirs de l'amour (si toutefois il y a quelque plaisir dans l'amour), moi, cette vie me plaît, elle est mon plaisir avec les soins de l'arc et des flèches ; suivre les bêtes sauvages qui s'enfuient, mettre à terre en luttant les plus fortes ; et si jamais ne manquent les flèches à mon carquois et les bêtes dans les bois, je n'ai pas peur de manquer de plaisir. »

(94) *Sylvanire*, acte I, sc. 8, p. 53.

(95) *Ibid.*, p. 55.

« Insipidi diporti veramente
Ed insipida vita : e, s'a te piace,
E sol perché non hai provata l'altra.
Cosi la gente prima, che già visse
Nel mondo ancora semplice ed infante,
Stimo dolce bevanda, e dolce cibo
L'acqua, e le ghiande ; ed or l'acqua, e le ghiande
Sono cibo, e bevanda d'animali,
Poi che s'e posto in uso il grano, e l'uva.
Forse, se tu gustassi anco una volta
La millesima parte delle gioje,
Che gusta un cor amato riamando,
Diresti, ripentita, sospitando :
Perduto à tutto il tempo,
Che in amar non si spende. » (96)

La réponse d'Hylas à Sylvanire est la reprise, parfois presque littérale, des propos de Dafné :

« Ce sont maigres plaisirs,
Et m'en croy, Sylvanire,
Que ceux que tu racontes,
Que s'ils te semblent tels,
O folle, c'est d'autant
Que tu n'as point gousté
Ceux qui sont en effect
Les vrays plaisirs du monde.
Les glands jadis avec l'eau toute pure
D'une vive fontaine
Dedans la main puisée,
Furent de nos ayeuls
La chere nourriture,
Et les chers delices.
Mais depuis que le grain
De Ceres retrouvé,
Et de Bacchus la vigne cultivée
Vint à leur cognoissance,
Les glands et l'eau furent tous deux laissez
Pour pasture au bestail,
Comme chose trop vile ;
De mesme que feras-tu,
Et croy le Sylvanire,
Lorsque l'experience
T'aura des vrais plaisirs
Donné la cognoissance. » (97)

Il manque à la réplique d'Hylas la grâce et la concision de celle de Dafné. Poète souvent médiocre, d'Urfé alourdit son vers d'allu-

(96) Le Tasse, *Aminta,* Acte I, sc. I, « Plaisirs vraiment insipides et vie insipide. Si cette vie te plaît, c'est seulement parce que tu n'as pas fait l'expérience de l'autre. Ainsi les premiers hommes qui vécurent jadis dans le monde encore simple et à sa naissance jugèrent douce boisson et nourriture douce l'eau et les glands. Et maintenant l'eau et les glands sont nourriture et boisson d'animaux, parce qu'on a pris l'habitude du blé et du raisin. Peut-être que si tu goûtais une seule fois la millième partie des joies que goûte un cœur aimé qui aime à son tour, peut-être dirais-tu, repentie, en soupirant : il est perdu tout le temps qu'on ne passe pas à aimer. »

(97) *Sylvanire,* Acte I, sc. 7, p. 56.

sions mythologiques et il néglige la suite de la tirade de Dafné dont les accents lyriques n'auraient pas dû le laisser indifférent. Les conseils de Fossinde sont aussi conventionnels que ceux d'Hylas. Elle exhorte Sylvanire à aimer et lui propose un idéal de bonheur qui paraît bien fade :

> « ...Passer sans tant de peine
> Plus doucement la vie ;
> Entre les jeux mignards
> Des bergers et bergères
> Les voir ces beaux bergers,
> Courre, sauter, luitter,
> Filer, danser, chanter,
> Les uns mourant d'Amour
> Essayer de fléchir
> Avec mille prieres
> Ces ames trop altieres ;
> Les autres au rebours
> Ne se soucians gueres
> D'eux ny de leurs prieres. » (98)

Ni les propos d'Hylas, ni ceux de Fossinde ne peuvent avantageusement se comparer à ceux de Dafné. Ici, règnent la conviction et le lyrisme, là, dans *La Sylvanire,* des raisonnements froids, peu susceptibles de toucher les cœurs. D'Urfé est resté en deçà de l'analyse psychologique qui constitue le plus grand mérite de son roman. Aussi sommes-nous loin de retrouver dans *La Sylvanire* la fraîche analyse de l'amour d'enfance. Aglante raconte à Hylas comment prit naissance son amour pour Sylvanire :

> « Hylas ce fut d'enfance :
> A peine avois-je atteint deux fois sept
> Et Sylvanire six fois deux,
> Lors que l'amour, mais un amour enfant,
> Nous retenoit presque tousjours ensemble.
> Si nous sortions aux champs,
> Nous y sortions tous deux ;
> Si nous y demeurions,
> C'estoit l'un pres de l'autre :
> Si nous en revenions,
> C'estoit de compagnie. » (99)

Ce thème d'amour d'enfance, qui devint une tradition de la pastorale, le Tasse l'avait développé dans l'*Aminta.* Aminta déclare à Tirsi :

> « Essendo io fanciulletto, si che appena
> Giunger potea con la man pargoletta
> A corre i frutti dai piegagti rami
> Degli arboscelli, intrinseco divenni
> Della piu vaga e cara verginella,
> Che mai spigasse al vento chioma d'oro.
> La figliuola conosci di Cidippe,
> E di Montan... ?

(98) *Ibid.,* Acte I, sc. 8, pp. 66-67.
(99) *Ibid.,* Acte I, sc. 3, pp. 22-23.

Di questa parlo, ahi, lasso ! vissi a questa
Cosi avinto alcum tempo, che fra due
Tortorelle piu fida compagnia
Non sara mai, né fue.
Congiunti i cori :
Conforme era l'etate,
Ma'l pensier piu conforme
. . .
A poco a poco nacque nel mio petto,
Non so da qual radice,
. . .
Un incognito affetto
Che mi fea desiare
D'esser sempre presente
Alla mia bella Silvia. » (100)

D'Urfé n'a pas retrouvé la délicatesse du Tasse. A peine quelques accents de tendresse font-ils oublier la lourdeur des vers où notre auteur se livre à un calcul d'âge. Nous n'y découvrons pas non plus cette analyse si fine des premiers émois de l'amour dans un cœur d'adolescent :

« Sospirava sovente, e non sapeva
La cagion de' sospiri. »

Honoré d'Urfé, sur la fin de sa vie, n'a-t-il plus la sensibilité nécessaire à une délicate analyse psychologique ou bien est-il gêné par la forme théâtrale où le Tasse déploya son génie ? Il a voulu calquer plusieurs des scènes de *La Sylvanire* sur celles de l'*Aminta,* mais chaque fois éclate la supériorité du Tasse. Aminta confie sa peine à Tirsi, Aglante se plaint à Hylas, mais, dans les deux pièces, les accents douloureux sont loin de susciter la même émotion. A Tirsi, qui lui recommande d'aimer une autre femme que Silvia, Aminta répond :

« Oimé ! come poss'io
Altri trovar, se me trovar non posso ?
Se perdudo ho me stesso, quale acquisto
Faro mai che mi piaccia ? » (101)

A une exhortation semblable d'Hylas, qui en profite pour célébrer l'inconstance, Aglante réplique :

« Cesse Hylas mon amy,
Tu semes sur l'areine,

(100) Le Tasse, *Aminta,* Acte I, sc. 2, « Alors que j'étais encore un petit enfant et que je pouvais à peine arriver avec ma petite main à cueillir les fruits des rameaux baissés des arbrisseaux, je devins amoureux de la petite fille la plus belle qui jamais déployât au vent sa chevelure d'or. Connais-tu la fille de Cidippe et de Montan ?... C'est d'elle que je parle, hélas ! Je vécus si uni avec elle pendant quelque temps qu'une compagnie plus fidèle n'existera jamais ni n'a jamais existé entre deux tourterelles. Nos maisons étaient unies, mais encore plus nos cœurs. Notre âge était le même... Peu à peu naquit en mon cœur je ne sais de quelle racine un sentiment inconnu qui me faisait désirer d'être toujours présent à ma belle Silvie. »

(101) Le Tasse, *op. cit.,* Acte I, sc. 2, « Hélas ! comment puis-je trouver les autres, si je ne peux me trouver moi- même. Si j'ai perdu moi-même, quelle acquisition ferais-je jamais qui pût me plaire ? »

Tu parles aux rochers,
Personne ne t'escoute,
Vaines sont tes paroles,
Rien ne peut divertir
Mon cœur de la servir,...
Tousjours, tousjours, Aglante, l'on verra
Adorer Sylvanire. » (102)

A la concision émouvante des répliques d'Aminta, d'Urfé substitue de trop longs discours ou des plaintes trop répétées, pour nous toucher profondément. Il est vrai qu'Hylas joue le rôle de Tirsi, et donne à la pièce une note comique absente de l'*Aminta.* Mais *La Sylvanire* manque de l'unité de ton.

Le caractère de Sylvanire n'a pas la densité de celui de Silvia. L'héroïne du Tasse est ingénue ; au début de la pièce, elle méprise l'amour et ses plaisirs, puis, au fur et à mesure que les actes s'égrènent, nous la découvrons moins sûre d'elle-même, plus pudique qu'insensible, et elle finit par céder à l'amour qui s'est glissé sournoisement dans son cœur. Le Tasse rend progressivement vraisemblable la déclaration d'amour du quatrième acte. En est-il de même dans *La Sylvanire* ? Une même insensibilité à l'amour caractérise Sylvanire. Mais son caractère, moins nuancé que celui de Silvia, est celui d'une jeune fille qui manque de réalité. Quand Fossinde célèbre les plaisirs de l'amour, Sylvanire se retranche derrière des principes de morale et elle fait preuve d'un orgueil peu coutumier. La chasse est pour elle un moyen d'écarter les vices :

« L'oysiveté c'est la mere du vice ;
C'est pourquoy l'exercice
A celles de nostre aage
Apporte, croyez-moy,
Un tres grand advantage.
Amour qui suit, et sans cesse poursuit
Une molle jeunesse,
Aysement dans ces jeux
Et dans ces passetemps
En rencontre le temps,
...
Et par ainsi, ce travail bien petit
Nous exempte des coups,
Dont il blesse les cœurs
Qui sont oysifs avec tant de rigueurs. » (103)

Sylvanire moralise d'une façon maladroite et bien trop scolaire pour nous émouvoir. Son caractère est tracé tout d'un trait et manque de vraisemblance, faute d'une véritable analyse psychologique. Elle refuse l'amour et le mariage, parce qu'ils aliènent la liberté de la femme :

« Qu'on me dise en quel temps
Nous peut jamais servir
La libre volonté
Que du ciel nous avons. » (104)

---

(102) *Sylvanire,* Acte I, sc. 5, pp. 39-40.
(103) *Ibid.,* Acte I, sc. 9, p. 69.
(104) *Ibid.,* Acte II, sc. 2, p. 89. Pourtant, dans la suite de la pièce, Sylvanire admet qu'elle n'aimera que qui l'épousera (Acte III, sc. 2).

L'orgueil est à l'origine des théories féministes de Sylvanire. Elle éprouve pour Aglante des sentiments d'estime qu'elle fait trop facilement taire. Jamais, dit-elle, Théante ne l'épousera, plutôt « espouser un tombeau » :

> « Tout le regret qu'alors
> Dans le cercueil je pourray ressentir
> Sera sans plus de te laisser, Aglante,
> Avec l'opinion
> Que Sylvanire est ingrate envers toy :
> Car je confesse, et je l'advoüe icy,
> Où pour tesmoins j'ay seulement ces arbres,
> Que tes vertus, Aglante,
> Que ta discretion, que ton affection,
> Et que tes longs services
> Méritoient de trouver
> Quelque autre plus heureuse
> Que Sylvanire à ton dam ne l'est pas. » (105)

L'estime n'est pas loin de l'amour, mais le cœur de Sylvanire est bardé d'une carapace d'orgueil qui la conduit à déclarer :

> « J'ayme mieux que la mort
> Mette fin à ma vie,
> Que si l'on pouvoit dire,
> Amour enfin a vaincu Sylvanire. » (106)

Ce monologue qui ressemble à un manifeste féministe est l'œuvre d'un intellectuel. Il y manque le cri de douleur d'une âme de femme, partagée entre l'amour et la passion de l'indépendance. L'amour, nous le savons bien, finit toujours par l'emporter. Pour Sylvanire, il n'y a pas de dilemme. Au nom de l'orgueil, elle revendique l'égalité de l'homme et de la femme. Rien, dans ce monologue, ne laisse prévoir la volte-face du quatrième acte. D'Urfé privilégie l'événement extérieur et néglige la psychologie. A la différence du romancier, l'homme de théâtre, qu'il devient exceptionnellement, préfère le dénouement inattendu à une patiente analyse psychologique. Sylvanire se décide-t-elle à déclarer son amour, parce que la mort est en train de la vaincre et que, sur le chemin qui la conduit au temple où ses parents pensent obtenir sa guérison, elle rencontre Aglante évanoui ? La pitié, dans un regret qu'elle éprouve pour la vie, pour Aglante et pour elle-même, semble la seule explication de son revirement. Comme elle est la seule femme définitivement fidèle à la résolution d'un moment, elle ne peut plus, une fois revenue à la vie par un miracle de magicien, renier la parole donnée. Est-ce l'amour ou l'orgueil qui lui fait tenir tête à son père ? D'Urfé s'est écarté de son modèle et le résultat est décevant. Sylvanire est plus volontaire que Silvia, voilà pourquoi elle est moins féminine et rejoint les héroïnes fades de la pastorale française.

Le caractère d'Aglante n'est pas davantage analysé. Il est un personnage trop pâle et trop fidèle au modèle traditionnel du ber-

---

(105) *Ibid.*, Acte II, sc. 2, p. 92.
(106) *Ibid.*, Acte II, sc. 2, p. 93.

ger désolé, pour doter *La Sylvanire* de l'intérêt qui pique l'attention du spectateur. Aminta est jeune, sensible, tout lyrisme et sentiment. Aglante, conçu à son image, est aussi sensible. Pourtant, s'il confie à Hylas son amour pour Sylvanire, l'éloquence, entachée de trop de réminiscences philosophiques ou de poncifs, l'emporte sur le lyrisme (107). Il prend la résolution de se donner la mort, mais il en reste là. Ce n'est point parce qu'il s'est précipité du haut d'un rocher pour rejoindre, comme Aminta, son aimée dans la mort, que Sylvanire lui déclare son amour, mais parce qu'il s'est évanoui. Son caractère s'apparente à celui de ces bergers traditionnellement amoureux, dont le Satyre fait le procès.

Le Tasse, fidèle à une tradition créée par Sannazar, a opposé à l'insensible Silvia et à Fossinde délicatement sensuelle, le personnage du Satyre qui professe la supériorité de l'amour charnel. Pour lui, ne comptent ni la courtoisie, ni le respect de la femme qui impose sa volonté à l'amant. Pourtant, il souffre de son amour bafoué et ses plaintes s'expriment dans un long monologue où le lyrisme apporte sa note de poésie. Les reproches de cruauté adressés à l'Amour et à Silvia,

> « Oimé ! che tutto piaga, e tutto sangue
> Son le viscere mie, e mille spiedi
> Ha negli occhi di Silvia il crudo Amore.
> Crudel Amor ! Silvia crudele ed empia
> Piu che le selve ! »

laissent la place à un éloge de sa virilité :

> « Questa mia faccia di color sanguigno,
> Queste mie spalle larghe, e queste braccia
> Toroso e nerborute, e questo petto
> Setoso, e queste mie vellute coscie
> Son di virilità, di robustezza
> Indicio. »

Le Satyre n'est point comme ces autres bergers qui sont efféminés :

> « Che vuoi tu far di questi tenerelli
> Che di molle lanigine fiorite
> Hanno appena le guancie, e che con arte
> Dispongono i capelli in ordinanza ?
> Femine nel sembiante, e nelle forze
> Sono costore. » (108)

Silvia le méprise pour sa pauvreté et non pour sa laideur. Voilà pourquoi revient, dans ce monologue, le thème de l'Age d'or où l'amour n'était pas vénal. Le Satyre quitte la scène en prenant la

(107) *Ibid.*, Acte I, sc. 1 ; Acte IV, sc. 1.

(108) Le Tasse, *Aminta*, Acte II, sc. 1, « Hélas, mes viscères ne sont qu'une plaie et sont toutes en sang et le cruel Amour a dans les yeux de Silvia mis le trait. Amour cruel, Silvia cruelle et féroce plus que les forêts... Cette face mienne de couleur rouge, ces épaules larges, ces bras nerveux et musclés, cette poitrine velue et ces cuisses velues sont signes de virilité et de robustesse... Que veux-tu faire de ces tendrons dont les joues sont à peine fleuries de quelque doux duvet et qui disposent leurs cheveux avec art ? Leurs forces, comme leur apparence, sont celles d'une femme. »

résolution de ravir Silvia de force : il sait que, chaque jour, elle se rend à la fontaine et il n'aura qu'à se cacher pour la surprendre.

Le deuxième acte de *La Sylvanire* débute également par un monologue du Satyre. Il expose son désarroi en reprochant à l'Amour son injustice et à Fossinde sa cruauté :

« Injuste Amour, pourquoy si rarement
Unis tu les desseins
Des fidèles amants ?
...
Et Sylvanire, ô Dieux !
Ne daigne voir Tirinte,
Ny Tirinte Fossinde,
Ny Fossinde cruelle
Me regarder, et si je meurs pour elle. » (109)

Ce début du monologue est, pour Honoré d'Urfé, un prétexte pour développer le thème traditionnel de l'amour amer, pendant 55 vers. A ces propos se mêlent les allégories du rosier et du miel et de nombreuses allusions mythologiques qui embarrassent les vers. Ce passage est entaché par un étalage d'érudition qui lasse vite l'attention du lecteur et rend le style d'Honoré d'Urfé beaucoup moins alerte que celui du Tasse. Le Satyre de *La Sylvanire* en vient-il à se révolter contre le mépris de Fossinde ? Il vante sa richesse et sa force, en multipliant les comparaisons mythologiques : ses toits regorgent des biens de Cérès et de ceux de Pommone ; en noblesse, il ne cède rien au dieu Pan ; en force, il surpasse un Briarée ou un Hercule. D'Urfé, qui néglige les longs développements du Tasse sur l'Age d'or, fait de son satyre un personnage riche. Notre auteur n'omet pas, pourtant, de fustiger l'amour vénal, quand Sylvanire prend à parti les pères qui sacrifient à leur avarice l'intérêt de leur fille. Tout en restant fidèle à son modèle, il recherche la vraisemblance et réserve à son satyre un rôle comique inexistant dans la pièce du Tasse. Voilà pourquoi, les brèves remarques du Satyre de l'*Aminta* sur sa force et les jeunes gens efféminés prennent, dans *La Sylvanire*, un tour comique, où le réalisme de l'observation et la critique du berger traditionnel ne manquent pas de saveur :

« Supporteray-je encore longuement
Qu'une affetée, une impudente fille,
Aille estimant un berger plus que moy ?
Un berger qui n'a rien
Qui puisse estre estimable,
Sinon qu'il a la peau tendre et doüillette,
Le teint uny comme du laict caillé,
L'œil affetté, le visage sans rides,
Et les cheveux en ondes recrespez,
Ressemblant mieux en somme
Une fille qu'un homme. » (110)

(109) *Sylvanire*, Acte I, sc. I, p. 78.
(110) *Ibid.*, Acte II, sc. I, p. 83.

Comme celui de l'*Aminta,* le Satyre de *La Sylvanire* termine son monologue par une résolution de se servir de son courage et de sa force. Ce n'est pas auprès d'une fontaine qu'il attendra Fossinde, mais dans les bois, où elle a l'habitude de passer. Les propos qui mettent fin aux réflexions du satyre ajoutent une pointe de réalisme que nous ne trouvons nulle part dans *l'Aminta* :

« Aussi bien m'a-t-on dit
Que bien souvent ces belles
Veulent que leurs faveurs
On prenne en dépit d'elles
Et que par force on semble estre vainqueur
D'un combat, où vaincuës
Elles sont de bon cœur. » (111)

Ce satyre ne mérite pas les reproches adressés à celui du Tasse (112). Il évite la grossièreté, il se plaint des rigueurs de l'Amour et souffre ; ses résolutions énergiques et son éloge de l'amour charnel lui donnent une présence qu'il n'a pas dans l'*Aminta.* Il devient un personnage qui, par opposition à Aglante, propose une autre conception de l'amour. Ce thème est évidemment loin d'être original au moment de la composition de *La Sylvanire.*

D'Urfé ne se détourne pas des préoccupations particulières du Tasse. Son héroïne refuse de céder à l'amour d'Aglante, au nom de l'honneur. Le Tasse, dans le chœur du premier acte de l'*Aminta,* met l'accent sur l'impossibilité d'un retour au bonheur de l'Age d'or à cause de l'honneur :

« quel vano
Nome senza sogetto,
Quell'idolo d'errori, idol d'inganno,
Quel che dal volgo insano
Onor poscia fu detto. » (113)

L'amour traîne toujours, à sa suite, l'honneur qui, comme une entrave, le rend illusoire :

« Tu prima, Onor, velasti
La fonte dei diletti,
Negando l'onde all'amorosa sete :
...
Opra è tua sola, o Onore,
Che furto sia quel che fu don d'Amore. » (114)

Dans le chœur de l'*Aminta* s'exprime un regret dramatique d'un bonheur perdu à jamais, où l'Amour et la Nature ne s'opposaient pas. Cet équilibre fut brisé par la Contre-Réforme qui fit prendre

(111) *Ibid.*, Acte II, sc. I, p. 87.

(112) Le satyre de l'*Aminta* se présente comme un satyre de luxe. Voir à ce sujet, E. Carrara, *La poesia pastorale,* Milan, Vallardi, s.d., p. 338.

(113) Le Tasse, *op. cit.*, Chœur du 1er Acte, « ...ce vain nom sans objet, cette idole d'erreurs, cette idole de mensonge, ce qui fut appelé ensuite honneur par le peuple insensé. »

(114) Id. *ibid.*, « Toi d'abord, honneur, tu voilas la source des plaisirs en refusant l'eau à la soif amoureuse. Et c'est ton œuvre, ô honneur, et ton œuvre à toi seul, que soit un vol, ce qui fut don d'Amour. »

conscience de l'ambivalence de la nature humaine. Dès lors, l'honneur rendit coupable l'amour qui jadis était innocent. Un conflit naquit et ouvrit la voie à la sensibilité nouvelle du baroque (115).

Le thème fut repris par de nombreux auteurs de pastorales, de Nicolas de Montreux dans la *Diane* à Honoré d'Urfé dans *L'Astrée*. Nulle part nous ne trouvons la douloureuse prise de conscience du Tasse. Le conflit entre l'amour et l'honneur et les invectives contre l'honneur deviennent un couplet habituel à la pastorale. L'antagonisme est admis, il devient un lieu commun et il est « le préalable nécessaire et indiscuté du déguisement pastoral. » (116) Dans *L'Astrée,* d'Urfé insiste sur le thème de la dissimulation suggéré par le Tasse. Puisqu'il est impossible « qu'amour et l'honnesteté... puissent demeurer ensemble » (117), il est nécessaire de feindre et de dissimuler. Mais *La Sylvanire* ne fait nulle part allusion à cette nécessité. Nulle part ne s'élèvent les invectives traditionnelles contre l'honneur. Si le chœur évoque le bonheur des hommes soumis à la loi de nature, c'est pour montrer que l'avarice a tout corrompu (118). Quand Sylvanire refuse l'amour d'Aglante au nom de l'honneur,

> « Amour et mon honneur ne peuvent estre ensemble» (119)

elle se soumet sans douleur et sans révolte à la loi que lui a enseignée sa mère. Hylas n'a point conscience de ce conflit et il reprend à son compte, en leur donnant un sens nouveau, les arguments du chœur de l'*Aminta* contre l'honneur :

> « Honneur vrayment humeur
> Et pure opinion,
> Un idole impuissant
> Qui jamais ne se sent,
> Une feinte chimere... (120)

Une différence importante se manifeste entre l'*Aminta* et *La Sylvanire,* quand nous entendons Aglante dire à Sylvandre que l'amour et l'honneur ne s'opposent point :

> « Mais cet honneur dont vous estes soigneuse
> Comme vous le devez,
> N'est pas d'estre cruelle
> . . .
> Car autrement l'honneur et la nature
> Se diroient ennemis,
> Nature qui commande
> D'aymer, non pas peut-estre
> Comme l'on va disant,

---

(115) Sur cette question, voir D. Dalla Valle, « La pastorale dramatique baroque et l'influence de l'*Aminta* », in *L'Italianisme en France, SF*, supplément au n° 35 (Mai-Juin 1968), pp. 95-108.

(116) Id., *ibid.*, p. 98.

(117) *Astrée,* I, 2, 50.

(118) *Sylvanire,* Chœur de l'Acte II, p. 171.

(119) *Ibid.*, Acte III, sc. 2, p. 193.

(120) *Ibid.*,

Tous ceux belle bergère
Dont nous sommes aymez,
Mais tous ceux qui nous ayment
Comme l'on doit aymer,
Et cet honneur, ô sage Silvandre,
Gist à ne faire rien
Qui puisse estre contraire
A la vertu dont cet honneur procede. » (121)

A l'amour que Sylvanire considère comme coupable, Aglante oppose un amour vertueux. Dans ses propos il ne subsiste plus rien du regret de l'Age d'or où l'amour était innocent. Pour comprendre cette différence entre l'*Aminta* et *La Sylvanire,* il faut avoir présente à l'esprit la doctrine d'amour que Silvandre professe dans *L'Astrée.* Avec habileté, Aglante établit une distinction entre l'amour qui est charnel et coupable, et celui qui est aliénation de l'âme et prend sa source dans la vertu. Voilà pourquoi il s'écrie :

« O quelle cruauté,
Par ce qu'on nomme amour du nom d'Amour
Elle rejette Amour. » (122)

Mais une telle distinction échappe à Sylvanire. Dans son esprit ne subsiste que la recommandation de sa mère, et le conflit entre l'amour et l'honneur ne se résoud que par le mariage :

« Jamais je n'aymeray
Que qui j'espouseray. » (123)

Le mariage est la solution à laquelle on eut le plus souvent recours dans de nombreuses pastorales. Ce dénouement présentait l'avantage de ne point décevoir les spectateurs (124), et d'esquiver le problème, au lieu de l'affronter. Ainsi en est-il dans *La Sylvanire.* Aglante croit posséder la solution, et, désemparé par l'incompréhension cruelle de Sylvanire, il souffre. Celle qu'il aime est résolue à ne point aimer hors du mariage ; aucun problème angoissant ne la trouble. Aminta et Silvia nous touchent l'un et l'autre par leur situation dramatique ; Aglante seul nous intéresse. D'Urfé a négligé le drame intérieur au profit des événements extérieurs. Le problème de l'honneur perd dans sa pièce toute valeur pathétique et rejoint les thèmes de la pastorale qui n'ont plus qu'un caractère de lieux communs. Honoré d'Urfé nous donne l'impression d'avoir voulu faire entrer de force, dans sa pastorale, le thème de l'honneur : il n'y apparaît que comme un sujet nécessaire de discussion, imposé par la tradition. L'intrigue de *La Sylvanire* repose sur l'insensibilité orgueilleuse de l'héroïne subitement vaincue parce qu'elle est gagnée par la pitié, au moment où elle croit mourir. Les solutions proposées au conflit, distinction entre l'amour et l'amour

(121) *Ibid.,* Acte III, sc. 2, pp. 195-196.
(122) *Ibid.,* Acte III, sc. 2, p. 198.
(123) *Ibid.,* Acte III, sc. 2, p. 200.
(124) La solution du mariage est utilisée par Nicolas de Montreux, dans la *Diane,* in *Troisiesme livre des Bergeries de Juliette,* Paris, J. Mettayer, p. 399.

charnel, refus de l'amour hors du mariage, ne sont que des poncifs. D'Urfé ne veut négliger aucun des thèmes traditionnels et, par conséquent, la logique fait défaut à sa pièce. Quand Sylvanire affirme qu'elle aimera seulement qui l'épousera, pourquoi Aglante n'est-il pas satisfait ? N'est-ce pas d'ailleurs dans le mariage qu'il trouvera le bonheur, à la fin de la pièce ? D'Urfé n'a pas conservé la simplicité de l'intrigue de son modèle et sa pièce est une tragicomédie pastorale où l'influence du *Pastor fido* de Guarini est sensible.

Le *Pastor fido* intéresse plus qu'il n'émeut. *La Sylvanire* présente le même défaut, car l'ingéniosité technique l'emporte sur l'émotion. Sa structure est complexe, moins, cependant, que celle du *Pastor fido*. Nous y retrouvons le développement des mêmes thèmes : puissance et tyrannie de l'amour, devoir de l'honneur, plaidoyer pour la femme, autorité du père de famille.

Ces deux derniers thèmes fournissent l'occasion de rapprochements intéressants entre le *Pastor fido* et *La Sylvanire*. Dans un long monologue, Sylvanire se révolte contre la condition de la femme. Les filles, dit-elle, sont esclaves de la volonté de leur père et de leur mère. Loin d'apporter la liberté, le mariage impose une nouvelle forme d'esclavage, parce que les maris se conduisent comme des tyrans. L'époux vient-il à mourir ? Le père ou un proche parent impose à nouveau sa volonté. Ainsi, jamais la femme n'est libre. Les hommes ont établi seuls des lois qui sont à leur avantage. Sylvanire conclut en examinant sa propre situation : parce que son père a la passion de l'or, elle est condamnée à épouser Théante (125). Dans le *Pastor fido,* Amarille éprouve pour Mirtil un profond amour et elle se plaint parce que les hommes ne peuvent, comme les animaux, suivre la nature (126). Les théories féministes d'Amarille ont peut-être suggéré celles de Sylvanire. Mais les deux monologues diffèrent par le ton. Sylvanire est orgueilleuse et n'accepte pas d'être vaincue. Amarille, malgré les conseils de Corisque qui lui montre que l'honnêteté n'est qu'un bel art de paraître, se résigne à sa condition, car elle est attachée à sa réputation (127). En réalité, la révolte passagère d'Amarille n'a fourni à d'Urfé qu'un thème général. Il le marqua de son originalité par la violence du ton. Les arguments tirés du *Pastor fido* sur la loi de nature et la raison d'aimer ont davantage inspiré la diatribe d'Alciron contre les pères qui contraignent leurs filles à l'obéissance (128). Amarille et Sylvanire se heurtent, l'une et l'autre, aux lois de leur société. Le père d'Amarille impose sa volonté pour assurer le bonheur des Arcadiens. Amarille avoue son amour pour Mirtil, mais il lui paraît impossible, parce que les lois d'Arcadie condamnent à mort les filles qui violent la foi qu'elles ont donnée. La société dans laquelle vit Sylvanire impose aux filles d'obéir à la volonté de leur père. Honoré d'Urfé substitue les conventions socia-

(125) *Sylvanire,* Acte II, sc. 2.
(126) Guarini, *Pastor fido,* Acte III, sc. 4.
(127) Id. *ibid.,* Acte IV, sc. 5.
(128) *Sylvanire,* Acte II, sc. 4, p. 116. J. Marsan voit ici la marque d'une influence directe du *Pastor fido* (*op. cit.,* p. 376).

les de son temps à la situation artificielle du *Pastor fido*. Il est plus soucieux de la vraisemblance que Guarini et le monologue de *La Sylvanire* nous émeut plus que celui d'Amarille. Diane de Chateaumorand avait été victime de la volonté de ses parents, nombreuses furent celles qui connurent alors le même sort ; nous comprenons pourquoi le thème du père de famille, tyran de sa fille, fut tant exploité dans les comédies du XVIIe siècle.

A vrai dire, quand on en fait le bilan, les différences entre *La Sylvanire* et le *Pastor fido* apparaissent plus nombreuses que les ressemblances. D'Urfé, malgré son goût détestable pour un étalage d'érudition mythologique, a éliminé tous les éléments qui paraissaient conventionnels. Dans sa pastorale, il n'est point de péripéties qui viennent compliquer et ralentir le déroulement de l'action. Si le cinquième acte de *La Sylvanire* trouve son dénouement dans un jugement, aucune complication de procédure ne survient. Les druides prononcent leur sentence et tout rentre dans l'ordre. Dans le *Pastor fido,* la longue séance au tribunal nous lasse ; les plaidoyers et la sentence des druides, dans *La Sylvanire,* nous intéressent. D'Urfé, en revenant, avec le récit d'Alciron, au procédé des vieilles pastorales, a su nous offrir avec plus d'agréments le plaidoyer d'Hylas, le réquisitoire de Fossinde, la défense de Tirinte et la sentence des druides. Cette tirade, coupée par quelques questions et des cris d'étonnements, semblerait interminable sans le lyrisme qui lui donne vie et poésie.

La dette d'Honoré d'Urfé demeure considérable à l'égard de la pastorale italienne. Outre les emprunts que nous avons remarqués, il convient de noter encore que la ruse de Fossinde pour se débarrasser du Satyre (129) fut probablement inspirée par *Myrtillo* d'Andreini (130). Toutefois, l'influence la plus importante, subie par *La Sylvanire,* provient de l'*Aminta*. Celle du *Pastor fido* nous apparaît moins importante qu'on l'a prétendu. Cette œuvre a incité d'Urfé à réserver une part sérieuse aux événements extérieurs. Il ne faut cependant pas prétendre que les analyses psychologiques sont totalement absentes de *La Sylvanire,* et que les personnages en sont fades. En composant une pièce à l'intrigue complexe et mouvementée, Honoré d'Urfé répondait au goût de son époque (131).

---

(129) *Sylvanire,* Acte II, sc. 8.

(130) Voir J. Marsan, *op. cit.,* p. 376.

(131) Outre les emprunts faits à la littérature italienne que nous avons indiqués, deux passages de *La Sylvanire* semblent une imitation de la *Divine Comédie du Dante* (*Enfer*, V, 103) :

Acte III, sc. 5 :

« Amour jamais l'aymer
A l'aymé ne pardonne. »

Acte V, 12

« Et cependant l'amour
Qui, comme on dit, ne pardonne jamais
A la personne aymée,
Les cruautez qu'elle fait à qui l'ayme. »

Voir, à ce sujet, C. Lancaster, *op. cit.,* Part. I, Vol. I, p. 262.

Hardy mit en scène un vieillard cupide, Phédime, qui s'oppose à l'amour de Démocle pour sa fille Alcée (132). La pauvreté de Démocle est le motif de son refus (133). Il appartient à l'originalité de Hardy d'avoir développé le rôle des pères dans la pastorale dramatique. Le Tasse les avait écartés de la scène, Guarini les y fit figurer, Hardy leur conféra un rôle qui devint traditionnel dans la comédie. Ces vieillards aiment leurs enfants, mais leur cupidité les pousse à choisir pour leur fille le plus riche parti et à faire obstacle à l'amour, au nom de l'autorité paternelle. Phédime, le vieillard cupide, est l'ancêtre de Ménandre. Obligé de faire appel à Démocle, pour rendre la santé à sa fille qui se consume de chagrin, il n'a pas l'intention d'être fidèle à sa promesse. Que Démocle rende la santé de sa fille, et ce sera le riche berger Dorillas qui aura droit d'épouser Alcée ! De la même façon, Sylvanire, au moment où elle va expirer, obtient de son père qu'Aglante se considère comme son mari. Quand elle revient à la vie, Ménandre refuse de tenir parole, car il décide, à nouveau, de se choisir pour gendre le riche Théante (134). Il y a encore un air de famille entre le père de Sylvanire et Silène et Damoclée des *Bergeries* de Racan. On ne peut décider qui de Hardy et de Racan influença le plus Honoré d'Urfé.

Quand Honoré d'Urfé reçoit le Privilège royal pour *La Sylvanire*, Racan a obtenu celui des *Bergeries* quatre jours plus tôt, le 8 avril 1625. Cependant, les *Bergeries* avaient été représentées vers 1619, à l'Hôtel de Bourgogne, sous le nom d'*Arthénice* et de nombreuses copies incorrectes de la pièce circulaient à travers la France entière (135). Le succès de cette pastorale fut tel qu'Honoré d'Urfé ne put l'ignorer. Les arguments des *Bergeries* et de *La Sylvanire* ne sont guère semblables ; cependant, les propos de Silène, père d'Arthénice, trouvent un écho dans ceux de Ménandre, père de Sylvanire. L'un et l'autre considèrent les richesses comme un élément déterminant du choix d'un mari. Ils ont choisi un gendre fortuné et Silène déclare à sa fille :

---

(132) Il s'agit de la pièce intitulée *Alcée* qui fut probablement composée entre 1605 et 1615. Sur les dates de composition des pièces de Hardy, voir C. Lancaster, *op. cit.*, Part. I, Vol. I, pp. 43-45.

(133) Jules Marsan prétend que l'acte III, sc. 7 de *La Sylvanire* a subi l'influence du dialogue lyrique de Tircis et Corile dans la *Folie de Silène*, pièce d'un anonyme, publiée dans le *Théâtre françois*, Paris, P. Mansan et Cl. Colet, 1624 (*op. cit.*, p. 376). Il est vrai que comme Fossinde aime Tirinte qui ne l'aime pas, de même Tircis refuse l'amour de Corile. Mais, tandis que Tircis repousse Corile avec douceur et la plaint et se plaint, Tirinte refuse sans ménagement et avec brutalité de prêter attention aux déclarations d'amour de Fossinde.

(134) *Sylvanire*, Acte V, sc. 8. Cf. *Alcée*, Acte IV, sc. 3 : Alcée a repris vie, mais une inquiétude vient troubler l'allégresse. Alcée soupçonne le revirement si brusque de son père et Démocle, qui suit Phédime, l'entend comploter avec Dorilas contre son bonheur. Un autre personnage d'*Alcée*, Dorilas, ressemble par sa conduite à Tirinte. Amoureux d'Alcée, il est insensible à l'amour de Cydippe. A la fin de la pièce, Dorilas demande la main de Cydippe en même temps que le pardon de sa cruauté. Sur le théâtre de Hardy, voir M. Rigal, *Hardy et le théâtre français à la fin du XVIe siècle et au commencement du XVIIe siècle*, Paris, Hachette, 1889.

(135) Voir l'introduction de Louis Arnoult, Racan, *Les Bergeries*, Paris, Droz, 1937, pp. V-VIII.

« Je croy que Lucidas seroit bien vostre fait,
La fortune luy rit, tout luy vient à souhait :
De vingt paires de bœufs il seillonne la plaine,
Tous les ans ses acquets augmentent son domaine.
Dans les champs d'alentour on ne void aujourd'huy
Que chevres et brebis qui sortent de chez luy :
Sa maison se fait voir par dessus le village... » (136)

Ménandre, pour qui c'est folie

« Que de se marier,
Si l'argent comme guide,
Ne marche le premier » (137),

impose à sa fille un riche berger de la région :

« Théante l'héritier
Du plus riche berger
De toute la contrée. » (138)

Ces deux pères s'imaginent qu'ils assurent le bonheur de leur fille. Il importe peu de découvrir une ressemblance de détails entre la pastorale de Racan et celle d'Honoré d'Urfé. L'essentiel est de constater que désormais, depuis les œuvres de Hardy, le thème des pères autoritaires et cupides, opposés aux aspirations sentimentales de leurs filles, devient habituel à la pastorale. Il appartiendra à l'originalité de chacun des auteurs de nuancer les caractères.

La Sylvanire est un événement important dans l'histoire de la pastorale dramatique. Elle est l'aboutissement d'une tradition qui, sous l'influence conjugée de l'*Aminta* et du *Pastor fido*, constitue un modèle définitif de composition, d'intrigue, de thèmes et de personnages. De Nicolas de Montreux à Racan, la pastorale dramatique s'est progressivement adaptée aux aspirations du public français. Le thème n'en a guère changé : une bergère insensible, vouée à Diane, qui, au dernier moment, sous l'influence de la magie ou d'une reconnaissance, ou d'une tentative de suicide, consent à aimer. Dès lors, tout rentre dans l'ordre, les amoureux rejoignent qui les aiment, un heureux dénouement apporte la joie à chacun, sauf à celui ou à celle qui a agi avec déloyauté (139). Tentatives de suicide, passion brutale du Satyre facilement trompé et vaincu par la ruse de la bergère qu'il aime, dialogues avec l'Echo (140), bergers et bergères aux caractères conventionnels, caractérisent la plupart des pastorales. Les dialogues et les monologues sont farcis de réflexions stéréotypées sur la nature de l'amour, l'inconstance de la Fortune, l'éloge de la chasse ou de l'Age d'or. Ces développements accroissent l'atmosphère convention-

(136) Racan, *Les Bergeries,* Acte I, sc. 3, vers 375 sq.

(137) *Sylvanire,* Acte II, sc. 4, p. 108.

(138) *Ibid.,* Acte II, sc. 4, p. 113.

(139) *Les Bergeries* de Racan sont empreintes d'une noblesse nouvelle. En effet Arténice n'est pas la jeune fille insensible de la tradition pastorale. C'est une âme qui a souffert et cherche un secours. Le satyre renonce à ses grossièretés habituelles. *La Sylvanire* reste davantage dans la pure tradition pastorale.

(140) *La Sylvanire* consacre deux scènes au dialogue avec l'Echo, Acte II, sc. 7 et Acte V, sc. 2.

nelle des pièces situées souvent dans un lieu imprécis qui rappelle l'Arcadie traditionnelle. Racan, le premier, localise avec précision sa pièce.

Il va sans dire que l'action de la pastorale d'Urfé a pour cadre les bords du Lignon. Le succès toujours grandissant de *L'Astrée* ne fut pas étranger au développement de la pastorale dramatique au cours de la première moitié du XVIIe siècle, et son influence ne fit que s'accroître. *La Sylvanire* porte, évidemment, la marque de *L'Astrée*. Deux personnages du roman sont mis en scène par d'Urfé : Adraste et Hylas. Ils permettent à l'auteur de créer le comique, qui fait naître un sourire bienséant, plutôt que le rire.

Adraste, qui fut

> « L'un des gentils Bergers
> De toute la contrée » (141),

devient fou à cause de son amour pour Doris. A Sylvanire, qui demande ce qu'est l'amour, il fait des réponses énigmatiques, insensées au premier abord, mais qui, à la réflexion, se révèlent pleines de bon sens :

> « Ce que c'est que l'Amour,
> Je m'en vais vous le dire.
> Amour, fillette, est le jeu Coquimbert,
> Qui gagne perd. »

ou encore :

> « Amour est la lanterne
> Mais lanterne allumée,
> Au dedans est le feu
> Dehors quelque clarté,
> Mais beaucoup de fumée. »

Parfois sa réponse est encore plus amusante :

> « Amour, c'est un gros escargot
> ...
> Ah c'est d'autant, que pour peu qu'il sejourne
> Soudain il fait les cornes :
> Mais, croyez, belle fille,
> Que de cet escargot
> Vous estes la coquille. » (142)

Fossinde est amusée par ses propos :

> « N'est-il pas bien plaisant »,

dit-elle. Et Sylvanire, plus réfléchie, y découvre la vérité :

> « Je croy bien qu'il dit vray. » (143)

Adraste ne joue pas tout à fait le même rôle que dans *L'Astrée*. Ici, il illustre les déréglements de la raison provoqués par la passion et son rôle est tragique. Dans la pastorale, il est un personnage à

(141) *Sylvanire*, Acte I, sc. 9, p. 70.
(142) *Ibid.*, Acte I, sc. 9, pp. 71-73.
(143) *Ibid.*, Acte I, sc. 9, p. 73.

la fois sérieux et comique. Croyant reconnaître Pamélon dans le Satyre qui s'est emparé de Fossinde, il s'écrie :

« Laisse-la Pamelon,
Laisse-la ma Doris,
Tu l'as assez gardée :
En despit de l'amour,
Je la veux à mon tour... » (144)

Cette méprise permet à d'Urfé de donner libre cours à sa verve :

« Mais, ô grands Dieux, le vilain Pamelon !
...
Ne sont-ce point des cornes
Qu'il porte sur la teste ?
O ce sont bien des cornes,
Mais de parfaites cornes.
O Pamelon, et qui l'eust jamais creu ?
Aussi-tost marié
Tout aussi-tost cornu ?
...
Si tous ceux qui s'espousent
En ont autant que toy,
Fi, fi, du mariage
Et de ses advantages... » (145)

Adraste donne à la pastorale dramatique une vie qu'elle ignorait jusqu'alors. D'Urfé révèle un talent d'auteur comique que *L'Astrée* avait permis de soupçonner grâce à Hylas.

Ce personnage présente dans *La Sylvanire* un autre visage de l'amour. Il est l'inconstant de *L'Astrée* :

« J'ay plus aymé tout seul
Que n'ont pas fait, mais je dis tous ensemble,
Vos bergers de Lignon,
Carlis et Stiliane
Aymée et Floriante,
Cloris, Circeine, et Florice et Dorinde,
Chryseide, Madonte
Laonice, Phillis,
Alexis, et tant d'autres
Que pour la brieveté
Je ne veux pas nommer,
En rendront tesmoignage. » (146)

Hylas n'a pas perdu sa faconde. Mais, derrière ce personnage qui prêche l'inconstance et villipende Silvandre et sa conception trop idéaliste de l'amour, se cache l'homme fidèle à l'amitié. Il sait défendre avec conviction Aglante, auprès de Sylvanire, (147) et, devant le grand Druide, il réprouve la conduite déloyale de Ménandre :

---

(144) *Sylvanire*, Acte III, sc. 10, p. 253.
(145) *Ibid.*, Acte III, sc. 10, pp. 255-256.
(146) *Ibid.*, Acte I, sc. I, pp. 4-5.
(147) *Ibid.*, Acte I, sc. 7, pp. 62 sq.

« Les enfans parmy nous
Naissent enfans, et non pas des esclaves,
Ce seroit autrement
Honte que d'estre le pere
Et la terre où nous sommes
Seroit bien diffamee... » (148)

On devine encore en lui le fidèle amant de Stelle :

« C'est elle toutes fois,
Qui peut d'un seul clein d'œil
Me surprendre le cœur
Qu'elle retient encore.
Et c'est elle qui peut
M'escrire avec cet œil
Les pures loix d'Amour
Dans le plus sain de l'ame. » (149)

Bavard, habile manieur de plaisanteries, inconstant et convaincu de la médiocrité de la condition humaine (150), Hylas donne à *La Sylvanire* un tour souvent plaisant qui ne le fait pas sortir du rôle qu'il joue dans *L'Astrée*.

Les théories d'Alciron sont celles de Silvandre : définition de l'amour,

« L'on dit qu'Amour est un puissant desir
De sa perfection
Par l'union du bien qui nous defaut. » (151)

conception de l'amour volontaire :

« Car tout le mal que l'amour nous peut faire
Git en la volonté :
Mais rien n'est de si libre
Que ceste volonté. » (152)

Aglante professe les mêmes idées :

« Amour dedans un cœur
Vient volontairement
Mais par la volonté
D'un cœur fidelle il ne sort nullement. » (153)

Ces propos sur l'amour, sur la condition de l'homme ou la Fortune, ralentissent cependant le développement de l'action. Honoré d'Urfé a voulu donner à ses spectateurs un résumé de *L'Astrée*.

---

(148) *Ibid.*, Acte V, sc. 12, p. 403.
(149) *Ibid.*, Acte IV, sc. 1, p. 267 .
(150) *Ibid.*, Acte IV, sc. 4, pp. 278 sq. :
« L'homme n'a point de bien
Du tout exempt du mal. »
Hylas affirme encore qu'outre les maux que la Nature nous donne,
« De bien plus grands avec nostre imprudence
Nous nous en imposons. »
(151) *Ibid.*, Acte II, sc. 5, p. 132.
(152) *Ibid.*, Acte II, sc. 5, p. 133.
(153) *Ibid.*, Acte III, sc. I, p. 184

Aux éléments d'origine italienne, — développements burlesques notamment —, il a joint la fantaisie sur laquelle reposent, en partie, l'action et le dénouement. Peut-on parler d'habileté technique à propos de la ruse du miroir ? L'épisode satisfaisait à la tradition pastorale qui réservait une place à la magie. La vraisemblance n'y gagna certainement pas. A Mairet revint le mérite d'avoir largement taillé dans le fouillis de la pièce de son prédécesseur. Il a donné davantage de vie aux personnages de sa *Sylvanire*, en supprimant les surcharges et en réduisant la pièce à ses éléments essentiels (154).

Les innovations d'Honoré d'Urfé concernent essentiellement la forme pastorale dramatique. Comme il devait justifier l'emploi du vers libre dans *La Sylvanire*, il composa une préface dont le dessein était double : l'examen du langage théâtral et celui du rôle de la pastorale dramatique (155).

Il déclare son étonnement à constater que les Italiens, qui « sont les plus exacts observateurs des lois de la poésie dramatique, tant en la composition, qu'en la représentation de tels poemes », sont les seuls à composer leurs tragédies, leurs tragi-comédies et leurs pastorales « en vers non rimés, mais libres. » Ces poètes auraient-ils donc cherché à se libérer des contraintes imposées par les règles de la poésie ? Honoré d'Urfé rejette cette explication au moyen de deux arguments. D'une part, si les poètes italiens ont exprimé leurs pensées en vers rimés, il convient cependant de constater que

> « le Tasse, duquel la Hierusalem est admirable ; l'Arioste dont le Roland Furieux a tant esté approuvé de chascun ; le Guarini, de qui les vers Lyriques sont si pleins d'esprit, et d'amour ; le premier [a] fait son Torrismond, et son Aminte, en vers libres, et non rimez ; l'autre tant de comedies et de tragedies de mesme sorte ; et le dernier son Pastorfide. » (156)

D'autre part,

> « puisqu'ils ont fait paroistre en tant d'autres escrits qu'ils possedoient de façon la rime, qu'ils l'ont tousjours fait heureusement obeyr à leurs conceptions, et non pas leurs conceptions à la rime... ayant moy-mesme plusieurs fois esprouvé, lors que j'ay mis quelque chose en vers, que la contrainte de chercher la rime fait naistre bien souvent de plus belles pensees que l'on n'a pas eu dès le commencement... » (157),

---

(154) Sur *La Sylvanire*, on peut consulter l'article d'A. Lefranc, in *RCC*, t. 13 (1905), pp. 548-549.

(155) Sur la préface de *La Sylvanire*, voir R. Bray, *op. cit.*, pp. 50, 65, 77, 327 ; A. Blanchard, « Sur une préface », in *Studi in onore di Vittorio Lugli e Diego Valeri*, Venise, 1961, pp. 103-106 ; D. Dalla Valle, « L'Italianisme dans les préfaces baroques françaises : la Préface de *La Sylvanire* d'Honoré d'Urfé », in *RDS*, n° 79 (1968), pp. 3-15 ; D. Dalla Valle, *Pastorale Barocca...*, pp. 58-63. Pour cette étude nous nous sommes largement inspiré des travaux de D. Dalla Valle.

(156) Au lecteur, p. 2.

(157) *Ibid.*, p. 3. Par ailleurs, d'Urfé redit son attachement à la rime ; il la refuse seulement dans le poème dramatique, au nom de la vraisemblance (p. 12).

ces poètes italiens, l'Arioste, le Tasse, Guarini, qui font autorité aux yeux d'Honoré d'Urfé et pour qui il ne ménage point son admiration, avaient donc de sérieux motifs pour abandonner le vers rimé dans leurs œuvres théâtrales :

« le but principal que se proposent les Poëmes que nous nommons Dramatiques, c'est de representer, le plus parfaitement qu'il leur est possible, le personnage qu'ils font parler sur le Theatre. Que si cette parfaite representation est la fin principale où ils tendent, n'est-il pas vray que les Italiens ont eu raison de bannir les rimes de leurs Tragedies, Comedies, Pastorales, et semblables, puisqu'aussi tost que l'on les fait parler en rime, l'on sort incontinent de cette vraye-semblance qui est leur principal but ? » (158)

D'Urfé s'efforce cependant de motiver la coutume française de la rime :

« ...dès le commencement j'eus opinion qu'ils n'avoient voulu apprendre leurs leçons des Poëtes qui escrivoient en langue vulgaire, mais seulement des Grecs et des Latins ; et voyans que ceux-cy escrivoient en vers leurs Tragedies et Comedies, et n'ignorant pas que le vers François se composoit du nombre de syllabes, et de la rime, ils penserent estre obligez à les rimer pour les imiter entierement. » (159)

Deux partis s'opposent donc : celui des classiques et celui des Italiens. L'auteur de *La Sylvanire* reconnaît que l'usage italien respecte davantage la vraisemblance. Mais il choisit la voie du compromis et il réussit à fonder l'innovation italienne sur la forme du vers classique :

« Mais cherchant exactement de quelle sorte les Grecs et les Latins ont escrit, je trouvay que les Italiens avoient eu la veüe plus claire que les nostres : car il est bien vray que les Grecs et les Latins ont escrit leurs Tragedies et Comedies en vers ; mais si nous considerons quelles sortes de vers ce sont, nous cognoistrons qu'ils ont choisy ceux qui estans recitez, ne peuvent presque estre recognus pour vers..., si bien qu'il est vray que ce sont des vers, parce que la Poësie ne peut estre escrite qu'en vers ; mais il est vray aussi que le plus habile Poëte ne sçauroit recognoistre lors que l'on recite Terence si ce sont des vers, que ceux avec lesquels il fait parler les personnages qu'il introduit. » (160)

Ainsi, les Italiens ne sont pas des novateurs, ils ont seulement mieux compris les modèles de l'Antiquité classique. Pour donner plus de force à son choix du vers libre, il ne restait plus à Honoré d'Urfé qu'à invoquer l'autorité d'Aristote. Il pouvait, par conséquent, tenter l'expérience du vers libre :

« Et cette consideration fut cause, que desirant avec passion que nostre langue, qui ne cede a nulle autre, soit en douceur,

(158) *Au lecteur,* p. 4.
(159) *Ibid.*, pp. 4-5.
(160) *Ibid.*, pp. 5-6.

soit en gravité, ny en abondance de paroles propres et signifiantes, ne fust non plus inferieure à pas une en cette sorte de Poësie, je pris envie de defricher ce chemin, non encore recognu des François. » (161)

Cette attitude moderniste qui cherche à respecter la tradition classique fait naître une objection nouvelle : pourquoi Honoré d'Urfé, qui se proclame « respectueux imitateur » des Anciens, n'a-t-il pas, comme eux, rempli de sentences les scènes de sa pièce ? La réponse à cette question nous laisse apercevoir comment d'Urfé dissimule son innovation derrière une attitude de compromis :

« ... j'ay voulu suivre l'ordonnance des Sages, qui nous commandent de nous accommoder au temps ...Nous voyons que non seulement les Arts sont changez, mais les loix, voire la Nature mesme ; N'est-il pas vray que la Musique de nostre temps est toute autre que celle des Anciens ; que l'Architecture et l'Art de bastir est differente ; que la façon que nous avons de faire la guerre n'est point celle dont ils usoient ; n'avons-nous point changé sur la mer les Triremes, et sur la terre les Catapultes, les Tortües, les Balistes et semblables ? Mais les loix en Sparte ne permettoient-elles pas le larcin, et les nostres ne le chastient-elles pas ? et la nature des hommes n'est-elle pas changée, puis que nous lisons que quelques Romains estans venus dans la Gaule escrivoient à Rome, comme par merveille, qu'ils avoient trouvé des hommes qui mangeoient deux fois le jour ; et maintenant nous voyons que la plus grande part ne sçauroit se contenter à moins de quatre repas ?

De sorte que si nous le voulons bien considerer nous trouverons que nous retenons bien les Arts et les Sciences de l'invention de ces Sages Anciens, mais que la polissure nous en est venuë et du temps et de l'usage ; et que si la Poësie n'avoit point changé elle seroit peut estre la seule de toutes les choses humaines qui auroit eu ce privilège ... » (162)

Ces propos font comprendre comment d'Urfé tente de concilier ces buts de la poésie qu'on a traditionnellement opposés : l'utilité et le plaisir. Dans le *Jugement sur l'Amadeide,* il avait, selon la tradition classique qui s'appuyait sur le précepte d'Horace, rappelé l'importance de l'utilité poétique. Pour subordonner le plaisir à l'utilité, il recherche un argument dans l'évolution du goût. Sans nier le rôle des classiques, il reconnaît aux modernes un incontestable avantage :

« Ce n'est pas qu'en cela je veuille preferer ceux de nostre siecle à ces Anciens, quoy que peut-estre en avons nous bien qui

(161) *Ibid.,* pp. 6-7.

(162) *Ibid.,* pp. 7-8. Sur l'emploi du vers libre au XVIe siècle, voir l'article de F. Chavannes, « Essai sur la versification française au XVIe siècle », in *Revue Suisse,* 1846, pp. 793-808, 1847, pp. 18-39, 176-191, 252-271 ; Y. le Hir, *Esthétique et structure du vers français d'après les théoriciens du XVIe siècle à nos jours,* Paris, 1956. L'Abbé Torche avait tenté de traduire le *Pastor fido* en respectant la longueur des vers italiens. Honoré d'Urfé a écrit en vers libres le début du premier livre de la *Savoysiade,* Ms. B.N. 12486, f. 70v° : *Le premier livre de la Beroldide. Vers libres,* (21 vers).

ne leur cedent point : mais je diray bien sans arrogance, que nous voyons plus qu'eux, car tout ainsi qu'un Nain estant sur la teste d'un Geant, verra, quoy que plus petit, plus loin que ne fera pas ce grand Colosse, de mesme ayant les inventions de ces grands Anciens, et apres ainsi estans sur leurs testes, nous voyons sans doute plus avant qu'ils n'ont pas fait, et il nous est permis, sans les outrager, de changer et polir ce qu'ils ont inventé. » (163)

Or, les Anciens ont inventé la poésie, pour instruire le peuple :

« Et toutesfois comme l'on donne aux enfans la Medecine amere, mais salutaire dans un vaze, dont les bords sont bien souvent couverts de quelque douceur ; de mesme y adjouteront-ils quelques gratieuses Fables, pour leur rendre plus agreables les salutaires enseignemens qu'ils leur donnoient, si bien qu'en ce temps-la le but essentiel de la Poësie estoit de profiter, et par accident de plaire : Au contraire, maintenant nostre Poësie a pour son but essentiel de plaire, et par accident de profiter. Ce qu'il ne faut pas trouver estrange, puis que ce changement est procedé d'un moyen que nous avons d'enseigner le peuple, duquel ces Sages Anciens estoient privez, car ils blasmoient les vices de leur temps, descouvroient les finesses des meschans, et les incitoient à la vertu, et cela estoit cause qu'ils remplissoient leurs scenes de ces frequentes et continuelles Sentences que nous y lisons, et n'y joignirent le delectable, que pour y arrester ces peuples, comme les petits enfans avec du sucre.

Mais nous qui par la grace de Dieu sommes en un siecle si riche de Predicateurs, qui enseignent si assiduellement les hommes de toute qualité, les retirent du vice et les poussent à la vertu, nostre Poësie infailliblement demeureroit inutile, si elle faisoit seulement profession d'instruire, et le Poëte qui n'auroit que ce dessein, en nos jours se travailleroit inutilement. » (164)

Cette opinion est tributaire des idées de Guarini exposées dans *Il Compendio della poesia tragicomica* (165). L'évolution du goût est l'argument essentiel de Guarini, pour qui le but de la poésie est de plaire. Il s'appuie notamment sur le rôle que joue la religion dans la société :

« E veramente se le pubbliche rappresentazioni sono fatte per gli ascoltanti, bisogna bene che secondo la varieta de'costumi e de' tempi si vadano eziando mutando i poemi. E, per venire all'eta nostra che bisogno abbiamo noi oggidi di purgare

(163) *Au lecteur*, pp. 14-15.
(164) *Ibid.*, pp. 16-17.
(165) L'ouvrage parut à Venise, G. B. Ciotti, 1601. Il est la reprise et le remaniement des arguments théoriques exposés dans deux dialogues, *Verato* et *Verato secondo*, publiés respectivement en 1583 et 1593. Sur les idées esthétiques de Guarini, voir les études suivantes : V. Rossi, *Battista Guarini ed il Pastor Fido*, Turin, Loescher, 1886 ; G. Toffanin, *La fine dell'Umanesimo*, Milan-Turin, Bocca, 1920 ; B. Weinberg, *A history of literary criticism in the Italian Renaissance*, Chicago, University of Chicago Press, 1961, 2 vol. ; G. Folena, « La mistione tragicomica e la metamorfosi dello stile nella poetica del Guarini », in *La Critica stilistica e il Barocco letterario, Atti del II Congresso Internazionale di Studi Italiani*, Florence, Le Monnier, 1957, pp. 347-349.

il terrore e la commiserazione con le tragiche viste, avendo i precetti santissimi della nostra religione, che se l'insegna con la parole evangelica ? E pero quegli orribili e truculenti spettacoli son soverchi, ne pare a me che oggi si debbia introdurre azion tragica ad altro fine che per averne diletto. » (166)

Le désir de libérer la versification n'était pas nouveau au moment où fut composée la préface de *La Sylvanire*. En effet, Pierre Deimier s'était dressé, au nom de la régularité des poèmes de Guarini et de Marino, contre ceux qui désiraient libérer le vers français du carcan des règles :

« ... car suivant que les meilleurs Poëtes d'Italie et d'Espagne riment aujourd'huy, ils n'observent pas moins la pure et parfaicte égalité des rimes qu'entre nous les Poëtes les plus religieux de cest ornement. On peut voir tout à faict la verité de ce que je dis dans les Œuvres du Cavalier Garini, et de Marino qui sont les deux plus excellens Poëtes dont l'Italie est honoree au jourd'huy. » (167)

Plus intéressant nous apparaît le but que d'Urfé assigne à la poésie. Il ne convient nullement de l'interpréter comme une hostilité à l'art utilitaire accepté à l'unanimité par le XVIIIe siècle. L'image de l'enfant malade, à qui l'on donne un remède amer dans un verre aux bords sucrés, a servi d'argument à Piccolomini, pour prouver que la poésie doit viser le profit du lecteur (168). La position d'Urfé n'a rien d'absolu, elle cherche à concilier deux desseins opposés et révèle sa dette envers Guarini (169).

L'Italie a imposé à Honoré d'Urfé la structure et la forme de la pastorale dramatique. Enfermée dans un cadre conventionnel et définitivement établi, la pastorale, après *La Sylvanire*, ne pourra plus être rénovée.

IV. — *LES TRISTES AMOURS DE FLORIDON.*

Les Tristes Amours de Floridon nous permettent de faire la même constatation pour le récit pastoral. Cependant, l'œuvre est-elle d'Honoré d'Urfé ? Elle parut en 1628 dans un ouvrage qui portait le titre suivant : *Les Tristes amours de Floridon berger et de*

---

(166) Cité par D. Dalle Valle, *op. cit.*, p. 61, notes 93 et 94, « Et vraiment si les représentations publiques sont faites pour ceux qui les écoutent, il faut bien que selon la variété des coutumes et des temps on adapte les poèmes de la même façon. Et pour en venir à notre âge, quel besoin avons-nous aujourd'hui de purger la terreur et la commisération par des représentations tragiques, alors que nous avons les préceptes très saints de notre religion qui s'enseignent avec la parole évangélique ? Et donc ces spectacles horribles et truculents sont superflus et il ne me semble pas que l'on doive aujourd'hui introduire d'actions tragiques à d'autre fin que de plaire. »

(167) *L'Academie de l'Art poetique*, Paris, J. de Bordeaux, 1610, pp. 338-343, cité par D. Dalla Valle, *op. cit.*, p. 63.

(168) Piccolomini, *Annotazioni nel libro della Poetica d'Aristotele*, Venise, G. Guarisco, 1575, pp. 87-88.

(169) Sur la diffusion des textes critiques de Guarini, voir D. Dalla Valle, *op. cit.*, p. 15, n. 4.

la belle Astrée Naïade par Messire Honoré d'Urfé, ensemble les Fortunées Amours de Poliastre et de Doriane (170). Le privilège, qui est du 3 février 1625, donc antérieur à celui de *La Sylvanire*, mentionne seulement le livre intitulé, *Le Berger Desolé ou les tristes amours de Floridon berger et de la belle Astrée Nayade*, par Mre. H. DURFE... *Les Fortunées Amours de Poliastre et de Doriane*, une histoire qui se situe en Dauphiné, ne sont donc pas l'œuvre d'Honoré d'Urfé. Pour le Chanoine Reure, le privilège royal prouve, à lui seul, que les *Tristes Amours* sont bien d'Honoré d'Urfé, car « personne n'aurait osé, de son vivant, se faire donner un privilège sous son nom » (171). La dédicace à Monsieur de Chambrey, premier capitaine du marquis de Saleran, ne pose aucun problème. Nous ne savons cependant rien des relations d'Honoré d'Urfé avec Monsieur de Chambrey. L'auteur de *L'Astrée* l'a connu, puisqu'il était au « service de son Altesse en Savoye ».

Toutefois, la lecture des *Tristes Amours de Floridon* déçoit tellement que nous hésitons à attribuer la totalité de cet ouvrage à Honoré d'Urfé. En effet, un manque de logique entache plusieurs pages de cette histoire. Floridon est éperdument amoureux de la Nymphe Claironde, et, par la suite, sans aucune explication, celle-ci est appelée nymphe Astrée (172). Floridon et Astrée, sortant du temple de Diane, rencontrent une Déesse. Floridon la salue. Après des explications assez confuses, l'auteur reprend le récit et écrit :

> « et à lors tous deux, s'en allant au temple de Diane, elle luy pardonna librement... » (173)

Toute cette histoire est embrouillée. Reconnaît-on le style d'Honoré d'Urfé dans ce passage parmi d'autres ?

> « Ce n'est pas toute fois, que Astole ne soit une Nymphe, autant accompagnée de Vertus, que toutes les Deesses ensemble : Mais c'est pour monstrer que le Berger preferant une Deesse à une nymphe, se reposant, ou asseurant sur l'amitié et affection de sa belle Astrée, il a quitté l'une pour l'autre, sans quitter ou bien faire banqueroute à ses Amours : Car jaçoit que le corps soit porté d'un lieu à l'autre, son cœur demeuroit tousjours attaché, et estroitement lié à la volonté et discretion de son Astrée... » (174)

Honoré d'Urfé, sur les instances de Monsieur de Chambrey, a-t-il composé à la hâte ce récit pastoral, et sans le relire ? Devait-il le retoucher avant de le remettre à l'imprimeur ? L'heureux propriétaire du manuscrit, fort d'un privilège obtenu par Honoré d'Urfé, l'a-t-il fait imprimer pour son entourage ? Il aurait, alors, joint « *Les Fortunées amours de Poliastre et de Doriane* », une histoire de 68 pages, tout aussi étrange. Il est difficile de répondre catégoriquement à toutes ces questions.

---

(170) Paris, Nicolas Rousset. Nous ne connaissons qu'un seul exemplaire de cet ouvrage, qui est conservé à la Bibliothèque de l'Arsenal (cote, 8° B, 21057). Les deux ouvrages que contient ce volume sont paginés séparément.

(171) O.C. Reure, *op. cit.*, p. 334.

(172) *Les Tristes Amours de Floridon*, p. 13.

(173) *Ibid.*, p. 24.

(174) *Ibid.*, pp. 20-21.

Les Tristes Amours sont un ramassis de tous les lieux communs de la pastorale. Le récit, maladroit et entaché d'exagérations, ne ménage aucune place à l'analyse psychologique. Les sources de l'ouvrage sont partout dans la tradition pastorale et dans *L'Astrée*, mais nulle part précisément.

***

Les Tristes amours de Floridon nous font mesurer le rôle d'Urfé dans l'élaboration de la pastorale. Réduite à ses éléments les plus banals, elle risquait de tomber dans la répétition lassante des mêmes lieux communs. Nicolas de Montreux n'avait su sortir son ouvrage de cette ornière. Sans d'Urfé, la pastorale française allait s'embourber dans la convention que les œuvres de Sannazar, de Montemayor, du Tasse et de Guarini avaient mise à la mode. Honoré d'Urfé est le créateur de la pastorale moderne en France. Inspirée par les œuvres espagnoles et italiennes, *L'Astrée* s'en détache progressivement pour donner naissance à un genre plus conforme au goût de la nouvelle génération. La pastorale ne conserve que le rôle d'encadrer la peinture de l'amour. Et pourtant, *L'Astrée* reste une exception en France. Elle fut incapable d'orienter le roman vers un genre qui, par vocation, revendiquait, au XVIIe siècle, la peinture de la réalité. Sorel ne manqua pas de railler l'absurdité du roman pastoral (175). La *Diana* de Montemayor fut suivie d'une longue série de romans, *L'Astrée* resta à peu près seule dans son genre. L'Espagne accordait au roman le droit à l'irréel, à son théâtre elle interdisait de s'écarter de la réalité. En France, les deux genres se proposèrent un but exactement inverse (176). Notre théâtre s'orienta vers l'illusion que notre roman refusa.

Voilà pourquoi *L'Astrée* assura en France le succès de la pastorale dramatique. Sa vogue s'étendit jusque vers 1640, à l'inverse même de l'Italie où, à la fin du XVIe siècle, elle commença à évoluer vers le drame lyrique. Cependant, la pastorale dramatique française n'eut pas le bonheur du roman pastoral, car elle ne donna naissance à aucun chef-d'œuvre. Le théâtre français était pourtant le genre le plus propre à recueillir la tradition italo-espagnole. Nos œuvres pastorales, néanmoins, furent médiocres. La pastorale apparut-elle à nos grands auteurs comme un moyen trop aisé pour créer l'illusion ? Les auteurs médiocres trouvaient, dans la convention pastorale, un cadre tout fait qui facilitait leur travail. D'Urfé lui-même n'est pas parvenu à composer le chef-d'œuvre dont le théâtre aurait eu besoin. Il n'a pu se dégager, ni de ses modèles italiens, ni de la tradition dramatique établie par Hardy et Racan. Les dialogues de *La Sylvanire* manquent de vivacité et les personnages n'ont pas suffisamment de présence. Bien qu'elle soit une date importante de l'histoire du théâtre français à cause de son influence sur l'œuvre de Mairet, la pastorale dramatique d'Honoré d'Urfé ne mérite pas le titre de chef-d'œuvre.

---

(175) Voir, à ce propos, M. Magendie, *op. cit.*, pp. 413-421.
(176) Voir M.I. Gerhardt, *op. cit.*, p. 276.

CHAPITRE III

LES PROCEDES ROMANESQUES TRADITIONNELS

Parce que trop fidèle à une tradition romanesque solidement établie, la pastorale dramatique n'a pas donné naissance à des chefs-d'œuvre susceptibles d'intéresser la postérité du XVIIe siècle. Sans *L'Astrée,* un même sort eût été réservé au roman pastoral. Le succès de l'*Arcadie* de Sannazar et de la *Diana* de Montemayor avait fini par créer un ensemble de lieux communs que reproduisirent les romanciers français. Le roman pastoral français, à l'exemple des continuations de la *Diana* composées par Perez et Gil Polo, devint rapidement ridicule. Faute de sincérité, d'intérêt psychologique et de vie, les *Bergeries de Juliette,* par exemple, nous apparaissent comme une mise en œuvre de recettes qui ne réservent aucune surprise aux lecteurs.

Le XVIe siècle avait tellement épuisé le genre du roman d'aventures, puis, dans ses dernières années, si souvent repris les thèmes, les personnages et les épisodes de la pastorale espagnole, sans y apporter une note originale, qu'il était difficile à Honoré d'Urfé d'imaginer, pour ses héros, un comportement et des péripéties encore inédits. Afin d'asseoir son succès, le roman pastoral avait besoin d'un écrivain capable d'exploiter les lieux communs de la pastorale et de leur donner une vie nouvelle. *L'Astrée* fut l'exception devenue nécessaire. Mais le genre pastoral n'était plus pur, depuis la *Diana.* En effet, il était envahi par le romanesque des romans de chevalerie et il le fut plus rapidement en Espagne qu'en Italie. En France, il fut en outre contaminé par les procédés du roman sentimental naissant.

Honoré d'Urfé ne resta pas indifférent à la tentation de puiser dans cette nouvelle mine de procédés romanesques, mais il les marqua d'originalité. Un sens nouveau de la psychologie, un art de piquer la curiosité du lecteur et un goût marqué pour la vraisemblance expliquent la singularité de *L'Astrée* dans la littérature du XVIIe siècle.

I. — Les personnages traditionnels

Dans toutes les pastorales, nous trouvons le même décor, les mêmes personnages, auxquels viennent souvent se mêler des chevaliers tout droit sortis des romans courtois et de l'*Amadis.*

Le paysage du roman pastoral est toujours le même et nous avons déjà constaté comment d'Urfé l'a transformé. Les bergers, depuis l'*Arcadie* de Sannazar et la *Diana* de Montemayor, se réunissent souvent près d'une fontaine dont le nom seul varie, à l'ombre d'un bouquet d'arbres qui fait oublier la trop aride chaleur de l'été. *L'Astrée* se soumet à cette monotone uniformité de situation. Parfois, pourtant, les bergers sont reçus dans des maisons, dans des chaumières ou dans des châteaux. Ainsi, le décor de *L'Astrée* cesse d'être pastoral, pour devenir celui du roman sentimental, avec une pointe de réalisme qui nous laisse entrevoir la vie quotidienne au temps d'Urfé. Nous connaissons ainsi le palais d'Isoure, sa galerie, la chambre où dort Céladon, ses jardins (1), la maison d'Adamas avec son escalier, sa grande salle et ses statues (2), celle de Clorian avec sa tour dont la chambre du haut, meublée d'un petit lit, laisse embrasser du regard la plaine des Sébusiens (3), celle d'Eleuman et d'Ericanthe (4), ou encore la salle où le druide Cloridamante rend la justice à Julieu (5). Des personnages nous introduisent dans la maison d'un ermite (6), ou dans celle d'un pauvre homme au cœur généreux (7). Honoré d'Urfé n'a pas fermé les yeux sur la misère des pauvres gens, il est entré chez eux et sait comment ils vivent. Il a vu la « petite maison couverte de chaume » où Dorinde a trouvé refuge, ces écuelles de bois qui contiennent « quelque laict à manger » ; il donne des détails sur la façon dont les pauvres s'éclairent. L'hôte de Dorinde

> « alluma une sorte de bois sec duquel il se servoit de chandelle, et l'ayant mis dans une grosse rave qui servoit de chandelier, il le posa sur une petite table, et ayant bien fermé la porte avec un tortis de coudre, il se retira dans un petit entre-deux fait de claye, où il se coucha sur de la paille avec ses autres petits enfants. » (8)

La pastorale espagnole ne plante guère d'autre décor que celui des prairies où paissent les brebis. A peine savons-nous si les bergers habitent des cabanes et nous ignorons tout de l'intérieur. Sannazar et les auteurs espagnols se complaisent plutôt à la description des temples. L'*Arcadie* nous conduit, un jour de fête de la déesse des pasteurs, vers le temple dont le fronton est orné de peintures qui représentent des montagnes et des forêts (9). A sa suite, par tendance naturelle à l'embellissement, les pastorales espagnoles consacreront de longues pages à la description des peintures qui ornent les temples ou les palais. Montemayor nous introduit

(1) *Astrée*, I, 2, 37 sq. ; IV, 10, 568.

(2) *Ibid.*, II, 10, 310, 393, 400 ; II, 12, 560-561 ; III, 2, 63-65 ; III, 3, 81 ; III, 12, 639-648.

(3) *Ibid.*, II, 3, 113-114.

(4) *Ibid.*, IV, 6, 293.

(5) *Ibid.*, IV, 3, 115.

(6) *Ibid.*, III, 6, 310.

(7) *Ibid.*, IV, 7, 431-434.

(8) *Ibid.*, IV, 7, 434 ; IV, 7, 725 : une vieille femme éclaire sa maison avec du « chanvre rompu ».

(9) Edit. cit., f. 15 r°.

dans le palais de Felicia où foisonnent le marbre, les statues d'empereurs et les peintures (10). Montalvo s'attarde à décrire les peintures du temple de Diane et les œuvres d'art qu'il contient (11). Dans les *Bergeries de Juliette,* Nicolas de Montreux présente des tableaux et les commente (12). La seule originalité de *L'Astrée,* en ce domaine, tient à une étude technique du talent du peintre (13). Le temple traditionnel de la pastorale y devient un temple de verdure, mais la description des palais et des maisons riches y tient autant de place que dans la *Diana* ou les *Bergeries de Juliette.* C'est encore un lieu commun de la pastorale auquel d'Urfé sacrifie (14).

Il accepte tout autant les personnages conventionnels de la pastorale espagnole. Il n'est pas besoin de recourir aux œuvres de Virgile ou de Théocrite, pour découvrir une source aux descriptions des bergers de *L'Astrée* (15). Ils sont tous campés définitivement dans la *Diana* et ses continuations, dans la *Galatea* de Cervantès et, dès lors, leurs attitudes ne varieront plus. Honoré d'Urfé leur conserve leur caractère conventionnel de beauté, de douceur et de tristesse, leur générosité au combat pour défendre les bergères contre les attaques des sauvages (16). Leurs soucis proviennent de l'amour, et non de leurs troupeaux, et leurs conversations roulent constamment sur ce sujet. Amoureux d'une bergère insensible ou dont les sentiments sont contrariés par l'honneur ou plus souvent par un père cupide, ils se lamentent dans la solitude des bois, pleurent abondamment, interrogent l'Echo, composent des poèmes, les chantent, dialoguent en vers ou gravent des poèmes d'amour dans l'écorce des arbres. Ces bergers veulent-ils correspondre avec celles qu'ils aiment ? Le tronc creux d'un arbre leur sert de cachette pour leurs lettres. N'est-ce pas ainsi qu'agissent Céladon et Astrée (17) ? Quand une fête est célébrée, ils rivalisent d'adresse à la course, à la lutte, au saut ou à jeter la barre (18), ils chantent et dansent (19). Les bergères occupent leurs nombreux loisirs à parler d'amour ou à recevoir des conseils, à écouter des histoires, ou, quand leurs voix ne se mêlent pas aux chants des bergers, à se promener dans une verdoyante prairie où elles cueillent des fleurs, afin de s'en tresser des couronnes ou de parer le front des bergers vainqueurs aux jeux. La monotonie de ces journées est parfois rompue par une cérémonie religieuse ou par des funérailles, ou l'érection d'un tombeau (20). Dans aucune pastorale espagnole, il n'est d'exception

(10) Edit. cit., (Clasicos castellanos), L. IV, pp. 166sq.

(11) *Pastor de Filida,* in Menandez y Pelayo, *op. cit.,* t. II, p. 456, col. 2.

(12) T. II, f. 942.

(13) D'Urfé n'innove pas davantage en commentant les diverses façons dont est représenté Cupidon ; cf. Gil Polo, *Diana enamorada,* in Menendez y Pelayo, *op. cit.,* t. II, p. 341, col. 1 et 2.

(14) Par exemple, d'Urfé décrit la chambre de Céladon dans le palais d'Isoure ou la maison d'Adamas.

(15) Voir M. Magendie, *op. cit.,* pp. 102-103.

(16) *Astrée,* I, 6, 236, cf. Cervantès, *Galatea,* édition citée, p. 95.

(17) *Astrée,* I, 4, 112-114 ; III, 10, 533-534 ; cf. Montemayor, *op. cit.,* pp. 40 sq., et Cervantès, *op. cit.,* T. 1, pp. 67-73.

(18) *Astrée,* I, 4, 112-113, cf. Cervantès, *op. cit.,* t. I, p. 73.

(19) *Ibid.,* I, 4, 114, cf. Cervantès, *op. cit.,* t. I, p. 75.

(20) *Ibid.,* II, 8, 338-339 ; cf. Sannazar, *op. cit.,* f. 28 v° sq., et Cervantès, *op. cit.,* t. II, p. 176.

à ces récits. Honoré d'Urfé n'innove en rien, il se plie à la tradition, il y ajoute la magie de son style, la fraîcheur de son imagination et il évite les exagérations auxquelles ces lieux communs prêtaient si facilement, comme en témoignent les *Bergeries de Juliette* ou les *Tristes amours de Floridon*. Les bergers de *L'Astrée* pleurent comme ceux de la *Diana* ou de la *Galatea*, mais l'abondance de leurs larmes ne fait pas déborder les fontaines ni les ruisseaux.

Les personnages traditionnels de la pastorale sont présents dans *L'Astrée*, depuis la bergère insensible, la nourrice confidente et auxiliaire précieuse, le vieillard et le prêtre, jusqu'au traître, au berger fou, au magicien et au dieu des sources. Point de pastorale complète sans ces personnages attendus des lecteurs.

Pour éviter un récit monotone, le roman pastoral réclame la présence d'un berger qui, à cause de son amour dédaigné, complote et provoque la jalousie et la tristesse des amants. Ainsi, dans la *Diana enamorada* de Gil Polo, Montano est victime de la ruse de Felisarde qui l'aime (21). Dans la *Galatea* de Cervantès, Carino, pour se venger de Crisalvo, lui raconte que Silvia va passer la nuit avec Lisandro, mais Leonora confondue avec Corisque est tuée (22). Nous connaissons aussi la traîtrise de Corisque dans le *Pastor fido* de Guarini. Le traître agit le plus souvent par jalousie. Dans *L'Astrée*, Sémire, « berger perfide et cauteleux », est amoureux d'Astrée et il espère en être aimé en causant une discorde entre elle et Céladon. La jalousie d'Astrée provoque la disgrâce de Céladon, son désespoir et son exil (23). Néanmoins, d'Urfé évite un dénouement tragique, puisque Céladon est sauvé et que Sémire est pardonné. Celui-ci, en effet, repentant, sauve Astrée, Alexis, Silvie et Lydias pendant le siège de Marcilly (24).

La quiétude des bergères est parfois troublée par des étrangers, des Maures, des sauvages, personnages cruels et d'une laideur terrifiante. Trois sauvages, au regard épouvantable, aux bras gros et velus, portant, au lieu de brassards, des gueules de serpents, armés de bâtons ferrés, se précipitent sur trois nymphes de Felicia. Les bergers leur lancent des pierres et une bergère d'une admirable beauté tue les sauvages (25). Les nymphes de la *Diana enamorada* sont attaquées par un sauvage (26), et leur courage en viendra à bout. Nicolas de Montreux prend plaisir à faire intervenir des sauvages dans son roman. Ils sont grands, épouvantables, armés d'une massue, ils ont la tête protégée par une salade, et portent un écu fait « de bois dur et couvert de peaux de sangliers » (27). Les nymphes sont sauvées par Phillis ou par Arcas, et leurs assaillants sont tués ou mis en fuite par les pierres qu'on leur lance. Le sauvage n'intervient qu'une fois dans *L'Astrée* et il nous vaut un des plus beaux épisodes du roman. Tandis que Diana est endormie près

(21) Gil Polo, *op. cit.*, p. 360, col. 2.
(22) Edition citée, T. 1, p. 43.
(23) *Astrée*, I, 1, 10 ; I, 4, 110.
(24) *Ibid.*, IV, 12, 804 sq.
(25) Montemayor, *op. cit.*, l. II, p. 87.
(26) *Diana enamorada*, éd. cit., p. 396, col. I.
(27) *Bergeries de Juliette*, t. I, f. 20 r°, 251 r°.

de la fontaine des Sycomores, assoupie par la « fraischeur de l'ombrage et le doux gazouillement de l'onde », un « estranger » s'approche d'elle :

> « Il avoit le visage reluisant de noirceur, les cheveux racrourcis et meslez comme la laine de nos moutons, quand il n'y a qu'un mois ou deux qu'on les a tondus, la barbe à petits bouquets clairement espanchée autour du menton, le nez aplati entre les yeux et rehaussé et large par le bout, la bouche grosse, les levres renversées, et presque fendues sous le nez. Mais rien n'estoit si estrange que ses yeux, car en tout le visage il n'y paraissoit rien de blanc, que ce qu'il en descouvroit, quand il les rouloit dans la teste. » (28)

Ce sauvage, pesamment armé, poursuit, avec « l'espée nue en la main », Diane qui se défend et il tue Filidas qui tente de s'interposer. Filandre qui se tient près de là arme sa fronde et

> « la luy jetta d'une si grande impetuosité, que le frappant à la teste, sans les armes qu'il portoit, il n'y a point de doute qu'il l'eust tué de ce coup, qui fut tel, que l'estranger s'en aboucha. »

Le berger, malgré le coup reçu au travers du corps,

> « luy planta le bout ferré de sa houlette entre les deux yeux, si avant qu'il ne l'en put retirer, qui fut cause que la luy laissant ainsi attachée, il le saisit à la gorge, et de mains et de dents paracheva de le tuer. »

On voit avec quel luxe de détails Honoré d'Urfé raconte cette scène. Diane et Filidas font preuve d'un admirable courage et Filandre se hausse au rang des héros épiques. Le récit se teinte d'une couleur impressionnante par la description de l'étranger qui ressemble aux barbares de la tradition courtoise. Soutenue essentiellement par les données de la pastorale, l'imagination de notre auteur donne au récit un tour pittoresque qui retient l'attention du lecteur. Dans la *Diana,* dans les *Bergeries de Juliette,* les attaques des sauvages sont un incident sans conséquence. Mais dans *L'Astrée,* Filandre agonise dans les bras de Diane restée jusqu'alors insensible à l'amour. Il meurt en entendant Diane lui déclarer qu'elle le « reçoit, ... et de cœur et d'ame pour son mary ». Diane, qui raconte elle-même cette histoire, termine par ces mots :

> « Helas ! ce mot de Diane fut le dernier qu'il profera ; car m'ayant les bras au col, et me tirant à luy pour me baiser, il expira, laissant ainsi son esprit sur mes levres. » (29)

Ainsi s'explique l'insensibilité de la bergère aux sentiments de ceux qui lui font la cour. En imaginant cet émouvant épisode à partir d'un lieu commun de la pastorale, d'Urfé a évité de présenter son héroïne comme une femme qui n'éprouve du plaisir qu'à la chasse.

---

(28) *Astrée,* I, 6, 232.
(29) *Ibid.,* I, 6, 235.

Pour faire progresser le récit ou pour dénouer l'intrigue, les auteurs de pastorales ont habituellement recours à l'artifice. Le magicien joue traditionnellement ce rôle. Pour guérir leurs maux d'amour, les bergers s'adressent à la magie. Ainsi, l'*Arcadia* de Sannazar met en scène Enareto qui guérit un berger victime de l'amour (30) ; dans la *Diana,* Felicia apporte soulagement aux bergers malheureux en leur faisant boire une eau dont les effets sont miraculeux (31). Diadelle, la magicienne des *Bergeries de Juliette,* ensorcelle Arcas (32). Si Felicia habite dans un merveilleux palais, Enareto et Diadelle demeurent dans une caverne. Enareto est un vieillard majestueux, digne de respect, à la barbe et aux cheveux blancs. Par des pratiques magiques il guérit de l'amour ou contraint à aimer (33). Diadelle incarne plutôt la méchanceté et se présente sous les traits traditionnels de la sorcière. Elle a

> « les bras nuds jusqu'aux couldes, les cheveux espars tout du long de ses espaules, les pieds nuds, et les mains toutes noircies de fumée. »

A son arrivée, les lions restent muets, les autres bêtes féroces s'enfuient, le ciel se couvre, la terre tremble, car elle connaît tous les secrets de Médée (34).

La sorcière Mandrague de *L'Astrée* a l'étrangeté de Diadelle et agit comme les magiciens de la féérie bretonne ; elle tient

> « une baguette en la main droicte, un livre tout crasseux en l'autre, avec une chandelle de cire vierge, des lunettes fort troubles au nez... Elle marmotte et ... tient les yeux tournez d'une estrange façon, la bouche demy ouverte, et faisant une mine si estrange des sourcils, et du reste du visage, qu'elle monstre bien de travailler d'affection... Elle a le pied, le costé, le bras, et l'espaule gauche nuds, c'est pour estre du costé du cœur. Ces fantosmes que vous luy voyez autour, sont demons qu'elle a contraint de venir à elle par la force des charmes, pour sçavoir comme elle pourra estre aimée de Damon... » (35)

Elle enchante la Fontaine de Vérité d'Amour en traçant alentour des caractères, des triangles, des carrés. Son pouvoir est si puissant que

> « d'autant que la vertu de la fontaine luy venoit par les enchantements d'un magicien, Mandrague qui a surmonté en cette science tous ses devanciers, la luy peut bien oster pour quelque temps. » (36)

Ce personnage ressemble plus à Diadelle qu'aux magiciens des autres pastorales. On a prétendu que la lecture de la *Jérusalem*

---

(30) Edition citée, f. 58 v° sq.

(31) Montemayor, *op. cit.*, l. V, pp. 224 sq. ; voir aussi le rôle du mage Erion dans le *Pastor de Filida*, éd. cit., p. 464, col. 2.

(32) T. I, pp. 78 v° sq.

(33) Sannazar, *op. cit.*, pp. 61 v°-72 v°.

(34) *Bergeries de Juliette*, T. I, f. 78v°.

(35) *Astrée*, I, 11, 447. Sur ce personnage du magicien qui a hanté les esprits du XVIe s., voir J. Marsan, *op. cit.*, p. 194.

(36) *Astrée*, I, 11, 448.

délivrée avait incité d'Urfé à faire intervenir la magie dans son roman (37). Il s'est tout simplement soumis à une convention de la pastorale contaminée, sans doute, par les romans de chevalerie. Diadelle lui met en mémoire la traditionnelle sorcière des contes qui ont bercé son imagination d'enfant. Il y ajoute ce qu'il a appris ou vu ou lu des pratiques de sorcellerie, car il a le goût des précisions. Cependant, l'épisode de Mandrague s'intègre logiquement dans le roman ; il est une illustration des méfaits de la passion. Honoré d'Urfé enlève au surnaturel, que la tradition pastorale lui impose, son caractère de cliché, en le liant à l'intrigue du roman. D'ailleurs, il a pris la précaution de présenter l'histoire de Damon et de Fortune sous la forme d'un commentaire de tableaux. La peinture n'est pas la réalité, les faits relatés appartiennent, par le fait, à l'imaginaire et au monde de l'allégorie. Il reste cependant que la sorcellerie et les enchantements jouent dans *L'Astrée* un rôle qui n'est pas négligeable. Les bergers craignent les sorciers

> « qui ayans fait quelques charmes sur la peau d'un loup, ne se la mettent pas plustost dessus, qu'ils en prennent à mesme temps le naturel. » (38)

Adamas croit

> « que toute la force de tous les hommes ensemble ne sçauroit rompre le moindre sort qui se fasse ; d'autant que les esprits qui sont d'un genre superieur aux hommes, sont tellement puissants, qu'un seul pourroit par sa propre puissance ruiner tout l'univers, si le grand Tautatès pour la conservation des hommes ne les en empeschoit. Or ces esprits, par les conventions qu'ils font avec ces hommes qui se nomment magiciens (quoy que ce nom soit trop honnorable pour eux), s'obligent si estroitement à executer ce qu'ils promettent, qu'il n'y a force humaine qui les en puisse empescher. » (39)

Honoré d'Urfé reconnaît à la magie un pouvoir mystérieux auquel on ne peut mettre fin qu'en recourant

> « aux vœux et aux supplications, afin que Hesus, le Dieu fort, flechy par nos sacrifices, les rompe, ou bien il faut attendre que le temps prefix et les conditions ordonnées par ceux qui ont fait l'enchantement aviennent. » (40)

Ainsi, le magicien cesse d'avoir dans *L'Astrée* un rôle purement conventionnel. D'Urfé nous confie ses craintes religieuses. Il croit au mal dans le monde, aux démons et aux maléfices dont Dieu seul a le pouvoir de nous délivrer. Le roman est pour lui une occasion d'instruire le lecteur. Cependant, les pratiques de sorcellerie sont beaucoup plus nombreuses dans l'*Amadis* et même dans la *Diana*. Honoré d'Urfé a ingénieusement mis en scène un faux magicien, un imposteur que l'on démasque et qui connaît une triste fin. Comment ne pas reconnaître dans Climante, qui abuse ses naïves

(37) Ch. B. Beall, *op. cit.*, p. 56.
(38) *Astrée*, IV, 2, 58.
(39) *Ibid.*, III, 2, 77.
(40) *Ibid.*, III, 2, 77-78.

victimes par des flammes mystérieuses, produites en réalité par un mélange de soufre et de salpêtre, la satire de ces enchanteurs des pastorales et des romans d'aventures, dont la puissance se manifestait par des pratiques bizarres ? Climante, déguisé en druide et paré d'un faux pouvoir, illustre la perfidie de Polémas. On devine le sourire d'Honoré d'Urfé se complaisant à révéler progressivement à ses lecteurs l'ingéniosité des intentions de ce vil personnage.

Profondément convaincu des pouvoirs maléfiques de certains sorciers, l'auteur de *L'Astrée* a préféré confier un rôle bienfaisant au « mire ». Dans la pastorale, ce pouvoir appartenait aux magiciens. Les « mires » de *L'Astrée* savent guérir les blessures par la vertu des plantes (41), ils diagnostiquent les maladies (42) et distinguent avec perspicacité les maux intérieurs et les maux extérieurs (43). Honoré d'Urfé a confiance en la médecine, quand elle est bien pratiquée.

Tout surnaturel n'est cependant pas exclu de *L'Astrée* ; c'est aussi une règle du genre pastoral. C'est pourquoi les interventions divines sont courantes dans les romans espagnols. Caliope, par exemple, apparaît aux bergers de la *Galatea* sous les traits admirables d'une nymphe (44). Nicolas de Montreux ne néglige pas cette forme de merveilleux. Quand Filistel eut jeté à terre Phillis, des coups de tonnerre éclatèrent, un vieillard à la barbe et aux cheveux blancs se présenta en proclamant qu'il était le dieu Esculape (45). Honoré d'Urfé offre à son lecteur une apparition encore plus fantastique. Alcidon raconte comment il vit bouillonner les eaux de la source de la Sorgues, d'où sortit un vieillard à la barbe et aux cheveux longs, couvert d'algues et de joncs, entouré de naïades pleines de prévenance à son égard. Il est venu annoncer l'arrivée de Pétrarque promise par le Destin (46). Nous avons déjà reconnu l'influence des œuvres d'art du château familial sur l'imagination d'Urfé. Cependant, il nous semble certain qu'il eût renoncé à cette page fantastique, si la tradition pastorale ne l'y avait pas invité. Quand il laisse bride libre à son imagination, Honoré d'Urfé est capable du meilleur.

Sa mémoire, qui gardait le souvenir enchanté des romans de chevalerie où s'épanouit à l'aise la féérie, l'incitait à faire vivre dans *L'Astrée* un monde étonnamment mystérieux qui causait encore la joie des lecteurs du début du XVIIe siècle. Les chevaliers sont déjà présents dans la pastorale espagnole. Dans l'*Amadis*, au 9e livre, le chevalier Floristel échange sa lance contre une houlette, pour plaire à la belle Sylvie, une jeune princesse élevée par des bergers dans l'ignorance de sa naissance. La pastorale espagnole fut rapidement envahie par le romanesque et la bergerie s'unit à la chevalerie. La littérature romanesque du début du XVIIe n'eut

(41) *Ibid.*, III, 6, 309.
(42) *Ibid.*, II, 1, 33-34.
(43) *Ibid.*, II, 1, 33-34 ; IV, 4, 162 ; III, 7, 398.
(44) Cervantès, *op. cit.*, T. 2, p. 177.
(45) Nicolas de Montreux, *op. cit.*, t. I, pp. 62v°-63r°.
(46) *Astrée*, III, 3, 134-135.

qu'à suivre cette tradition (47). Dès la *Diana* de Montemayor, les thèmes du roman de chevalerie se sont mêlés à ceux de la pastorale et, dans la *Galatea* de Cervantès, nombreux sont les chevaliers déguisés en bergers. Il n'est ainsi pas toujours facile de distinguer les dettes d'Honoré d'Urfé à l'égard de la pastorale et du roman de chevalerie. Le traître est le « losengier » du roman courtois ; le magicien y jette déjà à pleines mains ses féériques enchantements, et les apparitions y sont déjà fréquentes. Mais est-il possible de distinguer certains des thèmes du roman courtois de ceux de l'épopée ? Certains personnages appartiennent à la pastorale, comme les bergers, les nymphes, avec leurs caractères propres au genre. Mais le bon vieillard, l'ermite et le prêtre ?

Ils sont tous les trois présents dans le roman de chevalerie et dans la pastorale. Dans les romans arthuriens, le prêtre et le vieillard remplissent une fonction hospitalière auprès des chevaliers errants. Le prêtre ou l'ermite à la barbe blanche, auréolé de sagesse, aborde les questions graves, interprète le sens caché des sortilèges, rappelle la sagesse de la Providence et ne dédaigne pas d'intervenir dans les affaires d'amour. Dans l'*Amadis,* le roi Périon reçoit l'hospitalité dans un ermitage ; Galaor est confié à un ermite. Au deuxième livre, l'ermite de la Roche-pauvre exhorte Amadis désespéré, parce qu'Oriane, trompée par un faux rapport, l'a cru infidèle et l'a chassé loin d'elle. Pierre Sage formule cette judicieuse conclusion :

> « Amadis de Gaule témoigne d'abord d'une tendance à faire du prêtre un médiateur des affaires de cœur et un ministre de l'amour. La doctrine et la morale de la « courtoisie » devaient avoir cet effet un jour ou l'autre : si l'amour est la suprême vertu, l'itinéraire le plus rapide qui mène l'homme à Dieu, le prêtre, pour servir cette ascension de l'homme, ne doit-il pas favoriser le culte de l'amour ? » (48)

Le *Roland furieux* n'assura-t-il pas aussi la popularité de l'ermite à barbe blanche qui guérit les blessures et les cœurs ? La *Jérusalem délivrée* n'ajouta-t-elle pas le portrait du prêtre dont l'autorité est reconnue de tous ? De leur côté, les pastorales, tant italiennes qu'espagnoles, ont imposé la présence du prêtre parmi les personnages. Le prêtre Enareto de l'*Arcadie* connaît les secrets des choses divines et humaines. Il est le guérisseur des plaies de l'amour, peut-être plus magicien que prêtre, ou autant l'un que l'autre. Felicia de la *Diana* n'est-elle pas aussi une sorte de prêtresse ? Prêtres et magiciens se confondent ainsi à cause de leurs pouvoirs.

De la même façon, le prêtre, l'ermite et le sage vieillard se confondent parfois dans le roman de chevalerie, dans l'épopée et dans la pastorale. L'exemple du Beau Ténébreux donna naissance à une lignée de vocations à l'anachorétisme. Malheureux en amour

---

(47) Voir G. Reynier, *op. cit.*, p. 179 ; voir également, J.J. Ampère, « La littérature française au XVIe siècle », in *Revue des deux Mondes,* t. XXV (1841), pp. 253 sq.

(48) P. Sage, *op. cit.*, p. 37.

ou victime de la trahison d'un jaloux ou encore las des honneurs du monde, le héros se retire à l'écart pour vivre dans la solitude, comme le vieux berger de la *Jérusalem délivrée* (49), ou comme Silerio de la *Galatea* qui, jeune encore, vit dans un ermitage (50). Les amants malheureux des *Bergeries de Juliette*, Arcas et le chevalier Ermande, séjournent dans les bois ou dans un solitaire ermitage. Le thème de l'ermite est encore si vivace, à la fin du XVIe siècle, que Beroalde de Verville, dans les *Amours d'Aesionne* (51), crée le personnage de Flambor, un vieil ermite savant et sage. Dans le même roman, Brafardin se fait ermite, après avoir parcouru plusieurs pays et combattu en Occident et en Orient (52).

L'Astrée n'a pas mis fin à la carrière de l'ermite. Cependant, Honoré d'Urfé a créé deux personnages distincts, l'ermite et le prêtre Adamas. La vie érémétique n'est pas exceptionnelle chez les druides de *L'Astrée*. Le « vieil druide » de l'histoire de Damon et Madonte conserve tous les traits de l'ermite de l'*Amadis*. Il a la face vénérable, l'œil doux, la physionomie bonne et la parole agréable (53). Il demeure dans une caverne, « un rocher cavé dont la voûte assez mal polie s'entr'ouvroit selon les veines de la pierre »; le lierre sert de couverture à la grotte et entre par les ouvertures mal jointes de la fenêtre et de la porte (54). Comme le vieillard de la *Jérusalem délivrée*, il a connu jadis « les folles apparences du monde », puis, ayant découvert le mensonge, il s'est retiré de la fréquentation des hommes, sur les bords de la Garonne. Il connaît les vertus des herbes, il soigne les corps et les âmes et médite sur la Providence. Ses propos convertiront Damon à la foi en Tautatès. D'Urfé a progressivement fondu, en un seul, le thème du druide devenu ermite et celui de l'homme lassé des honneurs du monde. On voit comment le personnage d'Alcippe a assuré la transition entre l'*Amadis* et *L'Astrée*. L'ermite de la Garonne ressemble autant aux solitaires de l'*Amadis* qu'au magicien de l'*Arcadia*.

Adamas, le grand druide de *L'Astrée*, vit dans le monde, il fréquente la cour d'Amasis et les bergers. Bien que jamais d'Urfé n'en peigne le portrait, nous le savons doté de la sage vieillesse. Bergers et chevaliers, venus en Forez pour y trouver la quiétude du cœur, ont recours à ses conseils. Il est savant, il connaît les secrets de la nature, aime parler de théologie, prêche l'amour de Tautatès et sait panser les plaies du cœur ; prêtre de Tautatès, il est aussi prêtre de l'amour. Il n'habite point les bois comme les ermites, mais une belle demeure ornée de peintures et de statues. Adamas rappelle ainsi Felicia ; et, comme les magiciens de la pastorale, il possède la science du cœur. Il est aussi l'héritier

---

(49) Le Tasse, *Jérusalem délivrée*, Chant VII, str. 12.

(50) Cervantès, *op. cit.*, t. I, p. 121, t. II, p. 125.

(51) Paris, Mathieu Guillemot, 1597. Voir, à propos de ce roman, G. Reynier, *op. cit.*, p. 181, n. 2.

(52) Brafardin n'est pas sans ressemblance avec le vieux berger rencontré par Erminia (*Jerusalem délivrée*, chant VII). Ces deux personnages peuvent bien avoir inspiré à d'Urfé une partie de l'histoire d'Alcippe. Celui-ci, cependant, après avoir connu les honneurs et couru les dangers de la guerre, ne se retire pas au désert.

(53) *Astrée*, III, 6, 311.

(54) *Ibid.*, III, 6, 310.

des ermites des romans courtois, par sa sagesse et son hospitalité. Enfin, il est le portrait du bon prêtre chrétien, tel qu'Honoré d'Urfé le concevait (55).

Il est, dans *L'Astrée*, des éléments qui sont propres aux romans de chevalerie. Ils existent nombreux déjà dans la première partie, puis ils s'accroissent dans la suite du roman, au point de prendre une importance considérable. Il nous est possible de dresser un inventaire des lieux communs propres aux romans de chevalerie que d'Urfé a utilisés. Le monde de l'*Amadis* et celui des romans arthuriens se donnent rendez-vous dans *L'Astrée* avec leurs personnages et leur merveilleux.

Les bergers appartiennent à de vieilles familles de chevaliers ou sont des chevaliers déguisés en bergers et, quand un danger menace, quand il s'agit de défendre Marcilly ou l'honneur d'une bergère, ils font preuve de vaillance et sont capables de prouesses aussi étonnantes que celles d'Amadis, de Lancelot ou de Perceval. L'histoire de véritables chevaliers vient également se mêler à celle des bergers du Forez. Honoré d'Urfé, par deux fois, nous fait assister à la cérémonie de l'accolée. Andrimarte est armé chevalier par Childéric, il reçoit l'épée, l'éperon et l'accolée « à l'imitation d'Artus Roy de la Grande Bretagne, lors qu'il mettoit les jeunes bacheliers et escuyers au rang des chevaliers. » (56) C'est au cours d'une cérémonie semblable que Kynicson est adoubé par Policandre : il reçoit son épée des mains de Rosanire et il adopte, à cause de cela, le nom de Rosiléon (57). Selon la tradition courtoise, le chevalier de *L'Astrée* défend les femmes offensées ou en danger et il rend honneur aux dames de qualité (58). La générosité et la vaillance sont les qualités de ces chevaliers. Elles ont valu à Kynicson l'honneur d'être choisi par Policandre, car il a défendu vaillamment son maître contre un lion (59).

Ce sont encore des chevaliers inconnus qui arrivent dans les plaines du Forez, et souvent des duels violents les opposent. Honoré d'Urfé décrit en détail leur accoutrement (60), et leurs combats se déroulent sous nos yeux dans le bruit des armes et la cruauté des coups. Certains sont blessés, d'autres meurent (61). Le « gentil chevalier », plein de civilité et de courtoisie, remporte la victoire sur le chevalier inconnu, taillé comme un géant, arrogant, qui attaque « sans faire action de civilité. » (62) Nous assistons encore à l'épreuve du feu et au combat dont l'issue sera le jugement de Dieu (63). Des tournois opposent les chevaliers (64) et donnent lieu

(55) Sur le personnage d'Adamas, voir P. Sage,g *op. cit.*, pp. 78-87.
(56) *Astrée*, III, 12, 667.
(57) *Ibid.*, IV, 10, 583.
(58) *Ibid.*, III, 6, 326 ; IV, 7, 388 ; IV, 8, 473.
(59) *Ibid.*, IV, 10, 583.
(60) *Ibid.*, III, 1, 27-28 ; III, 6, 287-288.
(61) Voir notamment le duel qui oppose Damon à Tersandre (II, 6, 238), celui de Damon et Argante (III, 6, 287-288), celui d'Arimant et de Clorange (III, 7, 413).
(62) *Astrée*, III, 6, 287-288.
(63) *Ibid.*, II, 6, 254.
(64) *Ibid.*, II, 4, 131 ; II, 12, 493, 496.

au commentaire de la devise qu'ils portent inscrite sur leurs écus. Des chevaliers déçus parcourent la Gaule, en quête d'aventures. Damon a résolu de s'en aller par le monde, « errant d'un costé et d'autre sans repos », jusqu'au moment où il rencontrera « la mort en quelque lieu que ce fust. » (65) Policandre, roi des Boiens et des Ambarres, ayant confié ses provinces à son père, courut « avec le titre de chevalier errant, non seulement toutes les Gaules, mais les Grudiens, Menapiens, Bataves, Ubiens, Latabriges, Henides, Poemanes, Eburons, Norciens, Nemites, Tullingiens, Marcomanes, et bref, la haute et basse Germanie », parce qu'il était désireux « de voir les peuples estrangers, et d'acquerir de l'honneur et de la gloire par la force de son courage. » Parvenu en Grande Bretagne, il « demeura longuement dans la cour de ce grand Roy où, comme par tout ailleurs, il acquist tant de gloire, sous le nom de Chevalier Incognu que mal-aysement y en avoit-il en l'Europe un plus cognu que cet incognu. » (66) Mélandre, déguisée en chevalier, parcourt le monde sous le nom de Chevalier Triste (67). Ces histoires de chevaliers, qui remémorent celles des romans arthuriens, n'apparaissent pas comme superflues dans *L'Astrée*. Elles s'imbriquent aux aventures des bergers et tous ces personnages venus d'un autre monde se retrouvent en Forez où leurs desseins et les oracles les ont conduits. Ces chevaliers, amoureux pour la plupart, ont gagné en courtoisie, en discrétion et, sans perdre leur vaillance, ils sont devenus plus raffinés.

Assurément, dans *L'Astrée,* il n'y a plus d'Arc des Loyaux Amants ni de Chambre défendue, mais le merveilleux des romans de chevalerie subsiste avec la Fontaine de Vérité d'Amour. Cette fontaine rappelle celle du *Chevalier au Lion*. Les enchantements dont elle fut l'objet et les lions et les licornes qui la gardent font partie de ce merveilleux qui abonde dans *Lancelot du Lac* (68). Les prodiges qui s'accomplissent sur ses bords ne le cèdent en rien à ceux qui ont assuré le succès des romans courtois. La Fontaine de Vérité d'Amour n'est cependant pas l'occasion de prouesses de la part des chevaliers. L'enchantement, qui l'a rendue inaccessible depuis que Clidaman en colère en frappa le marbre de son épée (69), ne cessera que « par le sang et la mort du plus fidèle amant, et de la plus fidelle amante qui se puissent se trouver. » (70) Cette fontaine a en effet valeur de symbole. Les oracles envoient vers elle les amants infortunés pour qu'ils trouvent un remède à leurs maux, car elle doit leur faire découvrir s'ils s'aiment d'un amour réciproque. Elle est une illustration de la doctrine d'amour exposée par d'Urfé au cours de son roman. Nous sommes loin des exploits relatés par les romans courtois.

Huet, à propos de cette fontaine, a reconnu l'influence des *Aventures d'Ismène et Isménie,* attribuées à Tatius :

(65) *Ibid.*, III, 6, 331.
(66) *Ibid.*, IV, 10. 570.
(67) *Ibid.*, I, 12, 467.
(68) *Ibid.*, I, 2, 37.
(69) *Ibid.*, I, 3, 94.
(70) *Ibid.*, III, 4, 206.

« Tout defectueux que je vous represente le roman d'Eustathius, il a mérité d'estre imité par un bien plus grand maistre que luy ; j'entends M. d'Urfé, à qui la fontaine merveilleuse de la Diane d'Artycomis a fait naistre indubitablement la pensée de la fontaine de la vérité d'amour. » (71)

La fontaine d'Artycomis ressemble à celle décrite dans les *Amours de Clitophon et de Leucippé* et elle démontre la virginité des jeunes filles. Honoré d'Urfé a lu les romans de Tatius qui connaissaient toujours un succès à la fin du XVIe siècle, mais lui ont-ils inspiré autant d'épisodes que Huet le dit ? Au vrai, la plupart des imitations des romans grecs attribuées à *L'Astrée* se retrouvent dans les pastorales italiennes et espagnoles. Un rapide inventaire des thèmes développés dans les *Amours de Clitophon et de Leucippé* nous en fournit une preuve. L'épisode de la piqûre d'abeille (72) et celui du suicide manqué (73), ont été développés par le Tasse dans l'*Aminta*. La scène d'enterrement (74), le déguisement en femme (75), le thème du temple réservé aux femmes et de la condamnation à mort, quand cette loi est violée (76), celui de la tempête, se retrouvent dans les pastorales espagnoles ou dans les *Bergeries de Juliette*. Le soporifique et la résurrection de celle qui passait pour morte sont des subterfuges qui fournirent à Boccace le sujet d'une histoire (77). Les romans grecs, en définitive, ne nous semblent pas avoir exercé une influence considérable sur *L'Astrée*. Ils ont plutôt enseigné à Honoré d'Urfé une technique du récit où se multiplient les aventures et les interventions des oracles (78).

II. — Thèmes et structures traditionnels

L'Astrée nous semble se présenter, d'abord, comme une pastorale de type espagnol. Il est certain que le premier dessein d'Honoré d'Urfé se modifia au cours de la rédaction du roman et que les éléments purement romanesques prirent de plus en plus d'importance. Nous savons que les déguisements, les combats singuliers, et des épisodes caractéristiques des romans de chevalerie se sont introduits dans la *Diana* de Montemayor. Les genres romanesques ne sont pas aussi nettement séparés qu'on le suppose. Les pastorales espagnoles présentent, à première vue, un ensemble de points communs; considérées dans le détail, elles offrent des différences, parmi

(71) *Traité de l'origine des romans*, éd. citée, p. 121, cité par M. Magendie, *op. cit.*, p. 113.
(72) *Les Amours de Clitophon et de Leucippe*, in *Les Romans grecs et latins*, p. 906. Le Tasse, *Aminta*, I, 2.
(73) *Les Amours de Clitophon et de Leucippe*, p. 930 ; Le Tasse, *Aminta*, acte IV, sc. 2.
(74) *Les Amours de Clitophon et de Leucippe*, p. 958.
(75) *Ibid.*, p. 970.
(76) *Ibid.*, p. 999.
(77) *Ibid.* pp. 908, 931 ; Boccace, *Nouvelles exemplaires, Zeloso estremeño.*
(78) Sur les oracles dans le roman d'Héliodore et dans *L'Astrée*, voir Magendie, *op. cit.*, p. 109. Le roman d'Achille Tatius a fourni à d'Urfé le nom de Thersandre qui est un des héros de l'histoire de Damon et de Madonte. Le même roman lui a certainement inspiré l'histoire de Kynicson esclave.

lesquelles d'Urfé eut à choisir. Elles lui fournissaient des structures variables, selon la fidélité des auteurs à la *Diana* de Montemayor. Honoré d'Urfé en retint la composition générale et des thèmes ; il abandonna les subtilités trop mondaines de Montalvo, mais il fut séduit par la composition ingénieuse de la *Galatea*. Une étude de la structure du roman pastoral espagnol et de ses thèmes nous permettra de mesurer la part de convention de *L'Astrée* et son originalité.

Le roman pastoral espagnol comprend une intrigue principale, des histoires intercalées, des poèmes et des lettres. La *Diana* de Montemayor, à laquelle on a reproché son manque de composition, analyse les sentiments de deux bergers, Sireno et Sylvano, amants malheureux de Diana. Trois héroïnes des histoires intercalées, Selvagia, Felismena et Belisa, font elles-mêmes le récit de leurs amours contrariées. Ces cinq malheureux personnages se retrouvent chez Felicia et obtiennent grâce à elle un soulagement à leurs peines. En fait, Diana, l'héroïne du roman, entre peu en scène.

Les ouvrages de Perez et de Gil Polo continuent l'histoire de Diana, mais le lien entre les récits intercalés et l'intrigue principale est de plus en plus ténu. Dès lors, le roman espagnol aura une tendance de plus en plus grande à donner une indépendance aux histoires secondaires. La *Galatea* se propose de raconter les amours de Galatea et d'Elicio. L'amour d'Elicio est pour les bergers un sujet de conversation. Le roman se termine par la décision du mariage d'Elicio. Les histoires racontées par les bergers et les chevaliers de passage se lient très lâchement à l'intrigue principale. Le roman pastoral perdra son unité avec les *Bergeries de Juliette* qui se composent de journées au cours desquelles reviennent, avec monotonie, deux histoires totalement indépendantes du récit principal, l'une en vers et l'autre en prose.

L'Astrée accorde une place importante aux histoires intercalées. On s'est plu à noter le caractère disparate du roman, soit en montrant qu'Honoré d'Urfé lie des éléments sans rapport entre eux, soit en affirmant que *L'Astrée* offre une diversité d'intérêt parce que les épisodes sont des espèces de hors-d'œuvre (79), soit en dressant un tableau des histoires, afin de montrer que certaines d'entre elles sont épisodiques et indépendantes, parce que ce sont des petits romans historiques, ou des épisodes pastoraux ou des nouvelles dramatiques (80). En revanche, Winckler s'est efforcé de prouver l'unité de *L'Astrée* en rattachant toutes les histoires intercalées à celle d'Astrée et de Céladon (81). En réalité, le lien qui unit les histoires entre elles n'est pas l'amour de Céladon et d'Astrée, mais l'amour et ses effets. Conscient du caractère disparate que risquait d'avoir son roman, Honoré d'Urfé a voulu lui donner une unité en l'intitulant : *Les douze livres d'Astrée ou par plusieurs*

(79) A. Lefranc, *art. cit,*. in *RCC*, t. 14, (1905-1906), p. 68.
(80) J. Marsan, *op. cit.*, Appendice I, pp. 438 sq.
(81) E. Winckler, *op. cit.*, L'auteur a dressé à la fin de son ouvrage un tableau qui prouve l'enchaînement de toutes les histoires de *L'Astrée.* Voir aussi sa conclusion, p. 185.

Histoires, et sous personnes de bergers et d'autres, sont deduits les divers effects de l'honneste amitié. Les histoires sont encore liées entre elles par le Forez où tous se retrouvent, soit parce que l'oracle les y a envoyés consulter la Fontaine de Vérité d'Amour, soit pour attaquer ou défendre Marcilly. Et, dans ce dernier cas, l'amour n'est pas étranger à leur arrivée en Forez. Tous se rencontrent auprès de Céladon, d'Astrée, de Diane et de Silvandre, auprès d'Amasis, de sa fille Galathée et de ses nymphes.

Deux histoires ont un caractère plus nettement indépendant, celle de Damon et de Fortune, et celle de Placidie et d'Eudoxe. L'une et l'autre ont pour origine des commentaires de tableaux. Les explications fournies par Adamas à propos de la première de ces histoires font réfléchir Céladon qui se repent « de son peu de courage de n'avoir sceu retrouver un semblable remede à celuy de Damon » (82). L'histoire de Placidie et d'Euxode est liée à celle d'Ursace et d'Olimbre. Céladon et Silvandre ont rencontré ces derniers et, à tour de rôle, ils racontent ce qu'ils ont appris (83). Le lien de ces récits avec l'intrigue principale de *L'Astrée* est donc assez lâche. A notre avis, dans son ensemble, le roman d'Urfé est fidèle à la structure traditionnelle de la pastorale ; mais il est supérieur aux pastorales antérieures par la recherche de l'unité, malgré une matière beaucoup plus ample et des histoires plus nombreuses. Celles-ci répondent aux conventions du roman pastoral, par leur introduction, leur interruption, leur variété et leur dénouement.

L'introduction des histoires n'est pas très variée dans le roman pastoral espagnol. Tantôt on entend un malheureux chanter sa plainte et les bergers se cachent derrière un buisson pour en connaître le motif, puis ils l'invitent à venir raconter en détail sa peine ; tantôt des bergers inconnus ou des chevaliers déguisés en bergers arrivent. Ils sont reçus courtoisement et, sur la prière de leurs hôtes, ils content leur histoire. Nous n'avons pas trouvé d'exception à ces règles, ni dans la *Diana* et ses continuations, ni dans la *Galatea*. Les mêmes procédés d'introduction sont utilisés par Honoré d'Urfé. Léonide, qui couche dans une chambre contiguë à celle de Polémas, surprend le récit de la ruse de Climante (84). Ou bien les bergers entendent des chants, ou bien ils sont intrigués par la rumeur d'une dispute entre un berger et une bergère (85), ou bien ils aperçoivent de loin des étrangers. C'est pour eux l'occasion d'interroger, de recevoir courtoisement les inconnus et d'apprendre leur histoire quand tous se sont bien installés pour écouter à plaisir. Souvent, des chevaliers, des princes, des dames de haut rang, parfois déguisées en bergères, arrivent en Forez pour obtenir un dénouement à leurs peines, grâce à un jugement ou à des conseils dispensés par Adamas. Alors, chacun fait le récit de ses aventures ou plaide sa cause. Céladon, Astrée, Silvandre racontent eux-mêmes leur histoire, à la demande de leurs

(82) *Astrée,* I, 11, 452.
(83) *Ibid.,* II, 10, 406 sq. ; II, 11, 468 sq.
(84) *Ibid.,* I. 5. 156.
(85) Voir par exemple, II, 1, 24.

amis. Une amitié s'est tissée entre Diane et Astrée, leurs histoires deviennent des confidences. Les commentaires de tableaux servent de prétextes à un épisode pastoral (86), ou à un roman historique (87). Les histoires sont racontées, tantôt devant les bergers rassemblés à l'ombre, tantôt, sous forme de confidences, de bouche à oreille, avant de s'endormir (88), tantôt par un messager qui arrive essoufflé à la cour d'Amasis (89). Parfois, elles apportent des éléments nouveaux à une véritable enquête (90), parfois, des étrangers venus en Forez entendent parler d'un personnage, se trouvent de le connaître et racontent sa vie (91). Honoré d'Urfé a donc cherché à varier la forme des histoires de *L'Astrée.*

La plupart, comme celles de la pastorale espagnole, commencent par des considérations morales. Le narrateur fait part de ses réflexions sur la Providence (92), sur l'amour (93), la Fortune (94), l'opinion, l'inconstance (95), la veulerie des hommes ; il indique, de cette façon, son état d'âme et la leçon qu'il retire de sa propre situation et de celle des héros de son récit. On encore il commence par protester de sa sincérité, si son récit doit être suivi d'un jugement (96). Enfin, quand un personnage a choisi de raconter son histoire pendant la nuit, il avoue que c'est par honte de ses sentiments (97). Cette variété des introductions n'apparaît ni dans les romans espagnols, ni dans les *Bergeries de Juliette.*

Toutes les histoires qui figurent dans ces romans pastoraux poursuivent invariablement de la même façon par une situation des lieux dans lesquels ont vécu les personnages et la plupart d'entre elles sont développées sans interruption. Une seule histoire de la *Diana,* celle de Félismène, est interrompue par le bruit d'un combat de chevaliers (98). Cervantès, seul parmi les auteurs espagnols, adopte fréquemment la technique du roman byzantin qui consiste à couper le récit par l'insertion d'un sujet étranger. Rarement, il considère l'histoire comme infragmentable et, de cette façon, il maintient l'attention du lecteur en éveil (99). Certaines histoires même, comme celle de Silerio, sont interrompues à plusieurs reprises. Enfin, toutes les narrations des pastorales espagnoles commencent « in medias res ».

Cette technique est adoptée par Honoré d'Urfé. Après les considérations morales, le narrateur situe le pays où va se dérouler

---

(86) *Astrée,* I, 11, 441 sq. (Episode de Damon et de Fortune).
(87) *Ibid.*, II, 11, 468 sq. (Histoire d'Eudoxe et de Placidie).
(88) *Ibid.*, II, 6, 208. Madonte raconte son histoire à Diane.
(89) *Ibid.*, I, 11, 424 sq.
(90) *Ibid.*, I, 10, 371. Adamas interroge Silvie pour connaître si Léonide lui a dit la vérité.
(91) *Ibid.*, II, 3, 110.
(92) *Ibid.*, III, 3, 84.
(93) *Ibid.*, III, 9, 357.
(94) *Ibid.*, I, 2, 49, 75 ; I, 10, 390 ; I, 12, 457.
(95) *Ibid.*, III, 7, 350 ; II, 3, 110 ; II, 1, 27.
(96) Voir, par exemple, *Astrée,* II, 1, 27.
(97) *Ibid.*, II, 6, 208.
(98) Montemayor, *op. cit.*, l. VII, pp. 293 sq.
(99) Voir, par exemple, *Galatea,* t. I, pp. 77-80 ; 159-167.

l'histoire, ou bien il présente les personnages en se servant parfois de la formule de Montemayor : « Sachez donc que... » (100). Les histoires de *L'Astrée* commencent « in medias res ». Ainsi après une centaine de pages qui nous ont appris la jalousie et le désespoir de Céladon, Diane et Phillis interrogent Astrée pour connaître les péripéties de sa vie passée. Elle hésite d'abord à répondre :

> « ... ce qui m'empesche d'en parler d'avantage, ce n'est seulement que remettre le fer dans une playe ne sert qu'à l'envenimer... »

Puis Diane lui fait remarquer que « de dire librement son mal à une amie, c'est luy en remettre une partie. » Enfin, après des considérations sur les haines des parents dont les enfants n'héritent pas nécessairement, elle commence ainsi son histoire :

> « Car, belle Diane, je croy que vous avez souvent ouy dire la vieille inimitié d'entre Alcé et Hippolyte, mes pere et mere, et Alcippe et Amarillis, pere et mere de Celadon. » (101)

En réalité, dès le deuxième livre de *L'Astrée,* nous avons appris cette inimitié, par l'histoire d'Alcippe qu'a racontée Céladon (102). Les sentiments des personnages s'expliquent par leur histoire et l'intrigue se complique en se chargeant de détails que le lecteur connaît petit à petit. C'est encore pour piquer la curiosité que d'Urfé interrompt les récits. Pour cela, il a recours à plusieurs procédés dont les uns sont traditionnels et les autres originaux. Les premiers consistent à faire remarquer qu'il est tard, le soleil étant couché depuis quelque temps, que l'histoire n'en est cependant qu'à la moitié et qu'il est sage d'en remettre la suite au lendemain (103). La fin est parfois racontée beaucoup plus tard, parce qu'entre temps d'autres histoires sont narrées. Les réflexions des auditeurs coupent encore le récit, plus fréquemment que dans la pastorale de Cervantès. Elles introduisent, au milieu d'une histoire qui risquait de lasser par sa longueur, une scène vivante, parfois digne d'une pièce de théâtre. Par exemple, quand Hylas narre sa rencontre avec Cryséide, il est interrompu par Diane qui lui fait remarquer

> « que les temples sont pour prier les dieux, et non pas pour faire l'amour à celles que l'on aime. » (104)

Hylas reprend son récit et, s'adressant à Silvandre, il justifie son inconstance. Silvandre hésite à répondre,

---

(100) Voir, par exemple, Montemayor, *op. cit.*, p. 9 : « Sabréis, pues, hermosas Nimphas, que mi natureleza es la gran vandalia ... » ; cf. *Astrée,* I, 2, 49 : « Sçachez donc, Madame, qu'Alcippe...» ; I, 10, 391 : « Sçachez donc qu'assez pres d'icy, le long de la riviere de Lignon,... » ; II, 1, 27 : « Sçachez donc, grande Nymphe, qu'encores que nous soyons, Calidon et moy, demeurants dans ce proche hameau de Montverdun... »

(101) *Astrée,* I, 4, 111-112.

(102) *Ibid.*, I, 2, 64 : « Et c'est cela (dict Celadon, s'adressant à Silvie), belle Nymphe, que vous ouystes dire estant en nostre hameau. »

(103) *Ibid.*, I, 8, 316.

(104) *Ibid.*, III, 7, 358.

« mais voyant que chacun avoit les yeux tournez sur luy, et que Diane mesme le regardoit, comme attendant quelque chose de luy, il creust d'estre obligé de luy dire ... »

Il s'ensuit un dialogue animé entre Hylas et Silvandre. Hylas est « à moitié en colère », l'assistance rit. Silvandre ironise, Hylas réplique, et d'Urfé remarque :

« A quoy Silvandre n'ayant voulu respondre pour ne le distraire point davantage de la continuation de son discours, apres s'estre teu quelque temps, il reprit ainsi la parole... » (105)

Honoré d'Urfé a aussi recours à un artifice banal pour confier la suite d'un récit à un autre personnage. Alcion demande à Hylas de poursuivre l'histoire qu'il a commencée. Celui-ci avoue ne pas savoir ce qui s'est passé ensuite :

« Seigneur, respondit Hylas, je vous asseure que j'ay vuidé toute ma bourse de ce costé-là, c'est-à-dire que je n'en sçay pas d'avantage ; ç'a esté de Cryseide que je l'ay apprise, et s'estant allée sans dire adieu à personne, j'en fis de mesme, de peur que ceux qui la gardoient ne m'accusassent de fuitte. Je n'ay peu depuis seulement sçavoir en quel lieu luy et elle s'est peu retirer. »

Mais Florice a connu Cryséide qui lui a elle-même raconté la la suite de ses aventures. Le récit se poursuit donc sur un autre ton et sans interruption (106). Plusieurs histoires viennent s'intercaler dans l'histoire commencée par Hylas. Il a d'abord raconté sa vie, puis il a rapporté ce que Cryséide lui a confié et le récit est continué par Florice (107).

Deux histoires nous montrent l'originalité du procédé d'interruption utilisé dans *L'Astrée* : celle de Ligdamon, Lindamor et Lydias, et celle de Damon et Madonte. La première est d'abord racontée par Léonide (108), puis elle est reprise par Silvie (109). Les aventures de Ligdamon et de Lindamor sont ensuite narrées par le messager Egide (110), par Amasis qui a eu des nouvelles de Lindamor et de Clidaman (111), par Silvie qui, à la cour d'Amasis, a eu connaissance d'une lettre de Lindamor apportée par Fleurial (112). Lindamor joue un rôle dans l'histoire de Childéric (113) et Ligdamon, enfin revenu en Forez, raconte lui-même la suite de ses aventures. Tous les personnages se retrouvent en Forez et nous apprenons alors la suite de leur histoire (114).

Madonte confie à Diane le récit de ses amours avec Damon (115). Celui-ci devient le chevalier errant qui, venu en Forez, combat con-

---

(105) *Ibid.*, III, 7, 359-360.
(106) *Ibid.*, III, 8, 428.
(107) A propos de ce procédé, voir M. Lauga, *art. cit.*, p. 21.
(108) *Astrée*, I, 3, 75.
(109) *Ibid.*, I, 10, 371.
(110) *Ibid.*, I, 11, 426.
(111) *Ibid.*, I, 12, 457.
(112) *Ibid.*, II, 10, 414.
(113) *Ibid.*, III, 12, 649.
(114) *Ibid.*, IV, 11, 678.
(115) *Ibid.*, IV, 12, 753 ; IV, 12, 764 ; IV, 12, 776.

tre Argantée. En présence de Cléontine, il raconte les aventures qu'il a vécues depuis qu'il a quitté Madonte (116).

Ces procédés d'interruption, qui maintiennent l'attention en éveil et font jouer à certains personnages secondaires un rôle important dans l'intrigue du roman, contraignent Honoré d'Urfé à résumer de temps à autre les événements relatés antérieurement, pour que le lecteur en ait la mémoire rafraîchie. Ainsi, Célidée rappelle à Galathée le jugement de Diane (117), l'histoire de Daphnide et d'Alcidon est remémorée par Thamire, les cicatrices que Célidée porte au visage sont expliquées à Damon par Galathée (118). Nous sommes loin des histoires intercalées dans les pastorales espagnoles. D'Urfé ne se contente jamais d'un procédé conventionnel de narration (119). Il le transforme, le complique à sa fantaisie, se joue des difficultés qui se présentent et les surmonte toujours avec aisance. Il entrelace les histoires qu'il raconte, avec l'habileté d'un dramaturge expert dans l'art des raccords. Il interrompt ses récits à propos, croise les trames des divers épisodes, les abandonne et les reprend, sans jamais s'embrouiller. Il donne à chaque partie une importance qui ne fait jamais oublier l'intrigue principale. Le lecteur attentif se retrouve sans peine dans ce labyrinthe, car l'auteur prend la précaution de toujours laisser pendre un fil d'Ariane.

L'intérêt des histoires intercalées réside dans l'analyse des sentiments des personnages. Montemayor a fixé son attention sur les événements intérieurs ; il ne relate les événements extérieurs que dans la mesure où ils expriment l'évolution des sentiments de ses personnages. Par le fait, il a pressenti le rôle que pouvaient avoir les lettres dans les histoires. Dans l'*Arcadia* de Sannazar, nous n'en lisons aucune ; dans la *Diana,* figurent neuf lettres dont, malheureusement, l'importance n'est pas suffisante pour retenir l'attention. Gil Polo ne leur a pas accordé plus d'importance que son maître. Alonso Perez a recours à ce procédé pour faire progresser l'action : douze lettres sont échangées par les personnages et la plupart ont un intérêt dramatique. Au nombre de dix dans la *Galatea,* elles y jouent un rôle semblable. Dans ces romans pastoraux, il arrive souvent que les lettres soient résumées pour éviter des longueurs. Dans *L'Astrée,* elles occupent une place beaucoup plus considérable. Dans la mesure où d'Urfé attache son attention à la psychologie des personnages, les caractères sont plus riches, les actions beaucoup plus motivées et les lettres jouent un rôle essentiel ; lorsque les événements extérieurs prennent le pas sur les sentiments, elles sont moins nombreuses. Nous constatons ainsi que la première partie de *L'Astrée* nous offre 38 lettres,

---

(116) *Ibid.*, II, 6, 208.

(117) *Ibid.*, III, 6, 302.

(118) *Astrée*, III, 11, 579-580.

(119) On peut encore constater comment d'Urfé a varié ses jugements d'amour. Le procédé avait été utilisé par la pastorale espagnole, mais aucun les auteurs n'avait donné autant de vie aux plaidoiries et de variété aux jugements.

Sur l'art de la composition dans *L'Astrée,* voir. G. Charlier, *op. cit.*, pp. 38-39 ; M. Laugaa, *art. cit.*, pp. 19-20.

la seconde partie 12, la troisième 20 et la quatrième 24. Elles ont dans le roman un rôle narratif qui se définit à partir de l'histoire complète où elles sont insérées. Elles sont causes de bonheur ou de désespoir. Souvent, elles sont l'aveu de sentiments qu'un personnage ne peut ou ne veut pas exprimer de vive voix. Quand elles sont contrefaites, elles trompent et elles sont instruments de ruse ou de haine. Parfois, un rival s'empare d'un billet d'amour malencontreusement égaré par celui auquel il était destiné. Pour faire parvenir la lettre à son destinataire, les amants ont recours à divers moyens ingénieux : messager, jardinier, creux d'un saule, chapeau, livre de prières, gants.

L'histoire de Céladon et d'Astrée offre un intéressant exemple du rôle joué par les lettres dans *L'Astrée* (120). La correspondance qu'Astrée et Céladon échangent au moyen d'un chapeau ou en la confiant au creux d'un saule est l'aveu de leur amour, elle révèle leurs sentiments à leurs ennemis et elle est enfin le témoin du bonheur perdu. Les lettres écrites par Astrée font connaître l'évolution de ses sentiments qui vont de la pure amitié à l'amour (121). Celles de Céladon apportent à Astrée l'assurance que, malgré l'éloignement, il continue à l'aimer (122), et qu'il souffre de la dissimulation à laquelle il est contraint (123). La lettre contrefaite par Alcippe abuse Céladon ; il accuse Astrée d'infidélité (124). Mais, alors qu'il est désespéré parce que sa maîtresse lui a ordonné de ne plus reparaître devant elle, son amour croît et s'épure. Deux lettres en témoignent, la première retrouvée dans son chapeau, la seconde, surtout, adressée « A la plus aymee et plus belle bergere de l'univers », où Céladon déclare son contentement d'obéir aux ordres de sa maîtresse et souhaite que « les Champs Elysées pour le moins, et les ames bien-heureuses qui y sont », reconnaissent qu'il est fidèle (125). Astrée croira voir le fantôme de Céladon et avoir reçu un message de l'au-delà. Pour obtenir le repos de l'âme de Céladon, elle fera construire un tombeau. Dès lors, il sera possible à Céladon de se déguiser en Alexis et de vivre auprès d'Astrée.

Les ennemis de l'amour d'Astrée et de Céladon, Alcippe, Sémire et Galathée, en dérobant leurs lettres, découvrent leurs sentiments et complotent, afin d'y mettre fin. Alcippe, qui a trouvé leur cachette, lit leur correspondance ; à un billet d'Astrée il substitue une lettre contrefaite, qui demande à Céladon de mettre un terme à son amour :

> « Toutefois, puis que c'est folie de contrarier à ce qui ne peut arriver autrement, je vous conseille de vous armer de resolution, et d'oublier tellement tout ce qui s'est passé entre nous,

---

(120) Sur le rôle des lettres comme procédés littéraires, voir J. Rousset, « Le Roman par lettres », in *Formes et signification*, Paris, Corti, 1962. Sur le rôle des lettres dans l'histoire d'Astrée et de Céladon, voir Charles E. Kany, *The beginnings of the epistolary novel in France, Italy and Spain*, Berkeley, University of California Press, 1937, pp. 80-82.

(121) *Astrée*, I, 3, 67-68 ; I, 4, 133, 147 ; I, 12, 485.

(122) *Ibid.*, I, 4, 121.

(123) *Ibid.*, I, 1, 22.

(124) *Ibid.*, I, 4, 145.

(125) *Ibid.*, II, 3, 97.

que Celadon n'ait plus de memoire d'Astrée, comme Astrée est contrainte d'ores en là, de perdre pour son devoir tous les souvenirs de Celadon. » (126)

A la lecture de ces lignes, Céladon s'évanouit, car il est persuadé qu'Astrée accepte d'épouser Corebe :

« Il demeura tout le jour sur un lict, sans vouloir parler à personne, et la nuict estant venue, il se desroba de ses compagnons, et se mit dans les bois les plus reculez, fuyant la rencontre des hommes comme une beste sauvage, resolu de mourir loing de la compagnie des hommes, puis qu'ils estoient la cause de son ennuy. »

Un exil de six mois s'ensuit, d'où il est tiré par Lycidas qui a découvert sur les eaux du Lignon un billet enfermé dans une boule de cire. Céladon y accuse sa maîtresse d'infidélité (127). Sémire s'empare d'une lettre qu'Astrée a égarée. Il apprend l'amour d'Astrée pour Céladon et, par jalousie, il complote pour séparer Astrée et Céladon. Il persuade à Astrée que Céladon lui est infidèle. Celuici est chassé par Astrée qui, trop tard, s'en repentira en découvrant des lettres qui prouvent la fidélité de son amant.

En lisant les lettres conservées par Céladon, Léonide apprend l'amour d'Astrée ; elle croyait qu'elles étaient adressées à Lycidas (128). Galathée s'empare du sac dans lequel Céladon garde les lettres d'Astrée. Elle connaît ainsi les sentiments d'Astrée et elle tente de profiter du désarroi de Céladon, pour gagner son amour en glissant, dans le sac, ce billet :

« Celadon, je veux que vous sçachiez que Galathée vous aime, et que le Ciel a permis le desdain d'Astrée, pour ne vouloir que plus long temps une bergere possedast ce qu'une nymphe desire. Recoignoissez ce bonheur, et ne le refusez. » (129)

Enfin, les lettres d'Astrée constituent pour Céladon un souvenir de son bonheur passé, elles sont « secretaire de [sa] vie bienheureuse », et, quand il est dans la peine, il les relit, puis les range « en leur rang », afin qu'elles soient une reconstitution de l'histoire de son amour (130). De son côté, Astrée conserve avec soin les lettres de Céladon. Elles avivent son remords, parce qu'elles témoignent l'amour fidèle de Céladon et lui font regretter sa rigueur.

Dans l'histoire d'Astrée et de Céladon, les lettres jouent donc un rôle essentiel. Sans elles, le tourment d'Astrée et de Céladon ne peut s'expliquer. Elles éclairent la psychologie des deux amants et elles provoquent les rebondissements de l'action. Dans le reste du roman, nous pourrions découvrir un intérêt semblable aux lettres échangées par les autres personnages (131). Elles ne sont pas un supplément aux histoires, elles en font partie intégrante.

---

(126) *Ibid.*, I, 4, 143.
(127) *Ibid.*, I, 4, 145.
(128) *Ibid.*, II, 7, 278 et 279.
(129) *Ibid.*, I, 3, 74.
(130) *Ibid.*, I, 3, 73.
(131) Voir une analyse du rôle des lettres dans l'histoire de Galathée et de Lindamor, Laugaa, *art. cit.*, pp. 14-18.

Cependant, nous regrettons parfois leur longueur et leur style embrouillé. Malgré ces défauts, elles révèlent le talent de l'auteur de *L'Astrée* qui, d'instinct, a su tirer un profit dramatique et psychologique d'un procédé de narration traditionnel dans les romans pastoraux espagnols.

Sous la plume d'Urfé est en train de naître un genre romanesque qui métamorphose la matière fournie par la pastorale et le roman de chevalerie. Les thèmes conventionnels se découvrent dans toutes les histoires de *L'Astrée*. Ils sont ceux du roman de chevalerie et de la pastorale espagnole, mais ils ont une autre tonalité, parce que l'intention d'Urfé est différente de celle de ses prédécesseurs. Leur inventaire nous révèle la richesse inventive d'Honoré d'Urfé : il n'a pas eu l'intention d'accumuler ou de coudre les uns au bout des autres des sujets recueillis au cours de ses lectures. Avec *L'Astrée,* ils prennent une dimension nouvelle. Dans les romans pastoraux, nous constatons le retour constant des mêmes thèmes. Nous les retrouvons tous dans *L'Astrée*. Ils concernent la naissance et le développement d'un amour que contrecarrent des obstacles ; ce sont des aventures causées soit par des ressemblances, soit par des déguisements, soit par la rivalité entre plusieurs amants ; ou encore des prouesses de générosité et de vaillance.

Un amour naît souvent entre un jeune homme et une jeune fille qui ont été élevés ensemble, soit à cause du voisinage des parents, soit parce que l'un d'entre eux est orphelin (132). Mais, comme les parents ont d'autres projets de mariage, ou parce qu'une brouille s'est élevée entre les deux familles (133), le jeune homme est envoyé dans une université étrangère pour y étudier, la jeune fille est confiée à une parente, souvent à une tante qui habite une autre région (134). Parfois, l'amour naît d'un regard ou du hasard d'une rencontre, dans une église ou dans un temple. Comme ce dernier est interdit aux hommes, le héros se déguise pour y pénétrer et assiste à la cérémonie religieuse au cours de laquelle il déclare son amour (135). Il arrive encore que la rencontre ait lieu au cours d'une fête, au milieu des jeux et des danses (136). L'amant a quelquefois le bonheur de contempler son aimée pendant son bain et d'en admirer le bras et la jambe dénudés, ou même le corps en-

(132) Montemayor, *op. cit.*, l. IV, p. 203, l. VI, p. 261 ; *Astrée,* I, 7, 248 (Histoire de Tirsis et de Laonice) ; IV, 6, 290 (Histoire de Delphire et de Dorisée).

(133) Montemayor, *op. cit.*, l. I, p. 51 ; Cervantès, *op. cit.*, t. I, p. 38 ; *Astrée,* I, 1, 10.

(134) Montemayor, *op. cit.*, l. I, p. 59. *Astrée,* I, 2, 53-54 : Amarillis est envoyée chez une tante, sœur de son père, sur les bords de l'Allier.

(135) Montemayor, *op. cit.*, l. I, pp. 41-42 ; *Astrée,* I, 4, 114-115 (Céladon déguisé en bergère entre dans le Temple de Vénus), II, 3, 110 (Hylas se fait enfermer dans un temple de Lyon parmi les filles. Il est sauvé par Palinice qui le recouvre d'un voile pour le faire sortir du temple).

(136) Montemayor, *op. cit.*, l. I, p. 41 ; Cervantès, *op. cit.*, t. I, pp. 67, 70, 73. *Astrée,* I, 4, 113 (Céladon parle pour la première fois à Astrée au cours d'une fête et il lui baise la main) ; *Ibid.*, I, 6, 199 (Diane rencontre Filandre au cours d'une fête d'Apollon et de Diane). Ce thème a été développé par le roman sentimental voir, à ce propos, G. Reynier, *op. cit.*, pp. 40, 50, 106 ; E. Roy, « La poétique du roman au XVIIe siècle », in *Revue Bourguignonne de l'Enseignement supérieur,* t. 7 (1897), p. 249.

tier (137). Quand les deux amants brûlent d'un amour réciproque, la bergère, afin de sauvegarder son honneur, impose au jeune homme d'être discret et de feindre d'en aimer une autre (138). Mais, souvent, un rival en profite pour semer la jalousie dans le cœur de la jeune bergère. Il arrive que celle-ci soit insensible à l'amour ou qu'elle soit aimée de plusieurs qu'elle traite avec un cruel dédain (139). L'amoureux désespéré se condamne à la vie solitaire, ou bien il éprouve une jalousie si violente qu'il en tombe malade ou désire se donner la mort ou perd complètement la raison. Parfois, l'amant éprouve du dégoût pour la campagne, il court le monde en quête d'honneurs et de vie brillante à la cour, puis, désabusé, il revient au hameau de son enfance pour y mener une vie paisible (140). Les obstacles se multiplient pour s'opposer au bonheur de ceux qui s'aiment. Quand ils sont séparés, ils se déguisent pour se retrouver ou pour fuir un danger (141). Au cours de leurs voyages, une ressemblance parfois les fait confondre avec un autre personnage (142). Chevaliers ou bergers, ils manifestent leur vaillance dans les combats qu'ils livrent contre les sauvages ou les chevaliers errants. Au milieu de ces aventures, des lettres sont échangées, des vieillards, des prêtres ou des magiciens leur offrent l'hospitalité et pansent les blessures de leur corps et de leur âme. Des bergers rencontrés par hasard ou des oracles guident leurs pas vers le pays où ils trouveront une trêve à leurs peines (143).

Il suffit donc à d'Urfé de développer ces thèmes du roman pastoral espagnol, d'y ajouter une teinte sensuelle d'inspiration italienne ou des aventures et des oracles dont le roman grec fournissait des exemples, de maintenir l'intérêt par des prouesses admirables et des accouchements clandestins dont les conséquences romanesques ont été appréciées dans l'*Amadis*. Pour obtenir des récits plus variés et plus étoffés, l'histoire de l'Antiquité et les événements contemporains lui fournirent des sujets nouveaux ou déjà timidement suggérés par la pastorale espagnole. L'*Heptaméron,* les conteurs italiens, comme Boccace ou Bandello, les conteurs espagnols comme Cervantès, mirent à la disposition du romancier des situations sujettes à des développements abondants.

---

(137) Sannazar, *op. cit.*, f. 7 r°, 22 r° ; Le Tasse, *Aminta,* Acte II, sc. 3 ; *Astrée,* I, 5, 168-169 : Climante décrit à Polémas la beauté de Léonide ; grâce à sa ruse, il a pu contempler la nudité de Silvie, de Léonide et de Galathée. Nous constatons comment d'Urfé, pour sauvegarder les bienséances, modifie le développement de ce thème de la pastorale.

(138) Montalvo, *op. cit.*, p. 405, col. 2 ; Cervantès, *op. cit.*, t. I, p. 41 ; *Astrée,* I, 4, 122 sq. : Astrée demande à Céladon de servir Phillis afin que personne ne puisse soupçonner son amour.

(139) C'est le cas de *Galatée* dans la *Galatea* de Cervantès, de Silvie dans *L'Astrée.*

(140) Cervantès, *Galatea,* t. II, p. 34 sq. ; *Astrée,* Histoire d'Alcippe.

(141) Montemayor, *op. cit.*, l. I, p. 105 ; Montalvo, *op. cit.*, p. 405, col. 2, p. 410, col. I ; *Astrée,* I, 9, 323 (déguisement de Lindamor) ; I, 12, 457 (déguisement de Mélandre en homme).

(142) Perez, *op. cit.*, f. 63 v° (ressemblance de Delicio) ; Cervantès, *op. cit.*, t. I, p. 94, t. II, p. 24 ; *Astrée,* IV, 11, 679 (ressemblance de Lydias et de Ligdamon).

(143) Voir, par exemple, Montemayor, *op. cit.*, l. VII, p. 294 ; *Astrée,* III, 12, 638 sq., Damon et Madonte conduits en Forez par un oracle y trouvent dénouement à leurs peines.

Mais d'Urfé n'est jamais l'esclave de ses emprunts. Son imagination a brassé tous ces éléments romanesques ensemble, les a fondus en une seule histoire parfois ou les a modifiés, pour en faire naître des situations nouvelles. Antoine Adam a montré comment deux thèmes romanesques empruntés au *Primaléon* ont été réunis dans l'histoire de Lindamor et de Galathée (144). Il en a tiré la conclusion qu'une « étude des thèmes romanesques de *L'Astrée* fournirait sans doute des résultats analogues pour chacun d'eux ». (145) En effet, souvent les sujets des histoires ne sont pas empruntés à une seule œuvre, mais à plusieurs et de genres différents. Cela rend artificielles toutes les classifications proposées. C'est pourquoi, il nous a semblé intéressant d'étudier comment d'Urfé met en œuvre ses emprunts littéraires.

Dans la première partie de *L'Astrée,* nous constatons que la majorité des histoires sont soit d'origine pastorale pure, soit d'origine pastorale et chevaleresque. A la première catégorie appartiennent l'histoire de Céladon et d'Astrée, celle de Célion et de Bellinde, de Damon et de Fortune, de Tircis et de Laonice, de Diane et de Silvandre. Aucune d'entre elles ne réserve de surprise à qui a lu des romans pastoraux. Tous les éléments conventionnels du récit pastoral y sont presque à l'état pur. Honoré d'Urfé ménage, toutefois, une part importante à l'analyse des sentiments de ses personnages, il décrit avec détails leurs attitudes et des dialogues vivants égaient le récit. Seul, l'épisode de Damon et de Fortune présente une originalité de forme et de dénouement. A la seconde catégorie d'histoires appartiennent celles d'Alcippe, de Diane et de Filandre, de Lindamor et de Ligdamon. Aux thèmes pastoraux se mêlent ceux qui sont empruntés aux romans de chevalerie. L'histoire d'Alcippe est, en faible partie, empruntée à une nouvelle de l'*Heptaméron* (146) : l'épisode de l'amante inconnue illustre seulement la conduite d'Alcippe et son goût pour les aventures. En fait, l'histoire d'Alcippe, commencée par le développement du thème pastoral de la bergère insensible qui, au nom de l'honneur, refuse d'entendre parler d'amour, se poursuit en prouesses et aventures de roman de chevalerie et se termine en pastorale. Elle ne s'écarte pas de la tradition des récits intercalés dans les pastorales espagnoles, pas plus que celles de Diane et Filandre, de Lindamor et de Ligdamon. Ces derniers, cependant, ne sont pas des bergers, ils sont des chevaliers qui vivent à la cour d'Amasis et leurs sentiments s'adressent à Galathée et à ses nymphes. Aucune histoire intercalée dans cette première partie de *L'Astrée* ne nous dépayse de la pastorale espagnole. L'originalité d'Honoré d'Urfé est dans la forme plus que dans le choix des thèmes.

Avec la deuxième partie, se déploie un échantillonnage complet de toutes les techniques romanesques d'Honoré d'Urfé. La complexité de l'intrigue s'accroît de plus en plus pour atteindre son apogée dans les deux parties suivantes. Les thèmes traditionnels de la pastorale et ceux des contes italiens se lient à ceux des

(144) Voir, à ce propos, A. Adam, *art. cit.*
(145) Id., *Histoire de la littérature française au XVIIe siècle,* t. I, p. 127.
(146) Marguerite de Navarre, *Héptameron,* 5e journée, nouvelle 43.

romans de chevalerie et des romans grecs ; des faits historiques sont joints à des thèmes de chevalerie ou à des thèmes pastoraux dans lesquels interviennent des éléments empruntés aux romans grecs. Quelques exemples suffiront à révéler la technique romanesque d'Honoré d'Urfé.

L'histoire de Damon et de Madonte réserve une très faible part aux conventions pastorales ; elle semble dépendre des procédés habituels aux romans de chevalerie comme l'*Amadis,* et du *Roland furieux* de l'Arioste. La pastorale fournit un cadre qui permet l'insertion de l'histoire dans le roman. Madonte, venue en Forez, a pris l'habit de bergère, mais elle a été élevée à la cour de Torrismond où elle a rencontré le chevalier Damon. L'action va rebondir plusieurs fois pour constituer un véritable roman dont le lecteur retrouvera épisodiquement la suite au cours des deuxième, troisième et quatrième parties de *L'Astrée.* C'est, d'abord, la narration d'un amour réciproque entre Damon et Madonte mais contrarié par la jalousie de Lériane, placée auprès de Madonte pour la surveiller. Tersandre aime Madonte, Lériane aime Damon. Lériane trame en silence une ruse, pour détourner Damon de Madonte. Elle incite Tersandre à déclarer son amour à Madonte, afin de provoquer la jalousie de Damon et elle éveille les soupçons de Madonte en lui laissant croire que Damon est amoureux d'Ormanthe. Jusque-là, rien qui ne nous soit familier, puisque le thème de la jalousie a été longuement développé par la *Galatea* et qu'une situation semblable et tout aussi complexe a été exploitée par Guarini dans son *Pastor Fido.* La découverte d'une lettre adressée par Tersandre à Madonte provoque la jalousie de Damon et un duel oppose les deux rivaux. Damon, persuadé de l'infidélité de Madonte, se jette dans la Garonne. Il est sauvé par un ermite ; cependant, tous croient qu'il est mort, puisque Madonte a reçu un mouchoir taché de son sang, dernier message de son amour. Dès lors, l'intrigue se complique : Lériane, pendant l'absence de Damon, ourdit un complot contre Madonte. Le courant chevaleresque va l'emporter sur le thème pastoral, pour introduire de multiples péripéties dans le ton de celles de l'*Amadis.* Comme le traître du roman de chevalerie, Lériane ne recule devant acune ruse. Ormanthe est enceinte de Damon, elle accouche clandestinement et Lériane fait croire que l'enfant est celui de Madonte et de Damon. Madonte est condamnée à mort. Elle accepte l'épreuve du feu. On réclame la preuve de son innocence par les armes. Un chevalier inconnu se présente, il sauve Madonte et disparaît : c'est Damon qui, dans la troisième partie de *L'Astrée,* se bat contre Argantée. Son histoire, qu'il conte à Galathée, nous apprend qu'il a erré jusqu'en Afrique, en quête d'aventures. Damon et Madonte se retrouvent en Forez où un oracle les a conduits. La réconciliation de Damon et de Tersandre clôt heureusement cette histoire (147). Aux influences du roman pastoral et du roman de chevalerie se mêle celle de l'épisode de Guenièvre chanté par L'Arioste dans le *Roland furieux* (148). D'Urfé lui emprunte l'histoire de la jeune

(147) *Astrée,* III, 12, 638-640.

(148) Voir A. Cioranescu, *L'Arioste en France des origines à la fin du XVIIIe siècle,* t. I, p. 373.

femme injustement accusée et du chevalier qui prend sa défense, bien qu'il la croie coupable du crime dont on l'accuse. Les modifications d'Honoré d'Urfé s'expliquent par la condition différente de ses personnages et par le soin qu'il apporte à la vraisemblance et à l'analyse des passions. Aucun personnage de cette histoire n'est pâle ; l'analyse de la jalousie est approfondie avec minutie, au point que les sources utilisées sont largement dépassées. La jalousie de Lériane se transforme progressivement en haine et en désir de vengeance.

Autant que les romans de chevalerie, les romans grecs fournissent à Honoré d'Urfé le récit d'aventures extraordinaires, dont certaines ont été négligées par la pastorale espagnole. Il est des histoires de *L'Astrée* où l'influence du roman grec se fait sentir, alliée à celle du roman de chevalerie ou au récit d'événements historiques. L'histoire de Policandre et celle d'Eudoxe et de Placidie en sont des exemples.

Dans l'histoire de Policandre nous reconnaissons facilement les thèmes de l'*Amadis* : amours de Policandre et d'Argire, naissance d'un enfant, exploits et amours de Kynicson, reconnaissance de l'enfant et retrouvailles des deux amants. Le roman grec ajoute sa note d'aventures : substitution d'enfants, le fils d'Argire et de Policandre vendu comme esclave par des pirates. A cela se mêlent les amours de Rosanire et de Rosiléon contrariées par la politique. L'histoire se dénoue en Forez où le siège de Marcilly réunit les personnages. Deux histoires se fondent ainsi en une seule et font naître plusieurs rebondissements. Policandre et Rosiléon sont des personnages du roman de chevalerie, Argire s'apparente plutôt à ceux du roman grec. Jamais les aventures n'étouffent l'analyse sentimentale ; elles sont la cause de nouvelles situations qui suscitent une évolution continuelle des sentiments.

Les événements historiques teintent légèrement ce récit. Ils forment l'intrigue de l'histoire d'Eudoxe et de Placidie, où l'influence du roman de chevalerie cède le pas à celle du roman grec. Les faits historiques y justifient les assassinats, la violence, un viol. Cette atmosphère tragique, qui tranche sur celle des autres histoires intercalées, s'explique par la dissolution des mœurs de l'Empire romain. Les privautés d'Ursace, la scène de la piqûre d'abeille et du baiser, empruntée soit au roman des *aventures de Leucippé et de Clitophon,* soit à l'*Aminta* du Tasse, ajoutent une note sensuelle au récit. La tempête, la scène de l'esclavage en Afrique, sont des thèmes empruntés au roman grec. Dans cette histoire, qui domine la deuxième partie de *L'Astrée,* se révèle le talent romanesque d'Honoré d'Urfé. Elle ne s'écarterait pas d'un récit historique, si l'histoire d'Ursace et Olimbre ne se greffait sur elle. La galerie de portraits commentés par Adamas est l'occasion d'un enseignement sur la situation politique de Rome et les aventures d'Euxode, de Placidie, de Valentinian et de Maxime. Ce récit teinté de pastorale et de roman grec devient un véritable roman dans le roman, difficilement détachable du reste de l'ouvrage, parce qu'il est lié par les personnages et le thème de l'amour.

Toutes les histoires intercalées se rattachent ainsi à l'ensemble de *L'Astrée,* au point que détacher une seule d'entre elles conduit nécessairement à la déflorer. *L'Astrée* n'est pas un roman à tiroirs où les histoires s'enchaîneraient artificiellement, pour composer un tout d'où pourraient s'extraire des récits indépendants. Prises une à une, elles nous livrent leurs sources et nous laissent découvrir comment d'Urfé a cousu, plus ou moins visiblement, des éléments disparates d'origines diverses. Nous avons dû nous en tenir à quelques échantillons et nous nous sommes contentés d'en noter les caractères dominants. Honoré d'Urfé, non content de mêler dans une même histoire des éléments d'origines diverses, tire parfois d'une seule source littéraire plusieurs récits, varie sur un même thème et lui donne une résonance originale qui le transforme en le rajeunissant.

III. — Les variations sur un même thème.

Une nouvelle de l'*Heptaméron* fournit à d'Urfé le sujet de deux épisodes de *L'Astrée* (149). Marguerite de Navarre raconte comment Jambicque fait profession de haïr les hommes mais brûle d'amour pour un gentilhomme épris de sa maîtresse. Elle cache son visage sous sa « cornette basse et son touret de nez », rencontre le gentilhomme, de nuit, lui fixe un rendez-vous et lui déclare son amour, en refusant de révéler son nom. Le jeune homme, décidé à savoir qui elle est, trace à la craie une marque sur la robe de la femme inconnue. Découverte, Jambicque se met en colère et, par vengeance, rapporte à sa maîtresse les propos que le gentilhomme lui a tenus ; celui-ci est chassé. Marguerite de Navarre en tire la conclusion suivante :

> « Par quoy, mes dames, povez veoir comme celle qui avoit preferé la gloire du monde à sa conscience, a perdu l'un et l'autre, car aujourd'huy est leu aux œilz d'un chascun ce qu'elle vouloit cacher à ceulx de son amy, et, fuyant la mocquerie d'un, est tombée en la mocquerie de tous. Et si ne peut estre excusée de simplicité, et amour naifve, de laquelle chascun doibt avoir pitié, mais accusée doublement d'avoir couvert sa malice du double manteau d'honneur et de gloire, et se faire devant Dieu et les hommes aultre qu'elle n'estoit. »

Non seulement Honoré d'Urfé ne retient point cette conclusion sur l'hypocrisie, mais il transforme cette histoire, en l'utilisant dans le récit des aventures d'Alcippe et dans celui de la ruse de Lériane. Pendant les fêtes de Marcilly, Alcippe a été remarqué par une femme. Une vieille entremetteuse, « presque couverte d'un taffetas qu'elle avoit sur la tête » (150), vient lui déclarer l'amour de sa maîtresse et elle lui fixe rendez-vous. On bande les yeux d'Alcippe, mais on lui laisse son épée. Tout en le déshabillant, la vieille femme lui fait promettre de garder secrète sa bonne fortune. Jamais la femme mystérieuse n'adressera la parole à Alcippe. Sur les conseils de son ami Clindor, Alcippe décide de satisfaire sa curiosité en coupant un demi-pied de la frange du couvre-lit. Il

(149) Marguerite de Navarre, *op. cit.*, 5e journée, nouvelle 43.
(150) *Astrée,* I, 2, 57.

découvre ainsi l'identité de son amante, qui appartient à l'une des meilleures maisons du Forez, comme le prouvent la couleur et la qualité de la frange. Comme il conjure sa mystérieuse maîtresse de ne plus se tenir secrète, celle-ci laisse éclater sa colère contre Clindor. Il s'ensuit un duel, l'emprisonnement de Clindor à Usson, un exploit d'Alcippe pour le sauver, puis son déguisement et la série d'aventures qui lui font parcourir le monde et le conduisent à la cour du roi Artus. Le fond du récit de Marguerite de Navarre n'est pas changé, c'est l'intention qui est modifiée. La femme mystérieuse est une dame de grande condition et non pas une suivante. Deux personnages sont créés par d'Urfé : la vieille servante qui sert d'entremetteuse et rencontre Alcippe dans un temple, et Clindor, le cousin d'Alcippe. La femme inconnue ne se cache pas par hypocrisie et, une fois découverte, elle est à l'origine des aventures d'Alcippe. L'histoire est plus vraisemblable que celle qui est contée par Marguerite de Navarre. En effet, la femme inconnue ne parle pas et Alcippe garde son épée. Le récit de *L'Astrée* est plus alerte et plus pittoresque, et il n'a aucune valeur morale indépendante, puisqu'il illustre le goût d'Alcippe pour l'aventure.

De cette nouvelle de l'*Heptaméron* l'auteur de *L'Astrée* semble encore s'être inspiré pour créer le personnage de Lériane, qui joue un rôle important dans l'histoire de Damon et Madonte (151). Comme Jambicque, Lériane est jalouse de sa maîtresse, mais, sans se cacher, elle offre son amour à Damon. La jalousie est la source de sa haine et de sa vengeance. La psychologie de Lériane est plus finement analysée. Jambicque a fourni la silhouette du personnage que d'Urfé a enrichi de l'apport de ses lectures de romans de chevalerie et de pastorales et, surtout, de sa connaissance du cœur humain.

Il arrive à Honoré d'Urfé de varier sur un même thème en le compliquant comme à plaisir. Choisissons, par exemple, le sujet souvent développé de la femme aimée de plusieurs. L'histoire de Delphire et de Dorisée (152) nous présente le cas d'une jeune fille, Delphire, aimée de Tomantès, de Filinte et, pendant leur absence, d'Androgène. De son côté, Dorisée est l'objet des assiduités d'Asphale et d'Androgène qui profite aussi de l'absence d'Asphale. Tomantès se lie d'amitié avec Asphale. De retour, l'un et l'autre feignent l'indifférence, afin de punir leur maîtresse. En compliquant encore ce chassé-croisé d'amour, Honoré d'Urfé compose l'histoire d'Alcandre, Amilcar, Circène et Palinice. Florice, devenue veuve, est la sœur d'Amilcar et d'Alcandre. Ils font la connaissance de Circène et de Palinice. Amilcar aime Circène, Alcandre Palinice. Clorian, frère de Polinice, est épris de Circène ; Sileine, frère de Circène, est amoureux de Palinice, tandis que Lucindor, deuxième frère de Circène, courtise Florice recherchée par Cérinte. « Voicy un vray sujet de comedie », dira Florice (153). Ce n'est pas tout ! Ajoutons encore à cela l'amour passé de Rosiliandre pour Palinice, le rôle de Bélisard qui transmet les lettres, les scènes de jalousie

(151) *Ibid.*, II, 6, 217-260.
(152) *Ibid.*, IV, 6, 290.
(153) *Ibid.*, IV, 6, 498.

et les messages glissés dans les gants. L'intrigue se complique tellement qu'elle ne peut se dénouer que par la consultation de l'oracle qui envoie tous les personnages en Forez pour savoir ce que l'Amour leur ordonne. Au thème originellement simple de la pastorale, Honoré d'Urfé préfère la complexité des situations que le roman sentimental met à la mode.

Les thèmes de la ressemblance et du déguisement nous conduisent aux mêmes constatations. Nous avons vu qu'ils sont l'un et l'autre utilisés par la pastorale. Les chevaliers se déguisent en bergers, des femmes prennent le costume des chevaliers, pour plus aisément rejoindre ceux qu'elles aiment. Dans *L'Astrée,* les déguisements sont nombreux et ont des significations différentes selon les intentions de ceux qui se déguisent (154).

Les bergers, s'ils ne sont pas des chevaliers déguisés, sont descendants de chevaliers qui ont abandonné la vie de la cour. Il en est également ainsi dans les romans pastoraux espagnols. Ce travestissement marque un changement dans la psychologie du personnage. Après une vie agitée, il revient à la sagesse d'une vie calme dont l'habit de berger est le symbole.

Le déguisement peut être un moyen de fuir des poursuites amoureuses. C'est le cas de Silviane qui, pour échapper à Childéric, se déguise en chevalier, fait couper ses cheveux, les coiffe d'un chapeau et ceint une épée (155). Honoré d'Urfé utilise ce procédé dans les histoires qui se situent à la cour. Il fait partie du répertoire classique du roman d'aventures.

Il arrive encore que deux personnages échangent leurs vêtements et sont pris l'un pour l'autre. De cette confusion naissent les complications de l'intrigue. Léonide, qui a revêtu les habits de Galathée, est saisie par Polémas (156) ; les soldats se trompent sur l'identité d'Alexis et d'Astrée, puisqu'elles ont échangé leurs vêtements (157). Il convient de rattacher à ces déguisements le thème de la ressemblance. Ainsi, Ligdamon est pris pour Lydias condamné à combattre contre les lions ; Amerine, afin de le sauver, proclame qu'elle désire l'épouser (158). Dans la même histoire, Mélandre, déguisée en chevalier afin de rejoindre Lydias, doit lutter contre Lipandas et on croit qu'elle est un homme. Le déguisement cause ici, comme la ressemblance, un changement d'identité momentané. Il entraîne des confusions qui font rebondir l'intrigue.

Enfin, le déguisement peut être pour l'amant l'occasion d'approcher celle qu'il aime. Celle-ci est demeurée insensible à ses déclarations ou bien elle l'a éloigné de sa vue. Pour vivre près d'elle, sans éveiller ses soupçons, le berger se déguise en bergère. Filandre échange ses habits contre ceux de sa sœur Callirée. Il y a désormais

---

(154) A propos des déguisements dans *L'Astrée,* voir l'article de B. Morissette, *Structures de la sensibilité baroque dans le roman pré-classique,* in *CAIEF*, n° 11 (Mai 1959) ; J. Ehrmann, *op. cit.*, pp. 79 sq.
(155) *Astrée,* III, 12, 691.
(156) *Ibid.*, IV, 11, 718.
(157) *Ibid.*, IV, 11, 747.
(158) *Ibid.*, I, 11, 431.

la « vraye Callirée » et la « feinte Callirée » (159). Filandre sait si bien contrefaire la fille et Callirée le jeune homme que tous en sont dupes. Filidas, une fille que ses parents ont fait passer pour un garçon depuis sa naissance, s'éprend de la « vraye Callirée » (160). Elle ne convaincra Callirée de son identité véritable qu'en lui montrant son sein (161). Céladon, pour être auprès de sa maîtresse sans désobéir au commandement qu'il en a reçu, se déguise en Alexis (162). Ces formes de déguisements sont les plus riches de signification, car elles donnent au personnage une ambiguïté qui provoque l'illusion.

Avec l'inconstance, le déguisement est un thème de l'art baroque. Il engendre l'incertitude de l'homme à l'égard de l'autre. Le comble de cette illusion est la ressemblance, « parce que c'est la ressemblance elle-même qui se prend au jeu » (163). Le personnage du fou fait partie de ce monde incertain où les apparences finissent par n'être plus sûres. Le réel se transfigure et devient un jeu de reflets, un miroir semblable à celui dont se sert Climante pour tromper Galathée (164). Le répertoire traditionnel du roman pastoral prend ainsi une autre résonance, la plupart des thèmes se parent d'une signification nouvelle.

*
**

Pour justifier les travestissements pastoraux, Honoré d'Urfé cite en exemples les Bergeries que l'on représentait au théâtre :

> « ...ce qui m'a fortifié d'avantage en l'opinion que j'ay, que mes bergers et bergeres pouvoient parler de cette façon sans sortir de la bien-seance des bergers, ç'a esté, que j'ay veu ceux qui en representent sur les theatres, ne leur faire pas porter des habits de bureau, des sabots ny des accoustrements malfaits, comme les gens de village les portent ordinairement. Au contraire, s'ils leur donnent une houlette en la main, elle est peinte et dorée, leurs jupes sont de taffetas, leur pannetiere bien troussée, et quelquefois faite de toile d'or ou d'argent, et se contentent, pourveu que l'on puisse reconnoistre que la forme de l'habit a quelque chose de berger. Car s'il est permis de deguiser ainsi ces personnages à ceux qui particulierement font profession de representer chasque chose le plus au naturel que faire se peut, pourquoy ne m'en sera t-il permis autant, puis que je ne represente rien à l'œil, mais à l'ouye seulement, qui n'est pas un sens qui touche si vivement l'ame ? » (165)

---

(159) *Ibid.*, I, 6, 211.

(160) *Ibid.*, I, 6, 212.

(161) *Ibid.*, I, 6, 230.

(162) Voir aussi le déguisement de Lindamor en jardinier. Il approche dans l'obscurité, mais sa véritable identité est dévoilée. Son seul désir était de voir Galathée.

(163) J. Ehrmann, *op. cit.*, p. 83.

(164) Sur l'illusion baroque, voir J. Rousset, *La littérature de l'âge baroque en France, Circé et le Paon,* Paris, J. Corti, 1954, p. 61 ; J. Ehrmman, *op. cit.*, p. 112 sq.

(165) *Astrée,* I, *L'Autheur à la Bergère Astrée,* pp. 7-8.

Est-ce à dire que d'Urfé met le roman à l'école du théâtre, genre de l'illusion ? La société à laquelle appartiennent ses lecteurs exige davantage de vérité dans le roman. C'est pourquoi d'Urfé accepte les traditions du genre pastoral en les justifiant par le théâtre. Mais celui-ci est aussi l'art de représenter « chasque chose le plus au naturel que faire se peult. » Le naturel côtoiera donc la poésie dans *L'Astrée*. La *Diana* était poésie et merveilleux, *L'Astrée* est un souci plus grand de vérité et une recherche du vraisemblable qui annonce la grande exigence classique. Scudéry pourra déclarer :

> « Urfé est admirable partout ; il est fécond en inventions, et en inventions raisonnables... Tout y est beau et, ce qui est le plus important, tout y est naturel et vraysemblable. » (166)

La vraisemblance est bien, en effet, la règle qu'Honoré d'Urfé a observée, en chassant le plus possible le merveilleux de la pastorale, pour le remplacer par l'étude de l'âme humaine. Il a débarrassé son roman du fatras mythologique, pour n'en conserver que le strict nécessaire. Le roman pastoral est, par définition, une œuvre où le rêve a sa part. L'Age d'or où les hommes vivaient heureux se situe dans un Forez réel aux origines légendaires. Les dieux sont ceux de la Gaule romanisée, où la religion druidique a tenté de garder sa pureté. Hors du Forez, règne la crainte des rois et des empereurs dont les mœurs sont barbares. Mais, dans ce pays de Forez, les nymphes ont perdu leurs pouvoirs merveilleux et leur cortège de naïades, pour devenir des femmes réelles, d'un rang social supérieur certes, mais avec les peines, les joies, les défauts et les vertus des mortels. Quand la magie joue son rôle néfaste, d'Urfé se sent mal à l'aise et son récit devient guindé. La Fontaine de Vérité d'Amour du jardin d'Isoure est un symbole qu'Adamas interprète en philosophe néo-platonicien. Le merveilleux devient ainsi objet d'interprétation ; la féerie s'intériorise et abandonne son caractère artificiel. Si les oracles dictent aux personnages la conduite à suivre, ils sont une concession nécessaire à l'artifice romanesque pour réunir en Forez les amants en quête de bonheur. Quand Silvandre consulte l'écho, il n'ignore pas que « c'estoit luy-mesme qui se respondoit et que l'air frappé par sa voix rencontrant les concavitez de la roche, estoit repoussé à ses oreilles. » (167)

Lorsque d'Urfé reste trop fidèle à la convention pastorale, son roman est maladroit et ses personnages manquent de couleur. Astrée et Céladon de la première partie ont peine à nous émouvoir. Au fur et à mesure que le roman se développe, leur psychologie s'enrichit, les histoires se peuplent d'hommes et de femmes dont le caractère est finement analysé. Le regard de l'auteur se détourne

---

(166) Préface d'*Ibrahim*, cité par P. Sage, *op. cit.*, p. 78.

(167) *Astrée*, II, 1, 11,. Une étude comparée de l'édition de 1607 de la 1re partie de *L'Astrée* et des éditions postérieures montre comment d'Urfé a modifié son roman avec le souci de la vraisemblance. Il a cherché à renseigner davantage le lecteur sur les mobiles des personnages, à maintenir une unité de ton, et à mettre en accord les uns avec les autres les détails des récits. Voir à ce propos, l'étude de A. Grange, *Les variantes du tome I de l'Astrée*, Thèse pour le Doctorat de 3e cycle, Université de Lyon, Octobre 1972.

du merveilleux pour se fixer sur les âmes. Derrière la fiction du costume de berger se cachent des cœurs qui souffrent. Par delà les aventures des chevaliers, l'attention se fixe sur un drame humain. Prétendre que d'Urfé a chassé le merveilleux pour le remplacer par l'irréalité d'une humanité sans péché (168), c'est ignorer les angoisses des personnages de *L'Astrée* et leur quête assoiffée de bonheur. Le rêve d'un monde sans douleur est commun à tous les hommes de toutes les générations ; leur esprit s'évade un instant du monde réel vers un monde meilleur utopique. Ce n'est qu'une illusion. Comment d'Urfé aurait-il mis fin à son roman, si le destin le lui avait permis ? Dans ses quatre parties, *L'Astrée* est une œuvre de la réalité douloureuse teintée de rêve. Les cris des bergers s'exhalent en poésie lyrique. Mais la poésie n'a-t-elle pas sa source dans les blessures du cœur ? Le rêve nécessaire n'est-il pas poésie ? *L'Astrée* s'écarte de la pastorale pour être poésie et vérité.

(168) P. Sage, *op. cit.*, pp. 78-79.

CHAPITRE IV

LE POETE

Le caractère poétique de *L'Astrée* ne fut pas l'un des moindres motifs de l'admiration du XVIIe siècle. Charles Perrault résume ainsi l'enthousiasme des lecteurs :

> « Quelque veneration qu'on soit obligé d'avoir pour les admirables Poësies d'Homere, qui ont fait les delices de tous les temps, je croy qu'on peut dire neanmoins qu'à les considérer du costé de l'invention, des mœurs et des caracteres, l'Astrée quoy que prose ne merite pas moins le nom de Poëme et ne leur est guere moins inferieure. C'est le jugement qu'en ont fait de tres-sçavans hommes, quoy que tres-prevenus pour les Anciens contre les Modernes. » (1)

Une telle appréciation formule une admiration autant pour la prose de *L'Astrée* que pour les poésies qui en agrémentent la lecture. Honoré d'Urfé poète fut toutefois diversement apprécié : Malherbe et Boileau le jugèrent sévèrement. En règle générale, le jugement des critiques coïncide rarement avec celui des lecteurs. Il est certain que, depuis ses années de collège, Honoré d'Urfé s'est senti une vocation de poète : ses premiers essais publiés dans la *Triomphante Entrée* en sont une preuve. Quand il entreprit la composition du *Sireine,* il fut sans doute autant séduit par les poésies de la *Diana* que par l'intrigue romanesque. Avant de consacrer ses loisirs à la *Savoysiade,* il composa des poèmes dont le manuscrit est conservé à la Bibliothèque nationale (2). La plupart furent publiés tardivement, soit dans *L'Astrée,* soit dans les recueils du XVIIe siècle (3).

Dans cette œuvre poétique importante nous décelons les traces d'une tradition établie par le roman pastoral et par la poésie de la Pléiade et de la fin du XVIe siècle français et italien.

I. — La tradition poétique de la pastorale et les poèmes de *L'Astrée*.

Depuis l'*Arcadia* de Sannazar, le roman pastoral mêle au récit des poèmes aux formes variées. Tous les bergers de l'*Arcadia,* de

(1) *Les Hommes illustres qui ont paru en France pendant ce siècle,* t. II, pp. 39-40, cité par G. Michaud, *Honoré d'Urfé, Œuvres poétiques choisies.*
(2) *Ms. frs,* 12486, f. 56 r° sq.
(3) Voir Appendice V.

la *Diana* et des suites de Gil Polo et de Perez, ceux de la *Galatea* ou du *Pastor de Filida,* sont des poètes. S'accompagnant souvent d'un instrument de musique, ils chantent leurs peines et dialoguent en vers. Ces poèmes ont un rôle précis dans le roman pastoral. Tantôt, ils informent des événements antérieurs qui sont la cause du chagrin du berger : c'est ainsi que Sireno nous apprend les sentiments et la conduite de Diana à son égard; tantôt, ils annoncent l'approche d'un berger et les auditeurs s'interrogent sur les motifs de sa douleur, puis l'invitent à raconter son histoire ; tantôt enfin, dans un poème lyrique le berger chante son amour ou le hait ou laisse libre cours à la jalousie qui le ronge. Dans le roman pastoral, jamais les poésies n'apparaissent comme des hors-d'œuvre. Elles ne sont pas uniquement un ornement du récit, elles sont nécessaires comme procédés techniques pour faire progresser le roman ou comme occasions d'analyses psychologiques.

Les thèmes de ces poésies sont si conventionnels qu'ils se retrouvent tous dans tous les romans pastoraux. Seules varient les formes et la qualité poétiques. Beauté de la bergère aimée, plaintes sur son insensibilité, cruauté et fatalité de ses yeux dont les éclats brûlent, douleurs à la pensée d'un départ ou pendant une absence, tourments de l'amour, tels sont les principaux sujets des poèmes. L'amant qui souffre fait voler ses pensées et ses soupirs vers l'aimée, tout dans la nature ranime en lui le souvenir des jours heureux ou lui rappelle ses souffrances ; il hésite entre le désir de mourir et celui de vivre, dédaigné qu'il est de sa bergère dont les sentiments ont changé. L'amour lui semble faire naître de vaines espérances et, nulle part, aucun remède ne s'offre à sa douleur. S'abandonne-t-il au souvenir de la beauté qui l'a séduit ? Il constate qu'elle surpasse l'éclat du soleil et que les traits fatals des yeux l'ont blessé à mort. La tristesse et les pleurs, abondants comme l'eau des fontaines, imprègnent ces vers d'un lyrisme qui ne se rénove jamais.

Ces poèmes, qui sont ou des sonnets ou des chansons ou des chants alternés ou des lettres et des inscriptions sur les arbres, ne marquent aucune rupture dans le ton de l'œuvre. Le danger de tels procédés était de conférer au roman pastoral un caractère artificiel. Les *Bergeries de Juliette* montrent que cet écueil ne fut pas évité par Nicolas de Montreux. Les poèmes s'y insèrent si mal que nous les attendons toujours au même endroit de chaque journée, sans surprise et sans intérêt.

Les poèmes de *L'Astrée* ne furent pas exempts de semblables critiques. Boileau porte sur l'ouvrage ce jugement sévère :

> « Honoré d'Urfé, homme de fort grande qualité dans le Lyonnais, et tres enclin à l'amour, voulant faire valoir un tres grand nombre de vers qu'il avait composés pour ses maîtresses, et rassembler en un corps plusieurs aventures qui lui étaient arrivées, s'avisa d'une invention tres agreable... D'urfé y fit arriver toutes ses aventures, parmi lesquelles il en mêle beaucoup d'autres, et enchâssa les vers dont j'ai parlé, qui, tout méchants qu'ils étaient, ne laisserent pas d'être soufferts et de passer, à la faveur de l'art avec lequel il les mit en œuvre. » (4)

(4) *Les héros de roman, Discours préliminaire.*

La critique moderne n'est pas plus indulgente. Elle peut se résumer dans ces lignes d'Henri Bochet :

> « Les poésies ne sont pas autre chose que des hors d'œuvre ; elles suspendent le récit, souvent très inutilement, et n'ont en elles-mêmes que très peu d'intérêt... Les vers ne sont que des intrus dans *L'Astrée* ; beaucoup d'entre eux, écrits avant le roman, ont été casés après coup un peu au hasard. » (5)

Il est vrai qu'un certain nombre de poésies de *L'Astrée* ont été écrites avant le roman, et que, parmi celles qui furent publiées dans les recueils collectifs du début du XVIIe siècle, douze seulement n'ont pas trouvé place dans *L'Astrée*. Mais le nombre des poésies insérées dans le roman et le soin apporté à remanier certaines d'entre elles prouvent que d'Urfé leur attribuait une valeur de communication qu'il importe d'apprécier. Nous trouvons dans les quatre premières parties de *L'Astrée* plusieurs situations où prose et poésie se mêlent de façon très caractéristique.

Dans quarante cas environ, le poème intervient pour préciser l'état d'âme du personnage dont il a été question au cours d'une histoire. Seize poèmes interrompent une conversation trop pénible ou trop longue (6). Quand l'amant est un homme de cour, il déclare discrètement son amour en cachant des vers dans un gant, ou en les joignant à un cadeau ou encore en les ajoutant au bas d'une lettre. Sigismond a ainsi gagné l'affection de Dorinde :

> « Je me souviens... qu'il me donna un esvantail qui estoit fort beau et ensemble tels vers... J'eus plusieurs autres semblables vers en diverses occasions, et des lettres aussi, selon le sujet des presens, ou des accidens qui nous arrivoient, mais tousjours avec tant de discretion, que jamais la princesse ne s'en apperceust ny Gondebaut. » (7)

Les poésies insérées dans les histoires de *L'Astrée* renforcent l'impression des auditeurs, en les faisant participer plus intensément aux sentiments des personnages. Le narrateur cite, en effet, souvent de mémoire, des vers qui rendent plus concret et plus pathétique l'état d'âme des personnages dont il est question. Il en est ainsi quand il raconte sa propre histoire ou celle d'un personnage qui n'est pas présent dans l'assistance. Céladon, narrant à Léonide l'origine de son amour pour Astrée et son voyage en Italie, cite les sonnets et les stances qu'il composa au passage des Alpes. Alors que ses compagnons de voyage ont eu peur, il avait l'esprit occupé par l'objet de son amour dont la nature lui était une image (8). Ces poèmes, qu'il récite à Léonide, éclairent sa psychologie et distinguent sa personnalité de celle des autres, avec un relief émouvant pour le lecteur.

Il est des cas où les poésies de *L'Astrée* coupent la monotonie du récit et provoquent la joie ou la tristesse des auditeurs. Elles sont chantées en solo ou en duo et sont accompagnées par la cor-

(5) H. Bochet, *op. cit.*, p. 154.
(6) Voir, par exemple, *Astrée*, I, 1, 26.
(7) *Ibid.*, IV, 7, 394.
(8) *Ibid.*, II, 10, 403 sq.

nemuse, la harpe ou le chalumeau. Les instruments de musique sont choisis en fonction du tempérament des personnages : Hylas le bout-en-train de la troupe, joue de la harpe ou du pipeau ; on reconnaît aisément la musette de Céladon et la cornemuse de Silvandre.

Peu nombreuses, une douzaine environ, sont les poésies dont l'absence ne modifierait en rien le sens du passage où elles sont insérées. Dans la majorité des cas, les poésies de *L'Astrée* ne sont pas superflues. Honoré d'Urfé est fidèle au genre pastoral espagnol et nous constatons, une fois encore, qu'il a varié le procédé traditionnel pour ne pas lasser le lecteur. Supprimer les poèmes de *L'Astrée* serait donc tuer la pastorale dans le roman (9). Nous devons à d'Urfé d'avoir brisé le cadre trop figé de la pastorale dont est né le roman, pour composer une œuvre où tous les éléments convergent vers un approfondissement de la psychologie.

La plupart des thèmes poétiques du roman pastoral espagnol sont développés dans *L'Astrée* : beauté et cruauté de l'aimée, tourments de l'amour, douleurs de l'absence. Nous n'avons cependant découvert aucun poème du roman d'Honoré d'Urfé dont une parenté étroite avec une poésie de Montemayor, de Gil Polo ou de Cervantès pût être établie avec certitude. Les bergers de *L'Astrée,* comme ceux de Montemayor ou de Cervantès, sont tourmentés par les souvenirs des temps heureux où la bergère avait promis un bonheur éternel. Céladon, séparé d'Astrée, revoit en imagination les lieux « où Astrée le venoit trouver.., ceste veue luy remit devant les yeux la plus part des contentements qu'il payoit à ceste heure si cherement. » Assis au pied d'un arbre, il soupire des vers où il chante le bonheur dont la nature fut témoin :

« Fontaine, qui des Sycomores
Le beau nom t'en vas empruntant,
. . . .
Jadis sur tes bords, ma bergere
Disoit, sa main dedans ma main :
Dispose le sort inhumain
De nostre vie passagere,
Jamais, Celadon, en effet
Le serment ne sera deffait,
Que dans ceste main je te jure.
Et vif et mort je t'aymeray,
Ou mourant, dans ma sepulture
Nostre amitié j'enfermeray. » (10)

Le poème se poursuit par l'évocation de la grotte qui leur servit de cachette, du vieux saule à qui fut confiée la garde de leurs lettres. Et toujours revient le souvenir de l'amour inébranlable promis par Astrée. Sireno, lui aussi, se souvient de ces mots tracés dans le sable par Diana :

« Antes muerta que mudada. » (11)

---

(9) Sur ce point, voir M. Laugaa, *art. cit.*, p. 10.
(10) *Astrée,* I, 12, 476-477.
(11) Montemayor, *Diana,* l. I, p. 14.

Diana, après le départ de Sireno, revient sur les lieux témoins de son bonheur passé (12). Les souvenirs sont pour l'amant un tourment qui fait dire à Sireno :

« Passados contenta mientos
Qué queréis ?
Dexadme, no me canséis.
Memoria : Queréis oyrme ?...
Si venis por me turbar
no ay passion ni avra turbarme
si venis por consolarme
ya no hay mal que consolar ;
si venis por me matar
bien podéis
matadme y acabaréis. » (13)

Alcidon, séparé de Daphnide, adresse des reproches à sa mémoire :

« Hé ! pourquoy, ma memoire,
Maintenant de ma gloire
Te veux-tu souvenir ?
....
Cesse donc, ô memoire,
De r'appeler la gloire
Que je regrette icy ;
Tu reblesses mes playes,
Alors que tu t'essayes
De les guerir ainsi. » (14)

Tourmenté par la douleur, le berger souhaite la mort qui lui apparaît comme le seul remède. Tel est le vœu de Sireno et de Célion (15). L'originalité d'Honoré d'Urfé n'est point dans le choix des thèmes poétiques, elle est dans celui des images, dans le rythme et la forme des poèmes.

II. — Les poésies de L'Astrée et la poésie de la fin du XVIe siècle.

Si l'on recense les poésies de *L'Astrée* dont le genre est indiqué, sur 169 pièces, 83 sont titrées sonnets, 39 stances, 20 madrigaux. Les 27 autres poèmes comprennent 6 chansons, 2 dialogues, 2 villanelles, 2 plaintes ; le reste est constitué par les tables d'amour, des oracles et des poèmes dont le genre est imprécis. Dans leur ensemble, ces formes poétiques sont conformes au goût des années 1600-1620. Le sonnet fut tellement cultivé au XVIe siècle que nous n'avons pas à attendre une originalité de la part d'Urfé. Sur les 83 son-

(12) Id., *ibid.*, l. I, p. 24.

(13) Id., *ibid.*, l. III, p. 271, « Mes joies passées, que voulez-vous ? Laissez-moi et ne m'importunez plus. Mémoire, voulez-vous m'écouter ?... Si vous venez pour me troubler, il n'y a plus de passion, donc plus de trouble possible ; si vous venez me consoler, il n'y a plus de malheur à consoler ; si vous venez me tuer, vous pouvez bien me tuer et vous en finirez. »

(14) *Astrée,* III, 3, 137-138 ; on peut également rapprocher *Astrée,* III, 6, 316 et *Diana,* l. I, p. 76.

(15) *Diana,* p. 61 ; *Astrée,* I, 10, 418.

nets de *L'Astrée*, 5 sont écrits en octosyllabes, 5 en décasyllabes, un en hexasyllabes et de forme tout à fait irrégulière (16) ; tous les autres sont en alexandrins. Bien que la forme du sonnet fût définitivement fixée à l'époque de Desportes (17), Honoré d'Urfé, comme ses contemporains jusqu'à Malherbe (18), hésita sur la rime des tercets (19). *L'Astrée* n'apporte aucune confirmation au recul du sonnet dont les œuvres poétiques de 1600 à 1620 témoignent. Honoré d'Urfé lui a gardé la préférence que lui manifestèrent la Pléiade et Desportes. En effet, nous ne découvrons dans *L'Astrée* aucune désaffection à son égard, puisque la première partie en contient 20, la seconde 20, la troisième 25 et la quatrième 18 (20).

La période qui s'étend de 1600 à 1620 connut la vogue des stances et des autres formes strophiques, comme les chansons et les odes. L'élégie, à cause de sa monotonie, fut progressivement délaissée. Nous n'en lisons aucune dans *L'Astrée*. Le goût d'Honoré d'Urfé, déjà marqué dans *Le Sireine*, pour les strophes de sizains d'octosyllabes, rejoint celui de Bertaut et de Motin. Cependant, les strophes, soit en forme de sizains, soit en forme de quatrains, l'emportent nettement en nombre dans *L'Astrée*. Honoré d'Urfé réserve une place importante aux petits genres poétiques comme le madrigal. Ronsard l'avait déjà pratiqué et nous en lisons 20 dans *L'Astrée* (21). Notre auteur aime la variété des formes et il les adapte au contenu des poèmes. Il confirme, par là, le goût du début du XVIIe siècle pour la variété dans les compositions poétiques (22).

Quelle était donc la situation de la poésie française au début du XVIIe siècle ? Les recueils collectifs de 1597 à 1600 nous permettent de constater que trois poètes sont considérés comme des maîtres : Desportes, Bertaut et du Perron. Avec Desportes, la poésie sentimentale, influencée par les poètes italiens en vogue vers 1566, comme Tibaldeo et Panfilo Sasso, porte à son apogée l'idolâtrie de la femme et l'asservissement de l'amant. Sans mouvement de révolte, les plaintes se multiplient. Quant à Bertaut, sous l'influence de Desportes, il pétrarquise et préfère les chansons et les stances où les raisonnements l'emportent sur les cris et les plaintes. Cette poésie ressasse cependant les lieux communs de la tradition senti-

(16) *Astrée*, IV, 6, 287.

(17) Voir R. Fromilhague, *Malherbe, technique et création poétique*, Paris, A. Colin, 1954, p. 176 ; Y. Fukui, *Raffinement précieux dans la poésie française du XVIIe siècle*, Paris, Nizet, 1964, p. 64.

(18) Voir E. Graham, « Quelques vues sur Desportes », in *RHLF* (1960), p. 51.

(19) Voir sur cette question, Y. Fukui, *op. cit.*, pp. 64-65. L'étude des sonnets de *L'Astrée* confirme cette affirmation.

(20) Sur la désaffection à l'égard du sonnet et la vogue de la stance, de la chanson et du madrigal à partir de Bertaut, voir J. Vianey, *Le pétrarquisme en France au XVIe siècle*, pp. 276-278.

(21) Voir Y. Fukui, *op. cit.*, p. 65. L'auteur de cet ouvrage prétend que le madrigal n'était pas encore introduit en France entre 1600 et 1620.

(22) Sur l'originalité poétique d'Honoré d'Urfé, voir Y. Le Hir, « Sur deux poèmes d'Honoré d'Urfé dans *L'Astrée* », in *Travaux de linguistique et de littérature* publiés par le Centre de Philologie et de Littératures romanes de l'Université de Strasbourg, X, I, *Linguistique - Stylistique - Philologie*, Strasbourg, 1972, pp. 169-170.

mentale et elle prend un tour artificiel où la sincérité fait défaut. Avec du Perron, Vauquelin des Yveteaux fit partie de ceux qui furent appelés « les poètes du Louvre ». Le plus important cercle poétique du début du XVIIe siècle fut celui de la Reine Marguerite où demeura importante l'influence de la Pléiade. La poésie amoureuse composée par les fidèles de ce cercle s'inspira de Desportes et poursuivit dans la voie tracée par les poètes à la mode sous Henri IV (23). Honoré d'Urfé fréquenta ces deux cercles poétiques, alors que Malherbe n'avait pas encore acquis la gloire. Sa poésie fut influencée par l'œuvre de Ronsard, de Desportes, de du Perron, de Bertaut et de Vauquelin des Yveteaux.

Nous avons relevé les imitations de Ronsard dans La *Savoysiade.* En fait, Honoré d'Urfé connaissait les œuvres de Ronsard, au moins dès 1583, si l'on en juge d'après les poèmes qu'il écrivit à Tournon et qui furent publiés dans la *Triomphante Entrée.* Les premières poésies de cet ouvrage, non signées, sont vraisemblablement d'Honoré d'Urfé et elles portent la marque d'une influence de Ronsard. C'est surtout le cas du *Paranymphe* (24). Le dieu Mars y vante les exploits guerriers du Comte Just de Tournon en des vers inspirés de la *Harangue du Duc de Guise devant Metz* (25).

Une influence des poésies de Ronsard sur celles de *L'Astrée* est beaucoup moins sensible. Nombre de thèmes poétiques sont communs aux deux œuvres, mais ils sont pour la plupart exploités par les poètes de la Pléiade, parce qu'ils appartiennent à la tradition pétrarquiste. L'amour est doux et amer à la fois (26) et il est un feu qui brûle les amants (27). La comparaison de la beauté de la femme aimée à la clarté du soleil ou à la nature tout entière est si fréquente dans l'œuvre poétique du XVIe siècle qu'elle n'est une originalité ni chez Ronsard, ni, évidemment, chez Honoré d'Urfé (28). Elle est un des thèmes du pétrarquisme. Dès lors, les rapprochements que nous pourrions aisément établir, entre certaines poésies de Ronsard et de *L'Astrée,* paraissent sans grand intérêt (29). Il en va de même pour le thème des tourments de l'amant. Les yeux

(23) Sur l'état de la poésie française au début du XVIIe siècle, voir A. Adam, *op. cit.,* t. I, pp. 3-26 ; A. Stegmann, « Recherches de critères stylistiques dans la poésie française baroque (1600-1640)) » in *Actes du XIe stage international de Tours, Renaissance, maniérisme, baroque,* Paris, Vrin, 1972, pp. 57-59 ; R. Lebègue, *La poésie française de 1560 à 1630.*

(24) *La Triomphante Entrée,* pp. 41 sq. Voir nos notes sur les poésies, réédition citée.

(25) *Ibid.,* p. 49 ; Ronsard, *Œuvres complètes,* éd. Laumonier, Paris, Didier, 1968, t. V, p. 203, *Harangue du Duc de Guise,* vers 100-103. A propos de cette imitation, voir M. Raymond, *L'influence de Ronsard sur la poésie française (1550-1585),* pp. 207-208, n. 5. M. Raymond semble confondre cette imitation assez large de la *Harangue du Duc de Guise* dans le *Paranymphe* avec le plagiat qu'Honoré d'Urfé en fit dans la *Savoysiade* (voir *supra,* 1re partie, ch. V).

(26) *Astrée,* I, 8, 296 ; Ronsard, *op. cit.,* t. 4, pp. 117,123.

(27) *Astrée,* I, 6, 205 ; Ronsard, *op. cit.,* t. 4, pp. 93-94.

(28) A propos de ce thème poétique, voir H. Weber, *La création poétique au XVIe siècle en France,* t. I, pp. 294 et 304.

(29) Voir, par exemple, les poésies suivantes de *L'Astrée* : I, 7, 302 ; I, 12, 476 ; II, 1, 29.

de la femme aimée sont peints comme des traits qui blessent mortellement dès le premier regard, ou comme les rayons d'un soleil ardent :

> « Eh ! qui n'admirera ces flammes non-pareilles,
> Si la vie et la mort procedent de ses yeux ?
> ....
> Ce ne sont pas des yeux ? si ressens-je la playe,
> Quoy que le trait soit faint... » (30),

tels sont les vers que Céladon a placés sur l'autel élevé à la vénération d'Astrée. Ronsard s'est ému, avec de semblables accents, à la vue d'un portrait de Cassandre :

> « Puis je me plain d'un portraict inutile,
> Ombre du vray que je suis adorant,
> Et de ces yeux qui me vont devorant
> Le cœur brusle d'une flamme gentille. » (31)

Les tourments de l'amant, provoqués par le regard de l'aimée, sont tels que rien, dans la nature, n'apporte de soulagement et que les moissons coupées ne sont pas aussi abondantes (32). La mort apparaît comme le seul remède aux souffrances de l'amour (33). Aucun de ces thèmes n'est nouveau, pas même celui de la mort de l'amant dans l'aimée :

> « Tant nous unit son feu prestigieux
> Que de nous deux il ne fit qu'une essence,
> En toy je suis, et tu es dedans moy
> En moy tu vis, et je vis dedans toy :
> Ainsy nos toutz ne font qu'un petit monde. » (34)

Nous avons constaté que les poètes du XVIe siècle, comme Ronsard, avaient développé ce thème qui fait l'essentiel du triste chant de Tircis, après la mort de Cléon :

> « Elle vivoit en moy, je vivoys tout en elle,
> Nos esprits l'un à l'autre estraints de mille nœuds
> S'unissoient tellement, qu'en leur amour fidelle,
> Tous les deux n'estoient qu'un, et chacun estoit deux. » (35)

Tircis chante la conception de l'amour si souvent développée par d'Urfé : prose et poésie s'unissent ainsi dans le roman. Après ce rapide bilan des thèmes poétiques communs à l'œuvre de Ronsard et à *L'Astrée*, est-on autorisé à affirmer une influence du poète de la Pléiade sur les poésies d'Honoré d'Urfé ? La plupart de ces sujets ont inspiré Pétrarque et ses imitateurs.

Un renouveau du pétrarquisme et de la mode des quattrocentistes, liée au goût italien des milieux courtisans, a marqué, à la fin du XVIe siècle, l'œuvre de Desportes dont l'influence ne cessa

---

(30) *Astrée,* II, 5, 188-189.
(31) Ronsard, *Œuvres complètes,* éd. cit., t. 4, p. 37, sonnet 34.
(32) *Astrée,* III, 10, 553 ; Ronsard, *op. cit.,* t. 7, p. 249.
(33) *Astrée,* I, 1, 20 ; Ronsard, *op. cit.,* t. 4, p. 41.
(34) Ronsard, *op. cit.,* t. 4, p. 74, sonnet 72.
(35) *Astrée,* I, 7, 258.

de s'exercer jusqu'au début du XVIIe siècle. La poésie italienne, qu'il s'est quelquefois borné à traduire, est la source inépuisable de l'inspiration de Desportes (36). C'est sans doute ce qui explique que d'Urfé a puisé une partie de son miel dans les sonnets ou les stances des *Amours de Diane* ou des *Diverses Amours*. En effet, la plupart des thèmes de Desportes ont été développés par l'auteur de *L'Astrée,* avec un même désir de la clarté d'expression et une même recherche de quintessence des sentiments et des sensations (37). Il est vrai que certains d'entre eux ont inspiré Ronsard, mais le ton et les images sont différents.

Desportes se plaint parce que l'amour, dès sa naissance, trouble son repos. Le cœur de la femme qu'il aime demeure dur comme le roc :

> « Mon Dieu ! Mon Dieu ! que j'aime ma déesse
> Et de son chef les trésors precieux !
> Mon Dieu ! Mon Dieu ! que j'aime ses beaux yeux
> Dont l'un m'est doux, l'autre plein de rudesse ! » (38)

Avec plus de sobriété, Tircis chante son amour douloureux pour Cléon :

> « Mon Dieu ! quel est le mal dont je suis tourmenté ?
> Depuis que je la veis, ceste Cleon si belle,
> J'ai senti dans le cœur une douleur nouvelle,
> Encores que son œil me l'ait soudain osté. » (39)

Céladon déclare que ses souffrances surpassent les tourments de l'enfer :

> « Quel enfer plein de rigueur
> A des peines plus cruelles
> Que celles que dans le cœur
> Je sens pour vous eternelles ?
> Les tenebres, les fureurs,
> Les fers, les feux, les horreurs ;
> Bref, toute chose est establie
> Pour le tourment de là bas
> Si ce n'est que je n'ay pas
> Cette eau qui fait qu'on oublie. » (40)

Philippe Desportes a aussi comparé sa vie à un enfer. Les dieux, dit-il,

> « ...veulent que je vive, à fin de faire voir
> Toute l'ire du ciel dans un homme assemblée,
> Et tout ce que l'enfer dedans soy peut avoir
> Pour tourmenter une âme, et la rendre troublée.
> Car l'eternelle nuict ne couve point d'horreur,

---

(36) Voir, à ce propos, M. Raymond, *op. cit.*, pp. 88 sq.
(37) Le goût pour le langage « italien », fait d'antithèses et de pointes subtiles, finira par submerger la mode du pétrarquisme après 1585. Ce goût se manifeste dans les poèmes d'Urfé.
(38) Desportes, *Les Amours de Diane,* t. I, p. 64, sonnet 26.
(39) *Astrée*, I, 7, 250.
(40) *Ibid.*, III, 9, 479.

De tourments et de flame,
De pleurs, de peurs, de morts, de remors, de fureur
Qui ne loge en mon ame. » (41)

La nature fournit encore des éléments de comparaisons : été, hiver, automne, printemps sont l'image de l'âme du poète amoureux. Dans une chanson, Desportes se plaint de cette manière :

« L'hyver n'a poinct tant de glaçons,
L'esté tant de jaunes moissons,
L'Afrique de chaudes areines,
Le Ciel de feux estincelants,
Et la nuit de songes volants
Que pour vous j'endure de peines. » (42)

En un long poème, Silvandre chante le « Monde d'Amour » où l'été est le feu de son âme, l'hiver la peur qui le glace, où l'automne est sans fruits et le printemps sans fleurs (43). La nature est incapable de consoler, puisqu'elle rappelle les souvenirs des temps heureux où les cœurs des deux amants battaient à l'unisson (44). Quand Céladon est contraint de quitter la Gaule pour l'Italie, il rencontre un étranger qui chante ces vers :

« Ces vieux rochers tous nuds, glissants en precipice,
Ces cheutes de torrent, froissez de mille sauts,
Ces sommets plus neigeux, et ces monts les plus hauts,
Ne sont que les pourtraicts de mon cruel supplice. » (45)

Desportes plusieurs fois dans son œuvre, compare son tourment aux montagnes rocheuses dont la cime est enneigée :

« J'accompare à mon sort ces monts audacieux. » (46)

Le feu qui le dévore est semblable à celui qui a consumé le Phénix :

« Vous estes le soleil qui me donnez le jour,
Et puis le Phenix qui se brûle d'amour ;
Puis, quand je suis brûlé, je renais de ma cendre. » (47)

---

(41) Desportes, *Diverses Amours,* pp. 135-136. Cf. la même comparaison, *ibid.*, p. 79 et, *Amours de Diane,* t. II, p. 266. Cette comparaison avec les maux de l'enfer a pour origine Spira, *Un inferno angoscioso è la mia vita* (Giolito, lib. III, p. 80). Cependant, comme nous le verrons plus loin au cours de ce chapitre, elle a été exploitée aussi par Marino qui a servi de modèle à Honoré d'Urfé pour une partie de son poème.

(42) Desportes, *Amours d'Hippolyte,* p. 59.

(43) *Astrée,* II, 7, 303.

(44) *Ibid.*, I, 12, 476 ; Desportes, *Diverses Amours,* p. 215. La source de ce poème de Desportes est Montemayor, « *Ojos, que ya no veys quien os mirava* » (*Diana,* l. I, p. 17). Il est donc probable qu'Honoré d'Urfé s'inspira aussi du poème de la *Diana.*

(45) *Astrée,* II, 10, 405.

(46) Desportes, *Diverses Amours,* pp. 69-70 ; cf. *Amours de Diane,* t. I, p. 86 et pp. 145-146. La source de ces comparaisons est probablement Sannazar, *Simile a questi smisurati monti.* A propos de l'origine de ces comparaisons, voir F. Flamini, *Studi di storia letteraria italiana e straniera,* Livourne, Giusti, 1895, p. 349.

(47) Desportes, *Amours de Diane,* t. I, p. 217 ; voir également, *ibid.*, p. 78, p. 138, et, *Diverses Amours,* p. 198.

Léonide envoie ces vers à Ligdamon :

> « Pour faire en elle quelque effait,
> Ne sçais-tu qu'en la cendre naist
> Le Phoenix qui meurt en la flamme ? » (48)

La mort apparaît au poète comme un remède aux souffrances. Il hésite cependant : il faut ou bien mourir, ou bien savoir vaincre l'amour (49). Mais, comme Desportes, les amants de *L'Astrée* préfèrent la mort à l'infidélité (50). Si l'amour cause tant de souffrances, n'est-ce pas parce qu'il s'adresse à un objet trop élevé ? Le thème d'Icare est développé dans les poésies d'Urfé et de Desportes (51). A l'encontre de la tradition de la Renaissance française, Desportes proclame qu'il faut « aimer hautement », car la gloire est attachée au dessein téméraire :

> « Je voy bien mon erreur, et que j'ay commencé,
> (Nouveau frere d'Icare) un vol trop temeraire.
> ....
> Il faut continuer, quoy que j'en doive attendre :
> Ce fut temerité de l'oser entreprendre,
> Ce seroit lascheté de ne poursuivre pas. » (52)

Silvandre constate aussi que l'objet de son amour est trop élevé, mais il ne veut point renoncer à son ambition :

> « Espoirs, Ixions en audace,
> Du Ciel dedaignant la menace,
> Vous aspirez plus haut qu'il ne faut :
> Au Ciel comme Icare pretendre,
> C'est bien pour tomber d'un grand saut
> Mais ne laissez de l'entreprendre. » (53)

Les souffrances de l'amant ont souvent pour origine la légèreté de la femme. L'inconstance féminine n'est pas sujet nouveau en poésie. Desportes et d'Urfé comparent la femme à la girouette qui tourne au gré des vents (54).

L'Astrée ne révèle que deux emprunts précis aux œuvres de Desportes. Celui-ci adresse ces reproches à Rozette :

> « Où sont tant de promesses saintes ?
> Tant de pleurs versez en partant ?
> Est-il vray que ces tristes plaintes
> Sortissent d'un cœur inconstant ? » (55)

---

(48) *Astrée,* I, 3, 98 ; le même thème est développé, de façons diverses, dans *Astrée,* I, 3, 99 ; I, 6, 203.

(49) Voir Desportes, *Diverses Amours,* pp. 92-101 et p. 135 ; cf. *Astrée,* I, 1, 30-31 ; III, 6, 286-287 ; II, 10, 406-407.

(50) *Astrée,* I, 1, 20 ; cf. Desportes, *op. cit.*, pp. 130 et 192.
de Marc Eigeldinger, « Le mythe d'Icare dans la poésie française du XVI siè-

(51) Sur le mythe d'Icare dans la poésie du XVIe s., voir la communication de Marc Eigeldinger, « Le mythe d'Icare dans la poésie française du XVIe siècle », in *CAIEF,* mai 1973, pp. 260-280.

(52) Desportes, *Amours d'Hippolyte,* p. 20.

(53) *Astrée,* I, 8, 271-272.

(54) *Astrée,* I, 6, 200 ; cf. Desportes, *Diverses Amours,* p. 220.

(55) Desportes, *Diverses Amours,* p. 220, vers 17 sq.

Céladon compose le couplet de cette chanson sur le changement d'Astrée :

« Où sont les sermens que nous fismes ?
Où sont tant de pleurs espandus,
Et ces adieux, quand nous partismes ?
Le ciel les a bien entendus :
Quand vostre cœur les oublioit,
Vostre bouche les publioit. » (56)

Desportes souhaite être le seul à estimer la beauté de celle qu'il aime et il s'écrie :

« Mais ce seroit en vain que j'en prirois les Dieux,
Ils en sont amoureux... » (57)

Andrimarte, pour témoignage de sa passion, laisse ces vers à Silviane :

« Ma voix, où s'addresse-t-elle ?
Les dieux la voyant si belle,
En sont amans et jaloux
Comme nous. » (58)

Le bilan des imitations précises des poésies de Desportes dans *L'Astrée* n'est donc pas très abondant. Les deux imitations relevées sont cependant très étroites par le thème et le ton. Si l'on ajoute que les deux poètes donnent toujours la primauté au sentiment et que la mythologie tient peu de place, nous constaterons que c'est surtout un même goût qui les apparente.

Ces mêmes qualités font le charme de Bertaut. Aux analyses de Desportes il donne toutefois un caractère plus intellectuel. Il manifeste également un goût plus marqué pour les antithèses et les pointes. Ces deux caractéristiques ne sont pas étrangères aux poésies de *L'Astrée* (59). Faut-il être surpris de relever dans le *Recueil de quelques vers amoureux* des thèmes poétiques semblables à ceux de Desportes et que d'Urfé a développés à son tour ? Par exemple, Bertaut reproche à la femme aimée d'être inconstante (60). L'amant tourmenté par les souffrances considère aussi que l'objet de son amour est trop élevé :

« C'est bien trop haut voller, mais estant tout de flamme
Ce n'est rien de nouveau si je m'éleve en haut.
Comme l'on voit qu'au ciel le feu tend et s'élance,
Au ciel de vos beautez je tens pareillement... » (61)

N'est-ce pas la même image développée par Ligdamon dans la chanson qu'il adresse à Silvie ?

---

(56) *Astrée,* I, 4, 144.

(57) Desportes, *Amours de Diane,* t. II, p. 261, vers 88-89.

(58) *Astrée,* III, 12, 681, str. 10. Sur ces deux imitations, voir G. Michaut, *Honoré d'Urfé, Œuvres poétiques choisies,* pp. 23-24.

(59) Sur Bertaut et son œuvre, voir M. Raymond, *op. cit.*, pp. 173 sq. Le recueil poétique de Bertaut fut publié en 1605, mais ses vers étaient connus avant cette publication. Sur leurs publications dans les recueils collectifs, voir F. Lachèvre, *op. cit.*, pp. 106 sq.

(60) *Recueil de quelques vers amoureux,* pp. 128-130.

(61) Id., *ibid,* p. 25, IV.

« Helas ! c'est un ardant desir,
Qui comme un feu tousjours aspire
Au lieu plus haut et mal-aisé.
Car le bien que plus je desire,
C'est celui qui m'est refusé. » (62)

Bertaut adore celle qu'il aime, mais son idolâtrie a des excuses :

« Qu'on ne m'accuse point d'aller idolatrant
Ces beaux yeux dont les traits en mon cœur penetrant
D'une si douce atteinte a mon ame meurtrie :
Car reluisant en eux tant de divinité,
Ne les adorer point c'est plus d'impiété
Que de les adorer ce n'est idolatrie. » (63)

Silvandre qui s'estime heureux d'aimer Diane déclare :

« Que si l'amour te fait idolatrer ses yeux,
Adore-les, Silvandre, ainsi comme des dieux :
Qui jamais a commis plus belle idolatrie ? » (64)

Nous avons vu que le néo--platonisme retient, parmi les explications de l'origine de l'amour, celle de la ressemblance. Elle inspire à Bertaut ces vers :

« Si la ressemblance des mœurs
En amitié les cœurs assemble,
Pourquoy ne s'unissent nos cœurs,
Puis que notre humeur se ressemble ? » (65)

Daphnis explique de la même façon son amitié pour Diane :

« Que si l'amour le plus parfait,
Comme on dit, de semblance naist,
Le nostre sera bien extreme,.. (66)

Bertaut évoque tous les maux endurés par l'amant. Il souffre de la présence et de l'absence de celle qu'il aime :

« La presence me brusle, et l'absence me tue. » (67)

Avec plus d'émotion, Alexis soupire auprès d'Astrée :

« Mourir, absent de cette belle,
Et remourir, estant aupres,
Que faut-il esperer apres
Une fortune si cruelle ? » (68)

Le poète du *Recueil de quelques vers amoureux*, trop accablé par les souffrances de l'amour, hésite à souhaiter la mort qui pourtant lui semble le seul remède :

---

(62) *Astrée,* I, 3, 95.
(63) Bertaut, *op. cit.*, p. 88.
(64) *Astrée,* II, 7, 304.
(65) Bertaut, *op. cit.*, p. 151.
(66) *Astrée,* I, 6, 202.
(67) Bertaut, *op. cit.*, p. 64.
(68) *Astrée,* III, 10. 550.

« C'est pourquoy je languy d'une playe incurable,
Dont je sçay que la mort seule peut me guérir,
Reduict par mes malheurs à ce point miserable
De ne vouloir plus vivre et ne pouvoir mourir. » (69)

Ursace, dans un sonnet aux accents admirables, considère l'état où l'amour l'a réduit et il s'interroge :

« Mon esprit combattu diversement chancelle
Dois-je vivre ou mourir parmy tant de malheurs ?
Si je vis, hé ! comment souffrir tant de douleurs ?
Si je meurs, hé ! comment estre à jamais sans elle ? » (70)

Le portrait de la femme aimée inspire à Bertaut et à d'Urfé un poème (71). Mais n'ont-ils pas l'un et l'autre emprunté ce sujet à la poésie italienne ? Les poésies de *L'Astrée* ne nous ont livré qu'une seule preuve indiscutable d'une imitation de Bertaut. Quand Damon se lamente sur le bonheur passé :

« Une felicité passée,
Et qui ne peut plus revenir,
Est le tourment de la pensée
Qui la veut encor' retenir » (72),

sa plainte est le souvenir de cette strophe d'une chanson de Bertaut :

« Felicité passée
Qui ne peux revenir :
Tourment de ma pensée,
Que n'ay-je en te perdant perdu le souvenir ! » (73)

Les quelques poésies amoureuses de du Perron, cet autre poète à la mode après 1585 et disciple de Desportes, ont certainement été appréciées par Honoré d'Urfé (74). Amant désespéré d'avoir perdu celle qu'il aimait, du Perron composa des stances qui commencent ainsi :

« Quand je vy vos beaux yeux, doux feux de mes desirs,
Ils m'allument dans l'âme une secrette joye,... » (75)

---

(69) Bertaut, *op. cit.*, p. 53, *Complainte*, vers 33-36.

(70) *Astrée*, II, 10, 406. Le même thème a été développé par d'Urfé dans *Le Sireine* :

« Ah ! si je meurs, au bien je meurs,
Si je vis, je vis aux douleurs
Afin qu'oncques mon mal ne meure. »
(*Absence*, str. XVIII).

(71) Bertaut, *op. cit.*, p. 210 ; *Astrée*, III, 12, 665.

(72) *Astrée*, III, 6, 317.

(73) Bertaut, *op. cit.*, p. 119. Les deux poèmes s'apparentent étroitement, mais leur thème avait déjà été développé par Montemayor, dans la *Diana* : « *Memoria del bien pasado ...* » et « *Passados contentamientos* » (l. II, p. 128 et l. VI, p. 270).

(74) Les poésies amoureuses de Du Perron, pour la première fois réunies, dans les *Diverses Œuvres*, Paris, A. Estienne, 1622, 2e partie, pp. 50 sq., furent publiées dans les recueils collectifs à partir de 1597. Voir F. Lachèvre, *op. cit.*, pp. 106 sq. Nos références sont faites à la 3e édition des *Diverses Œuvres*, Paris, 1633.

(75) Du Perron, *op. cit.*, 2e part., p. 59.

Les stances de Lycidas, *Sur une resolution de ne plus aimer,* débutent de la même façon :

> « Quand je vy ces beaux yeux nos superbes vainqueurs,
> Soudain je m'y sousmis comme aux roys de nos cœurs... » (76)

Lycidas se plaint encore d'avoir été trompé par Phillis :

> « Ces yeux de qui les mignardises
> M'ont souvent contraint d'esperer,
> Encores que pleins de faintises,
> Veulent-ils bien se parjurer ?
> Ils m'ont dit souvent que son cœur
> Quitteroit en fin sa rigueur,
> Accordant à ce faux langage
> Le reste de son beau visage. » (77)

Cette chanson remet en mémoire ces stances de du Perron :

> « Quand l'infidelle usoit envers moy de ses charmes,
> Son traistre cœur m'alloit de souspirs émouvant,
> Sa bouche de serments, et ses deux yeux de larmes :
> Mais enfin ce n'estoient que des eaux et du vent.
> ....
> Mais je me trompois bien de penser cela d'elle,
> Et ne cognoissois pas ses traits malicieux. » (78)

Desportes avait chanté l'inconstance, mais du Perron développe plus nettement ce thème :

> « Je veux bastir un Temple à l'Inconstance
> « Tous amoureux y viendront adorer
> Et de leurs vœux jour et nuict l'honorer
> Ayans le cœur touché de repentance. » (79)

Vauquelin des Yveteaux affirmera fièrement :

> « Avecque mon amour naist l'amour de changer ;
> J'en ayme une au matin ; l'autre au soir me possede,
> ....
> Et n'ayme plus longtemps la belle que la laide :
> Car dessous telles loix je ne veux me ranger
> ....
> A deux, en mesme jour, je m'offre et dis adieu. » (80)

Ces résolutions d'inconstance sont celles d'Hylas :

> « J'ayme à changer, c'est ma franchise,
> Et mon humeur m'y va portant... » (81)

---

(76) *Astrée,* I, 4, 125.
(77) *Ibid.,* I, 4, 123.
(78) Du Perron, *op. cit.,* p. 60.
(79) *Ibid.,* p. 54. Sur le thème de l'inconstance, voir J. Rousset, *Anthologie de la poésie baroque française,* Paris, A. Colin, 1961, 2 vol., t. I, pp. 6 sq. Ce thème a été étudié par A. Stegmann, art. cité, p. 59.
(80) Nicolas Vauquelin des Yveteaux, *Œuvres complètes,* p. 89. Les poèmes de Vauquelin des Yveteaux parurent dans les recueils collectifs à partir de 1599.
(81) *Astrée,* I, 7, 246.

Tous ces thèmes, développés par les poètes à la mode au début du XVIIe siècle et par Honoré d'Urfé, sont la preuve d'une communauté de goût. Notre poète ne se soumit pas aux préceptes de Malherbe dont l'influence ne se manifesta d'ailleurs qu'à partir de 1620. Il resta fidèle à la petite cour de Marguerite de Navarre, à cause de sa préférence pour la liberté rythmique, et bien qu'il fût ami de Malherbe. On s'est plu à répéter que celui-ci lui avait déconseillé d'écrire des poèmes (82). Mais nous connaissons aussi par Ménage, qui les avait apprises de Racan, les critiques adressées par d'Urfé aux poèmes de Malherbe (83). Le lyrisme du nouveau maître s'écartait trop de la délicate légèreté italienne qui caratérise les poèmes de *L'Astrée*.

III. — L'INFLUENCE DE LA POÉSIE ITALIENNE.

Il est incontestable que la poésie italienne a influencé directement les poèmes d'Honoré d'Urfé, que ce soit par l'intermédiaire de l'œuvre de L'Arioste, de Pétrarque et de ses imitateurs, du Tasse ou de Marino.

La poésie du *Roland furieux*, le langage affecté et l'abondance des concetti dans les vers amoureux placés sur les lèvres de Sacripan et de Roland, de Roger et de Bradamante, avaient séduit du Bellay, puis Desportes. Ces qualités, appréciées au XVIe siècle, séduisirent aussi Honoré d'Urfé. Nous n'osons pas affirmer catégoriquement une influence directe de l'Arioste sur certains poèmes de *L'Astrée*. En effet, chaque fois que nous relevons dans les deux œuvres un thème qui leur est commun, nous le découvrons aussi chez des poètes antérieurs à Honoré d'Urfé. Ainsi, cette comparaison, bien connue des poètes de la Pléiade et développée par d'Urfé, entre le cœur de l'amant et les saisons, est déjà sur les lèvres de Bradamante séparée de Roger (84). Dans l'œuvre poétique d'Honoré d'Urfé, il y a cependant quelques imitations plus précises. Ainsi, l'inconstance de Birène inspire à l'Arioste une leçon de méfiance qu'il adresse aux jeunes filles. Il leur recommande de ne pas se fier aux promesses des amoureux. Elles sont emportées par les vents impétueux parce que, comme le chasseur, les amants se soucient fort peu de la proie dont ils se sont rendus maîtres. Dans une villanelle, Amidor développe la même image, en l'appliquant à la légèreté de la femme :

> « De ce cœur cent fois volage,
> Plus que le vent animé,
> Qui peut croire d'estre aimé,

(82) *Segraisiana*, p. 145, cité par F. Brunot, *La doctrine de Malherbe d'après son commentaire sur Desportes*, Paris, 1891. F. Brunot compte d'Urfé parmi les disciples de Malherbe. Nous lisons la même affirmation sous la plume d'A. Adam, *Théophile de Viau et la libre pensée française en 1620*, Genève, Slatkine Reprints, 1965, Appendice II.

(83) *Les poésies de M. de Malherbe*, Paris, 1666, pp. 365, 463, 518 ; voir également, L. Arnaud, *op. cit.*, p. 209.

(84) L'Arioste, *Roland furieux*, chant XLV, str. 36-39.

Ne doit pas estre creu sage.
. . . .
Le chasseur jamais ne prise
Ce qu'à la fin il a pris,
L'inconstante fait bien pis,
Mesprisant qui la tient prise. (85)

Les invectives contre la jalousie, qui sont le sujet de deux poèmes de *L'Astrée* et n'ont, à notre connaissance, inspiré aucun poète de la fin du XVIᵉ siècle, ont leur source dans le *Roland furieux* (86). En analysant les soupçons qui torturent Bradamante parce qu'elle croit que Roger lui est infidèle, l'Arioste reproche à la jalousie d'être cause de nombreux tourments (87). Honoré d'Urfé présente la jalousie comme le mal qui empoisonne les esprits :

« Car aymer et hayr, c'est maintenant le mesme,
Puis que pour bien aymer il faut estre jaloux... » (88)

De culture italienne autant que française, Honoré d'Urfé glane dans les œuvres de Pétrarque et celles de ses imitateurs où, avant lui, Desportes et Bertaut avaient abondamment puisé. Il ne cache pas son admiration pour le Cygne florentin dont le vieillard de la Sorgues prophétise la renommée :

> « Vingt et neuf siecles gaulois ne seront point plus tost escoulez, que sur tes rives viendra le cygne Florentin, qui, sous ombre d'un laurier, chantera si doucement que, ravissant les hommes et les dieux, il rendra à jamais ton nom celebre par le monde... » (89)

Malgré cet hommage, il ne semble pas que d'Urfé soit directement redevable à Pétrarque. Sans doute lisons-nous, dans le *Canzoniere*, des poèmes qui évoquent à la mémoire des sonnets ou des chansons de *L'Astrée*. Il s'agit, en fait, d'inspiration semblable, plutôt que d'imitations précises. Que le berger compare son amante au soleil, qu'il se plaigne des douleurs de l'amour, qu'il souhaite la mort, ces images et ces plaintes ont été développées par Pétraque et par les poètes du XVIᵉ siècle, nous l'avons dit. Quand d'Urfé nous paraît imiter Pétrarque, la parenté est si lâche que nous ne sommes pas en droit de l'affirmer. Ainsi, les *Soupirs* de Céladon :

> « Soupirs enfans de ceste pensée qui sans cesse me tourmente, comment par vostre violence n'esteignez-vous le feu de mon ame... »,

remettent en mémoire les vers de Pétrarque :

---

(85) *L'Astrée,* I, 6, 200-201 ; *Roland furieux,* chant X, str. 5-8.

(86) *Ibid.,* I, 11, 437 ; II, 1, 29.

(87) L'Arioste, *Roland furieux,* chant XXXI, str. 1-6. Ce thème fut largement développé en Italie et souvent d'une façon indépendante du *Roland furieux.* Voir à ce propos, A. Cioranescu, *op. cit.,* p. 256, n. 1 et 2.

(88) *Astrée,* II, 1, 19.

(89) *Ibid.,* III, 3, 134.

« Ite, caldi sospiri, al freddo core ;
. . . .
Ite, dolci pensier,... » (90)

Les deux poèmes n'ont cependant en commun que le sujet ; le développement est différent. Si Honoré d'Urfé voit dans la nature un prétexte pour que l'amant rende un nouvel hommage à la femme aimée, est-ce une raison pour affirmer une influence directe de Pétrarque ? Cette image est familière à Desportes, à ses disciples et aux pétrarquistes italiens du XVIe siècle.

Du Quattrocento, Honoré d'Urfé connaissait l'œuvre du Politien. Celui-ci, dans la *Giostra,* s'est plaint de l'inconstance des femmes :

« Ah quanto è uom meschin, che cangia voglia
Per donna a mai per lei s'allegra o dole !
E qual per lei di libertà si spoglia
O crede a suoi sembiante e sue parole !
Chè sempre è più leggier ch'al vento foglia,
E mille volte il di vuole e disvuole :
Segue chi fugge, a chi la vuol s'asconde ;
E vanne e vien, come alla riva l'onde. » (91)

Ces lamentations sont, en partie, celles du « pauvre chevalier » qui reproche à toutes les femmes leur inconstance :

« L'onde est moins agitée, et moins leger le vent,
Moins volage la flamme ;
Moins prompt est le penser que l'on va concevant,
Que le cœur d'une femme. » (92)

Pendant le siècle de la Renaissance, les poètes amoureux sont demeurés fidèles à l'Italie, mais, plusieurs fois, ils ont changé de modèle, afin de se soumettre à la dernière mode. Honoré d'Urfé agit comme eux. Il nous apparaît qu'il s'inspire toujours avec discrétion d'œuvres aussi connues que celle de Pétrarque. Voilà pourquoi, ni l'influence du poète florentin, ni celle de Bembo ou de Sannazar ne transparaissent dans les poèmes de *L'Astrée* avec une rassurante évidence, pas plus, d'ailleurs, que celle de Ronsard, de Desportes et de Bertaut.

---

(90) *Ibid.*, III, 9, 480 ; Pétrarque, *Canzoniere,* sonnet CLIII. Le poème de *L'Astrée* peut avoir été inspiré par celui de Gambarra :
« Ite pensier fallaci, e vano speme
. . . .
Ite sospiri ardenti, acerbe doglie
Compagni sempre a le mie eterne pene ; »
(*De le Rime di diversi nobili Poeti Toscani raccolte da M.D. Atanagi,* Venise, Avanzo, 1565, 1re part. f. 194 v°)

(91) Le Politien, *La Giostra,* str. XIV, in *Lirici del Quattrocento,* 1938, p. 9, « Ah ! qu'il est malheureux l'homme qui modifie sa volonté pour une femme ou à cause d'elle et se réjouit ou s'afflige ! Et celui qui pour elle de sa liberté se dépouille ou croit à ses mines et à ses paroles ! car toujours la femme est plus légère que feuille au vent, et mille fois par jour elle veut, puis ne veut plus : elle suit qui la fuit et se cache à qui la veut : elle va et vient comme les vagues sur le rivage. »

(92) *Astrée,* III, 6, 284. Les mêmes vers du Politien ont inspiré deux strophes du *Sireine : Absence,* str. CLVIII, *Retour,* str. CXXXII. Sur ces imitations du Politien, voir N. Bonafous, *op. cit.,* pp. 134-135.

Ces derniers ont souvent puisé leur inspiration dans les anthologies italiennes qui leur révélèrent les poèmes de Sasso, Tibaldeo, Angelo di Constanzo, Memmi, Tansillo... Ces recueils de *Rime* furent une fontaine intarissable où s'abreuvèrent abondamment les poètes. Ils furent si nombreux et connurent tant de rééditions au cours du siècle qu'il nous serait difficile de les passer tous en revue. Nous avons retenu ceux qui eurent le plus de succès (93) : les *Rime scelte* de Giolito de'Ferrari (94), le recueil de Dionigi Atanagi où figurent les premiers vers du Tasse (95), *I fiori delle Rime* de Girolamo Ruscelli (96), les *Stanze* de Lodovico Dolce et de Giolito (97), les poèmes d'amour de Tibaldeo (98). Notre cueillette nous a procuré une gerbe abondante de fleurs variées et communes, sans nous réserver la joie de la découverte du parfum humé par Honoré d'Urfé. En effet, dans ces recueils, aucun thème, aucune image n'a, au cours de la lecture, accroché notre attention, au point de nous évoquer tel ou tel poème précis de *L'Astrée,* dont le sujet n'ait été déjà développé par des poètes français de la fin du XVIe siècle. Insensibilité de l'aimée, sa beauté, l'éclat meurtrier de ses yeux, promesses mensongères, puissance de l'amour, absence, tourments, constituent les sujets des sonnets et des stances de ces poètes qui se répètent en des images diverses. Deux poèmes, cependant, paraissent nous fournir la preuve que d'Urfé, comme ses prédécesseurs, a puisé son inspiration dans ces recueils italiens. Francesco Coppetta, devant un portrait de la femme qu'il aime, déclare qu'aucun peintre n'est capable de rivaliser avec la nature :

« Qual temeraria mano imitar vole
La piu bella opra, che Natura stessa
Mai fabricasse, e non potria senza essa
Riformar piu l'alte bellezze sole ?

Chi la luce ritrar del mio bel Sole ;
Se lunge abbaglia, e strugge chi' s'appressa ?
Amor, che l'ha dentro al mio cor impressa,
Hor ne va cieco, e del suo ardir si dole.

Ritornerebbe al secol nostro indarno,
Per trarne essempio di Zeusi l'ingegno
Con gli altri, c'hebber fama di quell'arte... » (99)

---

(93) Voir la liste de ces recueils dans J. Vianey, *op. cit.*, p. 378 ; Vaganay, *Le sonnet en France et en Italie au XVIe siècle,* Lyon, Bibliothèque des Facultés catholiques, fasc. I.

(94) *Il primo volume delle Rime scelte da diversi autori,* Venise, Giolito de'Ferrari, 1563 ; *Il secondo volume...,* 1563. Ce dernier recueil est le plus important.

(95) *De le Rime di diversi Nobili poeti Toscani, raccolte da M. Dionigi Atanagi,* Venise, L. Avanzo, 1565, 2 vol.

(96) *I fiori delle Rime de'Poeti illustri nuovamente raccolte e ordinati da M. Girolamo Ruscelli,* Venise, Marcho Sessa, 1579.

(97) *Stanze di diversi illustri poeti nuovamente raccolte da M. Lodovico Dolce,* Venise, Giolito de'Ferrari, 1556.

(98) *Di M. Antonio Tibaldeo ferrase l'opere d'Amore, con le sue stanze nuovamente aggiunti,* Venise, Agostino Bindoni, 1550.

(99) *De le Rime di diversi Nobili Poeti Toscani raccolte da M. Atanagi,* t. II, f. 197 v°,

« Quelle main téméraire veut imiter
Le plus bel ouvrage que la Nature elle-même
Ait jamais fabriqué, et sans lequel elle

Childéric fait peindre le portrait de Silviane et il compose un sonnet intitulé, *Que nul qu'Amour ne doit oser peindre sa Maitresse :*

« Que tu fus temeraire, ô toy dont le pinceau
Osa bien desseigner les traits de ce visage !
Ton art peut seulement en un hardy tableau
Imiter la Nature, et non pas davantage.

Mais, peintre, ne vois-tu pas qu'un si parfait ouvrage
Est mesme en la nature un miracle nouveau :
Et comment penses-tu d'en bien faire l'image,
Ne pouvant elle-mesme en refaire un si beau ? » (100)

Le sonnet de Childéric n'est pas une traduction de celui de Coppetta, mais une imitation assez large. Il n'est plus question de Zeuxis, mais d'Apelle, dans la suite du sonnet. Le dernier vers est cependant une traduction du septième vers de Coppetta :

« Qu'Amour qui dans le cœur me l'a peinte si belle. »

Dans ce recueil d'Atanagi, Antonio Puteo compare son amour à un pin :

« Famoso Pin, che da l'altere sponde
Del Tebro, ogn'hor piu verso il ciel u'alzate,
Mentre piu chiari, e bei spirti eibate
D'esca tal, che sperar non si puo altronde... (101)

Honoré d'Urfé en a retenu le sujet dans le sonnet, *Comparaison des pins à son amour,* publié dans le *Second livre des Delices de la poésie françoise,* en 1620 (102). Le développement de la comparaison est cependant différent, puisqu'il concerne les tourments de l'amour.

Il reste certain que d'Urfé a butiné, dans ces recueils de *Rime,* le suc de quelques-uns de ses poèmes. Il a développé leurs thèmes : comparaison de l'amour avec les montagnes, évocations de souvenirs, vains soupirs, reproches adressés aux tourments de l'amour. Nous pensions que les poèmes du Tasse, publiés dans le recueil d'Atanagi ou parmi les *Stanze* choisies par Giolito ou par Ruscelli dans les *Fiori,* avaient retenu l'attention d'Honoré d'Urfé. Il n'en est rien. Séduit par l'œuvre du Tasse, il a lu le recueil de *Rime,*

Ne pourrait plus recréer seule les plus grandes beautés ?
Qui veut décrire la lumière de mon beau Soleil,
Puisqu'il éblouit de loin et qu'il brûle ceux qui approchent ?
Amour, qui l'a gravé dans mon cœur,
En est devenu aveugle et s'afflige de son hardiesse.

C'est en vain qu'en notre siècle revivrait
Le génie de Zeuxis et de ceux qui s'illustrèrent
Dans son art, pour faire d'elle un modèle. »

(100) *Astrée,* III, 12, 665.

(101) *De le Rime di diversi Nobili Poeti Toscani raccolte da M. Atanagi,* t. II, f. 236 r°.

« Célèbre Pin, qui sur les rives altières du Tibre,
Toujours plus haut vous élevez vers le ciel,
Tandis que vous nourrissez de plus nobles et plus beaux esprits
D'appâts tels qu'ailleurs on ne peut espérer... »

(102) *Second livre des Delices de la poésie française,* p. 32.

publié en 1591, et il y a recueilli une abondante gerbe poétique, notamment parmi les sonnets.

Cinq d'entre eux lui ont inspiré des poèmes qui sont parmi les meilleurs de son œuvre. En 1609, parut, dans le *Nouveau recueil des plus beaux vers de ce temps,* le sonnet *Une mouche vole sur la bouche de sa dame endormie* (103), qui fut ensuite inséré dans la deuxième partie de *L'Astrée* (104). Ce sonnet est une transposition de celui du Tasse, *Ape che punge la bocca della sua donna :*

« Mentre Madonna s'appoggio pensosa,
Dopo i suoi lieti e volontari errori,
Al fiorito soggiorno, i dolci umori
Depredo, sussurando, ape ingegnosa.

E ne' labbri nudria l'aura amorosa
Al Sol degli occhi suoi perpetui fiori :
E volando a' dolcissimi colori
Ella sugger penso vermiglia rosa.

Ah ! troppo bello error, troppo felice :
Quel, ch'all' ardente ed immortal desio,
Già tant'anni si nega, a lei pur lice.

Vile ape, Amor, cara merce rapio :
Che più ti resta, s'altri il mel n'elice,
Da temprar il tuo assenzio, e'l dolor mio ? » (105)

Inspiré par ce poème, d'Urfé écrit :

« Cependant que madame à l'ombre se repose,
Et trompe du soleil la trop aspre chaleur,
Un petit animal volant de fleur en fleur
Les douceurs va cherchant dont le miel se compose.

De fortune sa lèvre, estant à moitié close,
La fleur representoit la plus vive en couleur,
Lors que cest animal, la voyant par malheur,
Y vole, et la suçant pensa succer la rose.

Ah ! trop sage au faillir ! trop heureux à l'oser !
Puis qu'à ta hardiesse on n'a sceu refuser
Ce qu'on nye aux desirs dont mon ame s'allume.

---

(103) *Nouveau recueil des plus beaux vers...,* p. 516.

(104) *Astrée,* II, 12, 498-499.

(105) *Rime di Torquato Tasso,* Pise, Presso Niccolo Capurro, 1821, t. I, p 36, n° 62.

D'une abeille qui pique la bouche de sa dame.

Tandis que ma Dame pensive s'appuyait,
Après ses joyeuses et volontaires errances,
En son séjour fleuri, une abeille ingénieuse
Déroba, dans un murmure, ses douces humeurs.

Sur ses lèvres la brise amoureuse nourrissait
Au Soleil de ses yeux des fleurs perpétuelles
Et volant vers ces si douces couleurs
Elle crut sucer une rose vermeille.

Ah, trop belle erreur et trop heureuse ;
Ce qui est refusé à mon désir ardent et immortel
Depuis tant d'années, à elle lui est permis.

Amour, une vile abeille a ravi une douce récompense :
Que te reste-t-il si quelqu'un d'autre extrait le miel
Qui peut adoucir ton amertume et ma douleur ? »

Mais ceste mouche, Amour, ravit tout nostre bien,
Que nous reste-t'il plus, puisqu'elle a rendu sien
Le miel dont s'adoucit toute nostre amertume. »

Ni la première, ni la deuxième strophe de ce sonnet ne traduisent fidèlement les images et les sonorités du poème du Tasse. Les vers d'Honoré d'Urfé, comparés à ceux de son modèle, ne sont point sans mérite. Sa supériorité se révèle même dans le huitième vers, par l'emploi heureux du rejet et la douceur imitative des sonorités.

Une plus grande fidélité au modèle italien se manifeste dans le sonnet de Clorian qui « parle au vent » :

« Doux zephir que je vois errer folatrement
Entre les crins aigus de ces plantes hautaines,
Et qui pillant des fleurs les plus douces haleines
Avec ce beau larcin vas tout l'air parfumant.

Si jamais la pitié te donna mouvement,
Oublie en ma faveur icy tes douces peines,
Et t'en va dans le sein de ces heureuses plaines,
Où mon malheur retient tout mon contentement.

Va, mais porte avec toy les amoureuses plaintes
Que parmy ces forests j'ay tristement empraintes,
Seul et dernier plaisir entre mes desplaisirs.

Là tu pourras trouver sur des levres jumelles
Des odeurs et des fleurs plus douces et plus belles :
Mais rapporte-les moy pour nourrir mes desirs. » (106)

Le sonnet du Tasse est intitulé *All'Aura :*

Aura, ch'or quinci scherzi, or quindi vole
Fra'l verde crin de'mirti, e degli allori,
E destando ne'prati i vaghi fiori,
Con dolce furto un caro odor n'invole ;

Deh, se pietoso spirito in te mai suole
Svegliarsi, lascia i tuoi lascivi errori,
E colà drizza l'ali, ove Licori
Stampa in riva del fiume erbe e viole.

E nel tuo molle sen questi sospiri
Porta, e queste querele alte amorose
Là, 've già prima i mei pensier n'andaro.

Potrai poi quivi alle vermigli rose
Involar di sue labbra odor più caro,
E riportarlo in cibo ai miei desiri. » (107)

---

(106) *Astrée,* II, 3, 113.

(107) Le Tasse, *op. cit.,* t. I, p. 61, n° 113,

« Brise, qui de ci de là tantôt joues et tantôt voles
Dans la verte chevelure des myrtes et des lauriers,
Et, éveillant dans les prés les belles fleurs,
En un doux rapt leur dérobes un agréable parfum ;

De grâce, si jamais un instinct de pitié en toi parfois
S'est ému, abandonne tes errances lascives,
Et dirige tes ailes là où Licori

Le deuxième quatrain et le premier tercet ont été modifiés par Honoré d'Urfé, mais le dernier vers du sonnet est traduit littéralement. Voici encore un exemple d'imitation. Alcippe grave sur un arbre ce sonnet, *Sur la constance de son amitié* :

« Amarillis toute pleine de grace,
Alloit ces bors de ces fleurs despouillant,
Mais sous la main qui les alloit cueillant,
D'autres renaissoient en leur place.

Ces beaux cheveux, où l'Amour s'entrelasse,
Amour alloit d'un doux air esveillant,
Et s'il en voit quelqu'un s'esparpillant,
Tout curieux soudain il le ramasse.

Telle Lignon pour la voir s'arresta,
Et pour miroir ses yeux luy presenta,
Et puis luy dit : Une si belle image

A ton départ mon onde esloignera ;
Mais de mon cœur jamais ne partira
Le traict fatal, nymphe, de ton visage. » (108)

Le Tasse a dédié à sa dame un sonnet dont le thème est semblable :

« Ninfa, onde è di Diana 'il Coro
Fiori coglier vid'io su questa riva ;
Ma non tanti la man cogliea di loro,
Quanti fra l'erbe il bianco piè n'apriva.

Onde ggiavano sparsi i bei crin d'oro,
Ond' Amor mille emille lacci ordiva :
E l'aura del parlar dolce ristoro
Era del foco, che dagli occhi usciva.

Fermo la Brenta, per mirarla, il vago
Piede, e le feo del suo cristallo istesso
Specchio a' bei lumi, ed alle trecce bionde.

Poi disse : Al tuo partir si bella immago
Partirà ben, Ninfa gentil, dall'onde,
Ma'l cuor fia sempre di tua forma impresso. » (109)

Imprime au bord de la rivières herbes et violettes.

Et sur ton doux sein emporte mes soupirs
Et mes profondes plaintes d'amour
Là où mes pensées allèrent déjà dans le passé.

Tu y pourras ensuite, aux roses vermeilles
De ses lèvres, ravir un parfum plus agréable
Et le rapporter pour nourrir mes désirs. »

(108) *Astrée*, I, 2, 53-54.

(109) Le Tasse, *op. cit.*, t. I, n° 188. Ce sonnet du Tasse est une reprise partielle du premier quatrain du sonnet n° 9,

« Nymphe, là où se trouve le chœur de Diane
Je vis cueillir des fleurs sur ce rivage ;
Mais la main n'en cueillait pas tant
Que dans l'herbe le pied blanc n'en faisait éclore.

Les beaux cheveux d'or ondoyaient épars,
Eux dont Amour ourdissait mille et mille nœuds,

Afin d'adresser le poème à Amarillis, Honoré d'Urfé modifie le premier vers du sonnet italien et, au premier tercet, la Brenta est évidemment remplacée par le Lignon. La deuxième strophe du sonnet d'Alcippe introduit une nouvelle image pleine de grâce, qui laisse transparaître un goût délicat empreint de préciosité. L'écart entre les deux poèmes n'est pas suffisamment important pour révéler une originalité de notre poète. Le sonnet, *Sur un despit d'Amour,* ne se libère pas davantage du modèle italien :

« Despit, foible guerrier, parrain audacieux,
Qui me conduis au camp sous de si foibles armes
Contre un Amour armé de flesches et de charmes,
Amour si coustumier d'estre victorieux :

Si le vent de son aisle aux premieres alarmes
Fait fondre tes glaçons, qui coulent de mes yeux :
Et que feront les feux qui consument les dieux,
Et qui vont s'irritant par les torrens de larmes ?

Je viens crier merci, vaincu je tends la main,
Flechissant sous le joug d'un vainqueur inhumain,
Qui de ta resistance augmentera sa gloire :

Je veux pour mon salut faire armer la pitié,
Et si de ma bergere elle esmeut l'amitié,
Mon sang soit mon triomphe, et ma mort ma victoire. » (110)

Voici le sonnet qui a servi de modèle à Honoré d'Urfé :

« Sdegno, debil guerrier, campione audace,
Tu me sotto arme rituzzate e frali
Conduci in campo, ov'é d'orati strali
Armato Amore, e di celeste face.

Già si spezza il tuo ferro, e già si sface
Qual vetro o gelo al ventilar dell'ali ;
Che fia, s'attendi il foco, e le mortali
Percosse ? ah, troppo incauto, ah chiedi pace.

Grido io mercè, stendo la man, che langue,
Chino il ginocchio, e porgo inerme il seno ;
Se pugna ei vuol, pugni par me pietade.

Ella palma n'acquisti, o morte almeno ;
Chè se stilla di pianto al sen gli cade,
Fia vittoria il morir, trionfo il sangue. » (111)

Et la brise des paroles était un doux remède
Au feu qui sortait de tes yeux.

La Brenta, pour te contempler, arrêta ton beau pied
Et fit de son cristal même
Un miroir à tes yeux et à tes tresses blondes.

Puis elle dit : « A ton départ cette si belle image
S'en ira certes, Nymphe gracieuse, de mon onde,
Mais le cœur demeurera pour toujours marqué de ton empreinte. »

(110) *Astrée*, I, 5, 182-183.

(111) Le Tasse, *op. cit.*, t. I, n° 86.

« Dépit, faible guerrier, combattant audacieux,
Tu me conduis sous des armes émoussées et fragiles
Au combat où est de flèches d'or
Armé Amour, et d'un flambeau céleste.

Quand Honoré d'Urfé s'écarte du sonnet du Tasse, par exemple à la fin du deuxième quatrain et dans le premier tercet, ses vers manquent de clarté, de légèreté et de sobriété. Toutefois, en inversant le dernier vers de son modèle, il clôt avec bonheur son poème.

Parfois, c'est seulement une partie d'un sonnet qui est inspirée du Tasse. Tel est le cas de ces beaux vers « soupirés » par Alcippe :

> « Chers oyseaux de Venus, aymables tourterelles,
> Qui redoublez sans fin vos baisers amoureux,
> Et lassez, à l'envy renouvellez par eux
> Ores vos douces paix, or' vos douces querelles.
>
> Quand je vous voy languir, et trémousser des aisles,
> Comme ravis de l'aise où vous estes tous deux,
> Mon Dieu, qu'à nostre egard je vous estime heureux
> De jouir librement de vos amours fidelles !
>
> Vous estes fortunez de pouvoir franchement
> Monstrer ce qu'il nous faut cacher si finement
> Par les injustes loix que cet honneur nous donne :
>
> Honneur feint qui nous rend de nous mesme ennemis,
> Car le cruel qu'il est, sans raison il ordonne
> Qu'en amour seulement le larcin soit permis. » (112)

Les deux premières strophes du sonnet, *Baci di due colombi*, nous permettent de mesurer l'originalité d'Honoré d'Urfé :

> « Vaghe colombe, che giungendo i rostri,
> Senza numero alcun doppiate i baci,
> E fatte dolci guerre, e dolci paci,
> Miri la donna mia gli affette vostri.
>
> Coppia, dica, gentil, che fuor dimostri
> Come dentro d'amore ardi, e ti sfaci,
> E lusingando al tuo voler compiaci,
> Quanto son men felici i desir nostri ! » (113)

> Déjà ton épée se brise, déjà elle se désagrège
> Comme le verre ou le gel au souffle de ses ailes ;
> Que sera-ce si tu attends le feu et les coups mortels ?
> Ah, tu fus trop imprudent, ah, demande la paix !
>
> Je crie pitié, je tends une main languissante,
> Je plie le genou, j'offre mon sein sans défense ;
> S'il veut le combat, que la pitié combatte pour moi.
>
> Qu'elle y gagne la palme de la victoire, ou du moins la mort,
> Car si une larme tombe sur sa gorge,
> La mort sera une victoire, le sang un triomphe. »

(112) *Astrée,* I, 2, 51.

(113) Le Tasse, *op. cit.*, t. I, n° 231.

> « Belles colombes qui, joignant vos becs,
> Redoublez vos baisers sans compter,
> Et faites de doux combats et de douces paix,
> Puisse ma Dame contempler vos amours !
>
> Puisse-t-elle dire : « oh, couple gracieux
> Qui montrez comment intérieurement d'amour vous brûlez et vous [consumez,
> Et vous cajolant satisfaites vos vœux,
> Combien nos propres désirs sont moins heureux ! »

Il ne s'agit plus ici d'une traduction. Honoré d'Urfé se détache du sonnet italien. Il n'en retient que les trois premiers vers et les empreint d'un charme qui tient autant à la douceur des sonorités et à la variété des rythmes qu'à la scène évoquée. La paraphrase du huitième vers introduit le célèbre thème du premier chœur de l'*Aminta,* qui fustige l'honneur ignoré des hommes de l'Age d'or (114).

Il arrive enfin que le titre d'un sonnet du Tasse fournisse à d'Urfé le sujet d'une poésie. *Riso e sguardo fallace* (115) devient le chant de Céladon, *Qu'il cognoist qu'on feint de l'aimer* (116). Entre les deux poèmes les ressemblances sont très lâches, sauf en ce qui concerne le dernier tercet :

« Specchi del cor fallaci, infidi lumi,
Ben conosciamo in voi gl'inganni vostri ;
Ma che pro ? se schivarli Amor citoglie ! »

Honoré d'Urfé écrit :

« Traistres miroirs du cœur, lumieres infidelles,
Je vous recognois bien et vos trompeurs appas :
Mais que me sert cela, puis qu'Amour ne veut pas,
Voyant vos trahisons, que je me garde d'elles ? »

On a considéré ces vers comme une imitation des propos de Dafné, au premier acte de l'*Aminta* (117). Le Tasse les reproduit presque littéralement dans son sonnet et dans sa pastorale. Cependant, les trois premières strophes de la poésie de *L'Astrée* développent librement le thème du sonnet du Tasse. C'est une preuve que d'Urfé s'est inspiré du sonnet, et non de l'*Aminta.*

L'œuvre poétique du Tasse comprend aussi des stances, des madrigaux, des chansons, des dialogues et des échos. L'un des madrigaux a inspiré celui d'Alcippe, sur la froideur d'Amarillis :

« Elle a le cœur de glace, et les yeux tous de flamme,
Et moy tout au rebours
Je gele par dehors, et je porte tousjours
Le feu dedans mon ame.

Helas ! c'est que l'Amour
A choisi pour sejour
Et mon cœur et les yeux de ma belle bergere.
Dieu, changera-t-il point quelques fois de dessein,
Et que je l'aye aux yeux, et qu'elle l'ait au sein ? » (118)

---

(114) Voir, à ce propos, l'article cité de D. Dalla Valle ; Ch. Banti, *op. cit.*, p. 33.

(115) Le Tasse, *Rime,* t. I, n° 70,
« Miroirs trompeurs du cœur, yeux perfides,
Nous connaissons bien vos tromperies
Mais, à quoi bon ? si Amour nous empêche de les esquiver ! »

(116) *Astrée,* I, 4, 151.

(117) « Specchi del cor fallaci, infidi lumi,
Ben riconosco in voi gl'inganni vostri.
Ma, che pro ? se schivarli Amor mi toglie. »
Voir, à propos de cette imitation, Ch. Banti, *op. cit.*, p. 30.

(118) *Astrée,* I, 2, 52.

C'est une traduction assez fidèle du madrigal, *Vario dolore per Vario affetto :*

> « Gelo ha Madonna il seno, e fiamma il volto ;
> Io son ghiacco di fuore,
> E'l foco ho dentro accolto.
> Quest'avvien, perch'Amore
> Nella sua fronte alberga, e nel mio petto,
> Nè mai cangia ricetto,
> Sicch'io l'abbia negli occhi, ella nel core. » (119)

Une comparaison, longuement développée par le Tasse, entre la beauté de sa dame et celle de la lune (120), inspire à d'Urfé ce raccourci :

> « Ainsi ma Diane surpasse
> En beauté les autres beautez,
> Comme de nuict la lune efface
> De clarté les autres clartez. » (121)

Un madrigal sur un baiser volé suggère à notre poète le charmant sonnet, *Sa maistresse dort, et il ne l'ose baiser* (122). Aucune stance, aucun dialogue du Tasse ne semble avoir directement inspiré Honoré d'Urfé. Il a préféré les sonnets et les madrigaux où le poète italien excellait.

C'est l'*Aminta* surtout qui a assuré le succès du Tasse en France. Nous savons l'influence exercée par cette pastorale dramatique sur *L'Astrée.* Honoré d'Urfé, tant il en a goûté les beautés, en a retenu dans sa mémoire de nombreux vers. Voici, par exemple, cette inscription du temple d'Astrée :

> « Loing, bien loing, prophanes esprits » (123),

qui n'est autre que la traduction de ces mots gravés sur le temple de l'Aurore :

> « Lungi, ah lungi, profani. » (124)

A Clorian, trop timide amant de Circène, Hylas donne des conseils d'audace. Il lui rappelle ce que dit, à propos de la femme, ce « grand oracle, qui de nostre temps a parlé delà les Alpes » :

---

(119) Le Tasse, *Rime,* t. II, n° 5, « *Diverses douleurs pour amours diverses* »,

> « Le sein de ma Dame est de glace et son visage de flamme ;
> Moi-même je gèle à l'extérieur
> Et j'ai en moi le feu concentré.
> Ceci advient parce qu'Amour
> Habite sur mon front et dans ma poitrine,
> Et jamais ne change de demeure
> De sorte que je l'aie dans mes yeux et elle dans mon cœur. »

(120) Id., *ibid.*, t. II, n° 228.
(121) *Astrée,* I, 6, 215.
(122) Le Tasse, *op. cit.*, t. II, n° 129 ; cf. *Astrée,* III, 11, 594.
(123) *Astrée,* II, 5. 176 ; III, 9, 482.
(124) Le Tasse, *Aminta,* Acte I, sc. 1. Voir à ce propos, Ch. Banti, *op. cit.*, p. 30.

« Elle fuit, et fuyant elle veut qu'on l'attaigne :
Refuse, et refusant veut qu'on l'ait par effort :
Combat, et combattant veut qu'on soit le plus fort :
Car ainsi son honneur ordonne qu'elle feigne. » (125)

Le « grand oracle » dont parle Hylas est le Tasse qui met sur les lèvres de Dafné les vers suivants :

« Or, non sai tu, com'è fatta la donna ?
Fugge, e fuggendo vuol c'altri la giunga :
Niega, e negando vuol c'altri si toglia ;
Pugna, e pugnando vuol ch'altri la vinca. » (126)

Pour composer un madrigal, d'Urfé ajoute un dernier vers sur l'honneur, qui est un thème important de l'*Aminta.*

La *Jérusalem délivrée,* malgré son succès et ses accents lyriques, n'a pas été pour d'Urfé une source abondante d'inspiration poétique. Nous avons relevé seulement ces vers d'Arimant,

« Peut-estre adviendra-t'il qu'un jour apres ma mort
Ma cruelle y viendra, conduite par le sort,
Allegeance tardive ! » (127)

qui sont peut-être la transposition de ceux-ci :

« Force averrà, se'l Ciel benigno ascolta
Affettuoso alcun prego mortale,
Che venga in queste selve anco tal volta
Quegli a cui di me forse or nulla cale. » (128)

Honoré d'Urfé a donc emprunté davantage aux poésies, et notamment aux sonnets et aux madrigaux, qu'à la pastorale et à l'épopée du Tasse. Celles-ci étaient plus connues du public lettré et se prêtaient moins à des imitations ou à des plagiats. Leur origine aurait été trop facilement découverte, sans doute.

Les premières années du XVIIe siècle consacrèrent le succès de l'œuvre de Marino. En 1609, Deimier affirmait qu'il était le plus notable des poètes italiens vivants (129). Le séjour de Marino à Paris, de 1615 à 1623, contribua à établir son influence sur la poésie

---

(125) *Astrée,* II, 3, 116.

(126) Le Tasse, *Aminta,* Acte II, sc. 2,
« Ne sais-tu comme est faite la dame ?
Elle fuit, et en fuyant elle veut qu'on la rejoigne :
Elle refuse, et en refusant elle veut qu'on la ravisse ;
Elle combat, et en combattant elle veut qu'on la vainque. »

(127) *Astrée,* III, 7, 372.

(128) *Jérusalem délivrée,* chant VII, str. 21,
« Peut-être adviendra-t-il, si le Ciel bienveillant écoute
Avec bonté quelques prières des mortels,
Qu'en ces forêts vienne un jour
Celui qui peut-être de moi maintenant ne se soucie nullement. »

(129) Voir, à ce propos, A. Adam, *Théophile de Viau et la libre pensée française en 1620,* Genève, Slatkine Reprints, 1965, Appendice II, *Théophile et le marinisme en France,* p. 443.

française (130). Il est certain que d'Urfé le connut ou, du moins, eut connaissance de ses œuvres, avant 1615. En effet, Marino fut le protégé de Charles Emmanuel de Savoie, à la cour de Turin. Il semble donc probable qu'Honoré d'Urfé l'y rencontra (131). Quand Marino séjourna à Paris, l'auteur de *L'Astrée* l'orienta vers Malherbe et son groupe. Dans une lettre adressée à Claudio Achillini et datée de 1620, Marino écrit :

> « Non darei l'onor fattomi da Filippo di Portes, dal marchese d'Urfé, da Monsignor il Secchi, da Monsignor di Vaugela, da Monsignor di Brussim e da altri nobilissimi ingegni che si sono compaiaciuti di tradurre gran parte delle mie composizioni in francese, per quanto mi potesse dare di grido la garrula voce di tutta la turba vulgare. » (132)

Dans une lettre dédicace aux *Rime* de 1602, Marino déclare que l'un de ses poèmes, *la Canzone de' Baci,* a été « transportata pur ora da monsignor Ruperto Crampone leggiadrissimamente in francesc. » (133) En fait, jamais cette traduction n'a été découverte. Si Honoré d'Urfé a été le traducteur de Marino, nous n'en possédons qu'une seule preuve certaine. Il s'agit d'un madrigal publié dans la première partie de *L'Astrée,* en 1607. C'est une transposition très libre de ces vers de Marino :

> « Di marmo siete voi
> Donna, ai colpi d'Amore, al pianto mio,
> E di marmo son'io
> A le vostre ire, ed a gli stratti suoi.
> Per Amor, per Natura,

---

(130) Sur l'influence de Marino en France, l'ouvrage le plus important demeure celui de C.W. Gabeen, *L'influence de G.B. Marino sur la littérature française dans la première moitié du XVIIe siècle,* Grenoble, 1904 ; R. Lathuillère, *op. cit.,* t. I, pp. 313 sq. ; un certain nombre d'articles ont contribué à une étude plus approfondie de l'influence de Marino : C. Rizza, « L'influenza italiana sulla lirice francese del primo seicento », in *SF,* I (1957), pp. 264-270, 432-436 ; du même auteur, « Tradizione francese e influenza italiana nella lirica francese », in *Lettere italiane,* X (1958), pp. 431-454 ; J. Rousset, « Quelques réflexions en marge d'une anthologie mariniste », in *Lettere italiane,* VI (1954), pp. 291-295 ; D. Dalla Valle, « Temi e motivi della lirica barocca in Italia e Francia », in *Lettere italiane,* XV (1963), pp. 319-331 ; C. Rizza, « Persistance et transformation de l'influence italienne dans la poésie lyrique française de la première moitié du dix-septième siècle », in *RDS,* n° 66-67 (1965), pp. 22-42 ; S. Warman, « Marinist imagery in french Poetry, 1607-1650 », in *Studi secenteschi,* vol. XII (1971), pp. 117-176.

(131) Sur les rapports entre d'Urfé et Marino, voir Guglielminetti, *Tecnica e invenzione nell' opera di G.B. Marino,* Messine-Florence, 1964, p. 194.

(132) Cité par S. Warman, *art. cit.,* p. 118, « Je n'échangerais pas l'honneur que m'ont fait Philippe de Portes, le marquis d'Urfé, Monseigneur il Secchi, Monseigneur de Vaugelas, Monseigneur de Brussim et d'autres très nobles esprits qui ont bien voulu traduire en français une grande partie de mes compositions, contre toute la renommée que pourrait me donner la voix jacasseuse de l'ensemble de la foule vulgaire. »

(133) *Opere scelte di G. Marino e dei Marinisti,* Turin, Unione tipografico-Editrice, 1962, 2e éd., 2 vol., t. I, p. 140. L'introduction tardive du nom d'Urfé dans la liste des traducteurs de Marino s'explique par des motifs polémiques (Guglielminetti, *op. cit.,* p. 194).

Io costante, e voi dura,
Ambo siam sassi, e l'un e l'altro è scoglio,
Io di fè, voi d'orgoglio. » (134)

Céladon a composé ce madrigal, *Sur la ressemblance de sa dame et de luy* :

« Je puis bien dire que nos cœurs
Sont tous deux faits de roche dure :
Le mien resistant aux rigueurs,
Et le vostre, puis qu'il endure
Les coups d'amour et de mes pleurs.

Mais considerant les douleurs,
Dont j'eternise ma souffrance,
Je dis en cette extremité :
Je suis un rocher en constance,
Et vous l'estes en cruauté. » (135)

D'Urfé n'a point rendu les qualités de concision qui font le charme du madrigal de Marino (136). Quand il traduit, il a toujours tendance à développer abondamment. Son goût pour la clarté l'y porte naturellement, et, en poésie, il aime la prolixité de Desportes.

C'est encore chez Marino que d'Urfé a découvert l'image de son *Enfer d'Amour* :

« Les tenebres, les fureurs,
Les fers, les feux, les horreurs ;
Bref, toute chose est establie
Pour le tourment de là bas
Si ce n'est que je n'ay pas
Cette eau qui fait qu'on oublie. » (137)

Marino termine son madrigal par ces vers :

« Grave duol, grave ardore,
E con tenebre eterne eterno horrore.
Altro non manca à quest'Inferno mio
Che'l fiume de l'Oblio. » (138)

---

(134) G.B. Marino, *Rime, part. II,* Venise, 1602, madrigal n° XII, cité par S. Warman, *art. cit.,* p. 119,

« Vous êtes de marbre,
Madame, devant les atteintes d'Amour et mes pleurs,
Et moi je suis de marbre
En face de vos courroux et de ses tourments.
A l'égard d'Amour, à l'égard de Nature,
Je suis constant et vous êtes dure ;
Tous deux nous sommes de pierre et l'un et l'autre des rocs,
Moi de fidélité et vous d'orgueil. »

(135) *Astrée,* I, 4, 152.

(136) Sur ce poème de Marino et son imitation par d'Urfé, voir S. Warman, *art. cité,* pp. 118-119.

(137) *Astrée,* III, 9, 479.

(138) G.B. Marino, *op. cit.,* 2e partie, madrigal XII, p. 12,

« Pesante douleur, pesante ardeur,
Et parmi des ténèbres éternelles une éternelle horreur.
Il ne manque à l'Enfer où je suis
Que le fleuve de l'Oubli. »

Le thème et le développement du poème de Céladon sont dûs probablement à Desportes, nous l'avons vu, mais la conclusion est empruntée à Marino. Les *Rime* du Cavalier Marin suggérèrent aussi à d'Urfé divers sujets de poèmes : celui de l'oiseau qui s'enfuit (139), celui de la main de sa dame mordue par un petit chien (140). Il nous est difficile de déterminer, parmi les nombreux motifs d'origine italienne présents dans les poèmes de *L'Astrée,* ceux qui ont été spécifiquement empruntés à l'œuvre de Marino. Celui-ci, comme les poètes du Quattrocento, comme les pétrarquistes, comme le Tasse, chante les yeux de sa maîtresse, sa beauté comparable à celle de la lune et l'heureux sort des objets qui lui appartiennent. Tous ces thèmes ont inspiré d'Urfé, même celui de cet éventail dont il envie le sort (141). Ce qui caractérise les poésies de Marino, ce sont les combinaisons arbitraires des idées, la liberté à l'égard des règles, la recherche de la pointe qui ne se justifie pas par l'expression d'une subtilité psychologique, un sens de la beauté plastique qui prépare l'éclosion d'une poésie plus sensuelle. Ces caractères sont ceux de nombreux poèmes de *L'Astrée.* Leur structure en deux éléments qui s'opposent est un exemple de composition poétique léguée à d'Urfé par Marino. Ces trouvailles du poète italien ont suscité l'admiration des cercles malherbiens (142). Si Honoré d'Urfé fut séduit par l'élégance et la facilité du style de Marino, il se garda, du moins, des excès qui rendirent éphémère la vogue du marinisme.

***

Les influences de la poésie italienne sur l'œuvre poétique d'Honoré d'Urfé ne se manifestent pas davantage dans une partie de *L'Astrée* que dans une autre. Cependant, les deux premières parties offrent des poésies plus abondamment et plus littéralement inspirées du Tasse et de Marino. La composition de ces poèmes date de l'époque où l'auteur découvre les œuvres italiennes. Il éprouve alors de la peine à se dégager de ses modèles. Toutefois, il ne se borne pas à traduire. Souvent, la grâce des sonorités et des rythmes ou une image légèrement empreinte de préciosité confèrent un charme nouveau aux poésies qu'il a retenues comme modèles. Les meilleurs poèmes d'Honoré d'Urfé sont ceux qui lui ont été inspirés par l'œuvre poétique du Tasse.

D'Urfé est un poète médiocre, quand il n'a pas un modèle à suivre. Nous lisons, dans les recueils poétiques du début du XVIIe siècle, plusieurs poèmes de circonstance dédiés à Charles Emmanuel de Savoie et à Antoine Favre (143). Un séjour à Ripaille lui a dicté des stances en l'honneur d'Amé de Savoie qui « fut Pape Foelix » (144). Tous ces poèmes sont entachés de grandiloquence et de

---

(139) *Second livre des Délices...,* 1920, p. 22 ; G.B. Marino, *op. cit.,* 2e partie, p. 49, *Uccelletto fuggito di mano.*

(140) *Second livre des délices...,* 1620, p. 58 ; G.B. Marino, *op. cit.,* 2e partie, p. 64, *Bella mano morsicata.*

(141) *Astrée,* IV, 7, 394 ; cf. Marino, *Opere scelte,* t. I, p. 218.

(142) Voir, à ce propos, R. Lathuillère, *op. cit.,* p. 315.

(143) *Second livre des Délices...,* pp. 3 et 9.

(144) *Ibid.,* p. 5.

maladresses. La mort de son frère Christophe lui inspira des vers où l'artifice noie la pointe d'émotion que nous attendons (145).

Souvent, dans *L'Astrée,* Honoré d'Urfé a chanté en vers ce qu'il a écrit en prose : la naissance de l'amour, sa fatalité, l'amour réciproque, la théorie néo-platonicienne de la mort et de la résurrection de l'amant. Les mêmes images reviennent quelquefois dans la poésie et dans la prose. Peut-on reprocher à Honoré d'Urfé de n'avoir pas été capable de renouveler ses comparaisons (146) ? L'auteur d'une œuvre aussi vaste que *L'Astrée* n'est-il pas pardonnable de s'être répété ? N'est-ce pas également une preuve que, dans ce roman pastoral, il n'y a plus une distinction très nette entre la prose et la poésie ? La prose y devient poétique, la poésie assouplit l'expression, les thèmes se répètent et imprègnent le lecteur de la nostalgie d'un bonheur perdu.

(145) *Ibid.*, p. 14.
(146) G. Michaut, *op. cit.*, p. 22.

CONCLUSION

L'œuvre d'Honoré d'Urfé est nettement caractérisée par deux grandes périodes : celle de la formation intellectuelle acquise au collège et au sein de la famille, complétée par l'expérience de la vie, par les préoccupations du milieu social et les lectures, et illustrée par la composition des premiers ouvrages étroitement dépendants d'habitudes scolaires et de soucis livresques ; celle de l'âge mûr consacrée à deux œuvres pastorales, *L'Astrée* et *La Sylvanire.* L'étude des inspirations et des sources met en lumière l'éveil et l'épanouissement du talent littéraire d'Honoré d'Urfé.

Quand il écrit le premier livre des *Epistres Morales,* Honoré d'Urfé a vingt-huit ans ; il en a quarante, quand il publie le troisième livre. Pendant cette période de douze années, son activité littéraire est intense, puisque *Les Epistres Morales* ne sont pas son seul ouvrage. Il compose la plupart des livres de la *Savoysiade,* il publie *Le Sireine* et la première partie de *L'Astrée.* L'examen des sources livresques de ces ouvrages révèle qu'entre 1595 et 1608, Honoré d'Urfé accumule une documentation philosophique et historique et lit des œuvres romanesques, théâtrales et poétiques. L'historien, le philosophe, le poète et le romancier font leurs premiers pas, encore hésitants, avec *Les Epistres Morales, Le Sireine,* la *Savoysiade* et la première partie de *L'Astrée.* Le roman bénéficie des méditations et des lectures qui ont donné naissance aux trois autres ouvrages. Ils sont, en quelque manière, des essais dans trois genres différents qui se retrouvent liés ensemble dans *L'Astrée.*

Les Epistres Morales sont tributaires de la vie de leur auteur, de l'enseignement reçu au collège et des lectures philosophiques. Les citations des œuvres de l'Antiquité et les exemples historiques y sont la marque d'habitudes scolaires et davantage ostentation de connaissances que points de départ ou soutiens d'une réflexion personnelle. Cependant, quand Honoré d'Urfé consent à livrer son cœur à nu et qu'il renonce à enseigner comme son modèle Sénèque dans les *Lettres à Lucilius,* sa plume trace des lignes qui laissent entrevoir les qualités d'émotion de l'auteur de *L'Astrée.* Il se penche sur son court passé qu'en homme trop sensible il considère comme marqué par l'infortune et il choisit résolument une conduite morale et une philosophie. Les souffrances font cabrer sa sensibilité et son amour-propre et le contraignent, en bon élève des Jésuites, à durcir sa volonté, pour l'accoutumer aux mauvais coups de la Fortune et à la mort. La morale à laquelle il décide de soumettre sa conduite est celle de ses aînés et de ses contemporains. Comme eux, il est séduit par le néo-stoïcisme ; sa méditation sur la souffrance, la mort, la vertu, les passions et le bonheur se poursuit jusqu'à l'achèvement du deuxième livre des *Epistres Morales,* en 1603. Les leçons de sagesse enseignées au collège, le souvenir des commentaires de Sénèque et de Cicéron et les préceptes d'Epictète guident sa pensée ; la lecture de Plutarque, dans la traduction d'Amyot, lui offre une mine d'exemples et de maximes qu'il exploite méthodiquement ou qu'il pille sans scrupule. La voix d'Honoré d'Urfé n'annonce rien qui n'ait été dit, elle se fond sans originalité dans le chœur des moralistes de la fin du XVIe siècle, pour chanter l'énergie, la constance, les vertus morales, la confiance optimiste en l'homme et la gloire. La génération de la fin du XVIe siècle, qui, avec la paix, a retrouvé le temps de réfléchir, se met en quête du vrai bonheur. Elle a connu les drames des guerres civiles, la présence quotidienne de la mort, et, dans sa jeunesse, elle a été marquée par une spiritualité fortement teintée d'humanisme. Les réflexions sur la conduite morale à suivre, selon les préceptes du néo-stoïcisme, inclinent progressivement Honoré d'Urfé à méditer sur la condition humaine. Comme ses contemporains, il écoute les enseignements du néo-platonisme.

Il est déjà préparé par son milieu familial, il lui manque la connaissance approfondie des ouvrages néo-platoniciens. Quand il écrit le premier livre des *Epistres Morales,* il a déjà lu une partie de l'œuvre de Ficin et de Pic de la Mirandole. Par leur intermédiaire, il connaît la pensée de Pythagore, d'Orphée et d'Hermès Trismégiste. Son éducation chrétienne, confirmée par la doctrine néo-platonicienne, lui rappelle que le vrai bonheur n'est pas sur terre, dans la possession des richesses matérielles, ni dans l'ampleur des connaissances, ni dans la gloire acquise au prix d'une rude pratique des vertus civiles, mais en Dieu où commence et se referme le cercle de l'amour qui enchaîne tous les êtres de la création. Honoré d'Urfé répète la leçon apprise dans l'œuvre de Ficin et de Pic de la Mirandole. Il « cabalise » pour enseigner à Agathon que tous les êtres sont un reflet plus ou moins brillant de la beauté de Dieu. Les pages du deuxième livre des *Epistres Morales* consacrées à l'amour, désir de beauté, sont essentielles à la compréhension de la pensée d'Honoré d'Urfé. Elles exposent les pincipes de la doctrine de l'amour développée dans *L'Astrée.* Elles imposent l'examen des problèmes et de la destinée de l'âme humaine qui constitue le sujet du troisième livre des *Epistres Morales.* Les enseignements des professeurs de philosophie de Tournon reviennent à la mémoire d'Urfé. En faisant appel à l'autorité d'Aristote, il réfute l'averroïsme ; on lui a appris à se méfier de la philosophie d'Avicenne, il l'approfondit par la lecture des commentaires d'Alpago. Le néo-platonisme, où se mêlent l'aristotélisme et les leçons de la Kabbale, constitue, avec le néo-stoïcisme, le fondement sur lequel vont s'édifier progressivement les réflexions de l'auteur de *L'Astrée.* L'essentiel de la pensée d'Honoré d'Urfé est exprimé dans *Les Epistres Morales.* C'est une somme des doctrines néo-stoïcienne et néo-platonicienne, dont le défaut est d'être trop sèche et trop étroitement dépendante des livres consultés et des préoccupations des milieux intellectuels contemporains. *L'Astrée* donnera à ces idées une forme vivante et donc originale.

Dans les dernières années du XVIe siècle, Honoré d'Urfé est déjà romancier et poète. N'a-t-il pas écrit des *Bergeries,* aux dires de Ducroset ? Avant 1595, il a lu la *Diana* de Montemayor, en 1598, il connaît le roman pastoral de Gil Polo, l'*Aminta* du Tasse, la *Galatea* de Cervantès et, probablement, l'*Arcadia* de Sannazar. L'impression que lui laisse la *Diana* est si vive que, dans la solitude de Senoy, à une époque où le désarroi de son cœur l'incite à s'exprimer en vers, il écrit *Le Sireine.* Il est vrai que ce poème pastoral a les défauts d'une œuvre de jeunesse et qu'en de nombreux passages il calque servilement son modèle. Mais il nous est un témoignage de l'imagination romanesque d'Honoré d'Urfé et des sentiments qui l'animent au moment où il écrit.

Entre 1598 et 1606, sa curiosité l'incline à la lecture d'ouvrages d'histoire. La reconnaissance à l'égard de Charles Emmanuel de Savoie l'incite à écrire la *Savoysiade.* Le *Romancero,* les chroniques de Savoie, l'œuvre de Paradin et des historiens de la Savoie, l'ouvrage de Perez de Hita, lui fournissent la documentation historique et légendaire nécessaire à la composition de l'épopée. Il lit ou relit *La Franciade,* les romans de chevalerie, le *Roman de Mélusine,* des ouvrages consacrés à l'histoire de la Gaule et de Rome. Jusqu'en 1607, la vie d'Honoré d'Urfé est consacrée à la documentation et à l'apprentissage littéraire.

Les lectures et les premiers ouvrages qui datent de cette époque nous livrent la méthode de travail et les qualités de l'écrivain. Nous découvrons sa curiosité pour les questions philosophiques et pour l'histoire, son goût pour l'enseignement de la morale et pour la poésie, son imagination et son attachement à la clarté. Ses préférences vont aux œuvres italiennes et espagnoles. Veut-il définir l'amour, la place de l'homme dans la création, sa destinée, ou recherche-t-il l'émotion poétique et la grâce des analyses psychologiques ? Il s'adresse aux œuvres italiennes. Le roman espagnol le séduit par ses qualités de composition et la rigueur de ses analyses. La réflexion d'Honoré d'Urfé a besoin d'un support livresque pour prendre son essor. Son imagination s'enflamme, quand les lectures lui fournissent les éléments d'un décor ou d'une scène ou le trait de caractère d'un personnage. D'Urfé voit alors les détails, le personnage vit devant ses yeux, la scène s'anime et le décor s'enrichit. C'est ainsi que *Le Sireine* et la *Savoysiade* nous révèlent leur auteur, quand on compare ces ouvrages à leurs sources. Cette comparaison nous permet aussi de découvrir un écrivain épris de clarté, qui cherche souvent à éclairer la pensée de ses modèles en ajoutant des détails. Cette méthode de travail préside à la composition de *L'Astrée.*

Le roman pastoral, dont Honoré d'Urfé compose la première partie au moment où il écrit les deuxième et troisième livres des *Epistres Morales* et la *Savoysiade,* porte l'empreinte de ses lectures. *L'Astrée* exploite les connaissances acquises pendant les années qui suivent les guerres de la Ligue. C'est dans cette œuvre que s'épanouissent les dons d'observation, d'imagination et d'analyse psychologique d'Urfé, son talent de romancier et de poète. Le romancier, l'historien, le philosophe et le poète s'y donnent rendez-vous, dès la première partie. Peu à peu, au fil de l'ouvrage, le romancier et le poète prennent le pas sur l'historien et le philosophe.

Tout ce que les lecteurs du début du XVIIe siècle apprécient dans les ouvrages qui leur sont proposés est réuni dans *L'Astrée.* Ils goûtent les pastorales italiennes et espagnoles. Des ouvrages de Montemayor, de Gil Polo et de Cervantès, Honoré d'Urfé retient la structure où se mêlent l'intrigue principale, les histoires intercalées ou interrompues, les lettres et les poésies. Aux pastorales italiennes, il emprunte plutôt le charme mélancolique et la grâce sensuelle pour en revêtir ses récits et ses poésies. Le roman espagnol cherche à instruire et à plaire ; au charme italien Honoré d'Urfé unit l'enseignement auquel le portait son tempérament. Dans la mesure où le caractère pastoral de *L'Astrée* s'atténue au profit d'aventures plus romanesques, il devient plus difficile de déceler les sources des récits. Il en est ainsi surtout à partir de la troisième partie. Des inspirations diverses se mêlent et se métamorphosent. L'imagination d'Honoré d'Urfé se nourrit de lectures, d'observations et de souvenirs vécus. Ainsi, progressivement, les procédés romanesques perdent ce qu'ils ont de conventionnel.

L'Astrée n'est pas seulement un roman, c'est aussi un art de vivre à l'usage des honnêtes gens, ses lecteurs. La France, depuis la redécouverte de la sagesse antique et les angoissantes interrogations suscitées par la crise de la Réforme, recherche un équilibre. Pour répondre aux exigences des lecteurs, que leur offre-t-on ? Des manuels de conduite en société, comme le *Courtisan* de Castiglione, des considérations philosophiques et sèches sur la sagesse, la constance, l'amour, la vertu et la condition de l'homme, des traductions de romans ou de pastorales, des aventures de chevaliers ou de fades analyses sentimentales. *L'Astrée* est, sous une forme romanesque, une réponse aux interrogations, une vision du monde, une analyse de la condition humaine et l'image d'une civilisation en quête d'un bonheur acquis par l'amour. Pour la première fois, un romancier livre à ses lecteurs, avec un luxe de détails et une finesse d'analyse psychologique jamais atteinte, la doctrine néo-platonicienne de l'amour. Les remarques cueillies dans les ouvrages de Léon Hébreu, d'Equicola, de Varchi, complètent la doctrine exposée dans *Les Epistres Morales* et inspirent les leçons d'Adamas, de Silvandre et de Céladon. Jamais, pourtant, plus qu'il ne convient, le romancier ne cède le pas au philosophe. La doctrine néo-platonicienne de l'amour forme le noyau du roman. Honoré d'Urfé l'illustre par les propos et la conduite de nombreux personnages toujours campés avec vie et pittoresque, par la variété des histoires greffées sur l'intrigue principale et par la subtilité des analyses psychologiques. Pour la mettre en relief, il crée le personnage d'Hylas dont aucune œuvre ne lui offre le modèle. Ainsi *L'Astrée* rompt avec la monotonie des œuvres philosophiques, et des romans qui l'ont précédée. Elle émeut, amuse, plaît et instruit. Une impression de mélancolie s'en dégage. Les personnages sont en quête d'un bonheur sur terre, que le Forez, région pourtant privilégiée, ne leur offre pas, puisque les bergers connaissent les tourments de la passion de l'amour. La Fontaine de Vérité d'Amour est devenue inaccessible. La doctrine de l'amour enseignée par Silvandre est, en quelque manière, laïcisée. Elle n'est plus, comme dans *Les Epistres Morales,* une incitation à trouver, en Dieu seul, le vrai bonheur. Elle offre l'image d'une félicité impossible sur terre, une illusion. Ainsi se manifeste l'originalité du roman de *L'Astrée.*

Les qualités de clarté et d'imagination, qui se sont manifestées dans les premiers ouvrages, se retrouvent dans *L'Astrée.* L'imagination parfois débordante d'Honoré d'Urfé pouvait l'inciter à réserver une large place au merveilleux habituel aux romans pastoraux et aux romans courtois. Comparée à ses sources romanesques, *L'Astrée* se distingue par un refus de l'invraisemblance. En effet, d'Urfé s'efforce d'expliquer ou de justifier ce qui subsiste de merveilleux dans son roman. Son esprit se refuse à accepter les miracles de la magie. Un faux druide pratique l'art de la divination et de la chiromancie ; c'est un médecin qui guérit les malades et les blessés. La médecine est celle du début du XVIIe siècle ; Honoré d'Urfé explique les ingénieuses machinations de Climante. Quand il baigne son récit dans le merveilleux, c'est avec une intention psychologique. La Fontaine de Vérité d'Amour révèle les sentiments des personnages qui viennent la consulter, elle illustre la doctrine néo-platonicienne de l'amour et elle a un sens allégorique. Le miroir magique qui endort Silvandre entraîne la punition d'un père égoïste et le rôle qu'il joue dans cette histoire ne surprit certainement pas les lecteurs du XVIIe siècle par son invraisemblance.

Le souci de la vraisemblance se remarque encore dans les détails historiques qui reposent sur une documentation précise. Ils contribuent, avec les indications topographiques, à atténuer le caractère conventionnel du cadre de la pastorale. D'Urfé situe et décrit les lieux où se déroule l'action. Il est précis, quand il s'agit de régions qu'il connaît pour y avoir vécu. Le Forez, où se réunissent les chevaliers en quête de bonheur et où vivent les bergers, est celui de sa jeunesse. Il renaît devant ses yeux et les souvenirs le teintent de bonheur. Ainsi, d'Urfé est présent dans son roman. Ses sentiments colorent le récit d'une délicate pointe de mélancolie et confèrent une note d'authenticité à la psychologie des personnages. L'étude des inspirations de *L'Astrée* fait ainsi apparaître la médiocrité des romans qui l'ont précédée et se sont assuré un succès éphémère. Il manque à leurs auteurs ce souci de la vraisemblance et le talent nécessaire pour donner vie aux personnages.

Honoré d'Urfé sollicite constamment l'imagination visuelle de son lecteur. Ses procédés font songer à ceux du théâtre. Les intrigues de ses histoires ne sont pas sans ressemblance avec celles des comédies, par leurs chaînes amoureuses. Les personnages agissent devant nos yeux, ils se travestissent, leurs conversations se croisent, ils écoutent en cachette un monologue ou un dialogue.

Malgré ses qualités incontestables de dramaturge, d'Urfé n'a pas su rénover la pastorale dramatique. *La Sylvanire,* trop étroitement asservie aux pastorales du Tasse et de Guarini, ne laisse pas une place suffisante à l'analyse psychologique, pour préparer la voie à la simplicité et à l'intensité dramatique du théâtre classique. La littérature dramatique du XVIIe siècle est redevable à *L'Astrée* plus qu'à *La Sylvanire.* La préface de *La Sylvanire* prouve que d'Urfé s'est surtout préoccupé de « vêtir » sa pastorale à l'italienne. Il adopta donc le vers libre, en se réclamant de l'autorité des Italiens et du précepte de vraisemblance. Son essai ne fut pas heureux et demeura sans lendemain.

Une œuvre mérite une place dans l'histoire littéraire dans la mesure où, se rattachant à une tradition intellectuelle, elle reflète les idées et les goûts de son époque et contient en même temps les éléments dont les générations suivantes ont fait leur profit. *Les Epistres Morales* et *Le Sireine* se rattachent trop étroitement à leurs sources livresques et au goût de la fin du XVIe siècle et du début du XVIIe siècle, pour avoir été aptes à retenir longtemps l'intérêt des lecteurs. Si la *Savoysiade* avait été publiée, elle aurait connu le même sort. *L'Astrée* est de son temps et en avance sur lui. A une génération qui recherchait son équilibre intellectuel, moral et sentimental, elle a offert la somme de la pensée du XVIe siècle, adaptée aux préoccupations nouvelles. Elle a encore ouvert la voie au roman moderne. L'étude des sources et des inspirations de *L'Astrée* nous fait mesurer l'originalité et le talent d'Honoré d'Urfé, ses qualités de romancier et de psychologue que nous sommes loin d'avoir appréciées à leur juste valeur.

APPENDICES

APPENDICE I

LA BIBLIOTHEQUE DE LA BASTIE D'URFE

Cette liste indique seulement les ouvrages, pour la plupart manuscrits, conservés dans des bibliothèques. Nous avons pu les examiner, les identifier ou, parfois, en obtenir une description qui ne laisse aucun doute sur leur origine. Nous avons éliminé tous les ouvrages dont la provenance nous est apparue incertaine. Ce catalogue n'est donc pas exhaustif et il ne fait pas double emploi avec celui établi par Claude Longeon (*Documents sur la vie intellectuelle en Forez au XVIIe siècle,* Saint-Etienne, CEF, 1973, pp. 145-157). Il le complète parfois et s'efforce de présenter une description détaillée de chacun des ouvrages identifiés. A la suite de ce catalogue, nous indiquons quelques ouvrages qui appartinrent à Honoré d'Urfé.

L'article d'André Vernet (« Les manuscrits de Claude d'Urfé (1501-1558) au château de La Bastie », *Bul. de l'Académie des Inscriptions et Belles lettres,* janvier-mars 1976, pp. 81-97) fournit de précieux renseignements dont nous regrettons de n'avoir pu tirer parti. *L'inventaire de la Bibliothèque de La Bastie* découvert à la Bibliothèque universitaire d'Amsterdam (*Remanstrantsche Kerk, III. C. 21*[1]) nous aurait permis d'autres identifications, si nous avions pu le consulter avant de mettre cet ouvrage sous presse.

BIBLIOTHEQUES FRANÇAISES

Département de la Loire

1. — *BIBLIOTHEQUE DE LA CURE DE SAINT-BONNET-LE-CHATEAU*

Froissart, *Chroniques de France...,* Paris, Vérard, 1490. L'ouvrage porte les armoiries de Claude d'Urfé. (Sur cet ouvrage, voir C. Longeon, *op. cit.,* p. 155).

2. — *CHATEAU DE LA BASTIE D'URFE*

L'histoire de Thucydide Athenien, de la guerre qui fut entre les Peloponesiens et Atheniens, translatee en langue françoyse par feu Messire de Seyssel lors Evesque de Marseille et depuis archevesque de Turin, 1501.

Sur la page de titre, armes peintes de Claude d'Urfé.

3. — *BIBLIOTHEQUE MUNICIPALE DE ROANNE*

57 H.

Descrittione de la Italia di F. Leandro Alberti, Bologna, 1550, in-4°. « Reliure en veau vert. Au centre, l'écusson des d'Urfé, de vair, au chef de gueules, entouré du collier de St Michel, timbré d'un casque ayant pour cimier un bras armé. Aux coins une décoration faite de deux cornes d'abondance, d'un caducée, et d'un autel sur lequel brûlent des flammes, au bas de ces motifs deux C et un I entrelacés. » (M. Dumoulin, « A travers les vieux livres », in *Roannais Illustré,* 7e série (1895-1903, p. 28).

■ AIX-EN-PROVENCE

Bibliothèque de Méjanes

431(145). Rés. Ms. 40.

Chronique des rois de France, de Guillaume de Maugis, continuée jusqu'en 1380.

La chronique se termine après le couronnement de Charles VI à Reims, le 4 novembre 1380.

xve siècle, velin. Non paginé, 350 x 250 mm. Reliure en maroquin rouge, filets, tranche dorée.

La première page de ce manuscrit contient une miniature qui en occupe la moitié en hauteur, sur toute la largeur. On y voit le roi sur un trône, couronne en tête, tenant le sceptre et la main de justice, recevant de l'auteur agenouillé devant lui le livre de sa chronique, de l'autre côté sont de nombreux seigneurs aussi à genoux. Cette première page est encadrée de tous les côtés en or et couleurs. La première lettre est ornée de fleurs et de fraises sur fond d'or. Au bas sont les armoiries des d'Urfé, de vair au chef de gueules, renfermées dans une couronne de verdure. Le livre a de nombreuses lettres ornées et initiales rouges et bleues. Quelques rubriques et des notes marginales.

■ CHANTILLY

Musée Condé

Ms. 279.

Politiques et Economique d'Aristote, traduction française de Nicole Oresme, avec glose.

Fin du xive siècle - début du xve siècle. Parchemin, 322 ff. à 2 col. 410 x 300 mm.

f.1 : Armes de Louis Malet, sire de Graville. Lettres ornées et encadrements.

Reliure en maroquin rouge aux armes de Bourbon-Condé.

Ms. 507.

Olivier de la Marche, *Le chevalier deliberé,* poème historique en 248 octaves.

xve siècle. Parchemin, 102 pages, 210 x 150 mm. Initiales ornées ; 19 grandes miniatures. Ce manuscrit a appartenu à l'Amiral de Graville (voir *Catalogue général des manuscrits des bibliothèques de France. Bibliothèques de l'Institut,* t. III, p. 111).

Ms. 755.

Quinte - Curce, *Des Fais du grand Alexandre,* traduction par Vasco Gomez de Lucena.

ff. 1-12, « La table des rubrices de ce present volume intitulé Quinte-Curce contenant en soy IX livres particuliers. »

10 miniatures ; Armes parties de Malet de Graville et de Balsac. xve siècle. Parchemin, 268 ff. à 2 col. 370 x 260 mm. Reliure maroquin rouge aux armes de Bourbon-Condé.

■ LILLE

Bibliothèque municipale.

Ms. 190.

Recueil du XIVe siècle, 129 ff. à 2 col., 210 x 155 mm.

f. I v° « A mademoiselle Anne de Graville, dame du Boys de Malesherbes. Ve XXI. Achetté à Rouen ».

ff. 75 v° et sq. « *Amiles et Amis* ».

f. 126 v° : « Explicit le livre de Theophile »

■ MONTPELLIER

Bibliothèque universitaire - Section Médecine

Ms. H 253.

P. Virgilii Maronis Eglogue, Bucolica Aenis cum glossis antiquis. IXe-Xe siècle. Vélin. 219 ff., 300 x 215 mm. Reliure récente en toile noire. Une page de titre du XVIIIe siècle.

Ex-libris de Claude d'Urfé.

Ce manuscrit a appartenu également au Président Bouhier.

■ PARIS

1. — Bibliothèque de l'Arsenal

Ms. 2677.

Tresor de Brunetto Latini.

« Ci commence le livre du Tresor lequel translata mestre Brunet Latin, de Florence, de latin en rommanz. »

Au f° 5, une bordure entoure le texte. Dans la marge inférieure, on a ajouté au XVIe siècle les armoiries de la famille d'Urfé. L'ouvrage est aujourd'hui revêtu d'une reliure de veau fauve sans aucun décor sur les plats. Le décor du dos permet de la dater du XVIIIe siècle. (La Vallière, n° 1467).

Ms. 2682.

Philippe de Maizières, *Le songe du vieil pelerin, addressant au blanc faulcon pelerin au bec et pieds dorez, fait par rubriches en 144 chapitres.*

Vélin. (A. Du Verdier, p. 956 ; La Vallière, n° 1358 ; Henry Martin, *Histoire de la Bibliothèque de l'Arsenal,* Paris, 1900)

Ms. 2691.

Recueil.

— « *Cy commence le livre des meurs du gouvernement des seigneurs appellé les secres Aristote.*

— Albersan de Brescia, *Le livre de Mellibée et de Prudence sa femme* (traduit par Renaud de Louhans)

— Guillames, *Le bestiaires rymés.*

— *Traité contre l'astrologie et la divination.*

Parchemin, 95 ff. Au f° 2, on lit dans la marge supérieure, « A Mademoiselle Anne de Graville », et, d'une autre main, « A Monseigneur d'Urfé », et, dans la marge inférieure, la mention, « Achetté à Rouen ». L'ouvrage a été revêtu au XVIIIe siècle d'une reliure de basane à l'état naturel, côté fleur de la peau.

Ms. 3172.

Christine de Pisan, *Le livre de la mutation de fortune.*

Au f° I, armoiries : écu écartelé, aux I et 4, d'azur à trois flanchis d'argent, au chef d'or chargé de trois flanchis d'azur, qui est de Balzac; aux 2 et 3, de gueules à trois fermaux d'or, qui est de Graville. La reliure est de maroquin vert aux armes de Claude d'Urfé.

Le volume fut acquis par M. de Paulmy (Belles lettres, n° 1573 A).

Ms. 3511.

Le livre appellé le devisement du monde.

Au f° 2, armoiries d'Anne Malet de Graville, femme de Pierre de Balzac, la devise, « J'en garde un leal », anagramme de son nom. Reliure en veau fauve aux armes de Nicolas Joseph Foucault, conseiller au Parlement.

Ms. 3691.

La Boucquechardiere, *Compilation de Jean de Courcy.*

En haut d'un feuillet de garde chiffré A, se lit la mention, « Le premier livre du faict des Gregeois. Chronique de Jean de Courcy qui est aussi nommé la Boucachardiere » « A Monsr d'Urfé » et, au-dessous, d'une autre main, « IX ». La reliure actuelle date du XIXe siècle. Son dos de chagrin vert et les plats recouverts d'une toile verte uniforme imitent les reliures de velours vert de la Bibliothèque de la Bastie.

Ms. 2776.

Les vœux du paon et le restor du paon.

Ce volume a appartenu à Anne Malet de Graville. Au f° I, on lit : « A Mademoiselle Anne de Graville, Dame du Boys de Malesherbes, V^c XXI, achetté à Rouen. » La reliure est en maroquin vert. Parchemin, 153 ff., 250 x 166 mm, XIVe siècle.

Ms. 4802.

Recueil des armoiries de plusieurs provinces et pays tirées de la Bibliothèque de la Bastie d'Urfé en Foretz.

La mention « tirées de la Bibliothèque... », écrite de la main de Guichenon à qui ce volume a appartenu doit être prise au pied de la lettre et signifie que ce manuscrit a fait partie de la Bibliothèque de la Bastie.

cf. *infra*, B.N., coll. Dupuy 259.

2. — BIBLIOTHÈQUE NATIONALE

Ms. frs 18-19 (anc. 6712 [2] et [3])

De la Cité de Dieu selon monseigneur Saint Augustin, Traduction de Raoul de Praelles.

2 vol. Vélin, miniatures, lettres ornées. XVe s.

Ces volumes semblent avoir été faits pour Louis Malet, sire de Graville, amiral de France, dont les armes sont plusieurs fois reproduites dans les vignettes.

Ms frs 53. (anc. 6733)

La fleur des hystoires, de Jean Mansel. 2e partie.

XVe siècle. Vélin, miniatures, lettres ornées. Reliure en maroquin rouge, aux armes de France sur les plats.

Ce manuscrit a appartenu à l'amiral Malet de Graville, comme l'atteste un écusson sur le corps du volume.

Ms. frs. 203. (anc. 6859)

La pragmatique sanction, traduite et commentée. *Remonstrances à Louis XI pour la deffense de la Pragmatique sanction. Discours contre ceux qui possedent plusieurs benefices,* par Guillaume Paradin.

xve siècle. Vélin, lettres ornées.

Sous l'écu de France dans la vignette du frontispice, l'écu de la maison de Graville, soutenu d'une ancre, ce qui indique que ce volume appartenait à l'Amiral de Graville.

Ms. frs. 254. (anc. 68972)

Le recueil des histoires de Troyes composé par venerable homme Raoul Lefevre.

Vélin. Miniatures.

Le volume fut demandé à Lefevre par Louis de Graville, amiral de France. Ses armes, de gueule à trois fermans d'or, sont ici partie de sa femme, Marie de Balzac, d'azur à trois sautoirs d'argent affrontés, au chef d'or à trois sautoirs d'azur également affrontés. A sa mort le volume passa aux mains de sa cinquième fille, comme le prouve la mention autographe suivante : « A dame Anne de Graville de la succession de feu mons. l'Admiral V^c^ XLIII. »

Ms frs. 364. (anc. 6984)

Romuleon (de Robert della Porta), traduit par Sebastien Mamerot.

xve siècle. Vélin, Miniatures.

Ce volume a été exécuté pour Louis Malet de Graville. L'écriture est celle de la *Cité de Dieu.* Les miniatures sont exécutées par l'artiste de la *Fleur des hystoires.* La première initiale renferme les armes de Graville.

Ms frs. 20121.

Institutes de Justinien, en français.

Début : « L'Empereur Justinien au commencement de son œuvre... » Miniature.

xve siècle. Parchemin. 444 ff. à deux colonnes. 320 x 250 mm. Reliure en veau vert, avec appliques en métal, aux armes de Claude d'Urfé.

Ms frs. 20315.

Tite-Live, *Histoires, décades I à III ;*

« Ci commence le livre que fist Titius Livius, des excellens faits des Romains, translaté de latin en françois à la requeste du roi Jehan, par frere Pierre Berchure » (Bersuire)

xive siècle. Parchemin, 446 ff. à 2 colonnes, 430 x 300 mm. Miniatures. Reliure en veau vert avec appliques de métal, aux armes de Claude d'Urfé.

Ms frs. 20350.

Grandes chroniques de France.

xive siècle. Parchemin. 508 ff. à 2 colonnes, 380 x 270 mm. Ms. aux armes de la famille Malet de Graville. Reliure en maroquin rouge. (La Vallière 33).

Ms frs. 20853.

Recueil de pièces sur les croisades et les guerres françaises, sur la population de la France et l'Hôtel du roi.

(xiiie s. - xive s.)

Copie du xve s. Parchemin. 261 ff. à 2 colonnes, 415 x 300 mm. Miniatures, la première aux armes de Graville. Reliure de velours vert avec appliques de métal, aux armes des d'Urfé.

Ms frs. 22541.

Les Triomphes de Pétrarque, traduction et commentaires de Bernard Ilicino.

xvie s. Parchemin, 216 ff. à 2 colonnes, 415 x 300 mm. Miniature pour chaque Triomphe, aux armes et devise d'Anne Malet de Graville. Reliure en maroquin rouge (La Vallière, 3603).

Ms frs. 22543.

Chansonnier provençal (Chansonnier La Vallière)

xive s. 148 ff. à 2, 4, 5 et parfois 6 colonnes. 430 x 305 mm. La table des poésies de Troubadours contenues dans ce ms., qui provient des d'Urfé, a été publiée par P. Mayer (*Bibliothèque de l'Ecole des Chartes,* t. XXXI (1871), pp. 412-458).

Reliure en maroquin rouge (La Vallière 14).

Ms frs. 22548-22550.

Les sept sages de Rome, le livre de Marques de Romme, de Laurin, de Cassidorus et de Peliarmenus et des faitz de plusieurs empereurs de Romme et de Costentinnoble...

xive s. Parchemin. 3 vol. 206, 216 et 163 ff. à 3 colonnes, in-fol. Blason d'Anne de Graville, applique du xvie s. (La Vallière, n° 4096).

Reliure de maroquin rouge.

Ms frs. 23932. (anc. S. Victor, 1106)

Table alphabétique de l'inventaire et joyaux du roi Charles V.

xvie s. Papier. 53 ff., 285 x 210 mm.

On lit à l'intérieur de l'une des couvertures : « A Anne de Graville, de la succession de feu mons. l'amiral (M) V^c XVIII ».

Demi-reliure.

Ms frs. 24230.

Le livre de la Consolation de philosophie de Boèce, traduit en vers français par Renault de Louhans.

xve s. Papier, 118 ff., 275 x 180 mm.

Reliure en maroquin vert avec dos en maroquin rouge, aux armes et au chiffre de Claude d'Urfé (La Vallière 61).

Ms frs. 24312.

Le livre de Matheolus, traduction de Jean Lefevre de Ressons. Incomplet de plusieurs feuillets.

xve s. Parchemin, 109 ff. à 2 colonnes, 285 x 205 mm.

Miniatures. Au bas du f. 2, armes des d'Urfé.

Reliure de veau fauve (La Vallière 54).

Ms frs. 24313.

Li livres de le Voye de Infer

xive s. Parchemin, 20 ff. à 2 colonnes, 305 x 210 mm. Provient des d'Urfé, mention écrite.

Ce volume est différent du recueil de poèmes composés sous le même titre par Raoul de Houdan (ms. frs. 25433) et Jean de la Motte (ms. frs. 12594).

Reliure de veau fauve (La Vallière 42).

Ms frs. 24314.

Poesies de Jean Meschinot

XVe s. Parchemin, 146 ff., 290 x 190 mm. Miniature, f. 2, au bas de laquelle sont les armes de l'amiral Malet de Graville.

Reliure de maroquin rouge (La Vallière n° 2832).

Ms frs. 24315.

Recueil de poésies des XVe et XVIe s. (Georges Chastellain, Jehan Trotier, Molinet, Pierre Fabri).

Au f. 159, Lettres de don et confirmation de plusieurs rentes à l'Abbaye de Montebourg par différents membres de la famille Malet de Graville. Copie collationnée exécutée en 1561.

XVIe s. Papier. 160 ff., 285 x 200 mm.

Reliure en veau vert, aux armes d'Urfé (La Vallière n° 2926).

Ms frs 24368.

Roman d'Aubery le Bourguignon.

XIIIe s. Parchemin, 114 ff. à 2 colonnes, 320 x 225 mm.

On lit à la suite de l'explicit (f. 114) : « Explicit le rommans d'Auberi. Ce fut fait, l'an de grace MCC IIII ^xx^ et XVIII, le prochain mardy devant la Nativité », et au f. 1 : « A Anne de Graville. »

Reliure de maroquin rouge (La Vallière 40)

Ms frs. 24377.

Roman d'Enseis de Metz, fils de Girbert.

XIIIe s. Parchemin. 174 ff. 270 x 185 mm.

Anciens possesseurs : « Mademoiselle Anne de Graville (M) V^e XXI - Monseigneur [Claude] d'Urfé (f. 1).

Reliure en maroquin rouge (La Vallière 60 ; catalogue La Vallière n° 2728).

Ms frs. 24396.

Histoire ancienne, jusqu'à Jules César

Seconde rédaction. Commence (f. 1) : « Cy parle du roy Ninnus qui premier porta armes. I. Devant que Rome fust fondee... »

XVe s. Parchemin. 126 ff., à 2 colonnes, 335 x 240 mm. Armes de Claude d'Urfé au bas du f. I.

Reliure en maroquin rouge (Catalogue La Vallière n° 4823).

Ms frs. 24406.

Recueil de chansons...

f. 1 Recueil de 301 chansons, jeux partis...

f. 120 « Traitté des quatre necessaires ».

f. 141 « Le Bestiaire d'amours mestre Richart de Furnival »

f. 148 Recueil de 30 chansons anonymes en l'honneur de la Vierge.

XIIIe s. Parchemin. I et 155 ff. à 2 colonnes, 285 x 195 mm.

Au-dessous de la miniature de tête (f. I) sont les armes suivantes : I) de gueules à la croix d'or, au franc-quartier d'hermines, 2) D'or, à la croix de sable, au lambel de gueules à trois pendants brochant sur le tout, et au verso du f. I, les armes de Claude d'Urfé.

Reliure de maroquin rouge (Catalogue La Vallière n° 2719).

Ms frs. 24758.

La vie des Peres, en vers

XIVe s. Parchemin ; 120 ff., à 2 colonnes, 225 x 160 mm. On lit au f. 120 v° : « Liber iste est Petri de Grano, clerici. » « Perrin de Graville preudome. » — Fol. 1 v° : « A Mademoiselle Anne de Graville, (M) V^e XXI. A. « Oratorii Parisiensis catalogo inscriptus » Reliure de maroquin olive (Oratoire 186).

Ms frs. 25424.

L'enlevement de Proserpine, en vers, commensemant : « Si en a t il duel et tel guerre »...

XVe s. Parchemin, 74 ff., 235 x 160 mm.

Ex-libris (f. 2) : « Riens plus, Gaucourt. » — « Ce present livre acheté des exsqueteurs de feu François de Gaucourt, l'an mil CCCC huitante et ... et le Ve jour de juillet ». Guy de Barbanseois » — « Cest livre est a messire Charles de Ursins, seigneur de Soupy et de Neuville ». — « A Monseigneur d'Urfé ».

Reliure de veau fauve (La Vallière 107 ; Catalogue La Vallière n° 2809).

Ms frs. 25441.

Le Roman de Palamon et Arcita, et de la belle et sage Emilia, translaté de vieil langage et prose en nouveau et rime, par Anne Malet de Graville.

XVIe s. Parchemin, 98 ff., 215 x 145 mm.

Devise-anagramme d'Anne de Graville, « J'en garde un leal », et un livre de raison portant les dates du mariage de sa fille Jeanne avec le sire d'Urfé et des naissances de ses petits enfants, 1532-1542 (f. 3).

Reliure maroquin violet. A. du Verdier cite les 5 premiers vers et il ajoute : « J'en ay veu un exemplaire escrit à la main en la librairie de Monsieur Comte d'Urfé et n'a esté imprimé que je sçache. » (*Bibliotheque..*, Lyon, 1585, p. 42) (Gaignières 996).

Ms frs. 25535.

Chants royaux, rondeaux et ballades du Puy de musique de Rouen.

XVIe s. Papier, 260 x 185 mm, 48 ff.

Ces chants royaux, rondeaux et ballades sont dédiés à « Mademoyselle Anne de Graville la Malet » par « Nicolas de Coquinvillier evesque de Verieuse » (Venosa).

Lettres ornées avec blason des Graville. Reliure de maroquin vert, aux armes de Claude d'Urfé, (Catalogue La Vallière n° 3016).

Nouv. acq. fr. 993

Chronique en vers de Bertrand du Guesclin, par Cuvelier.

XVe s. Papier, 140 ff., 260 x 190 mm.

Au f. 140 v°, mentions d'anciens possesseurs du ms. : « Iste liber est Johannis Morelet, advocati et consiliarii domini nostre Regis ». « Ce present livre appartient à maistre Jehan Philippes demeurant en la paroisse Saint Sauveur de Rouen. »

Reliure en veau vert, aux armes de Claude d'Urfé. A. du Verdier indique 2 volumes (*op. cit.*, p. 136).

Nouv. acq. fr. 1880.

Les Voyages de Marco Polo, traduction française.

XVe - XVIe s. Papier, 149 ff., 255 x 180 mm.

Au verso du 1er f., la mention : « A Anne de Graville, de la succession de feu Monsieur l'Amiral. V^{c}XVIII ».

Reliure de veau vert, aux chiffres et armes de Claude d'Urfé.

Nouv. acq. fr. 10053.

Histoire ecclesiastique d'Orose.

...XVe s. Papier, 187 ff., 2 colonnes, 272 x 188 mm.

Au f. I, la mention : « A mademoiselle Anne de Graville, dame du Boys de Mallesherbes, V^{c}XXI. Achatté à Rouen. »

Reliure de veau olive aux armes de Claude d'Urfé (n° 366 de la collection Barrois).

Collection Dupuy - 259.

Tresor des armoiries

Au f. 2, on lit cette note : « C'est le double d'un livre qui a esté trouvé à la prinse de Calais, escript en vieil langage picart, faict de l'an III[c] IIII[xx], dont l'original est demeuré es mains de Monsieur [Claude] d'Urfé, gouverneur du roy dauphin. » XVI[e] s., 196 ff., in 4° ;

Collection Dupuy - 530.

Instructions données à [Claude] d'Urfé, ambassadeur au concile de Boulogne (12 août 1547). Traduction italienne.

XVI[e] s., 15 ff., in-4°.

Ms. lat. 8838.

Le procès de Jeanne d'Arc.

XVe s. Vélin. Voir, Du Verdier, *op. cit.*, p. 778 ; O.C. Reure, *Les deux procès de Jeanne d'Arc et le manuscrit d'Urfé,* Lyon, 1894.

3. — Bibliothèque Sainte-Geneviève

Ms. 1114.

Policraticon de Jean de Salisbury. Traduction française.

Sur le premier feuillet, les armes peintes de la famille de Graville, de gueule à trois fermaux d'or, 2 et 1.

■ TOURS

Bibliothèque municipale

Ms. 2109.

Les dits d'Aristote

XVe siècle. Parchemin, 14 ff., 210 x 150 mm. 29 lignes.

Incipit : « Aristote [A enluminé] est interprete ou langaige des // grecs ».

Le f. 1 est encadré d'une bordure d'oiseaux, de fleurs et de grotesques et comporte les armes de Louis Malet de Graville.

Explicit : « Le peuple // est gouverné par justice ainsi est tout le monde »

Au bas du feuillet sont les armes de Louis Malet de Graville. Reliure de maroquin rouge à grains longs, plats ornés d'un filet doré.

Ms. 2128.

Christine de Pisan, *Livre des trois vertus.*

XVe siècle. Vélin. 142 ff., 190 x 140 mm, 29 lignes.

Incipit : « Cy commence la table des troys // vertus a lenseignement des dames... »

f. 1 : Armoiries peintes de la famille d'Urfé .

Explicit : « Explicit le livre des troys/vertuz a lenseignement escript par les mains de Jehan gardel demourant // a tours en la Rue de la sellerie // serviteur de madame. »

Reliure du XVIIIe siècle en veau blond. Plats ornés d'un triple filet doré. Tranches dorées.

BIBLIOTHEQUES ETRANGERES

BELGIQUE

■ GAND

CENTRALE BIBLIOTHEEK

Ms. 12

Jean Mansel, *La fleur des histoires,* IIe partie concernant la Vie de Jésus-Christ et les Actes des Apôtres.

xve siècle, parchemin, 435 x 310 mm, 299 pp., écriture gothique bâtarde. Reliure en veau du XVIIIe isècle.

Ce manuscrit est attribué à la bibliothèque de la famille d'Urfé (voir J. de Saint-Genois, *Catalogue des manuscrits de la Bibliothèque de l'Université de Gand,* 1852, n° 19).

GRANDE-BRETAGNE

■ EDIMBOURG

NATIONAL LIBRARY OF SCOTLAND.

Adv. Ms. 19.1.4

Recueil de ballades et autres poèmes.

1re moitié du XVIe siècle. Papier, XII + 66 ff., 292 x 198 mm.

Reliure en maroquin vert aux armes de Claude d'Urfé.

Ce recueil est comparable à celui de la Bibliothèque nationale, ms. fr. 24315

f. 1 : Jean Perreal, *La complainte de Nature a l'Alchymiste,* suivie *du Roman de la Rose* (voir sur ce poème A. Vernet, *BHR,* III (1943) pp. 214-252)

f. 29 « Ensuict par ordre le nombre des Roys Crestiens et leurs cois dames portans chascun sa clause » (cf. B.N. Ms. fr. 24315, f. 2)

f. 32 v° : Georges Chastellain, *La mort de Charles VII.*

f. 42 : « *Le Credo nouvellement compose* »» (cf. B.N. Ms. fr. 24315, f. 47 v.)

f. 46 : Georges Chastellain, « Humne mortel... »

f. 47 : Christine de Pisan, ballade, « Deul angoysseux, raide demesuree »

f. 48 : Quatrain en latin sur la mort, et poème, « Sans epargner pappe ne empereur ».

f. 49 : François Villon, *Epitaphe.*

f. 50 : Ballade, « Je congnoys que dieu ma forme ».

f. 50 v° : Ballade, « Je considere ma povre humanité »

f. 51 : « Ensuict ung beau petit traicte des quatre novissimes faict et compose par Venerable et Religieuse personne frere bigot selestin natif de Rouen »

f. 64 : Rimes et enigmes, avec des vers à la Vierge.

f. 65 v° : « Des quatre complexions »

■ LONDRES

BRITISH LIBRARY

Burney ms. 38.

S. Augustini expositio in S. Pauli espitolas

Reliure en velours noir avec les armes de Claude d'Urfé, entourées du collier de l'ordre de S. Michel, métal au centre de chacun des bords.

De chaque côté sont quatre gros coins de métal décorés des initiales entrelacées de Claude d'Urfé et Jeanne de Balsac, avec le mot UNI, une corne d'abondance et un caducée.

— Add. ms. 27697.

Preces piae

Armes de Claude d'Urfé, ff. 77 b, 83 b (La Vallière, *sup.* n° 290).

— Egerton 989

Le roman de Tristan

Les inscriptions prouvent que ce volume a appartenu à Anne de Graville.

— Sloane Ms. 2423

xve siècle, velin, 173 x 114 mm, 32 ff.

ff. 1-10 : « Ordonances de Charles V ... 7 décembre 1373 »

ff. 10-16 : « Priorite et preeminences de mondit seigneur l'Admiral. »

ff. 17-22 : « Ou commencent les jugemens de la mer des nesz des maistres, mariniers, des marchands et de tout leur estre. » « lundi apres la feste de S. André 1366. »

ff. 27-32 : « La chartre aux Normans » de Louis X, datée de Vincennes, 19 mars 1314.

Ce manuscrit a été composé pour Louis Malet de Graville (Sir T. Twiss, *Black Book of the Admiralty,* p. LXXXV)

— Phillips ms. 127.

Bérose, *Histoire Chaldeennes*

xvie siècle. Vélin, 80 ff. 245 x 164 mm. Reliure en veau. Initiales et bords enluminés.

f. 4 v° : enluminure en pleine page représentant une femme avec les armoiries de Louis Malet de Graville et les inscriptions « Non plus amour autre non » et « Jen guarde un leal ».

■ OXFORD

BODLEIAN LIBRARY

Ms. Douce 178 (anc. 21752)

xive siècle. Parchemin, 149 ff. 2 col. avec de nombreuses miniatures et initiales enluminées.

Branches 1, 2, 3, du cycle de Lancelot.

f. 1 : *Le roman du Graal en prose,* trad. de Robert de Borron.

Incipit : « Cil ki la hautere et la seingnorie... »

f. 148 *Explicit* : « Ci fine lestoire de Merlin ». Le nom de Robert de Borron est mentionné au f. 148

Au même feuillet armoiries d'Anne de Graville. Ex-libris, « A Anne de Graville ».

(Voir F. Madan, *A Summary Catalogue of Western Manuscripts in the Bodeleian Library at Oxford,* Oxford, 1897, t. IV, p. 546 ; O pächt et J.J.G. Alexander, *Illuminated Manuscripts in the Bodleian Library Oxford,* Oxford, 1970, t. II, *Italian School,* n° 104 et planche X.)

Ms. Douce 329 (anc. 21903)

Hystoyre de Theseus, Palamon et Arcita et la belle Emylia.

1re moitié du xvie siècle. Papier, 11 + 135 ff.

Reliure en cuir vert, armoiries de Claude d'Urfé et initiale ICC entrelacées. (La Vallière, 4175)

(Voir F. Madan, *op. cit.,* t. IV. pp. 596-597)

ITALIE

■ GENES

BIBLIOTECA DURAZZO PALLAVICINI

Ms. XVIII

Egesippe, *De Judaico bello et subversione Hierosolymorum.*
xve siècle. Parchemin in fol., 2 col. et miniatures.
Au début du manuscrit, brève dissertation d'Ab. Gaspard Oderici.
Ce manuscrit a appartenu aux d'Urfé (voir *Catalogo della Biblioteca di un amatore bibliofilo,* s.d., p. 74)

Ce manuscrit a malheureusement disparu de cette bibliothèque.

■ MODENE

BIBLIOTECA ESTENSE

Estero 28 (= .M.5.9.), anc. XII.K.16.

Herbolaire ou Grand Herbier
xve siècle. 170 ff., 280 x 195 mm, 2 col. 43 lignes. 391 miniatures dont 355 représentent des plantes avec des feuilles, des fleurs et des racines ; 25 représentent des animaux ou minéraux et 10 des petites scènes.

Reliure en peau de la fin du XVIe siècle. Ex-libris, « A monseigneur d'Urfé » (voir A. Vernet, « Les manuscrits de Claude d'Urfé... », p. 89, n. 34)

■ VATICAN

BIBLIOTHÈQUE VATICANE

Ms. reg. lat. 26.

Deuxième partie de la Bible française du XIIIe siècle.
XIIIe-XIVe siècle. Parchemin, 390 x 270 mm, 395 ff., 2 col. de 42 lignes.
Incipit : f. I « Les paraboles Salemon filz David... »
Explicit : « La grace de Nostre Seigneur Ihesucrist soit à touz vous Amen. Ci fenist lapocalipse. »
Armes de la famille d'Urfé peintes sur plusieurs feuillets (ff. 1, 126, 173 v°, 226, 318 v°, 326, 331 v°, 349 v°, 376, 382).

Reliure récente aux armes de Pie IX.
(Voir S. Berger, *La Bible française au Moyen Age,* 1884 ,pp. 109-156 ; Andreas Wilmart, *Codices Reginenses*, Bibliothèque vaticane, 1937, t. I, *Codices* 1-250, p. 67)

BIBLIOTHEQUE D'HONORE D'URFE

BIBLIOTHÈQUE MUNICIPALE DE LYON

N° 1134.

Antonii Riccoboni Rhodigini ***de historia liber***
Ex-libris d'Honoré d'Urfé (1624)

BIBLIOTHÈQUE NATIONALE

Ms. fr. 5048

Chronique du Héraut Berry
Armes de Claude d'Urfé ; « Ex libris Honorati d'Urfé, filii Jacobi, filii Claudii, cujus Claudii hic liber fuit »
(voir A. Vernet, *art. cit.,* p. 84)

— Les notes inédites du Chanoine Reure reproduisent la description d'un ouvrage de la Bibliothèque d'Honoré d'Urfé figurant parmi les livres d'occasion vendus par la librairie Claudin, sans indication de date : « *Petrisiculi historia ex Ms. codice Bibliothecae Vaticanae graece cum latina versione edita per Matth. Raderum e Soc. Jesu,* Ingolstadii, pet. in-4°.

> « Cet exemplaire a appartenu à Honoré d'Urfé, dont il porte la signature et l'ex-libris ms. au bas du titre : « Ex libris Honorati d'Urfé. 1615. » Il a appartenu ensuite à Fevret, qui l'a donné aux Oratoriens de Dijon.

— Dans ses notes le Chanoine Reure indique encore qu'il a vu à Virieu-le-Grand, dans la bibliothèque de M. Genin des Prosts, deux volumes provenant de la bibliothèque d'Honoré d'Urfé et portant son ex-libris écrit de sa main :

— *Givoco Piacevole d'Ascanio Pipino De Mori da Geno,* in Mantova per Giacomo Ruppinello. L'anno MCLXXV.

En tête du livre, « ex libris Honorati d'Urfé 1619 ».

Le même volume relié en parchemin sans aucun ornement contient l'ouvrage suivant :

Le sei Giornate di M. Sebastiano Erizzo, mandate in luce da M. Ludovico Dolce. In Venetia MCLXVII.

— L'autre ouvrage est le suivant :

Œuvres poétiques de Melin de s. Gelais. A. Lyon, M.D.L.XXVIII.

« Ex libris Honorati d'Urfé 1622 ».

— Dans « L'Inventaire des meubles du chasteau de Virieu le Grand appartenant à feu illustre seigneur Messire Honoré d'Urfé, 16-19 juin 1625 » (document conservé à Chateaumorand), on mentionne « deux sacs de toille plains de fragmens des manuscripts dud. seigneur, quatre livres escripts à la main des *recherches de l'antiquicté d'Autun* en quatre thomes, le premier livre de l'Astrée dud. seigneur aussi manuscript, les diverses poesies, et un second thome in folio des *antiquictés de la cité de Venise et autres villes d'Italie.* »

APPENDICE II

LES RECITS HISTORIQUES DE *L'ASTREE* ET LEURS SOURCES

N.B. — Ne figurent dans ces tableaux que les personnages qui jouent un rôle important dans les récits historiques de *L'Astrée*. Les références sont faites aux ouvrages de Fauchet et du Haillan cités dans la bibliographie.

PHARAMOND

ASTRÉE	DU HAILLAN	C. FAUCHET
II, 11, 476 « Faramond repassa le Rhin, et fut contraint de s'arrester par la prudence et valeur d'Aetius ».	p. 5 — Pharamond est élu roi ; il est fils de Marcomir.	p. 88 — Pharamond, fils de Marcomir, est élu roi.
II, 12, 512, « ...quelques Francs qui estoient demeurez de là le Rhin en leurs premieres habitations, lors que, sous le grand Faramond, ce peuple guerrier s'efforça de passer, et d'occuper en Gaule les pays qu'ils tiennent maintenant, et qu'ils commencent, du nom de Franc, d'appeler France. »	p. 12 — Il ne passa pas en Gaule. Il « vit seulement les rivages du Rhin sans les passer de deça ».	

CLODION

ASTRÉE	DU HAILLAN	C. FAUCHET
III, 3, 82 — Son portrait dans la galerie de la maison d'Adamas.	p. 12 — Clodion le chevelu est le premier qui passa le Rhin.	p. 89 — Elu roi, après la mort de Pharamond.
II, 11, 481 — Aetius, lieutenant général en Gaule, ne put « empescher » que les Francs « ne fissent quelque progrez sous leur roy Clodion. Ils ne gaignerent en ce temps-là de la Gaule, que fort peu autour du Rhin. »	p. 19 — Aetius repousse Clodion.	p. 89 — Les Francs de Pharamond sont chassés par Aetie. Aetie arrête les entreprises des rois Barbares.
II, 11, 483 — Les Francs ont franchi le Rhin sous Clodion.		p. 92 — Parce qu'Aetie est empêché par ses préparatifs contre les Bourguignons, les Francs, sous la conduite de Clodion, passent le Rhin. Ils prennent « Tournay et Combray. »
II, 11, 523 — Mérovée est successeur de Clodion, fils de Pharamond.		

ASTRÉE	DU HAILLAN	C. FAUCHET
III, 3, 652 — Mérovée et Childéric combattent contre les enfants de Clodion. III, 3, 671 — Mérovée avait été préféré « en la couronne des Francs » aux enfants de Clodion : Renaud, duc d'Austrasie ; Albéric, seigneur de Cambrai. Mérovée partagea avec eux l'Austrasie.	p. 19 — Clodion avait trois fils : Auberon, Regnault et Rancaire. Ils furent privés du royaume de France par Mérovée et furent rois des pays de Hainault, Lorraine, Brabant et Namur.	
MEROVEE		
III, 12, 650. — En langage Franc, Merveich signifie « prince excellent. »	p. 19 — Meierwic : « celui qui est pardessus les autres en réputation. »	p. 101 — Légende du monstre marin qui attaque sa mère. Merveich signifie prince excellent.
III, 3, 671 — Mérovée est préféré par les Francs aux enfants de Clodion : Renaud et Albéric. III, 12, 671 — Renaud a épousé la fille de Multiade, roi des Tongres, Hasemide. Les deux frères s'allient avec les Saxons. Grâce à la valeur d'Andrimarte, Mérovée les repousse et les contraint de rester en Austrasie.	p. 19 — Clodion fut marié à une fille du roi d'Austrasie et de Thuringe. Elle eut quatre fils dont l'aîné mourut. Les trois autres furent : Auberon, Regnault, et Rancaire, rois de Lorraine, Hainaut, Brabant et Namur ; Mérovée leur gouverneur se fait élire roi.	p. 93 — Mérovée était fils ou cousin de Clodion.
	p. 20 — Sous la conduite de Mérovée les Francs, profitant des troubles provoqués en Gaule et en Espagne par Boniface, entrent en Gaule.	p. 92 — Aetius est occupé par les préparatifs contre les Bourguignons. Les Francs, sous la conduite de Clodion et Mérovée, passent le Rhin.
I, 3, 84 — Aetius traite avec Mérovée et ses Francs contre Attila.	p. 22 — Mérovée est aux Champs cathalauniques aves son fils Childéric. Il tient le côté droit avec Aetius.	p. 96 — Mérovée est à l'aile droite, pendant la bataille des Champs Cathalauniens .

ASTRÉE	DU HAILLAN	C. FAUCHET
I, 3, 85 — La victoire des Champs Cathalauniques.		
II, 6, 209 — Mérovée est à l'aile droite.		
II, 6, 209 ; III, 3, 84 — Thierry, roi des Wisigots, est tué.	p. 22 — Attila est vaincu. Thierry roi des Wisigots est tué.	p. 96 — Mort de Thierry.
III, 12, 650 — Victoire de Mérovée.	p. 23 — La victoire est due à Mérovée, ce qui décida les Gaulois à pencher pour le Francs et à mépriser les Romains.	p. 100 — Etat de la Gaule à la mort de Mérovée. p. 100 — Victoire de Mérovée
II, 7, 307 — Mort de Mérovée	p. 24 — Mort de Mérovée	
CHILDERIC		
III ,12, 650 — La réputation de Mérovée et l'amour qui lui fut porté, car il était appelé « la délice du peuple », incitèrent les Francs à élire Childéric comme roi.	p. 24 — Gaulois et Français, joints ensemble et « n'estans plus qu'un », s'assemblent et élisent roi Childéric, fils de Mérovée.	
Il est couronné d'une double couronne, élevé sur le pavois et porté par les rues de Soissons.	— Elevé sur le pavois selon la coutume des Francs, il est trois fois porté autour de l'assemblée.	
	p. 25 —Il est mieux né pour la guerre que pour la paix.	p. 102 — Childéric était bon pour la guerre, sujet à la paillardise. Il débauchait les femmes et les filles.
III, 12, 698 sq. Sa vie est efféminée et débauchée. Il veut ravir Silviane.	Il est adonné aux plaisirs dès sa jeunesse. Les Français espèrent que l'exemple de	

Astrée	Du Haillan	C. Fauchet
	son père l'amendera. Mais il devient plus insolent. Dès qu'il est roi, il prend par force les femmes et filles de ses sujets « de quelque qualité ou condition qu'ils fussent ». Ses conseillers sont des jeunes hommes voluptueux ; d'autres lui conseillent des exactions, des tyrannies et des impôts. — Les Français se rebellent contre lui et le chassent du trône royal.	
III, 11, 589 — Il se retire auprès de Basin, roi de Thuringe.	Il se retire en Thuringe auprès de Bissin ou Basin, le roi.	p. 102 — Childéric se retira, l'an 461, près de Bisin, roi de Thuringe.
III, 12, 651 — Guyemants est son ami. III, 12, 700 — Childéric mande Lindamor et Guyemants « afin d'adviser à son salut ». Guyemants lui conseille de se réfugier auprès de Basin en Thuringe, son parent et ami.	p .25 — Durant son règne, il se fie beaucoup à un seigneur de sa cour, nommé Guyemans. Childéric l'appelle en secret pour savoir ce qu'il doit faire. Malgré l'adversité, Guyemans lui reste fidèle, et lui rend service pour recouvrer son royaume.	p. 102 — Il a pour ami fidèle, Guinemaux, auquel il demande conseil, quand il apprend que les Français décident de le faire mourir. Guinemaux lui conseille de fuir, et lui dit que, pendant ce temps, il sondera le courage des Français, pour le faire revenir.
III, 12, 701 — Childéric fuit, emportant « la moitié d'une pièce d'or, pour signe que quand Guyemants lui envoyeroit l'autre moitié qu'il gardoit, il pourroit revenir en toute assurance en son royaume ». Sur la pièce, une tour et un dauphin sont gravés.	p. 26 — Guyemans donne à Childeric la moitié d'une pièce d'or. Childéric devra se fier au messager qui sera porteur de la deuxième moitié de la pièce.	p. 102 — Guinemaux lui « donna la moitié d'une pièce d'or qu'il couppa, retenant l'autre devers soy ».

ASTRÉE	DU HAILLAN	C. FAUCHET
III, 12, 686 — Les Grands s'assemblent à Provins, puis à Beauvais et élisent un Romain, Gillon, qui avait quitté le parti des Empereurs romains. C'est lui qui avait conquis Soissons. Il était ambitieux. Les Grands l'élisent pour ne pas être accusés de félonie. V. 3, 147 — Guyemants a pour dessein de pousser Gillon à accabler le peuple d'impôts et à devenir ennemi de la noblesse. La domination de Gillon apparaîtra comme tyrannique, le peuple se révoltera contre Gillon et rappellera Childeric.	p. 26 — Les Français, oublieux de l'injure reçue des Romains, élisent pour roi un seigneur romain, Gillon (ou Gilles selon d'autres). Celui-ci ne pense qu'à tourmenter les Français et à les ruiner. Guyemans se fait passer pour ennemi de Childeric et Gillon ne lui cache rien. Guyemans conseille à Gillon de faire mourir tous ceux qui frondent. Il accuse de rébellion tous ceux qui se sont conjurés contre Childéric et les envoie à Gillon, pour qu'il les mette à mort. Les Français se plaignent à Guyemans qui leur conseille de faire revenir Childeric.	p. 102 — « Les Françoys establirent roy sur eux Egide ou Gilon ». p. 104 — Guinemaux se glisse dans l'intimité de Gilon et lui conseille de charger les Grands de tailles. Il conseille à Childéric de faire mourir quelques Grands.

ATTILA

ASTRÉE	DU HAILLAN	C. FAUCHET
I, 3, 84 ; II, 11, 474-475. « Ce fleau de Dieu » est accompagné de plus de 500.000 hommes ramassés « par les déserts de l'Asie ».	p. 20 — Il est « surnommé Fléau de Dieu », son père est Mandolque. Il conquiert la Sarmatie, Hongrie, Mysie et Thrace.	p. 93 — Les Huns sont sous la conduite d'Attila, « surnommé Fléau de Dieu ». Il commande à 500.000 hommes environ.
II, 12, 511, 523, 524 — Attila, ayant rassemblé des Huns, Alains Gepides, fond sur Constantinople. Martian repousse Attila en Pannonie. Celui-ci fait mourir par trahison son frère Bleda.	p. 21 — Attila fait tuer son frère Bleda. p. 21 — Attila assemble une armée d'Erules, Gépides, Alains, et autres nations et passe en Gaule.	p. 93 — A cause de Martian, Attila ne peut conquérir Constantinople. Il se tourne vers l'Europe occidentale.

ASTRÉE	DU HAILLAN	C. FAUCHET
II, 12, 511 — Il a « rendu presque subjects par ses armes, Valamer et Ardaric roy des Ostrogots et des Gépides ». Il se joint aux Erules, Alains, Thuringiens, Marcomanes, et fond sur la Gaule.		p. 96 — Ardaric et Valamer étaient amis d'Attila.
II, 12, 522 — Genséric a obtenu la fille de Thierry pour femme de son fils Honoric. Mais, persuadé qu'elle veut l'empoisonner, il la renvoie en Gaule après lui avoir coupé le nez.		p. 93 — Attila s'allie avec Genséric qui a obtenu la fille de Thierry pour femme de son fils Honoric. Mais celui-ci la renvoie en Gaule, après lui avoir coupé le nez, persuadé qu'elle veut l'empoisonner.
II, 12, 522-523 — Allié à Genséric, Attila recherche l'alliance des Bourguignons, des Francs et de Thierry.		pp. 93-94 — Attila recherche l'alliance de Thierry.
II, 12, 524 — Attila assiège Orléans : il pense que Sigiban, roi des Alains, lui livrera Orléans entre les mains, parce qu'il est avec les siens. Mais Sigiban est découvert. Attila est chassé par Thierry et ses Wisigots, et par les Francs. Il se retire jusque dans la plaine de Mauriac. Il consulte les sacrificateurs qui lui annoncent sa défaite et la mort du principal chef des ennemis. Attila pense qu'il s'agit d'Aetius et livre bataille, le lendemain.	p. 21 — Attila vient devant Orléans et l'assiège. Arrivée de Thierry, roi des Wisigoths.	pp. 94-95 — Siège d'Orléans. Aetius s'est ligué avec Thierry. Atttila pense que Singiban est dans Orléans, mais il est déçu et il assiège. pp. 94-95 — Il se retire dans la campagne de « Chaalons », alors appelée la plaine Mauritienne. Attila consulte ses devins. Ils lui annoncent la mort du principal chef des ennemis. p. 96 — Attila pense qu'il s'agit d'Aetius.
II, 12, 525 — Composition des armées des Wisigoths, des Francs et d'Aetius :		p. 95 — Composition de l'armée d'Aetius : Francs, Sarmates, Armoricains,

ASTRÉE	DU HAILLAN	C. FAUCHET
Francs, Wisigoths, Sarmates, Alains, Armoricains, Lutetiens, Saxons, Ribarols, Auvergnats, Eduois, divers autres peuples Gaulois.., avec les Lambrions « Jadis soldats de l'ordonnance Romaine et maintenant alliez et gens de secours ».		Luteciens, Saxons, Ribarols, Lambrions, « jadis ... soldats de l'ordonnance romaine, ... lors alliez et gens de secours. »
I, 3, 85 ; II, 6, 209 — Aetius est allié avec Mérovée, les Wisigoths et les Bourguignons et il livre la bataille des Cathalauniques.	p. 21 — Les Huns sont contraints de se retirer aux Champs Cathalauniques où les suivent Aetius, les Bourguignons, Gots et Francs de Mérovée.	
— Défaite d'Attila qui se retire en son camp. Il a fait un bûcher avec selles et bâts. Il a le désir de se faire brûler, plutôt que de se livrer.		p. 96-97 — Défaite d'Attila. Il se retire, fait amasser selles et bats « et les dresser en façon de buscher, délibéré s'il luy fust mesavenu, de se brusler soy-mesme. »
— Mort de Thierry.		p. 97 — Mort de Thierry. Selon Grégoire de Tours, la bataille eut lieu, « en la plaine de Mauriac ».
II, 12, 525 — Aetius laisse Attila se sauver, pour maintenir Francs et Wisigoths dans la crainte.		p. 98 — Aetius laisse Attila se sauver, par peur de l'union des Francs et des Wisigoths contre Rome.
— Aetius conseille à Thorismond de rentrer plutôt que d'attaquer, car ses frères risquent de s'emparer de son royaume en son absence.		p. 99 — Aetius conseille à Thorismond de rentrer, de peur que ses frères ne s'emparent de son royaume.

ASTRÉE	DU HAILLAN	C. FAUCHET
II, 12, 525, 533-534 — Honorique sœur de Valentinian, est amoureuse d'Attila. Poussé par cet amour, Attila attaque l'Italie, assiège Aquilée pendant trois ans et rase la ville.	p. 22 — Attila vaincu fuit en Hongrie, puis vient en Italie, où il assiège Aquilée pendant deux ans. Les alentours sont ruinés.	p. 99 — Honorie sœur de l'empereur fait demander Attila en mariage.
Les habitants ont peur et fuient dans les îles de l'Adriatique. Ils fondent Rialte, Grade, Caorly, Vorcelly, la future Venise.	Les habitants fuient, « ce qui donna commencement à la fondation de la ville de Venise ».	p. 99 — Siège d'Aquilée.
II, 12, 535 — Attila attaque Rome. Valentinian lui donne sa sœur en mariage.		p. 99 — Attila demande en marige la sœur de Valentinian, Honoric.
— Il se retire en Pannonie. Le soir de ses noces, il se gorge de viandes et de vin, et, le lendemain, il est trouvé mort dans son lit. Selon d'autres, il est mort de pertes de sang par le nez ou tué par une de ses femmes.	p .22 — Fait prisonnier, Attila désire se donner la mort.	p. 100 — Retiré en Pannonie, il meurt « d'un flux de sang qui luy prit le jour de ses nopces ».

AETIUS

ASTRÉE	DU HAILLAN	C. FAUCHET
II, 11, 475 — Aetius est fils de Gaudens, tué en Gaule par les soldats. Sur le conseil de Placidie, Honorius l'a choisi pour achever l'œuvre entreprise en Espagne.	p. 19 — A la mort de Constantius, il est nommé par Honorius lieutenant général en Gaule.	p. 89 — « Aetie fils du comte Gaudent (autres fois tué en Gaule par les soldats) »
II, 11, 476 — Auparavant, il combat victorieusement les Bourguignons qui convoitaient le pays des Eduois et des Se-	p. 19 — En Gaule et en Espagne, au début du règne de Mérovée, il tient tête aux ennemis :	

ASTRÉE	DU HAILLAN	C. FAUCHET
quanois, et repousse les Francs de Pharamond.	Bourguignons en Gaule, Vandales, Alains et Suèves en Espagne.	
II, 11, 477 — Rappelé par Honorius à cause de la lenteur de ses succès, il est remplacé par Castinus, son ami. Aetius se réfugie en Pannonie, parmi les Huns et les Gépides.	p. 20 — Rappelé par Honorius, il est remplacé par Castinus. Honorius l'accuse de couardise.	p. 89 — Démêlés d'Aetius et Boniface. Aetius vaincu par Boniface se retire chez les Huns.
	— Boniface, lieutenant général d'Honorius en Afrique, joint ses forces à celles de Castinus, pour entrer en Espagne. Castinus complote contre Boniface. Celui-ci fuit en Afrique.	
II, 11, 502-503 — Mort d'Honorius. Son premier secrétaire, Jean, est élu empereur par le moyen de Castinus et Aetius.	— Mort d'Honorius.	p. 88 — Honore meurt sans enfant. Son premier secrétaire, Jean, est élu empereur par la faveur de Castin.
II, 11, 482 — Mahortius est envoyé en Afrique.	— Placidia, sœur de Valentinian, envoie Mavortius et Gallio pour tuer Boniface. Celui-ci les tue, et jette le trouble en Espagne et en Gaule.	
II, 11, 512 — Valentinian renforce l'armée d'Aetius qui avait la charge des Gaules, pour combattre Attila.	p. 20 — Valentinian rappelle Aetius pour lutter contre les Francs.	
II, 11, 481 — Valentinian fait Aetius Patrice.		p. 89 — Aetius est fait Patrice.
I, 8, 276 — Valentinian, à cause du nombre des ennemis, recommande à Aetius de laisser les Bourguignons de Gondioch en paix.	— A cause de l'arrivée d'Attila, Aetius fait la paix avec les Francs, à charge pour eux de l'aider à repousser les Huns.	

Astrée	Du Haillan	C. Fauchet
II, 11, 523, — Il traite avec Gondioch, Mérovée et Singiban, roi des Alains, contre Attila.		
II, 11, 524 — Les champs Cathalauniques (+ II, 6, 209) ; Aetius est à l'aile droite. Attila est vaincu et Thierry tué.	p. 21-22 — Aux champs Cathalauniques, Aetius tient le côté droit avec Mérovée et Childéric. Attila est vaincu et Thierry tué.	
II, 11, 525 — Aetius laisse partir Attila et recommande à Torrismond et Thierry, fils de Thierry, roi des Wisigoths, de rentrer à Toulouse et de ne pas chercher à se venger d'Attila. Aetius craint qu'ensuite Wisigoths et Francs ne chassent les Romains.	p. 23 — Aetius conseille aux Francs et à Thorismond, fils de Thierry, de ne pas poursuivre Attila, craignant que ceux-ci ne désirent ensuite chasser les Romains.	p. 99 — Aetius recommande à Torrismond et Thierry de ne pas chercher à se venger d'Attila.
II, 11, 528 — Aetius revient à Rome.	p. 23-24 — Valentinian fait mourir Aetius, lui reprochant d'avoir voulu s'emparer de l'empire, puisqu'il avait permis à Attila de s'échapper des Champs Cathalauniques.	p. 99 — Heracle persuade à Valentinian qu'Aetius a comploté contre l'Empire. Valentinian le tue de sa propre main.
II, 11, 532 — Maxime complote contre Valentinian. Il cherche à se débarrasser d'Aetius. Par Héracle, il fait persuader à Valentinian qu'Aetius rêve de posséder l'empire, puisqu'il a laissé échapper Attila. Valentinian le fait mettre à mort. Cela favorise les projets d'Attila.	p. 24 — Sa mort favorise les projets de Mérovée.	

LES ROIS DE BOURGOGNE :

GONDIOCH

GONDEBAUT

ASTRÉE	DU HAILLAN	C. FAUCHET
I, 2, 60 — Gondioch est roi des Bourguignons.	p. 31 — Gondenge ou Gondich, ou Gondance.	p. 111 — « Gundicaire ou Gundench, roi de Bourgogne ».
I, 2, 60 — Gondebaut succède à Gondioch. IV, 7, 353 — Gondebaut a trois frères : Chilpéric, Godomar, Godegesile. Chilpéric et Godomar s'allient avec les Germains.	p. 31 — Ce roi laisse à sa mort quatre fils : Gondebault, Chilpéric, Gondegisille et Gothomar. Poussés par leurs ministres, ces quatre frères se font la guerre entre eux : Gondebault et Gondegisille sont alliés entre eux contre Chilpéric et Gothomar. Ces deux derniers s'allient avec les Allemands qu'ils conduisent jusque près d'Autun, où est défaite l'armée de Gondebault.	p. 111 — « Ce Gundicaire eut quatre enfants : Gundebaut l'aisné, Chilpéric, Gundemar, et Godegesile ...» Chilpéric et Gundemar font la guerre à leurs frères aîné et puîné.
Gondebaut et Godegesile sont défaits aux Champs Authunois. Chilpéric et Godomar renvoient les Germains.		Une bataille a lieu près d'Autun. Gundebaut est vaincu. Les frères renvoient leurs forces au delà du Rhin.
IV, 7, 353 — Voyant ses frères désarmés, Gondebaut les assiège dans Vienne. Le jour même de son entrée, il fait trancher la tête de Chilpéric, précipite sa femme dans le Rhône et fait brûler vif Godomar dans une tour où il s'était réfugié.	p. 31 — Retour de Gondebault qui assiège ses frères dans Vienne en Dauphiné. Les Viennois respectent le droit d'aînesse de Gondebault. Celui-ci fait trancher la tête à Chilpéric. p. 31-32 — Gondebault fait mettre le feu à une tour où s'est réfugié Gothomar.	p. 112 — Retour de Gundebaut qui assiège ses frères dans Vienne. Les habitants se rendent facilement à Gundebaut qui, dès son arrivée, fait trancher la tête à Chilpéric. Gundemar, retiré dans une tour et ne voulant se rendre, est brûié vif.
— Chilpéric avait deux filles : Mucutune et Clotilde. Mucutune est placée	p. 32 — Chilpéric avait deux filles : Coronie ou Mecutine et Clotilde. Gonde-	p. 112 — Chilpéric avait deux filles : Macutine qui entra en religion et l'autre,

ASTRÉE	DU HAILLAN	C. FAUCHET
chez les Vestales. Gondebaut fait venir Clotilde auprès de lui ; elle est belle et discrète.	bault met l'aîné dans un couvent et retient Clotilde auprès de lui. Il fait mourir les femmes et les enfants mâles de ses frères.	très belle, appelée Clote, qui demeura près de son oncle.
IV, 7, 353 — Sigismond, fils de Gondebaut, est marié avec Amalberge, fille de Tierry, roi des Ostrogots. Celle-ci met au monde un fils Sigerie, et une fille, Amasinde.	p. 32 — Gondebault redoute la puissance de Clovis. Il assure son autorité en obtenant l'une des filles de Thierry pour femme de son fils Sigismond. Selon d'autres, Gondebault aurait épousé la fille de Thierry et Sigismond, la nièce.	
L'EMPEREUR HONORIUS		
II, 11, 468 — Théodose 1er, empereur d'Orient, eut trois enfants : Arcadius, empereur d'Orient, Honorius empereur d'Occident, et la sage Placidie. Placidie subit les assauts de la fortune à cause de Stilicon, gouverneur d'Honorius.	p. 16-17 — Théodose a deux fils : Arcadius et Honorius ; trois gouverneurs : Ruffin (en Orient), Gildon (en Afrique) et Stilicon qui fait mettre à mort Ruffin et Gildon. Il a des desseins ambitieux, car il veut faire tomber l'empire entre les mains de son fils Eucherius. Stilicon a été le tuteur d'Honorius et il en est le beau-père. Il pousse les Vandales Suèves et Bourguignons à la conquête de la Gaule.	p. 72 — Année 406 - Théodose a deux enfants : Arcade qui règne à Constantinople, Honoric qui règne à Rome... Ruffin commande en Orient et Stilicon en Occident. Stilicon a épousé Serene, fille du frère de Théodose, et donné sa fille Marie en mariage à Honoric. Stilicon rêve d'enlever Constantinople à Ruffin.
II, 11, 469 ; II, 12, 502 — Stilicon fait épouser sa fille par Honorius. Il veut s'emparer de l'empire en l'affaiblissant. Rome est en lutte, en Gaule avec les Goths, Francs et Bourguignons ; en Espagne, avec les Alains et les Vandales ; en Bretagne, avec les Anglais et les Pictes ; en Pannonie, avec les Huns et les Gépides.		

ASTRÉE	DU HAILLAN	C. FAUCHET
Alaric et ses Goths arrivent en Italie. Honorius ne peut résister. Un traité est conclu avec Alaric qui se retire « deçà les Alpes ». — Stilicon fait attaquer Alaric par un « Capitaine estranger ».	p. 17 — Alaric entre en Italie. Stilicon veut, soit vaincre Alaric, soit composer avec lui. Honorius lui impose de faire la paix avec Alaric et de lui donner l'Aquitaine. Stilicon envoie un capitaine hébreu, Saul, pour attaquer Alaric.	p. 74 — Stilicon s'entend avec Alaric. Il défait le roi Got Radagaze. p. 75 — Mort d'Arcade qui n'a qu'un fils de huit ans : Théodose. Olympe persuade à Honore que Stilicon a le dessein de s'emparer de l'Orient pour Euchère son fils. p. 76 — La paix est conclue avec Alaric. Saul, à la solde de Stilicon, attaque.
II, 11, 469. Révolté contre Honorius, Alaric assiège Rome, s'en empare au bout de deux ans, et la saccage. Honorius a fait mourir Stilicon, dès qu'il sut que l'attaque contre Alaric venait de lui.	p. 17 — Alaric quitte l'Aquitaine, assiège Rome et s'en empare. p. 17 — Stilicon demande de nouvelles forces. Il est tué par ses soldats, ainsi que son fils Eucherius.	p. 77-79 — Alaric assiège Rome. p. 76 — Stilicon demande de nouvelles troupes. p. 76 — Stilicon est tué par ses soldats.
Alaric pille tout le pays.	p. 18 — Trois jours après la prise de Rome, Alaric saccage le reste de l'Italie.	p. 80 — Alaric reste à Rome cinq ou six jours et part pour Naples.
A cause de la nonchalance d'Honorius, Placidie est prisonnière ; elle est sauvée de la mort grâce à l'amour d'Ataulfe, prince du sang d'Alaric.	Galla Placidia, sœur d'Honorius, est prisonnière.	p. 79 — Placidie est prisonnière d'Alaric.
II, 11, 470 — Ataulfe épouse Placidie. Grâce à l'amour d'Ataulfe pour Placidie, Rome n'est pas entièrement rasée.	p. 18 — Après la mort d'Alaric, Ataulphe s'empare de ses forces et il épouse Placidia. Epris de sa beauté, au lieu raser Rome, il la fait reconstruire.	
— Mort d'Alaric à Cosenze — Ataulfe est élu roi. A peine élu roi, Ataulfe veut raser Rome, Placidie l'en empêche.	p. 18 — Mort d'Alaric à Cosenze.	p. 80 — Alaric meurt à Coscence. Il laisse son royaume à Astulf qui épouse Placidie, « pour l'amour de laquelle » il « fit beaucoup de choses en faveur des Romains ».

ASTRÉE	DU HAILLAN	C. FAUCHET
471-472 — Ataulfe fait la paix avec Honorius et sort d'Italie.		p. 83 — « Astulph », par amour pour Placidie, ne poursuit pas la guerre contre Alaric. Il offre à Honoré de passer en Gaule pour en chasser les étrangers.
II, 11, 472 — Les Goths, qui ne peuvent vivre en paix, se révoltent. Placidie est sauve, parce qu'elle a su obliger les principaux de l'armée.	p. 18 — Ataulfe meurt tué par les siens parce que son amour pour Placidie lui a fait oublier son devoir.	p. 83 — Astulf conquiert la Septamanie. Il passe les Pyrénées et il est tué par les siens.
Ataulfe meurt victime de cette sédition.		p. 85 — Les Wisigoths l'ont fait périr, parce que pour complaire à sa femme, Astulf a perdu l'occasion d'agrandir l'empire.
II, 11, 473 — Placidie fait en sorte que Sigéric, dont elle a conquis l'amitié, soit élu. Sigéric, à cause de cette amitié, est massacré par son armée.	p. 18 — Sigéric succède, « lequel pour mesme soupçon fut tué par les siens ».	p. 85 — Sigéric est élu roi et il est tué par les siens.
Placidie fait en sorte que Walia soit élu. Il feint d'être l'ennemi des Romains. Honorius en est averti. Walia déclare la guerre à Rome. Honorius fait courir le bruit qu'il a une importante armée. Les Goths, pris de panique, s'enfuient et demandent la paix.	p. 18 — Walia est élu roi, « à la charge qu'il feroit la guerre aux Romains comme il fit ». Il « rendit Placidia à l'Empereur Honorius son frère ».	p. 84-85 — Walia succède à Sigéric. Walia secourt les Romains contre les Alains. p. 85 — Constance reçoit d'Honorius l'ordre « d'appointer avec les Goths. » Ceux-ci rendent Placidie, gardent la Septimanie, « à charge de chasser les Vandals, Suaves,... »
II, 11, 473-474 — Placidie épouse Constance. Walia assiste Constance en Espagne. Celui-ci lui fait octroyer l'Aquitaine.		Placidie épouse Constance.

ASTRÉE	DU HAILLAN	C. FAUCHET
II, 11, 474 — Les Vandales auraient été chassés de la Bétique, si Attale n'avait provoqué une révolte à Rome, afin d'être nommé Empereur. Constance quitte l'Espagne, vient à Rome, prend Attale et l'enferme dans l'Hippodrome.		p. 79-85 — Attale déclaré empereur, Honorius lui fait couper une main et le confine dans l'île Lipara.
Honorius associe Constance à l'empire. De Constance, Placidie a deux enfants : Valentinien et Honorique.	p. 19 — Constance est déclaré empereur en récompense de ses services. Sept mois après, Constance meurt, laissant à Placide Valentinian qui devient empereur.	p. 85 — Constance est déclaré Empereur. p. 85 — Constance meurt en laissant à Placidie un enfant, Valentinia troisième.
II, 11, 475 — A la mort de Constance, Honorius élit Aetius, fils de Gaudens, pour achever l'entreprise d'Espagne.	p. 19 — A la mort de Constance, la charge des guerres est confiée à Aetius.	
II, 11, 479 — Mort d'Honorius.		p. 88 — Honorius meurt sans enfant.
II, 11, 479 ; II, 12, 502-503 — Aetius fait prendre le titre d'empereur à Jean, premier secrétaire d'Honorius.		p. 88 — Jean, premier secrétaire d'Honorius, occupe l'empire grâce à la faveur de Castinus.
Théodose n'approuvant pas ce Jean fait déclarer empereur d'Occident Valentinian, son cousin germain. Il envoie une armée sous la conduite d'Artabure. Le Vaisseau d'Artabure est jeté contre un rivage. Artabure est conduit auprès de Jean et fait prisonnier à Ravenne.		p. 88 — Deux ans après, Jean est vaincu par les Capitaines de l'armée d'Orient que Théodose avait donnée à Valentinian, son neveu. L'armée pille Ravenne.
Aspar, son fils, le délivre, arrête Jean et lui fait trancher la tête. (voir également II, 12, 503).		Aetie arrive avec les Huns pour secourir Jean, mais celui-ci est mort. Aetie part pour la Gaule.

L'EMPEREUR VALENTINIAN

Astrée	Du Haillan	C. Fauchet
II, 11, 481 — Placidie fait libérer Aetius à cause de ses appuis chez les Huns et les Gépides. Elle excuse sa conduite en blâmant Honorius. Valentinian le fait Patrice.		p. 89 — Aetius, rentré en grâce auprès de Placidie, arrêta longuement les entreprises des trois barbares sur la Gaule. p. 89 — Aetius est fait Patrice.
Aetius fait rebrousser chemin aux Huns et aux Gépides. La paix est conclue avec Thierry, fils de Walia.		p. 90 — La paix est conclue avec les Goths de Thierry, successeur de Walia.
Il envoie Galvion chez les Bretons qui ne peuvent résister aux Pictes.		p. 90-91 — Aetius envoie une légion en secours aux Bretons contre les Pictes et Scots.
II, 11, 482-483 — Boniface est gouverneur d'Afrique, mais ennemi de Castinus et Aetius. Il refuse de revenir à Rome, sur les ordres de Placidie.		p. 89 — Aetius rend Boniface, gouverneur d'Afrique, suspect à Valentinian.
Mahortius est envoyé en Afrique et défait par Boniface. Boniface rappelle Genseric, roi des Vandales.	p. 20 — Placidie envoie Mavortius et Gallio en Afrique. Boniface les tue.	
Genséric accepte le partage de l'Afrique. Il s'empare de Carthage et chasse les Romains d'Afrique. Ainsi, cette province échappe à Rome, 19 siècles et demi après la conquête de Scipion. Valentinian épouse Eudoxe.		p. 89 — Boniface a recours aux Vandales. Mais ceux-ci gardent les terres d'Afrique.
II, 12, 511 — Mort de Théodose. Pulcheria, sœur de Théodose, épouse le vieux capitaine Martian qu'elle fait élire empereur.		p. 99 — Martian est empereur d'Orient.

APPENDICE III

LES MANUSCRITS DE LA *SAVOYSIADE*

1° *Bibliothèque nationale, ms. frs. 12486.*

Manuscrit autographe, papier, 280 × 208 mm. Au commencement, sont les manuscrits du *Sireine* et de diverses poésies (voir appendice V). Du f. 64 v° au f. 182 v°, ce manuscrit contient en rédaction originale les six premiers livres de la *Savoysiade.* Avant le texte, à partir du f. 64 v° au f. 67 r°, on lit des notes historiques d'Honoré d'Urfé.

— f. 67 r°, « La Savoye. Livre premier »
— f. 67 r° - f. 68 r°, 59 vers
— f. 68 v°, « Le premier Livre de la Beroldide. Vers libres » (21 vers)
— f. 71 r°, « Vers Rimez »
— f. 71 v°, « Dialogismus » (6 vers latins de la main d'Honoré d'Urfé et se terminant par « Le sieur de Boage »)
— f. 72 r°, « La Beroldide (biffé), Berol (biffé), La Savoye. Livre Premier »
— f. 88 v°, « fin du premier livre de La Beroldide. Parachevé à Cenoy le 25 aoust 1599. Laus Deo virginique Marie »
— f. 89 r°, « Le deuxiesme livre de la Savoye De la Berol (ces trois derniers mots sont biffés). 1603. Commancé à Chateaumorand le premier de Juing 1603. »
— f. 108 r°, « fin du deuxiesme livre de la Savoye fini a Chateaumorand le 15 juillet 1603 »
— f. 109 r°, « Le troisiesme Livre de la Savoye commancé a Chateaumorand le 25 juillet 1603 ».
— f. 130 v°, « fin du Troisiesme livre de la Savoye finy a Chasteaumorand le 25 octobre 1604. Laus deo virginique Marie ». (880 vers)
— f. 132 r°, « Le Quatriesme Livre de Berol commancé à chasteaumorand retour de Lorette le 15 fevrier 1605. »
— f. 148 v°, « fin du quatriesme livre de Berol finy a chasteaumorand le 20 mars 1605 » (754 vers).
— f. 150 r°, « Le cinquiesme Livre de Berol commancé a Chasteaumorand le 25 mars 1605 »
— f. 168 v°, « fin du cinquiesme Livre de Berol fini a chasteaumorand le 25 may 1605 Laus deo virginique Marie » (792 vers)
— f. 169 r°, « le sixiesme livre de Berol commancé A Montormantier le 25 Juillet 1605 »
— f. 182 v°, le manuscrit se termine par ces deux vers :
« Et sa barbe chenue a despit arrachant
Oultré de la douleur nomme le ciel meschant. »

2° *Bibliothèque nationale de Turin,* ms. L.V.3. Papier, 157 ff. chiffrés, non compris le premier.

Ce manuscrit fut détruit par l'incendie de 1904. Nous en donnons la description d'après des notes inédites du Chanoine Reure et d'après G. Rua, *L'Epopea Savoina alla corte di Carlo Emanuele I — La Savoysiade di Onorato d'Urfé,* Turin, Tipografia Salesiana, 1893, pp. 13 sq.

Le premier f. avait pour titre : « La Savoisiade de Messire Honoré d'Urfé ». Les ff. 1 à 3 contenaient la dédicace, « A tres haut et tres puissant et souverain prince charles Emmanuel duc de Savoye... », datée de Turin le 16 août 1615.

Le premier livre était composé de 1044 vers et finissait au f. 35 v° avec la souscription : « fin du premier livre de la Savoysiade ». Suivaient 24 feuillets blancs, puis les feuillets 36 à 61 qui contenaient le quatrième livre. Les autres livres se répartissaient de la façon suivante :
cinquième livre, ff. 62-86
sixième livre, ff. 87-107
septième livre, ff. 109-131
huitième livre, ff. 133-157
Suivaient encore 10 feuillets blancs et le huitième livre finissait au f. 156 v° et f. 157 r° par ces mots :

« Donc' s'il ne te deplaist...
fin du huictiesme livre de la Savoysiade »

Il manquait donc au manuscrit les livres II et III.

Ce manuscrit de 282 × 204 mm, écrit de 16 à 17 lignes par page, était relié en peau fauve à rayures dorées et aux armes de Savoie.

3° *Bibliothèque nationale de Turin,* Cod. CLII.K.I.69.

La description en est fournie par Pasini, *Cod. mss. regii taurin. Athenaei,* t. II, p. 496.

Ce manuscrit, sans nom d'auteur, était intitulé, « Premier livre de la Beroldide ». C'était un fragment de 810 vers transcrits par un copiste. Les 600 premiers vers correspondaient à l'entier premier livre de la rédaction définitive de la *Savoysiade.* Il commençait par ces vers :

« D'un grand Prince Saxon je chante les alarmes
Les efforts genereux. la fortune et les armes
Combien dessus en Terre il veinquit de travaux
Combien par la vertu de perils sur les eaux. »

Et il finissait par les deux vers suivants :

« Eux encor qu'ennemis voguerent toutes fois
Voyant la mort aux yeux au gré des Genevois. »

Ces deux vers se retrouvent avec quelques variantes au livre II de la rédaction définitive (vers 239-240).

4° *Archives d'Etat de Turin,* Storia della Real Casa, categoria II, mazzo VII. Manuscrit autographe.

Le manuscrit commence par une dédicace :
« A tres haut. tres puissant et souverain Prince Charles Emmanuel Duc de Savoye.

Monseigneur

Que V.A. ne s'estonne point s'il luy plait de me voir le premier des françois entreprendre si hardimant une œuvre qui est demeuree jusques icy intantee et sans que personne y ait encore osé mettre la main, mais que se ressouvenant que jadis l'affection eust bien la puissance de deslier la langue a un jeune enfant muet, pour cryer qu'on vouloit tuer le Roy, qu'elle panse que cette mesme affection n'estant point plus foible en moy pour ce qui est de vre service, m'a non seulement deslyé, mais aussy guidé la langue, voire dicté les mesmes parolles que j'ay employees en l'honneur de V.A. et du Nom de SAVOYE. Car je m'assure que si aprez l'occupation des grandes affaires vous prenez le temps d'y jetter l'œil dessus V.A. cognoistra que veritablement cette œuvre est nee d'une extresme affection, nourrie de ce mesme laict et randue telle qu'elle se presante par un exez de desir, de un honneur, et de une gloire si ne puisse touttefois nyer que mon interest particulier n'est encor sa place auprez de cet extresme affection. Les Cymmeriens seulz entre tous les hommes, a ce qu'Orphee raporte, ne voyent jamais la lumiere du Soleil. Et pourquoy poussé d'une raisonnable Ambition n'ay-je deu desirer de n'estre point recogneu aux siecles avenir pour l'un de ces malheureux Cymmeriens, je veux dire d'avoir vescu en l'age auquel V.A. a esclairé de tant de vertus et de gloires, et ne leur randre point de tesmoignage a ceux qui viendront aprez nous, de les avoir vües et admirees. Les Anciens Gaulois bornoient leur siecle de l'espace de trante ans, ce siecle donc de trante annees que j'ay desja si heureusement employé au service de V.A. et presque tousjours ayant eu l'honneur d'estre prez de sa personne, ne me doit il donner la hardiesse de me faire cognoistre aux autres siecles qui doivent venir pour avoir eu le bonheur d'avoir vescu non seulement au temps que V.A. a vescu et a esté admiree de chascun, mais d'avoir passé le meilleur de mon age, voire finy mes jours en son service. L'Ambition de cette future gloire m'a fait resoudre a cette entreprise en laquelle j'ay pansé de satisfaire a ce que je me doiz aussy, par le tesmognage que je rands de ne m'estre pas donné en partie a V.A. quand je luy ay faict le sermant de cette affection, mais tout entierement. Et par ce que durant les guerres que si genereusement et glorieusement V.A. a desmeslees avec les deux plus grands roix de la Chrestienté je me suis tousjours trouvé prez d'elle pour la servir les armes en la main aynsi que mon devoir et la nature m'y obligent sans qu'autre chose m'en ayt jamais retiré que la paix, Maintenant que V.A. ayant avec tant de generosité et de gloire maintenu Luy seul, presque contre toutte l'Europe, voire contre l'Italie mesme, la liberté d'Italie, elle s'est portee a la paix, lors qu'elle avoit l'avantage des armes, pour complaire seulemant aux Roix et aux Princes ses amis et confederez qui l'en ont si affectionnemant et si longuemant sollicitee, n'est il pas raisonnable que m'estant entierement donné à vous, je vous consacre en ce temps de Paix, aussy bien le travail de mon esprit que durant la guerre, j'ay taché de vous donner tout ce que dans les perilz j'ay pu faire pour votre service avec le corps. Je vien donc presanter ce Poeme a V.A. tant pour ces considerations que sans l'asseurance que j'ay qu'elle ne s'y desplaira point puis qu'il est certain que chascun prand naturellement plaisir de voir et de lire les actions conforment a celles qui procedent de Luy. Celles de V.A. estant touttes Heroiques et ny en ayant point icy d'autres j'espere que les y trouvant selon sön genie, elles luy pourront estre aggreables, et d'autant plus que les exemples domestiques sont plus favorablemant receus que les estrangers, et que ceux cy sont de ces grandz Empereurs Roix et princes voz Ancestres que le temps n'a encor pu ny ne pourra jamais couvrir d'oubly. Homere raconte qu'Achille revenant des combatz et retiré dans ses vaisseaux prenoit la lyre et passoit son temps d'unir la douceur des divers sons avec la mesme main, dont il venoit de mettre les Troyens en fuitte et en confusion. Cet exemple m'a donné courage apres la guerre de caresser les Muses, et par leur conversation appaiser les mouvemantz de mon ame ; Je say que V.A. a cette coutume aussy mais pleust que je fusse assez heureux pour avoir fait en cecy chose qui meritat d'entretenir durant la Paix un momant l'esprit de V.A. que j'en estimerois les peines et les veilles bien employees et que je les remercierois de bon coeur m'ayant donné le moyen de faire paroistre qu'en tout tempz je n'ay point un plus violant desir que d'estre recogneu de tout le monde

Monseigneur

Tres humble tres fidelle et tres affectueux serviteur de vre Altesse

Honoré d'Urfé

De Turin ce d'aout 1618. »

Cette dédicace semble être la même que celle qui précédait le fragment de la *Savoysiade* (Bibliothèque nationale de Turin, cod. CLIII.K.I. 69), à en juger d'après les extraits publiés par G. Rua (*op. cit.*, pp. 13-14).

— f. 6, « La Savoysiade Poëme Heroyque d'Honoré d'Urfé marquis de Valromé et de Beaugé Baron de Chasteaumorand. Livre premier ».

A la fin du neuvième livre, « fin du Neufviesme livre de la Savoysiade que j'ay fini a Virieu le 29 de n(ou)emb(re) 1606 ».

Cette rédaction de la *Savoysiade* a donc certainement été composée entre août ou septembre 1605 et le 29 novembre 1606, puisque le sixième livre du manuscrit de la Bibliothèque nationale fut commencé le 25 juillet 1605. Ce manuscrit a probablement servi à la copie qui est conservée à la Bibliothèque de l'Arsenal.

5° *Bibliothèque de l'Arsenal,* manuscrit 2959.

Papier, 144ff., non compris les feuillets liminaires A-C.

Ce manuscrit qui contient neuf livres du poème a pour titre : « La Savoysiade de messire honoré d'Urfé, capitaine de cinquante hommes d'armes, gentilhomme ordinaire de la chambre du roy, conte de chasteauneuf, baron de chasteaumorand et de Virieu le grand... ». Il appartenait en 1710 à du Tillot. Les ff. liminaires contiennent une note de du Tillot sur Honoré d'Urfé et sur *L'Astrée* ainsi que la remarque suivante : « Il est aisé de voir que ce manuscrit est écrit du temps même d'Honoré d'Urfé, dans une de ses terres, et pour ainsi dire sous ses yeux. »

Chacun des neuf livres est folioté séparément : l. I, ff. 1-17 ; l. 2, ff. 1-15 ; l. 3, ff. 1-17 ; l. 4, ff. 1-16 ; l. 5, ff. 1-16 ; l. 6, ff. 1-13 ; l. 7, ff. 1-15 ; l. 8, ff. 1-16 ; l. 9, ff. 1-19.

Les ff. 3-8 du livre 4 sont impossibles à lire à cause de la mauvaise qualité du papier.

Au f. 6 du livre 2, des noms sont indiqués en marge : « Flacien, Gramont, Virieu, Groslée, Rossillon, Longecombe, Luyrieu, ... »

Au f. 19 du livre 9 : « Fin du neufviesme livre de la Savoysiade que j'ay fini d'escrire à Virieu le Grand, le 29è decembre 1606. Truffier ».

Il faut donc considérer ce manuscrit comme la rédaction définitive de la *Savoysiade.* Il est probablement le manuscrit mentionné dans l'inventaire du château de Virieu.

APPENDICE IV

GENEALOGIES DES PERSONNAGES DE *L'ASTREE*

1

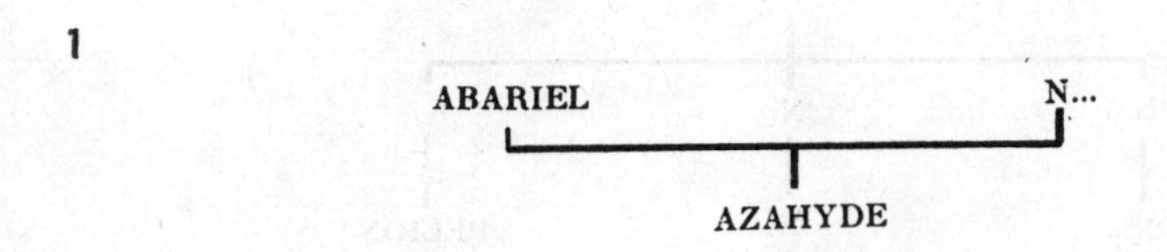

2

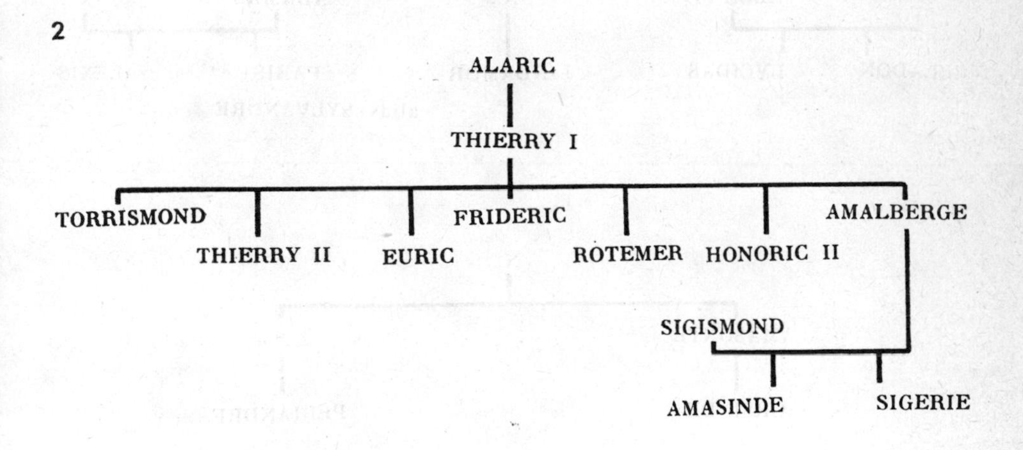

3

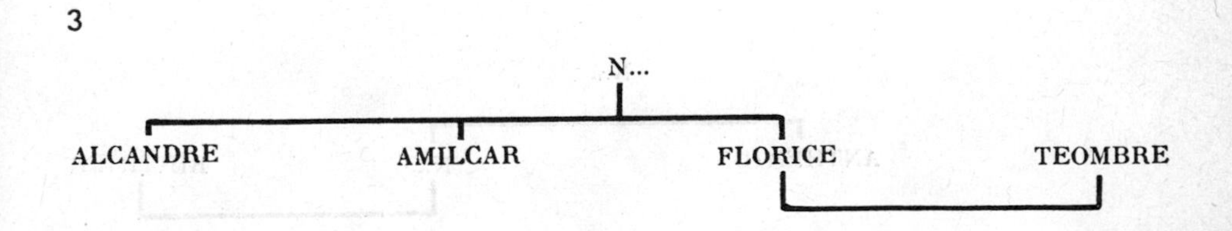

4

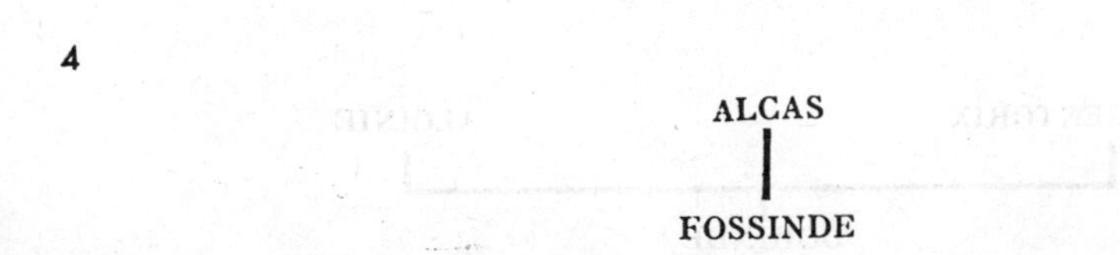

5

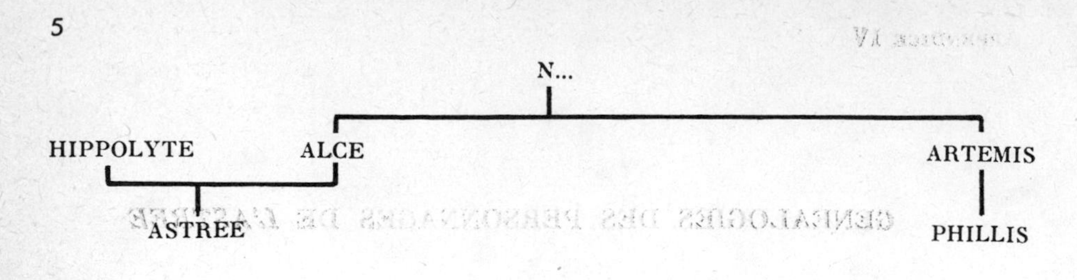
N...
HIPPOLYTE
ALCE
ARTEMIS
ASTREE
PHILLIS

6

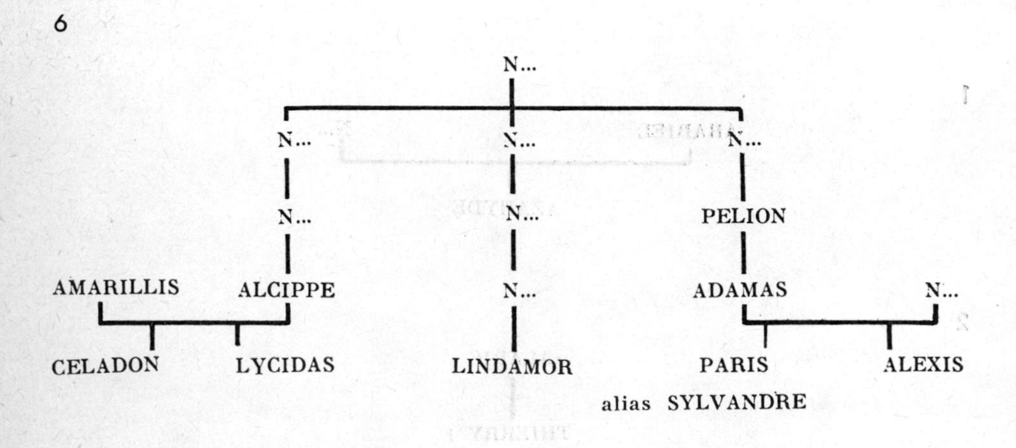
N...
N...
N...
N...
N...
N...
PELION
AMARILLIS
ALCIPPE
N...
ADAMAS
N...
CELADON
LYCIDAS
LINDAMOR
PARIS
ALEXIS
alias SYLVANDRE

7

N...
AMASONTE
N...
ORSINDE
PERIANDRE

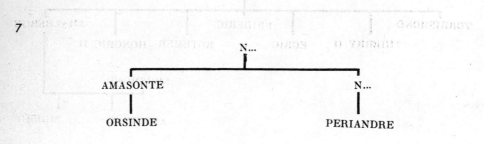

8

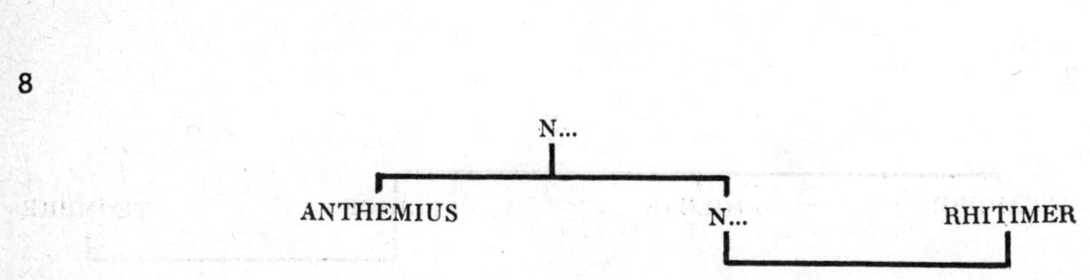
N...
ANTHEMIUS
N...
RHITIMER

9

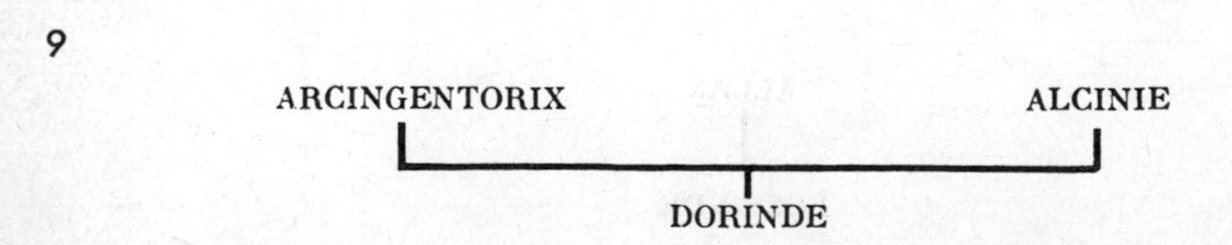
ARCINGENTORIX
ALCINIE
DORINDE

10

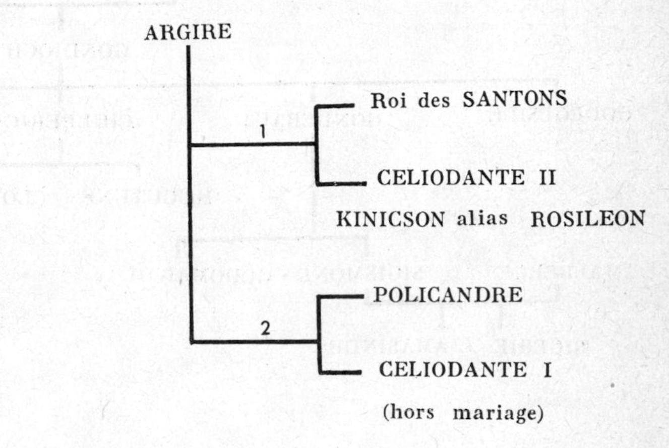

11

ARION

AGLANTE

12

ARMORANT

MADONTE

13

ARTABURE

ASPAR

14

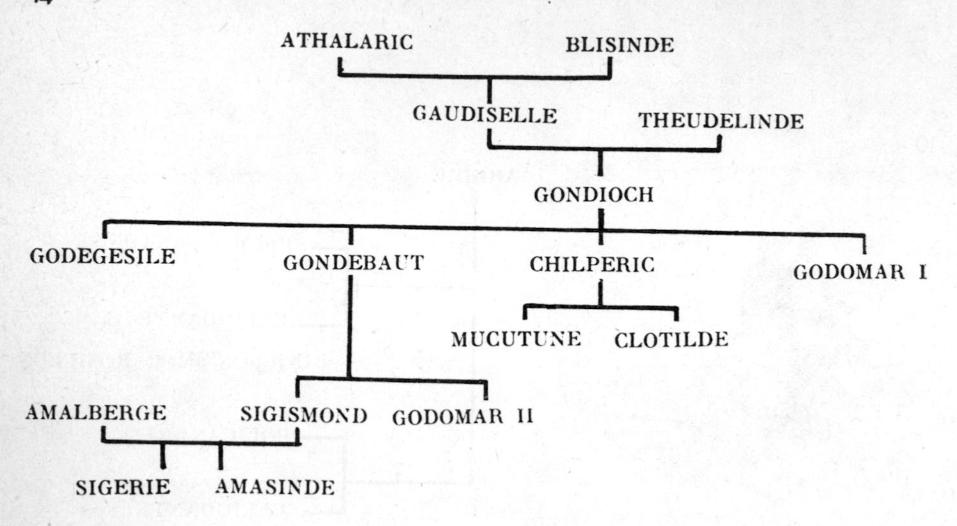
ATHALARIC
BLISINDE
GAUDISELLE
THEUDELINDE
GONDIOCH
GODEGESILE
GONDEBAUT
CHILPERIC
GODOMAR I
MUCUTUNE
CLOTILDE
AMALBERGE
SIGISMOND
GODOMAR II
SIGERIE
AMASINDE

15

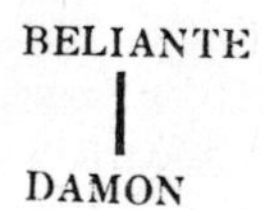
BELIANTE
DAMON

16

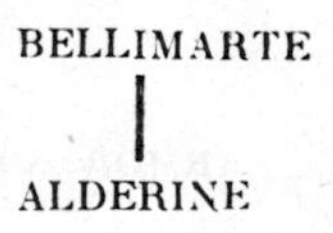
BELLIMARTE
ALDERINE

17

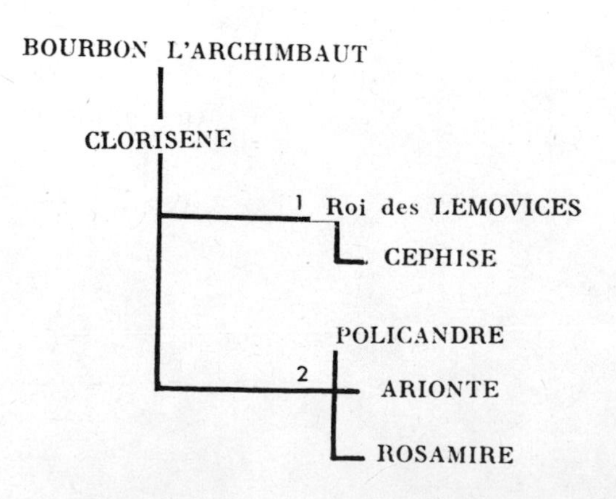
BOURBON L'ARCHIMBAUT
CLORISENE
1 Roi des LEMOVICES
CEPHISE
POLICANDRE
2 ARIONTE
ROSAMIRE

18

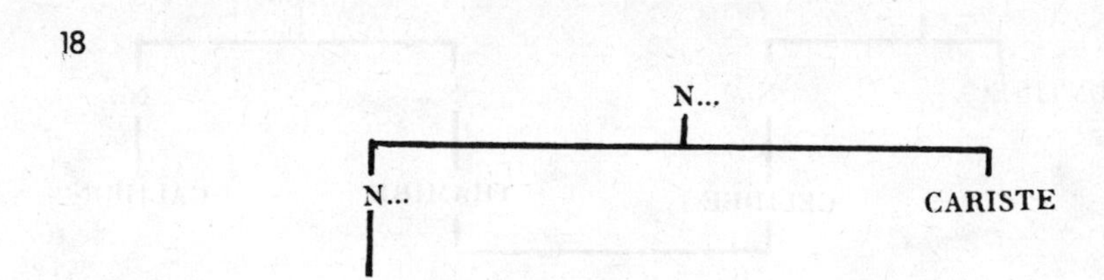

19

N...

CERINTE CLORIAN PALINICE

20

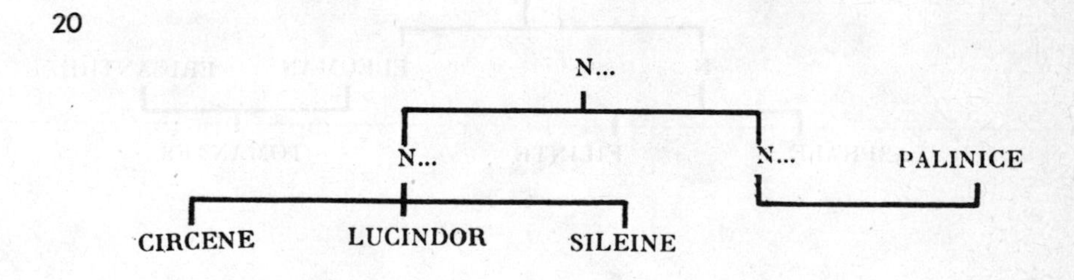

21

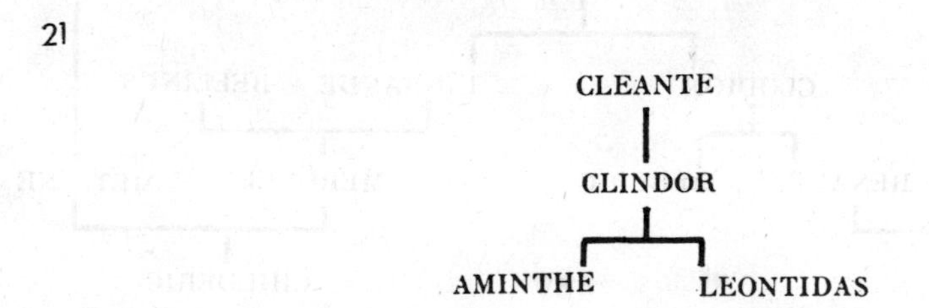

22

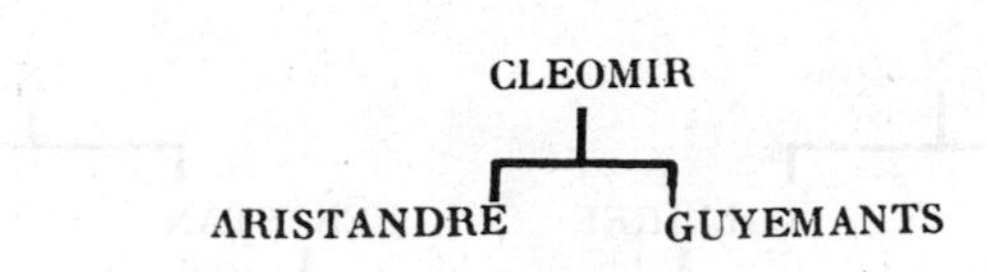

23

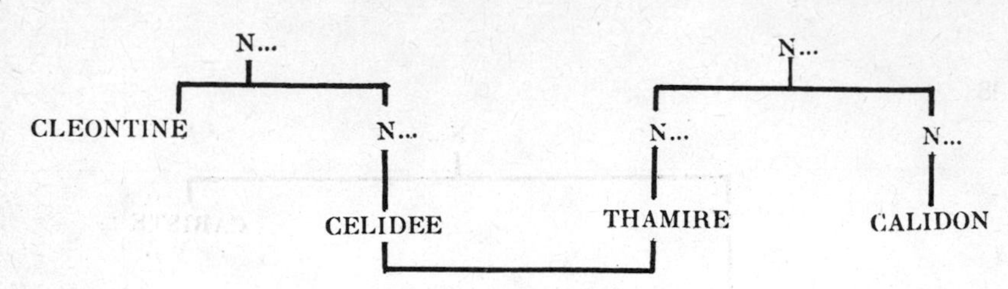
N...
N...
CLEONTINE
N...
N...
N...
CELIDEE
THAMIRE
CALIDON

24

DEANTE
SILVIE

25

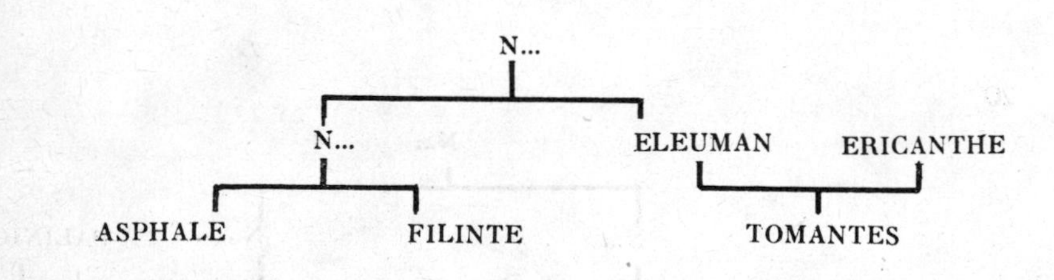
N...
N...
ELEUMAN
ERICANTHE
ASPHALE
FILINTE
TOMANTES

26

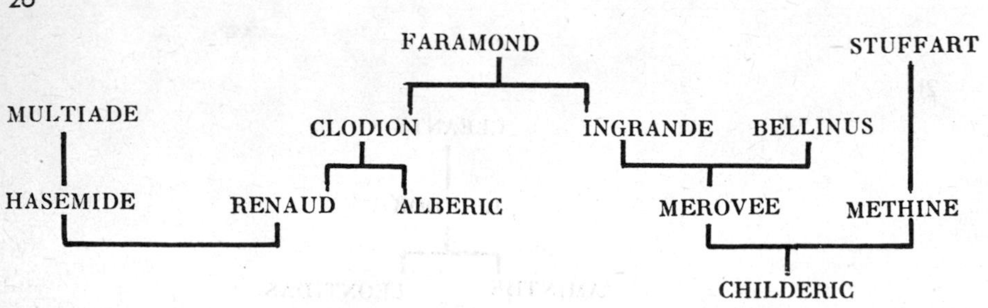
FARAMOND
STUFFART
MULTIADE
CLODION
INGRANDE
BELLINUS
HASEMIDE
RENAUD
ALBERIC
MEROVEE
METHINE
CHILDERIC

27

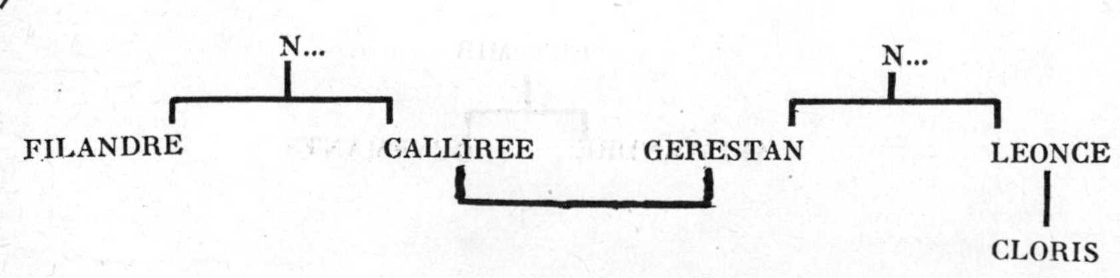
N...
N...
FILANDRE
CALLIREE
GERESTAN
LEONCE
CLORIS

28

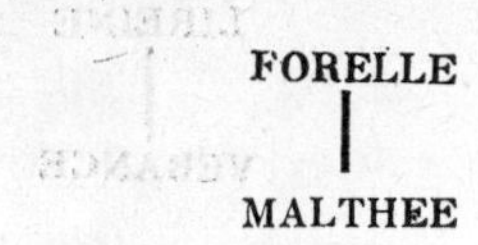
FORELLE
MALTHEE

29

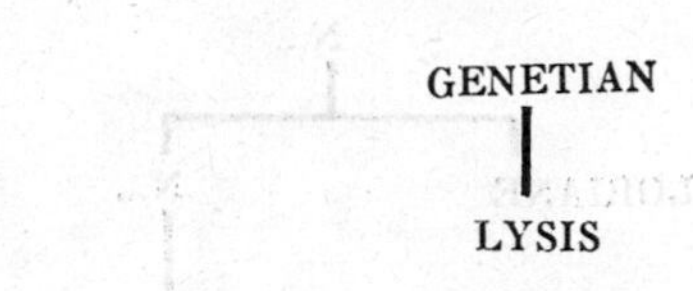
GENETIAN
LYSIS

30

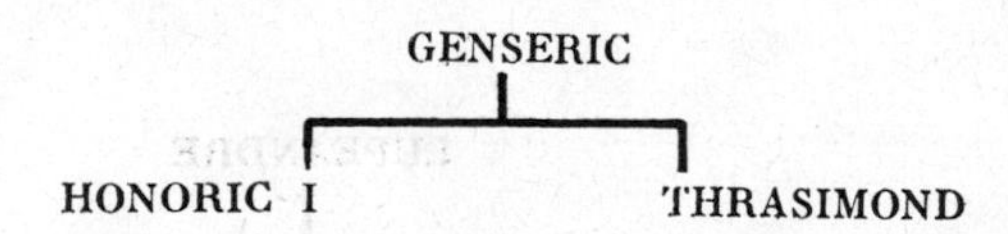
GENSERIC
HONORIC I
THRASIMOND

31

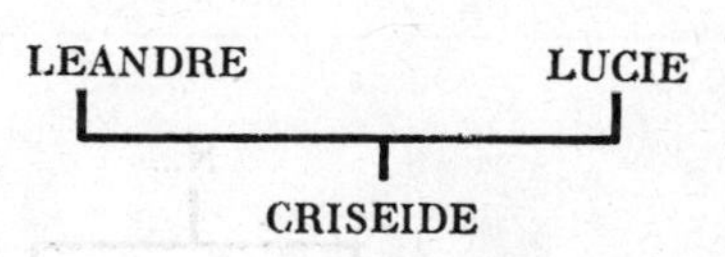
LEANDRE
LUCIE
CRISEIDE

32

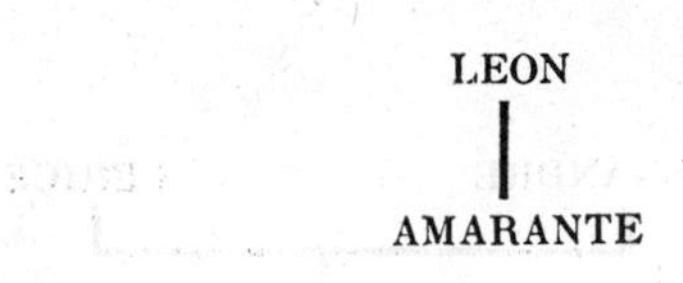
LEON
AMARANTE

33

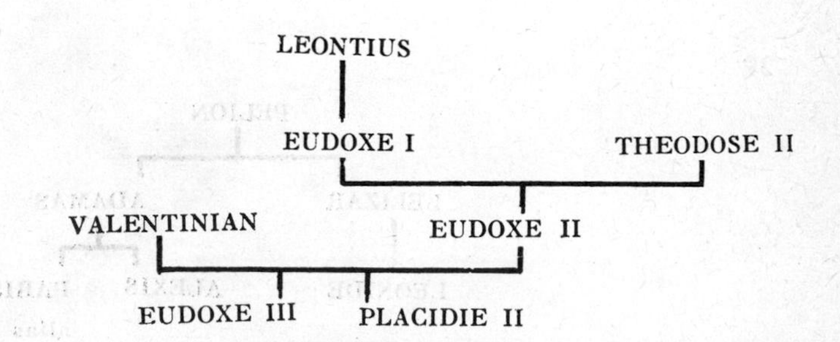
LEONTIUS
EUDOXE I
THEODOSE II
VALENTINIAN
EUDOXE II
EUDOXE III
PLACIDIE II

34

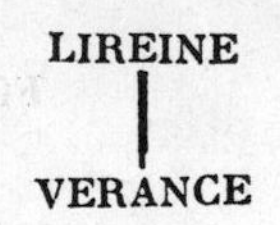
LIREINE
VERANCE

35

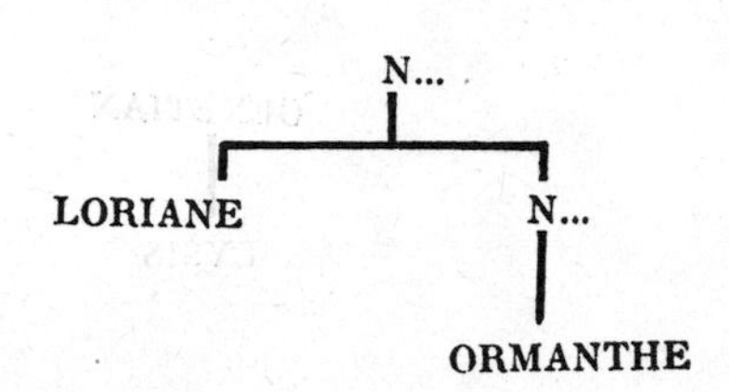
N...
LORIANE
N...
ORMANTHE

36

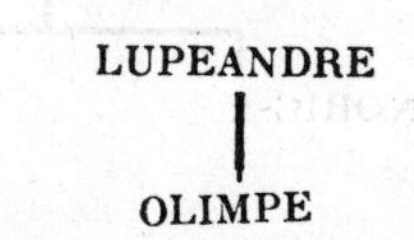
LUPEANDRE
OLIMPE

37

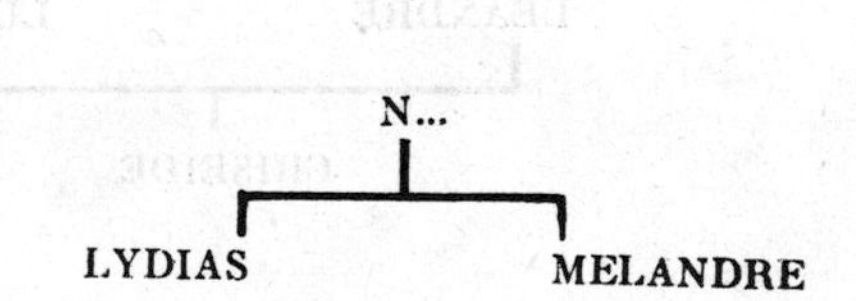
N...
LYDIAS
MELANDRE

38

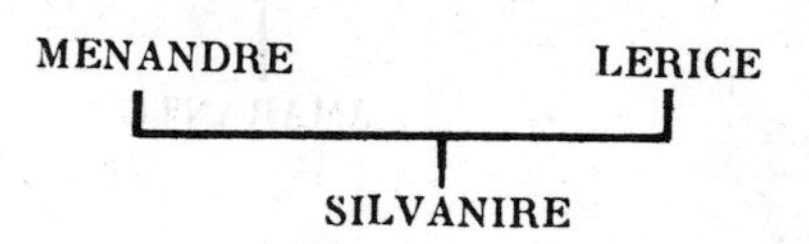
MENANDRE
LERICE
SILVANIRE

39

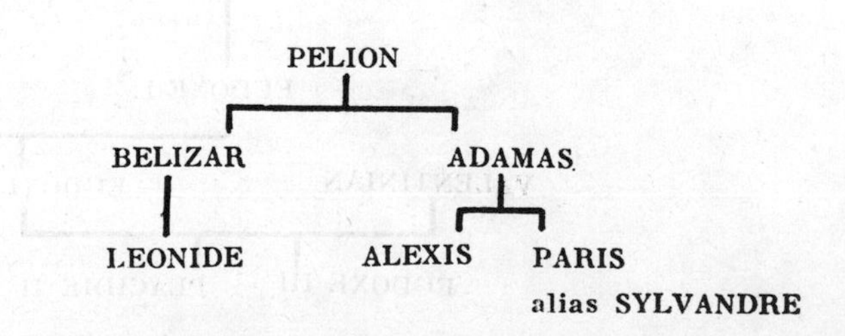
PELION
BELIZAR
ADAMAS
LEONIDE
ALEXIS
PARIS
alias SYLVANDRE

40

PHILEMON N...

BELLINDE CELION DIAMIS

ERGASTE alias PARIS DIANE

41

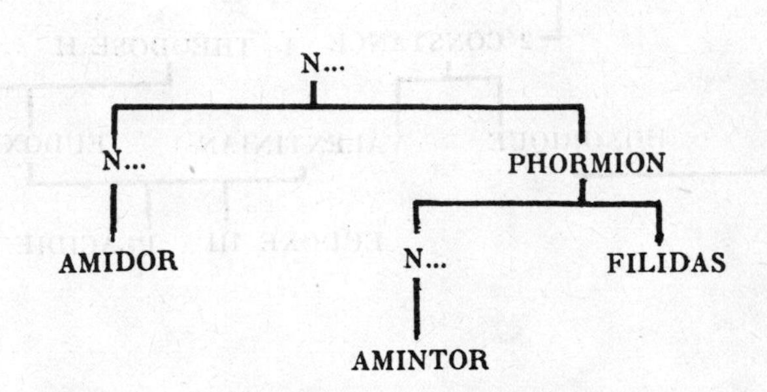

42

PIMANDRE AMASIS

CLIDAMAN GALATHEE

43

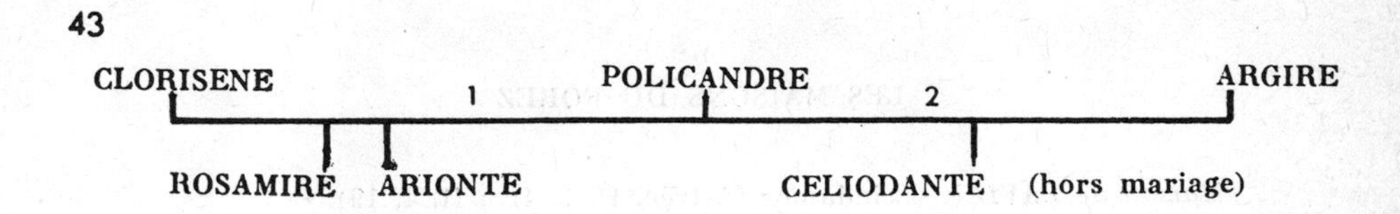

44

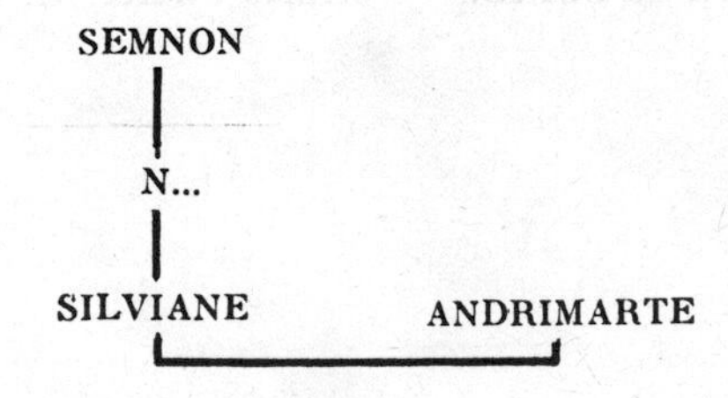

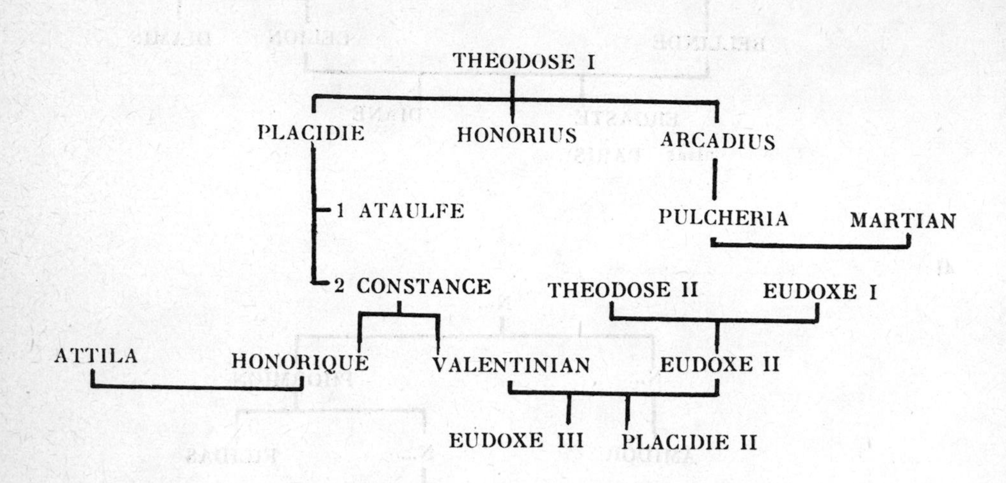

LES MAISONS DU FOREZ

Maison de LAVIEU - Lindamor (Astrée, II, 3, II ; II, 4, 19).

Maison de FEURS - Léonide (Astrée, II, 4, 9).

Maison de SURIEU - Polémas (Astrée, II, 4, 19).

INDEX DES NOMS DES PERSONNAGES FIGURANT DANS LES GENEALOGIES

(Les chiffres indiquent le numéro de la généalogie)

APPENDICE V

1° POESIES D'HONORE D'URFE PUBLIEES DANS LES RECUEILS COLLECTIFS DU XVIIe SIECLE.

(Plusieurs éléments de ce tableau ont été empruntés à l'ouvrage de F. Lachèvre, *Bibliographie des Recueils collectifs publiés de 1597 à 1700,* Paris, 1901, t. I, pp. 182-185).

Sigles utilisés pour désigner chacun des recueils.

+ *Nouveau recueil des plus beaux vers de ce temps,* Paris, T. du Bray, 1609	NR 1609
+ *Nouveau recueil des plus beaux vers de ce temps,* Lyon, Barthelemy Ancelin, 1615	NR 1615
+ *Les delices de la poèsie françoise...,* Paris, T. du Bray, 1615	DP 1615
+ *Les delices de la poesie françoise... par F. de Rosset,* Paris, T. du Bray, 1618	DP 1618
+ *Le second livre des Delices de la poesie françoise, ...par J. Baudoin,* Paris, T. du Bray, 1620	DP 1620
+ *Le sejour des Muses ou la Cresme des bons vers,* Rouen, Darė, 1626	SM 1626
+ *Le Nouveau Parnasse,* Paris, M. Guillemot, 1609	NP 1609

Titre ou début des poésies	Recueil	Référence à l'*Astrée*	Manuscrit
— *A cet heureux retour* (Madrigal)	DP 1620	IV, 9, 557	
— *A Charles Emmanuel duc de Savoye*	DP 1620		BN, fds frs, 12586, f. 61 r°-61 v°, *Estrennes A son Altesse de Savoye faittes à Millan au commancemant de l'an 1599.*
— « *Ainsi dans le giron de Psyché dormiroit...* » (Sonnet)	DP 1620	III, 11, 593	
— *A M. Faure, premier president de Savoye sur ses Centuries du S. Sacrement*	DP 1620		
— « *Amour pour passe-temps...* » (chanson)	NR 1609	*Sylvanire,* dern. chœur	
— *A Théandre* (Sonnet)	NR 1609 NR 1615 DP 1615 DP 1618	II, 7, 303 (Sylvandre)	

Titre ou début des poésies	Recueil	Référence à *L'Astrée*	Manuscrit
— *Au vent* (Sonnet)	NR 1609 NR 1615 DP 1615 DP 1618	II, 3, 113	
— *Combat de Melandre contre Lipandas*	DP 1620		BN, f. 58 v° « *Sur la deffance que Gradasile fit de Lysuard* »
— « *Comme un guerrier nourry dans les alarmes...* » (Sonnet)	DP 1620	IV, 5, 251	
— *Comparaison des pins à son amour* (Sonnet)	DP 1620		
— *Consideration de ses peines* (Sonnet)	NR 1609 NR 1615 DP 1615 DP 1618	III, 10, 559	
— « *Déesse dont la main de son volant armée...* » (Sonnet)	DP 1620	III, 10, 553	
— « *De vous, de moy, d'Amour* » (Madrigal)	DP 1620	IV, 9, 551	
— *Donnant un esvantail* (Sonnet)	DP 1620	IV, 7, 394	
— *Du Mystere de la Saincte Trinité* (Sonnet)	DP 1620		
— *Du Sejour de Ripaille, lieu où Amé, duc de Savoye, se retira par deux fois pour vivre en repos.*	DP 1620		BN, f. 59 v°-60 v° « faict à Ripaille 6 octobre 1598 »
— *D'un oiseau qui s'échappe* (Sonnet)	DP 1620		
— *D'un portraict* (Sonnet)	NR 1609 NR 1615 DP 1615 DP 1618	II, 5, 188	
— « *Elle dit qu'elle m'ayme...* » (Sonnet)	DP 1620	III, 7, 375	
— *Elle dort* (Sonnet)	DP 1620	III, 11, 594	
— *Elle est amoureuse de sa propre beauté* (Sonnet)	DP 1620	IV, 5, 250	
— « *Elle est partie, Amour, aussi tost que venue...* » (Sonnet)	DP 1620	IV, 9, 561	
— *Enfer d'amour* (Madrigal)	DP 1620	III, 9, 479	
— *Estant prest à partir* (Sonnet)	DP 1620	IV, 9, 533	
— « *Faire vivre et mourir* » (Sonnet)	DP 1620	III, 10, 565	
— *Il parle à une tempeste* (Sonnet)	NR 1609 NR 1615 DP 1615 DP 1618	II, 10, 404	

Titre ou début des poésies	Recueil	Référence à *L'Astrée*	Manuscrit
— *Il se dépite* (Stances)	DP 1620	III, 6, 284	
— *Irrésolues résolutions* (Stances)	DP 1620	III, 6, 321	
— *Jalousie* (Sonnet)	NR 1609 NR 1615 DP 1615 DP 1618	II, 12, 503	
— « *L'arrogante qu'elle est, elle sçait que je l'ayme...* » (Sonnet)	DP 1620	III, 11, 600	
— « *L'on me va reprochant que souffrir tel outrage...* » (Sonnet)	DP 1620	IV, 5, 244	
— « *Mais enfin, c'en est fait, Raison* » (Sonnet)	DP 1620	III, 6, 332	
— « *Mais, mon Dieu, que je l'ayme...* » (Sonnet)	DP 1620	IV, 5, 244	
— « *Mon coeur qui s'eslevant d'une aisle temeraire...* » (Sonnet)	DP 1620	III, 1, 19	
— *Mort d'amour* (Sonnet)	NR 1609 NR 1615 DP 1615 DP 1618 NP 1609		
— « *Pres d'elle sur son lict, un bouquet j'apperceus...* » (Madrigal)	DP 1620	III, 4, 188	
— « *Quand de tous les mortels...* » (Sonnet)	DP 1620	III, 5, 226	
— « *Quand on y songe bien...* » (Sonnet)	DP 1620	III, 3, 132	
— « *Que nul bien desormais...* » (Sonnet)	DP 1620	IV, 5, 243	
— « *Que tu fus temeraire, o toy dont le pinceau...* » (Sonnet)	DP 1620	III, 12, 665	
— « *Quoy que vostre froideur...* » (Sonnet)	DP 1620		
— *Rapport du Mont-Cenis à l'estre d'un amant* (Sonnet)	NR 1609 NR 1615 DP 1618	II, 10, 405	
— *Responce* (Stances)	DP 1620	III, 6, 286	
— *Ressemblance de sa Dame à la lune* (Sonnet)	NR 1609 NR 1615 DP 1615 DP 1618	II, 2, 74	
— « *Rochers qui supportez le Ciel...* » (Sonnet)	DP 1620	IV, 9, 556	
— *Separation d'amitié* (Stances)	DP 1620	III, 11, 621	
— *Serments amoureux* (Sonnet)	NR 1609 NR 1615 DP 1615 DP 1618	II, 4, 141	
— « *Si l'amour est un bien...* » (Sonnet)	DP 1620	III, 1, 22	

Titre ou début des poésies	Recueil	Référence à l'*Astrée*	Manuscrit
— *Sur la mort de Christofle d'Urfé, Frere de l'auteur* (Stances)	DP 1620		BN, f. 56 r°-57 r°
— *Sur la mort de Henry le Grand* (Sonnet)	DP 1620	III, 4, 202	
— *Sur une absence* (Sonnet)	DP 1620	III, 1, 13	
— *Sur un Adieu* (Sonnet)	NR 1609 NR 1615 DP 1615 DP 1618	II, 12, 512	
— *Sur un bouquet* (Sonnet)	DP 1620	III, 4, 188	
— *Sur une Dame qui estoit en devotion*		I, 10, 372	BN f. 57 v°-58 r°
— *Sur une main* (Madrigal)	DP 1620		
— « *Tant de serments jurez...* » (Sonnet)	DP 1620	III, 5, 227	
— « *Tout estonné, chacun de nous...* » (Sonnet)	DP 1620		
— *Une mouche vole sur la bouche de sa Dame endormie* (Sonnet)	NR 1609 NR 1615 DP 1615 DP 1618 SM 1626	II, 12, 499	
— *Un petit chien la mord à la main* (Madrigal)	DP 1620		

Remarques :

a) *Le Nouveau Recueil...* de 1609 contient un fragment de la *Savoysiade,* à la fin du volume, dans un supplément paginé à part de 1 à 22. Le même fragment figure également dans *Les Delices...* de 1615, pp. 493-514.

b) Les poèmes dont le manuscrit est conservé à la Bibliothèque nationale ont été écrits entre 1598 et 1599. Ils figurent à la suite du manuscrit du *Sireine* qui se termine ainsi : « ...fini à Cenoy le (?) juillet 1599. Laus Deo. »

2° POESIES PUBLIEES A LA SUITE DU *SIREINE* EN 1618.

Le Sireine de Messire Honoré d'Urfé, gentil-homme ordinaire de la Chambre du Roy, Capitaine de cinquante hommes d'armes de ses Ordonnances, Comte de Chasteau-Neuf, Baron de Chasteau-Morand..., Reveu, corrigé et augmenté de nouveau par l'Autheur outre les precedentes impressions. Avec autres Poësies du mesme Autheur, nouvellement mises en lumiere, Paris, T. du Bray, 1618, in-8°, 8 pp. liminaires.

Au f° 110 commencent les « *Autres Poësies de Messire Honoré d'Urfé* ».

f. 110 v° *Dialogue de Sireine et de Diane.*
« Vous verra-t'on jamais changer... »

f. 112 *Stances d'amour* — 10 strophes de 8 vers
« Je suis Amour, cet Enfant
Qui commande à toute chose... »

f. 114 r° *Sur un desir* — 3 strophes de 8 vers.
f. 114 v° *Autre* — 8 strophes de 8 vers.
f. 116 *Stances sur un changement* — 8 strophes de 6 vers (*Astrée*, I, 4, 144).
f. 117 *Chanson* — 3 couplets avec refrain.
f. 118 *Dialogue d'un berger et d'une bergere.*
« Voudriez-vous estre, mon Berger,
A faute d'amour, Infidele... » (*Astrée*, I, 5, 176)
f. 121 *Villanelle.*
« A la fin celuy l'aura... » (*Astrée*, I, 6, 200)
f. 121 v° *Madrigal*, 10 vers.
f. 121 v° *Stances sur des desirs trop eslevez.*
« Espoirs, Ixions en audace... » (*Astrée*, I, 8, 271).
f. 122 v° *Ressouvenirs* — 9 str. de 10 vers (*Astrée*, I, 12, 476)
f. 124 v° *Plainte* — 7 str. de 4 vers (*Astrée*, I, 10, 418).
« Outré par la douleur des mortelles atteintes... »
f. 125 v° *Sur une trop prompte mort* — 6 str. de 6 vers (*Astrée*, I, 12, 478)
« Vous qui voyez mes tristes pleurs... »
f. 126 v° *Chanson* — 7 couplets de 6 vers.

BIBLIOGRAPHIE

Sigles et abréviations

AF	Ancien Forez.
Arch. rom.	Archives romaines de la Société de Jésus.
Art. cit.	Article cité.
BAGB	Bulletin de l'Association Guillaume Budé.
BD	Bulletin de la Société La Diana.
BHR	Bibliothèque d'Humanisme et Renaissance.
BI	Bulletin Italien.
BN	Bibliothèque nationale.
BSEB	Bulletin de la Société d'Emulation du Bourbonnais.
CAIEF	Cahiers de l'Association Internationale des Etudes Françaises.
CEF	Centre d'Etudes Foréziennes.
CNRS	Centre National de la Recherche Scientifique.
E.M.	*Epistres Morales.*
Gall. Aquitan.	Lettres concernant les collèges des Jésuites en France, Province d'Aquitaine.
GL	Giornale Ligustico.
JWCI	Journal of the Warburg and Courtauld Institutes.
MLN	Modern Language Notes.
Ms. frs	Manuscrit français.
PUF	Presses Universitaires de France.
RCC	Revue des Cours et Conférences.
RF	Revue forézienne.
RHLF	Revue d'Histoire Littéraire de la France.
RHP	Revue d'Histoire de la Philosophie.
RLC	Revue de Littérature Comparée.
R. Sav.	Revue savoisienne.
RSS	Revue du Seizième Siècle.
RDS	Revue du Dix-septième Siècle.
RN	Romance Notes.
SEDES	Société d'édition d'Enseignement Supérieur.
SF	Studi Francesi.
STFM	Société des Textes Français Modernes.

I. — *SOURCES MANUSCRITES.*

1° *Bibliothèque nationale.*

— Ms. frs 12486. Autographe, papier, 194 ff.

f. 1 r° : *Le Sireine du jeune Urfé, divisé en trois livres.*

f. 1 v° : *A son Altesse* (le duc de Savoie)

f. 2 : Autre dédicace à « Ma Dame ».

f. 3 : *Le Despart* ; f. 19 v° : « A Chambery le 10 Decembre 1596. Laus Deo ».

f. 20 : *L'Absance* ; f. 35 r° : « A Virieu Le Grand le 20 Decembre 1596 ».

f. 36 : *Le Retour* ; f. 53 v° : « Fini a Cenoy le 1er juillet 1599 ».

ff. 56 r° - 64 : *Melanges* (poétiques).
f. 64 v° - f. 182 v° : ms. autographe de *La Savoysiade* (6 livres).
ff. 183-188 : blancs.
ff. 189-194 : *Blason des armes de la noblesse de Forez, par M. le Doyen d'Urfé* (Anne d'Urfé).

— Ms. frs 25464, 104 ff.
ff. 87-101 : « C'est la genealogie de l'illustre Maison et Ancienne Race des Urfez... »

2° *Bibliothèque de l'Arsenal.*

— Ms. 2959. Papier, 144 ff.
La Savoysiade de Messire Honoré d'Urfé, capitaine de cinquante hommes d'armes, gentilhomme ordinaire de la Chambre du Roy, conte de chasteauneuf, baron de chasteaumorand et de Virieu le grand.

3° *Archives d'Etat de Turin.*

— Storia della Real Casa, categoria II, mazzo VII Ms. autographe.
La Savoysiade Poëme Heroyque d'Honoré d'Urfé marquis de Valromey et de Beaugé Baron de Chasteaumorand.

4° *Château de la Bastie.*

Notes manuscrites du Chanoine O.C. Reure, *Honoré d'Urfé et ses oeuvres,* 3 volumes.

5° *Archives de Chateaumorand,* à Saint-Martin d'Estreaux.

II. — *SOURCES IMPRIMEES.*

A — *Œuvres d'Honoré d'Urfé.*

(Nous n'indiquons que les éditions citées en références. Pour les éditions originales, voir le catalogue établi par C. Longeon, *Ecrivains foréziens du XVI*[e] *siècle,* pp. 218-221).

— *L'Astrée de Messire Honoré d'Urfé gentilhomme de la chambre du Roy capitaine de cinquante hommes d'armes de ses ordonnances comte de Chasteauneuf et baron de Chasteaumorand... ou par plusieurs histoires et sous personnes de bergers et d'autres sont deduits les divers effets de l'honneste amitié,* Paris, Toussainct du Bray, 1607.

— *L'Astrée,* nouvelle édition publiée par Hugues Vaganay, Lyon, P. Masson, 1925, 5 volumes correspondant à chacune des 5 parties.

(Nous indiquons en références la partie en chiffres romains, les livres et les pages en chiffres arabes).

— *Les Epistres Morales, du Seigneur d'Urfé, Escuyer et Chambellan ordinaire de S.A. Colonel general de sa Cavalerie et Infanterie Françoise, et Capitaine de cent chevaux de ses ordonnances. Dediees à son Altesse,* Lyon, Jacques Roussin, 1598.

— *Les Epistres Morales de Messire Honoré d'Urfé, Capitaine de cinquante hommes d'armes, Comte de Chasteauneuf et Baron de Chasteaumorand...* Reveues, corrigees, et augmentees d'un second livre, Paris, Jean Micard, 1603.

— *Les Epistres Morales de Messire Honoré d'Urfé. Derniere Edition reveuë, corrigée, et augmentée de nouveau,* Lyon, Jean Laubret, 1627.

(Sauf indication contraire, c'est cette édition que nous citons en références, en indiquant en chiffres romains le livre, en chiffres arabes les numéros des épîtres et les pages.)

— *Le jugement sur l'Amadeide, poeme du Seigneur Gabriel Chiabrera*, publié par G. Bertoletto, in *GL*, XXI (1896), pp. 150-183.
— *Le Sireine de Messire Honoré d'Urfé, Gentilhomme ordinaire de la Chambre du Roy, Capitaine de cinquante hommes d'armes de ses ordonnances, Comte de Chasteauneuf, Baron de Chasteau-morand*, Paris, Toussainct du Bray, 1611.
— *La Sylvanire ou la Morte-Vive, Fable bocagere de Messire Honoré d'Urfé, Marquis de Bagé et Verromé, Comte de Chasteauneuf, Baron de Chasteaumorand, et Chevalier de l'Ordre de Savoye*, Paris, Robert Fouet, 1627.
— *La Triomphante Entree de Tresillustre Dame Madame Magdeleine de La Rochefocaud, espouse de hault et puissant Seigneur Messire Iust-Louis de Tournon, Seigneur et Baron dudict lieu, Comte de Roussillon, etc. Faicte en la Ville, et Université de Tournon, le dimenche vingtquatriesme du moys d'Avril 1583*, Lyon, Jean Pillehotte, 1583. (Nous renvoyons également à la réédition de cet ouvrage avec introduction et notes de M. Gaume, Presses de l'Université de Saint-Etienne, 1976, coll. Images et témoins de l'âge classique).
— *Les Tristes Amours de Floridon Berger et de la belle Astrée Naîade par Messire Honoré d'Urfé. Ensemble les fortunées Amours de Poliastre et de Doriane*, Paris, Nicolas Rousset, 1628.

B — *Ouvrages français et étrangers antérieurs au XVIIIe siècle.*

Des ouvrages du XVIe et du XVIIe siècle nous indiquons les éditions citées en références. Quand il ne s'agit pas de l'édition originale, nous en indiquons la date entre parenthèses, chaque fois que nous avons pu l'établir. Ces renseignements ont été puisés dans A. Cioranescu et V.L. Saulnier, *Bibliographie de la littérature française du XVIe siècle*, Paris, Klincksieck, 1959; dans A. Cioranescu, *Bibliographie de la littérature française du XVIIe*, Paris, CNRS, 1965, 3 volumes; et dans Ch. Brunet, *Manuel du libraire et de l'amateur de livres*, 5e éd., Paris, Firmin Didot, 6 vol.

— Alpago (André), *Avicennae philosophi praeclarissimi ac medicorum principis, compendium de anima, de Mahad, i.e. de dispositione, seu loco ad quem revertitur homo, vel anima ejus post mortem. Aphorismi de anima. De deffinitionibus et quaesitis. De divisione scientiarum ab Andrea Alpago Belluensi philosopho, ac medico, ex arabico in latinum versa. Cum expositionibus ejusdem Andreae collectis ab auctoribus arabicis*, Venise, apud Iuntas, 1546.

— *Amadis de Gaule*
  — *Le premier livre d'Amadis de Gaule*, trad. par Herberay des Essarts, publié sur l'édition originale par Hugues Vaganay, Paris, Hachette, 1918, 2 vol. (1540).
  — *Le premier (-trezieme) livre d'Amadis de Gaule*, Anvers, G. Silvius, 1573.

— Ariosto (Ludovico), *Orlando Furioso*, a cura di L. Caretti, Milan-Naples, Ricciardi, s.d. (1516).

— Arras (Jehan d'), *Mélusine ou la fée de Lusignan*, éd. L. Stouff, Paris, Librairie de France, 1924 (1478).

— Bandello (Matteo), *Histoires tragiques extraites des oeuvres italiennes de Bandel, et mises en langue françoise* ; les six premieres par P. Boaistuau surnommé Launay, et les suivantes par F. de Belleforest, Paris, Jean de Bordeaux, 1580, 7 volumes (1559-1580).

— Belleforest (François de), *La Pyrenée et pastorale amoureuse, divisée en deux livres contenant divers accidents amoureux, descriptions de paysages, histoires, fables, et occurences des choses advenues de nostre temps, faite à l'instar de l'Arcadie de Sannazar,* Paris, G. Mallot, 1571.

— Bembo (Pietro), *Les Azolains de Monseigneur Bembo, de la Nature d'Amour,* traduicts d'italien en françois, par Jehan Martin..., par le commandement de Monseigneur le Duc d'Orleans, Paris, de Vascosan, 1545 (1505).

— Bertaut (Jean), *Recueil de quelques vers amoureux,* éd. Louis Terreaux, Paris, Didier, 1970 (1602).

— Boccace (Giovani), *Le Décameron,* éd. présentée et annotée par V. Branca, Paris, Club Français du Livre, 1953 (1471).

— Castiglione (Balthazar), *Le Courtisan de Messire Baltazar Castillon* (traduit par Jacques Colin), nouvellement revu et corrigé (par Melin de Saint Gelais), Lyon, F. Juste, 1538 (édition italienne, 1528).

— Cervantès (Miguel de), *La Galatea,* Madrid, Espesa-Calpe, 1961, 2 vol. (Coll. Clasicos Castellanos) (1584).
— *Les Nouvelles exemplaires,* trad. de L. Viardot, Paris, Garnier, 1941 (1613).
— *L'ingénieux Hidalgo Don Quichotte de la Manche,* trad. de L. Viardot, Paris, Club Français du Livre, 1959 (1re partie, 1605).

— Chappuys (Gabriel), *Le Misaule ou haineux de Court, lequel par un dialogisme et confabulation fort agreable et plaisante, demonstre serieusement l'estat des Courtisans et autres suivans la Court des Princes,* Paris, G. Linocier, 1585.

— Charpentier (Jacques), *Platonis cum Aristotele in universa philosophia comparatio, quae in hoc commentario, in Alcinoi institutionem ad ejusdem Platonis doctrinam explicatur. Authore Iac. Carpentario, Claramentano Bellovaco,* Paris, J. du Puys, 1573, 2 vol.

— Charron (Pierre), *De la Sagesse,* nouvelle édition publiée par Amaury Duval, Genève, Slatkine Reprints, 1968, 3 vol. (1601).

— Desportes (Philippe), *Les Amours de Diane,* éd. V.E. Graham, Genève, Droz, 1959, 2 vol. (Premières œuvres, 1573.)
— *Amours d'Hippolyte,* éd. V.E. Graham, Genève, Droz, 1960.
— *Diverses Amours,* éd. V.E. Graham, Genève, Droz, 1963.

— Du Choul (Guillaume), *Discours de la religion des Romains,* Lyon, G. Roville, 1581, 2 tomes en 1 vol. (1547).

— Ducroset (Jean), *La Philocalie du Sieur Ducroset Foresien, divisée en quatre livres. Où sont introduicts six Bergers maistrisez de l'Amour de six Pucelles, lesquelles apres plusieurs discours, non moins beaux que graves et delectables, accompagnez d'Elegies, Odes, Chançons, Sonnets et Stances, recitent quatre histoires convenables à ce temps. Plus une Ecglogue qui exprime naïfvement et les miseres de la guerre, et la force de l'Amour,* Lyon, Thomas Soubron, 1593.

— Du Perron (Jacques Davy), *Les Diverses œuvres de l'illustrissime Cardinal du Perron,* Paris, A. Estienne, 1622. 2 parties en 1 vol. (Publication du *Temple de l'inconstance* dans les *Muses françaises ralliées,* Paris, 1599).

— Du Vair (Guillaume), *Traité de la Constance et de la Consolation ès calamités publiques et Exhortation à la vie civile*, Paris, La Nef, 1941 (1594).

— *De la Sainte Philosophie et Philosophie morale des Stoïques*, éd. G. Michaut, Paris, Vrin, 1945 (1588, 1585).

— Du Verdier (Antoine), *Le Mysopoleme ou Bref Discours contre la guerre pour le retour de la paix en France*, Paris, Denis du Pré, 1568.

— *La Prosopographie*, Lyon, P. Frelon, 1603, 1604, 1605, en 3 vol. (1573).

— *Les Images des Dieux des Anciens, contenans les Idoles, coustumes, ceremonies, et autres choses appartenans à la Religion des Payens*, Lyon, P. Frelon, 1623-1624 (2 parties en 1 vol.) (1581).

— Equicola (Mario), *Six Livres de Mario Equicola d'Alveto, Autheur celebre : De la Nature d'Amour, tant humain que divin, et de toutes les differences d'iceluy, remplys d'une profonde doctrine, meslee avec facilité et plaisir*, Imprimez de ce temps plusieurs fois en Italie, et maintenant mis en François, par Gabriel Chappuis, Paris, Jean Houze, 1589 (édition italienne, 1525).

— Estienne (Charles), *La Guide des Chemins de France*, éd. J. Bonnerot, Paris, Champion, 1936, 2 vol. (1552).

— Fauchet (Claude), *Antiquitez et histoires gauloises et françoises*, Genève, P. Marceau, 1611 (1579).

— *Origines des Chevaliers Armoiries et heraux. Ensemble de l'Ordonnance, Armes et instruments desquels les François ont anciennement usé en leurs Guerres. Recueillies par Claude Fauchet*, Genève, P. Marceau, 1611.

— Ficin (Marsile), *Opera omnia*, t. I, Bâle, 1576.

— *Opera omnia*, t. II, Paris, G. Pele, 1641.

— *Discours de l'honneste Amour, sur le Banquet de Platon par Marsile Ficin. A la serenissime Royne de Navarre. Traduit du Toscan en François par Guy Le Fevre de la Boderie... Avec un traicté de I. Picus Mirandulanus sur le mesme subject... mis en François par C.G.T.*, Paris, Lucas Breyel, 1588 (1578).

— *Commentaire sur le Banquet de Platon*, présentation et traduction de Raymond Marcel, Paris, Les Belles Lettres, 1956 (Coll. Les Classiques de l'Humanisme).

— *Théologie platonicienne*, présentation et traduction de Raymond Marcel, Paris, Les Belles Lettres, 1964, 3 volumes (1482).

— Foix de Candale (François de), *Le Pimandre de Mercure Trismegiste de la Philosophie Chrestienne, cognoissance du Verbe divin, et de l'excellence des œuvres de Dieu, traduit de l'exemplaire grec, avec collation de tres-amples commentaires, par Monsieur de Foix, de la famille de Candalle*, Bordeaux, S. Millanges, 1579 (1574).

— Georges (François), *L'Harmonie du monde, divisée en trois cantiques..., premierement composée en latin par François Georges..., et depuis traduict et illustré par Guy Le Fèvre de la Boderie... Plus l'Heptaple de Jean Picus, comte de la Mirande, translaté par Nicolas Le Fèvre de la Boderie*, Paris, J. Macé, 1578.

— Girard (Bernard, seigneur du Haillan), *Histoire de France. Discours de l'Etymologie et origine des Francs et francons qui furent appelez François,* Paris, L'Huillier, 1576.

— Guarini (Giovanni-Battista), *Opere, Il Pastor Fido,* Strasbourg, J.H.E. Heitz, s.d. (Bibliotheca romanica) (*Il pastor fido,* 1590).

— Guevara (Antonio de), *Le mesprit de Court et louange rustique,* trad. Antoine Alaigre, Lyon, E. Dolet, 1542 (1539).

— Guichenon (Samuel), *Histoire genealogique de la Royale Maison de Savoie justifiee par titres, fondations de Monasteres, Manuscripts, anciens monuments, Histoires et autres preuves authentiques, enrichie de plusieurs portraits, seaux, monnoyes, sepultures et Armoiries,* Lyon, Guillaume Barbier, 1660, 2 vol.

— Hebreo (Leone), *Dialoghi d'Amore,* a cura di Santino Caramella, Bari, Gius. Laterza e figli, 1929 (Coll. Scrittori d'Italia) (1535).

— *De l'Amour* (trad. attribuée à Pontus de Tyard), Lyon, J. de Tournes, 1551.

— Héliodore, *Les Ethiopiques, ou Histoire de Théagène et Chariclée,* in *Romans grecs et latins,* textes présentés, et traduits par P. Grimal, Paris, Gallimard, 1963 (Bibliothèque de la Pléiade, 134).

— Héroet (Antoine), *Œuvres poétiques,* Paris, Droz, 1943 (STFM) (*Parfaicte Amye,* 1542).

— *Histoire de Primaleon de Grece continuant le Discours de Palmerin d'Olive Empereur de Constantinople,* traduite en François, par François de Vernassal, Paris, Galliot du Pré, 1572 (éd. originale de cette traduction, 1550).

— Huet (Pierre-Daniel), *Traité de l'origine des Romans,* Paris, J. Mariette, 1711. (1670).

— La Mure (J.M. de la), *Histoire universelle, civile et ecclésiastique du Pays de Forez, suivie de l'Astrée Sainte ou histoire ecclesiastique du Forez,* Lyon, J. Poysvel, 1674.

— *Histoire des ducs de Bourbon et des Comtes du Forez,* publiée par R. de Chantelauze, Paris, Poitiers, 1860-63, 3 vol.

— Le Fèvre de la Boderie (Guy), *L'Encyclie des secrets de l'eternité, A tres hault et tres Illustre Prince Monseigneur le Duc d'Allençon frere du Roy tres-chrestien Charles neufieme,* Anvers, Christofle Plantin, s.d. (1570).

— *La Galliade ou de la revolution des arts et sciences. A Monseigneur Fils de France, frere unique du Roy,* Paris, Guillaume Chaudiere, 1578.

— Lemaire de Belges (Jean), *Œuvres,* Louvain, Stecher, 1882-1891, 3 vol., tt. I-II, *Les Illustrations de Gaule et singularitez de Troye* (1509).

— *Lirici del Quattrocento,* Florence, G.C. Sansoni, 1938.

— Malherbe (François de), *Œuvres Poétiques,* éd. de R. Fromilhague et R. Lebègue, Paris, Les Belles Lettres, 1968 (Recueils collectifs à partir de 1597).

— Marguerite de Navarre, *L'Heptaméron,* texte établi et annoté par Michel François, Paris, Garnier, 1960 (1559).

— Marino (Gio.Battista), *Rime*, Venise, B. Giunti, 1602.

— *Opere Scelte di G.B. Marino e dei Marinisti*, Turin, Unione tipografico Editrice, 1962, 2 vol.

— Martial d'Auvergne (dit de Paris), *Les Arrets d'Amours, avec l'Amant rendu Cordelier, à l'Observance d'Amours*, Amsterdam, François Changuion, 1731 (1492).

— Montaigne (Michel de), *Les Essais*, Paris, Club français du Livre, 1952 (1580).

— Montemayor (Jorge de), *Los siete libros de la Diana*, 4e éd., Madrid, Espasa-Calpe, 1967 (coll. Clasicos Castellanos) (1559).

— *Los siete libros de la Diana de Montemayor où sous le nom de bergers et bergeres sont compris les amours des plus signalez d'Espagne*, trad. de Pavillon, Paris, A. du Breuil, 1603.

— Montreux (Nicolas de), *Le premier livre des Bergeries de Juliette, auquel par les amours des bergers et bergeres l'on void les effects differents de l'amour, avec cinq histoires comiques, racontées en cinq journées par cinq bergeres, et plusieurs echos, enigmes, chansons, sonnets, elegies, et stances, ensemble une pastoralle en vers françois à l'imitation des Italiens, de l'invention d'Ollenix du Montsacré, gentilhomme du Maine*, Paris, Gilles Beys, 1585.

— *Le second livre des Bergeries de Juliette...*, 3e éd., Paris, J. Mettayer, 1592 (1588).

— *Le troisiesme livre des Bergeries de Juliette...*, Tours, J. Mettayer, 1594.

— *Le quatriesme livre des Bergeries de Juliette...*, Paris, G. des Rues, 1595.

— *Le cinquiesme et dernier livre des Bergeries de Juliette...*, Paris, A. Saugrain et G. des Rues, 1598.

— *Athlette pastourelle ou fable bocagere*, Paris, Gilles Beys, 1585, jointe au premier livre des *Bergeries de Juliette*, paginat. à part.

— *La Diane* (jointe au troisième livre des *Bergeries de Juliette*) (1594).

— Papon (Jean), *Recueil d'Arrests notables des Cours souveraines de France*, Paris, Olivier de Harsy, 1575 (1566).

— *Premier tome des Trois Notaires de Jean Papon*, Lyon, J. de Tournes, 1568.

— *Trias Iuciciel du second Notaire de Jean Papon*, Lyon, J. de Tournes, 1575.

— *Secrets du Troisieme Notaire de Jean Papon*, Lyon J. de Tournes, 1578.

— Papon (Loys), *Œuvres du Chanoine Loys Papon*, seigneur de Marcilly, éd. N. Yéméniz, Lyon, Louis Perrin, 1857.

— *Discours sur la vie et mœurs de Anne d'Urfé et Stances de Anne d'Urfé et Stances à Mon dit Seigneur*, éd. O.C. Reure, in *BD*, t. XXV, pp. 145 sq.

— Paradin (Guillaume), *Cronique de Savoye*, Lyon, J. de Tournes, 1552.

— *Memoire de l'histoire de Lyon*, A. Gryphe, 1573.

— *Alliances genealogiques des Rois et Princes de Gaule,* Lyon, J. de Tournes, 1561.

— Pasquier (Estienne), *Des Recherches de la France, Livre premier et second, Plus un pourparler du Prince, et quelques dialogues,* Paris, G. Robinot, 1581 (1560-1565).

— *Les Œuvres,* Amsterdam, 1723, 2 vol.

— *Le Monophile,* éd. E. Balmas, Turin, 1957 (1554).

— Patru (Olivier), *Plaidoyers et oeuvres diverses de Monsieur Patru,* Paris, S. Mabre-Cramoisy, 1681, 2 parties en 1 vol., 2e partie, *Eclaircissement sur l'Histoire de l'Astrée,* pp. 103-112 (1670).

— Perez (Alonso), *La Diana de Iorge de Montemayor compuesta por Alonso Perez medico Salamantino. Parte Segunda van al cabo dos glosas del autor. La una del Soneto, que dize. Hero d'un alta torre lo mirava, etc. La otra del que dize. Pues tunc caraçon para partirme. Nuevalmente corregida y revista por Alonso Ueloa,* Venise, Io. Comenzi, 1574 (1560).

— Perez (Antonio), *Relaciones de Antonio Perez secretario des Estado, que fue del Rey de España Don Philippe II deste nombre,* Paris, 1624 (1604).

— *Aphorismes ou sentences dorées extraictes des Lettres tant espagnoles que latines d'Anthoine Perez, faictes françoises par Jacques Gaultier,* Paris, P. Chevallier, 1602.

— Perez de Hita (Ginès), *Historia de las Guerras Civiles de Granada,* en marges, additions de Fortan, s.l.n.d. (1595).

— Pétrarque (Francesco), *Les œuvres amoureuses de Pétrarque, Sonnets-Triomphes,* éd. P.L. Ginguené, Paris, Garnier, s.d. (1470).

— Pibrac (Guy du Faur de), *Les quatrains de Pibrac suivis de ses autres poésies,* Paris, Lemerre, 1874 (1574).

— Picard de Toutry (Jean), *De prisca Celtopoedia libri quinque, quibus admiranda priscorum Gallorum doctrina et eruditio ostenditur, necnon literas prius in Gallia fuisse, quam vel in Graecia, vel in Italia,* Paris, M. David, 1556.

— Pico della Mirandola (Giovanni), *De hominis dignitate. Heptaplus. De Ente et Uno. E scritti vari,* a cura di Eugenio Garin, Florence, Vallecchi, 1942 (Coll. Edizione nazionale dei Classici del Pensiero italiano) (*Heptaplus,* 1490 ; *de dignitate,* 1496).

— *De la dignité de l'homme,* trad. de A. Tripet, Lausanne, Editions Rencontre, 1968.

— *...L'Heptaple de Jean Picus, comte de la Mirande, trad. de Nicolas Le Fèvre de la Boderie,* Paris, J. Macé, 1578 (joint à la traduction de l'*Harmonie du Monde,* par Guy Le Fèvre de la Boderie, voir à Georges).

— *Commentaire d'une chanson d'Amour de H. Benivieni,* trad. de Chappuis, à la suite du *Discours sur l'honneste Amour* de M. Ficin, trad. de Guy Le Fèvre de la Boderie, Paris, Lucas Breyel, 1588.

— Plutarque, *Les œuvres morales et philosophiques de Plutarque,* translatées de Grec en François, reveues et corrigées, Paris, Frédéric Morel, 1581 (1572).

— Polo (Gaspar Gil), *Diana Enamorada,* in Menendez y Pelayo, *Origines de la Novela,* Madrid, Bailly-Baillière, 1905, t. 2 (1564).

— Pontus de Tyard, *Œuvres poétiques,* éd. Marty-Laveaux, Paris, Lemerre, 1875 (1573).

— *Œuvres. Solitaire premier,* Genève, Droz, 1950 (1552).

— *Primera Cronica General o sea Estoria de España,* éd. Ramon Menendez Pidal, Madrid, Bailly-Baillière, 1906 (Coll. Nueva biblioteca de Autores Españoles, t. V).

— Racan (Honorat de Bueil, seigneur de), *Les Bergeries,* éd. Louis Arnoult, Paris, Droz, 1937 (1625).

— Ramus (Pierre), *Pro philosophica parisiensi Academiae disciplina oratio,* ad Carolum Lotharingum cardinalem, Paris, A. Wechelus, 1557, 2e éd. (1551).

— *Romancero General* (*Las Fuentes del*), éd. Mario Damante, Madrid, Real Academia Española, 1971 (*Romancero general,* 1600).

— *Romances Viejos* (*Flor nueva de*), Madrid, Espasa-Calpe, 1969.

— Ronsard (Pierre), *Œuvres Complètes,* éd. Paul Laumonier, Paris, Didier, STFM, 1914-1968.

— Rubys (Claude de), *Histoire veritable de la ville de Lyon,* contenant ce qui a esté obmis par Mes Symphorien Champier, Paradin et autres..., Lyon, B. Nugo, 1604 (1603).

— Saint-Germain (Blaise de), *Les Amours de Florimond et de Clytie,* Lyon, B. Rigaud, 1607.

— Sannazar (Jacques), *L'Arcadie de Messire Jacques Sannazar, gentilhomme Napolitain,* excellent Poete entre les Modernes, mise de l'Italien en Françoys, par Jehan Martin, Paris, de Vascosan, 1544. (édition italienne, 1504).

— San Pedro (Diego de Fernandez de), *La Prison d'Amour,* en deux langages espaignol et françois, pour ceux qui voudront apprendre l'un par l'autre (trad. G. Corrozet ?), Lyon, B. Rigaud, 1583 (1492).

— Serres (Olivier de), *Le theatre d'agriculture et mesnage des champs,* Paris, Jamet-Mettayer, 1600.

— Sorel (Charles), *Histoire comique de Francion,* éd. Colombey, Paris, A. Delahays, 1858 (1623).

— *Le Berger extravagant,* Genève, Slatkine Reprints, 1972.

— Taillepied (Noël), *Histoire de l'estat et republique des Druides ; Eubages, Sarronides, Bardes, Vacies anciens françois gouverneurs des païs de la Gaule, depuis le deluge universel jusques à la venue de Jesus-Christ,* Paris, J. Parant, 1585.

— Tasso (Torquato), *Opere di Torquato Tasso,* Pise, Presso Noccolo Capurro, 1821, 33 vol. ; t. 2, *Aminta, Favola Boschereccia* ; t. 3-6, *Rime* ; t. 24, *Jérusalem délivrée* (1581).

— Tatius (Achille), *Les Amours de Clitophon et Leucippe,* in *Romans grecs et latins,* textes présentés et traduits par P. Grimal, Paris, Gallimard, 1963 (Bibliothèque de la Pléiade, 134).

— Tibaldeo (Antonio), *Di M. Antonio Tibaldeo ferrarse l'opere d'Amore, con le sue stanze nuovamente aggiunti,* Venise, A. Bindoni, 1550.

— Tronchet (Etienne du), *Lettres missives et familieres,* Paris, L. Breyer, 1568.

— Urfé (Anne d'), *Description du païs de Forez,* in A. Bernard, *Les D'Urfé, souvenirs historiques et littéraires du Forez au XVI*[e] *siècle,* Paris, 1839.

— Urfé (Antoine d'), *L'Honneur. Premier dialogue du Polemophile. Avec deux Epistres appartenantes à ce traicté : l'une de la preference des Platoniciens aux autres Philosophes : l'autre des degrez de perfection,* Lyon, J. Roussin, 1592.

— *La Vaillance, second dialogue du Polemophile,* Lyon, J. Roussin, 1592.

— Varchi (Benedetto), *Lezzione di M. Benedetto Varchi* Accademico Fiorentino, lette da lui publicamente nell'Academia Fiorentina, sopra diverse Materie, Poetiche, e Filosofiche, raccolte nuovamente, Florence, F. Giunti, 1590 (1549).

— Vauquelin des Yveteaux (Nicolas), *Œuvres complètes,* éd. G. Mongrédien, Genève, Slatkine Reprints, 1967 (le poème « Avecque mon amour naist l'amour de changer », *Le Parnasse* (2 vol., 1607).

Recueils poétiques italiens.

— *I fiori delle Rime de'Poeti illustri nuovamente raccolte e ordinati da M. Girolamo Ruscelli,* Venise, M. Sessa, 1579.

— *Il primo volume delle Rime scelte da diversi autori,* Venise, Giolito de' Ferrari, 1563.

— *Il secondo volume delle Rime scelte da diversi autori,* Venise, Giolito de' Ferrari, 1563.

— *De le Rime di diversi Nobili poeti Toscani raccolte da M. Dionigi Atanagi,* Venise, Avanzo, 1565, 2 vol.

— *Stanze di diversi illustri poeti nuovamente raccolte da M. Lodovico Dolce,* Venise, G. de' Ferrari, 1556.

C. — *Etudes et Travaux.*

1° *La vie et l'œuvre d'Honoré d'Urfé.*

— Adam (A.), « La théorie mystique de l'amour dans *L'Astrée* et ses sources italiennes », *RHP,* 15 juillet 1937.

— Arland (M.), « Urfé », *Revue Universelle,* 1er août 1931.

— Artigny (d'), *Examen de la dissertation de M. Huet sur Honoré d'Urfé,* in *Nouveaux Mémoires d'histoire, de critique et de Littérature,* Paris, 1749-1756, 7 vol., t. V.

— Baldner (R.W.), « Honoré d'Urfé entre 1583 et 1593 », *RN,* 1966, pp. 176 sq.

— Banti (Ch.), *L'Amynta du Tasse et l'Astrée d'Honoré d'Urfé,* Milan, 1895.

— Bellesort (A.), « L'Astrée », *Journal des débats,* 22 février 1928.

— Benedetto (L.F.), « Una redazione inedita della leggenda degli Infanti di Lara », *Studi Medievali,* vol. IV (1912-1913), pp. 230-270.

— Benoit (A.), « L'édition originale de la première partie de *L'Astrée* », *RF*, t. III, p. 269.

— « Deux mots sur *L'Astrée* », in *RF*, t. VI, p. 272.

— Bernard (A.), *Les d'Urfé. Souvenirs historiques et littéraires du Forez au XVIe et au XVIIe siècles*, Paris, Imprimerie Royale, 1839.

— *Recherches bibliographiques sur le roman d'Astrée*, Montbrison, Conrot, 1861.

— Bertoletto (G.), « Il giudizio di Onorato d'Urfé sull'Amadeida per la prima volta publicato », *GL*, XXI (1896), pp. 150-183.

— Bochet (Henri), *L'Astrée. Ses origines, son importance dans la formation de la littérature classique*, Genève, Slatkine Reprints, 1967.

— Bonafous (Norbert), *Etudes sur l'Astrée et sur Honoré d'Urfé*, Paris, Didot, 1846.

— Calemard (Président), « Une ascendance auvergnate d'Honoré d'Urfé », *BSEB*, 2e trimestre 1965, pp. 427-444.

— Chagny (André), *Un ligueur, Honoré d'Urfé*, Belley, Montbaron, 1910.

— Chapoy (Edmond), *Honoré d'Urfé dans ses rapports avec la Bresse et le Bugey, d'après les archives de Chateaumorand (Loire), de Léran (Ariège)*, Bourg-en-Bresse, 1910.

— Charlier (Gustave), *Honoré d'Urfé. Un épisode de l'Astrée. Les Amours d'Alcidon*, introduction et notes, Paris, Bossard, 1920.

— Charron (Jean D.), « Le thème de la métamorphose dans *L'Astrée* », *RDS*, n° 101 (1973), pp. 3-13.

— Chevrier (E.), « Honoré d'Urfé et Michel Servet », *Revue chrétienne*, t. VII, 3e série, p. 226 et 284.

— Callet (A.), *Honoré d'Urfé, auteur de l'Astrée*, Belley, 1908.

— Collinet (Jean-Pierre), « Grenoble et le Dauphiné dans quelques romans du XVIIe siècle (Honoré d'Urfé, Scarron, Mme de Villedieu) », *Bulletin mensuel de l'Académie delphinale*, avril 1974.

— *Colloque commémoratif du quatrième centenaire de la naissance d'Honoré d'Urfé*, Montbrison, La Diana, 1970.

— Dalla Valle (Daniela), « L'italianisme dans les poétiques baroques française : La préface de la *Sylvanire* d'Honoré d'Urfé », *RDS*, n° 79 (1968).

— Dannheiser (E.), « Zur Quellenkunde der *Sylvanire* », *Romanische Forschungen*, V (1890), pp. 59-64.

— « Zur Geschichte des Schäferspiels in Frankreich », *Zeitschrift für neufranzösische Sprache und Litteratur*, t. XI, pp. 65-89.

— Debesse (Maurice), « Le pays de *L'Astrée* », *Colloque commémoratif...* pp. 31-47.

— Defrenne (Madeleine), « Deux notes d'histoire littéraire, II. Une fable dans l'*Astrée* », *Le Flambeau*, janvier-février 1962, pp. 58-60.

— Derche (Roland), « L'*Astrée*, source de « l'inoculation » de l'amour dans la *Nouvelle Héloïse* », *RHLF*, avril-juin 1966, pp. 306-312.

— Doublet (Georges), « Le testament d'Honoré d'Urfé », *RHLF,* XXIX (1922), pp. 196-213.

— Droz (Edmond), « Corneille et *L'Astrée* », *RHLF,* XXVIII, pp. 161-203, pp. 361-387.

— Duparc (Pierre), « La *Savoysiade* d'Honoré d'Urfé », in *Revue Savoisienne,* 86ᵉ année (1946), pp. 60-65.

— Ehrmann (Jacques), *Un paradis désespéré. L'Amour et l'illusion dans « l'Astrée »*, Paris, PUF, 1963.

— Fahrenheim (W.), « Das Naturgefühl in Honoré d'Urfés *Astrée* », *Romanische Forschungen,* 1925, pp. 315-432.

— Faure (G.), « Honoré d'Urfé à Tournon », *Le Figaro,* 30 mai 1925.

— « Les Amours d'Honoré d'Urfé », in *Amours romantiques,* Paris, 1927, pp. 99-114.

— Feugère (Léon), *Les femmes poètes au XVIᵉ siècle, étude suivie de Mlle de Gournay, d'Urfé, le Maréchal de Montluc, G. Budé, Ramus,* Paris, Didier, 1860.

— Fischer (W.), « Honoré d'Urfé's *Sireine* and the *Diana* of Montemayor », *MLN,* XXVII (1913), pp. 166 sq.

— Garapon (Robert), « Honoré d'Urfé et Saint François de Sales », *Colloque commémoratif...,* pp. 127-141.

— « *L'Astrée* et le jeune Corneille », *Colloque commémoratif...,* pp. 141-147.

— Gaume (Maxime), « Portraits de femmes dans la première partie de *L'Astrée* », *CEF,* I, *Mélanges,* 1968, pp. 115-125.

— « La sensibilité d'Honoré d'Urfé d'après le premier livre des *Epistres Morales* », *Colloque commémoratif...,* p. 3-14.

— « L'Astrée ou l'éloge de la compagne et de la paix », *BD,* XLI, n° 7, pp. 255-266.

— « A propos du jugement d'Honoré d'Urfé sur l'*Amadeide* du Seigneur Gabriel Chiabrera », *CEF,* V, *Mélanges,* 1972, pp. 15-27.

— « Honoré d'Urfé et la vie intellectuelle en Bourbonnais à la fin du XVIᵉ siècle et au début du XVIIᵉ siècle », *Cahiers Bourbonnais,* 2ᵉ trim. 1976.

— Gehrardt (Mia. I.), « Un personnage de *L'Astrée* : Le Lignon », *Colloque commémoratif...,* pp. 47-57.

— Germa (Maurice), *L'Astrée d'Honoré d'Urfé. Sa composition. Son influence,* Paris, A. Picard, 1904.

— Godet (Ph.), « Le roman de l'amour platonique. *L'Astrée* ». *Vie Contemporaine,* t. IV, 6ᵉ année, pp. 552-576.

— Goudard (Sœur Marie-L.), *Etude sur les Epistres Morales d'Honoré d'Urfé,* Washington, Université catholique d'Amérique, 1933.

— Grange (André), *Les variantes du tome I de l'Astrée,* Thèse dactylographiée, pour le Doctorat de 3ᵉ cycle, Université de Lyon, oct. 1972.

— Grieder (J.), « Le rôle de la religion dans la société de *L'Astrée* », *RDS,* n° 93 (1971), pp. 3-12.

— Grye (G. de, pseudonyme de R. de Chantelauze), *Portraits foréziens et documents inédits,* Lyon, Brun, 1862.

— Henein (Eglal), « Romans et réalités (1607-1628) », *RDS,* n° 104 (1974), pp. 29-45.

— Koch (P.), « Encore du nouveau sur *L'Astrée* », *RHLF,* mai-juin 1972

— Lathuillère (Roger), « Aspects précieux du style d'Honoré d'Urfé dans *L'Astrée* », *Colloque commémoratif...,* pp. 101-119.

— Lauga (Maurice), « La peinture dans *L'Astrée* », *Colloque commémoratif,* pp. 71-101.

— « Structures des personnages de *L'Astrée* », CAIEF, février 1967.

— Lefranc (A.), « Le roman au XVIIe siècle. Les clefs de *L'Astrée.* « Les sources », *RCC,* XIII (1904-1905), XIV (1905-1906).

— Le Hir (Yves), « Sur deux poèmes d'Honoré d'Urfé dans *L'Astrée* », *Travaux de linguistique et de littérature,* Centre de philologie et de littérature romanes, X, 1, 1972.

— Lem (Jacques), « Honoré d'Urfé à Senoy », *Le Bugey,* Novembre 1957

— Loménie (de), « *L'Astrée* et le roman pastoral », *Revue des Deux Mondes,* 15 juillet 1858.

— Longeon (Claude), « Anne d'Urfé et *L'Astrée* », *Colloque commémoratif...,* pp. 15-29.

— Mac Mahon (sister M.C.), *Aesthetics and Art in the Astrée of Honoré d'Urfé,* Washington, Université Catholique d'Amérique, 1925.

— Magendie (Maurice), *Du nouveau sur L'Astrée* », Paris, Champion, 1927.

— *L'Astrée d'Honoré d'Urfé,* Paris, Société française d'édition, 1929.

— Mercier (Louis), « Le tricentenaire de *L'Astrée* », *Revue des deux Mondes,* 15 janvier 1926, pp. 419-439.

— Meunier (Mario), « Sur les bords du Lignon (Honoré d'Urfé et *L'Astrée*) », Le Figaro, 15 octobre 1929.

— « *L'Astrée* et le Forez », *Les Amitiés foréziennes,* juillet 1925.

— Michaut (G.), *Introduction* aux *Œuvres poétiques choisies,* Paris, Sansot, 1909.

— Mirandola (G.), « La Savoie et les Savoysiades, contribution à l'étude des rapports littéraires entre la France et le Piémont au XVIIIe siècle », *L'Italianisme en France,* Actes du 8e congrès de la Société française de littérature comparée, *SF,* supplément au n° 35 (mai-août 1968), pp. 157-166.

— Montégut (Emile), *En Bourbonnais et en Forez,* Paris, Hachette, 1888.

— Montel (F.), « Une réaction naturaliste au XVIIe siècle », *Le Figaro,* 30 mai 1925.

— Pizzorusso (Arnaldo), « Un épisode de *L'Astrée* : l'histoire de l'artifice d'Alcyre », *Colloque commémoratif...,* pp. 57-69.

— Probst (J.H.), « Tournon et *L'Astrée* d'Honoré d'Urfé. Ses symobles et son ésotérisme », *Le symbolisme,* juillet-août 1957.

— Proth (Mario), *Au pays de l'Astrée,* Paris, 1868.

— Quirielle (P. de), « La Bastie d'Urfé et le paysage de *L'Astrée* », *Journal des Débats,* 28 septembre 1925.

— « Le tricentenaire d'Honoré d'Urfé et le paysage forézien », *Journal des Débats,* 2 juin 1925.

— Rat (Maurice), « Un roman pré-proustien : *L'Astrée* », *Visages de l'Ain,* Mai-Juin 1968.

— Renan (Ernest), « Fragment critique inédit d'Honoré d'Urfé », *Journal de l'Instruction publique et des Cultes,* 20 novembre 1850, pp. 571-572.

— Reure (O.C.), *La vie et les œuvres d'Honoré d'Urfé,* Paris, Plon, 1910.

— « Où *L'Astrée* a-t-elle été écrite ? », BD, XV, p. 290.

— « Promenade à travers *L'Astrée* », *Université catholique,* 15 mai 1908.

— *Histoire du château et des seigneurs de Châteaumorand,* Roanne, 1888.

— Roman (Y. de), « Sous le signe de *L'Astrée* », *Revue politique et littéraire (Revue bleue),* 1934, pp. 691-696.

— Rua (Giuseppe), *L'epopea Savoina alla Corte di Carlo Emmanuele I. La Savoysiade di Onorato d'Urfé,* Turin, Tipografia Salesiana, 1893.

— Saint-Marc Girardin, « Index de *L'Astrée* », *RHLF,* 15 juillet 1898.

— Secret (François), « Une source oubliée des Epistres Morales d'Honoré d'Urfé », *BHR,* 1968, pp. 694 sq.

— Vaganay (Hugues), *Les tres veritables maximes de Messire Honoré d'Urfé nouvellement tirez de l'Astrée,* Lyon, Lardanchet, 1913.

— Villat (L.), « En marge de *L'Astrée* », *RSS,* 1924, pp. 116-117.

— Winkler (Egon), *Komposition und Liebestheorien der Astrée des Honoré d'Urfé,* Breslau, 1930.

— Yon (Bernard), *Une autre fin de l'Astrée, la quatrième partie de* 1624, *les cinquième et sixième parties de* 1625 *et* 1626, Thèse de troisième cycle, Lyon, 1972.

— « Les deux versions de la *Sylvanire* d'Honoré d'Urfé », *RHLF,* n° spécial, 1977.

— York (Rœ. A.), « La rhétorique dans *L'Astrée* », *RDS,* n° 110-111 (1976), pp. 13-24.

2° *Bibliographie générale*

— Adam (Antoine), *Histoire de la littérature française au XVIIe siècle,* Paris, Domat, 1948-1956, 5 vol. ; t. I, *L'Epoque d'Henri IV et de Louis XIII.*

— « Le Prince Desguisé de Scudéry et l'*Adone* de Marino », *RHP,* 15 janvier 1937.

— *Sur le problème religieux dans la première moitié du XVIIe siècle,* Oxford, Clarendon, 1959.

— Allen (J.W.), *A History of Political Thought in the Sixteenth Century,* Londres, Methuen, s.d.

— Aulotte (Robert), *Amyot et Plutarque. La tradition des Moralia au XVIe siècle,* Genève, Droz, 1965.

— Bady (René), *L'Homme et son « Institution » de Montaigne à Bérulle* (1580-1625), Paris, Les Belles Lettres, 1964.

— Baillou (J.), « L'influence de la pensée philosophique de la Renaissance italienne sur la pensée française au XVIe siècle », *Revue des Etudes italiennes,* I (1936), pp. 116-153.

— Baret (Eugène), *De l'Amadis de Gaule et son influence sur les mœurs et la littérature au XVIe et au XVIIe siècle, avec une notice bibliographique,* Paris, F. Didot, 1873.

— Beall (Chandler B.), *La fortune du Tasse en France,* University of Oregon and Modern Language Association of America, 1942.

— Bernard (Auguste), *Histoire du Forez,* Montbrison, 1835, 2 vol.

— Blau (J.L.), *The Christian Interpretation of the Cabala in the Renaissance,* New-York, Columbia University Press, 1944.

— Bontems (C.), Raybaud (L.P.), Brancourt (J.P.), *Le Prince dans la France des XVIe et XVIIe siècles,* Paris, PUF, 1965.

— Bray (René), *La formation de la doctrine classique en France,* Paris, Nizet, 1966.

— Busson (H.), *Les sources et le développement du rationalisme dans la littérature française de la Renaissance* (1533-1601), Paris, J. Vrin, 1957.

— Cabeen (Charles W.), *L'influence de G.B. Marino sur la littérature française dans la première moitié du XVIIe siècle,* Grenoble, Allier frères, 1904.

— Cameron (A.), *The influence of Ariosto's epic and lyric poetry on Ronsard and his group,* Baltimore, The Johns Hopkins Press, 1930.

— Carrara (E.), *La poesia pastorale,* Milan, Vallardi, s.d.

— Cassirer (E.), Kristeller (P.O.), Randall (J.H.), *The Renaissance Philosophy of Man,* Chicago, Phoenix Books, 1963.

— Chastel (André), *La crise de la Renaissance,* Genève, Skira, 1968.

— Cherel (A.), *La pensée de Machiavel en France,* Paris, L'Artisan du Livre, 1935.

— Cioranescu (Alexandre), *L'Arioste en France des origines à la fin du XVIIIe siècle,* Paris, Les Presses Modernes, 1938.

— Dainville (François de), *Les Jésuites et l'éducation de la société française. La naissance de l'humanisme moderne,* Paris, Beauchesne, 1940.

— *La géographie des humanistes,* Paris, Beauchesne, 1940.

— Dalla Valle (Daniela), *Pastorale barocca. Forme e contenuti dal Pastor fido al dramma pastorale francese,* Ravenne, Longo editore, 1973.

— « Temi e motivi della lirica barocca in Italia e Francia », *Lettere Italiane*, XV (1963), pp. 319-331.

— Delumeau (J.), *La civilisation de la Renaissance*, Paris, Arthaud, 1967.

— Dubois (Claude-Gilbert), *Celtes et Gaulois au XVI*e *siècle. Le développement littéraire d'un mythe nationaliste avec l'édition critique d'un traité inédit de Guillaume Postel, De ce qui est premier pour reformer le monde*, Paris, Vrin, 1972.

— Dufour (J.E.), *Dictionnaire topographique du Forez et des paroisses du Lyonnais et du Beaujolais formant le département de la Loire*, Mâcon, Protat, 1946.

— Febvre (L.), *Autour de l'Heptaméron. Amour sacré, amour profane*, Paris, Gallimard, 1944.

— Ferguson (W.K.), *La Renaissance dans la pensée historique*, préface de V.L. Saulnier, trad. J. Marty, Paris, Payot, 1950.

— Festugière (Jean), *La philosophie de l'amour de Marsile Ficin et son influence sur la littérature française du XVI*e *siècle*, Paris, Vrin, 1941.

— Fouqueray (Henri), *Histoire de la Compagnie de Jésus en France* (1528-1762), Paris, Picard, 1910-1925, 5 vol.

— Fremy (E.), *L'Académie des derniers Valois* (1570-1585), Paris, Leroux, 1887.

— Garin (Eugenio), *L'éducation de l'homme moderne* (1400-1600), Paris, Fayard, 1968.

— Gerhardt (Mia I.), *La pastorale. Essai d'analyse littéraire*, Assen, Van Gorcum, 1950.

— Hagiwara (M.P.), *French Epic Poetry in the Sixteenth Century. Theory and Practice*, Paris-La Haye, Mouton, 1972.

— Hainsworth (G.), *Les Novelas Exemplares de Cervantès en France au XVII*e *siècle. Contribution à l'étude de la nouvelle en France*, Paris, Champion, 1933.

— *Historiae patriae monumenta*, edita jussu regis Caroli Alberti, Turin, Typografia regia, 1836-1865, 3 vol. in-fol.

— Huppert (G.), *The Idea of Perfect History. Historical Erudition and Historical Philosophy in Renaissance France*, Urbana, University of Illinois Press, 1970.

— *Italianisme (L') en France au XVII*e *siècle*, Actes du 8e congrès de la Société française de Littérature comparée, *SF*, supplément au n° 35 (mai-août 1968).

— Joukovsky (Françoise), *La Gloire dans la poésie française et néolatine du XVII*e *siècle (Des Rhétoriqueurs à Agrippa d'Aubigné)*, Genève, Droz, 1969.

— Julien-Eymard d'Angers, « Le Stoïcisme en France dans la première moitié du XVIIe siècle. Les origines (1575-1616) », *Etudes franciscaines*, nouvelle série, t. II (1951), pp. 287-298, 389-410 ; t. III, pp. 5-20, 133-158.

— Kany (C.E.), *The beginnings of the epistolary novel in France, Italy and Spain*, Berkeley, University of California Press, 1937.

— Koerting (H.), *Geschichte des Französischen Romans im XVII. Jahrhundert*, Leipzig et Oppeln, 1885-1887, 2 vol., t. 1.

— Kristeller (P.O.), *Renaissance Thought. The Classics, Scholastic, and Humanist Strains*, New-York, Harper Torchbooks, 1961.

— *Il pensiero filosofico di Marsilio Ficino*, Florence, G.C. Sansoni, 1953.

— Lancaster (H.C.), *A History of French Dramatic Literature in the Seventeenth Century*, Baltimore, John Hopkin'press, Paris, PUF, 1929-1945, 5 parties en 9 volumes, part. I, vol. I.

— Lathuillère (Roger), *La Préciosité. Etude historique et linguistique*, Genève, Droz, 1966.

— Lebègue (Raymond), *La poésie française de 1560 à 1630*, Paris, SEDES, 1951, 2 vol., t. I, *De Ronsard à Malherbe* ; t. 2, *Malherbe et son temps*.

— « Période platonicienne et période stoïcienne dans la Renaissance française », *Bulletin of International Comittee of historical Sciences*, n° 3, pp. 314-329.

— « Le platonisme en France au XVIe siècle », rapport au Congrès G. Budé de Tours et Poitiers (1953), *Actes du Congrès*, pp. 331-351.

— « Les traductions en France pendant la Renaissance », rapport au Congrès G. Budé de Strasbourg (1938), *Actes du Congrès*, pp. 362-377.

— Levi (A.), *French Moralists, the Theory of the Passions, 1585 to 1649*, Oxford, Clarendon Press, 1964.

— Levin (H.), *The Myth of the Golden Age in the Renaissance*, Londres, Faber and Faber, 1969.

— Longeon (Claude), *Les Ecrivains foréziens du XVIe siècle. Répertoire biobibliographique*, Saint-Etienne, *CEF*, 1970.

— *Une province française à la Renaissance. La vie intellectuelle en Forez au XVIe siècle*, Saint-Etienne, *CEF*, 1975.

— Magendie (Maurice), *Le roman français au XVIIe siècle, de L'Astrée au Grand Cyrus*, Paris, Droz, 1932.

— Marcel (Raymond), « L'apologétique de Marsile Ficin », in *Pensée humaniste et tradition chrétienne aux XVe et XVIe siècles*, Paris, C.N.R.S., 1950.

— « Le platonisme de Pétrarque à Léon Hébreu », rapport au Congrès de Tours et de Poitiers, 3-9 septembre 1953, *Actes du Congrès de l'Association G. Budé*, Paris, Belles Lettres, 1954.

— Marsan (Jules), *La pastorale dramatique en France à la fin du XVIe siècle et au commencement du XVIIe siècle*, Paris, Hachette, 1905.

— Maskell (David), *The Historical Epic in France 1500-1700*, Oxford, Oxford Modern Languages and Literature Monographs, 1973.

— Massip (M.), *Le Collège de Tournon en Vivarais*, Paris, Picard, 1890.

— Maurens (J.), *La tragédie sans tragique. Le néo-stoïcisme dans l'œuvre de Pierre Corneille*, Paris, Colin, 1966.

— Ménager (Daniel), *Introduction à la vie littéraire au XVI*e *siècle*, Paris, Bordas, 1968.

— Menendez y Pelayo, *Origines de la Novela*, Madrid, Bailly-Baillière, 1905, t. I.

— Mesnard (P.), *L'essor de la philosophie politique au XVI*e *siècle*, Paris, Boivin, 1936.

— Minio-Paluello (L.), « La tradition aristotélicienne dans l'histoire des idées », Rapport au Congrès de l'Association G. Budé de Lyon, *Actes du Congrès* (1958), pp. 166-185.

— Nadal (O.), *Le sentiment de l'amour dans l'œuvre de Pierre Corneille* Paris, Gallimard, 1948.

— Nelson (J. Ch.), *Renaissance Theory of Love, The Context of Giordano's Eroici Furori*, New-York et Londres, Columbia University Press, 1958.

— Panofsky (Erwin), *Essais d'iconologie. Les thèmes humanistes dans l'art de la Renaissance*, Paris, Gallimard, 1967.

— Picot (E.), *Les Français italianisants au XVI*e *siècle*, Paris, 1906-1907, 2 vol.

— Ratel (S.), « Le cercle de la Reine Marguerite », *RSS*, t. XI (1924), pp. 1-29, 193-207 ; t. XII (1923), pp. 1-43.

— Raymond (M.), *L'influence de Ronsard sur la poésie française* (*1550-1585*), Paris, Champion, 1927, 2 vol.

— Reure (O.C.), *Bibliothèque des écrivains foréziens jusqu'en 1835*, Mémoires et Documents de la Diana, t. XIII-XV (1913-1914).

— Reynier (G.), *Le roman sentimental avant L'Astrée*, Paris, Colin, 1908.

— Robb (Nesca A.), *Neoplatonisme of the Italian Renaissance*, Londres, G. Allen et Unwin, 1958.

— Robiou (Felix), *Essai sur l'histoire de la littérature et des mœurs pendant la première motié du XVII*e *siècle*, Paris, Douniol, 1858.

— Rousset (J.), *La littérature de l'âge baroque en France*, Paris, Corti, 1953.

— Saulnier (V.L.), « L'humanisme classique et la pensée chrétienne », rapport au Congrès de l'Association G. Budé à Grenoble, *Actes du Congrès de Grenoble* (1948), pp. 262-284.

— Schmidt (Albert-Marie), *La poésie scientifique en France au XVI*e *siècle*, Lausanne, éd. Rencontre, 1970.

— Secret (François), *Les Kabbalistes chrétiens de la France*, Paris, Dunod, 1964.

— *L'ésotérisme de Guy Le Fèvre de la Boderie*, Paris, Droz, 1969 (coll. Etudes de Philologie et d'histoire, 10).

— Seznec (Jean), *La survivance des dieux antiques. Essai sur le rôle de la tradition mythologique dans l'humanisme et dans l'art de la Renaissance*, Londres, Warburg Institute, 1939.

— Simpson (J.G.), *Le Tasse et la littérature et l'art baroques en France*, Paris, Nizet, 1962.

— Smith (P.M.), *The anti-courtier Trend in the Sixteenth Century French Litterature*, Genève, Droz, 1966.

— *Soleil (Le) à la Renaissance, sciences et mythes*, Colloque international d'avril 1963, Paris, PUF, 1965.

— Toinet (R.), *Quelques recherches autour des poèmes héroïques-épiques du XVII*e *siècle*, Tulle, Crauffon, s.d., 2 vol.

— Venturi (Lionello), *Storia della critica dell'Arte*, Turin, Einaudi, 1964.

— Vianey (J.), *Le pétrarquisme en France au XVI*e *siècle*, Montpellier, Coulet, 1909.
— *Les sources d'idées au XVI*e *siècle*, Paris, Plon, 1912.

— Walker (D.P.), « The Prisca Theologia in France », *JWCI*, XVII (1954), pp. 204-259.
— « Orpheus the Theologian and Renaissance Platonists », JWCI, XVI (1953).

— Warman (S.), « Marinist Imagery in French Poetry, 1607-1650 », *Studi Secenteschi*, XII (1971), pp. 117-176.

— Weber (Henri), *La création poétique au XVI*e *siècle en France de Maurice Scève à Agrippa d'Aubigné*, Paris, Nizet, 1956, 2 vol.

— Weill (G.), *Les théories sur le pouvoir royal en France pendant les guerres de religion*, Paris, Hachette, 1892.

— Yates (F.), *The French Academies of the Sixteenth Century*, Londres, The Warburg Institute, 1947.

— Zanta (L.), *La renaissance du stoïcisme au XVI*e *siècle*, Paris, Champion, 1914.

Simpson (J.), [illegible], Nizet, 1960.

Smith (P.M.), The anti-courtier Trend in Sixteenth Century French Literature, Genève, Droz, 1966.

Spitz (L.), The Renaissance, [illegible] of [illegible], [illegible] 1966.

[illegible] (A.), Quelques [illegible] des poèmes [illegible] XVIe siècle, Paris, [illegible] ed., 2 vol.

[illegible] (Armando), [illegible] della critica d'[illegible]. Torino, [illegible] 19[illegible].

[illegible] (J.), Le pétrarquisme en France au XVIe siècle, Montpellier, Coulet, 1909.

— Les sources d'idées au XVIe siècle. Paris, Plon, 1912.

Walker (D.P.), « The Prisca Theologia in France », JWCI, XVII (1954), pp. 204-259.

— « Orpheus the Theologian and Renaissance Platonists », JWCI, XVI (1953).

W[illegible] (S.) « Marguerite [illegible] in French [illegible] », Studi francesi, XII (1967), pp. 117-[illegible].

Weber (Henri), La création poétique au XVIe siècle en France, Paris, Nizet, 1956.

Weill (G.), Les théories sur le pouvoir royal en France pendant les guerres de religion, Paris, Hachette, 1892.

Yates (F.A.), The French Academies of the Sixteenth Century, London, The Warburg Institute, 1947.

Zanta (L.), La renaissance du stoïcisme au XVIe siècle, Paris, [illegible], 1914.

INDEX NOMINUM

Dans cet index figurent uniquement les noms d'auteurs et d'ouvrages antérieurs au XVIIIe siècle, ainsi que les noms géographiques. Les noms de La Bastie, Chateaumorand et Tournon, cités très souvent, ont été omis.

Les noms d'auteurs sont en capitales, les titres d'ouvrages en italique.

INDEX RERUM

TABLE DES MATIERES

Pages

DEUXIEME PARTIE

TROISIEME PARTIE

WESTFIELD
UNIV.
LONDON
COLLEGE

Cet ouvrage, le onzième de la série
« THESES ET MEMOIRES »
publiée par le CENTRE D'ETUDES FOREZIENNES,
a été achevé d'imprimer
le 28 Novembre 1977
sur les presses de
l'imprimerie « L'EVEIL »
Place Michelet - Le Puy

Cet ouvrage, le onzième de la série
« THÈSES ET MÉMOIRES »
publiée par le CENTRE D'ÉTUDES ARMÉNIENNES
a été achevé d'imprimer
le 28 Novembre 1977
sur les presses de
l'imprimerie « L'Éveil »
Place Michelet — Le Puy

N° éditeur : 031 Dépôt légal : 4e trimestre 1977

where

h = heat transfer coefficient, Btu/(h ft^2 °F)

D_e = equivalent diameter, ft

k = thermal conductivity of fluid, Btu/(h ft °F)

c_p = specific heat of fluid, Btu/lb

G = mass velocity, lb/(h ft^2)

μ = fluid viscosity, lb/(h ft)

C = 0.023

n = 0.4

$\left(\dfrac{D_e G}{\mu}\right) > 10\,000$ and $L/D_e > 60$

b = bulk conditions.

The Dittus-Boelter correlation is also widely used for water flow parallel to tube banks. Available experimental data indicate that the coefficient of Eq. (4.104) varies with the pitch-to-diameter ratio. The h values obtained from the Dittus-Boelter correlation are slightly conservative for the pitch-to-diameter ratios of interest to reactor designers. Weisman[41] correlated the available data for triangular-pitch lattices using Eq. (4.104) with

$$C = 0.026(s/D) - 0.006$$

and square-pitch lattice data with

$$C = 0.042(s/D) - 0.024 \ , \tag{4.105}$$

where

s = tube pitch

D = tube diameter.

The results for both types of lattices can be expressed as

$$C = 0.0333\,E + 0.0127 \ , \tag{4.106}$$

where E is the fraction of the total cross-sectional area in an infinite array taken up by the fluid. Variations in the heat coefficients around the periphery of a rod have been found negligible for s/D ratios >1.2 (Ref. 42).

While all present PWR cores are designed with flow parallel to the fuel elements, some consideration has been given to the use of cross flow. Cross flow, which provides higher heat transfer coefficients than attainable at the same mass flow rate in parallel flow, is now encountered on the shell side of a once-through steam generator. The heat-transfer data for flow of liquids normal to banks of

4-1.3.5 *Accelerated Solution Techniques*

All the foregoing techniques require considerable computer time for most transients. A number of approaches have been taken to reduce the time needed for calculating system behavior in slowly varying transients where acoustic effects can be ignored.

Agee[34] proposed an approach where the finite difference equations, Eqs. (4.96), (4.97), and (4.98), are replaced by integral forms in which the parameters are assumed to vary along the length step. A modified set of momentum equations are solved implicitly; the results are then used to obtain explicit solutions of the other two conservation equations. Agee claims that this approach can allow meaningful results to be obtained with substantially longer time steps than are useful with an unmodified implicit solution procedure.

A more common approach to slowly varying system transients (e.g., pump coastdown) is to assume that flow in the system can be obtained from a knowledge of pump behavior (e.g., use of a pump coastdown curve) and then to solve only the conservation-of-energy and -mass equations for each control volume. Elimination of the momentum equation results in a substantial decrease in computing time. The DYNODE code is an example of this technique.

A somewhat related approach is used by the COBRA codes[9] for examining core behavior during a transient. Rowe[9] writes the basic conservation equations for an axial segment (length Δz) of subchannel i as

Continuity

$$A_i(\partial \rho_i/\partial t) + (\partial m_i/\partial z) = -w_{ij} \tag{4.99}$$

Energy

$$(1/V_i')(\partial H_i/\partial t) + (\partial H_i/\partial z) = (q_i'/m_i) - (H_i - H_j)(w_{ij}'/m_i) - (T_i - T_j)(k_{ij}/m_i) + (H_i - H^*)(w_{ij}/m_i) \tag{4.100}$$

Axial Momentum

$$(1/A_i)(\partial m_i/\partial t) - 2V_i(\partial \rho_i/\partial t) + (\partial P_i/\partial z) = -(m_i/A_i)^2\left[\frac{f_i\phi^2}{2\rho_l D_e} + \frac{A_i\partial(1/\rho_i A_i)}{\partial z}\right] - \rho_i g \cos\theta - (f_t/A_i)(V_i - V_j)w_{ij}' + (1/A_i)(2V_i - V^*)w_{ij} \tag{4.101}$$

Lateral Momentum

$$(\partial w_{ij}/\partial t) + \frac{\partial(V_{ij}^* w_{ij})}{\partial z} + (s/l)(C_{ij}w_{ij}) = (s/l)(P_i - P_j) \tag{4.102}$$

where

A_i = flow area of channel i

C_{ij} = loss coefficient for transverse flow

D_e = hydraulic diameter

f_l = friction factor based on all liquid flow

f_t = turbulent momentum factor

g = gravitational constant

H_i, H_j = enthalpy of fluid in subchannels i and j, respectively

H^* = enthalpy carried by cross flow

k_{ij} = thermal conductivity

l = effective length over which lateral momentum transfer takes place (see Chap. 3)

m_i = flow rate in channel i, mass/time

P_i, P_j = pressure in channels i and j, respectively

q_i' = heat addition per unit length in channel i

s = gap between adjacent rods

t = time

T_i, T_j = temperature of fluids in channels i and j, respectively

V_i' = effective enthalpy transport velocity in channel i, where $V_i' = V_i$ for homogeneous flow

V_i, V_j = axial velocities in channels i and j, respectively

V^* = effective axial velocity carried by cross flow

w_{ij} = net cross flow between channels i and j

w_{ij}' = turbulent cross flow between channels i and j (accounts for mixing, no net transfer of mass)

ϕ^2 = two-phase friction multiplier

ρ_l, ρ = densities of liquid and mixture, respectively.

Note that Eq. (4.102) is based on the assumption that transverse momentum flux terms can be ignored.

Total flow to the core is assumed given. Since flow distribution between the channels is to be determined, axial and lateral momentum balances are required. However, omission of a $\partial\rho/\partial t$ term from the momentum balance means that sonic velocity propagation effects are ignored. Therefore, there is no requirement that very small time steps be used with an explicit solution procedure.

4-1.3.6 Advanced Computational Techniques

The computational techniques previously described have all made the simplifying assumptions that (a) flow can be considered one dimensional, and (b) a single

set of conservation equations can describe average liquid and vapor behavi[...] more rigorous approach recognizes that flow through some portions of the re[...] system is multidimensional and behavior of the liquid and vapor is more pro[...] described by writing separate conservation equations for each phase. Num[...] techniques capable of dealing with such complex systems have been devised [...] used to examine two-phase behavior in limited regions.

Harlow and Amsden[35,36] devised the so-called Implicit, Multi-Field ([...] Technique that is applicable when studying time-varying (initial-value) proble[...] several space dimensions with a continuous and dispersed phase. To avoid nume[...] instability, they use an implicit formulation of the finite difference equations w[...] incorporates viscous dissipation effects.[37] The computer technique includes p[...] sions for visual displays of the output as originally developed for the MAC co[...]

Multidimensional, multifield calculations can be expected to be conside[...] more time consuming than the one-dimensional and single-field techniques [...] (1977) in general use. Therefore, these techniques are not likely to replace pre[...] techniques rapidly, but rather to provide an improved understanding of sy[...] behavior. This increased understanding would then be reflected in the developm[...] of more realistic approximations in the codes routinely used for system analysis[...]

4-2 FORCED CONVECTION HEAT TRANSFER IN SINGLE-PHASE FLOW

Since we established the means for determining fluid enthalpy along [...] reactor core, we are now able to determine existing heat-transfer regimes. Sin[...] phase forced convection heat transfer is encountered in the inlet and low-po[...] regions of a PWR core where fluid enthalpy is below that of the saturated liquid[...] is also encountered on the tube side of the steam generators. Conditions for [...] onset of boiling are described in detail in Sec. 4-3.

4-2.1 Empirical Equations for Single-Phase Heat Transfer

While laminar flow (Re < 2000) will never be encountered during any expec[...] operating situation, some calculations of hypothetical accident conditions indic[...] that this regime can be found. We can then follow Rohsenow and Choi's[39] modifi[...] tion of the theoretical equation and obtain the heat transfer coefficient from

$$hD_e/k = 4.0 \quad . \qquad (4.10[...])$$

Despite marked progress in understanding turbulence, the limitations a[...] complexities of theoretical approaches have led to the use of empirical correlatio[...] in turbulent flow. For turbulent flow of water inside smooth conduits and annu[...] the most extensively used correlation is that of Dittus and Boelter[40]:

$$\left(\frac{hD_e}{k}\right)_b = C\left(\frac{D_e G}{\mu}\right)_b^{0.8}\left(\frac{c_p \mu}{k}\right)_b^n \quad , \qquad (4.10[...])$$

unbaffled tubes have also been correlated by Weisman.[43] For staggered tube banks, he found

$$\left(\frac{hD}{k}\right)E^{\phi b} = 0.38\left(\frac{DG_s}{\mu E}\right)_f^{0.61}\left(\frac{c_p\mu}{k}\right)_f^{0.4}, \qquad 300 < \left(\frac{DG_s}{\mu E}\right) < 40\,000 \tag{4.107}$$

$$\left(\frac{hD}{k}\right)E^{\phi b} = 0.051\left(\frac{DG_s}{\mu E}\right)_f^{0.8}\left(\frac{c_p\mu}{k}\right)_f^{0.52}, \qquad 80\,000 < \left(\frac{DG_s}{\mu E}\right) < 800\,000\ , \tag{4.108}$$

where f refers to film conditions, G_s is the superficial mass velocity based on total cross-section area,

$$b = 0.175\,(DG_s/\mu E)^{-0.07}\ ,$$

and ϕ, which depends on s_t/s_l, the ratio of the tube pitch transverse to the flow to the pitch parallel to the flow direction, is obtained from Fig. 4-7. For in-line tube banks, Weisman obtained

$$\left(\frac{hD}{k}\right)E^{\phi b} = 0.101\left(\frac{DG_s}{\mu E}\right)_f^{0.745}\left(\frac{c_p\mu}{k}\right)_f^{0.4}, \quad 2000 < \left(\frac{DG_s}{\mu E}\right) < 30\,000\ . \tag{4.109}$$

Again, ϕ is obtained from Fig. 4-6.

Based on data obtained in conduits and annuli, for steam at moderately high pressures and Reynolds numbers in parallel flow situations, Bishop et al.[44] recommend

$$\left(\frac{hD_e}{k}\right)_f = 0.0073\left(\frac{D_eG}{\mu}\right)_f^{0.886}\left(\frac{c_p\mu}{k}\right)_f^{0.61}\left(1 + \frac{2.76}{L_h/D_e}\right), \tag{4.110}$$

where

L_h = heated length = 30 − 385 ft

P = 1000 − 3190 psi

$\frac{D_eG}{\mu} = 100\,000 - 0.6 \times 10^6$

$\frac{c_p\mu}{k} = 0.88 - 2.38$

f = refers to film conditions $[T = (T_w + T_b)/2]$.

However, Swenson et al.[45] recommend the use of Eq. (4.104) for tubes with high L/D ratios, with C as a function of pressure. For P = 2600 psia, C = 0.05; for P = 3000 psia, C = 0.076; for P = 3128 psia, C = 0.08.

For water flowing in a conduit under supercritical conditions, the Bishop et al. equation[46] is recommended:

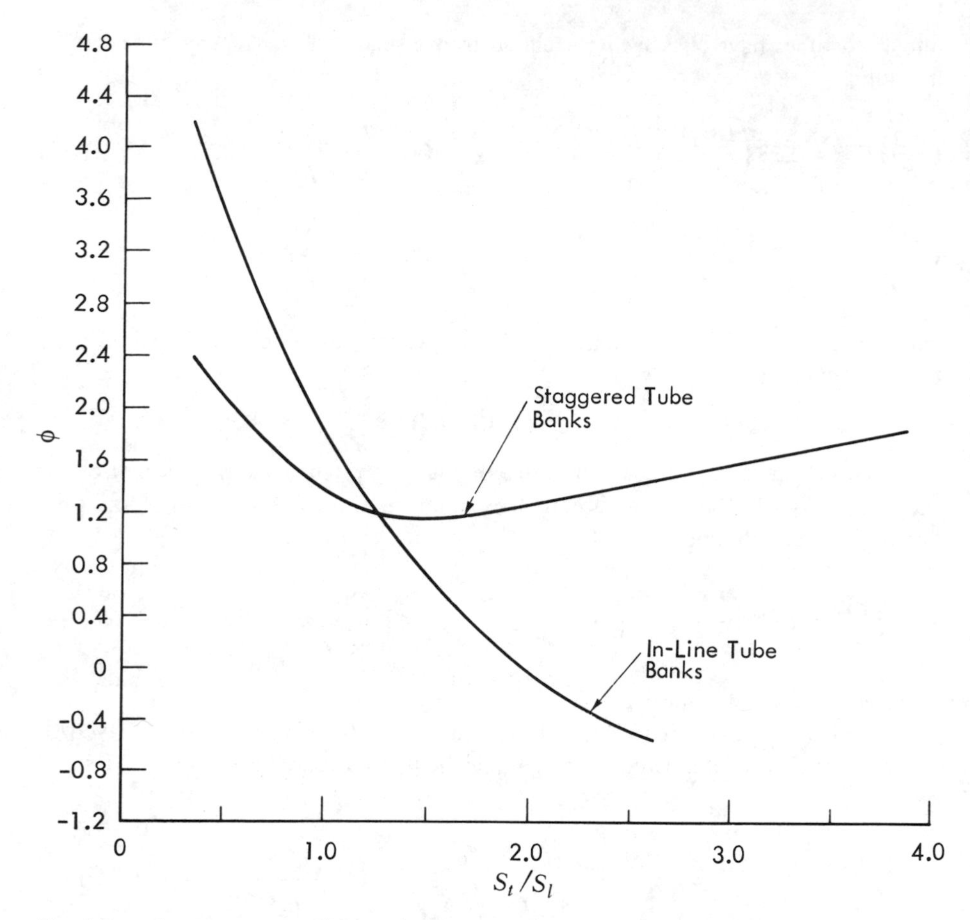

Fig. 4-7. Arrangement coefficients for heat transfer to fluids flowing normal to tube banks. [From *AIChE J.*, **1**, 342 (1955).]

$$\left(\frac{hD_e}{k}\right)_b = 0.0069\left(\frac{D_eG}{\mu}\right)_b^{0.90}\left(\frac{\bar{c}_p\mu}{k}\right)_b^{0.66}\left(\frac{\rho_w}{\rho_b}\right)^{0.43}\left(1 + \frac{2.4}{L/D_e}\right), \tag{4.111}$$

where $\bar{c}_p = (H_w - H_b)/(T_w - T_b)$ and b and w refer to bulk and wall conditions, respectively. This correlation was developed from data in the following range:

$q'' = 0.1 \times 10^6$ to 1.1×10^6 Btu/(h ft^2)

$G = 0.5 \times 10^6$ to 2.7×10^6 lb(h ft^2)

$D_e = 0.10$ to 0.20 in.

$T_b = 561$ to 976°F.

$T_w = 666$ to 1172°F.

4-2.2 Surface Roughness Effects on Heat Transfer

Increasing surface roughness causes an increase in single-phase heat transfer coefficients. Most of the reported surface roughness effects on the heat transfer are empirical.[47] However, Kolar[48] analyzed the mechanism of heat transfer in rough tubes by recognizing that the change in resistance is due to the production of local vortices. Since a vortex will contact the heating surface only momentarily, the transient conduction between the vortex element and solid wall can be calculated from

$$\partial T/(\partial t) = \alpha\, \partial^2 T/(\partial x^2)\ , \tag{4.112}$$

where α is thermal diffusivity. The solution of the above equation for sudden temperature change at the surface of an infinitely thick plate is

$$\theta = [2/(\pi)^{1/2}]\,\theta_i \int_0^u \exp(-u_1^2)dw\ , \tag{4.113}$$

where

$$u_1 = x/[2(\alpha t)^{1/2}] \quad \text{and} \quad \theta_i = (T_{\text{wall}} - T_{\text{vortex}})_{t=0}\ .$$

The heat flux at interface ($x = 0$) is then given by

$$q'' = -k\frac{\partial\theta}{\partial x} = -k\frac{\partial\theta}{\partial u}\frac{\partial u_1}{\partial x} = -\frac{k\theta_i \exp[-x^2/(4\alpha t)]}{(\pi\alpha t)^{1/2}} = \frac{k\theta_i}{(\pi\alpha t)^{1/2}}\ . \tag{4.114}$$

The heat transfer coefficient at time τ is thus

$$h = q''/\theta_i = k/(\pi\alpha\tau)^{1/2}\ , \tag{4.115}$$

where

$$\tau = \lambda_0/v_\lambda\ ,$$

in which λ_0 is the size of the vortex and is called the local degree of turbulence and v_λ is the velocity in fluctuation. At maximum energy dissipation ($v_\lambda = \nu/\lambda_0$), where ν is kinematic viscosity μ/ρ, Eq. (4.74) can be rewritten as

$$h = k(\nu/\alpha)^{1/2}/(\pi^{1/2}\lambda_0)\ . \tag{4.116}$$

According to Kolmogorov[49] and Laufer,[50] the value of λ_0 can be evaluated from

$$\lambda_0 = 28\ \nu/u^*\ , \tag{4.117}$$

where

$\nu = \mu/\rho$

$u^* = V(f/8)^{1/2}$

V = average fluid velocity.

By substituting Eq. (4.117) into Eq. (4.116) and rearranging, we get

$$hD/k = 0.02(u^*D/\nu)(c_p\mu/k)^{0.5}\ . \tag{4.118}$$

Note that the above equation is derived for a certain time, τ, corresponding to that at which maximum energy dissipation occurs. The average heat-transfer coefficient can be determined from the data of Kolar,[48] who studied the effect of surface roughness by heating air and water in 33- to 26-mm-diam tubes with roughness ratios (tube radius/projection height) of 26.39, 13.5, and 9.15, as well as in a smooth tube of the same diameter. The roughness was obtained by machining with a 60-deg triangular thread on the surface. The Reynolds number varied from 4.5×10^3 to 1.45×10^5; the Prandtl number varied from 0.71 to 5.52. Based on his experimental data, Kolar[48] obtained the following equation with an uncertainty of <4% in the Re range from 2×10^3 to 1×10^5,

$$(hD/k)_f = 0.0517(u^*D/\nu)_f(c_p\mu/k)_f^{0.5} , \tag{4.119}$$

where subscript f refers to film temperature and

$u^* = \bar{u}(f_f/8)^{1/2}$

f_f = friction factor = $0.515(e/D)^{0.63}$ for $\mathrm{Re}_f > 3 \times 10^4$

e_{avg} = height of projections above surface.

More recently, Wilkie[47] reported heat transfer and pressure drop data collected from annuli with heated roughened inner and unheated smooth outer surface. The various inner surfaces tested were roughened by transverse square and rectangular ribs. Rib heights varied from 0.1 to 1.6% of D_e and pitch to height ratios from 2.5 to 50. His results are presented as a series of curves.

4-2.3 Turbulence Promoter and Grid Spacer Effects

Although higher coolant mixing rates and heat transfer coefficients are induced by grids due to the promotion of turbulence, hot spots generally occur at grids or spacers. Wilkie and White[51] reported that in air flow, a 25% reduction in the local heat transfer coefficient is introduced by grids; the hot spot occurs immediately downstream of the grid. Reduction in the heat transfer coefficient is caused by the local retardation of flow over the heating surface. Because of the complicated configuration of grid spacers, the local velocity profile is usually experimentally determined. The net benefit of a turbulence promoter or a grid spacer depends on the balance of the following benefits and penalties:

1. benefit from increased flow mixing between adjacent channels
2. benefit from the increase of the average heat transfer coefficient
3. benefit from the increase in the critical heat flux by wiping off the bubble layer
4. penalty of having a local hot spot
5. penalty of a higher pumping power
6. penalty of forming a flow stagnation point.

Therefore, the design of turbulence promoters should vary with geometry and flow conditions; no general design criterion can now be established or followed. However, designs incorporating small mixing vanes on the upper edges of the spacer grids have been successful in significantly increasing the critical heat flux and interchannel mixing.

4-3 BOILING HEAT TRANSFER

Although the earliest core designs were based on the assumption that surface boiling could not be allowed, this limitation was soon discarded, and boiling heat transfer is now one of the steady-state heat transfer mechanisms in the PWR core.

4-3.1 Flow Boiling Heat Transfer

Heating a liquid at a very high heat flux brings the heater wall temperature above that of the liquid's saturation point. The liquid adjacent to the wall is then superheated and nucleation sites are activated. Bubbles are generated in patches, while forced convection persists in the remaining area. This heat transfer region is referred to as "partial nucleate boiling." If the heat flux is increased, bubbles are generated over a larger part of the surface until at "fully developed nucleate boiling," bubbles are generated over the entire surface. If the bulk of the liquid is subcooled, the nucleate boiling is called local boiling and the bubbles formed condense locally. If the liquid is saturated, the bubbles do not collapse; this is called "bulk boiling."

In fully developed nucleate boiling, the wall temperature primarily is determined by heat flux and pressure, and only slightly affected by liquid velocity. This essential independence of liquid velocity is illustrated in Fig. 4-8. For subcooled water at pressures between 30 and 90 psia, McAdams et al.[52] correlated the available data by

$$q'' = 0.074(T_w - T_{sat})^{3.86} , \qquad (4.120)$$

where

q'' = heat flux, Btu/(h ft^2)

T_w = wall temperature, °F

T_{sat} = saturation temperature, °F.

For pressure between 500 and 2000 psia, Jens and Lottes[53] correlated subcooled boiling data by

$$(T_w - T_{sat}) = 60(q''/10^6)^{1/4}/[\exp(P/900)] , \qquad (4.121)$$

where P is pressure in psia. The correlation appears to hold for all geometries and for both local and bulk boiling.

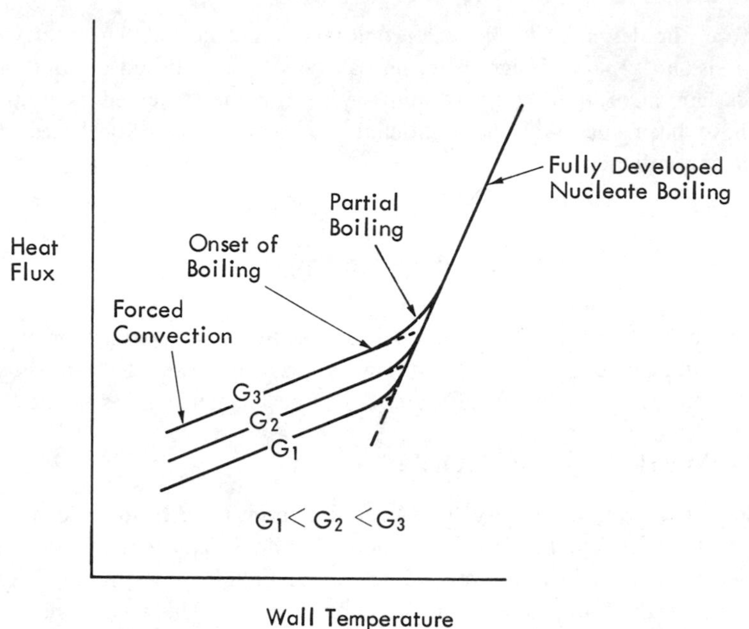

Fig. 4-8. Onset of boiling heat transfer.

Rohsenow[54] suggests that under forced convection conditions, Eq. (4.121) be revised to incorporate a forced convection component. The total heat flux, q''_{total}, would then be given by

$$q''_{total} = q''_{fc} + q''_{b} - q''_{ib} , \qquad (4.122)$$

where

q''_{fc} = heat flux due to forced convection

q''_{b} = boiling heat flux component from Eq. (4.121)

q''_{ib} = heat flux at initiation of boiling.

Bergles and Rohsenow[55] proposed that q''_{ib} be obtained from

$$q''_{ib} = 15.6\, P^{1.156} (T_w - T_{sat})^{2.30/P^{0.0234}} , \qquad (4.123)$$

where

P = absolute pressure, psia

T_w, T_{sat} = wall and saturation temperatures, °F.

There has been concern that the temperature differences predicted by the Jens-Lottes correlation are too low at high pressures. Thom et al.[56] concluded that their extensive data at pressures from 750 to 2000 psia were best correlated by

$$(T_w - T_{sat}) = 0.072(q'')^{1/2}/[\exp(P/1260)] \ . \tag{4.124}$$

The temperature differences predicted by this correlation tend to be higher than those obtained from Eq. (4.121). However, much of Thom's data were obtained at relatively low heat fluxes (perhaps in the region of the bend of the curves in Fig. 4-8). It has been argued that this is the reason for the lower exponent in Eq. (4.124).

Kutateladze[57] proposed a relationship between temperature and heat flux for the partial nucleate boiling region. However, the region is small and, for most design purposes, it is adequate to take the onset of nucleate boiling as the condition where the forced convection wall temperature equals the fully developed nucleate boiling temperature.

At high vapor fractions, the flow pattern in tubes is such that a vapor core exists surrounded by an annulus of water. The velocity of vapor in the core can be so high that the very high turbulence at the vapor-liquid interface causes the heat transfer mechanism to change character. Evaporation now occurs at the liquid-vapor core interface and, as characteristic of nonboiling heat transfer, the heat transfer coefficient varies strongly with flow. This heat transfer region has been referred to as "forced convection vaporization."

Suppression of nucleate boiling occurs at high values of the liquid Reynolds numbers, Re, and $1/X_{tt}$, where X_{tt} is the Lockhart-Martinelli parameter,

$$1/X_{tt} = [\chi/(1-\chi)]^{0.9}[\rho_l/(\rho_v)]^{0.5}(\mu_v/\mu_l)^{0.1} \ , \tag{4.125}$$

and

χ = steam quality

ρ_l, ρ_v = density of liquid and vapor

μ_l, μ_v = viscosity of liquid and vapor.

Chen[58] proposed a correlation where the heat-transfer coefficient, h, in this region is the sum of a nucleate boiling component and a forced convection component; thus,

$$h = S(0.00122)\frac{k_l^{0.79}c_l^{0.45}\rho_l^{0.49}g_c^{0.25}\Delta T^{0.24}\Delta P^{0.75}}{\sigma^{0.5}\mu_l^{0.29}H_{fg}^{0.24}\rho_v^{0.24}}$$

$$+ F(0.023)\mathrm{Re}_l^{0.8}\mathrm{Pr}_l^{0.4}k_l/D_e \tag{4.126}$$

c_l = specific heat of liquid

D_e = equivalent diameter

g_c = gravitational conversion factor

ΔP = difference in saturation pressures corresponding to wall superheat

H_{fg} = heat of vaporization

Re_l and Pr_l = Reynolds and Prandtl numbers, respectively, based on liquid properties

k_l = conductivity of liquid

$\Delta T = (T_{wall} - T_{sat})$, wall superheat

σ = surface tension.

The term on the left represents the nucleate boiling component, while S, given by Fig. 4-9, is the nucleate boiling suppression factor. The term on the right is the forced convection component and varies with F, which is a function of $1/X_{tt}$ (Fig. 4-10).

4-3.2 The Boiling Crisis

The nucleate boiling heat flux cannot be increased indefinitely. At some critical flux, the steam produced forms an insulating layer over the surface and raises surface temperature. This is the "boiling crisis." Immediately after the critical flux has been reached, boiling is unstable and partial film boiling or transition boiling occurs. Here the surface is successively covered by a vapor film and liquid layer. Surface temperature finally increases enough to cause the formation of a stable vapor layer that produces "stable film boiling."

The term boiling crisis is not in universal use. The phenomenon is also referred to as burnout since early tests detected the crisis by the physical failure of electrically heated test elements. The boiling crisis can be classified as "departure from nucleate boiling" (DNB) in the subcooled or low-quality region and dryout in the high-quality region.

The behavior of the boiling crisis depends on flow conditions. In the subcooled or low-quality region, the crisis occurs at a relatively high heat flux and appears to

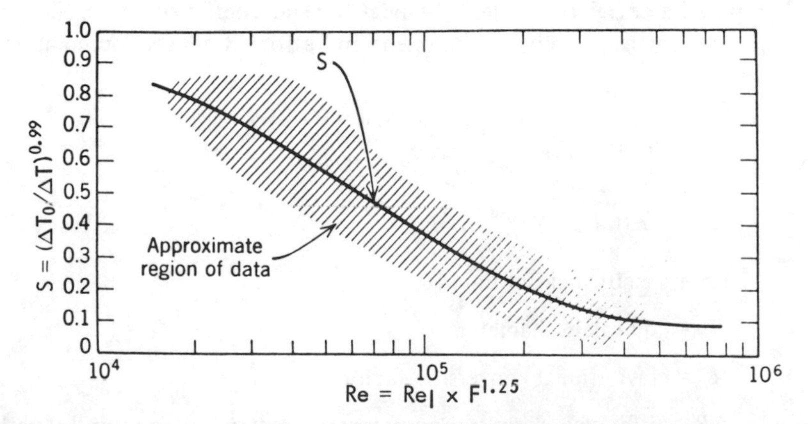

Fig. 4-9. Suppression factor S for Chen correlation. [From L. S. Tong, *Boiling Heat Transfer and Two-Phase Flow*, John Wiley & Sons, Inc., Publishers, New York (1965).]

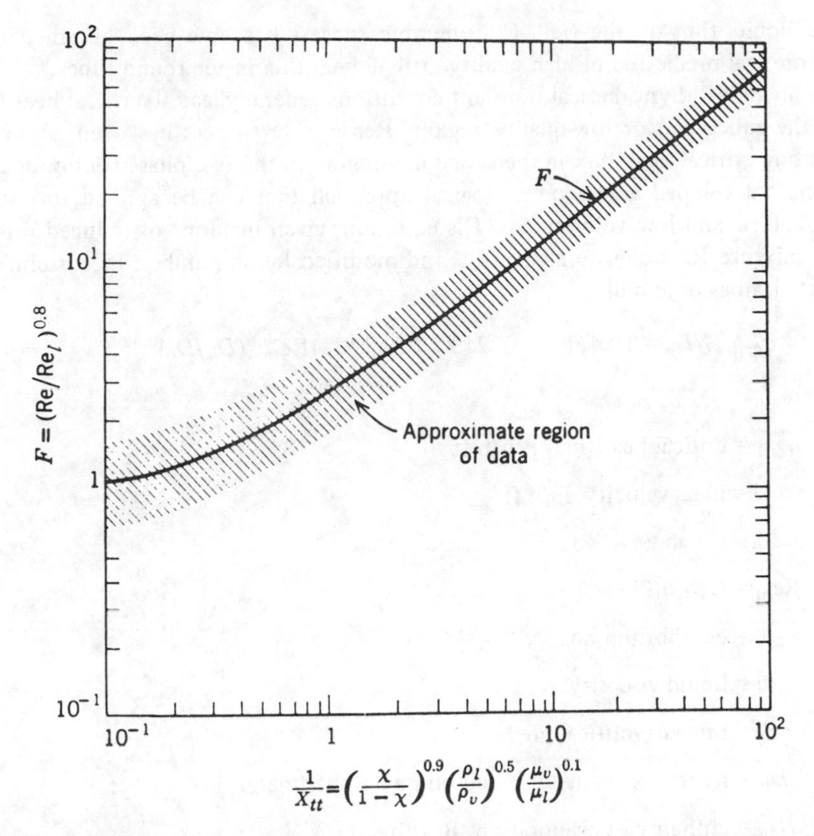

Fig. 4-10. Reynolds number factor F for Chen correlation. [From L. S. Tong, *Boiling Heat Transfer and Two-Phase Flow*, John Wiley & Sons, Inc., Publishers, New York (1965).]

be associated with the cloud of bubbles, adjacent to the surface, which reduces the amount of incoming water. When this crisis occurs, surface temperature rapidly rises to a high value.

In the high-quality region, the crisis occurs at a lower heat flux. The flow pattern is usually annular, and the surface is normally covered by a liquid layer. When the evaporation rate is high enough, the liquid layer can develop a dry patch when the boiling crisis occurs. Since the velocity in the vapor core is high, post-CHF heat transfer is much better than for low-quality cases; wall temperature rises are lower and less rapid.

4-3.2.1 Theoretical and Phenomenological Approaches

Various attempts have been made to develop analytical approaches for predicting the boiling crisis. The first promising attempts considered the boiling crisis in high-quality annular flow.[59-61] Here the models are based on predicting a dryout of the liquid film on the wall. Considerable success has now been obtained in the theoretical prediction of high-quality critical heat flux inside round tubes.[62]

In a PWR, hypothetical transient conditions generally lead to critical heat fluxes in the subcooled or low-quality region. Reasonable success has been obtained in relating critical heat flux in the subcooled region to the two-phase friction factor.[63] Tong[64] developed a phenomenological approach that can be applied to both the subcooled and low void regions. His equation, given in terms of reduced pressure, P_r, mixture Reynolds number, Re_m, and modified Jakob number, Ja, for uniformly heated tubes or annuli is

$$q''_{crit}/GH_{fg} = 1.84(1 + 0.0021\, P_r^{1.8}\, \mathrm{Re}_m^{0.5}\, \mathrm{Ja})\, \mathrm{Re}_m^{-0.6}(D_h/D_0)^{0.32} \, , \qquad (4.127)$$

where

q''_{crit} = critical heat flux, Btu/h ft^2

G = mass velocity, lb/h ft^2

D_0 = 0.5 in.

$\mathrm{Re}_m = GD_h/\mu(1-\alpha)$

χ = equilibrium quality

μ = liquid viscosity

P_r = pressure/critical pressure

D_h = hydraulic diameter based on heated perimeter, in.

H_{fg} = enthalpy of evaporation, Btu/lb

$\mathrm{Ja} = \rho_l C_{Pl} T_{sub}/\rho_g H_{fg}$ for $\chi \leqslant 0$

$\mathrm{Ja} = -\chi_u \rho_l/\rho_g$ for $\chi > 0$

$\chi_u = x_{(at\alpha=0.35)} + (1/1.7)[\chi - \chi_{(at\alpha=0.35)}]$ for annuli

$\chi_u = x_{(at\alpha=0.3)} + (1/1.7)[\chi - \chi_{(at\alpha=0.3)}]$ for round tubes

C_{P_l} = specific heat of liquid

ρ_l, ρ_g = liquid and vapor densities, respectively.

The range of the parameters covered are

Circular Tubes	Annuli
$1000 \leqslant P \leqslant 2000$ psia	$1500 \leqslant P \leqslant 2000$ psia
$0.5 \leqslant G/10^6 \leqslant 4.4$	$1.0 \leqslant G/10^6 \leqslant 3.0$
$\alpha \leqslant 0.35$	$\alpha \leqslant 0.3$.

The correlation can be extended to rod bundles by multiplying the right side by a spacer factor, F_s, where

$$F_s = 1 + 0.00005\,K \exp[-0.0128(L/D_e)]\,\mathrm{Re}^{0.6}(D_e/0.5)^{-3.2} \ , \qquad (4.128)$$

where

L = distance

D_e = equivalent diameter

K = grid pressure loss coefficient.

4-3.2.2 Design Correlations for Uniformly Heated Channels

Despite progress in developing analytical and phenomenological predictive schemes, most reactor design is accomplished using empirical, dimensional correlations carefully tested by application to experimental data obtained under conditions similar to those of PWR operation. Early correlations were based on data obtained in round tubes and assumed to apply to rod bundles. More recently, correlations were devised using rod bundle data directly or from round tube or annulus correlations modified to specifically account for rod bundle effects.

In BWRs, bundle size is small and, hence, velocity and enthalpy gradients across a bundle do not tend to be severe. Correlations using bundle-average parameters are often used for this situation. The Janssen and Levy correlation[65] is considered to be of this type. For 1000 psia, they have proposed

$$\frac{q''_{\mathrm{crit}}}{10^6} = 0.705 + 0.237(G/10^6) \qquad \text{for } \chi < \chi_1 \qquad (4.129)$$

$$\frac{q''_{\mathrm{crit}}}{10^6} = 1.634 - 0.270(G/10^6) - 4.710\chi \qquad \text{for } \chi_1 < \chi < \chi_2 \qquad (4.130)$$

$$\frac{q''_{\mathrm{crit}}}{10^6} = 0.605 - 0.164(G/10^6) - 0.653\chi \qquad \text{for } \chi_2 < \chi \ , \qquad (4.131)$$

where

χ = quality

$\chi_1 = 0.197 - 0.108(G/10^6)$

$\chi_2 = 0.254 - 0.026(G/10^6)$,

and for other pressures,

$$q''_{\mathrm{crit}}(\text{at } P) = q''_{\mathrm{crit}}(\text{at 1000 psia}) + 440(1000 - P) \ . \qquad (4.132)$$

The parameter ranges are

P = 600 to 1450 psia

$G = 0.4 \times 10^6$ to 6.0×10^6 lb/(h ft^2)

χ = negative to +0.45

$D_e = 0.245$ to 0.6 in.

$L = 29$ to 108 in.

These design equations are stated to be a lower envelope of the data. Healzer et al.[66] subsequently presented a revised set of lower envelope curves. Other bundle-average or mixed-flow correlations are Becker's,[67] Barnett's,[68] and more recently, GEXL (Ref. 69). The proprietary GEXL correlation is basically a mixed flow correlation that contains a factor R that "takes into account the details of the flow and enthalpy distribution."

Bundle-average or mixed-flow approaches are not normally used in analyzing PWR behavior. Subchannel analysis codes, such as THINC (Ref. 13) or COBRA (Ref. 9), are used to determine flow and enthalpy variation in the hot channel. These conditions are then used in an appropriate critical heat flux correlation to determine the critical heat flux as a function of axial position. The validity of this approach has been demonstrated by several investigators[4,70,71] who have successfully correlated rod bundle data in this manner.

There are several design correlations that have been widely used. For the range of interest of most power reactor designs, Tong[72] developed the following correlation for uniformly heated channels:

$$\begin{aligned}\frac{q''_{\text{crit},EU}}{10^6} = &\{(2.022 - 0.0004302P) + (0.1722 - 0.0000984P)\\ &\times \exp[(18.177 - 0.004129P)\chi]\}\\ &\times [(0.1484 - 1.596\chi + 0.1729\chi|\chi|)G/10^6 + 1.037]\\ &\times (1.157 - 0.869\chi) \times [0.2664 + 0.8357 \exp(-3.151 D_e)]\\ &\times [0.8258 + 0.000794 (H_{\text{sat}} - H_{\text{in}})] F_s \ , \end{aligned} \tag{4.133}$$

where

F_s = grid or spacer factor

$P = 1000$ to 2300, psia

$G = 1.0 \times 10^6$ to 5.0×10^6, lb/(h ft^2)

$D_e = 0.2$ to 0.7, in.

$\chi_{\text{loc}} \leqq 0.15$

$H_{\text{in}} \geqq 400$ Btu/lb

$L = 10$ to 144, in.

$\dfrac{\text{heated perimeter}}{\text{wetted perimeter}} = 0.88$ to 1.00

$q''_{\text{crit},EU}$ = critical heat flux for uniformly heated tubes, Btu/(h ft^2).

The grid or spacer factor, F_s, is a means of modifying the correlation, which was originally developed for round tubes, to account for rod bundle effects such as those introduced by the presence of spacer grids.[a] For grids with and without mixing vanes, Tong[73] originally proposed

$$F_s = 1.0 + 0.03(G/10^6)(\alpha/0.019)^{0.35} \,, \tag{4.134}$$

where

G = mass velocity, lb/h ft^2

α = thermal diffusion coefficient = ϵ/Vb (see Chap 3).

Based on more recent data, the grid or spacer factor for mixing vane grids has been used as[74]

$$F_s = (P/225.896)^{0.5}(1.445 - 0.0371L)\{\exp[(X + 0.2)^2] - 0.73\} + K_s(G/10^6)(\alpha/0.019)^{0.35} \,, \tag{4.135}$$

where

P = system pressure, psia

L = total heated core length, ft

X = quality

K_s = axial grid spacing coefficient with the following values:

Grid Spacing (in.)	K_s
32	0.027
26	0.046
20	0.066 .

Note the increase in F_s and, hence, in q''_{crit} as the grid spacing is decreased. This spacer factor relationship [Eq. (4.135)] should not be used for grids without mixing vanes.

---

[a] The design correlation given by Eq. (4.133) has been replaced by a new correlation based entirely on rod bundle data [F. E. Motley et al., "New Westinghouse Correlation WRB-1 for Predicting Critical Heat Flux in Rod Bundles with Mixing Vane Grids," WCAP-8763, Westinghouse Electric Corporation (1976)]. The correlation has the form

$$q''_{crit,EU} = a + b_1 G - b_2 G X \,,$$

where parameter a depends on pressure, mass velocity, D_e, heated length, grid spacing, and distance from the nearest grid. The b parameters are functions of pressure, mass velocity, and heated length. Exact functional relationships for parameters a, b_1, and b_2 are proprietary. Since the correlation is based only on data for rod bundles with grids, no grid factor needs to be used with this correlation. The WRB-1 correlation provides an appreciably better fit of rod bundle data than Eq. (4.133).

Based on tests of uniformly heated rod bundles, Gallerstedt et al.[75] proposed

$$q''_{\text{crit},EU} = \frac{(a - bD_e)\,A_1(A_2G)^{A_3 + A_4(P-2000)} - A_9 G X H_{fg}}{A_5(A_6G)^{A_7 + A_8(P-2000)}}\,, \tag{4.136}$$

where

H_{fg} = heat of vaporization, Btu/lb

G = mass velocity, lb/h ft^2

X = quality

a = 1.15509

b = 0.40703

$A_1 = 0.3702 \times 10^8$

$A_2 = 0.59137 \times 10^{-6}$

$A_3 = 0.8304$

$A_4 = 0.68479 \times 10^{-3}$

$A_5 = 12.71$

$A_6 = 0.30545 \times 10^{-5}$

$A_7 = 0.71186$

$A_8 = 0.20729 \times 10^{-3}$

$A_9 = 0.15208$.

This correlation replaces an earlier one devised by Wilson and Ferrell.[76] Revision of the constants shown as the data base increases is to be expected.

Another design correlation applied to rod bundles[77] with a uniform axial flux is based on the form of the average bundle correlation proposed by Barnett.[68]

$$q''_{\text{crit},EU} = \left[A' - \left(\frac{1}{4}\right) D_h G X H_{fg}\right] \Big/ C'\,, \tag{4.137}$$

where

D_h = hydraulic diameter based on heated perimeter, ft

A', C' = empirical functions depending on P, G, D_h.

The functional relationships describing A' and C' were determined by fitting Eq. (4.137) to rod bundle data analyzed on a subchannel basis. The exact formulations of functions A' and C' are considered proprietary. Note that Eq. (4.137) is similar in form to that used by Gellerstedt et al.[75]

The Bettis Atomic Power Laboratory[78] has developed a design equation for water flowing the narrow (~0.1 in.) rectangular channels used in the first Shippingport core. This critical heat flux (Btu/h ft^2) is given by

$$q''_{\text{crit}}/10^6 = K[(H' - H)/(H' - H_0)]^{1/2} , \tag{4.138}$$

where

$K = 0.84\{1 + [(2000 - P)/800]^2\}$

$H_0 = 655 - 0.004(2000 - P)^{1.63}$

$H' = H_v - 0.275\, H_{fg} - 0.725\, H_{fg}\, (300/H_{fg})^{10^6/G}$

H_{fg} = heat of vaporization, Btu/lb

H_v = enthalpy of saturated vapor, Btu/lb

P = pressure, psia.

Tong[79] provides a comprehensive review of available DNB correlations.

4-3.2.3 Nonuniform Axial Heat Flux

Under PWR conditions, it is now generally recognized that both local flux and flux shape must be considered. Bertoletti et al.[80] proposed that data from rods with a nonuniform axial shape can be related to data from uniformly heated tubes by using the "saturated length" concept. Saturated length, L_S, is defined as the distance between the location of the boiling crisis and the position of zero thermodynamic quality. Oberjohn and Wilson[81] found they could correlate nonuniform and uniform heat flux data (taken at the same mass velocity and system pressure) on a single curve of ϕ''_S versus L_S, where ϕ_S is heat flux averaged over saturated length. A similar approach was used in BWR design.[69]

The more usual approach for PWR design has been as developed by Tong et al.[82] They were able to extend Tong's[72] design correlation [Eq. (4.133)] to channels with a nonuniform axial flux distribution by

$$q''_{\text{crit},N} = q''_{\text{crit},EU}/F , \tag{4.139}$$

where

$q''_{\text{crit},N}$ = DNB heat flux for the nonuniformly heated channel

$q''_{\text{crit},EU}$ = equivalent uniform DNB flux from Eq. (4.133)

$$F = \frac{C}{q''_{\text{local}}[1 - \exp(-C l_{\text{DNB},EU})]} \int_0^{l_{\text{DNB},N}} q''(z) \exp[-C(l_{\text{DNB},N} - z)]\, dz$$

$$C = 0.44 \frac{(1 - \chi_{\text{DNB}})^{7.9}}{(G/10^6)^{1.72}} \text{ in.}^{-1} \tag{4.140}$$

$l_{\text{DNB},EU}$ = axial location at which DNB occurs for uniform heat flux, in.

$l_{\text{DNB},N}$ = axial location at which DNB occurs for nonuniform heat flux, in.

χ_{DNB} = quality at DNB location under nonuniform heat flux conditions.

This approach successfully correlates a wide variety of nonuniform flux distribution data.

Tong[83] notes there is theoretical justification for this approach since the flow, particularly the boundary-layer region, coming from the upstream region carries superheat and bubbles with it when it contacts the downstream surface. Thus, upstream heat-flux distributions affect the boundary layer at the DNB position. This "memory effect" is conveyed by the F factor. In the subcooled region, where the value of C in Eq. (4.140) is large, the F factor is small and local heat flux determines the boiling crisis. At high qualities, C is small, the memory effect is high, and the average heat flux, or enthalpy rise, primarily determines the boiling crisis.

On the basis of Tong et al.'s[82] shape factor equation [Eq. (4.140)], Wilson et al.[84] used their own data to develop a slightly revised factor, where

$$F = \frac{1.025C}{\bar{q}''_{local}[1-\exp(-Cl_{DNB,EU})]} \int_0^{l_{DNB,N}} q''(z)\exp[-C(l_{DNB,EU}-z)dz] \qquad (4.141)$$

and

$$C = \frac{0.249(1-x_{DNB})^{7.82}}{(G/10^6)^{0.457}} \; .$$

To use either Eq. (4.140) or Eq. (4.141), F must be evaluated as a function of axial position. A position past the midplane is chosen and DNB is assumed to occur at this location. Hence, l_{DNB} is the axial distance at the position chosen. The quality at the location is taken as χ_{DNB} and C is evaluated. The value of χ_{DNB} is then used in Eq. (4.133) or its equivalent to evaluate $q''_{crit,EU}$. The length that must be heated at $q''_{crit,EU}$ to achieve χ_{DNB} is $l_{DNB,EU}$. The value of F is then determined by numerically integrating Eq. (4.140) or Eq. (4.141) from the inlet of the channel to $l_{DNB,N}$; $q''_{crit,N}$ is calculated from Eq. (4.139). The process is then repeated at a number of other axial locations, and variation of $q''_{crit,N}$ is established as a function of axial position.

4-3.2.4 Cold Wall Effects

In a channel containing an unheated wall (e.g., subchannel adjacent to RCC tube), liquid film builds up along the cold wall. This fluid is not effective in cooling the heated surface and the fluid cooling the hot surface is effectively at a higher enthalpy than calculated by an energy balance. Thus, the critical heat flux in a channel with an unheated wall is generally lower than that in a channel with all sides heated and at the same bulk exit enthalpy.

Tong[79] extended his design correlation [Eq. (4.133)] to the case of a channel with an unheated wall by defining a cold wall factor (CWF) such that

$$q''_{crit,EU,CW} = (q''_{crit,EU,D_h})\text{CWF} \; , \qquad (4.142)$$

where

q''_{crit,EU,D_h} = critical heat flux evaluated from Eq. (4.133) with D_h replacing D_e

D_h = equivalent diameter based on heated perimeter, in.

$q''_{\text{crit},EU,CW}$ = critical heat flux in presence of cold wall

$$\text{CWF} = 1 - \text{Ra}[13.76 - 1.372\exp(1.78X) - 4.732(G/10^6)^{-0.0535} - 0.0619(P/10^3)^{0.14} - 8.509D_h^{0.107}] \quad (4.143)$$

$$\text{Ra} = 1 - (D_e/D_h)$$

The correlation was devised for

$$X_{\text{DNB}} \leqslant 0.1$$

$$1.0 \times 10^6 \leqslant G \leqslant 5.0 \times 10^6$$

$$1000 \text{ psia} \leqslant P \leqslant 2300 \text{ psia}$$

$$L = \text{heated length} \geqslant 10 \text{ in.}$$

$$\text{gap} \geqslant 0.1 \text{ in.}$$

When the axial heat flux is nonuniform, the predicted critical heat flux

$$q''_{\text{crit},N,CW} = \frac{(q''_{\text{crit},EU,Dh})\text{CWF}}{F}, \quad (4.144)$$

where F is defined in Eq. (4.140).

4-3.2.5 *Effects of Lattice Spacing, Rod Bowing, and Surface Condition*

Several investigators[70,85] appear to have concluded that rod spacing has little effect on critical heat flux (CHF). However, some of these earlier tests may have been less precise than more recent measurements. It was reported[74] that a change in CHF was observed when going from the previously common 15 × 15 array to the closer spacing of the later 17 × 17 array. In making this change, it was necessary to multiply the spacer factor of Eq. (4.135) by 0.88 to obtain agreement with experimental data. This amounts to an ~7% decrease in CHF since the unmodified correlation of Eq. (4.133) predicts an ~5% increase in CHF.

After considering the data on surface roughness effects of several investigators, Tong[79] concludes that when surface projections exceed the width of the bubbly layer, subcooled CHF is increased. In high-quality flow, the reverse effect appears to be obtained.

Hill et al.[86] examined the effect of rod bowing on CHF. They found that with rods bowed to contact, there was an adverse effect above a threshold heat flux. They defined quantity δ_{bow}

$$\delta_{bow} = \frac{q''_{crit,unbow} - q''_{crit,bow}}{q''_{crit,unbow}} , \tag{4.145}$$

where the subscripts unbow and bow refer to conditions with unbowed (straight) and bowed rods, respectively. With this definition, δ_{bow} has a positive value whenever rod bowing reduces the CHF. Based on their experimental measurements, Hill et al.[86] concluded that

$$\delta_{bow} = 0 \quad \text{when} \quad q''_{av}/10^6 \leqslant (b_1 - b_2 P) , \tag{4.146}$$

and at higher heat fluxes,

$$\delta_{bow} = (a_1 - a_2 P)\left[\frac{q''_{av}}{10^6} - (b_1 - b_2 P)\right] ,$$

where

q''_{av} = average heat flux on heat rod, Btu/h ft^2

P = system pressure, psia

$a_1 = 5.66$

$a_2 = 2.065 \times 10^{-3}$

$b_1 = 1.51$

$b_2 = 0.53 \times 10^{-3}$.

The experimental data covered a pressure range of 1500 to 2400 psi, mass velocities between 1.4 to 3.5 × 10^6 Btu/h ft^2, and inlet temperatures from 396 to 604°F. Note that at 2100 psia the threshold average heat flux is over 350 000 Btu/h ft^2; this is above the values usually encountered in PWR design.

4-3.2.6 Critical Heat Flux Under Off-Normal Conditions

Estimating CHF under conditions resulting from various postulated accidents is required for the safeguard analysis performed for all plants. Since the range of most CHF design equations is limited to conditions close to those of normal operation, CHF correlations covering off-normal conditions are required. Hao et al.[87] examined behavior at low flows and pressures slightly below normal. They correlated their data from tubular test sections by

$$q''_{crit} = \frac{G(H_g - H_{in})}{C_1(G/10^6)^{C_2}(1 + C_3 H_{fg} + C_4 H_{fg}^2) + 4L/D_e} , \tag{4.147}$$

where

G = mass velocity, lb/h ft^2

H_g = enthalpy of saturated vapor, Btu/lb

H_{in} = enthalpy of inlet coolant, Btu/lb

H_{fg} = latent heat of evaporation, Btu/lb

D_e = hydraulic diameter, ft

L = heated length, ft

$C_1 = 3.362$

$C_2 = 0.7546$

$C_3 = 0.8799$

$C_4 = -0.001159$.

The range of parameters covered was

$$800 \text{ psia} \leqslant P \leqslant 1600 \text{ psia}$$

$$10^4 \text{ lb/h ft}^2 \leqslant G \leqslant 0.5 \times 10^6 \text{ lb/h ft}$$

$$8 \leqslant L/D \leqslant 120 \ .$$

Under the conditions of a hypothetical LOCA, the flow at some point may reverse. This means there would be a brief period of zero, or near zero, flow. Hao et al.[87] state that their correlation applies to both up and downflow. However, the limits on Eq. (4.147) indicate it should not be used for $G \leqslant 10^4$ lb/h ft^2. Furthermore, any equation in which q''_{crit} is proportional to G leads to a zero CHF at zero flow. Avedesian and Griffith[88] show this is not the case. Based on their studies with Freon, they concluded that CHF at very low flux is a function of void fraction, α. They expressed their results (Fig. 4-11) as a ratio of the observed CHF to the CHF in pool boiling on a horizontal surface. Limited low pressure (near atmospheric pressure) water data of Ramu and Weisman[89] and high pressure data reported by Plummer et al.[90] appear to be in agreement with this approach. This approach appears to apply for G less than ~30 000 lb/h ft^2.

4-3.2.7 Cross Flow

Since heat transfer coefficients in cross flow are higher than in parallel flow, we might expect a similar effect for the CHF. Coffield et al.[91] examined CHF in a crossed rod matrix cooled by Freon-113. They found the critical flux to be ~200% higher than those obtained in parallel flow at the same mass velocity and liquid subcooling.

Kezios et al.[92] studied CHF with flow normal to a single heated rod in contact with a matrix of unheated rods and correlated their data by

$$q''_{crit} = 7.37 \times 10^3 (G/3600)^{0.53} \Delta T_{sc} (s/D)^{-0.4} \ , \qquad (4.148)$$

where

G = mass velocity, lb/(h ft^2)

ΔT_{sc} = local subcooling, °F

(s/D) = rod pitch/rod diameter.

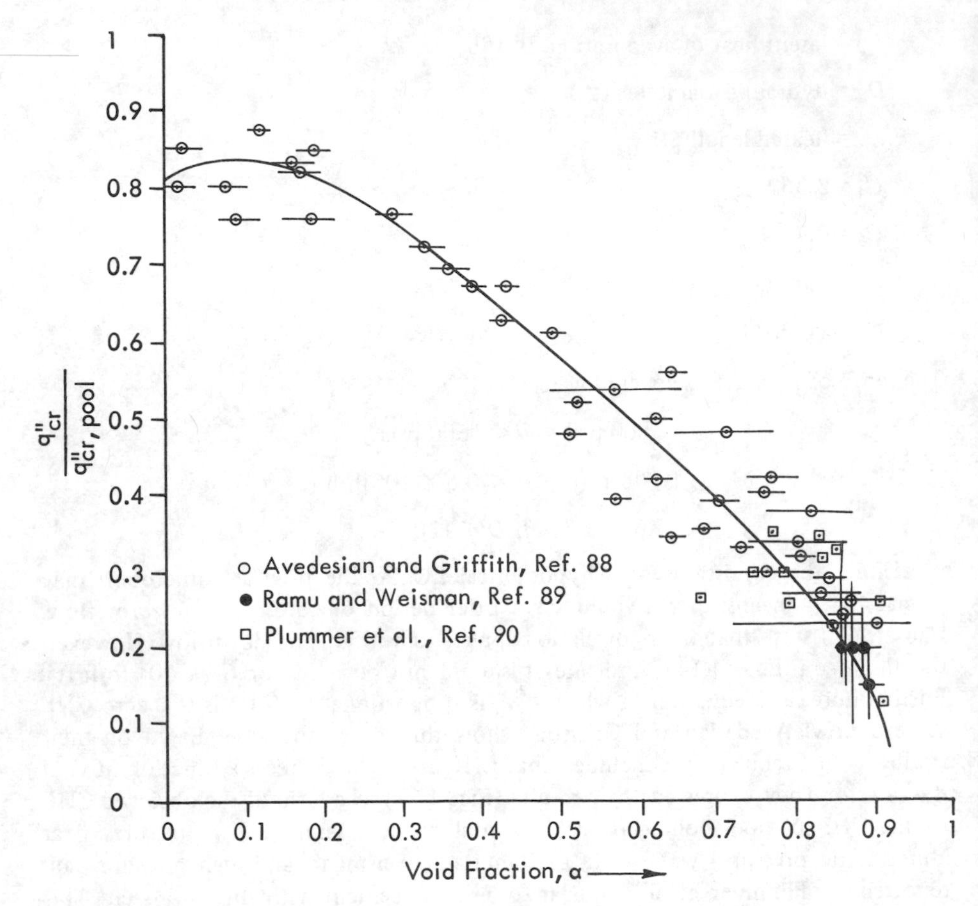

Fig. 4-11. Effect of void fraction on maximum heat flux at low flow rates (from Ref. 89, courtesy of *Nucl. Eng. Des.*).

4-3.2.8 Transient Effects

The investigations on which the previous correlations are based have all been steady state. The application of steady-state data to the prediction of transient data was investigated by Martenson,[93] who found that his measured points fell above the predictions of the Bernath correlation.[94] Transient CHFs were also examined by Schrock et al.[95] for water flowing at 1 ft/s at pressures of 100 and 500 psia. In each case, the electrical power to the rod was increased in accordance with a known exponential period, τ. Redfield[96] suggested a transient boiling crisis equation based on these data and Bernath's correlation. He proposed

$$q''_{crit} = [12\,300 + (67\ V/D_e^{0.6})]\ \{102.5 \ln P - 97[P/(P+15)] + 32 - T_{bulk}\} \times [\exp(4.25/\tau)] \ , \tag{4.149}$$

where all terms are as previously defined.

More recently, Cermak et al.[97] examined the applicability of steady-state data to simulated blowdown runs. Their study was conducted using a 21-rod bundle and covered pressures between 750 and 1500 psia, inlet temperatures from 480 to 540°F, and mass velocities from 1×10^6 to 3×10^6 lb/(h ft^2). They found their transient and steady-state data to be in good agreement, provided comparisons were made using transient enthalpy, flow, and pressure. They concluded that predictions based on steady-state data provided conservative estimates of the transient observations since, in most cases, their data were equal to or slightly greater than the predictions obtained from a steady-state correlation.

Hsu and Beckner[98] devised a correlation for use during blowdown, which they believe incorporates the transient effects introduced by rapid depressurization and velocity changes. Based on CHF data from various blowdown tests, they proposed that the CHF be obtained from

$$q''_{\text{crit}} = (q''_{W\text{-}3})_0 \; [1.76(0.96 - \alpha)]^{1/2} + q''_{\text{conv}} \; , \qquad (4.150)$$

where

$(q''_{W\text{-}3})_0$ = CHF obtained from W-3 correlation [Eq. (4.133)] with quality equal to zero

α = average void fraction

q''_{conv} = heat flux that would be transferred to steam flowing at the same total mass velocity as test fluid.

4-3.3 Effects of Crud Deposition

During the operation of any water system at high temperatures, corrosion products are generated. The metallic ions rapidly hydrolyze to form insoluble hydroxides that partially decompose to oxides. This insoluble material is referred to as "crud." Most crud is removed by the purification system, but a portion is deposited on loop and core surfaces. There is some evidence that it is deposited preferentially on the surfaces with the highest heat flux. The effect of crud deposition on core heat transfer naturally concerns the thermal designer.

A comparison of convective and nucleate boiling heat transfer from clean and crudded vertical surfaces at atmospheric pressure is illustrated in Fig. 4-12. The data were obtained from crudded surfaces formed under conditions believed to simulate those of a PWR (Ref. 99). Note that a decrease in convective heat transfer was observed and nucleate boiling began at lower wall temperatures. The results obtained are expected to depend on conditions under which the crud was deposited. Weisman et al.[4] observed that a crud deposit can form an insulating layer on heater rods; however, the crud contained an appreciable quantity of magnesium oxide from a ruptured preheater and was deposited on rods bearing an electric potential. Such conditions are not representative of those in a reactor core.

The effect of crud deposition on the boiling crisis was tested by Cohen and co-workers[100] using a 45-in.-long, 0.375-in. electrically heated tube. To establish a

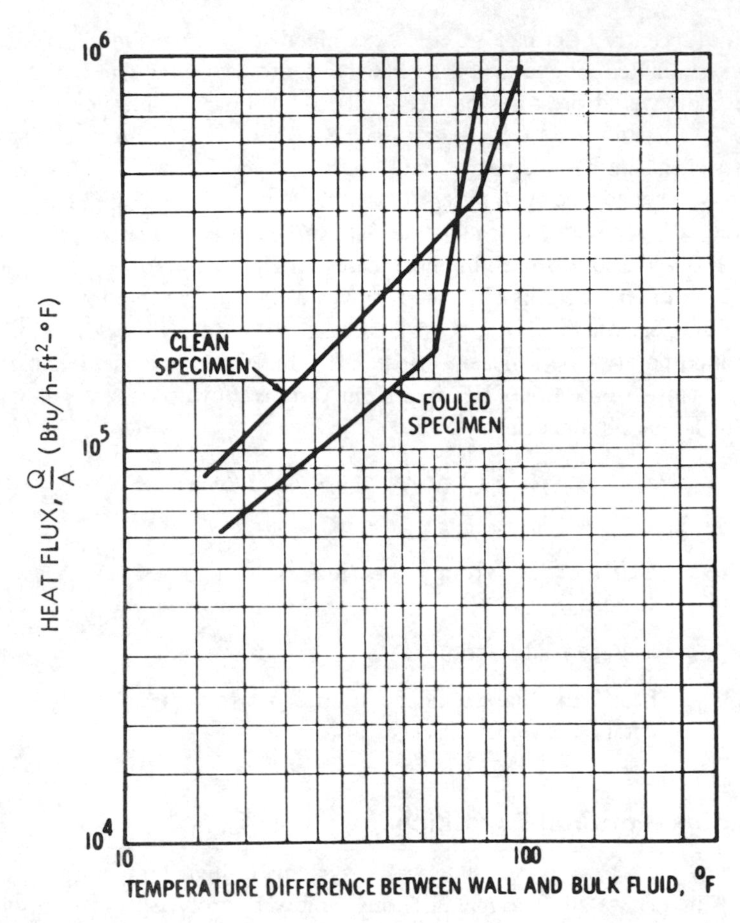

Fig. 4-12. Effect of subcooling on heat transfer from clean and crudded electrically heated cylindrical specimens. [From *Trans. ASME, Ser. C, J. Heat Transfer*, **89**, 242 (1967).]

basis for comparison, tests were also conducted before application of crud. Although the effects of crud were small, the results indicated a slight increase in DNB heat flux.

Goldstein[101] reported on the results of high-pressure boiler tests in which contaminants were added to water. He observed that under some conditions, deposition of contaminants resulted in DNB where nucleate boiling was obtained with clean surfaces. The effect was found to be temporary with conditions returning to normal over a period of several hours after the contaminant was added.

The effect of crud deposition on the flow distribution through the core is probably of most concern. After loading a new core, observation of the CVTR reactor[102] indicated a small decrease in core flow attributed to crud deposition. If highly preferential crud deposition were to take place in a core with very narrow passages (e.g., plate-type cores), flows to some core channels could be significantly reduced. Coolant conditions must be maintained to prevent this from occurring.

4-3.4 Post-CHF Heat Transfer

If a heat flux in excess of the critical heat flux is maintained, the film boiling regime is entered rapidly. If this were to occur at full reactor power, low film-boiling heat-transfer coefficients would cause the fuel cladding temperature to rise rapidly to its melting point. Since every precaution is taken to ensure that the design conditions are well below those at which critical heat flux occurs, the onset of film boiling at normal power is very unlikely.

In the analysis of accident situations, particularly the LOCA, the possibility of film boiling must be considered. Since the reactor is shut down promptly after initiation of the accident, the power level of the reactor can be significantly reduced when critical flux is exceeded. Film-boiling heat-transfer coefficients must be computed to estimate the temperature rise of the cladding. Under proper conditions, the reactor heat flux can be sufficiently reduced so that nucleate boiling conditions can be restored before damage to the fuel occurs. This phenomenon is referred to as "return to nucleate boiling" (RNB).

It was previously noted that before the onset of stable film boiling, an unstable mix of nucleate and film boiling exists. This is referred to as "partial film boiling" or "transition boiling." Some designers conservatively assumed that stable film boiling begins as soon as the critical heat flux is exceeded. In more realistic approaches, behavior in the transition region has been modeled.

4-3.4.1 Transition Boiling

In the partial film or transition boiling region, it is common to assume that total heat transferred, q'', has a convective component, q_c'', and a boiling component, q_b''. That is,

$$q'' = q_c'' + q_b'' \quad . \tag{4.151}$$

The convective component is obtained from an appropriate correlation of stable film boiling data. The boiling component is obtained from a correlation such as that suggested by Tong and Young,[103] where

$$q_b'' = q_{nb}'' \exp\left[-0.001 \frac{\chi \exp(2/3)}{(d\chi_e/dL)} (\Delta T/100)^{(1+0.0016\Delta T)}\right] \tag{4.152}$$

q_{nb}'' = nucleate boiling heat flux, Btu/h ft^2 °F

ΔT = wall temperature minus saturation temperature, °F

$d\chi_e/dL$ = change in equilibrium quality per unit length.

The above correlation was based on data where $0 \leqslant \chi_e \leqslant 1.45$, $0 \leqslant \Delta T \leqslant 300$°F, and $P \geqslant 1000$ psi.

Under the conditions of a hypothetical LOCA, the system would be depressurized and the core might be briefly uncovered. As water from the ECCS recovers the core and first contacts hot core surfaces, transition boiling is encountered. Test data on behavior in this region were obtained in a series of transient tests using electrically heated rods to simulate the core.[104] Goldemund[105] suggests that the transition-boiling heat-transfer coefficients observed can be fitted by a modified pool boiling correlation at high values of ΔT.

$$h = \left(\frac{k_g^3 \rho_g \rho_l H_{fg} g}{12 \mu_g \Delta T L}\right)^{0.25} (1/\chi_e)^{0.33} \sqrt{V_{in}} \ , \tag{4.153}$$

where

L = heated length, ft

k_g = thermal conductivity of vapor, Btu/h ft °F

h = total heat transfer coefficient, Btu/h ft^2 °F

g = gravitational acceleration, ft/h^2

ρ_g, ρ_l = density of saturated vapor and liquid, respectively, lb/ft^3

H_{fg} = latent heat of vaporization, Btu/lb

μ_g = viscosity of saturated vapor, lb$_m$/ft h

ΔT = wall temperature minus saturation temperature, °F

χ_e = equilibrium steam quality

V_{in} = core inlet velocity, in./s.

Ellion[106] has proposed a transition boiling correlation applicable at low pressures. Ramu and Weisman[89] attempted to correlate both high and low pressure data. They assume, as do Tong and Young, that the total heat flux is the sum of a convective component, derived from stable film boiling data, and a boiling component [Eq. (4.151)] applies. Their correlation is given in terms of h_m, the maximum heat transfer coefficient seen near the CHF. Based on high pressure data from several sources, they proposed that the boiling heat transfer coefficient, h_b, be obtained from

$$h_b/h_m = 0.5\{\exp[-0.0078(\Delta T - \Delta T_m)] + \exp[-0.0698(\Delta T - \Delta T_m)]\} \ , \tag{4.154}$$

where

ΔT = wall temperature minus saturation temperature, °F

ΔT_m = T at conditions of maximum h.

At high mass velocities and pressures ($P \geqslant 700$ psi), they suggest that ΔT_m can be taken as approximately equal to the maximum ΔT seen under pool boiling conditions. The value of h_m is then obtained by using this value of ΔT in Chen's[58] equation [Eq. (4.126)] for boiling heat transfer coefficients. At low pressures and at mass velocities below 30 000 lb/h ft^2, they suggest the maximum heat flux be estimated from Avedesian and Griffith's data (Fig. 4-11). The heat flux so obtained is then used in McAdam's[52] equation to determine ΔT_m and h_m.

Hsu[107] has suggested an alternative approach for calculation of the boiling component based on correlation of transient data taken at low pressures and low void fractions. For low values of α, Hsu proposes that

$$h_b = 1456P^{0.558} \exp(-0.003758P^{0.1733}\, \Delta T_{sat}) \ , \tag{4.155}$$

where

h_b = boiling component of heat transfer coefficient

P = pressure, psia

$\Delta T_{sat} = T_w - T_{sat}$, °F.

Note that this correlation is based only on data taken at pressures below 100 psia. Hsu finds that Eq. (4.155) overpredicts data at high void fractions. He tentatively suggests that, when α is significant, the total h be calculated from

$$h = (h_H + h_p)(1 - \alpha) + \alpha h_c \ , \tag{4.156}$$

where

h_H = boiling heat transfer coefficient computed from Eq. (4.155)

h_p = pool boiling heat transfer coefficient computed from Eq. (4.172)

h_c = heat transfer coefficient for convection to steam.

At high flow rates, the convective component of Eqs. (4.151) or (4.156) is often estimated assuming forced convection to steam in turbulent flow (see Sec. 4-3.4.1). At very low steam flow rates, it may be more appropriate to estimate h_c on the basis of laminar steam flow [Eq. (4.103)].

4-3.4.1 Film Boiling

When the heat transfer surface is entirely covered by a stable steam film, we have stable film boiling. At fairly low wall temperatures, it is possible for droplets to wet the surface. At the "Leidenfrost point," the surface becomes so hot that rapidly evaporating steam between the liquid droplet and heater forms a vapor cushion that supports the drops and keeps the liquid away from the surface.

If there is a high velocity flow, such as in the early stages of a LOCA, it is expected that liquid droplets will strike the wall. If the droplets can wet the wall, heat transfer is enhanced. Thus, Parker and Grosh[108] noted that with a steam-water mixture at 30 psia and a wall superheat of <50°F, the heat transfer coefficient was three to six times the value for dry steam flowing at the same conditions. Above 50°F superheat, they observed heat transfer coefficients almost identical to those for pure steam. From these data and those of Bennet et al.[109] and Bertoletti et al.,[110] it appears that the Leidenfrost point increases from ~300°F at 30 psia to ~560°F at 250 psia and to 750 to 800°F at 1000 psia. Thus, the allowable wall superheat increases from ~50°F at 30 psia to 160°F at 250 psia and to ~250°F at 1000 psia.

All of the attempts to correlate flow film boiling are based on assuming forced convection to the vapor. Therefore, the correlating equations are forced convection correlations that have been modified to account for steam flow and properties. Groenveld[111] points out that the simplest modification possible is that cooling is by forced convection to the vapor only and that the liquid is in thermal equilibrium with the vapor. Hence,

$$\mathrm{Nu} = a(D_e G x_e/\alpha\mu_v)^b\,(\mathrm{Pr}_v)^c \ , \tag{4.157}$$

where

Nu = Nusselt number = hD_e/k_v

Pr_v = Prandtl number for vapor

x_e = thermodynamic equilibrium quality

μ_v = viscosity of vapor

a, b, c = constants

α = void fraction.

Groenveld[111] observes that the assumption of thermal equilibrium between vapor and liquid holds only at very high mass flows where liquid-vapor heat exchange is efficient, near the critical heat flux location, and in inverse annular flow (vapor on wall, liquid in center). Under other conditions, appreciable superheating of the vapor will occur. Chen et al.,[112] Tong and Young,[103] and Groenveld and Delorme[113] developed film boiling heat transfer correlations that allow this superheating. Groenveld and Delorme assume the liquid phase does not participate in cooling of the heated surface, radiative heat transfer is negligible, and the flow is homogeneous. They estimate actual enthalpy H_{va} of the superheated steam by

$$(H_{va} - H_{ve})/H_{fg} = \exp(-\tan\psi)\,\exp[-(3\alpha)^{-4}] \ , \tag{4.158}$$

where the nonequilibrium factor ψ is given by

$$\psi = a_1 \mathrm{Pr}^{a_2}\,\mathrm{Re}_h^{a_3}\,(q'' D_e c_p/k_{ve} H_{fg})^{a_4} \sum_{i=0}^{i=2} b_i (X_e)^i \ ,$$

and

$a_1 = 0.13864$

$a_2 = 0.2031$

$a_3 = 0.20006$

$a_4 = -0.09230$

$b_0 = 1.3072$

$b_1 = -1.0833$

$b_2 = 0.8455$

α = void fraction calculated assuming homogeneous equilibrium flow

c_p = specific heat

H_{ve} = enthalpy of vapor calculated assuming thermodynamic equilibrium

H_{fg} = enthalpy of evaporation

Pr = Prandtl number

q'' = surface heat flux

$\mathrm{Re}_h = GD_e\chi_1/\mu_{ve}$

χ_e = equilibrium vapor quality, may be above 1.0

χ_1 = equilibrium vapor quality with maximum of 1.0 ($\chi_1 = \chi_e$ if $\chi_e \leqslant 1.0$)

k_{ve} = thermal conductivity of vapor at thermodynamic equilibrium

D_e = equivalent diameter

μ_{ve} = viscosity of vapor at equilibrium conditions.

When $\alpha \leqslant 0.33$, Eq. (4.158) predicts the nonequilibrium effect to disappear and $H_{va} = H_{ve}$. Similarly, at very high Reynolds numbers, the nonequilibrium effects become unimportant.

The value of H_{va} is used to obtain the actual steam temperature, T_{va}, from the steam table. In turn, this temperature is used to compute the heat flux from

$$q'' = h(T_{\mathrm{wall}} - T_{va}) \ , \tag{4.159}$$

where h is obtained from an appropriate superheated steam correlation. Groenveld and Delorme[113] recommend Hadaller and Banerjee's[114] equation modified for two-phase flow.

$$(hD/k)_f = 0.0008348\{(GD/\mu_f)[\chi_a + (\rho_v/\rho_l)(1-\chi_a)]\}^{0.8774}\,\mathrm{Pr}_f^{0.6112} \ , \tag{4.160}$$

where

$\chi_a = H_{fg}\chi_e/(H_{va} - H_l)$

H_l = enthalpy of saturated liquid,

and f indicates that steam properties are evaluated at film temperature. Groenveld and Delorme were able to fit over 1800 data points with a standard deviation of <7%.

Chen et al.[112] advance an alternate procedure for treating nonequilibrium. They estimate the heat transfer by convection, q_v'', to the vapor by

$$q_v'' = (1 - F_l)(T_w - T_v)\, 0.0185\, G_t \chi_a \{\mathrm{Re}[(\chi_a/\rho_v) + (1 - \chi_a)/\rho_l]\}^{-0.17} c_{p_v} (\mathrm{Pr}_v)_f^{-2/3} , \tag{4.161}$$

where

T_w, T_v, T_s = wall, vapor, and saturation temperatures, respectively

$(\mathrm{Pr}_v)_f$ = Prandtl number for vapor evaluated at film temperature

c_{p_v} = specific heat of vapor

χ_e, χ_a = equilibrium and actual quality, respectively

G_t = total mass velocity, lb/h ft^2

Re = Reynolds number based on total mass velocity

F_l = time-averaged fraction of wall surface under liquid contact = $\lambda \exp[-\chi(T_w - T_s)^{1/2}]$

$\lambda = \lambda_1$ or λ_2, whichever is greater

$\lambda_1 = C_1 - C_2 G_t/10^5$

$\lambda_2 = C_3 G_t/10^5$

$C_1 = 24\, C_2$

$C_2 = \dfrac{0.005}{1 - \alpha^{40}} + 0.0075\alpha$

$C_3 = 0.2\, C_2$.

Vapor temperature T_v and qualities x_a and x_e are related by

$$\chi_a/\chi_e = 1.0 - \left[\frac{0.26}{1.15 - (P/P_c)^{0.65}}\right]\left(\frac{T_v - T_s}{T_w - T_v}\right) \tag{4.162}$$

$$\chi_a/\chi_e = H_{fg}/[H_{fg} + C_{p_v}(T_v - T_s)] , \tag{4.163}$$

where P_c is critical pressure. From the foregoing, (x_a/x_e) is determined as a function of P and T_w.

Chen assumes total heat transfer q_t is the sum of q_v'' and the heat transferred to the liquid, q_l''. Total heat flux q_t'' is then given by

$$q_t'' = q_v'' + q_l'' = q_v'' + q_{lc}''(F_L) , \tag{4.164}$$

where

$q_{lc}'' = \dfrac{\phi_1 + \phi_{12} + \phi_2}{t_1 + t_{12} + t_2}$ = average bent flux during time of contact between liquid globules and hot wall

$\phi_1, \phi_{12}, \phi_2$ = heat fluxes during prenucleation, bubble growth, and film evaporation periods, respectively

t_1, t_{12}, t_2 = duration of prenucleation, bubble growth, and film evaporation periods, respectively.

The ϕ and t parameters are complicated functions of physical properties T_w, T_s, and pressure.

It should be observed that an iterative process is required to evaluate h in the nonequilibrium approaches. Thus, in Groenveld and Delorme's method, a value for q'' is needed before ψ can be calculated, but a value for ψ is needed before a correct value for q'' can be obtained. The procedure is tedious; many designers prefer to use an empirical equation that assumes steam is at the saturation temperature and that has been fitted to data points in a narrower range.

A variety of empirical equations are available for film boiling at high mass velocities, particularly when the wall temperature is below the Leidenfrost point. The following correlation of Bishop et al.[115] can be used over the range of data correlated.

$$\left(\frac{hD_e}{k}\right)_f = 0.0193\left(\frac{D_eG}{\mu}\right)_f^{0.80}\left(\frac{c_p\mu}{k}\right)_f^{1.23}\left(\frac{\rho_v}{\rho_{\text{bulk}}}\right)^{0.68}\left(\frac{\rho_v}{\rho_{l_{\text{sat}}}}\right)^{0.68}, \qquad (4.165)$$

where f refers to film temperature, which equals $(T_w + T_b)/2$; v refers to the vapor phase; and l_{sat} refers to the saturated liquid. This correlation was developed from data in the following ranges:

$q'' = 0.11 \times 10^6$ to 0.61×10^6 Btu/(h ft^2)

$G = 0.88 \times 10^6$ to 2.5×10^6 lb/(h ft^2)

$P = 580$ to 3190 psia

$D_e = 0.10$ to 0.32 in.

$T_b = 483$ to 705°F

$T_w = 658$ to 1100°F.

For lower mass velocities, the following correlation suggested by Tong and reported by Bishop et al.,[116] is applicable

$$hD_e/(k_{w,v}) = 0.005\ [D_eV_m\rho_{w,v}/(\mu_{w,v})]\ [c_p\mu/(k_{w,v})]^{1/2}, \qquad (4.166)$$

where

V_m = mixture velocity

$\mu_{w,v}$ = vapor viscosity at wall temperature

$k_{w,v}$ = vapor thermal conductivity at wall temperature

$\rho_{w,v}$ = vapor density at wall temperature.

The range of parameters used in developing the correlation was

$$500 \leqq \text{Re} \leqq 50\,000$$

$$1500 \leqq P \leqq 2200 \text{ psia} .$$

Polomik et al.[117] correlated the film boiling data obtained during the annular flow regime at pressures from 800 to 1400 psia by

$$(hD_e/k)_f = 0.0036\{\text{Re}_f[(1-\chi)/\chi]\}^{0.853}[\alpha/(1-\alpha)](\text{Pr}_f)^{1/3} , \tag{4.167}$$

where all properties are evaluated at film temperature.

At low flows and high qualities, Hao et al.[118] correlated their data by

$$(hD_e/k)_f = 0.132\,\text{Re}_{f\alpha}^{0.641}\,\text{Pr}_{f\alpha}^{1.36} , \tag{4.168}$$

where f refers to film temperature and $f\alpha$ indicates properties evaluated at the film temperature using a square root combination of phase properties. That is, the mean value of property y is obtained from

$$y_m = [\alpha\sqrt{y_v} + (1-\alpha)\sqrt{y_l}]^2 , \tag{4.169}$$

where α is the homogeneous void fraction. The correlated data had parameters in the range

$$0.03 \times 10^6 \leqslant G \leqslant 0.5 \times 10^6 \text{ lb/h ft}^2$$

$$60 \leqslant P \leqslant 1500 \text{ psia}$$

$$0.7 \leqslant \chi .$$

Both upflow and downflow data were included, but tests were run at only a single tube size (0.5 in.).

4-3.4.2 Pool Boiling

When the core is recovered at the end of a LOCA, the liquid mass flow rates are low. At that point, the heat transfer mechanism can be considered to be that of pool-film boiling. At pressures significantly above atmospheric, the following laminar film boiling correlation of Borishanski and Fokin[119] can be used:

$$h = (Fk_v/\delta_v)\{(k_v g \delta_v^3/v_v)[(\gamma_l' - \gamma_v')/\gamma_v']\}^n , \tag{4.170}$$

where

k_v = thermal conductivity of vapor

γ_l' = specific gravity of liquid

γ_v' = specific gravity of vapor

v_v = kinematic viscosity of vapor

δ_v = mean vapor film thickness

$= 31[\sigma/(\gamma_l - \gamma_v)]^{0.5}[q''\mu_v/(H_{fg}\gamma_v\sigma)]^{0.53}$

H_{fg} = latent heat of vaporization

σ = surface tension

μ_v = viscosity of vapor

q'' = heating rate

$$\left.\begin{array}{l} F = 2.8 \\ n = 0.33 \end{array}\right\} \text{ for } 2 \times 10^4 < \left[\frac{g\delta_v^3}{v_v}\left(\frac{\gamma_l' - \gamma_v'}{\gamma_v'}\right)\right] < 1.4 \times 10^6$$

$$\left.\begin{array}{l} F = 0.0094 \\ n = 0.57 \end{array}\right\} \text{ for } 1.4 \times 10^6 < \left[\frac{g\delta_v^3}{v_v}\left(\frac{\gamma_l - \gamma_v}{\gamma_v}\right)\right] < 1.5 \times 10^7 .$$

Bromley[120] correlated the data for pool boiling at low pressures by an equation that was later modified slightly by Hsu and Westwater,[121] for vertical surfaces

$$h = 0.7\left\{[k_v^3\rho_v(\rho_l - \rho_v)gH_{fg}]/(L\Delta T\mu_v)\right\}^{0.25} , \tag{4.171}$$

where

H_{fg} = heat of vaporization, Btu/lb

L = heated length, ft

$\Delta T = T_{\text{wall}} - T_{\text{bulk}}$,

and the subscripts

v = vapor property

l = liquid property.

Griffith and Kirchner[122] point out that observations of reflooding conditions show waves are present at the liquid-vapor interface, and vapor varicosities occur at regular intervals. They conclude that the instability wavelength governs the flow field, and the flow effectively restarts at each varicosity. They suggest that L in Eq. (4.171) be replaced by a characteristic wavelength that they consider to be $\sim\pi D_h$.

Anderson[123] also concluded that the characteristic length in Eq. (4.171) should be that of the unstable wavelength for a disturbance. His calculations, based on a Helmholtz instability analysis, led to wavelengths with a magnitude similar to that proposed by Griffith and Kirchner.[122] On the other hand, Pomerantz[124] suggests that Eq. (4.171) be modified to

$$h = 0.6(D_e/\lambda)^{0.172}\left\{[k_v^3\rho_v(\rho_l - \rho_v)gH_{fg}]/(D_e\Delta T\mu_v)\right\}^{0.25} , \tag{4.172}$$

where

$$\lambda = 2\pi\left[\frac{g_c\sigma}{g(\rho_l - \rho_v)}\right]^{1/2}$$

and σ is surface tension.

4-3.4.3 Radiative Heat Transfer

For film boiling conditions, the surface temperature may rise to the point where radiative heat transfer is significant. The foregoing equations describe the convective heat transfer only, but the radiation coefficient appropriate to the geometry should be included. For this purpose, Hottell's empirical method[125] is recommended.

For the simple geometry of a circular pipe, we write

$$q''_{\text{total}} = h_c(T_w - T_{\text{sat}}) + \epsilon\, 1.73 \times 10^{-9} (T_w^4 - T_{\text{sat}}^4) \;, \tag{4.173}$$

where

h_c = appropriate convective heat transfer coefficient

ϵ = effective emissivity = $\left\{ \dfrac{1}{\epsilon_w} + \left[\dfrac{1}{\epsilon_v \alpha + (1 - \alpha)\epsilon_l} \right] - 1 \right\}^{-1}$

α = void fraction

ϵ_w = emissivity of wall

ϵ_v = emissivity of steam

ϵ_l = emissivity of liquid.

4-4 HEAT TRANSFER IN STEAM GENERATORS

4-4.1 Heat Transfer Rate

Most steam generators are natural circulation units. The heat transfer area for such units can be estimated using an overall heat transfer coefficient, U, and the log mean-temperature difference (LMTD). Lewis et al.[126] estimate that the normal range for U in a natural circulation boiler is between 600 and 900 Btu/(h ft^2 °F). For a more precise area calculation, consideration should be given to the fact that secondary-side water entering the tube bundle is subcooled. Figure 4-13 shows the temperature change in primary and secondary fluid as a function of fluid enthalpies for a typical straight-through design. It is obvious that the use of an LMTD, taking the secondary fluid to be at saturation, is conservative. The situation can be handled by computing the LMTDs for the subcooled and bulk-boiling regions separately. In the case shown, areas for the two regions would be computed. When a once-through superheating unit is designed, the superheating section must be considered separately.

The U-tube recirculating steam generator (see Fig. 1-9) really contains one shell-side pass and two tube-side passes. This can reduce the effective temperature difference and, in most heat exchangers of this configuration, the LMTDs would be multiplied by an appropriate F factor to account for this. (See basic heat transfer texts such as Holman[127] for graphic presentation of F factors.) However, since

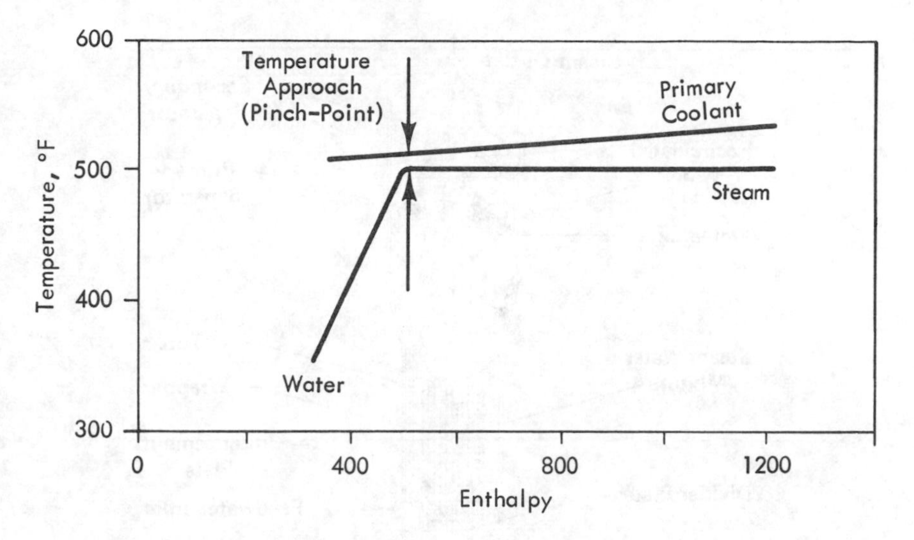

Fig. 4-13. Temperature variation in a straight-through steam generator.

steam temperature does not change, the F factor becomes 1.0 and the LMTD can be used without correction.

Some recent recirculating U-tube designs use an integral preheater on the cold leg of the tube bundle to decrease the effective temperature difference in the boiling region and produce higher steam pressures. This design is illustrated in Fig. 4-14.

In the integral preheater design,[128] feedwater is introduced directly into the preheater in the lower shell. Feedwater is directed in a counterflow arrangement with a baffling zone adjacent to the tube plate. The preheater heats the feedwater to a temperature slightly below the boiling inception point. The water then enters a region separated from the recirculated stream, where nucleate boiling occurs. The feedwater then joins the recirculating stream.

The effect of the integral preheaters may be more readily understood by referring to Fig. 4-15, which illustrates the temperature-length behavior. The solid lines illustrate behavior in the original design where steam temperature is limited by the temperature approach at the pinch point (P_1). When an integral preheater is added, the secondary fluid on the hot-leg side follows line A, while the secondary fluid in the preheater section follows line B. Since a smaller area per unit length is available for preheating, the fluid in the preheater reaches saturation at a length further from the inlet. The pinch point is at P_2 and thus, the steam temperature is increased. Note that four separate LMTDs are required for estimating the behavior of this design.

The overall resistance to heat transfer is the sum of the resistance of the primary coolant film, the tube wall, fouling, and the boiling film coefficient. If we base the calculations on the outer or steam side area, we have

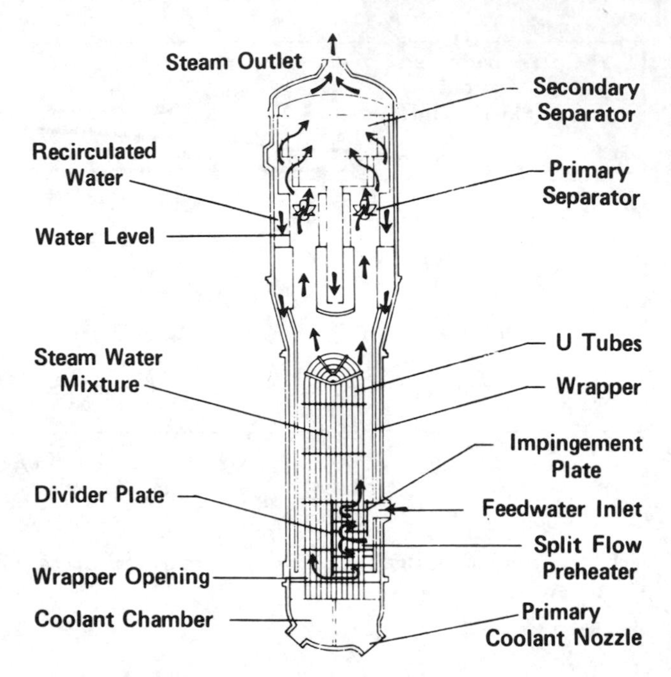

Fig. 4-14. Recirculating U-tube steam generator with integral preheater (from Ref. 128).

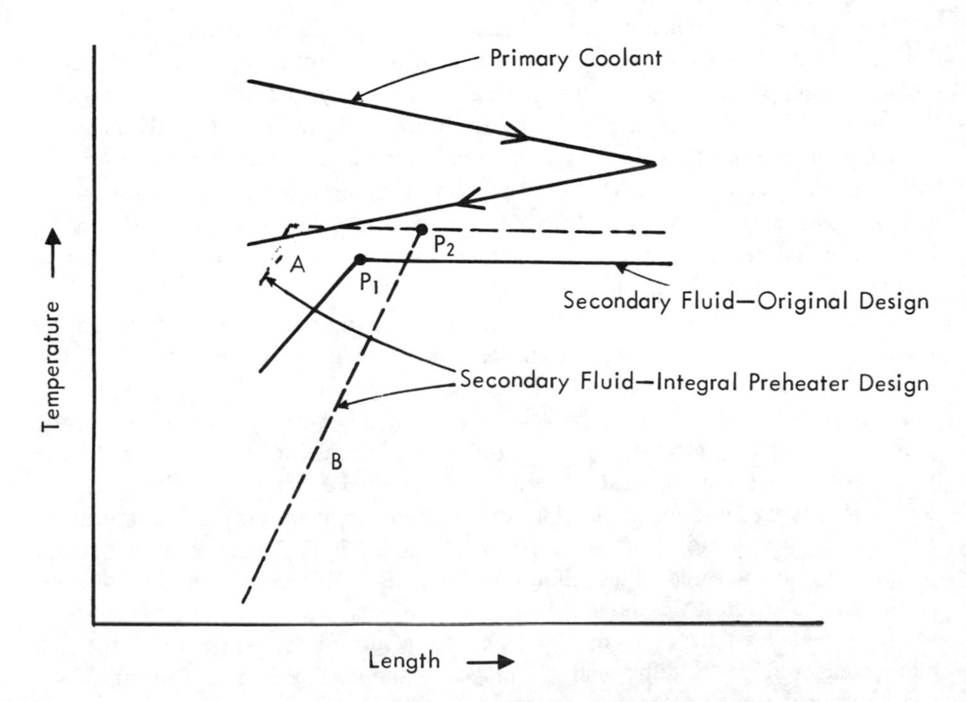

Fig. 4-15. Temperature variation in U-tube steam generator.

$$\frac{1}{U}=\frac{1}{h_i}\frac{A_o}{A_i}+\frac{r_o-r_i}{k_w}\frac{A_o}{A_m}+f+\frac{1}{h_0}, \tag{4.174}$$

where

h_i = primary coolant film coefficient, Btu/(h ft^2 °F)

h_0 = secondary side film coefficient

A_o, A_i, A_m = outside, inside, and mean surface areas

r_o, r_i = outside and inside radii

k_w = thermal conductivity of tube wall, Btu/(h ft^2 °F)

f = fouling factor, (°F ft^2 h)/Btu.

The primary-side coefficient can be computed from Eq. (4.104) or another available correlation for a low viscosity fluid flowing turbulently inside a tube. The maximum value of h is usually determined by the highest mass velocity tolerable from a pumping power standpoint. This limit, which has been in the neighborhood of 10 to 15 ft/s, is encountered before reaching velocities at which erosion is a problem.

The correlations available for computing shell-side boiling film coefficients were discussed in Sec. 4-3.1. Both the Rohsenow and Jens-Lottes correlations have been used by designers. Note the possibility that a short section near the secondary-side inlet may not be in local boiling. An appropriate correlation for forced convection single-phase coefficients for flow parallel or across tube bundles should be used (see Sec. 4-2.1) for this portion of the exchanger. In the superheat region of a once-through unit, steam will be flowing across a baffled tube bank. Design of such cross-baffled exchangers is often handled using Tinker's method.[129]

Fouling factors can be considered to represent safety factors that increase the design area of a heat exchanger to compensate for possible scale buildup on heat transfer surfaces. Since the primary coolant is maintained at extremely high purity levels, fouling on the primary side is usually negligible. Secondary system purity has been lower and some fouling can occur. Lewis et al.[126] state that an allowance of 0.0003 (°F ft^2 h)/Btu is generally accepted as reasonable.

Although it is unlikely that DNB will be encountered in a recirculating unit, it is possible for it to occur: (a) in the primary coolant inlet region where temperature differences and heat fluxes are highest, and (b) at the secondary fluid exit, where steam qualities are highest. The designer compares expected local heat flux with predicted DNB flux for those regions and attempts to maintain an adequate safety margin.

Since DNB is of greater importance in a once-through boiler, reasonable costs can be achieved only if most of the heat is transferred by nucleate boiling. Davies[130] states that it is possible to maintain nucleate boiling up to the position where the quality is in excess of 85%, if low mass flow rates [below 400 000 lb/(h ft^2)] and heat fluxes [under 150 000 Btu/(h ft^2)] are used. At higher qualities, heat transfer can be assumed to be to steam. Baffling is used to provide flow velocities that yield acceptable heat transfer coefficients.

Nahavandi et al.[131] considered the optimal design of vertical natural circulation steam generators. They conclude that minimum costs (capital + operating) are achieved by using the smallest tubes permitted by scale formation and maintenance considerations. Increasing tube roughness led to increased costs.

4-4.2 Circulation Rate

A natural circulation loop is established in each recirculating steam generator design. A differential head is produced by the difference in density between the water in the downcomer and the two-phase mixture or tube bundle. Circulation rate is determined by equating the differential head to the pressure losses of the system.

A crude measure of the adequacy of secondary coolant flow through the tube bundle is the "circulation ratio," defined as the weight of water circulating in the exchanger per unit weight of steam generated. A small circulation ratio indicates a large fraction of steam in the tube bundle and the possibility of poor heat transfer on the shell side. In addition, a low circulation ratio can lead to flow instability. In the past, units have been designed with circulation ratios such that the steam quality at the exit of the bundle does not exceed 20 to 25%. For operation with 600-psia steam, this requires a circulation ratio of ~40.

A low circulation ratio can lead to flow oscillations that cause periodic uncovering of a portion of the heat exchanger surface. This "chugging" phenomenon reduces heat transfer efficiency, and flow oscillations of sufficient amplitude can lead to large fluctuations in the water level or steam flow rate.

Experience has shown that flow stability can be achieved by keeping the steam quality in the tube bundle low, or equivalently, by keeping the recirculation ratio high. This necessitates a low pressure drop on the shell side which can be accomplished by increasing the size of the flow paths and, hence, the steam generator vessel. This is undesirable for large units, since it can lead to an uneconomic design. In modern practice, an attempt is made to predict the dynamic response of the system using the techniques discussed in Sec. 3-3.3.

The circulation rate is not necessarily uniform across the bundle cross section. The nonuniformities arise due to the much higher rate of steam generation along the hot leg and, in older designs, due to the manner in which feedwater is introduced. In many steam generators designed prior to 1972, nearly stagnant regions were found near the tube support plates.

4-4.3 Operational Problems

The major operating difficulty with U-tube steam generators has been localized corrosion coincident with sludge deposition in low velocity zones on the secondary side. To eliminate such problems, all-volatile chemistry has replaced earlier phosphate secondary water treatment. In addition, designs similar to that shown in Fig. 4-14 incorporate special baffles that significantly increase fluid velocity in the neighborhood of the lower tube plate. In the USSR, horizontal units with vertical tube support plates have been used to prevent sludge deposition. Experience with small heat exchangers, e.g., 75 MW(e), has been good, but experience with larger units has not yet (1978) been obtained.[b]

Use of all-volatile chemistry appears to have largely eliminated tube thinning and corrosion-assisted cracking. However, in some units there has been an unexpected accumulation of corrosion products in the crevices between the tubes and tube support plates. In a number of instances, the corrosion product accumulation has led to inward denting of the steam generator tubes at these locations. The problem has been most often seen in plants with seawater-cooled condensers and is believed to be due to chloride contamination of the secondary fluid from condenser leakage. Newer plants use improved condenser designs that considerably reduce leakage. In addition, stainless-steel support plates with quatrefoil cutouts are used. The stainless steel reduces corrosion and the quatrefoil cutouts minimize the length of the narrow gap region between the support plate and steam generator tube.

In some European plants, corrosion and denting problems have been minimal despite use of phosphate treatment for the secondary water. These steam generators have used tubes of Incoloy 800. This alloy is more resistant to stress corrosion cracking than the Inconel 600 that is usually used. In addition, the tubes are spaced by vertical flat bars of stainless steel rather than carbon steel support plates.

Another operational problem that must be considered is that of steam-generator water hammer.[132] In several abnormal transients (e.g., main feedwater pump trip), it is possible for the feedwater spargers in the steam generator to uncover. Cold auxiliary feedwater is then introduced into the feedwater piping to restore water level and maintain heat transfer. Under some circumstances, this water can form a slug that blocks the pipe cross section and traps steam void upstream. If this happens, the steam void condenses and the void pressure decreases rapidly. The pressure difference created accelerates the water slug through the piping, where it impacts on the first elbow or bend sending a pressure wave through the piping (water hammer). To mitigate this phenomenon, revised designs have been developed. These designs have used a combination of discharging from the top of the feedwater sparger, keeping feedwater piping short, initiating feedwater flow early during transients which can uncover the sparger, and limiting the feedwater flow rate until the sparger is refilled with water. Alternatively,[132] means can be provided to furnish feedwater at a rate in excess of the drainage rate whenever the steam generator level drops below the feed ring.

Thermal stresses in heat exchanger tubes during transients and part-load operation give rise to concern in once-through generators. Considerable care is taken to minimize the differential expansion between tubes and shell during full-load operation. In present (1978) designs, this is accomplished by causing a

---

[b] Details of heat exchanger design practice in the USSR are provided by M. Styrikovich in "Role of Two-Phase Flows in Nuclear Power Plants," *Proc. Int. Seminar on Momentum Heat and Mass Transfer in Two-Phase Energy and Chemical Systems*, Dubrovnik, Yugoslavia (1978).

stream of slightly superheated steam from the upper part of the tube bundle to flow down an annulus between the tube bundle shell and the vessel over the major part of the vessel length. In addition, the lower portion of the vessel is filled with water preheated (by mixing it with steam) to a temperature close to saturation. The lower portion of the tubes where boiling occurs has a wall temperature close to saturation, while the upper section has a temperature close to that of the primary system. The total expansion of vessel and tubes at full load may be very nearly equalized by proper choice of the upper and lower lengths.

At part loads, the portion of the steam generator in the superheating region increases and the average temperature of the tubes increases. The temperature of the exit steam does not change at part load and, hence, the expansion of vessel and tubes differs. This gives rise to thermal stresses. It is conceivable that fatigue cracks could occur after long-term operation if there are frequent load changes. While some tube leakage in once-through generators has been observed, sufficient long-term operational data have not yet (1978) been secured to conclude that fatigue effects are a real problem. Various revised designs, such as undulating or spiral tubes, which would further reduce thermal stresses, have been proposed. However, none have actually been used.

Note that since all the water entering the tube in a once-through unit is evaporated, the entering water must be very high purity. All of the water fed to these units flows through demineralizers and typically has sodium concentrations of 5 ppb or less.

4-5 COOLING OF STRUCTURE AND SOLID MODERATOR

4-5.1 Temperature Distribution Within Core Structure

In Sec. 1-5, we indicated that the heat distribution in a flat plate due to the absorption of uncollided γ flux follows a distribution of the form

$$q_x''' = q_1''' \exp(-ax) \;, \tag{4.175}$$

where

q_x''' = volumetric heat flux at distance x from surface

q_1''' = volumetric heat flux at the surface adjacent to the source.

An equation of this form is often used as an approximate representation of the total heat generation, the effect of buildup factors being approximately accounted for adjustment of constant a. For this flux distribution, the general solution for the temperature distribution, when the heat transferred from each surface of the plate is not the same, is given by

$$T_x - T_c = [q_1'''/(ka^2)] \exp(-ax) - C_1 x + C_2 \;, \tag{4.176}$$

where

$$C_1 = \left\{ \frac{-q_1'''}{ka} \left[\frac{k}{h_1} + \frac{1}{a} + \frac{k\exp(-aL)}{h_2} - \frac{\exp(-aL)}{a} \right] \right\} \Big/ \left(\frac{k}{h_1} + \frac{k}{h_2} + L \right)$$

$$C_2 = \frac{kC_1}{h_1} + \frac{q_1'''}{h_1 a} + \frac{q_1'''}{ka^2}$$

and

T_c = temperature of coolant

k = thermal conductivity of plate, Btu/(h ft °F)

h_2, h_1 = heat transfer coefficients at surfaces $x = L$ and $x = 0$, Btu/(h ft^2 °F)

L = thickness of plate, ft

q_1''' = volumetric heat flux at surface $x = 0$, Btu/(h ft^3).

In a cylindrical shell with a central source, such as a portion of the vessel or thermal shield, the heat generation rate falls more rapidly than in a plate. Since the incident flux varies inversely with radius μ, the heat generation rate is then given by

$$q_x'' = (R_1/\mu) q_1''' \exp[-a(r - R_i)] \quad , \tag{4.177}$$

where R_i is the inside radius. The temperature distribution then becomes

$$T - T_0 = [(R_i q_1)\exp(-aR_i)/(ak)] \left(E_i\{-aR_i[1 + (L/R_i)L_1]\} - E_i(-aR_i) - \exp(-aR_i)[1 + (L/R_i)L_m] \ln[1 + (L/R_i)L_1]\right) \quad , \tag{4.178}$$

where

E_i = exponential integral

L = wall thickness

$L_1 = r - R_i/L$

L_m = thickness at which maximum temperature occurs

T_0 = temperature at $x = 0$.

Equation (4.178) is rarely used for temperature evaluation due to its complexity. Fortunately, for most structural units encountered, the ratio of a wall thickness to cylinder diameter is low enough so that a good approximation is obtained by using the solution for a plate. Equation (4.176) can then be used where a simple exponential distribution offers a good approximation of the heat flux distribution. In most instances, a better approximation of heat generation is provided by

$$q_x''' = q_1'''(-a_1 x) + q_2''' \exp(-a_2 x) + \ldots . \; q_m''' \exp(-a_m x) \quad . \tag{4.179}$$

Thus, we can allow for the various energy groups. When the plate is heated from both sides, terms of the form $q_i \exp[-a_i(L - x)]$ can be included; they can be rewritten as

$$q_i \, [\exp(-a_i L)] \exp(a_i x) = q_i' \exp(-a_i' x) \ , \tag{4.180}$$

where $a_i' = -a_i$. These are compatible with Eq. (4.179) and the subsequent development. By including rapidly decaying terms with negative q_i, we can also closely approximate the effect of buildup factors on heat generation in the region closest to the surface.

For heat generation following Eq. (4.179) in a plate cooled on both sides, temperature distribution is given by

$$T - T_2 = -\frac{1}{k}\left[\frac{q_1''' \exp(-a_1 x)}{a_1^2} + \frac{q_2''' \exp(-a_2 x)}{a_2^2} + \ldots \frac{q_n''' \exp(-a_n x)}{a_n^2}\right] - C_1 x - C_2 \ , \tag{4.181}$$

where

$$C_1 = \left[L + k\left(\frac{1}{h_1} + \frac{1}{h_2}\right)\right]^{-1} \left\{\frac{q_1'''}{a_1}\left[\exp(-a_1 L)\left(\frac{1}{h_2} - \frac{1}{a_1 k}\right) + \frac{1}{h_1} + \frac{1}{a_1 k}\right]\right.$$

$$+ \frac{q_2'''}{a_2}\left[\exp(-a_2 L)\left(\frac{1}{h_2} - \frac{1}{a_2 k}\right) + \frac{1}{h_1} + \frac{1}{a_2 k}\right] + \ldots$$

$$\left. + \frac{q_n'''}{a_n}\left[\exp(-a_n L)\left(\frac{1}{h_2} - \frac{1}{a_n k}\right) + \frac{1}{h_1} + \frac{1}{a_n k}\right] + (T_2 - T_1) \right\} \ , \tag{4.182}$$

and

$$C_2 = \frac{C_1 k}{h_1} - \frac{q_1'''}{a_1}\left(\frac{1}{h_1} + \frac{1}{a_1 k}\right) - \frac{q_2'''}{a_2}\left(\frac{1}{h_1} + \frac{1}{a_2 k}\right) - \ldots - \frac{q_n'''}{a_n}\left(\frac{1}{h_1} + \frac{1}{a_n k}\right) , \tag{4.183}$$

where

T_1 and T_2 = coolant temperatures at surfaces $x = 0$ and $x = L$, respectively

L = thickness of plate

h_1 = heat transfer coefficient at surface $x = 0$

h_2 = heat transfer coefficient at surface $x = L$.

Since constants C_1 and C_2 contain $1/h$ terms, we observe that the previous expressions cannot be used if one wall is insulated (one h is zero). In that event, we write constants C_1 and C_2 as

$$C_1 = \frac{q_1''' \exp(-a_1 L)}{a_1 k} + \frac{q_2''' \exp(-a_2 L)}{a_2 k} + \ldots \frac{q_n''' \exp(-a_n L)}{a_n k} \tag{4.184}$$

$$C_2 = \frac{-q_t''}{hA} - \frac{1}{k}\left(\frac{q_2'''}{a_1^2} + \frac{q_2'''}{a_2^2} + \ldots \frac{q_n'''}{a_n^2}\right) , \tag{4.185}$$

where

$$q_t'' = \int_0^L q_x''' \, dL \ .$$

For very thin plates or tubes, it is adequate to use uniform heat generation throughout. In this case, we assume the coolant temperature is the same on both sides of the plate and find

$$T - T_C = \frac{q_1''' x^2}{2k} + \frac{q_1''' x}{k} \left[-\frac{L}{2} + \frac{k}{h_2} + \left(\frac{kL/h_2 + L^2/2}{k/k_1 + k/h_2 + L} \right) \times k \left(\frac{1}{xh_1} - \frac{1}{Lh_1} - \frac{1}{Lh_2} \right) \right] , \tag{4.186}$$

where T_C is the coolant temperature.

Ma[133] obtained a solution for transient temperature distribution occurring during the heat up of a reactor vessel wall. It is assumed that the vessel is originally at uniform temperature T_0, is perfectly insulated at its outer radius ($r = r_b$), and is cooled with forced convection h at its inner radius ($r = r_a$). Ma[133] presents his results in terms of a dimensionless temperature difference, θ, and a dimensionless time, τ, where

$$\theta = ka^2(T - T_0)/q''' \tag{4.187}$$

$$\tau = [(k/\rho c_p)\, t] / r_a^2 \ , \tag{4.188}$$

where a is the attenuation coefficient and t represents time. Transient temperature distribution is given by

$$\theta(x', \tau) = \sum_{i=1}^{\infty} S_i A_i(\lambda_i x') G_i(\tau) \ , \tag{4.189}$$

where

$$S_i = \pi^2/2 \, \frac{\lambda_i^2 [\lambda_i J_1(\lambda_i) + \beta J_0(\lambda_i)]^2}{\lambda_i [J_1(\lambda_i) + \beta J_0(\lambda_i)]^2 - (\lambda_i^2 + \beta^2) J_1^2(\lambda_i x_0')} \tag{4.190}$$

$$x' = r/r_a$$

$$x_0' = r_a/r_b$$

$$G_i(\tau) = \bar{f}(x') \exp(-\lambda_i^2 \tau) \int_0^\tau g(\tau)\, (\lambda_i^2 \tau) d\tau \tag{4.191}$$

$$\bar{f}(x') = \int_1^{x_0} x\, [Y_1(\lambda_i x_0) J_0(\lambda_1 x') - J_0(\lambda_i x_0) y_0(\lambda_i x)]\, q'''(x) dx \tag{4.192}$$

$$\beta = r_a(h/k) = \text{Biot number}$$

$\lambda_i (i = 1,2,3)$ = eigenvalues and the positive roots of Eq. (4.193)

$$0 = Y_1(\lambda_i x_0')[\lambda_i J_1(\lambda_i) + \beta J_0(\lambda_i)] - J_1(\lambda_i x_0')[\lambda_i Y_1(\lambda_i) + \beta Y_0(\lambda_i)] \quad (4.193)$$

$J_c(\lambda_i x')$ = Bessel function of order c and first kind

$Y_c(\lambda_i x')$ = Bessel function of order c and second kind

$q''' = q_1''' \exp(-ax) \cdot g(\tau)$

$g(\tau)$ = function describing the variation of heating rate with time.

4-5.2 Temperature Distribution Within a Solid Moderator

We previously observed that in a solid with internal heat generation, the temperature field must satisfy the partial differential equation

$$\nabla (k \nabla T) = q''' \ , \quad (4.194)$$

where q''' is the volumetric rate of heat generation. Normally, the solid is cooled by the series of parallel channels that contain the fuel elements. At each such channel, we must satisfy the boundary condition

$$k(\partial T/\partial n) = k(T_f - T_w) \ , \quad (4.195)$$

where

n = outward normal to the solid boundary

T_f = fluid temperature

T_w = temperature of the solid boundary.

A complete solution of the problem is highly complex since q''' can vary with location, k can be a function of temperature, and T_f can vary significantly along the channel. Under such conditions, a numerical solution is required. The heat conduction in Eq. (4.194) is written in finite difference form, and an estimate of the heat removed by the coolant is obtained. The flow distribution, coolant axial temperature rises, and pressure drops of the coolant can then be estimated; revised coolant temperatures can then be used to obtain an improved estimate of the solid temperatures. Iteration is continued until the heat flux distributions at the fluid-solid interfaces are compatible with both sets of equations. An example of a computer program for such an analysis is provided by Lee and Gallagher.[134]

Computation of the rate of gamma heating of a solid moderator is quite complex. Gamma heating of graphite-moderated systems has been examined by Hanson and Busselman[135] using both a point-kernal shielding code[136] and a transport code.[137] The transport code appeared to supply the more reliable results.

For large, graphite-moderated cores, heat generation and coolant conditions can vary quite slowly with distance. A reasonable estimate of the radial temperature distribution in a region can then be obtained by considering a typical

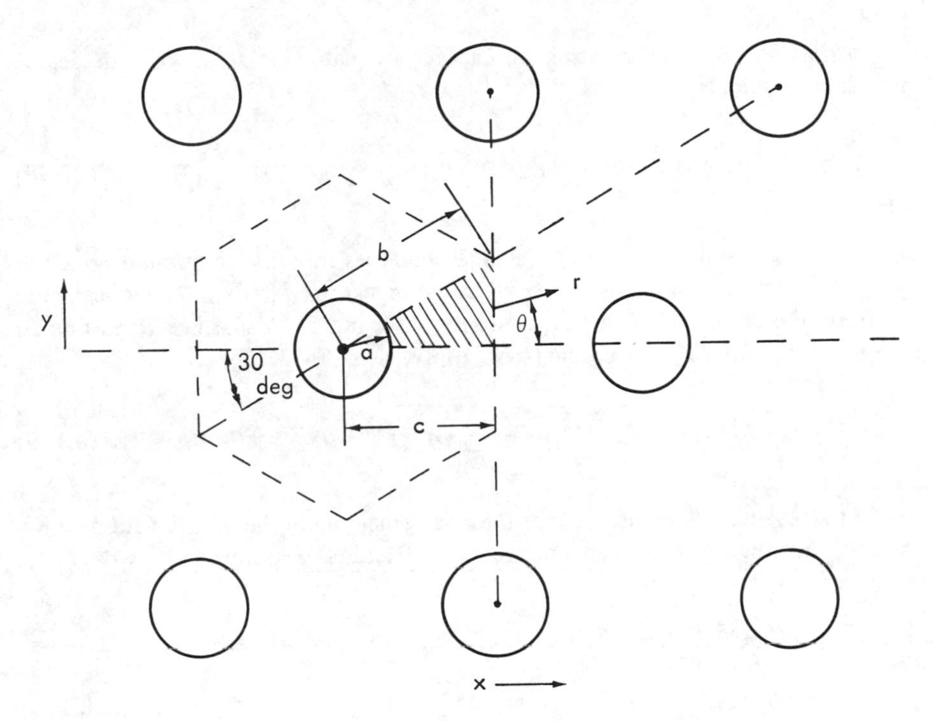

Fig. 4-16. Coolant passages in graphite-moderated reactor.

channel and the moderator surrounding it. Fend et al.[138] obtained an approximate analytical solution in circular harmonics for a large, uniformly heated reactor with coolant holes at the vertices of equilateral triangles (Fig. 4-16). Since the region has 30-deg symmetry, only the area bounded by the adiabatic planes θ = 0 deg, θ = 30 deg, and $x = c$ needs to be considered. The temperature at the walls of the coolant channels ($r = a$) is taken as uniform.

An approximate solution is obtained in circular coordinates by satisfying the isothermal conditions at the coolant channel wall, satisfying the adiabatic conditions at θ = 0 and 30 deg, and trying to meet the remaining adiabatic conditions at $x = c$ by setting $(\partial T/\partial x)_c = 0$ at some values of θ and by assuming this condition along $x = c$.

If the axial temperature gradient is negligible, the temperature field satisfies

$$\frac{\partial^2 T}{\partial r^2} + \frac{1}{r}\frac{\partial T}{\partial r} + \frac{1}{r^2}\frac{\partial^2 T}{\partial \theta^2} + \frac{q'''}{k} = 0 \ . \tag{4.196}$$

By substituting $T' = T + q''' r^2/4k$, this reduces to a cylindrical form of Laplace's equation

$$\frac{\partial^2 T'}{\partial r^2} + \frac{1}{r}\frac{\partial T'}{\partial r} + \frac{1}{r^2}\frac{\partial^2 T'}{\partial \theta^2} = 0 \ . \tag{4.197}$$

One form of the general solution of Laplace's equation in terms of n'th degree circular harmonics is

$$T' = (A_0 + B_0 \ln r) + \sum_{n-1}^{\infty} + (A_n r^n + B_n r^{-n})(C_n \cos n\theta + D_n \sin n\theta) \ . \qquad (4.198)$$

The adiabatic conditions along the radial boundaries are satisfied by modifying the above for the conditions of symmetry; T must repeat itself in each 60-deg segment; therefore, the permissible eigenvalues are $n = 0, 6,$ and 12. Also, since T must be an even function of θ, only the cosine terms apply, giving

$$T = A_0 + B_0 \ln r - [q'''/(4k)]r^2 + \sum_{n-1}^{\infty} (A_{6n} r^{6n} + B_{6n}^{-6n})\cos 6n\theta \ . \qquad (4.199)$$

Fend et al. evaluate B_0 by noting that the heat generated in the 30-deg volume must leave through the coolant channel between $\theta = 0$ and 30 deg, thus

$$(q'''/12)(3\sqrt{3}\, b^2/2 - \pi a^2) = \int_0^{\pi/6} h(a d\theta)(\partial T/\partial r)_a = \pi/6\,(B_0 k - q''' a^2/2) \ , \qquad (4.200)$$

which gives

$$B_0 = 3\sqrt{3}\, q''' b^2/(4\pi k) \ .$$

By observing that $T = T_a$ at $r = a$, they can choose $A_{6n} = -B_{6n}a - 12_n$, providing they set $A_0 = T_a + q''' a^2/4k - B_0 \ln_a$. This yields

$$T = T_a + [3\sqrt{q}''' b^2/(4\pi k)] \ln(r/a) - (q'''/4k)(r^2 - a^2)$$

$$+ \sum_{n-1}^{\infty} A_{6n} [(r^{12n} - a^{12n})/r^{6n}] \cos 6n\theta \ . \qquad (4.201)$$

When a finite number of terms in the series are used, we can ratify the adiabatic condition along $x = c$ at as many points as there are series terms, the value of A_6 and A_{12} are found by setting $\partial T/\partial x = 0$ at θ_1 and θ_2. Fend et al. chose θ_1 and θ_2 as 12 and 30 deg, respectively, and obtained as a final approximate solution,

$$\frac{T - T_a}{q''' b^2/k} = \frac{1}{4} [(3\sqrt{3}/\pi)\ln(r/a) - (r/a)^2 + (a/b)^2]$$

$$- 0.01484 (r/b)^6 \cos 6\theta - 0.00021 (r/b)^{12} \cos 12\theta \ . \qquad (4.202)$$

4-6 SUMMARY

Although single-phase forced convection heat transfer is the mechanism by which heat is transferred in the low-power regions of the core, boiling is the predominant heat transfer mechanism in the hot channels. The principal areas of concern in boiling heat transfer during steady-state operation are the onset of nucleate boiling, wall temperatures during boiling, and the CHF. Since CHF defines the limits of operation, much of the reactor heat transfer efforts are concerned with CHF determination. Although fundamental understanding of the phenomena involved has progressed substantially, empirical CHF correlations [Eqs. (4.133) to (4.138)] are still recommended for design purposes. The effects of nonuniform heat generation must be included [Eqs. (4.139) to (4.140)].

Since operation beyond CHF is possible under hypothetical accident conditions, post-CHF heat transfer is also of concern to the analyst. Empirical correlations are again required for transition and film boiling regimes [Eqs. (4.151) to (4.171)]. The likelihood of thermodynamic nonequilibrium during film boiling with forced convection to steam-droplet mixtures should be recognized.

Accurate determination of the CHF requires a reliable estimate of local fluid enthalpy. Simple closed channel approaches are adequate only for preliminary estimate purposes when open channel cores are considered. Local enthalpies should be determined using a detailed numerical model of the core as embodied in such computer programs as COBRA and THINC. Such computer models appropriately include the effects of mixing and flow redistribution. Programs of this type should also be used for analyses of core behavior during anticipated transients such as the loss-of-flow accident.

Computer models have also been devised to predict system behavior during the hypothetical LOCA. Numerical procedures based on both the method of characteristics and difference methods have been employed. The application of these models to a loss-of-coolant analysis is discussed in Chap. 5.

REFERENCES

1. J. H. Keenan, F. G. Keyes, P. G. Hill, and J. G. Moore, *Steam Tables–Thermodynamic Properties of Water Including Vapor, Liquid, and Solid Phases*, John Wiley & Sons, Inc., Publishers, New York (1969).

2. C. R. Tipton, Ed., *Reactor Handbook, Vol. I: Materials*, 2nd ed., Interscience Publishers, Inc., New York (1960).

3. "NAIHYDRO-P: LEAHS Nuclear Fuel Management and Analysis Package," No. 84004500, Nuclear Associates International Corporation, Washington, D. C. (1974).

4. J. Weisman, A. H. Wenzel, L. S. Tong, D. F. Fitzsimmons, W. Thorne, and J. Batch, "Experimental Determination of the Departure from Nucleate Boiling in Large Rod Bundles at High Pressures," *Chem. Eng. Prog. Symp. Ser.*, **64**, *82*, 114 (1968).

5. H. Chelemer, J. Weisman, and L. S. Tong, "Subchannel Thermal Analyses of Rod Bundle Cores," *Nucl. Eng. Des.*, **21**, *3* (1972).

6. D. S. Rowe, "COBRA II: A Digital Computer Program for Thermal Hydraulic Subchannel Analysis of Rod Bundle Nuclear Fuel Elements," BNWL-1229, Battelle Northwest Laboratory (1970).

7. R. W. Bowring, "HAMBO: A Computer Programme for the Subchannel Analysis of the Hydraulic and Burnout Characteristics of Rod Clusters. Part I–General Description," AEEW-R524, U. K. Atomic Energy Authority, Winfrith, England (1967); see also, "Part II–Equations," AEEW-R582, U. K. Atomic Energy Authority, Winfrith, England (1968).

8. D. S. Rowe, "Initial and Boundary Value Flow Solutions During Boiling in Two Interconnected Parallel Channels," *Trans. Am. Nucl. Soc.*, **12**, 834 (1969).

9. D. S. Rowe, "COBRA IIIC: A Digital Computer Program for Steady State and Transient Thermal-Hydraulic Analysis of Rod Bundle Nuclear Fuel Elements," BNWL-1695, Battelle Northwest Laboratory (1973).

10. "TORC-Code: A Computer Code for Determining the Thermal Margin of a Reactor Core," CENPD-161, Combustion Engineering (1975).

11. W. Zernick, H. B. Curren, E. Elyash, and G. Prevetti, "THINC–A Thermal Hydraulic Interaction Code for Semi-Open or Closed Channel Cores," WCAP-3704, Westinghouse Electric Corporation (1962).

12. W. T. Sha, R. C. Schmitt, and P. Huebotter, "Boundary-Value Thermal-Hydraulic Analysis of a Reactor-Fuel Rod Bundle," *Nucl. Sci. Eng.*, **59**, 140 (1976).

13. P. T. Chu, L. E. Hochreiter, H. Chelemer, H. Bowman, and L. S. Tong, "THINC IV–A New Thermal-Hydraulic Code for PWR Design," *Trans. Am. Nucl. Soc.*, **25**, 876 (1972).

14. P. T. Chu, H. Chelemer, and L. E. Hochreiter, "THINC IV: An Improved Program for Thermal-Hydraulic Analysis of Rod Bundle Cores," WCAP-7965, Westinghouse Electric Corporation (1973).

15. C. L. Wheeler, C. W. Stewart, R. J. Cena, D. S. Rowe, and A. W. Sutey, "COBRA IV–I: An Interim Version of COBRA for Thermal-Hydraulic Analysis of Rod Bundle Nuclear Fuel Elements and Cores," BNWL-1962, Battelle Northwest Laboratory (1976).

16. F. S. Castellana and C. F. Bonilla, "Two-Phase Pressure Drop and Heat Transfer in Rod Bundles," *Two-Phase Flow and Heat Transfer in Rod Bundles*, V. E. Schrock, Ed., p. 15, American Society of Mechanical Engineers, New York (1969).

17. J. Weisman and R. W. Bowring, "Methods for Detailed Thermal and Hydraulic Analysis of Water-Cooled Reactors," *Nucl. Sci. Eng.*, **57**, 255 (1975).

18. S. V. Patankar and D. B. Spalding, "A Calculation Procedure for Heat Mass and Momentum Transfer in Three-Dimensional Parabolic Flows," *Int. J. Heat Mass Transfer*, **15**, 1787 (1972).

19. A. D. Gosman, R. Herbert, S. V. Patankar, R. Potter, and D. B. Spalding, "The SABRE Code for Prediction of Coolant Flows and Temperature in Pin Bundles Containing Blockages," AEEW-R905, U. K. Atomic Energy Authority, Winfrith, England (1973).

20. C. W. Stewart and D. S. Rowe, "Advanced Continuous Fluid Eulerian Computation Scheme for Flows with Large Density Gradients," *Trans. Am. Nucl. Soc.*, **24**, 178 (1976).

21. F. H. Harlow and A. A. Amsden, "A Numerical Fluid Dynamics Calculations Method for All Flow Speeds," *J. Comp. Phys.*, 8, 197 (1971).

22. R. Courant and K. O. Friedrichs, *Supersonic Flow and Shock Waves*, Interscience Publishers, Inc., New York (1948).

23. M. Lister, "Numerical Solution of Hyperbolic Partial Differential Equations by the Method of Characteristics," *Mathematical Methods for Digital Computers*, A. Ralston and H. Wilf, Eds., p. 165, John Wiley & Sons, Inc., Publishers, New York (1967).

24. S. Fabic, "Westinghouse Atomic Power Department Computer Program for Calculation of Fluid Pressure, Flow and Density Transients During a Loss of Flow Accident," *Trans. Am. Nucl. Soc.*, **12**, 358 (1969).

25. A. Tentner and J. Weisman, "Characteristic Equations for a Single-Fluid Model Incorporating Slip," *Trans. Am. Nucl. Soc.*, **23**, 193 (1976).

26. G. A. Hughmark, "Holdup in Gas Liquid Flow," *Chem. Eng. Prog.*, **58**, 62 (1962).

27. P. K. Kroeger, "Application of Drift-Flux Model to Blowdown Experiments in Light-Water Reactors," *Trans. Am. Nucl. Soc.*, **23**, 194 (1976).

28. P. Fox, "Solution of Hyperbolic Partial Differential Equations by Difference Methods," *Mathematical Methods for Digital Computers*, A. Ralston and H. S. Wilf, Eds., p. 180, John Wiley & Sons, Inc., Publishers, New York (1967).

29. T. A. Porshing, J. H. Murphy, and J. A. Redfield, "Stable Numerical Integration of Conservation Equations for Hydraulic Networks," *Nucl. Sci. Eng.*, **43**, 218 (1971).

30. A. Nahavandi, "Loss of Coolant Accident Analysis in Pressurized Water Reactors," *Nucl. Sci. Eng.*, **36**, 159 (1969).

31. J. H. Murphy, J. A. Redfield, and V. C. Davis, "FLASH-3: A Fortran IV Program for the Simulation of Reactor Plant Transients in Space and Time," WAPD-TM-800, Bettis Atomic Power Laboratory (1968).

32. K. V. Moore and W. H. Retting, "RELAP-4: A Computer Program for Transient Thermal-Hydraulic Analysis," ANCR-1127, Aerojet Nuclear Corporation (1973).

33. T. A. Porshing, J. H. Murphy, J. A. Redfield, and V. C. Davis, "FLASH-4: A Fully Implicit Program for the Digital Simulation of Transients in a Reactor Plant," WAPD-TM-840, Bettis Atomic Power Laboratory (1969).

34. L. J. Agee, "An Analytical Method for Integrating Thermal-Hydraulic Conservation Equations," *Trans. Am. Nucl. Soc.*, **23**, 196 (1976).

35. F. H. Harlow and A. A. Amsden, *J. Comp. Phys.*, 17, 19 (1975).

36. A. A. Amsden and F. H. Harlow, "KACHINA: An Eulerian Computer Program for Multifield Fluid Flows," LA-5680, Los Alamos Scientific Laboratory (1974).

37. J. R. Travis, F. H. Harlow, and A. A. Amsden, "Numerical Calculation of Two-Phase Flows," *Nucl. Sci. Eng.*, **61**, 1 (1976).

38. J. E. Welch, F. H. Harlow, J. P. Shannon, and B. J. Daly, "The MAC Method–A Computing Technique for Solving Viscous Incompressible Flow Problems Involving Free Surfaces," LA-3425, University of California, Los Alamos Scientific Laboratory (1965).

39. W. M. Rohsenow and H. Choi, *Heat Mass and Momentum Transfer*, pp. 141 to 142, Prentice-Hall, Inc., Englewood Cliffs, New Jersey (1961).

40. F. W. Dittus and L. M. K. Boelter, University of California, Berkeley, *Publ. Eng.*, **2**, 433 (1930).

41. J. Weisman, "Heat Transfer to Water Flowing Parallel to Tube Bundles," *Nucl. Sci. Eng.*, **6**, 79 (1959).

42. D. A. Dingee, W. B. Bell, J. W. Chastain, and S. Fawcett, "Heat Transfer from Parallel Rods in Axial Flow," BMI-1026, Battelle Memorial Institute (Aug. 1955).

43. J. Weisman, "Effect of Void Volume and Prandtl Modulus on Heat Transfer in Tube Banks and Packed Beds," *AIChE J.*, **1**, 342 (1955).

44. A. A. Bishop, F. J. Krambeck, and R. O. Sandberg, "Forced Convection Heat Transfer to Superheated Steam at High Pressure and High Prandtl Numbers," Paper 65-WA/HT-35, American Society of Mechanical Engineers, New York (1965).

45. H. S. Swenson, J. R. Carver, and G. Szoeke, "Effects of Nucleate Boiling vs Film Boiling on Heat Transfer in Power Boiler Tubes," Paper 61-WA-21, American Society of Mechanical Engineers, New York (1961).

46. A. A. Bishop, R. O. Sandberg, and L. S. Tong, "Forced Convection Heat Transfer to Water at Near-Critical Temperature and Supercritical Pressure," *Proc. AIChE-I. Chem. E., Jt Mtg., 1965, Symp., n2*, New York (1965).

47. D. Wilkie, "Forced Convection Heat Transfer from Surfaces Roughened by Transverse Ribs," *Proc. Third Int. Heat Transfer Conf.*, Vol. I, American Institute of Chemical Engineers, New York (1966).

48. V. Kolar, "Heat Transfer in Turbulent Flow of Fluids Through Smooth and Rough Tubes," *Int. J. Heat Transfer*, **8**, 639 (1965).

49. A. N. Kolmogorov, "The Local Structure of Turbulence in Incompressible Viscous Fluids for Very Large Reynolds Numbers," *Dokl. Akad. Nauk. SSSR*, **30**, 301 (1941); see also, "Dissipation of Energy in Locally Isotropic Turbulence," *Dokl. Akad. Nauk. SSSR*, **32**, 16 (1941).

50. J. Laufer, "The Structure Turbulence in Fully Developed Flow," Report 1174, p. 17, National Advisory Committee on Aeronautics (1954).

51. D. Wilkie and L. White, "Fuel Element Heat Transfer near Dimple Braces," *Nucl. Sci. Eng.*, **11**, 596 (1966).

52. W. H. McAdams, W. E. Kennel, C. S. Minden, R. Carl, P. M. Picornell, and J. E. Dew, "Heat Transfer at High Rates to Water with Surface Boiling," *Inst. Chem. Eng.*, **41**, 1945 (1949).

53. W. H. Jens and P. A. Lottes, "Anaysis of Heat Transfer, Burnout, Pressure Drop, and Density Data for High Pressure Water," ANL-4627, Argonne National Laboratory (1951).

54. W. M. Rohsenow, "Boiling," *Handbook of Heat Transfer*, W. M. Rohsenow and J. P. Hartnett, Eds., pp. 13-36, McGraw-Hill Book Company, New York (1973).

55. A. H. Bergles and W. M. Rohsenow, "The Determination of Forced Convection Surface-Boiling Heat Transfer," Paper 63-HT-22, American Society of Mechanical Engineers, New York (1963).

56. J. R. S. Thom, W. M. Walker, T. A. Fallon, and G. F. Reising, "Boiling in Sub-Cooled Water During Flow Up Heated Tubes or Annuli," *Proc. Inst. Mech. Eng.*, **180**, 226 (1965-66).

57. S. S. Kutateladze, "Boiling Heat Transfer," *Int. J. Heat Mass Transfer*, **4**, 31 (1961).

58. J. C. Chen, "A Correlation for Boiling Heat Transfer to Saturated Fluids in Convective Flow," *Ind. Eng. Chem., Proc. Des. Dev.*, **5**, 322 (1966).

59. R. G. Vanderwater, "An Analysis of Burnout in Two-Phase Liquid-Vapor Flow," PhD Thesis, University of Minnesota (1956).

60. L. Topper, "A Diffusion Theory Analysis of Boiling Burnout in the Fog Flow Regime," *Trans. ASME, Ser. C, J. Heat Transfer*, **85**, 284 (1956).

61. H. S. Isbin, R. G. Vanderwater, H. Fauske, and S. Singh, "A Model for Correlating Two-Phase Steam-Water Burnout Heat Transfer Fluxes," *Trans. ASME, Ser. C, J. Heat Transfer*, **83**, 149 (1961).

62. P. B. Whalley, P. Hutchinson, and G. F. Hewitt, "Calculation of Critical Heat Flux in Forced Convection Boiling," AERE-R-7520, U. K. Atomic Energy Authority, Harwell, England (1973).

63. E. J. Thorgerson, D. H. Knoebel, and J. H. Gibbons, "A Model to Predict Conventional Subcooled CHF," *Trans. ASME, Ser. C., J. Heat Transfer*, **96**, 79 (1974).

64. L. S. Tong, "A Phenomenological Study of Critical Heat Flux," Paper 75-HT-68, American Society of Mechanical Engineers, New York (1975).

65. E. Janssen and S. Levy, "Burnout Limit Curves for Boiling Water Reactors," APED-3892, General Electric Company (1962).

66. V. M. Healzer, J. E. Hensh, E. Janssen, and S. Levy, "Design Basis for Critical Heat Flux Conditions in Boiling Water Reactors," APED-5286, General Electric Company (1966).

67. K. M. Becker, "A Burnout Correlation for Flow of Boiling Water in Vertical Rod Bundles," AE-276, A. B. Atomenergie, Sweden (1967).

68. P. G. Barnett, "A Correlation of Burnout Data for Uniformly Heated Annuli and Its Use for Predicting Burnout in Uniformly Heated Rod Bundles," AEEW-R463, U. K. Atomic Energy Authority, Winfrith, England (1969).

69. "BWR Analysis Basis GETAB: Data Correlation and Design Application," NEDO-10958, General Electric Company (1973).

70. L. S. Tong, "An Evaluation of the Departure from Nucleate Boiling in Bundles of Reactor Fuel Rods," *Nucl. Sci. Eng.*, **33**, 7 (1968).

71. E. R. Rosal, J. O. Cermak, L. S. Tong, J. E. Casterline, S. Kokolis, and B. Matzner, "High Pressure Rod Bundle DNB Data with Axially Non-Uniform Heat Flux," *Nucl. Eng. Des.*, **31**, 1 (1974).

72. L. S. Tong, "Prediction of Departure from Nucleate Boiling for an Axially Non-Uniform Heat Flux Distribution," *J. Nucl. Energy*, **6**, 21 (1967).

73. L. S. Tong, "Critical Heat Fluxes in Rod Bundles," *Two-Phase Flow and Heat Transfer in Rod Bundles*, V. E. Schrock, Ed., American Society of Mechanical Engineers, New York (1969).

74. "Standard Safeguard Analysis Reports," Westinghouse Electric Corporation (July 1974).

75. J. S. Gellerstedt, R. A. Lee, W. J. Oberjohn, R. H. Wilson, and L. I. Stanek, "Correlation of Critical Heat Flux in a Bundle Cooled by Pressurized Water," *Two-Phase Flow and Heat Transfer in Rod Bundles*, V. E. Schrock, Ed., American Society of Mechanical Engineers, New York (1969).

76. R. H. Wilson and J. K. Ferrell, "Correlation of Critical Heat Flux for Boiling Water in Forced Circulation at Elevated Pressures," BAW-168, Babcock & Wilcox Company (Nov. 1961).

77. "C-E Critical Heat Flux Correlation for C-E Fuel Assemblies with Standard Spacer Grids, Part I, Uniform Axial Power," CENPD-162, Combusion Engineering (1975).

78. "Pressurized Water Reactor (PWR) Project Technical Progress Report, April-June 1961," WAPD-MRP-92, Bettis Atomic Power Laboratory (1961).

79. L. S. Tong, *Boiling Crisis and Critical Heat Flux*, Critical Review Series, U. S. Atomic Energy Commission, Washington, D. C. (1972).

80. S. Bertoletti, G. P. Gaspari, C. Lombardi, G. Peterlongo, and F. A. Taconni, "A Generalized Correlation for Predicting the Heat Transfer Crisis with Steam-Water Mixtures," *Energ. Nucl.*, **11**, *10* (1964).

81. W. J. Oberjohn and R. H. Wilson, "Effect on Non-Uniform Axial Flux Shapes on the Critical Heat Flux," Paper 66-WA/HT-60, American Society of Mechanical Engineers, New York (1966).

82. L. S. Tong, H. B. Currin, P. S. Larsen, and D. G. Smith, "Influence of Axially Non-Uniform Heat Flux on DNB," *Chem. Eng. Prog. Symp. Ser.*, **62**, *64*, 35 (1966).

83. L. S. Tong, *Boiling Heat Transfer and Two-Phase Flow*, John Wiley & Sons, Inc., Publishers, New York (1965).

84. R. H. Wilson, L. J. Stanek, J. S. Gellerstedt, and R. A. Lee, "Critical Heat Flux in Non-Uniformly Heated Rod Bundles," *Two-Phase Flow and Heat Transfer in Rod Bundles*, V. E. Schrock, Ed., American Society of Mechanical Engineers, New York (1969).

85. R. H. Towell, "Effect of Rod Spacing on Heat Transfer Burnout in Rod Bundles," DP-1013, E. I. du Pont de Nemours Company (1965).

86. K. W. Hill, F. E. Motley, F. F. Cadek, and J. E. Casterline, "Effect of a Rod Bowed to Contact on Critical Heat Flux in Pressurized Water Reactor Rod Bundles," 75-WA/HT-77, American Society of Mechanical Engineers, New York (1975).

87. B. R. Hao, L. A. Zielke, and M. B. Parker, "Low Flow Critical Heat Fluxes," *Trans. Am. Nucl. Soc.*, **23**, 488 (1975).

88. C. F. Avedesian and P. Griffith, "Critical Heat Flux in Counter-Current Flow," Report No. 80670-84, Engineering Projects Laboratory, Department of Mechanical Engineering, Massachusetts Institute of Technology (1974).

89. K. Ramu and J. Weisman, "Transition Boiling Heat Transfer to Water in a Vertical Annulus," *Nucl. Eng. Des.*, **40**, 285 (1977).

90. D. N. Plummer, O. C. Iloeje, P. Griffith, and W. M. Rohsenow, "A Study of Post Critical Heat Flux Transfer in a Forced Convection System," Engineering Projects Laboratory Report, Department of Mechanical Engineering, Massachusetts Institute of Technology (1973).

91. R. D. Coffield, Jr., W. M. Rohrer, Jr., and L. S. Tong, "An Investigation of the Departure from Nucleate Boiling in a Crossed Rod Matrix with Normal Flow of Freon 113 Coolant," *Nucl. Eng. Des.*, **6**, 147 (1967).

92. S. P. Kezios, T. S. Kim, and F. M. Rafchiek, "Burnout in Crossed-Rod Matrices and Forced Convection Flow of Water," *International Developments in Heat Transfer, Part II*, p. 262, American Society of Mechanical Engineers, New York (1961).

93. A. J. Martenson, "Transient Boiling in Small Rectangular Channels," PhD Thesis, Department of Mechanical Engineering, University of Pittsburgh (1962).

94. L. Bernath, "A Theory of Local Boiling Burnout and Its Application to Existing Data," *Chem. Eng. Prog. Symp. Ser.*, **56**, *30*, 95 (1960).

95. V. E. Schrock, H. A. Johnson, A. Gopalakrishnan, K. E. Lavezzo, and S. M. Cho, "Transient Boiling Phenomena," SAN-1013, University of California, Berkeley (1966).

96. J. A. Redfield, "CHIC-KIN, A Fortran Program for Intermediate and Fast Transients in a Water Moderated Reactor," WAPD-TM-479, Bettis Atomic Power Laboratory (1965).

97. J. O. Cermak, R. F. Farman, L. S. Tong, J. E. Casterline, S. Kokolis, and B. Matzner, "The Departure from Nucleate Boiling in Rod Bundles During Pressure Transients," Paper 70-HT-12, American Society of Mechanical Engineers, New York (1970).

98. Y. Y. Hsu and W. Beckner, Personal Communication, U. S. Nuclear Regulatory Commission, Washington, D. C. (1977).

99. P. Cohen and G. R. Taylor, "Discussion of 'Boiling Heat Transfer Data at Low Heat Flux,'" *Trans. ASME, Ser. C, J. Heat Transfer*, **89**, 242 (1967).

100. P. Cohen, Personal Communication, Westinghouse Electric Corporation (1967).

101. P. Goldstein, "A Research Study on Internal Corrosion of High Pressure Boilers," *Trans. ASME, Ser. A, J. Eng. for Power*, **90**, 21 (1968).

102. "Carolina-Virginia Nuclear Power Associates, Inc. Quarterly Progress Report for April-June 1966," CVNA-267, p. 4, Carolina-Virginia Nuclear Power Associates, Inc. (1966).

103. L. S. Tong and J. D. Young, "A Phenomenological Transition and Film Boiling Heat Transfer Correlation," *Proc. Fifth Int. Heat Transfer Conf.*, Tokyo (1974).

104. F. F. Cadek et al., "PWR FLECHT (Full Length Emergency Core Cooling Heat Transfer) Final Report," WCAP-7665, Westinghouse Electric Corporation (1971).

105. M. H. Goldemund, "CLADFLOOD–An Analytical Method of Calculating Core Reflooding and Its Application to PWR Loss of Coolant Analysis," MRR-Vol. 2, *Proc. CREST Specialist Mtg. Emergency Core Cooling for Light Water Reactors*, Gärching/München, Federal Republic of Germany (1972).

106. M. E. Ellion, "A Study of the Mechanism of Boiling Heat Transfer," Memo 2-88, Jet Propulsion Laboratory, Pasadena, California (1954).

107. Y. Y. Hsu, "A Tentative Correlation for the Regime of Transition Boiling and Film Boiling During Reflood," paper presented at the Third WRSR Information Mtg., U. S. Nuclear Regulatory Commission, Washington, D. C. (Oct. 1975).

108. J. D. Parker and R. J. Grosh, "Heat Transfer to a Mist Flow," ANL-6291, Argonne National Laboratory (1961).

109. A. W. Bennet, G. F. Hewitt, H. A. Kearsey, and R. K. F. Keys, "The Wetting of Hot Surfaces by Water in a Steam Environment at High Pressure," AERE-R 5146, U. K. Atomic Energy Research Establishment, Harwell, England (1966).

110. S. Bertoletti, J. Lesage, C. Lombardi, G. Peterlong, M. Silvestri, G. Soldani, and F. Weckermann, "Heat Transfer and Pressure Drop with Steam-Water Spray," CISE-R-36, Centro Informazioni Studi Experimenze, Milan, Italy (1961).

111. D. C. Groenveld, "Post-Dryout Heat Transfer: Physical Mechanisms and Survey of Prediction Methods," *Nucl. Eng. Des.*, **32**, 283 (1975).

112. J. Chen, R. K. Sundaram, and F. T. Ozkaynak, "A Phenomenological Correlation for Post-CHF Heat Transfer," NUREG-0237, U. S. Nuclear Regulatory Commission, Washington, D. C. (1977).

113. D. C. Groenveld and G. G. J. Delorme, "Prediction of Thermal Non-Equilibrium in the Post-Dryout Regime," *Nucl. Eng. Des.*, **36**, 17 (1976).

114. G. Hadaller and S. Banerjee, "Heat Transfer to Superheated Steam in Round Tubes," AECL Unpublished Report, Atomic Energy of Canada Ltd. (1969).

115. A. A. Bishop, R. O. Sandberg, and L. S. Tong, "Forced Convection Heat Transfer at High Pressure After the Critical Heat Flux," 65-TH-31, American Society of Mechanical Engineers, New York (1965).

116. A. A. Bishop, L. E. Efferding, and L. S. Tong, "A Review of Heat Transfer and Fluid Flow of Water in the Supercritical Region During Once-Through Operation," WCAP-2040, Westinghouse Atomic Power Division (1962).

117. E. E. Polomik, S. Levy, and E. C. Sawochka, "Heat Transfer Coefficients with Annular Flow During 'Once-Through' Boiling of Water to 100 Per Cent Quality at 800, 1100, and 1400 psi," GEAP-3703, General Electric Company (1961).

118. B. R. Hao, C. D. Morgan, M. B. Parker, and C. G. Howard, "Post-CHF Heat Transfer at Low Flow and High Quality," *Trans. Am. Nucl. Soc.*, **23**, 487 (1975).

119. V. M. Borishanski and B. S. Fokin, "Correlation of Heat Transfer Data in Stable Film Boiling on Vertical Surfaces in the Presence of Free Liquid Convection in Large Volumes," *Int. Chem. Eng.*, **5**,*4*, 666 (1965).

120. L. A. Bromley, "Heat Transfer in Stable Film Boiling," *Chem. Eng. Prog.*, **46**, 221 (1950).

121. Y. Y. Hsu and J. W. Westwater, "Approximate Theory for Film Boiling on Vertical Surfaces," *Chem. Eng. Prog. Symp.*, **56**,*30*, 15 (1962).

122. P. Griffith and W. Kirchner, "Reflood Heat Transfer in a Light-Water Reactor," Paper No. AIChE-50, 16th Natl. Heat Transfer Conf., St. Louis, Missouri (1976).

123. J. G. M. Anderson, "Low Flow Film Boiling Heat Transfer on Vertical Surfaces–Part I," Paper No. AIChE-52, 16th Natl. Heat Transfer Conf., St. Louis, Missouri (1976).

124. J. Pomerantz, "Film Boiling on a Horizontal Tube in Increased Gravity Field," *J. Heat Transfer*, **86**, *2*, 213 (1964).

125. H. C. Hottell, "Radiation Heat Transmission," in *Heat Transmission*, by W. H. McAdams, Chap. 4, McGraw-Hill Book Company, New York (1954).

126. G. T. Lewis, Jr., M. Zizza, and P. DeRienzo, "Heat Exchangers for Water-Cooled Reactors," *Nucleonics*, 19, 7, 70 (1961).

127. J. Holman, *Heat Transfer*, 4th ed., McGraw-Hill Book Company, New York (1975).

128. W. D. Fletcher and D. D. Malinowski, "Operating Experience with Westinghouse Steam Generators," *Nucl. Technol.*, **28**, 356 (1976).

129. T. Tinker, "Shell Side Characteristics of Shell and Tube Heat Exchangers," *Proc. General Discussion on Heat Transfer*, Institute of Mechanical Engineers, London, and the American Society of Mechanical Engineers, New York (1951).

130. D. K. Davies, "Nuclear Steam Generators," *Proc. Am. Power Conf.*, 27, 310 (1965).

131. A. N. Nahavandi, M. A. Vorkas, and V. J. D. Emidio, "Cost Optimization of Vertical Natural Circulation Steam Generators," *Nucl. Eng. Des.*, **36**, 5 (1976).

132. J. A. Block, C. J. Crawley, P. H. Rothe, G. B. Wallis, and L. R. Young, "An Evaluation of PWR Steam Generator Water Hammer," NUREG-0291, Creare, Inc., Hanover, New Hampshire (1977).

133. B. Ma, "Heat Generation and Temperature Distribution in Cylindrical Reactor Pressure Vessels," *Nucl. Eng. Des.*, **11**, 1 (1969).

134. A. Y. Lee and J. G. Gallagher, "A Program for Steady State Fluid Flow and Heat Conduction Coupled Calculations of Heat Generating Solids Cooled by Parallel Channels Using the MCAP and TOSS Codes," WANL-TME-967, Westinghouse Astronuclear Laboratory (Oct. 1964).

135. G. E. Hanson and G. J. Busselman, "Gamma Heating Calculations in Graphite Moderated Systems," BNWL-625, Battelle Northwest Laboratory (1967).

136. R. L. Engel, J. Greenberg, and M. M. Hendrickson, "ISOHLD–A Computer Code for General Purpose Shielding Analysis," BNWL-236, Battelle Northwest Laboratory (1967).

137. W. W. Engel, Jr., "A User's Manual for ANISN–A One-Dimensional Discrete Ordinates Transport Code with Anisotropic Scattering," K-1693, Union Carbide Nuclear Division, Oak Ridge, Tennessee (1967).

138. F. A. Fend, E. M. Baroody, and J. C. Bell, "An Approximate Calculation of the Temperature Distribution Surrounding Coolant Holes in a Heat Generating Solid," BMI-T-42, Battelle Memorial Institute (1950).

5

THERMAL AND HYDRAULIC PERFORMANCE OF A REACTOR CORE

The thermal and hydraulic design of a core depends heavily on the expected performance of the core as indicated by its load follow characteristics, fuel burnup, and core life. This information is used to establish the relative heat flux distribution within the core. The limiting power output of the core design is then determined by the maximum heat removal capability in the hot channel or at the hot spot.

5-1 BASIC THERMAL DESIGN

5-1.1 Thermal Design Limitations and Approaches

Fuel integrity, as well as economy, determines the maximum allowable power output of a UO_2 fuel rod. The major factors considered are:

1. centerline temperature safely below melting
2. heat flux below a maximum value allowable by coolant conditions under expected operating situations
3. burnup and fission-gas release limited to avoid excessive internal pressure and cladding creep or embrittlement
4. heat flux below the limit at which behavior is no longer acceptable during postulated accidents
5. suitable power density (kW/kg of uranium) for a convenient refueling time and also for a reasonable fuel fabrication cost
6. rate of power change limited to prevent excessive local stresses.

Each of the first four limitations requires a knowledge of the most adverse heat flux conditions in the core. Section 1-2.4 described the synthesis procedure that determined the maximum heat flux at each axial elevation. By considering the range of conditions possible during load follow operation, the maximum value for F_Q^N was determined as the maximum of the product of the radial peaking factor, $F_{xy}(z)$, and the average axial power, $P(z)$. The hot spot factors so estimated constitute an upper envelope below which all expected operating values will lie. The channel which is assumed to contain the maximum heat flux is called the hot channel.[a] The location in the hot channel to which F_Q^N is assigned is designated the hot spot. Demonstration that the behavior of such a channel is satisfactory provides a conservative demonstration that the behavior of the core is satisfactory. The approach is useful in core analyses, since it can avoid tedious repetition of lengthy calculations.

The nuclear hot-channel factors calculated by synthesis procedures are generally multiplied by the quantity F_U^N (where a typical value for F_U^N is 1.05), to allow for uncertainty in the nuclear calculations. In addition, we must account for those deviations from the ideal, which can lead to increases in power level. In the hot-channel concept, all pertinent adverse engineering effects, accounted for by establishing engineering hot-channel subfactors, are combined into the single-flow channel taken to have the highest integrated power output. The hot spot concept compounds all pertinent adverse effects into a single hot spot.

In simplified preliminary calculations, estimated subfactors are often applied simultaneously to a single closed hot channel. The subfactors, either estimated from past experience or extrapolated from model tests, are fabrication tolerance, flow mixing, inlet plenum, and flow redistribution. The probability of occurrence of various hot-channel factors can be combined in the calculation, but the coupling effects of various subfactors remain. These coupling effects introduce repetition of design penalties. Thus, the simplified analysis can give an overly conservative design. Furthermore, in this simplified approach, interaction of the hot channel with neighboring channels is not considered. The beneficial effects of mixing with neighboring channels is ignored as is the deleterious effect of reduced flow in the hot channel. Most current design approaches attempt to be more realistic. A digital computer code, which more or less fully models core thermal-hydraulic behavior, is generally used to evaluate behavior under steady-state conditions and for those transients where no core damage is to be allowed.

5-1.2 Fuel Rod Design

In selecting a fuel rod design, the independent variables of power density, rod diameter, fuel porosity, and total burnup must be considered. One significant restraint is that center fuel melting be avoided at the peak power expected. This limitation is usually applied at the core hot spot, considering the reactor is operating at a level above its nominal power rating. The increased power assumption allows for the possibility that normal reactor control can allow

[a] A single-flow channel in a rod bundle fuel assembly is sometimes called a subchannel and is formed by four neighboring rods in a square lattice, or by three neighboring rods in a triangular lattice. The hot channel can be considered one such subchannel.

overpower conditions (e.g., 103 to 110% of nominal power) to exist for brief periods.

The computation of center fuel temperatures was discussed extensively in Chap. 2. We recall that for a given pellet surface temperature, the power required to reach center melting is independent of rod diameter. The temperature difference producing center melting is directly proportional to the linear power rate; i.e., Eq. (2.93). Therefore, for similar coolant conditions, the center melting limitation can be expressed as a limitation on the linear power output (kW/ft) of the fuel rod. The approximate interrelationship of surface heat flux, linear power rate, and power density for a stainless-steel-clad UO_2 fuel rod is shown in Fig. 5-1. If the maximum heat flux is regarded as fixed by the coolant conditions during steady-state or accident situations, rod size can be determined by a compromise between the fuel center temperature (i.e., kW/ft) and power density. The selection process is actually an iterative procedure since coolant conditions can be revised to lead to an improved choice.

For recent (1979) designs, the requirement that center melting be avoided has generally not been the limiting factor. This is illustrated in Fig. 5-2, which shows limitations on kW/ft versus height imposed by several requirements for a typical core. We see that the LOCA and DNB requirements lead to a kW/ft versus length envelope substantially below the limit set by central fuel melting.

In addition to the limit that fuel centerline temperature be safely below melting (to prevent excessive expansion, instability of the fuel stack, excessive release and migration of fission products, and contact of molten fuel with cladding), the following additional design limits are usually imposed on Zircaloy-clad fuel rods:

1. The temperature at the pellet-cladding interface remains below that at which deleterious fuel-cladding reactions occur (~675°C).

2. The maximum cladding strain range (algebraically maximum strain–algebraically minimum strain) is below that at which failure can be expected. Because of irradiation embrittlement and the possibility of further embrittlement due to hydride precipitation, the maximum permissible strain range must be set at a relatively low level. Experience[1] indicates that this level should not exceed ~1%, since failures have been seen at levels in excess of this.

3. The hydrogen uptake of the cladding at EOL is limited to a range such that excessive embrittlement is avoided–levels above 600-ppm hydrogen are unacceptable while 250 ppm is apparently satisfactory.[1] Typical levels at EOL are in the 250- to 350-ppm range.

4. Maximum EOL cladding corrosion should not exceed a small fraction (e.g., 10%) of the wall thickness–corrosion tends to be autocatalytic since as the oxide layer thickens, the oxide-zirconium interface temperature increases causing the corrosion rate to increase.

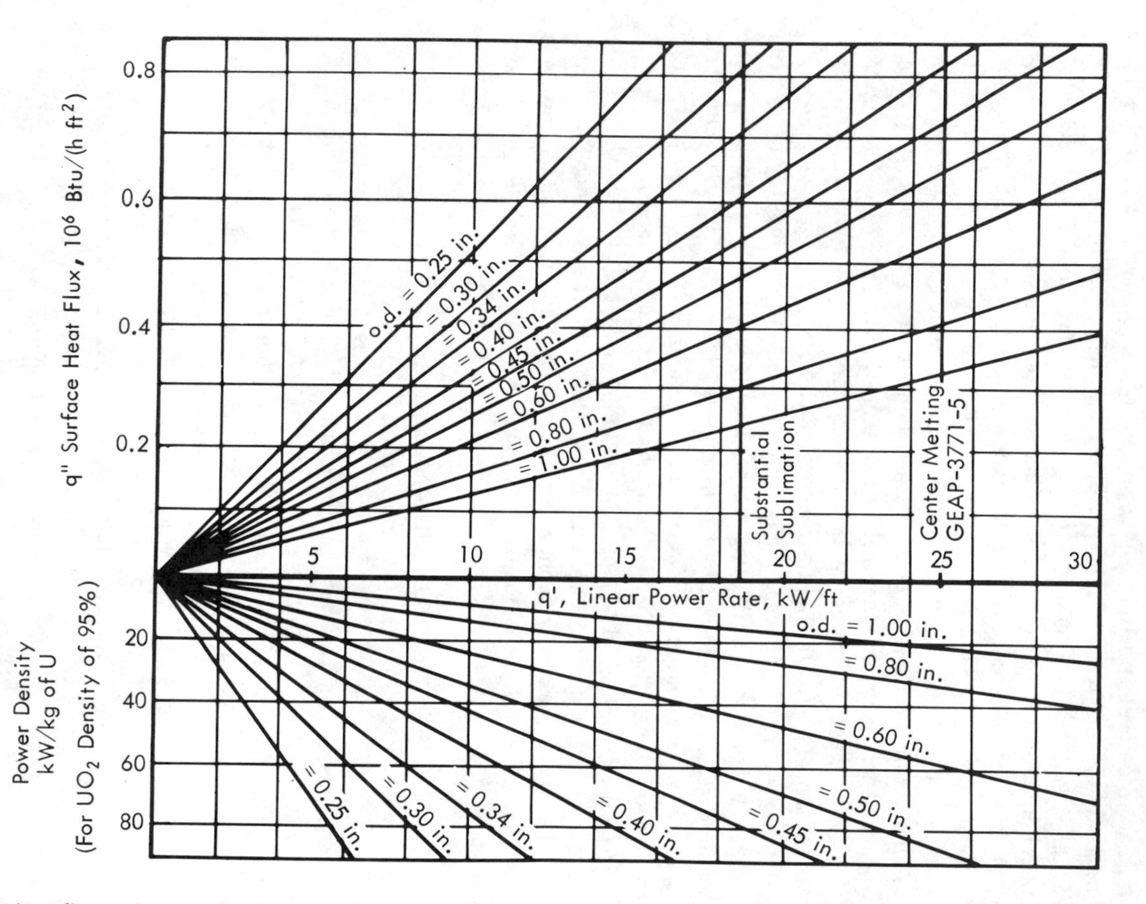

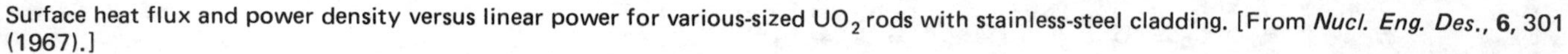
Fig. 5-1. Surface heat flux and power density versus linear power for various-sized UO_2 rods with stainless-steel cladding. [From *Nucl. Eng. Des.*, **6**, 301 (1967).]

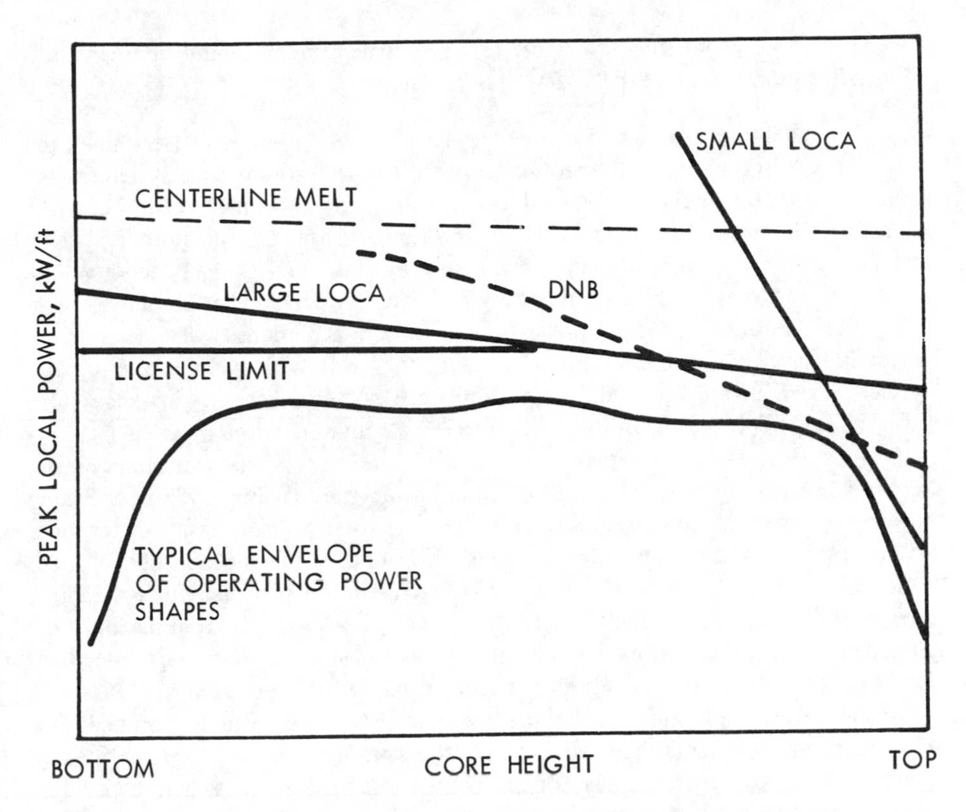

Fig. 5-2. Schematic demonstration of typical kW/ft limits (from Ref. 16).

5. The internal gas pressure should normally not exceed the external pressure–high internal pressures due to fission gas release can lead to increased fuel gaps, which in turn increase fuel temperatures and further increase the gap. Furthermore, if CHF were briefly exceeded during a transient, cladding ballooning could occur.

6. Cladding stresses during steady state remain within safe limits–the criteria of Sec. II of the American Society of Mechanical Engineers (ASME) Boiler and Pressure Vessel Code are sometimes used to set stress intensity (algebraically maximum stress minus algebraically minimum stress). If this were done, the general primary membrane stress intensity would be required to remain below $\frac{2}{3}$ of the yield or $\frac{1}{3}$ of the ultimate strength.

7. Cladding stresses during power transients must be below the levels at which stress corrosion failures have been observed–Zircaloy creep reduces stresses induced by rapid fuel expansion against the cladding. However, if the critical contact pressure is too high, stress-corrosion failure can be anticipated.

8. The fuel pellet must be stable (exhibit little irradiation-induced densification) and contain no more than a few ppm moisture.

The maximum burnup for a UO_2 fuel rod is primarily determined by strain range, hydriding, and corrosion limitations. The strain range is determined from the sum of the initial inward creep caused by external pressure and the subsequent outward creep caused by internal fission gas pressure and UO_2 swelling under irradiation. Since the porosity of sintered UO_2 can accommodate a part of the fuel swelling, a relatively low density UO_2 pellet should be used for a high burnup fuel rod. However, too low a fuel density can lead to an unstable fuel. Initial pressurization of the fuel rod with helium can greatly reduce initial inward creep and, thus, significantly reduce the strain range for a given burnup. This pressurization is now (1979) a common design practice.

Determination of whether a given fuel rod design is satisfactory first requires estimating the expected overall power-lifetime history for the high power rod (average power level changes at each fuel reshuffling). The response of the fuel rod must then be determined using one of the fuel rod design codes described in Sec. 2-4.1. Where load following operation is anticipated, the most severe power changes expected during a given portion of the lifetime must be included in the power history and maximum cladding stresses must be examined.

The acceptability of fuel rod design during postulated accident situations must be determined after the basic system response has been determined. For the less severe transients, fuel rod codes of the same type as those used for steady-state analysis can be used. Thus, for anticipated loss-of-flow transients, it would be necessary to establish the fact that neither excessive cladding strain nor cladding temperatures were encountered. For a hypothetical LOCA, a computer code, such as FRAP-T (Ref. 2), would be needed to establish that the ECCS acceptance criteria[3] (maximum cladding temperature of 2200°F and 17% cladding oxidation) were not exceeded.

5-1.3 Preliminary Core Design

Establishment of the maximum allowable linear power density, rod diameter, water-to-fuel ratio, and nuclear hot-channel factors serves as a basis of the thermal and hydraulic design. We will illustrate the effect of these parameters by further considering a pressure vessel reactor containing a rod-cluster controlled core.

5-1.3.1 Average Power Output of a Fuel Rod

Since the average power output of a fuel rod strongly influences fuel cost, it is one of the measurements of the effectiveness of a core design. By knowing the maximum linear power density, q'_{max}, and the hot-channel factor for heat flux F_q, we can determine the limiting average power output of a fuel rod:

$$q'_{avg} = q'_{max}/F_q \quad . \tag{5.1}$$

5-1.3.2 Fuel Rod Array

For a square lattice, pitch s of the rod array is a function of the ratio of moderator to fuel, M/F, and of the cladding thickness, ℓ

$$\left(\frac{M}{F}\right)\left[\frac{\pi}{4}(D_o - 2\ell - 2g)^2\right] = s^2 - \frac{\pi}{4}D_o^2 , \tag{5.2}$$

where

D_o = rod outside diameter

g = cold gap between fuel and cladding

ℓ = cladding thickness

s = fuel rod pitch (center-to-center distance).

In most stainless-steel-clad PWR cores, s is ~1.3 D_o.

5-1.3.3 Assembly Size and Core Size

The following relationships determine the sizes of assembly and core:

First, the minimum fuel rod number is a function of core length L and average heat flux

$$N = (Q)[C_1/(Lq'_{avg})] , \tag{5.3}$$

where

N = minimum number of fuel rods for the limiting q'_{avg}

Q = thermal power output of the core

C_1 = fraction of power generated in the fuel rod.

Second, the number of fuel assemblies should be determined by considering axisymmetry in the core and a suitable period for fuel cycling. The actual fuel rod number, obtained by selecting the proper combination of the number of assemblies and the number of rods in each assembly, should be close to but greater than, the minimum fuel rod number calculated by Eq. (5.3).

Third, the equivalent core diameter, D_{eq}, is a function of the average core power density.

$$C_2\frac{\pi}{4}LD_{eq}^2 = \frac{Q}{q'''_{avg}} , \tag{5.4}$$

where C_2 is a factor to account for clearance between assemblies and

$$q'''_{avg} = q'_{avg}/s^2 .$$

Fourth, to provide reasonable core fabrication costs and neutron economy, the values of D_{eq} and L should satisfy the following relationship:

$$0.9 \leqq (L/D_{eq}) \leqq 1.5 . \tag{5.5}$$

5-1.3.4 Determining Coolant Requirements

The major limitation on the thermal design of a water-cooled reactor is the necessity to maintain an adequate safety margin between operating conditions and the critical heat flux (DNB). The core design criterion is generally stated in terms of a DNB ratio defined as

$$\text{DNBR} = \frac{\text{DNB heat flux predicted by applicable correlation}}{\text{reactor local heat flux}} \quad . \tag{5.6}$$

The DNB ratio varies along the channel since both local heat flux and fluid enthalpy are varying. For a cosine heat flux, the minimum DNB ratio is found at some portion past the midplane of the core. A typical situation for a base-loaded plant is shown in Fig. 5-3, where reactor and DNB heat flux are plotted versus the ratio of height to total core length (Z/L). We observe that in the region just past midplane, increased fluid enthalpy decreases the predicted DNB flux more rapidly than local flux is decreasing.

It is, of course, the minimum DNB ratio (at Z^*/L in Fig. 5-3) in the hottest channel that concerns the designer. A typical PWR design criterion is that the minimum DNBR $\geqslant$ 1.30 at maximum overpower conditions. The probability of a PWR reaching the specified maximum overpower condition is very small. Even at maximum overpower conditions, the number of fuel rods with DNBRs close to 1.30 is again very small.

Note that PWR practice differs from that used in BWR design, where limiting conditions are usually designated in terms of a "critical power ratio" (CPR). The CPR can be defined as the ratio of assembly power at which CHF occurs to the actual assembly power. For any given assembly power, the CPR is lower than the DNB ratio. This is so since the CHF is evaluated at a higher quality in the CPR calculation.

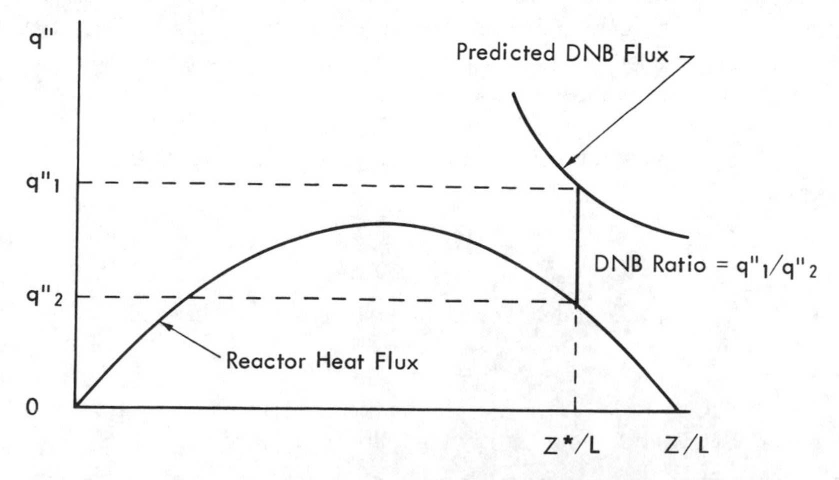

Fig. 5-3. The DNB ratio evaluation. [From *Nucl. Eng. Des.*, **6**, 301 (1967).]

Sufficient coolant flow must be provided to maintain the desired minimum DNBR. At low qualities, increasing the mass velocity increases CHF; however, increased coolant flow primarily acts to reduce coolant enthalpy rise and, hence, quality. As seen from the CHF correlation of Eq. (4.133), a reduced quality substantially increases the predicted critical flux.

Determination of enthalpy rise along the hot channel requires a knowledge of the flow effective in removing heat from the core. The effective flow rate is the total flow rate minus the bypass flow rate. We then have

$$\Delta H_{\text{reactor}} = Q/W_{\text{total flow}} \tag{5.7}$$

$$\Delta H_{\text{core}} = Q/W_{\text{effective}} \tag{5.8}$$

$$\Delta H_{\text{hot channel}} = F_{\Delta H} \times \Delta H_{\text{core}} \,, \tag{5.9}$$

where

Q = total heat output, Btu/h

W = flow, lb/h

$F_{\Delta H}$ = enthalpy rise hot-channel factor.

Thus, once bypass flow is determined and a value for $F_{\Delta H}$ has been assigned, we can obtain hot-channel exit conditions. For a preliminary estimate of the enthalpy rise along the hot channel of a base-loaded plant, we assume that the hot channel is closed and the value of $F_{\Delta H}$ is constant along its length. Enthalpy rise at any position along the channel is then obtained by multiplying (ΔH) from Eq. (4.5), or its equivalent for flux distributions other than the cosine, by $F_{\Delta H}$.

5-1.3.5 Hot-Channel Factor Definition

The total hot-channel factors for heat flux and enthalpy rise include both nuclear effects and engineering uncertainties such as dimensional and flow variations. The effects of engineering uncertainties can be combined and expressed as engineering hot-channel subfactors for heat flux, F_q^E, and for enthalpy rise, $F_{\Delta H}^E$. The total hot-channel factor for heat flux can then be defined as follows:

$$F_q = \frac{\text{maximum heat flux at hot spot}}{\text{average heat flux in core}} = F_q^N F_U^N F_q^E \,, \tag{5.10}$$

where F_U^N is uncertainty in the nuclear factor and other quantities have their previous meaning.

The hot channel factor for enthalpy rise across the core, $F_{\Delta H}$, can be defined as

$$F_{\Delta H} = \frac{\text{enthalpy rise in hot channel}}{\text{average enthalpy rise in the core}} \,. \tag{5.11}$$

In terms of its components, we have

$$F_{\Delta H} = F^N_{\Delta H} \cdot F^N_U \cdot F^E_{\Delta H} \;, \tag{5.12}$$

with

$$F^N_{\Delta H} = \text{hot rod power/average rod power} \;. \tag{5.13}$$

Note that the value of F^N_U used in Eq. (5.12) is not necessarily identical to that used in Eq. (5.10).

In a simple, base-loaded core, it is often adequate to obtain $F_{\Delta H}$ from

$$F_{\Delta H} = F^E_R \cdot F^E_{\Delta H} \cdot F^N_U \;, \tag{5.14}$$

providing F^N_U is large enough to account for the limited variation in F^N_R with lifetime. However, in a load-following plant, there are very substantial variations in flux shapes as the control system responds to load, xenon, and burnup changes. It is then necessary to evaluate $F^N_{\Delta H}$ by determining the maximum ratio of hot rod to average rod power that occurs over all the allowable lifetime power histories. We then have

$$F^N_{\Delta H} = \frac{\text{Max} \displaystyle\int_0^L q'(x_0, y_0, z)\, dy}{(1/N) \displaystyle\sum_{\substack{\text{all}\\ \text{rods}}} \left[\int_0^L q'(x,y,z)\, dz \right]} \;, \tag{5.15}$$

where N is the number of fuel rods in the core. Typical values for $F^N_{\Delta H}$ have been in the vicinity of 1.55.

Note that the hot channel factor for the temperature difference between the fuel surface and coolant is usually not significant in basic PWR design since nucleate boiling limits maximum cladding temperatures. However, during post-CHF heat transfer under some hypothetical accident conditions, this effect may have to be considered.

5-1.3.6 DNBR Evaluation

The maximum value of the integral rod power is used to identify the rod most likely to encounter the minimum DNBR. In a preliminary design, it would be assumed that the hot channel enthalpy rise is determined by the use of Eq. (5.12). The average rod power is then calculated so that it recreates the behavior of the hot rod. It is then common to assume that the rod heat flux follows a cosinusoidal distribution (peak flux at core centerline). The axial hot channel factor is then assigned so that the maximum heat flux corresponds to that predicted through use of $F_{\dot{q}}$. Equation (4.4) or (4.9) then is used to determine heat flux variation along the rod. The heat fluxes and enthalpies along the rod then are used to calculate the DNBR as a function of position and the minimum ratio selected.

Note that this approach is somewhat conservative since the usual operating restrictions on flux distribution lead to peak flux locations that are below the core centerline. Hence, the actual fluid enthalpy in the peak flux region should be lower than that calculated and the true minimum DNBR should be higher than the calculated design value.

In the final core design, we must also consider the limitations that need to be imposed on maximum heat fluxes above the core centerline to maintain an adequate DNB margin. Further, we wish to consider the interrelationship between the behavior of the hot channel and those channels surrounding it. For this latter purpose, we use the more sophisticated approach that was briefly indicated in Sec. 5-1.1. We consider this approach in more detail in Sec. 5-1.5.

5-1.4 Hot Channel Factor Evaluation

5-1.4.1 Nuclear Subfactors

We previously observed that in modern load-following plants, the rod motion required to follow power demand can cause substantial axial and radial variations in core power distribution. These variations introduce xenon transients, which further complicate the situation. In Sec. 1-5.1, we noted that it was necessary to measure the axial flux imbalance due to such transients by ex-core detectors and to protect against this imbalance. The imbalance may be limited by limiting the axial offset (AO) [see Eq. (1.41)]. Thus, control rod motion is restricted so that the AO remains within a prescribed range. Despite such limitations, there are a large number of possible power histories and control rod maneuvers that must be considered to determine the most adverse power distribution.

We recall that a large number of power histories are studied, and the worst $F_{xy}^N(z)$ and $F_q^N(z)$ and associated AO are determined for each elevation and power history. The data are usually plotted in terms of $F_q^N(z)$ versus AO for each elevation of interest. The data are seen as a cloud of points; this method of data presentation has been referred to as the "flyspeck format." By selecting the maximum $F_q^N(z)$ of the curves at the various elevations, a maximum envelope curve of $F_q^N(z)$ versus z can be constructed. With the appropriate choice of limiting AOs (e.g., zero to some negative value), the maximum $F_q^N(z)$ can be confined to the lower half of the core and the assumptions made in calculating the minimum DNBR are valid. If subsequent calculations indicate that the maximum $F_q^N(z)$ obtained is higher than can be tolerated, the power distribution study can be repeated using a more restrictive AO range. If operating procedures allow values for AO which are significantly above zero, the simplifying assumptions suggested for calculation of the DNBR may not be appropriate. Studies with power peaks in the upper half of the core may then be required.

5-1.4.2 Engineering Subfactors

Individual effects that must be included in engineering hot-channel factors are usually expressed in terms of engineering subfactors. The most common hot-channel subfactors are:

1. fuel fabrication tolerance–accounts for flow reduction due to reduced pitch and bowing of the fuel rod
2. fuel pellet diameter, density, and enrichment–account for variation in the quantity of fissionable material in the fuel pellet
3. lower plenum–accounts for the effect of local flow maldistribution at core inlet
4. flow redistribution–accounts for reduction in flow in the hot channel due to an increase in pressure drop as a result of nucleate boiling
5. flow mixing–accounts for flow mixing between parallel and laterally open channels
6. bypass flow percentage–accounts for flow leakage bypassing the core.

Originally, the overall engineering hot-channel factors, F_q^E and $F_{\Delta H}^E$, were taken as the product of these individual subfactors. As previously indicated, this leads to an overly conservative design. Subfactors that are related to fuel fabrication tolerances (Items 1 and 2) are stochastic in nature; hence, the probability that all fabrication effects are simultaneously adverse is low. To combine these effects properly, we must allow for the probability distributions associated with them. The subfactors relating to flow mixing and redistribution are all interrelated and a true independent evaluation of each subfactor is not possible.

5-1.4.3 Statistical Evaluation of Fabrication Tolerance Subfactors

The influence of fuel rod dimensional deviations on thermal design is usually much less in a core of cylindrical rods than in a core of plate-type fuel elements. This is so since the flow area in a plate assembly varies with a single gap, while the flow area of a rod bundle varies with the average of the four gaps. The engineering hot-channel subfactors for fuel element fabrication tolerances have been evaluated for fuel plates by LeTourneau and Grimble.[4] Chelemer and Tong[5] evaluated these subfactors for fuel-rod cores using statistical concepts.

At this point, it is desirable to review a few basic statistical relations. Random variations are distributed in accordance with the normal distribution curve as defined by the following equation:

$$g(x) = \frac{1}{\sigma\sqrt{2\pi}} \exp\left[-\frac{1}{2}\left(\frac{x-\bar{\mu}}{\sigma}\right)^2\right], \tag{5.16}$$

where $g(x)$ is the relative frequency with which value x occurs, μ is the mean or expected value, and σ is the standard deviation. Probability p that x is greater than a value, say a, is given by integrating the above expression from a to ∞:

$$p(x \geqq a) = \int_a^\infty \frac{1}{\sigma\sqrt{2\pi}} \exp\left[-\frac{1}{2}\left(\frac{x-\bar{\mu}}{\sigma}\right)^2\right] dx \; . \tag{5.17}$$

If substitutions $t_1 = (x - \bar{\mu})/\sigma$ and $t_a = (a - \bar{\mu})/\sigma$ are made, the result is

$$p(x \geqq a) = p(t_1 \geqq t_a) = \frac{1}{\sqrt{2\pi}} \int_{t_a}^{\infty} \exp(-t_1^2/2)dt_1 \ . \tag{5.18}$$

When nominal conditions exist, the engineering hot-channel factors cause no adverse effect. From Eqs. (5.10) and (5.12), we see that they must then have a value of 1. Since nominal conditions are nothing more than expected conditions, the mean value of any engineering hot-channel factor is 1. Thus, if x in Eq. (5.16) represents the value of the hot-channel factor, $\bar{\mu} = 1$.

We are concerned only with deviations from the nominal that cause adverse effects; e.g., increased enrichment, higher pellet density, etc. Deviations in the other direction are not harmful. Thus, we are concerned only with hot-channel factors in excess of 1. The probability of exceeding any given value of the hot-channel factor is therefore found from Eq. (5.18).

As an example, consider the probability of exceeding a hot-channel factor of $1 + 3\sigma$. Letting $a = 1 + 3\sigma$ gives $t_a = 3$ so that

$$p(x \geqq 1 + 3\sigma) = p(t_1 \geqq 3) = \frac{1}{\sqrt{2\pi}} \int_{3}^{\infty} \exp(-t_1^2/2)dt_1 = 0.00135 \ . \tag{5.19}$$

The numerical value is obtained from standard tables.[6] If a hot-channel factor can be considered a linear function of its governing physical quantities, each of which is normally distributed, then it can be shown[6] that the hot-channel factor is normally distributed. The value of σ can then be estimated from the relation

$$\sigma^2 \approx (\partial\phi/\partial x_1)^2\sigma_1^2 + (\partial\phi/\partial x_2)^2\sigma_2^2 + \ldots (\partial\phi/\partial x_k)^2\sigma_k^2 \ , \tag{5.20}$$

where the hot-channel factor expression is represented by $\phi(x_1, x_2, \ldots, x_k)$: The x terms are the governing physical quantities; their standard deviations are given by σ; the partial derivatives are evaluated at the mean x values.

To determine whether the hot-channel factor can be considered linear in x terms, the following test suggested by Hald[6] can be applied:

$$\phi(\bar{\mu}) - \phi(\bar{\mu} - 2.58\sigma) = \phi(\bar{\mu} + 2.58\sigma) - \phi(\bar{\mu}) = 2.58\sigma(d\phi/dx)|_{x=\bar{\mu}} \ , \tag{5.21}$$

where ϕ is a function of variable x with a mean and standard deviation of $\bar{\mu}$ and σ. If the equality is satisfied, the function can be considered linear throughout 99% of the range of the variation in x. This test can be applied for functions of more than one variable by considering one variable at a time, while holding the others constant.

The confidence level of a statistically determined relationship is the fraction of time the relationship is expected to be satisfied. The aforementioned means and standard deviations are obtained from a finite number of samples. To maintain a high confidence level so that the design hot-channel factors will not be exceeded, the following procedure is adopted. We define m and s as the mean and standard deviation determined from a sample of size n taken from a normal distribution. Confidence parameter k is defined by the following probability equation:

$$p(x < m + ks) = p_k \ , \tag{5.22}$$

where k values are listed in Ref. 7 for various confidence levels γ and resulting probabilities, p_k. For an infinite sample size, the values of m and s will approach $\bar{\mu}$ and σ respectively, so that

$$p(x < \bar{\mu} + k_\infty \sigma) = p_k \ , \tag{5.23}$$

where k_∞ is the value of k for $n = \infty$. Comparing the above two equations, we get

$$\sigma = (m + ks - \bar{\mu})/k_\infty \approx ks/k_\infty \ . \tag{5.24}$$

We now use the value of σ, derived from the experimentally observed value of s, to establish design values for the engineering hot-channel factors that have very low probabilities of being exceeded. The engineering hot-channel factor for heat flux F_q^E is proportional to the pellet weight per unit length w' and enrichment e. By assuming that the measurements of w' and e are abundant and that they are independent and normally distributed, we get

$$F_q^E = \left(\frac{w'_{\text{max local}}}{w'_{\text{nom}}}\right)\left(\frac{e_{\text{max local}}}{e_{\text{nom}}}\right) \tag{5.25}$$

$$\sigma_{F_q}^2 = (\sigma_w/\bar{\mu}_{w'})^2 + (\sigma_e/\bar{\mu}_e)^2 \ , \tag{5.26}$$

where σ and μ are the standard deviation and mean, respectively. If a 99.87% probability of not exceeding the design hot-channel factor is required, the value of $(F_q^E)_{\text{des}}$ becomes

$$(F_q^E) = 1 + 3\sigma_{F_q} \ . \tag{5.27}$$

The fabrication subfactor of the engineering hot-channel factor for enthalpy rise $F_{\Delta H,\text{fab}}^E$ is defined as

$$F_{\Delta H,\text{fab}}^E = \left(\frac{G_{\text{nom}}}{G_{\text{hot channel}}}\right)\left(\frac{\overline{w}'_{\text{hot channel}}}{\overline{w}'_{\text{nom}}}\right)\left(\frac{\overline{e}_{\text{hot rod}}}{\overline{e}_{\text{nom}}}\right) \ , \tag{5.28}$$

where G is the flow rate in a channel, $\overline{w}'$ is the average pellet weight per length of the fuel rod, and $\overline{e}$ is the average enrichment of the fuel rod.

The parameters in Eq. (5.28) are assumed to be independent and normally distributed. Thus,

$$\sigma_{F_{\Delta H,\text{fab}}}^2 = (\sigma_G/\bar{\mu}_G)^2 + (\sigma_{\overline{w}'}/\bar{\mu}_{\overline{w}'})^2 + (\sigma_{\overline{e}}/\bar{\mu}_{\overline{e}})^2 \ . \tag{5.29}$$

A 99.87% probability of not exceeding the design value is again required, and

$$(F_{\Delta H,\text{fab}}^E)_{\text{des}} = 1 + 3\sigma_{F_{\Delta H,\text{fab}}} \ . \tag{5.30}$$

5-1.4.4 Bypass Flow and Core Flow Subfactors

To assemble the fuel assemblies and reactor internals in the vessel, clearances must be provided to account for fabrication tolerances. These clearances also provide passages for the coolant to bypass the core; i.e.,

1. the gap between the baffle and outlet nozzle
2. the gap between fuel assemblies
3. the gap in the control-rod slot or around control-rod thimbles
4. the gap between the baffle and barrel.

The flow bypassed through each of these paths is such that the pressure drop created by flow through the gap equals that set by the main core flow. A reasonable first estimate of the pressure drop set by the main flow can be obtained by ignoring bypass flow. A second iteration generally produces a good estimate of core and bypass flows.

These bypass flows, which can be 4 to 8% of the total flow depending on the size of the design clearances, are not effective in removing heat from the core. Any reduction of these clearances directly increases the effective coolant flow.

The subfactors for core-flow conditions consist of the lower plenum, flow redistribution, and flow mixing. They cannot be evaluated statistically because the hot channels are not randomly distributed and the core-flow conditions are strongly dependent on geometrical dimensions and power distributions. The values of these subfactors can be obtained only from test data such as those from tests of an isothermal hydraulic model geometrically similar to the reactor vessel. Better simulated models will give more realistic values of these subfactors. Table 5-I lists typical engineering hot-channel factors used in the original design of several PWRs.

5-1.5 Digital Computer Methods for Detailed Thermal Design

It was previously observed that a core thermal design based on a single closed hot channel is unnecessarily conservative. Although fabrication subfactors can be combined statistically, the closed hot-channel approach requires the use of the statistically evaluated product of fabrication subfactors and all the remaining hot-channel subfactors to compute maximum conditions. Since these subfactors were evaluated individually, use of the product introduces repetition. For instance, flow starvation at the inlet of a hot channel reduces pressure drop in this channel. It will be repetitive if we apply reduced inlet flow simultaneously with the flow redistribution subfactor to avoid excessive pressure drop in the same hot channel. Similarly, reduced flow at the channel inlet can very well be the correct flow rate for a hot channel with a reduced pitch and fuel rod bowing.

The effect on enthalpy rise can be charged to either of the above reasons, but not to both. A constant mixing subfactor assigned to all reactors with different power distributions is also not proper, because the effect of mixing on enthalpy

TABLE 5-I

ENGINEERING HOT-CHANNEL FACTORS OF SOME PWRs

Factors	Reactors		
	Yankee-Rowe	Selni-Sena	Others[a]
Rod diameter, pitch and bowing, pellet density, and enrichment	1.14	1.14	1.08[b]
Lower plenum subfactor	1.07	1.07	1.03[c]
Flow redistribution subfactor	1.05	1.05	1.05
Flow mixing subfactor	---	0.95	0.92[d]
Total engineering hot-channel factor for enthalpy rise, $F^E_{\Delta H}$	1.28	1.22[e]	1.08
Total engineering hot-channel factor for heat flux, F^E_q	1.08	1.04[e]	1.04

[a]Connecticut Yankee, San Onofre, Indian Point II, Zorita, Ginna, Turkey Point, Point Beach.
[b]Ref. 8.
[c]Ref. 9.
[d]Ref. 10.
[e]Ref. 5.

rise depends on the radial thermal gradient between the channels (i.e., power distribution) as well as flow conditions.

A more realistic evaluation of core performance is accomplished using mathematical modeling techniques and computer codes described in Sec. 4-1.2. Note that the modeling procedures can be applied to either an entire core or an individual subassembly. A fully satisfactory core analysis requires a sequential consideration of a core-wide and hot assembly analysis. The design process can be considered to have two stages. The first stage effectively calculates a hot assembly factor from the core-wide analysis, which accounts for the power distribution among assemblies, inlet flow variation, and mixing between assemblies. The second stage of the calculation effectively calculates a hot-cell factor from an analysis of the hot assembly. Here, effects due to local power distribution, mixing between channels, and the effects of adjacent assemblies are considered.

Chelemer et al.[11] describe this sequential (or chain) approach in some detail. Assuming a known pressure drop across the fuel assemblies and a given total flow, the core-wide analysis determines the inlet flow to each assembly and the flows to and from the hot assembly as a function of axial position. Originally, the THINC I code[12] was used for this link of the chain. More recently, however, the THINC IV (Ref. 13) or COBRA IV (Ref. 14) codes have been used.

The assumption of a uniform pressure across the plenum at core inlet does not allow for variations in inlet velocity which would exist even under isothermal conditions. Such a velocity distribution can be determined by laboratory tests of reactor vessel models. Khan[15] describes a computer code that accepts such a velocity distribution as input and then iterates on the inlet pressure distribution until it finds a set of inlet pressures that yield a constant outlet pressure. The pressure distribution so obtained can be used as input data to the first link of the "chain" calculation.

Engineering hot-channel subfactors, based on fabrication tolerances, are also part of the input data. Heat fluxes in the hot channel and at the hot spot are appropriately increased over nominal values. Flow to the hot channel is either appropriately decreased or a reduced flow area is assigned.

In the original THINC CHAIN procedure,[11] the hot-assembly analysis (second link of the chain) was performed using THINC II. Flows gained or lost by the hot assembly as a function of axial position were provided as boundary condition to the THINC II program. Since THINC II assumes there is no interchannel pressure gradient, a gain or loss of mass cannot be directly determined for a given subchannel. The effect of flow interchange with the surrounding assemblies is assumed to be felt at the inlet of each length step. The effect of each surrounding assembly is considered independently. For flow into the hot assembly, the lateral flow from one side is assumed to mix successively with each row of the subchannels as it flows across the assembly. Thus, fluid entering any subchannel has the enthalpy of the adjacent channel. Increases in axial flow to the subchannels are assigned in a manner that maintains the zero pressure gradient across the hot assembly while maintaining mass balance. The procedure is then repeated for flow from the other surrounding assemblies.

More recent THINC CHAIN procedures use THINC IV for both links of the chain. Since THINC IV allows radial pressure gradients, an improved distribution of cross flow within the hot assembly is possible.[b]

For base-loaded plants, detailed digital computer analysis can be carried out simply for the worst power peaking expected (generally that at BOL), and the DNB ratio can be evaluated at the appropriate overpower condition.

In plants designed for load follow, we proceed in a manner very similar to that used in preliminary core design. The total hot rod power is again determined using $F_{\Delta H}$ and the desired core overpower condition. However, in this case, $F^E_{\Delta H}$ does not include any allowance for flow redistribution since the hot channel flows are determined by the computer program. Again, the axial power distribution usually is taken as cosinusoidal with the axial hot channel factor chosen so that the maximum linear power agrees with that computed from F_q and the core power. The surrounding rods are taken to have the same axial profile with a rod average power typical of the distribution found in hot assemblies.

Since the position of the hot channel in the core varies over core lifetime and

---

[b] The COBRA IIIC/MIT code developed for the Electric Power Research Institute is able to analyze the behavior of the hot channels and the entire core simultaneously. The analysis performed allows for mixing and cross flows between channels, but does not calculate core inlet flow redistribution.

with control rod positioning, a single-reference radial design power distribution usually is selected for the DNB calculation. The assembly power distribution is chosen conservatively to concentrate power in the area of the core which contains the hot channel. This minimizes any benefits due to core flow mixing and redistribution.

An extension of the foregoing procedure can be used to determine the maximum allowable linear power rating at or below the core centerline, which will produce the minimum allowable DNBR. The calculation is simply carried out for successively higher core power levels until the minimum DNBR is obtained.

The limits imposed by the DNBR on linear power above the core centerline also must be determined. One conservative approach is to continue with the same cosinusoidal power distribution, with peak power at the core centerline, as used above. The calculations then are repeated for a series of increasing core powers, and the DNBRs are obtained as a function of core height and power. The limiting linear power at a given elevation can be conservatively taken as the local linear power under the conditions where the desired DNBR is just reached at the elevation under consideration. This is conservative since in any situation where the peak power is actually above the core centerline, the power distribution is skewed toward the top of the core. The actual fluid in enthalpy then will be lower than that calculated using a cosinusoidal distribution. Therefore, the true DNBR will be above the calculated value.

Demonstration that the core design is safely below the DNB limit under steady-state conditions is not sufficient. This also must be shown true for all anticipated transients; e.g., loss-of-coolant flow. The transient versions (viz., THINC III or COBRA IV) of these digital programs are used for this purpose in conjunction with an appropriate systems analysis code. Core power distribution at the beginning of the transient generally corresponds to that used for steady-state DNBR evaluation. These analyses are discussed further in Sec. 5-4.

5-1.6 Effect of Analyses of Hypothetical Accident on Basic Core Design

Designs of early commercial PWR plants were all based exclusively on normal operating requirements. The behavior of a design so determined was then examined under hypothetical accident conditions to demonstrate that the design met all necessary safety criteria. Generally, the accident analyses did not lead to further restriction on core operation. The more stringent requirements now imposed on core behavior during hypothetical accident situations have changed this situation. Analysis of the hypothetical LOCA now leads to significant restrictions on core operation. Old designs had to be reevaluated and, in some cases, backfitting additional safeguards equipment was required. Before setting the design of a new core, both normal and abnormal conditions must be examined.

The previous discussion of fuel rod design (Sec. 5-1.2) pointed out that the hypothetical LOCA imposed limits on power density at a given axial location. These limits, and those imposed by the minimum DNBR and possible license restrictions, are illustrated in Fig. 5-2. The polygon formed by the intersection of these limit lines serves as an upper envelope of allowable power.[16]

The LOCA limitations arise from restrictions placed on the maximum cladding temperature that can be reached. The restrictions are more easily met by providing additional core surface areas. This has led some manufacturers to reduce fuel rod diameter and increase the number of fuel rods per assembly, while holding assembly power and overall size constant. Fuel assemblies with 17 X 17 arrays are now (1979) more likely to be used than those with the previously popular 15 X 15 array.

5-2 ANALYSIS OF CORE PERFORMANCE DURING NORMAL OPERATION

5-2.1 Optimal Core Performance

The production of high-temperature steam is desirable as plant thermal efficiency obviously increases with increasing steam temperature. This is illustrated in Fig. 5-4, where the efficiency of a saturated steam cycle is shown as a function of pressure. The effects of moisture separation and reheat are not included.

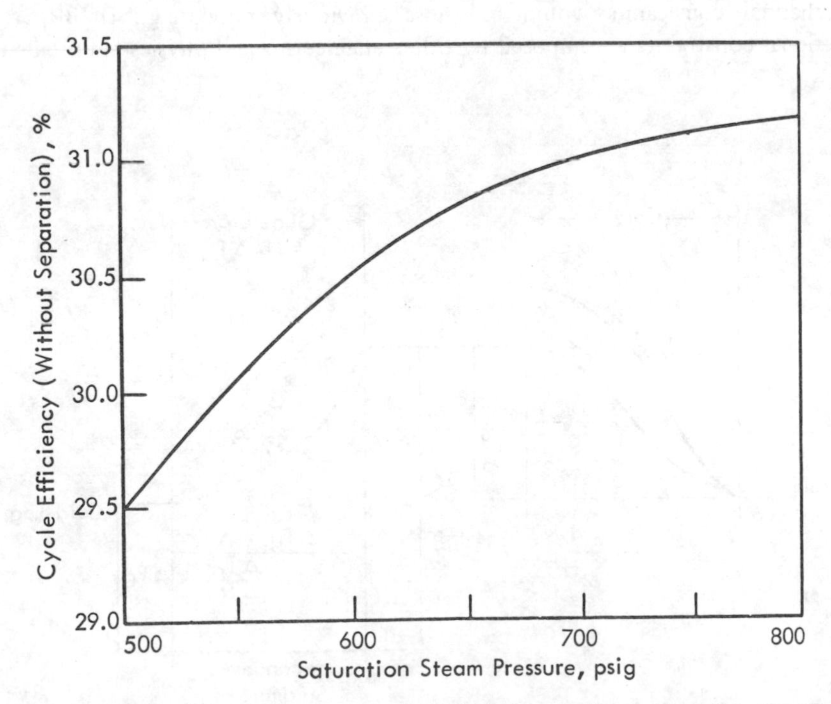

Fig. 5-4. Thermal cycle efficiency as a function of pressure. [From *Nucl. Eng. Des.*, **6**, 301 (1967).]

By increasing the temperature of the primary coolant, higher pressure steam can be generated with a given steam generator area. However, we are limited in this regard since a high coolant enthalpy decreases the CHF and reduces the allowable power generation in the core.

From the discussion of steam generator design in Sec. 4-4, it is clear that the total heat transferred is approximately proportional to the product of the area and ΔT_m, the log mean temperature difference between primary coolant and steam. The relationship between primary coolant and secondary steam temperature is graphically illustrated in Fig. 5-5. Thus, higher steam temperatures can be obtained by increasing the heat exchanger area and reducing ΔT_m. This has the disadvantage of significantly increasing plant capital costs. The appropriate selection of primary coolant temperature, primary coolant flow rate, secondary steam pressure, and heat exchanger area leads to the lowest power costs. There is an optimum selection of design variables where benefits due to increased thermal efficiency are just balanced by increased capital and operating costs. An engineering economic study is required for this selection.

With the development of modern optimization theory, the trend has been to consider the economic study to determine thermal design parameters as a mathematical programming problem. In such a problem, we attempt to minimize or maximize a function, called the objective function, subject to a number of constraints. In this case, the objective function would be power costs, and the thermal constraints would be those previously cited; e.g., DNBR $\geqslant k$. Additional constraints are imposed by other engineering and physics requirements.

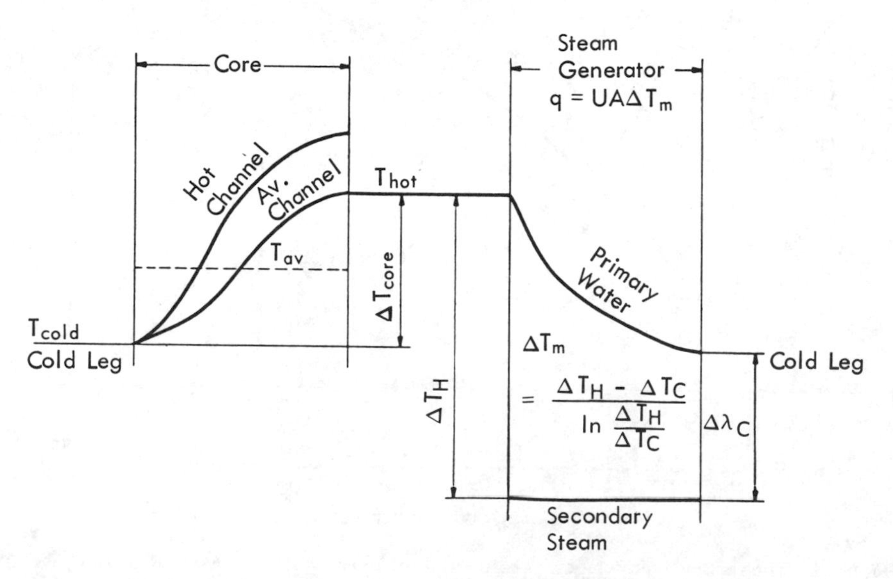

Fig. 5-5. Coolant performance. [From *Nucl. Eng. Des.*, **6**, 301 (1967).]

Mathematically, we state our problem as:

minimize

$$C = \phi(y_1, y_2, \ldots, y_n) \tag{5.31}$$

subject to constraints

$$\begin{aligned} & f_1(y_1, y_2, \ldots, y_n) = 0 \\ & \ldots\ldots\ldots\ldots\ldots\ldots \\ & f_j(y_1, y_2, \ldots, y_n) \leqslant 0 \\ & \ldots\ldots\ldots\ldots\ldots\ldots \\ & f_k(y_1, y_2, \ldots, y_n) \geqslant 0 \\ & \ldots\ldots\ldots\ldots\ldots\ldots , \end{aligned} \tag{5.32}$$

where y_1, $y_2, \ldots, y_n$ are the designer's decision variables, which can include total flow to the core, core-inlet temperature, primary-system operating pressure, secondary-system pressure, fuel-rod diameter, number of fuel rods, etc.

Numerical solutions for large-size optimization problems can now be readily executed on modern computers. The procedures adaptable to problems of the type expected generally fall into two categories.

In the first category, the problem is linearized by writing the objective function and each constraint as a Taylor's series expansion in which only the linear terms are retained. Thus, we would have

$$f_i(y_1, y_2, \ldots, y_n) \approx A_i + \left(\frac{\partial f_i}{\partial y_1}\right)\Delta y_1 + \left(\frac{\partial f_i}{\partial y_2}\right)\Delta y_2 + \ldots + \left(\frac{\partial f_i}{\partial y_n}\right)\Delta y_n \ . \tag{5.33}$$

This linear problem can then be solved by the well-known Simplex procedure. Since linearization is applicable only over a small region, the full step predicted by the Simplex algorithm is not taken; the variables are moved in the predicted direction, but the maximum Δy is limited. The procedure is then repeated for the succession of points indicated until an optimum solution is obtained. An operable example of this class of computer program is POP (Ref. 17).

In the second major category of methods, constrained optimization is converted to an unconstrained problem. This can be done by forming a new objective function, SN, such that if we have m constraint functions,

$$SN = C + \sum_{i=1}^{m} \delta_i K_i \left[f_i(y_1, y_2, \ldots, y_n)\right]^2 \ . \tag{5.34}$$

Quantities δ_i are unity for the equality constraints. For inequality constraints, the δ_i are zero if the constraint is met, and unity otherwise. The K_i are positive constants. It can be seen that the greater the violation of the constraint, the higher the objective function. By attempting to minimize this revised function, we minimize constraint violations. Solution of the problem for a series of increasing values of K_i leads to a condition where all constraints are finally satisfied.

To minimize the new unconstrained objective function, *SN*, a search procedure can be used. An example of a computer program following this technique is the Optimal Search by Weisman et al.[18] Alternatively, the new, unconstrained objective function can be minimized by following its gradient. An example of this technique is Fiacco and McCormick's SUMPT program.[19] The SUMPT program also uses a somewhat different formulation of Eq. (5.34). For extensive reviews of nonlinear programming, the reader is referred to Hadley[20] and Gottfried and Weisman.[21]

Weisman and Holzman[22] applied nonlinear programming techniques in determining both the optimal design and design margin for a PWR. They recognized that many of the design variables and parameters are stochastic rather than deterministic quantities. Therefore, there is always some probability that a design constraint will be violated, even when the nominal values of all quantities indicate a satisfactory design. (In Sec. 5-2.4, we consider this idea in detail with regard to the DNB constraint.) By using estimated stochastic properties, the probability of violating each design limit was computed. They then formulated their objective function as

$$\text{Minimize} \sum_{i=1}^{k} C_k + \sum_{i=1}^{m} p_m C_{fm} \quad , \tag{5.35}$$

where

$\sum_{i=1}^{k} C_k$ = summation of usual capital and operating costs

p_m = probability that the m'th design constraint will be violated

C_{fm} = cost incurred when failure occurs due to violation of the m'th design constraint.

Minimization of the foregoing function provides values of major design parameters that lead to low failure probabilities. By determining the ratios of the various design limits to the values computed using the nominal values assigned by the program, a safe and economical design margin is established.

Useful results from any design optimization approach can only be obtained when a realistic and accurate mathematical model of the reactor plant is available. Unless considerable care is taken in developing and benchmarking such a model, very misleading results can be obtained.

5-2.2 Effect of Core-Flow Arrangement on Core Performance

5-2.2.1 Multipass Versus Single-Pass Cores

In a multipass core, the core is separated into regions through which the coolant flows successively.

The advantages of a multipass core are:

1. High coolant mass velocity increases the DNB margin.

2. High coolant mixing, occurring at core interpasses, reduces $F_{\Delta H}$. However, the benefit of mixing disappears as the radial power distribution becomes flat.

3. Since the coolant of a multipass core passes through both the high-power region and the low-power region, total enthalpy rise in the hot channel does not change considerably, even if the high-power and low-power regions interchange in later core life.

The disadvantages are:

1. Mechanical design is complicated and requires more structural material inside the core; this is especially significant in a small core.
2. Pressure drop across the core is greatly increased; this increases the pumping power or reduces the total flow rate.

Vaughan[23] analyzed the thermal and hydraulic performance of a multipass core. He assumes the total flow rate has been constant and does not consider the additional cost to achieve the higher pressure drop. An equal division, two-pass core is equivalent to an orificed core. If the primary pump were not changed, total flow rate would be greatly reduced. Since large PWRs use nearly the largest pumps available, pumping capacity normally cannot be increased without adding additional pumps. This essentially nullifies the advantage of a two-pass core.

5-2.2.2 Orificing for Closed Assemblies and Pressure Tubes

An orificed core redistributes the flow so that more passes through the hot channel at the expense of an increased core pressure drop. The increase in the pressure drop mainly depends on the degree of orificing. For example, a PWR core with 40% additional flow passing through the hot assembly requires the other assemblies to be orificed to give the same pressure drop. Thus, an orificed core would have almost twice as much pressure drop as a similar but unorificed core. This high-pressure drop across an orificed core reduces total flow rate to the core, or increases pump cost and pump power. The shift of the power peak during core life greatly reduces the benefit of orificing so that its cost sometimes exceeds its benefits.

5-2.2.3 Regional Inlet Velocity Control in an Open Core

When fuel assemblies are open laterally, it is not possible to set the inlet flow to each assembly in accordance with assembly power. Marked assembly-to-assembly differences in inlet flow would lead to large pressure gradients and high lateral flows that could largely negate the effect of orificing. However, it is possible to control flow on a regional basis. If the outermost region were assigned one flow, the adjacent region another, and the innermost region a third, assembly-to-assembly differentials could be kept moderate. Although lateral flows would still occur, they would probably not be large enough to negate all the benefits of orificing.

The possible effects of regional velocity control are illustrated in Table 5-II for the reactor with the configuration and power distribution shown in Fig. 5-6. To keep lateral pressure gradients at a reasonable level, flow is only partially matched to power. That is, although the relative power level in Region 2 is 1.2,

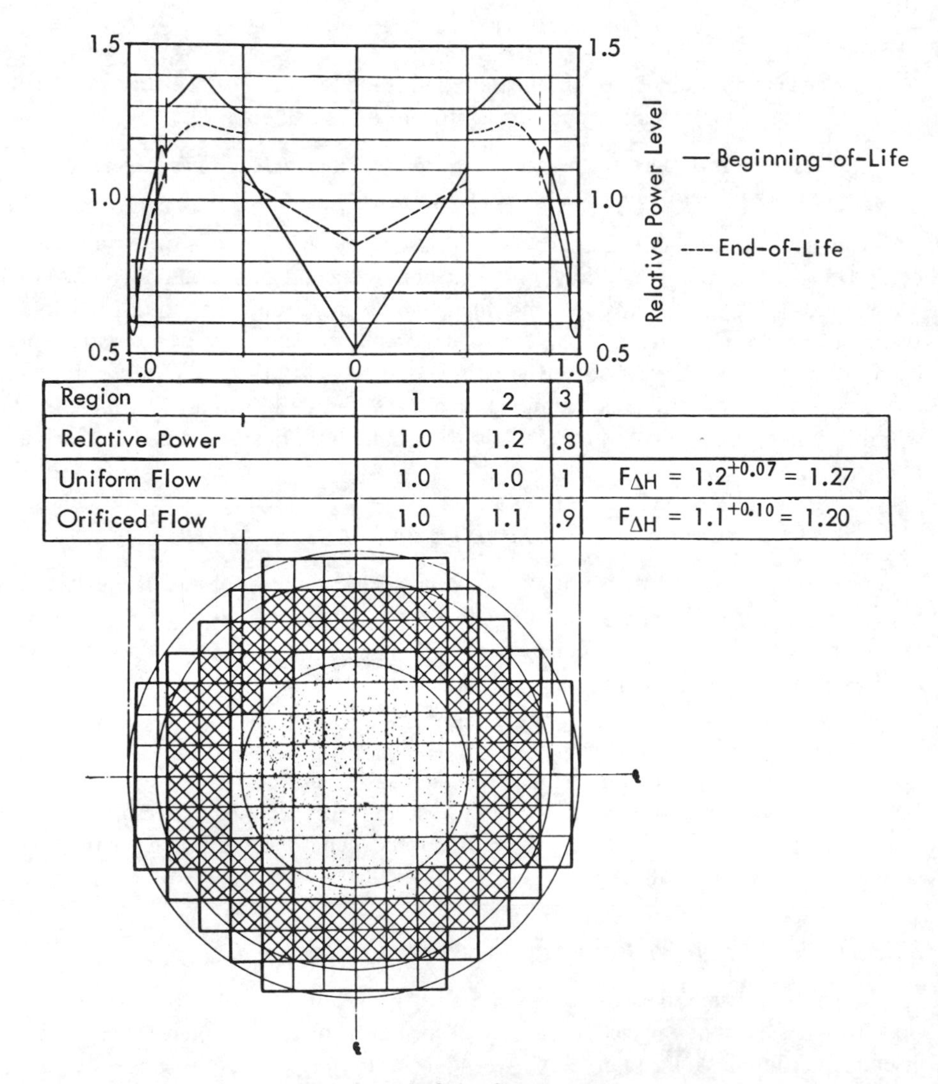

Region	1	2	3	
Relative Power	1.0	1.2	.8	
Uniform Flow	1.0	1.0	1	$F_{\Delta H} = 1.2^{+0.07} = 1.27$
Orificed Flow	1.0	1.1	.9	$F_{\Delta H} = 1.1^{+0.10} = 1.20$

Fig. 5-6. Orificing flow by regions.

TABLE 5-II

EFFECTS OF REGIONAL VELOCITY CONTROL

	Region 1	Region 2	Region 3
Normalized average power density, P	1.0	1.2	0.8
Assigned nominal inlet velocity	1.0	1.1	0.9
Assumed maximum velocity reduction in hot assembly	0.1	0.1	0.1
Minimum inlet velocity, W	0.9	1.0	0.8
Resulting $F_{\Delta H} = P/W$	1.1	1.2	1.0

the flow is only 110% of nominal. If the flow in the hot assembly of Region 2 were 10% less than that assigned to that region, we still obtain an $F_{\Delta H}$ of 1.2. This would be a significant improvement over the $F_{\Delta H}$ of 1.27, which would be obtained without orificing.

Although the three-region design shown in Fig. 5-6 has not been generally used, a two-region design has been employed. Lower flow rates are provided to an outer region and the remainder of the core is taken as a second region with higher flow.

5-2.3 Interaction of Thermal-Hydraulic and Nuclear Effects

The thermal and hydraulic design of a PWR core cannot be established alone. Many parameters have to be determined mutually by nuclear, thermal, mechanical, control, and material engineering considerations. However, the most complicated relationship is the one with nuclear design, which must be carried out iteratively. Before the thermal and hydraulic design can be initiated, the following nuclear information is required:

1. Power distributions during core life, both in steady-state and transient operations. These distributions give peak power that limits reactor power output.

2. Water-to-fuel ratio and fuel-rod size for a most economical fuel utilization and suitable reactivity control. This information determines fuel-rod lattice and core size.

After a preliminary thermal and hydraulic design is made, the following information should be given to the nuclear designers for their evaluation:

1. Void distribution, including local boiling void and bulk boiling void. Void distribution can be used to refine the calculation of nuclear power distribution and to evaluate the reactivity loss due to voids in the core.

2. Average fuel temperature at various power levels. These temperatures determine the core power coefficient through the Doppler effect.

5-2.3.1 Reduction of Local Power Peaking

Reducing local power peaking is the most effective way to increase the average power density of the fuel without exceeding design limitations. Local power peaking in a water-moderated reactor core is usually located adjacent to a vacant control rod slot or the fuel assembly boundary because of large water gaps that cause a local increase in thermal flux. A uniform distribution of all water gaps is always helpful in limiting local power peaking. Such peaking can also be reduced by a lower fuel enrichment or a thicker cladding. A fuel rod of lower enrichment can hardly be identified during assembly. However, a fuel rod of thicker cladding can be identified, and the location of a fuel rod with thicker cladding at the corner of a square fuel assembly is a common way to reduce local power peaking.

5-2.3.2 Effect of Boiling Void on Local Power

The void generated by boiling reduces local moderator density and, thus, reduces local power level. This ability to use its own boiling void as an automatic power-peak limiter is a unique feature of the PWR. This is even true for a chemical-shim-controlled PWR where boron is dissolved in the coolant. Although it is possible for the overall void coefficient to be positive,[c] the local effect reduces thermal neutron flux in the vicinity of the void. Creation of voids locally dilutes the poison and, thus, tends to increase fast neutron flux. However, in a channel with a $<$4-in. radius, the local decrease in moderator density increases flux leakage from the channel sufficiently to cause a decrease in local power. This self-limiting effect is most pronounced at the end of core life, where practically no boron is present in the moderator.

5-2.3.3 Evaluation of Void Effects

We have seen that subchannel analysis computer codes such as THINC and COBRA are able to determine core voids as a function of position. Linkage of codes such as these with a neutronics code allows computation of the effect of voids on power distribution. In Chap. 1, it was pointed out that the THUNDER code[24] links THINC to the very detailed reactor physics analysis of PDQ-7. The MEKIN code[25] links the thermal and hydraulic analysis of COBRA IIIC (see Chap. 4 for descriptions of THINC and COBRA) to a three-dimensional neutronic analysis that is somewhat less exact than PDQ-7. In MEKIN, the core is considered made up of rectangular blocks that are neutronically homogeneous. Regions considered in the thermal and hydraulic analysis correspond to the neutronically homogeneous analysis. For the neutronic calculation, a fine mesh is superimposed on the blocks in the input block geometry.

---

[c]Operation with a positive void coefficient is usually not considered acceptable; steps are taken to avoid this. Use of rods containing burnable poison in the first core is one way of avoiding this difficulty.

The MEKIN code analyzes both steady-state and transient operation. To obtain steady-state conditions, the code iterates between neutronic and thermal-hydraulic calculations. An initial thermal and hydraulic estimate is made assuming uniform power. Reactor physics calculations are then carried out using this estimate of properties. The revised power distribution is then used to compute new thermal-hydraulic conditions. The process then continues sequentially until convergence is obtained.

More rapidly running codes can be obtained by linking thermal and hydraulic models to nodal or $1\frac{1}{2}$ group reactor physics codes. While considerable material has been published on such linkage for closed channel cores, only limited information has been published (1979) on application of this approach to open channel PWRs.[d]

5-2.4 Assessment of Adequacy of DNB Margin

The safety margin incorporated in a core thermal design necessarily limits the power capability of the core. We have seen that the major design limitation on the power capability of a PWR core under normal operating conditions is the CHF phenomenon, or DNB. By increasing the DNB safety margin, we obviously increase the likelihood that there will be no failure, but decrease power capability. The parameter of most significance is the minimum-DNB ratio defined by Eq. (5.6). This section deals with those parameters affecting DNB and the manner in which variations in the parameters are used to relate the DNB ratio to the possibility of actually exceeding CHF during normal operation. The items to be considered are:

1. uncertainty in the DNB correlation
2. engineering hot-channel factor distribution
3. nuclear hot-channel factor distribution
4. variations of operating pressure, temperature, and instrumentation error.

5-2.4.1 Assessment Based on Hot-Channel Analysis

There are several methods by which we can evaluate a core thermal design. We can consider the hot channel alone and determine the probability of a failure there. To do so, we define a design DNB ratio

$$\mathrm{DNBR_{des}} = \frac{q''_{\mathrm{DNB\,predicted}}}{q''_{\mathrm{des}}}\ , \tag{5.36}$$

where

q''_{des} = hot-channel heat flux at a location where DNB flux is minimum, obtained using design hot-channel factors

---

[d]See Ref. 48 for application of such linkage to anticipated transient calculations.

$q''_{\text{DNB predicted}}$ = DNB flux predicted by DNB correlation for assumed operating conditions.

There is variability associated with both the DNB and hot-channel flux. Therefore, we can define an actual DNB ratio

$$\text{DNBR}_{\text{actual}} = \frac{q''_{\text{DNB}}}{q''_{\text{actual}}} , \tag{5.37}$$

where

q''_{DNB} = actual flux at which DNB occurs

q''_{actual} = actual hot-channel flux at DNB location.

We can obtain the hot-channel heat fluxes in terms of the radial-nuclear factor, F_R^N, heat flux, F_q^E, and the heat flux in the average channel at the DNB location, $q''_{\text{DNB avg}}$. Hence,

$$\frac{\text{DNBR}_{\text{actual}}}{\text{DNBR}_{\text{des}}} = \left[\frac{q''_{\text{DNB}}}{(q''_{\text{DNB}_{\text{avg}}})(F^N_{R_{\text{act}}})(F^E_{q_{\text{act}}})}\right]\left[\frac{(q''_{\text{DNB}_{\text{avg}}})(F^N_{R_{\text{des}}})(F^E_{q_{\text{des}}})}{q''_{\text{DNB}_{\text{predicted}}}}\right] , \tag{5.38}$$

where subscripts des and act indicate design and actual values, respectively. Next, we solve for the actual DNB ratio

$$\text{DNBR}_{\text{actual}} = \left[\frac{(\text{DNBR}_{\text{des}})(F^N_{R_{\text{des}}})(F^E_{q_{\text{des}}})}{(F^N_{R_{\text{act}}})(F^E_{q_{\text{act}}})}\right]\left[\frac{q''_{\text{DNB}}}{q''_{\text{DNB}_{\text{predicted}}}}\right] . \tag{5.39}$$

We now define

$$F^{\text{DNB}} = \frac{q''_{\text{DNB}_{\text{predicted}}}}{q''_{\text{DNB}}} . \tag{5.40}$$

Then

$$\text{DNBR}_{\text{actual}} = \frac{(\text{DNBR}_{\text{des}})(F^N_{R_{\text{des}}})(F^E_{q_{\text{des}}})}{(F^N_{R_{\text{act}}})(F^E_{q_{\text{act}}})(F^{\text{DNB}})} . \tag{5.41}$$

Failure occurs when the actual DNB ratio is less than unity. Therefore, it occurs when

$$F^N_{R_{\text{act}}} F^E_{q_{\text{act}}} F^{\text{DNB}} > \text{DNBR}_{\text{des}} F^N_{R_{\text{des}}} F^E_{q_{\text{des}}} . \tag{5.42}$$

The probability that no failure occurs is then

$$p_{nf} = p(F^N_{R_{\text{act}}} F^E_{q_{\text{act}}} F^{\text{DNBR}} < \text{DNBR}_{\text{des}} F^N_{R_{\text{des}}} F^E_{q_{\text{des}}}) , \tag{5.43}$$

where $p(B)$ is the probability that (B) will occur.

Factors $F^E_{q_{act}}$, $F^N_{R_{act}}$, and F^{DNB} can all be described in terms of probability distribution functions. In Sec. 5-1.6 we saw how a probability distribution can be determined for F^E_q. To determine a distribution function for F^{DNB}, we must compare the predictions of the DNB correlation with the available experimental data. The data are classified in accordance with the F^{DNB} ratio, and we fit a normal frequency function $g(F^{DNB})$ to the resulting histogram. A distribution function $\phi(X)$ can then be obtained from

$$\phi(X) = \int_{-\infty}^{X} g(F^{DNB}) d(F^{DNB}) \ . \tag{5.44}$$

Note that for any specified value of F^{DNB}, say A,

$$\phi(A) = p(F^{DNB} < A) \ . \tag{5.45}$$

Available DNB data can be considered a sample of all the data that could be obtained. Another sample would give a different histogram and, to account for this uncertainty, a set of tables[5] enabling the determination of probabilities based on sample parameters at given confidence level γ is used. The tables can be regarded as providing a correction factor for Eq. (5.44). After the correction has been applied, we can say that at most, proportion p of the normal population is less than the value specified with confidence level γ. A value of 95% is usually assumed for γ.

To obtain the distribution function for $F^N_{R_{act}}$, the values of F^N_R obtained from an appropriate nuclear design code are plotted in terms of the fraction of the total number of channels with F^N_R values less than stated. A function is then fitted to the resultant curve.

To obtain the combined probability that design conditions will not be exceeded, we must convolute the individual distributions. If we have two independent variables X and Y with distribution functions ϕ_1 and ϕ_2, the probability that product XY is less than given value A is given by

$$p(XY < A) \leqslant \sum_i \left[\phi_1(X_{i+1}) - \phi_1(X_i)\right]\left[\phi_2(A/X_i)\right] \ . \tag{5.46}$$

By assuming a series of values for A, we can determine the distribution function for (XY). This function can then be convoluted with additional variables.

5-2.4.2 Core-Wide Analysis

In confining attention to the hot channel alone, we tacitly make the assumption that nonfailure probability elsewhere is also one. A more reasonable assumption is that a failure is possible in any channel of the core. One method for core-wide DNB assessment has been proposed by Antognetti et al.[26] and Businaro and Pozzi.[27] They divided the core into a large number of regions and performed a full set of thermal design calculations in each region based on values of the randomly varying parameters drawn from their distributions by a Monte Carlo technique. Distributions for the maximum cladding temperature or other desired quantities thus can be obtained for the entire core. However, the method is quite cumbersome and requires considerable computer time.

Tong[28] indicated how the previous hot-channel analysis can be extended core-wide. We illustrate the extended method by applying it to the Brookwood reactor core[29] and estimating the number of rods that might reach DNB at the maximum overpower condition for a reactor with a limiting DNB ratio of 1.3. The engineering hot-channel factors are omitted for simplicity.

Local heat flux q'' at any radial position in the reactor can be expressed by the equation

$$q'' = \bar{q}''_{\text{reactor avg}} \times \frac{q''_{\text{rod avg}}}{\bar{q}''_{\text{reactor avg}}} \times F_Z^N , \tag{5.47}$$

where

q'' = local flux in a rod

$\dfrac{q''_{\text{rod avg}}}{\bar{q}''_{\text{reactor avg}}}$ = rod power in fraction of average rod power (value varies with radial position)

F_Z^N = axial hot-channel factor (fixed for all rods).

The plots of rod power distributions labeled as the best fit and the worst cases are shown in Fig. 5-7, where the values of $(q''_{\text{rod avg}}/q''_{\text{reactor avg}})$ are plotted against the number of rods with a power larger than shown by the local value of the curve. The dotted curve is a best-fit curve obtained from a regression analysis of these data. Uncertainties in the calculated results are considered normally distributed over the total number of rods in the core. If the largest uncertainties are assigned to rods with the largest local power, then superposition of the uncertainty distribution on the best-fit curve results in the solid curve labeled the worst case. This is obviously the most conservative distribution. We can express this distribution in terms of the predicted DNB flux. This is done in Fig. 5-8, where the rod-wise variation of $(q''_{\text{DNBpredicted}}/q'')$ at a 112% overpower condition is plotted as the additional ordinate scale. The ratio $(q''_{\text{DNBpredicted}}/q'')$ corresponds to our definition of DNBR_{des}.

The actual DNB ratio, defined by Eq. (5.37), can be rewritten as

$$\text{DNBR}_{\text{actual}} = \frac{q''_{\text{DNBpredicted}}}{q''_{\text{actual}}} \times \frac{q''_{\text{DNB}}}{q''_{\text{DNBpredicted}}} = \text{DNBR}_{\text{des}}/F^{\text{DNB}} . \tag{5.48}$$

Again, a failure is considered to occur when $\text{DNBR}_{\text{actual}}$ is <1, or whenever $F^{\text{DNB}} \geqslant \text{DNBR}$. We obtain the probability of this occurring by convoluting the distribution function for DNBR_{des} (from Fig. 5-7) with that for F^{DNB}. The probability distribution for F^{DNB}, obtained from Tong's W-3 DNB correlation for a confidence level of 95% by the previously described procedure, is plotted as a function of the DNBR_{des} in Fig. 5-8.

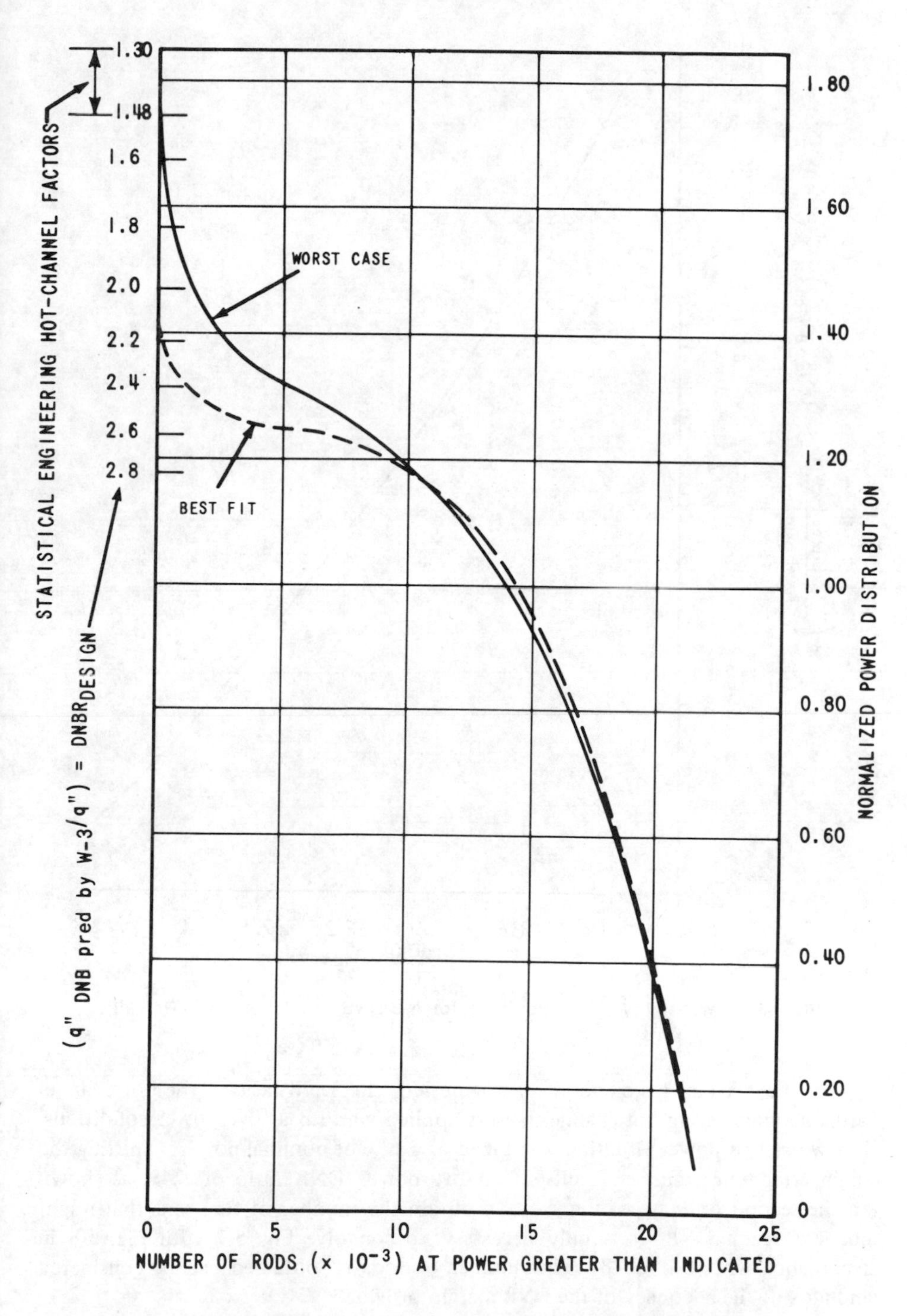

Fig. 5-7. Power distribution for Brookwood at 112% overpower (from Ref. 29).

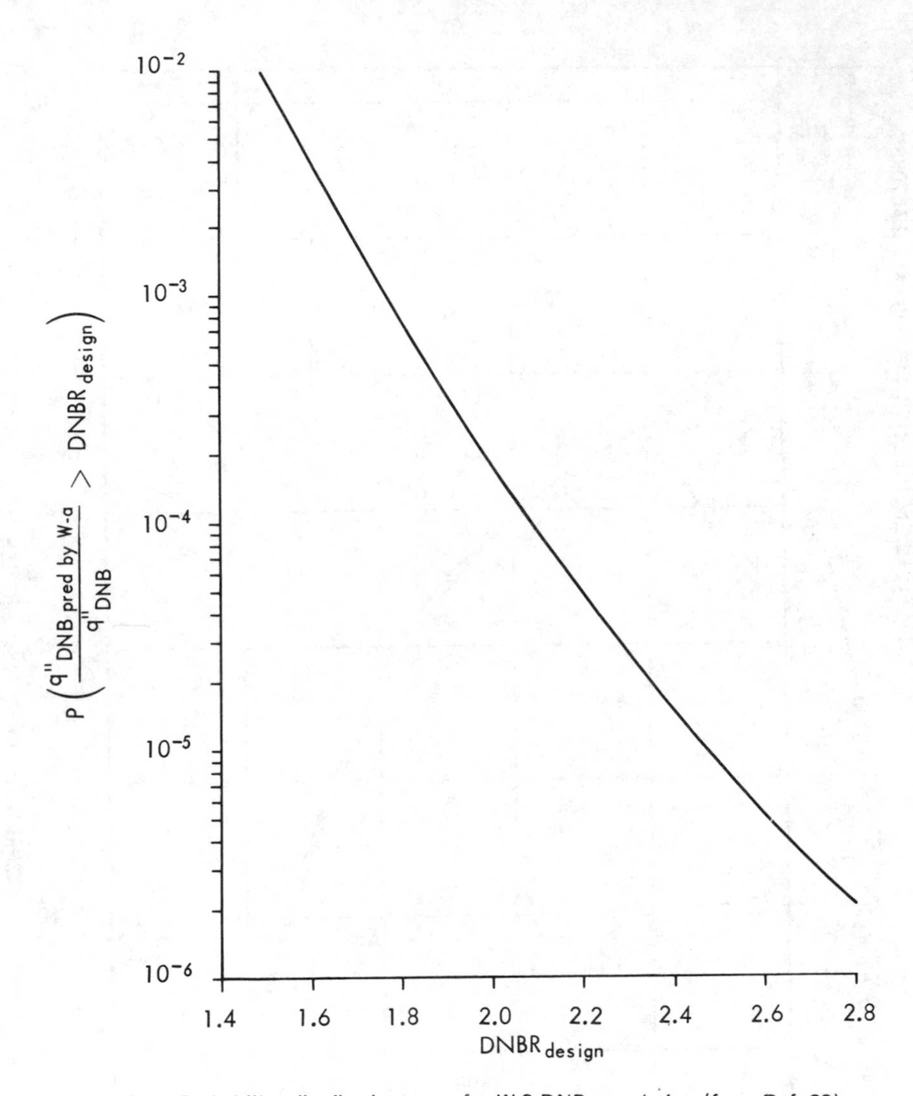

Fig. 5-8. Probability distribution curve for W-3 DNB correlation (from Ref. 29).

In the original Brookwood reactor design, the DNB ratio in the hot channel with the engineering hot-channel factors applied was 1.3 at overpower conditions. The worst overpower situation was taken as 112% of nominal power. Omitting the engineering uncertainties results in an overpower DNB ratio of 1.48, as shown on the second ordinate of Fig. 5-8. To obtain the number of fuel rods that might possibly reach DNB, it is only necessary to convolve Fig. 5-7 with Fig. 5-8 in accordance with Eq. (5.48). The number of rods so obtained can be considered an index of the adequacy of the DNB margin provided.

The actual convolution procedure can be demonstrated by a sample calculation. From Fig. 5-7, the number of rods that have $DNBR_{des}$ values between

1.48 and 1.49 is 29. From Fig. 5-8, the probability that F^{DNB} is greater than a $DNBR_{des}$ value of 1.48 is 0.011. The product of 29 and 0.011 is 0.319 rods that might possibly reach DNB in this group of 29 rods. This process is continued group by group for the entire core; summation of the results of all groups gives 2.4 (see Table 5-III) as the number of rods that might possibly reach DNB in the core of the Brookwood reactor at the worst overpower condition.

The method described above is similar to the "synthesis method" of uncertainty analysis proposed by Fenech and Gueron.[30] However, in the synthesis

TABLE 5-III

DNB PROBABILITY CALCULATIONS FOR BROOKWOOD REACTOR

(1) $DNBR_{des}$	(2) Number of Rods in Group	(3) Probability of DNB Occurring	(4) Number of Rods That Might Reach DNB (2) × (3)
1.48	29	0.011	0.3190
1.49	14	0.0097	0.1358
1.52	22	0.0075	0.1650
1.55	22	0.00562	0.1236
1.58	22	0.00448	0.0986
1.60	22	0.00370	0.0814
1.62	22	0.00315	0.0693
1.64	21	0.00270	0.0567
1.66	21	0.00236	0.0496
1.67	21	0.00212	0.0445
1.68	108	0.00190	0.2052
1.74	108	0.00123	0.1328
1.78	108	0.00087	0.0940
1.82	108	0.00066	0.0713
1.85	217	0.000526	0.1141
1.90	217	0.000352	0.0764
1.95	1 083	0.000250	0.2708
2.13	2 166	0.000070	0.1516
2.31	2 166	0.0000245	0.0531
2.44	2 166	0.0000116	0.0251
2.60	2 166	0.0000048	0.0104
2.86	10 830	0.00000147	0.0159
	21 659		2.3642 ≈ 2.4

Note: The second column lists the number of rods at the maximum overpower condition that have $DNBR_{des}$ values between consecutive values in the first column (Fig. 5-7). The sum of the entries in this column is the total number of rods in the core: 21 659. The third column lists the probability that DNB will occur at the corresponding $DNBR_{des}$ value (Fig. 5-8). The fourth column is obtained by taking the product of adjacent entries in Columns (2) and (3). This gives the number of rods for each group that might possibly reach DNB. The sum of the entries in this column is ≈2.4, which represents the total number of rods that might possibly reach DNB in the core of the Brookwood reactor.

method, the fuel rods are divided into axial segments for which the failure probabilities are computed. The nonfailure probability for the rod is the product of the nonfailure probabilities for the individual segments. The influence of the number of axial segments chosen is taken into account by allowing for a greater variation in enthalpy rise, at the axial location considered, for smaller numbers of segments.

Amendola[31] suggested a somewhat different approach, which is based on a hierarchal classification of uncertainties and the use of the statistical theory of extremes. Amendola suggested that uncertainties could be considered grouped as local, channel, assembly, and core uncertainties. Within each group, uncertainty is combined by assuming the group variance equals the sum of the squares of the variances of the components. As a result of the central limit theorem, Amendola feels justified in assuming the resulting distributions are normal.

To combine uncertainties from the various groups, Amendola makes use of the fact that the maximum value in a population of n samples, drawn from a normal population with zero mean and a standard deviation of σ, can be approximated by another normal distribution with the following characteristics:

$$\text{mean value} = [h_m(n)]\,\sigma \tag{5.49}$$

$$\text{standard deviation} = [h_\sigma(n)]\,\sigma \ ,$$

where σ is the original standard deviation, and h_m and h_σ are known functions of n (Ref. 31). Thus, in combining the channel uncertainties affecting the N_c channels in an assembly, distribution of the maximum value would be normal with mean, $\bar{\mu}_{\text{ch}}^{\text{eq}}$, and standard deviation, $\sigma_{\text{ch}}^{\text{eq}}$, given by

$$\bar{\mu}_{\text{ch}}^{\text{eq}} = h_m(N_c)\sigma_{\text{ch}} \tag{5.50}$$

$$\sigma_{\text{ch}}^{\text{eq}} = h_\sigma(N_c)\sigma_{\text{ch}} \ , \tag{5.51}$$

where σ_{ch} is the standard deviation of channel uncertainties. This distribution is then combined with assembly uncertainties. Since only a single assembly is involved, the mean $\bar{\mu}_{\text{ch}}^{\text{eq}}$ and standard deviation for the combination are

$$\bar{\mu}_s^{\text{eq}} = \bar{\mu}_{\text{ch}}^{\text{eq}} \tag{5.52}$$

$$\sigma_s^{\text{eq}} = [(\sigma_s)^2 + (\sigma_{\text{ch}}^{\text{eq}})^2]^{1/2} \ , \tag{5.53}$$

where σ_s is the standard deviation for assembly uncertainties. Distribution of the maximum value for the N_a assemblies is then characterized by

$$\bar{\mu}_a^{\text{eq}} = \bar{\mu}_s^{\text{eq}} + h_m(N_a)\sigma_s^{\text{eq}} \tag{5.54}$$

$$\sigma_a^{\text{eq}} = h_\sigma(N_a)\sigma_s^{\text{eq}} \ . \tag{5.55}$$

If we ignore any zone-wide effects, distribution of the maximum core values would be characterized by a mean of $\bar{\mu}_a^{\text{eq}}$, but a standard deviation, σ_c^{eq}, of

$$\sigma_c^{\text{eq}} = [\sigma_c^2 + (\sigma_a^{\text{eq}})^2]^{1/2} \ , \tag{5.56}$$

where σ_c would be the standard deviation of such uncertainties as they apply to the entire core.

Amendola applied his method to determining the distribution of the maximum temperature in a liquid-metal-cooled core. However, the principle can be applied to the distribution of any extreme; e.g., maximum DNBR. Refinements and elaboration of this approach are given by Amendola[32] and Mazumdar.[33]

5-2.4.3 Use of Statistical Analysis in Core Design

The foregoing discussion assumed that a DNB ratio was selected and that the effectiveness of this choice was to be assessed. However, the process can be reversed and statistical analysis can be used to select a design DNB ratio. For example, we might specify that the probable number of rods experiencing DNB under expected overpower conditions will be less than one. Alternatively, we could use Weisman and Holzman's[22] approach and specify that the probability of DNB at the hot spot should be below some specified low value. By repeating the statistical analysis for a series of assumed DNB ratios, the ratio that just met the required condition could be selected. Such an approach avoids setting the DNBR at an arbitrary value, but varies it in accordance with system design. An adequate safety margin can be maintained without being unnecessarily conservative.

5-3 REACTOR PROTECTION AND CORE MONITORING

5-3.1 Reactor Protection

The basis for the design of the reactor protection system is contained in the U.S. Code of Federal Regulations, "General Design Criteria for Nuclear Construction Permits,"[34] which states, "The reactor core shall be designed to function throughout its design lifetime without exceeding acceptable fuel damage limits which have been stipulated and justified. The core design, together with reliable process decay and heat removal systems shall provide for this capability under all expected conditions of normal operation with appropriate margins for uncertainties and for transient situations which can be anticipated, including the effects of loss of power recirculation in pumps, tripping of the turbine generator set, isolation of the reactor from the primary heat sink, and loss of all off-site power." This criterion is generally interpreted as meaning that failures due to exceeding the CHF or an excessive linear heat production must be avoided during any reasonably anticipated situation.

Following these guidelines, the revised Code of Federal Regulations[35] defines "safety limits" and "safety settings." "Safety limits are limits upon important process variables which are found to be necessary to reasonably protect the integrity of each of the physical barriers which guard against the uncontrolled release of radioactivity." The "maximum safety settings are settings for automatic protective devices related to variables on which safety limits have been placed.... A maximum safety setting shall be so chosen that automatic protective action will correct the most severe abnormal situation anticipated before a safety limit is exceeded." Thus, the safety limit on reactor power would be the power level at which operation is deemed to become unsafe, while the maximum safety setting would be the power level at which a trip is initiated. The maximum safety settings must take into account measurement and instrument uncertainties associated with process variables.

We think of the reactor-protection system as a control system that, in routine operation, remains an observer acting only if the reactor system reaches the limit of permissible operation (maximum safety setting). The following are typical of PWR abnormal operating conditions that usually cause a reactor trip.[36,37]

1. High neutron flux level–high flux level indicates excessive power generation in the reactor; e.g., inadvertent rod withdrawal while operating at power. Coincident high flux level signals from two power range channels cause a trip.

2. High thermal power level–thermal power at normal flow is indicated by the temperature difference across the core. Coincident high ΔT measurements from two channels cause a reactor trip. This circuit provides a backup for the flux level trip.

The setpoint for this trip will often depend on the measured average core temperature and the measured AO. By incorporating these variables in the set point determination, the trip also protects against local fuel rod power exceeding allowable limits, even though the total core power is within acceptable limits. Another approach that will accomplish this is the addition of a separate trip based on the AO limits.

3. High reactor startup rate–reactor startup rate indication, computed by the startup channels, gives the operator information on the rate of power change. High startup rate signals from source range instrumentation actuate an alarm and a rod-stop circuit. High startup rate signals from intermediate range channels, if the startup rate continues to increase, initiate a trip signal. The power range channels provide a further backup if flux exceeds a preselected value on two of the four power range detectors.

4. Loss of reactor coolant flow–trip is required on loss of flow in one or more reactor coolant loops, or on loss of power to one or more reactor coolant pumps. The need to trip on loss of flow in one loop is a function of the power level at the time of the accident and the number of loops in the plant. This protection is necessary to prevent excessive fuel temperatures resulting from this accident.

5. Minimum DNBR trip–a reactor trip is provided to prevent reactor coolant conditions in the core that approach those at which the boiling crisis occurs. The set point for this trip is continuously calculated from the reactor power, coolant inlet temperatures, and pressurizer pressure. Figure 5-9 shows the safety limits[38] established for pressure, temperature, and power at 100% flow in the original design of the San Onofre plant. Maximum safety settings were derived from these

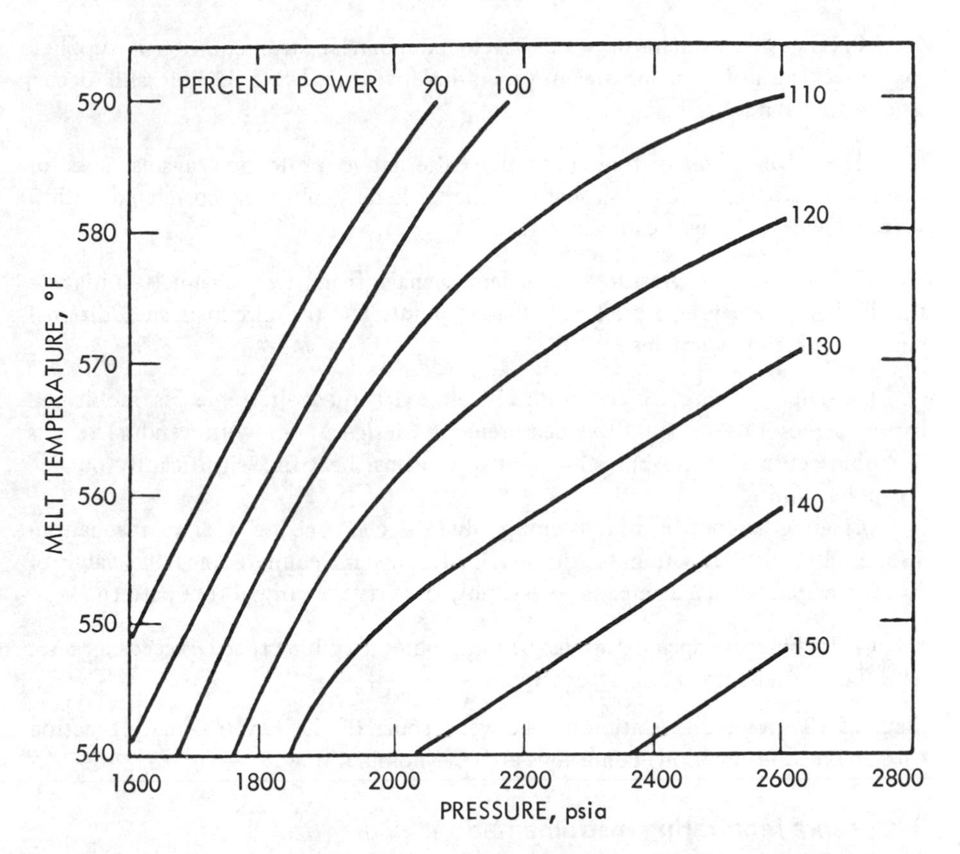

Fig. 5-9. Safety limits on pressure, temperature, and power at 100% nominal flow for San Onofre. [From *Nucl. Safety*, **9**, 153 (1968).]

limits by properly allowing for instrument and measurement uncertainties. In load follow reactors, the setpoint must be varied with axial power distribution.

In many later load-following plants, this trip is initiated by a signal derived from the temperature difference across the core. Set point ΔT is a function of measured average temperature, pressure, and AO.

6. Manual trip—trip initiated by the reactor operator.

7. High water level in the pressurizer—high level in the pressurizer initiates trip to prevent filling the pressurizer and discharging water through the safety valves.

8. Initiation of safety injection operation—this trip provides a backup for low-pressure trip.[5] Indication of safety injection operation is provided by several independent measurements.

9. Turbine-generator trip—above ~10% power level, a turbine trip initiates a scram to prevent activation of the steam-generator safety valve.

10. Low steam-generator water level–redundant instrumentation is supplied to protect against loss of steam generator inventory. Should this still occur, reactor trip is indicated.

11. Feedwater-steam flow mismatch–alternative protection against loss of steam-generator inventory. Mismatch signal generally must be correlated with a slightly low level in the steam generator.

12. High system pressure–coincident signals from two channels initiate a trip if the system pressure exceeds the set point. The trip circuit is an additional backup for high power trips.

13. Malpositioning of control rods–an axial flux difference as monitored by in-core or out-of-core flux measurement (design varies with vendor) results in turbine cutback. This procedure protects against heat flux significantly outside acceptable limits.

Dropping a control rod assembly due to deenergizing a drive mechanism also results in a reduction of turbine load. This is required since the value of F_q is increased when a dropped rod assembly distorts the normal flux pattern.

14. Turbine overspeed–turbine trip originates if turbine speed exceeds a preset level. Loss of load leads to reactor trip.

Figure 5-10 shows the relationship between some of the key thermal protection trips and reactor operating conditions at 100% nominal flow.

5-3.2 Core Monitoring Instrumentation

The major tools for monitoring core power distribution are the ex-core ionization chambers that measure AO. We previously noted that this measurement is often obtained from full-length ionization chambers that are split into upper and lower segments. Electronic comparison of the signals from these segments allows the offset to be read directly. The AO signal provides an effective means for the operator to monitor and control the core power distribution.

The information provided by the ex-core detectors is supplemented by that obtained from the in-core instrumentation. Such in-core instrumentation was first used to demonstrate reactor power capability. Early reactor designs were generally very conservative and actual operating experience was helpful in demonstrating that increased power output could be achieved safely. A typical example is the Yankee-Rowe plant where in-core instrumentation was valuable in justifying the increase in plant output from 392 to 600 MW(th).

In-core instrumentation has generally consisted of flux measuring devices plus thermocouples placed at the centers of the exit nozzles of a number of fuel assemblies. Mixing vanes are often placed at fuel assembly outlets to assure that thermocouple measurements reflect true bundle-average outlet temperatures.

In-core flux measuring devices have taken a variety of forms. They have included:

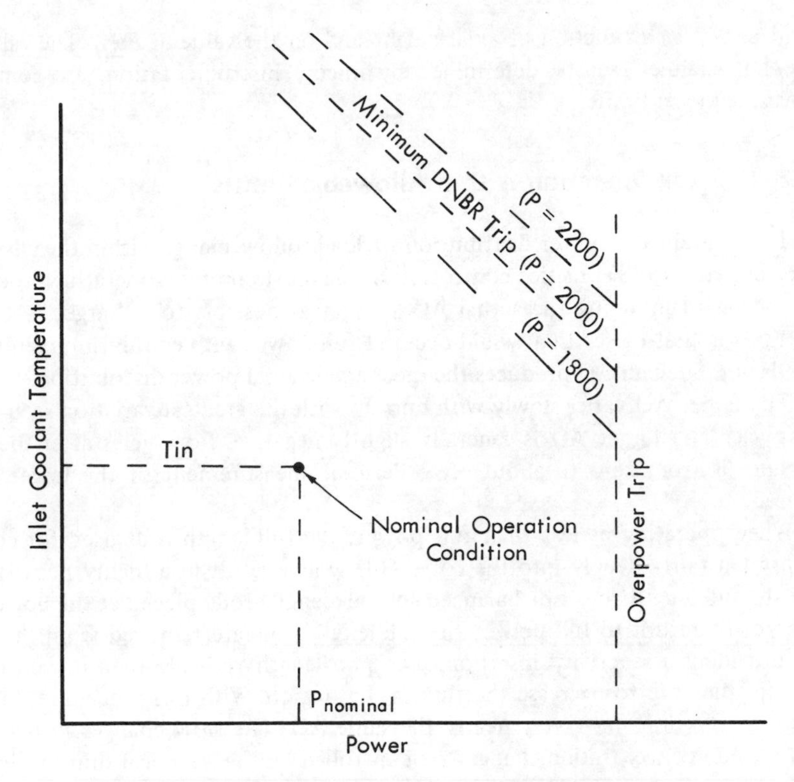

Fig. 5-10. Relationship of trip settings to flow and power level.

1. Flux wires–flexible wires forced into the core at a number of radial positions and irradiated for a preset time. Wires are then removed from the core and counted. Wire activation is proportional to flux and, hence, axial flux variation is determined by axial variation in wire activity.

2. Movable in-core detectors–detectors connected to flexible cables that can move detectors axially in fixed radial position. By making a traverse of the core, axial variation in flux at a given *x-y* location is determined. Detectors can be kept out of the core when not in use and, hence, radiation damage is limited.

3. Fixed in-core detectors–at given *x-y* locations, several fixed detectors are located at a series of axial positions. Detectors provide a continuous picture of core-flux distribution.

In the later load-following plants, design requirements specify reactor operation within a given maximum power versus axial height envelope and in-core instrumentation must periodically be used to calculate the core power distribution and demonstrate that it is within the prescribed envelope. Generally, limits are placed on F_q^N as a function of axial height and on the value of $F_{\Delta H}^N$. The values of these hot channel factors, determined by in-core instrumentation, are compared against the preset limits.

5-3.3 Reactor Operation Within Allowable Limits

To maintain the power distribution of load-follow plants within the allowable limits, current (1978) practice controls AO. The most common operating procedure is based on maintaining the actual AO as close as possible to a "target" AO. The target AO is that offset that would occur at full power with equilibrium xenon and all rods out. Such an AO produces the most stable axial power distribution.

The target AO varies slowly with burnup with the greatest variation seen in the first cycle. The target AO is generally slightly negative. For cycles after the first, the range is from zero to about −5%. Periodic measurement of the target AO is required.

When operating at less than full power, the full-length rods used for control are inserted fairly deeply into the core. This would result in a highly negative AO were the full-length rods not balanced by part-length rods placed at the bottom of the core. To return to full power, the full-length rods are removed from the core, thus providing a reactivity insertion. The part-length rods are then moved to the center of the core to decrease the flux in that region. With this procedure, the two power distributions have very nearly the same AO. The slow changes in reactivity due to xenon concentration changes are controlled by the chemical-shim system.

5-4 TRANSIENT PERFORMANCE AND SAFEGUARDS ANALYSIS

5-4.1 Safety Criteria

In setting the safety limits and maximum safety settings described in Sec. 5-3.1, it is assumed that the transient causing a departure from normal reactor conditions is such that proper action of the protection system will prevent any core damage. While this is possible for the most probable transients, we can postulate less likely, but more severe, accidents where it is not possible to prevent some damage.

The basic principle of safety-system design is that the potential magnitude of injury or damage should be considerably less for accidents that are likely than for those with a low probability of occurrence. It is desirable to define sets of departures from normal operation which differ from set to set in the probability of their occurrence.[39]

Set I includes conditions that occur frequently or regularly in the course of normal operation, refueling, or maintenance; e.g., isolated rupture of a fuel element, load changes, approach to criticality, etc. It is required that the plant be designed such that the full range of these conditions can be handled without shutting the plant down manually or automatically.

Set II includes all faults that are not expected during normal plant operation, but reasonably can be expected during the life of a particular plant. Good examples of such conditions are loss of power to reactor components (e.g., pumps) or control systems, loss of condenser cooling, loss of feedwater, inadvertant rod withdrawal, etc. Plant design must ensure that no such fault can cause others that are more serious or fuel damage in excess of that which may be normal in a rapid reactor shutdown. The conditions of this set correspond to those for which the maximum safety settings prevent the safety limits from being reached. This is consistent with the requirements of Ref. 34.

A third condition is comprised of departures from nominal conditions that are not expected to occur in the lifetime of any particular plant, but can occur a few times in the nuclear power industry over a 30- to 40-yr period. Such accidents as a minor loss of primary coolant, minor secondary steam break, or inadvertent boric-acid dilution fall into this category. For such conditions, it is desired that the fault create no necessity for interruption or restriction of public use of the areas in the plant vicinity to which the public normally has access.

The fourth and final set is made up of those faults that are so improbable they are not expected to occur in the industry, but whose consequences include the potential for serious public damage or injury. Thus, despite their low probability, safeguards must be provided. They represent the limiting case. In this category, the thermal designer would have to consider a major rupture of the primary or secondary system, ejection of the maximum worth control rod, or the consequences of movement of the fuel or structure. For these drastic conditions, the possibility of significant plant damage is accepted, but it is required that in the event of such a fault, conservative calculations of the off-site radioactivity dosage indicate that the limitations of the Code of Federal Regulations,[32] Sec. 10CFR100 are not exceeded. This requirement is stipulated for severe accidents in Ref. 34.

The major accident situations that the thermal designer originally considered were: (a) loss-of-flow accident (LOFA) due to pump power loss, (b) reactivity insertion, (c) steam break accident due to a major rupture of the secondary system, and (d) LOCA due to a major rupture of the primary system which can include rupture of a control rod housing and subsequent rod ejection. Since the LOFA and most reactivity insertion accidents are considered as likely to occur, they are Condition II situations. The reactor system is required to respond without damage to the core. The remaining accidents are highly unlikely and are considered to fall under Condition IV. The thermal designer must then determine what damage, if any, occurs under these situations.

In addition to the foregoing, the thermal designer is now required to consider a number of likely transients in conjunction with the assumption that the reactor fails to trip. Since such a combination of events is highly unlikely, these events have often been considered as falling under the fourth set.

5-4.2 Loss-of-Load Transient

A loss-of-load transient is quite unlikely during the life of a plant. Therefore, the transient falls into Set II, where the design criteria are that the transient causes no damages nor generates a worse fault.

A sudden reduction in steam flow first causes a reduced rate of heat removal from the primary coolant. Heat addition in the reactor core initially remains constant and exceeds the rate of heat removal. This results in heatup of the coolant and a pressurizer insurge: a flow of water from the loop into the pressurizer. Increased coolant temperature progresses around the loop; when it reaches the core, it decreases reactivity and, hence, power. The reduction in power can be to a level below that of the rate of heat removal. This can lead to a pressurizer outsurge. Pressurizer heaters and sprays are used to maintain system pressure within the control band.

Analysis of these transients requires an accurate modeling of the pressurizer. Redfield and Margolis[40] devised a model of the pressurizer and loop based on the concept of two closed systems. One system contains the steam phase and that portion of the pressurizer liquid from which evaporation takes place or into which steam condenses. The other system is the remainder of the liquid phase. Conservation-of-mass and -energy equations are applied to each of the closed systems to derive conservation-of-heat and -mass equations for the gas and liquid phases, which are open systems. Heat and mass transfer rates are calculated assuming heat transfer between the steam and liquid phases involves a desuperheating resistance[40] from the steam to the liquid interface and a resistance between the liquid and the bulk of the liquid in question. Resistance between the condensate and bulk of the spray drops is assumed negligible, but resistance between the surface of the pressurizer liquid and condensate is obtained from experimental data. The rate of water evaporation from the steam-water interface is estimated on the basis of kinetic theory.

The Redfield-Margolis model has been compared with the results of loss-of-load tests in the Shippingport plant; good agreement was obtained.[41] Computations based on a saturation line model or an isentropic model provide substantially poorer predictions. More recently, Baron[42] devised a pressurizer model that assumes energy transfer between phases is a result of steam bubbles rising through the liquid and condensate falling through the steam. This model also provided good agreement with experimental data.

The control system is generally designed so that a step loss of load in excess of 50% provides a direct reactor trip signal. If it is assumed that a direct trip does not occur, more serious consequences ensue. Since this situation is very unlikely, the loss of load without direct reactor trip is not a Set II accident.

Even though a direct trip fails, reactor trip should be initiated by either high pressure or high level in the pressurizer. Analyses of this accident would have to demonstrate

1. the ability of the relief and safety valves to keep the reactor coolant system pressure below the design pressure

2. that fuel damage does not occur or is limited.

The analysis requires the use of a systems analysis code that contains the appropriate reactivity feedback mechanisms. This approach is considered in Sec. 5-4.6, where the entire class of anticipated transients without trip (ATWT) is discussed.

5-4.3 Loss-of-Flow Accident

5-4.3.1 Simplified Analysis

In a LOFA, cladding temperature rises rapidly if the boiling crisis occurs immediately after the transient is initiated. If the boiling crisis can be postponed until after the reactor-power trip, the cladding temperature increase is usually moderate. Thus, the time to the boiling crisis, t_{crit}, is a significant parameter in the LOFA analysis.

Determination of coolant flow as a function of time is the first step in the analysis. If we make the conservative assumption that pump inertia is negligible, head change across the pump can be considered to go immediately to zero and remain there. We can then determine flow coastdown by equating the frictional retarding force to the change in momentum of the fluid. We then have

$$\frac{L\rho}{g_c}\frac{dV}{dt} = -C_f \frac{\rho V^2}{2g_c} , \tag{5.57}$$

where

L = total length of the loop

t = time

C_f = total pressure loss coefficient of the loop

V = effective flow velocity

ρ = average fluid density.

The above equation can be rewritten as

$$\frac{dV}{dt} + KV^2 = 0 , \tag{5.58}$$

where K is $C_f/2L$. For example, K equals 0.0893/ft for the Yankee-Rowe hot channel.

The boundary conditions are

$$V = V_0, \text{ at } t = 0 . \tag{5.59}$$

Solution of the differential equation is then

$$\frac{V}{V_0} = \frac{1}{(KV_0 t + 1)} \ . \tag{5.60}$$

The coolant enthalpy rise in a hot channel up to length l_{crit}, at which the boiling crisis occurs, is

$$\Delta H_{crit} = \frac{4}{GD_e} \int_0^{l_{crit}} q''(z) dz \ , \tag{5.61}$$

and

$$l_{crit} = \int_0^{t_{crit}} V dt \ . \tag{5.62}$$

By combining Eqs. (5.60), (5.61), and (5.62), Tong[43] obtained the relationship

$$t_{crit} + \frac{1}{KV_0} = f\left(\frac{q''_{crit}}{D_e}\right) \ , \tag{5.63}$$

where f indicates relationship and

$$\frac{q''_{crit}}{D_e} \propto \frac{\text{kW}}{\text{litre of } H_2O} \ . \tag{5.64}$$

The major contribution of this work is to point out that the time-to-boiling crisis strongly depends on the value of volumetric power density (kW/litre of H_2O) in the core.

Once we know the time at which boiling crisis occurs, we can determine the rate at which the fuel cladding temperature rises. In the case of a UO_2 fuel rod, thermal resistances and capacitances of the UO_2 pellet and the metallic cladding can be lumped respectively for simplicity in calculations (see Chap. 2, Sec. 2-5.2). If we define

$$q'_2 = \theta / R_2 \ , \tag{5.65}$$

we can rewrite Eq. (2.190) as

$$q'_n = C_1 C_2 R_1 R_2 \ddot{q}'_2 + (C_1 R_2 + C_2 R_2 + C_1 R_1) \dot{q}'_2 + q'_2 \ . \tag{5.66}$$

Hence, the fuel rod transfer function is

$$\frac{q'_2(s)}{q'_n(s)} = \frac{1}{C_1 C_2 R_1 R_2 s^2 + (C_1 R_2 + C_2 R_2 + C_1 R_1) s + 1} \ . \tag{5.67}$$

The effective time constant of a UO_2 fuel rod is different for various heat transfer mechanisms. The heat transfer coefficient to water, before DNB, is usually very high and cladding temperature is approximately equal to water temperature. Thus, only the pellet capacitance is considered in a power transient. The resulting time constant is $C_1 R_1$, which is ~8 s for the Yankee-Rowe fuel rod.

In case of film boiling, the heat transfer coefficient at rod surface is so low that R_2 approaches infinity. The time constant for transient heat transfer between the pellet and cladding is $R_1C_1C_2/(C_1 + C_2)$, which is ~2.5 s for the Yankee-Rowe fuel rod. Tong[43] used this general approach for a parametric study of fuel rod transient behavior. He showed that maximum cladding temperature is a function of τ_1, steady-state power, $q_n'(0)$, and R_2, where

$\tau_1 = t'/r_1^2$

r_1 = pellet radius

t' = (time to scram − time to reach DNB).

The results of Tong's analysis are shown in Fig. 5-11.

5-4.3.2 *Detailed Analysis*

In some situations, the simplified analysis we described is adequate for demonstrating the safety of the system. However, in cores operating at high

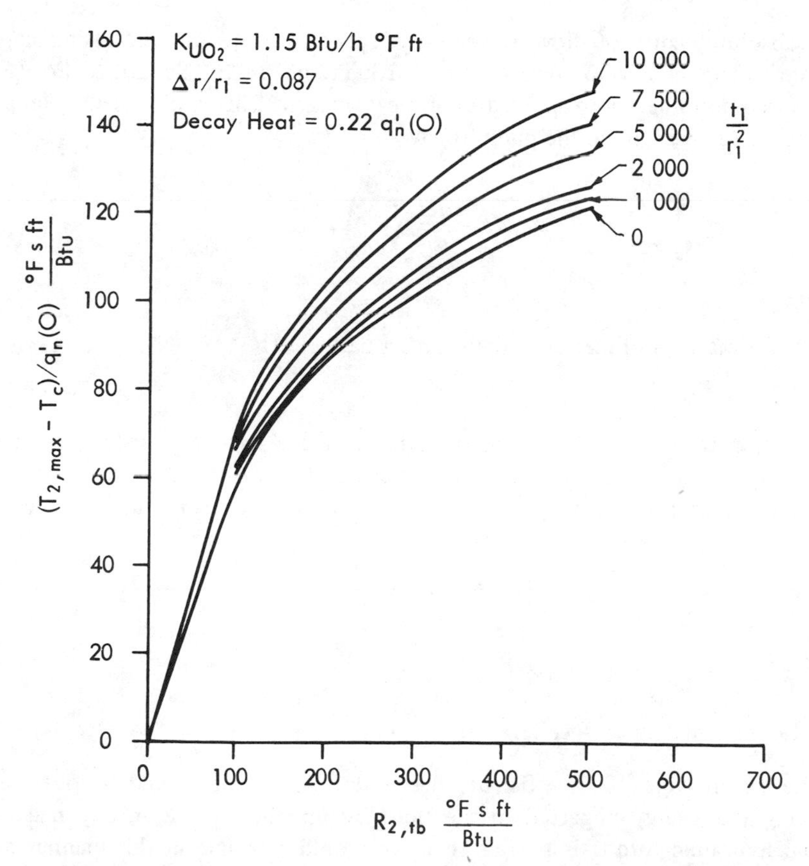

Fig. 5-11. Thermal transient parameters of a fuel rod. [From *Nucl. Sci. Eng.*, **9**, 306 (1959).]

specific powers, the simplified approach may not be adequate and pump inertia must be considered to demonstrate the safety of the system. Numerical solutions to this problem were presented by Arker and Lewis[44] and Boyd et al.[45] Burgreen[46] considered the determination of coastdown flow when pump data are limited.

More recently, Fuls[47] developed a numerical analysis and incorporated it into the FLOT computer code. The analysis requires that we know the flow through the pump at any instant. For a given pump, Fuls approximates the characteristic curves by

$$H'/\omega^2 = (C_1)(F/\omega)(|F/\omega|) + C_2 , \tag{5.68}$$

where

H' = pump head, ft

F = volumetric flow through pump, ft^3/s

ω = pump speed, rad/s

C_1, C_2 = constants for given pump.

The absolute value of flow divided by speed provides an increasing negative pressure drop in case of reverse flow through the pump. To utilize Eq. (5.68), we must know the pump speed during the transient. This is obtained by applying Newton's Second Law to the pump to give

$$\Sigma T = \frac{d\omega}{dt}\left(\frac{I}{g_c}\right) , \tag{5.69}$$

where

I = moment of inertia of the rotating parts, lb ft^2

ΣT = net torque rotating part, lb ft.

The major torques on the pump are the windage and bearing torques and the hydraulic torque on the impeller that arises as it imparts head to the fluid. For any given pump, the windage and bearing torques, $T_{\omega b}$, can usually be described by

$$T_{\omega b} = C_3(\omega/\omega_s)^2 , \tag{5.70}$$

where

C_3 = constant

ω_s = normal pump speed, rad/s.

If the pump were 100% efficient, the hydraulic torque would be obtained by dividing the energy imparted to the fluid by impeller speed. In any real pump, actual hydraulic torque is greater than we would calculate in this manner due to inefficiency in the transfer of energy to the fluid. These inefficiencies are taken as proportional to the square of the relative velocity between the impeller and the fluid. Thus, total hydraulic torque, T_h, is given by

$$T_h = \frac{\rho FH}{\omega}\left(\frac{g}{g_c}\right) + C_4(\omega r - u)^2 \ , \tag{5.71}$$

where

C_4 = constant for a given pump

r = effective impeller radius, ft

u = fluid velocity, ft/s.

Equation (5.69) then becomes

$$\frac{d\omega}{dt}\left(\frac{I}{g_c}\right) = -C_3(\omega/\omega_s)^2 - \frac{\rho FH}{\omega}\left(\frac{g}{g_c}\right) - C_4(\omega r - u)^2 \ . \tag{5.72}$$

The flow in a given loop is determined by rewriting Eq. (5.57) to allow for the pump head. If there is only one pump per loop, for the j'th loop we write

$$\left(\frac{1}{g_c}\right)\frac{d}{dt}\left[\left(\frac{W'L'}{A'}\right)_R + \left(\frac{W'L'}{A'}\right)_L + \left(\frac{W'L'}{A'}\right)_{SG}\right]$$
$$= -\left\{\left[\frac{C'}{\rho}\left(\frac{W'}{A'}\right)^{n_1}\right]_R + \left[\frac{C'}{\rho}\left(\frac{W'}{A'}\right)^{2}\right]_L + \left[\frac{C'}{\rho}\left(\frac{W'}{A'}\right)^{n_2}\right]_{SG}\right\} + \rho H \ , \tag{5.73}$$

where

L' = axial length of component, ft

W' = mass flow through component, lb/s

C' = pressure loss coefficients for individual components

A' = cross-sectional area of component, ft^2

and the subscripts

R = reactor vessel

SG = steam generator

L = loop.

Exponents n_1 and n_2 allow a pressure-loss relationship other than one dependent on the square of the fluid velocity. By using separate equations for each loop, transients in which only some of the pumps are lost can be considered. A set of continuity relationships must be written to relate the flows in the various components.

A finite difference method can now be used to solve the problem. Consider the simplest situation in which all pumps are lost simultaneously; we can consider the entire system as if it were a single loop. Steady-state values for flow and pump speed are used to determine the rate at which the pump speed changes [Eq. (5.72)]. A short time interval is assumed and the reduced head obtained from the pump is estimated from Eq. (5.68). The pump head is then used to obtain the change in flow over the time interval, Eq. (5.73). If desired, an average value of the original and reduced flow can then be used to reestimate the changes in pump speed, pump head, and loop flow. If the changes over the interval are within the desired limits, the calculation proceeds to the next time period using the reduced flow, speed, and head to estimate the new changes in conditions.

Flow coastdown information obtained from this analysis normally would be used subsequently in a numerical analysis of the thermal behavior of the reactor fuel and coolant. Time variation in flow and reactor power would be the input to a computer program such as COBRA (Ref. 14), which analyzes transient core behavior (see Sec. 4-1.2). The COBRA code, and most current transient analysis codes, contains fuel rod models so that cladding and fuel temperatures are readily determined. Computer programs that combine flow coastdown and detailed core analyses (including core kinetics) in a single package have been devised,[48] but are not in widespread use now (1979).

The method of analysis discussed here can be used to determine the pump inertia that ensures minimal temperature rises. This can be determined by a series of studies at varying pump inertia values.

5-4.4 Reactivity Insertion and Steam Break Accidents

In any reactivity insertion accident, such as a chemical and volume control system malfunction or an uncontrolled rod withdrawal for a short time, a reasonable analysis requires consideration of the combined thermal-hydraulic-nuclear effects. A steam break accident has many of the same characteristics. In the case of rupture of a large steam line, there is uncontrolled heat removal from the reactor, causing a rapid cooldown of the primary coolant system. This results in a reactivity addition that is compensated by boric-acid additions to the coolant. Check valves in the steam lines limit steam blowdown to that from one steam generator.

A rod withdrawal accident initiates a fast transient where an accurate representation of reactivity feedback effects is required. Redfield[49] devised a coupled thermal-nuclear model, incorporated in the CHIC-KIN code, which considers the core to be represented by a single fuel element and associated coolant channel. The reactor is forced into transient conditions by either a reactivity insertion, a coolant temperature or flow transient, or a system pressure transient.

The CHIC-KIN code assumes point reactor kinetics and solves the equations

$$\frac{dN}{dt} = \left(\frac{\delta k - \bar{\beta}}{l^*}\right) N + \frac{1}{l^*} \sum_{d=1}^{7} \bar{\beta}_d C_d$$

$$\frac{dC_d}{dt} = \lambda_d (N - C_d) \ , \qquad (5.74)$$

where

N = neutron density

$\bar{\beta}_d$ = effective neutron fraction, delayed neutron group d

$$\bar{\beta} = \sum_{d=1}^{7} \bar{\beta}_d$$

C_d = precursor concentration, delayed group d

l^* = prompt neutron lifetime

λ_d = decay constant, delayed neutron group d,

and where δk is defined by

$$\delta k = \delta k^0 + \delta k(t) + \delta k_{TC} + \delta k_p + \delta k_{exp} + \delta k_{Doppler} \ . \tag{5.75}$$

The reactivity forcing functions are δk^0, an initial step insertion, and $\delta k(t)$, a time varying reactivity insertion. Feedback components are due to water temperature change (δk_{TC}), water density change (δk_p), fuel expansion (δk_{exp}), and fuel temperature change ($\delta k_{Doppler}$).[e]

Total reactor power is assumed proportional to neutron density, N. The heat generation rate is assumed to be a separable function of space and time, with the spatial relationship preassigned. Heat conducted into the coolant is determined by an implicit solution of the heat conduction equations in finite difference form.

Coolant properties are obtained by simultaneous solutions of the equations-of-state and the conservation-of-mass, -energy, and -momentum equations. The conservation-of-momentum equation is put in its integral form described in Sec. 3-3.3. The coolant void fraction is computed on the basis of a homogeneous flow model.

Obenchain[50] extended the CHIC-KIN model to consider several parallel coolant channels. Point kinetics are still assumed, but fuel and coolant conditions vary with radial as well as axial channel location. It is reported[51] that this revised model agreed very well with the results of reactivity transient studies of the SPERT program.

If a major steam break were accompanied by a stuck control rod, we would be concerned about local flux distortion and the possibility of local damage. A point kinetics code cannot provide this information. Until recently, transient, three-dimensional neutronic codes with void feedback were not available. However, the reactivity transient initiated by a steam break is relatively slow. At any one time, flux distribution is essentially that obtained in the steady state at given reactor coolant conditions. Thus, overall core conditions can be estimated from a simple transient computation. These conditions can then be used as input to steady-state computation of the spatial-flux variation; e.g., by use of the THUNDER code.[24]

---

[e]Bian [*Nucl. Technol.*, **41**, 401 (1978)] points out that calculation of the Doppler effect on the basis of pre-accident conditions underestimates this effect. Bian proposes a model that incorporates the local flux peaking effect on Doppler feedback in a point kinetics computation.

Codes similar to the MEKIN code[25] (see Sec. 5-2.3) can now determine three-dimensional flux distributions during transients. The MEKIN code is capable of directly determining transient power distribution, while considering void and Doppler reactivity feedback mechanisms. Behavior following a steam break with one control element remaining out of the core (usually assumed to be the most reactive) can be computed, provided core inlet conditions and control rod positions can be specified as a function of time. A systems code computing core inlet conditions would be needed to supply the necessary input to MEKIN.

A code such as MEKIN can be used advantageously to analyze behavior following dropping a rod cluster control element. Such an analysis is considerably more convenient than iterative use of reactivity and thermal-hydraulic codes. In the rod drop accident, flux maldistribution can lead to an increased hot-channel factor and, possibly, to DNB. Appropriate control system action (e.g., a reduction in turbine load, blockage of automatic rod withdrawal) is generally required.

5-4.5 Loss-of-Coolant Accident

5-4.5.1 System Behavior

The most serious accident generally considered in the safeguards analysis is the hypothetical LOCA occasioned by the double-ended rupture of a main coolant pipe. If such an unlikely accident were to occur, the course of expected events would be:

1. Subcooled blowdown—as described in Sec. 3-1.4, pressure waves are propagated through the system at sonic velocities. The system is rapidly depressurized until the vapor pressure of the coolant is reached. This period can be on the order of 5 to 50 ms long.

2. Saturated blowdown—after system pressure falls to the level of coolant vapor pressure, steam voids are formed. Sonic velocity is drastically reduced, pressure waves are damped out, and choked flow occurs at the break. The length of this period depends on the location and size of the break.

During this period, the fuel rods are cooled by fluid in the reactor core. Initially, high forced convection or nucleate boiling heat transfer coefficients prevail. As fluid enthalpy increases, the boiling crisis can be reached, leading to a marked reduction in core cooling. Cladding temperature rise is reduced as the time between blowdown initiation and boiling crisis is increased.

The boiling crisis in a slow blowdown (small-size break) is generally predicted by one of the steady-state correlations described in Sec. 4-3.2. In a fast blowdown with flow reversal, the transient CHF occurs at a high local void fraction (e.g., $\alpha \geqslant 0.85$), and can be estimated by Hsu and Beckner's approach.[52] Heat transfer correlations useful during the blowdown period are indicated in Table 5-IV. See Secs. 4-2 and 4-3 for discussions of correlations indicated in Table 5-IV.

To extend the period during which the core is well cooled, an emergency core cooling system (ECCS) is provided. When the primary system pressure falls to a predetermined level, a large quantity of coolant water is injected from high-pressure accumulators. In most PWR designs, bottom flooding is used and ECCS water enters the reactor vessel through the downcomer. (See Fig. 5-12 for the ECCS systems arrangement.)

3. Dry period–after the accumulator inventory is exhausted, continued blowdown leads to a condition where the liquid, or rather the liquid-steam froth, falls below the top of the core. When the froth level is above the bottom of the core, the dry portion is cooled by steam generated in the lower region. When the froth level drops below the bottom of the core, the only core cooling is by radiation to the surrounding structure and by convection and radiation to the small amount of steam generated by froth contact with the vessel wall.

During this period, cladding temperatures are expected to rise to a level at which the zirconium-steam reaction proceeds at an appreciable rate (see Sec. 2-5.3). The heat produced by this exothermic reaction must be considered in assessing the maximum temperature rise.

4. Vessel reflood–after the accumulator injection has stopped and system pressure has been further reduced, high flow pumps of the ECCS system add water to the reactor vessel to recover the core. Since most designs call for bottom reflooding, substantially improved cooling does not result until the froth level reaches the bottom of the core. The steam produced from quenching the lower portion of the fuel rods flows upward and cools the upper portion of the core. This steam cooling generally limits the maximum temperature reached by the cladding. The water from ECCS pumps gradually refills the core; the transient is terminated when the vessel is refilled. Provision is made for the subsequent addition of water at a low rate to replace that lost through boiloff.

Heat transfer correlations useful during the reflood period are given in Table 5-V. (See Secs. 4-2 and 4-3 for a discussion of the correlations indicated in Table 5-V.) Behavior of the hypothetical accident depends to some extent on whether a break has been assumed in the hot-leg or cold-leg piping. If a break in the cold-leg piping has been assumed, steam and liquid will be flowing up through the downcomer to the cold-leg break during the blowdown portion of the accident. The upflow of steam can be so rapid that the entry of ECCS water to the downcomer is restricted. This downcomer flooding phenomenon, discussed in Sec. 3-4, would not be encountered in a hypothetical hot-leg break accident. Because of this phenomenon, some conservative system models assumed that no ECCS water can penetrate to the core during the blowdown portion of a cold-leg break accident.

It is most common to add ECCS water through lines connected to the cold legs of the main piping. In the cold-leg line where a break is postulated, there is a high velocity flow of fluid that is largely steam. It has been postulated that this steam flow could prevent the entrance of ECCS water to the main piping line. However,

TABLE

BLOWDOWN HEAT

Mode of Heat Transfer	Transition Between Modes	Range of Interest	Sensitivity to Cladding Temperature	
Single-phase convection		*p* 2000 to 2200 psi *G* (0 to 2.5) $\times 10^6$ lb/ft^2 h	Insignificant	
	Incipience of boiling	*p* 2000 to 700 psi *G* (0 to 2.5) $\times 10^6$ lb/ft^2 h	Insignificant	
Nucleate boiling		*p* 500 to 2000 psi *G* (0 to 4) $\times 10^6$ lb/ft^2 h χ 0 to 0.95	Insignificant	
	Transient CHF	*p* 400 to 1700 psi *G* (0 to 2.5) $\times 10^6$ lb/ft^2 h	Significant	
Post-CHF transition		*p* 200 to 1500 psi *G* (0 to 3) $\times 10^6$ lb/ft^2 h $\chi > 0.15$	Significant	
Film boiling		*p* 20 to 1600 psi *G* (0 to 3) $\times 10^6$ lb/ft^2 h $\chi > 0.15$	Significant	
Steam cooling		*p* 20 to 1600 psi *G* (0 to 3) $\times 10^6$		
	Flow criterion			

5-IV

TRANSFER (1976)

Correlation(s) Recommended	Limitations in Range of Applicability	Data Base	Remarks
Dittus-Boelter[53] for Re $>$ 2000 Rohsenow-Choi[54] for Re $<$ 2000		Widely used in literature	
Bergles[55] (see remark)	p 15 to 2000 psi	6 boiling curves	If computer time is of concern, simplified transition criterion of $h_{NB} > h_{FC}$ is satisfactory.
Chen[56]	p 14 to 1000 psi G (0.04 to 3) $\times$ 10^6 lb/ft^2 h $x < 0.7$		
Hsu and Beckner[52] for high flow Smith and Griffith[57] for low flow	p 700 to 1500 psi G (0.01 to 0.5) $\times$ 10^6 lb/ft^2 h G 0	Westinghouse, General Electric Semiscale tests Semiscale tests	For definition of low flow, see bottom of the table
Tong and Young[58] for high flow Hsu[60] for low flow	p 500 to 1400 psi G (0.5 to 3) $\times$ 10^6 lb/ft^2 h x 0.15 to 1.10 G low	507 points FLECHT and Semiscale reflood tests	Condie-Bengsten[59] is an allowable alternate. This is a low pressure correlation ($p < 100$). It is listed here pending availability of new correlation.
Chen's[61] film boiling	p 100 to 1000 psi $\Delta T > 1000$ F	3000 points	Dougall-Rohsenow[62] is a satisfactory alternative for bundle tests.
Chen's[61] film boiling equation for high flow. Natural convection equation[63] for low flow.			Chen's equation automatically extends to steam convection. In the post-CHF, write $h = (h_{TB} + h_{FB})(1 - \alpha) + \alpha(h_{steam})$. When ΔT is increasing, TB automatically shifts to FB. When $\alpha = 1$, steam cooling dominates automatically.
Wallis[64] equation for flooding, low flow when j_g^* or j_f^* vanishes			

TABLE

REFLOOD HEAT

Thermal-Hydraulic Mode	Transition Criterion	Sensitivity	Heat Transfer Equation
Convection (liquid phase)		Insignificant	Dittus-Boelter for Re $>$ 2000 Rohsenow-Choi[54] for Re $<$ 2000
(Transition)	Incipience of boiling	Insignificant	$T = T_{sat}$
Nucleate boiling		Insignificant	McAdams[65] equation
(Transition)	Quench zone	Significant	Intersection[67] between Zuber's equation and McAdam's boiling equation to solve for ΔT_{CHF}
Transition boiling		Significant	Hsu's[60] equation
Film boiling in inverted annular regime		Significant	Modified Bromley[69] equation
(Transition)	Froth zone	Significant	
Dispersed flow boiling			Chen's[61] FB plus Plummer's[72] equation for drop evaporation

experimental tests of injection tees under stimulated accident conditions do not appear to support this conclusion. Analysis of the test data[74] indicates the water does enter the primary piping, that it is effective in condensing the exiting steam, and that the pressure drop across the run of the injection tee can be estimated from a one-dimensional momentum balance.

Some reactor designs reduce delays in ECCS coolant penetration of the core by using vent valves and direct injection of cooling water to the downcomer. When a steam-water mixture is flowing toward the cold leg, pressure in the core is higher than at the cold leg. Check valves located in the upper region of the

5-V

TRANSFER (1976)

	Data Base	Void Fraction Equation	Data Base	Remarks
		$\alpha = 0$		
		Yeh's[66] equation	FLECHT data	1. Yeh's equation was found to be valid for regime below quench level. 2. Quench zone is zone where wetting area fraction increases from zero to significant fraction. No sharp line can be drawn. Max q is the lower boundary of region.
	Zuber's[67] equation is widely accepted as criterion for max heat flux.			
	FLECHT[68] and Semiscale tests	Quality increase with steam addition. Then use Zuber-Findley[70] equation for churn-bubbly flow and vapor annular for void		No transition is needed between TB and FB. $h = h_{TB} + h_{FB}$ will automatically shift from TB to FB.
	KWU, FLECHT[68] and Semiscale data			
		$\alpha = 0.4$ (Ref. 71)		
	Chen's equation 3000 points. Chen and Plummer[73] MIT data	Enthalpy balance with T_v from Chen's equation to determine quality Zuber-Findley equation for mist flow		1. An alternative equation can be used as $h = (h_{Hsu} + h_{Bromley})(1 - \alpha) + \alpha(h_{Chen} + h_{Plummer})$ to effect smooth transition between the inverted annular and dispersed flow regime.

core barrel then open to vent steam and water directly from the area above the core to the upper region of the downcomer. The steam-water mixture then exits through the broken cold leg. Vent valves nearly equalize the pressures in the core and downcomer. Emergency cooling water, injected into the downcomer below the entrance of the main coolant lines, thus is able to enter the core.

Another approach has been to inject the water from high pressure accumulators directly to the upper head of the reactor vessel. Water in the upper head is discharged above the fuel assemblies through hollow support columns and control rod guide tubes. Injection water penetrates during the blowdown period

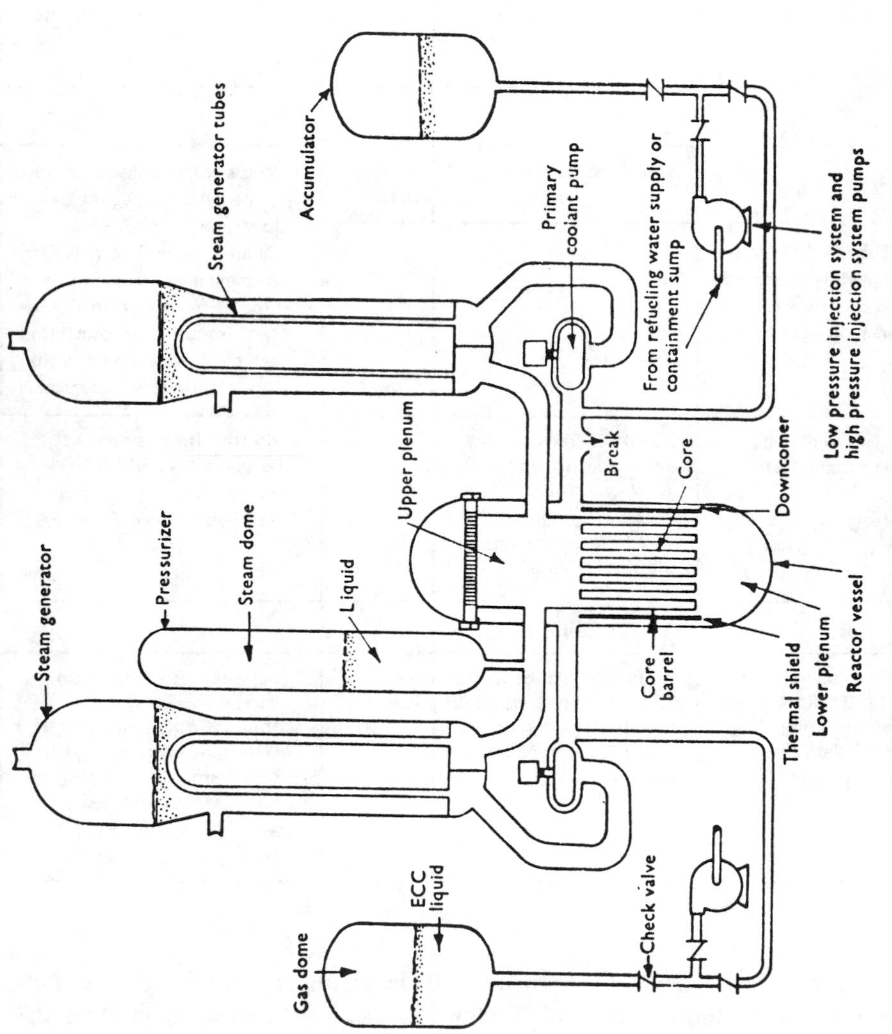

Fig. 5-12. Multiple loop PWR system during reflood.

since the flooding phenomenon in the downcomer is avoided. However, there is still a brief period following the quenching of a major portion of the core, where the steam generation rate is so high that entry of water from the upper head is prevented. At the conclusion of upper head injection, the core is reflooded by water entering from the main piping lines.

Other modified schemes proposed for ECCS injection include features such as direct injection of water to the lower plenum, use of accumulators that are not pressurized until an abnormally low pressure is sensed, and installation of check valves in the cold-leg nozzles.

The serious consequences of a sudden failure of the main piping has led to major analytical and experimental efforts to assess the consequences of this hypothetical accident, despite the low probability of such an occurrence. However, hypothetical accidents resulting from the rupture of small lines can also be postulated and system behavior during their transients must also be understood. The general behavior is found to be somewhat similar to that of a large break. However, the fraction of the core that is uncovered, and the time during which it is uncovered, is usually substantially reduced.

5-4.5.2 Regulatory Requirements

Somewhat simplistic views of LOCA were held when the design of the first light-water power reactors began. At that point, it was assumed that a LOCA would result in some degree of core meltdown. The fission products released from the molten fuel would be retained by the vapor container. It appeared that public safety would be adequately protected. While this may be correct, further study of the accident consequences led to several questions. The possibility that a release of molten fuel into the water in the lower portion of the vessel or into the vapor container sump could lead to a sudden generation of steam (steam explosion) was raised. A high-efficiency steam explosion in the sump could conceivably lead to a pressure pulse that could rupture the vapor container.[f] In addition, molten fuel could melt through the reactor vessel, drop to the floor below, and melt some distance into the lower structure. It was considered that this could also lead to a release of radioactivity to the environment.

In view of the possible problems involved in a partial core meltdown, it was decided that reliable emergency core cooling sufficient to prevent any fuel melting would be provided. The ECCS previously described was designed and sized to prevent any melting of fuel element cladding. Further study of this LOCA then led to questions on the conservatism of the no-clad melting criterion. It was argued that very destructive failures of highly oxidized cladding could occur at temperatures below melting. If fuel pellets were released from rods undergoing brittle failure, local geometry might be ill defined and adequate

---

[f] Laboratory experiments[75] in which molten NaCl fuel and fuel-steel mixtures have been dropped into water have not yet (1979) produced a steam explosion at operating pressures above 300 psia. Intermediate scale experiments in which molten thermites have been dropped into water have produced low-efficiency (1.5% or less) explosions at low operating pressures.

cooling of the core could not be guaranteed. This has led to the philosophy that fuel conditions must be limited to preserve the original core geometry with at most moderate and calculable changes.

As a result of extensive study and public hearings, the U.S. regulatory agencies set up a series of criteria that all light-water-cooled reactors must meet.[3] The major requirements of these criteria, which assume Zircaloy-clad elements containing UO_2 pellets, are:

1. The maximum calculated fuel element cladding temperature is not to exceed 2200°F.
2. Total oxidation of the cladding is not to exceed 0.17 times the total cladding thickness.
3. The total amount of hydrogen generated by chemical reaction of the cladding is not to exceed 0.01 times the hypothetical amount generated if all the cladding around the fuel reacted.
4. Calculated changes in core geometry must be such that the core is still amenable to cooling.
5. After the initial successful operation of the ECCS, appropriate long-term cooling must be provided to keep the core at an acceptably low temperature.

The purpose of the first two criteria is to ensure that the Zircaloy cladding remains sufficiently intact to retain the UO_2 fuel pellets. Severe oxidation at high temperature can render the cladding brittle; destructive damage could result from rod bursting. By limiting the maximum temperature and degree of oxidation, sufficient ductility to avoid brittle failure is assured.

The third criterion assures that hydrogen will not be generated in amounts that could lead to explosive concentrations. The final criteria simply restate what has always been generally accepted.

5-4.5.3 System Analysis Procedures

The complex nature of coolant blowdown and core heatup phenomena have led to the development of a number of calculational models. Waage[76] provides a good review of the techniques that were available in 1967, while Ybarrando et al.[77] review progress up to 1972. Yadigaroglu et al.[78] summarize the status of reflood calculations as of 1975.

In the subcooled and early saturated blowdown portions of the accident, the designer is concerned with the effect of pressure pulses (waterhammer) on the core, reactor vessel structure, loop components, and supports. To obtain the forces acting around the system, a detailed hydraulic analysis is required. By solving the wave equations (Sec. 3-1.4) algebraically, Fabic[79] developed a relatively rapid method for computing system behavior during subcooled blowdown. The solution procedure requires the assumption of a constant sonic velocity and, therefore, cannot be used once portions of the system fall below saturation pressure. Since significant pressure waves can still exist, it is desirable to extend the analysis into the two-phase region. Fabic[79] has done this using the method of characteristics that was outlined in Sec. 3-1.4. A similar procedure was followed by Goulding,[80] but Nahavandi,[81] on the other hand, chose to represent the system by a node-and-branch model (Sec. 3-1.4) and to integrate the resulting differential equations numerically.

Any of the techniques capable of following the waterhammer analysis into the two-phase region must provide a detailed representation of the reactor system. Therefore, such computations of system behavior, covering more than a few hundred milliseconds of real time, become very expensive. However, in less than a few hundred milliseconds, the pressure pulses are generally damped to levels that are no longer of concern. The designer is then concerned with determining the rate at which core temperatures are changing. To accomplish this, he needs an estimate of the rate at which the system is drained and the time histories of the pressures, flows, and froth level within the core. It was initially concluded that an approximate representation of the system would be adequate for the saturated blowdown phase. Margolis and Redfield[82] and Redfield and Murphy[83] used this approach in the early FLASH programs.

In the initial FLASH programs, the system was represented by a limited number of volumes, as shown in Fig. 5-13. Each volume was considered a node, and conservation-of-mass and -energy equations were written for each node. Connections between volumes were considered branches; a one-dimensional momentum equation based on homogeneous flow was written for each branch.

Since large volumes, such as the core, can be only partially full of liquid, the homogeneous assumption for a node may be inappropriate, even though any branch flow can be characterized as homogeneous. Consequently, a steam phase and steam-water mixture were both assumed to exist within each node. Steam bubbles are assumed to be created by bulk flashing of the liquid and then to rise. A mass balance on the steam trapped below the surface of the liquid is used to compute the height of the two-phase system. Initially, a constant bubble rise velocity of 2 ft/s relative to the container was assumed; the time, t_B, required for a bubble to leave the froth in a given volume was

$$t_B = u_B / z_f \,, \tag{5.76}$$

where u_B is bubble velocity (2 ft/s) and z_f is height of froth. Redfield and Murphy[84] report that better agreement is obtained with experimental data when

$$t_B = u_B / z_l \,, \tag{5.77}$$

where z_l is the height of liquid only in the froth layer. The value of u_B remained 2 ft/s.

The rate of system depressurization and liquid level in the core is determined by the critical flow out of the break (indicated as "leak" in Fig. 5-13). Flow has often been determined using the earlier Moody model[85] or this model adjusted by an empirical multiplier. Alternatively, one of the other critical flow models of Sec. 3-1.4 can be used.

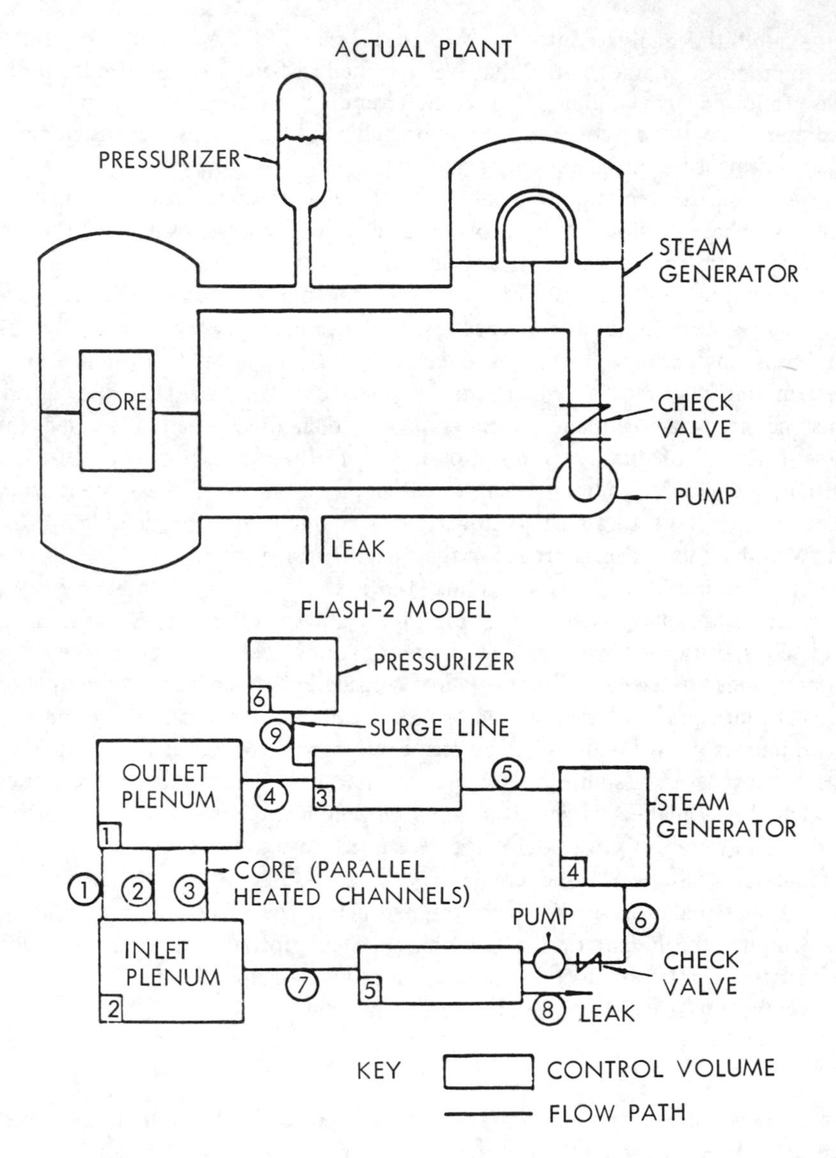

Fig. 5-13. The FLASH representation of a single-loop reactor plant. [From *Nucl. Appl.*, **6**, 127 (1969).]

A continued study of system behavior led to the conclusion that the limited number of nodes of the early FLASH codes was adequate for small break areas, but was insufficient for large double-ended breaks. Newer versions of the FLASH code,[86] capable of considering a large number of control volumes, are now available. The improved codes also contain improved modeling of system components and improved numerical procedures.

A number of proprietary codes (e.g., SATAN, CRAFT, MODFLASH), either based on FLASH or using similar branch and node techniques, have been developed. The most important of the FLASH derivatives is RELAP (Ref. 87), which was developed for the U.S. Nuclear Regulatory Commission and is in the public domain. The RELAP code has been extensively compared to system blowdown data and has been modified to obtain agreement with the available data.

Essential system features that are modeled by RELAP are shown in Fig. 5-12. The fluid system is modeled by fluid volumes (nodes) and by fluid junctions (flow paths or branches) between the volumes. The RELAP-4 computer program[87] uses a one-dimensional modeling approach in treating the reactor system transient response to postulated accidents such as coolant loop rupture, circulation pump failure, power excursions, etc. The RELAP-4 code solves an integral form of the fluid conservation and state equations for each user-defined volume and computes a continuing record of system conditions. The user can also enter the fluid conditions as special boundary conditions.

The major parts of the RELAP-4 program are (a) models of fluid behavior, (b) heat transfer, and (c) reactor kinetics. To obtain fluid behavior, standard conservation equations, given in differential form for fluid mass, energy, and flow, are used to derive differential stream-tube fluid equations. These are integrated over mathematically defined "control-volumes" to obtain mass, energy, and flow values. Thermodynamic properties are defined by state-property relations in terms of specific internal energy and density. The resulting set of simultaneous equations is linearized and advanced for a small time increment by a fully implicit numerical technique. The quantities, known within any volume after the mass and energy equations are integrated over a time step, are total water mass, total air mass, and the combined internal energy of both water and air (air considered when vapor container pressure is determined). From these variables, specific thermodynamic states of water and air are determined.

A tabular representation of pump behavior forms part of the RELAP input. The characteristic of any pump may be represented by a series of empirical curves which provides head and torque as functions of volumetric flow and speed. However, the relationships can be more compactly represented by expressing head, hydraulic torque, volumetric flow, and pump speed as ratios of the given quantities to their values at nominal conditions. The graphic representation of the relationship between the head, torque, speed, and flow ratios are called "homologous curves." A numerical representation of homologous curves under single-phase conditions are input into RELAP. Since two-phase flow at the pump inlet degrades pump performance, a second set of homologous curve data corresponding to performance at high voids is also input. An empirical weighting factor, which is a function of void fraction, allows interpolation between the two data sets for any set of pump conditions.

Heat transfer to and from the fluid in given control volumes is described by a heat conductor model, where the conductors can be described as rods, pipes, cylindrical vessels, and plates. The heat addition rate to the fluid of a volume is calculated as the product of surface heat flux and heat transfer area at the conductor surface in contact with the fluid. Heat transfer correlations used to define the boundary conditions are listed in Tables 5-IV and 5-V.

When a portion of the core is uncovered, the heat generated in that region must include any additional heat that can be supplied from the exothermic zirconium-water reaction. When sufficient steam is available, the rate of this reaction is conservatively assumed to follow Baker and Just's parabolic rate law[88] (see Sec. 2-5.3). The reaction rate equation can be rewritten in terms of cladding radius as

$$-\frac{dr}{dt} = \frac{0.0615}{r_0 - r}\exp\left(-\frac{41\,200}{T}\right), \tag{5.78}$$

where

r = radius of the reacting metal-oxide interface

r_0 = initial rod radius

T = absolute temperature at the reacting metal-oxide interface, °R

t = time.

Later information[89] suggests that the Baker and Just equation overpredicts the reaction rate. When less steam than would be consumed by a reaction following the Baker-Just equation is available, a steam-limiting rate law is assumed in which all available steam reacts. The RELAP-4 code does not account for the consumption of steam and the evolution of hydrogen during the metal-water reaction in the mass and momentum equations. The RELAP-4 code conservatively assumes that the inside surface of the cladding continues to react after rupture occurs. The reaction within the cladding is limited to that portion of the rod(s) modeled within the heat slab where the rupture occurs. It is assumed that an oxide layer is not present on the interior of the cladding at the time of rupture. The model delivers the heat of the interior reaction directly to the exterior of the cladding.

The RELAP-4 code uses a point reactor kinetics model to calculate power, while reactor kinetics equations are solved using a method similar to that employed in the IREKIN program.[90] Contributions to the reactivity include a time-dependent (scram) reactivity and such feedback effects as fuel temperature, water density, and water temperature.

The total power in a given region is the sum of direct fission and radioactive decay power. The decay model used in RELAP-4 is similar to the proposed American Nuclear Society Standard model[91] although more recent information[92] indicates that less decay heat will be available.

Some of the newer systems analysis codes abandoned the node and branch approach and have gone to a control volume model. Sometimes this is coupled to the method of characteristics. The THOR code[93] (see Sec. 4-1.3) is an example of the control volume approach. Other advanced code development efforts[94] should lead to computer programs that consider three-dimensional effects with separate conservation equations for each phase.

A systems code, such as FLASH or RELAP, requires a great deal of computer time. At the end of the blowdown period, flow rates are quite low and a number of approximations can be made. In particular, momentum storage terms are negligible, thus allowing a simplified (quasisteady state) momentum equation to be used. Much longer time steps can then be taken. In addition, a drastically reduced number of control volumes, or nodes, are satisfactory for representing the system. The longer time steps and smaller number of nodes allow a much more rapid determination of system behavior. The WREFLOOD code[95] is an example of this approach. Most reactor vendors use simplified codes of this nature to analyze system behavior during reflood.

The need to keep the running time of system behavior codes reasonable limits the number of nodes or control volumes that can be placed within the core. Under some circumstances, results of the systems code may not provide a sufficiently detailed view of core behavior. When this is the case, significant results of the systems calculations, core-inlet flow, and enthalpy as a function of time, are used as input to a more detailed calculation of core temperatures. Such calculational procedures were described by Walters et al.,[96] Iyer,[97] and Cybulskis et al.[98] Several proprietary codes, such as LOCTA, are also available. More recently, the more sophisticated subchannel analysis codes, such as the COBRA code,[14] have been modified to incorporate reflood heat transfer models. Success has been obtained in modeling tests of electrically heated simulated cores.

Experimental data now indicate that the ECCS water reflooding rate is not constant. When water first contacts the core, steam produced by the entering water increases core pressure and pushes the water back. Vaporization then diminishes, pressure falls, and the reflooding rate increases sharply. The process then continues in a cyclic manner as the core is recovered. In the FLOOD 4 code,[99] these system dynamics are coupled to detailed core cooling calculations.

The last step in analyzing core behavior can be the employment of a transient fuel element code, such as FRAP-T (Ref. 100) (see Sec. 2-5.3). The fuel element code takes its input from a core heat transfer code or a system code such as RELAP. In the latter case, the fuel rod code replaces the core heat transfer code. Alternatively, the core heat transfer code can contain sufficient fuel rod modeling so that a separate fuel rod code is not needed to meet regulatory requirements. Fuel rod modeling in such core heat transfer codes generally has been much less complete than in FRAP-T. Fully integrated core heat transfer and fuel design codes are a likely future development.

Banerjee and Hancox[101] describe the methods for analyzing a LOCA in a CANDU-type PWR. The blowdown phase of the accident is analyzed using an explicit finite difference technique embodied in the RODFLOW code. The RODFLOW code uses the control volume approach rather than a node and branch model. Modeling based on the assumptions of thermodynamic equilibrium and homogeneous flow was shown to fit the results of blowdown experiments.

The assumption of homogeneous flow was inappropriate for modeling the reflooding of a horizontal pressure tube. A control volume contains a specified axial length of the pressure tube and the rod bundle contained with it. During reflood, conditions are not uniform within such a control volume. The injected water first runs along the bottom of the channel rewetting the lower elements. The steam produced rises toward the top of the channel and flows along gaining substantial superheat (up to several hundred degrees). Both water and steam streams cool the bundle, but the elements in the steam see a lower heat transfer coefficient and stay at a higher temperature. As injection continues, the water levels rise and elements are progressively rewet starting from the end farthest from the break.

To model the complex rewetting process, Banerjee and Hancox[101] considered the difference in temperatures between phases. However, they assumed that different velocities were not required since the two streams tend to be homogenized at the heated section exit and entrance by channel hardware. Therefore, they wrote a single momentum equation with $V_{gas} = V_{liquid}$, but with separate energy and mass balance equations for each phase. The mass balance equations are solved using an implicit finite difference procedure. The liquid level is followed and the rates of heat transfer to the steam and liquid portions are adjusted according to this level and the previous thermal history of the fuel in the two regions. Banerjee and Hancox acknowledge that the assumption of equal phase velocities may be inadequate for low velocity flows; future analyses are likely to allow for this effect.

5-4.5.4 Initial Conditions

The core power distribution along the hot channel prior to initiation of LOCA will, of course, significantly influence the maximum cladding temperatures calculated by the accident analysis. Since the cost of a LOCA analysis is high, it is impractical to repeat the calculation for all the possible power distributions. To avoid the necessity for repetitive calculations, it is common practice to conduct the system analysis using a very conservative power distribution along the hot channel. One way this can be done is to assume that the power distribution along the hot channel corresponds to the upper envelope of $F_q(z)$ determined by the power distribution studies previously described. If the hot fuel rod can be shown to meet the regulatory requirements under these conditions, it is clear that the design is satisfactory. Conversely, we can run a series of LOCA analyses to find the envelope of hot channel power that just meets regulations. Core operating procedures must then be shown to lead to power distributions that are always within the envelope. The core overpower trip set-point computation generally is based on this envelope.

5-4.6 Anticipated Transients Without Trip

Regulatory requirements require an analysis of the likelihood and consequences of various anticipated transients (Set II conditions) under the hypothetical assumption that no reactor trip occurs. These occurrences are generally referred to as anticipated transients without trip (ATWT).

For a PWR, the most severe ATWT situations are usually taken as: (a) loss of flow due to loss of offsite power, (b) pressurizer safety valve stuck open, (c) rod withdrawal at power, (d) loss of feedwater flow, (e) a reactor-coolant pump coast-down, and (f) maximum steam load increase. Criteria established[102] for these hypothetical accidents require that:

1. radiological consequences remain within the limits set by the Code of Federal Regulations
2. system pressures remain below the peak pressure limit set in accordance with the ASME Boiler and Pressure Vessel Code for emergency conditions, ~3750 psi for current (1979) designs
3. fuel will survive peak internal and external pressures and will have an enthalpy of $<$280 cal/g
4. fuel will either not experience DNB or, if it does, the maximum cladding temperature must remain below 2200°F
5. containment pressure must not exceed design pressure.

LaBelle and Russell[103] report that standard PWR designs are capable of meeting these criteria.

The major mechanism for bringing these transients under control is negative reactivity feedback as the reactor coolant heats up and additional voids are formed. Eventually, the reactor can be completely shut down by injecting boric acid. Appropriate analysis of these transients obviously requires a system analysis computer code joined to reactivity calculations. Various proprietary reactor vendor codes, such as CADDS (Ref. 104), have been devised for this purpose. In the public domain, modified versions of the RELAP code (e.g., RELAP 3B, RETRAN) are the major available tools. These codes contain the basic RELAP model to which reactivity feedback and various component models (e.g., relief valve model) have been added.

5-4.7 Public Risk Associated with Reactor Accidents

Rasmussen, Levine, and co-workers[105] assessed the risk to the public from accidents occurring in light-water-cooled reactor systems. This assessment was based on the consideration that the only significant risk to the public arises from those events that lead to core meltdown. Such a meltdown can occur only (a) through a LOCA followed by the unlikelihood of an ineffective or inoperable ECCS, or (b) through a reactor transient requiring shutdown but where shutdown is delayed or the decay heat cooling system used after shutdown is ineffective. By using event tree techniques, all such situations that could lead to meltdowns were considered, and the probability of their occurrence was estimated. These probabilities were then combined with estimates of consequences of meltdown to obtain estimates of public risk.

Public risk was defined in terms of a curve of events per year versus fatalities. The number of yearly events was based on the assumption that 100 reactors were operating in the U.S. Similar curves of events versus fatalities were drawn for other man-caused disasters; e.g., airplane crashes. The curves for reactor-caused fatalities and, hence, risk to the public from reactor accidents, were orders of magnitude below any of the other man-caused disasters. The curve for reactor-caused fatalities was approximately two orders of magnitude below the curve for fatal injuries caused by airplane crashes to persons standing on the ground.

5-5 SUMMARY

Simple hand calculations can be useful in preliminary core design stages. However, the final steady-state design should be accomplished using detailed computer models of core thermal behavior. The more sophisticated of these models are capable of simultaneously considering overall core behavior and behavior in the limiting hot channel (see Sec. 5-1.5). The output of such an analysis provides the input needed for a detailed study of fuel rod behavior over life using an appropriate fuel design program (see Secs. 2-4.1 and 5-1.2).

The major steady-state thermal design limitation is the avoidance of CHF. The margin to CHF is usually stated in terms of the DNB ratio. Statistical approaches (Sec. 5-2.4) can be used to assess the adequacy of this margin.

The adequacy of a core design cannot be determined by steady-state analyses alone. The response of the reactor system to a variety of transients and hypothetical accidents must also be established as satisfactory. Large-size computer programs that comprehensively model system behavior during accidents are well developed, but further improvements are expected.

REFERENCES

1. J. E. Irvin, "Effect of Irradiation and Environment on Mechanical Properties and Hydrogen Pickup of Zircaloy," in *Zirconium and Its Alloys,* Electrochemical Society, New York (1966).

2. J. A. Dearien, L. J. Stefkin, M. Bohn, R. C. Young, and R. L. Benedetti, "FRAP-T2–A Computer Code for the Analysis of Oxide Fuel Rods, Vol. I: Analytical Models and Input," I-309-3-53, Aerojet Nuclear Company (1975).

3. "Acceptance Criteria for Emergency Core Cooling Systems Light Water Cooled Power Reactors," Docket No. RM-50-1, U.S. Atomic Energy Commission, Washington, D.C. (1974).

4. B. W. LeTourneau and R. E. Grimble, "Engineering Hot Channel Factors for Nuclear Reactor Design," *Nucl. Sci. Eng.*, **1**, 359 (1956).

5. Harold Chelemer and L. S. Tong, "Engineering Hot Channel Factors for Open Lattice Cores," *Nucleonics,* **20**, *9*, 68 (1962).

6. A. Hald, *Statistical Theory with Engineering Applications,* John Wiley & Sons, Inc., Publishers, New York (1950).

7. D. B. Owen, "Tables of Factors for One-Sided Tolerance Limits for Variable Sampling Plans," SCR-607, Scandia Corporation (1963).

8. W. E. Abbott, "Statistical Analysis of the Measurements from SELNI Fuel Assemblies," WCAP-3269-7, Westinghouse Atomic Power Division (1963).

9. G. Hetstroni, "SCE Hydraulic Studies," WCAP-3269-8, Westinghouse Atomic Power Division (June 1964).

10. R. A. Dean, "Mixing Vane Tests," WCAP-2678, Westinghouse Atomic Power Division (Sep. 1964).

11. H. Chelemer, J. Weisman, and L. S. Tong, "Subchannel Thermal Analysis of Rod Bundle Cores," *Nucl. Eng. Des.*, **21**, 3 (1972).

12. W. Zernik, H. B. Currin, E. Elyash, and G. Prevetti, "THINC–A Thermal-Hydraulic Interaction Code for Semi-Open or Closed Channel Cores," WCAP-3704, Westinghouse Electric Corporation (1962).

13. P. T. Chu, L. E. Hochreiter, H. Chelemer, L. H. Bowman, and L. S. Tong, "THINC-IV, A New Thermal-Hydraulic Code for PWR Thermal Design," *Trans. Am. Nucl. Soc.*, **15**, 876 (1972); see also, P. T. Chu, H. Chelemer, L. E. Hochreiter, and L. S. Tong, "THINC-IV, An Improved Program for Thermal-Hydraulic Analysis of Rod Bundle Cores," WCAP-7956, Westinghouse Electric Corporation (1973).

14. C. L. Wheeler, C. W. Stewart, R. J. Cina, D. S. Rowe, and A. M. Suty, "COBRA-IV-I: An Interim Version of COBRA for Thermal-Hydraulic Analysis of Rod Bundle Nuclear Fuel Elements and Cores," BNWL-1962, Battelle Northwest Laboratory (1976).

15. E. U. Khan, "Analytical Investigation and Design of a Model Hydrodynamically Simulating a Prototype PWR Core," *Nucl. Technol.*, **16**, 479 (1972).

16. T. Morita, L. R. Scherpereel, K. J. Dzikowski, R. E. Radcliffe, and D. M. Lucoff, "Topical Report on Power Distribution Control and Load Following Procedures," WCAP-8403, Westinghouse Electric Corporation (1974).

17. H. V. Smith, "A Process Optimization Program for Nonlinear Optimization (POP II)," Project Report, IBM Research Institute, White Plains, New York (1965).

18. J. Weisman, C. F. Wood, and L. Rivlin, "Optimal Design of Chemical Process Systems," *Chem. Eng. Prog. Symp. Ser.*, **61**, *55*, 50 (1965).

19. A. V. Fiacco and G. P. McCormick, *Nonlinear Programming–Sequential Unconstrained Minimization Techniques,* John Wiley & Sons, Inc., Publishers, New York (1968).

20. G. Hadley, *Nonlinear and Dynamic Programming,* Addison-Wesley Publishing Company, Reading, Massachusetts (1964).

21. B. Gottfried and J. Weisman, *Introduction to Optimization Theory,* Prentice-Hall, Inc., Englewood Cliffs, New Jersey (1973).

22. J. Weisman and A. G. Holzman, "Optimal Process System Design Under Risk," *Ind. Chem. Process Des. Dev.*, **11**, 386 (1972).

23. F. R. Vaughan, "The Effect of Multi-Pass Hydraulic Core Configurations in PWR Core," 62-HT-45, American Society of Mechanical Engineers, New York (1962).

24. W. T. Sha, S. M. Hendley, and G. H. Minton, "An Integral Calculation of Three-Dimensional Nuclear-Thermal-Hydraulic Interaction," *Trans. Am. Nucl. Soc.*, **9**, 476 (1966).

25. R. W. Bowring, J. W. Stewart, R. A. Shaber, and R. N. Sims, "MEKIN: MIT-EPRI Nuclear Reactor Core Kinetics Code," Massachusetts Institute of Technology (1975).

26. G. Antognetti, G. Pozzi, J. D. DeBruyn, and G. DiCola, "Statistical Methods for Hot Channel and Hot Spot Calculators," USAEC-Euratom Report EUR-1702-e, Fiat Corporation, Turin, Italy (1964).

27. V. L. Businaro and G. P. Pozzi, "A New Approach to Engineering Hot Channel and Hot Spot Statistical Analysis," USAEC-Euratom Report EUR-1302-e, Fiat Corporation, Turin, Italy (1964).

28. L. S. Tong, "Heat Transfer in Water-Cooled Nuclear Reactors," *Nucl. Eng. Des.*, **6**, 301 (1967).

29. "Third Supplement to: Preliminary Facility Description and Safety Analysis Report," AEC Docket 50-244, Exhibit D-2, Rochester Gas and Electric Corporation, Brookwood Nuclear Station Unit No. 1 (1966).

30. H. Fenech and H. M. Gueron, "The Synthesis Method of Uncertainty Analysis in Nuclear Reactor Thermal Design," *Nucl. Sci. Eng.*, **31**, 505 (1968).

31. A. Amendola, "Statistical Evaluation of Maximum Temperatures in Reactor Cores," *Nucl. Sci. Eng.*, **41**, 343 (1970).

32. A. Amendola, "Hot Spot Expectation in Nuclear Reactor Core Thermal Design," *Nucl. Sci. Eng.*, **49**, 106 (1972).

33. M. Mazumdar, "Use of Statistical Theory of Extremes in Hot Channel Analysis of Liquid Metal Fast Breeder Reactor," *Nucl. Sci. Eng.*, **47**, 127 (1972).

34. "General Design Criteria for Nuclear Power Plant Construction Permits," U.S. Federal Register (July 11, 1967) and 10CFR50, Appendix A, U.S. Atomic Energy Commission, Washington, D.C.

35. "Licensing of Production and Utilization Facilities," U.S. Federal Register 31 (158)-10891, Code of Federal Regulations, Sec. 50.36(d) of 10CFR50, U.S. Atomic Energy Commission, Washington, D.C. (1966).

36. "Zion Station–Preliminary Safety Analysis Report," Vol. II, Sec. 7.1.2, Commonwealth Edison Company (1967).

37. "Turkey Point–Final Safety Analysis Report," Florida Power and Light Company (1970).

38. O. J. Ortega and K. P. Baskin, "Operating Experiences: San Onofre-PWR," *Nucl. Safety,* **9**, 153 (1968).

39. American Nuclear Society Draft Standard, "Supplementary Hazards Criteria," ANSI-N18.2, American Nuclear Society, La Grange Park, Illinois (1973).

40. J. A. Redfield and S. G. Margolis, "TOPS–A Fortran Program for Transient Thermodynamics of Pressurizers," WAPD-TM-545, Bettis Atomic Power Laboratory (1965).

41. J. A. Redfield, V. Prescap, and S. G. Margolis, "Pressurizer Performance During Loss-of-Load Tests at Shippingport: Analyses and Test," *Nucl. Appl.,* **4**, 173 (1968).

42. R. C. Baron, "Digital Model Simulation of a Nuclear Reactor Pressurizer," *Nucl. Sci. Eng.,* **52**, 283 (1973).

43. L. S. Tong, "Simplified Calculation of Thermal Transient of a Uranium Dioxide Fuel Rod," *Nucl. Sci. Eng.,* **11**, 340 (1961).

44. A. J. Arker and D. G. Lewis, "Rapid Flow Transients in Closed Loops," TID-7529, Part 1, U.S. Atomic Energy Commission, Washington, D.C. (1957); see also, *Reactor Handbook, Engineering, Vol. IV,* S. McLain and J. H. Martens, Eds., pp. 135-139, Interscience Publishers, Inc., New York (1964).

45. G. M. Boyd, Jr., R. M. Rosser, and B. B. Cardwell, Jr., "Transient Flow Performance in a Multiloop Nuclear Reactor System," *Nucl. Sci. Eng.,* **9**, 442 (1961).

46. D. Burgreen, "Flow Coastdown in a Loop After Pumping Power Cutoff," *Nucl. Sci. Eng.,* **6**, 306 (1959).

47. G. M. Fuls, "FLOT-1: Flow Transient Analysis of a Pressurized Water Reactor During Flow Coastdown," WAPD-TM-428, Bettis Atomic Power Laboratory (1968).

48. J. A. Fici, G. G. Uram, and D. J. VandeWalle, "Coupled Core-System Approach to DNB Evaluation in PWR Anticipated Transients," *Trans. Am. Nucl. Soc.,* **24**, 436 (1976).

49. J. A. Redfield, "CHIC-KIN: A Fortran Program for Intermediate and Fast Transients in a Water Moderated Reactor," WAPD-TM-479, Bettis Atomic Power Laboratory (1965).

50. C. F. Obenchain, "PARET: A Program for the Analysis of Reactor Transients," *Proc. Int. Conf. Utilization of Research Reactors and Reactor Mathematics and Computation,* Mexico City, Report CNM-R-2, Centro Nucleare de Mexico, Mexico City (1967).

51. C. F. Obenchain, "Thermal-Hydraulic Aspects of Nuclear Excursions," paper presented at the Second Joint Mtg. AIChE and Instituto de Ingeneros Quimicos de Puerto Rico, Tampa, Florida, American Institute of Chemical Engineers, New York (1968).

52. Y. Y. Hsu and W. D. Beckner, "A Correlation for the Onset of Transient CHF," submitted for publication (1977).

53. F. W. Dittus and L. M. K. Boelter, University of California, *Publs. Eng.*, **2**, 443 (1930).

54. W. M. Rohsenow and H. Choi, *Heat, Mass and Momentum Transfer*, pp. 141-142, Prentice-Hall, Inc., Englewood Cliffs, New Jersey (1961).

55. A. E. Bergles and W. M. Rohsenow, "The Determination of Forced-Convection Surface-Boiling Heat Transfer," 63-HT-22, American Society of Mechanical Engineers, New York (1963).

56. J. Chen, "A Correlation for Boiling Heat Transfer to Saturated Fluids in Convective Flow," *Ind. Eng. Chem. Process Des. Dev.*, **5**, 322 (1966).

57. R. A. Smith and P. Griffith, "A Simple Model for Estimating Time to CHF in a PWR LOCA," 76-HT-9, American Society of Mechanical Engineers, New York (1976).

58. L. S. Tong and J. D. Young, "A Phenomenological Transition and Film Boiling Heat Transfer Correlation," *Heat Transfer 1974*, 5th Int. Heat Transfer Conf., Tokyo, Japan, Vol. IV, pp. 120-124 (1974).

59. S. L. Richlen and K. G. Condie, "A Comparison of Post-CHF Heat Transfer Correlations to Tube Data," SRD-134-76, Idaho National Engineering Laboratory (June 1976).

60. Y. Y. Hsu, "A Tentative Correlation for the Regime of Transition Boiling and Film Boiling During Reflood," presented at the Third WRSR Information Mtg., October 1, 1975, U.S. Nuclear Regulatory Commission, Washington, D.C.

61. J. C. Chen and R. Sundaram, "Correlation for Post-CHF Heat Transfer," Fourth WRSR Information Mtg., September 27-30, 1976.

62. R. S. Dougall and W. M. Rohsenow, "Film Boiling on the Inside of Vertical Tubes with Upward Flow of the Fluid at Low Qualities," 9079-26, Massachusetts Institute of Technology (1963).

63. E. R. G. Eckert and R. M. Drake, Jr., *Heat and Mass Transfer*, pp. 330-331, McGraw-Hill Book Company, New York (1959).

64. G. B. Wallis, *One-Dimensional Two-Phase Flow*, p. 338, McGraw-Hill Book Company, New York (1969).

65. W. H. McAdams, *Heat Transfer*, p. 378, McGraw-Hill Book Company, New York (1954).

66. J. P. Cunningham and H. C. Yeh, "Experiments and Void Correlation for PWR Small-Break LOCA Conditions," *Trans. Am. Nucl. Soc.*, **17**, 369 (1973).

67. N. Zuber, "Stability of Boiling Heat Transfer," *Trans. ASME*, **80**, 711 (1958).

68. F. W. Cadek et al., "PWR Full Length Emergency Core Heat Transfer (FLECHT) Final Report Supplement," WCAP-7931, Westinghouse Electric Corporation (1972).

69. J. Pomerantz, "Film Boiling on a Horizontal Tube in Increased Gravity Fields," *J. Heat Transfer*, **86**, *2*, 213 (1964).

70. N. Zuber and J. A. Findley, "The Effects of Non-Uniform Flow and Concentration Distribution and the Effects of the Local Relative Velocity on the Average Volumetric Concentration in Two-Phase Flow," GEAP-4542, General Electric Company (1964).

71. J. M. Kaufman, "Post-CHF Heat Transfer to Water in a Vertical Tube," M.Sc. Thesis, Massachusetts Institute of Technology (1976).

72. P. Griffith and W. Kirchner, "Reflood Heat Transfer in a Light Water Reactor," 16th Nat'l. Heat Transfer Conf., St. Louis, Missouri, Paper No. 49. American Institute of Chemical Engineers, New York; see also, NUREG-0106, U.S. Nuclear Regulatory Commission, Washington, D.C. (1976).

73. J. M. Kaufman and P. Griffith, "Reflood Heat Transfer Progress Report," Massachusetts Institute of Technology (June 1976).

74. R. A. Cudnik and L. J. Flanigan, "A Simplified Steady-State Analytical Model for Prediction of Pressure Differential and Outlet-Fluid Properties of the ECC Injection Section of a Typical PWR During LOCA," Battelle Columbus Laboratory (1975).

75. Water Reactor Safety Research Staff, NR-M1-007-9, pp. 2-55, U.S. Nuclear Regulatory Commission, Washington, D.C. (1976).

76. J. M. Waage, "Description of Calculation Methods and Digital-Computer Codes for Analyzing Coolant-Blowdown and Core-Heatup Phenomena," *Nucl. Safety*, 8, 549 (1967).

77. L. J. Ybarrando, C. W. Solbrig, and H. S. Isbin, "The Calculated Loss-of-Coolant Accident: A Review," American Institute of Chemical Engineers, Monograph Series, Vol. 68, No. 7 (1972).

78. G. Yadigaroglu, K. P. Yu, L. A. Arrieta, and R. Greif, "Heat Transfer During the Reflood Phase of the LOCA–State of the Art," Topical Report 248-1, Electric Power Research Institute, Palo Alto, California (1975).

79. S. Fabic, "Westinghouse Atomic Power Department Computer Program for Calculation of Fluid Pressure, Flow, and Density Transients During a Loss of Flow Accident," *Trans. Am. Nucl. Soc.*, 12, 358 (1969).

80. H. Goulding, "An Analytical Experimental Comparison of the Initial Response of High Enthalpy Water During Decompression," *Trans. Am. Nucl. Soc.*, 11, 366 (1968).

81. A. Nahavandi, "Loss of Coolant Accident Analysis in Pressurized Water Reactors," *Nucl. Sci. Eng.*, 36, 159 (1969).

82. S. G. Margolis and J. A. Redfield, "FLASH: A Program for Digital Simulation of the Loss of Coolant Accident," WAPD-TM-534, Bettis Atomic Power Laboratory (1966).

83. J. A. Redfield and J. H. Murphy, "The FLASH-2 Method for Loss of Coolant Analysis," *Nucl. Appl.*, 6, 127 (1969).

84. J. A. Redfield and J. H. Murphy, "Void Fraction and Residual Water Predictions During a Loss of Coolant Accident," *Trans. Am. Nucl. Soc.*, 11, 686 (1968).

85. F. J. Moody, "Maximum Flow Rate of Single Component Two-Phase Mixture," *Trans. ASME, Ser. C, J. Heat Transfer*, 87, *1*, 134 (1965).

86. J. H. Murphy, J. A. Redfield, and V. C. Davis, "FLASH-5: A Fortran IV Program for Transient Simulation of a Reactor Plant with a Detailed Core," WAPD-TM-999, Bettis Atomic Power Laboratory (1973).

87. "RELAP 4/MOD5, A Computer Program for Transient Thermal-Hydraulic Analyses of Nuclear Reactor and Related Systems," ANCR-1335, Idaho National Engineering Laboratory (1976).

88. L. R. Baker, Jr. and L. C. Just, "Studies of Metal-Water Reactions at High Temperatures III–Experimental and Theoretical Studies of the Zirconium-Water Reaction," ANL-6548, Argonne National Laboratory (1962).

89. J. V. Cathcart, "Quarterly Progress Report on the Zirconium-Metal-Water Oxidation Kinetics Program Sponsored by the NRC Division of Reactor Safety Research for October-December 1975," ORNL-TM-5248, Oak Ridge National Laboratory (1976).

90. R. J. Wagner, "IREKIN–A Program for the Numerical Solution of the Reactor Kinetics Equations," ISO-17114, Idaho National Engineering Laboratory (1966).

91. American Nuclear Society Draft Standard, "Decay Energy Release Rates Following Shutdown of Uranium-Fueled Thermal Reactors," revised October 1973, American Nuclear Society, La Grange Park, Illinois.

92. B. I. Spinrad, "Evaluation of Fission Product After-Heat," Quarterly Report, October 1, 1975-December 31, 1975, NUREG-0018-2, Oregon State University (1976).

93. W. Wulff, "Development of a Computer Code for Thermal Hydraulics of Reactors (THOR)," Quarterly Progress Report for October-December 1975, BNL-NUREG-50534, Brookhaven National Laboratory (1976).

94. J. R. Travis, F. H. Harlow, and A. A. Amsden, "Numerical Calculation of Two-Phase Flows," *Nucl. Sci. Eng.*, **61**, 1 (1976).

95. F. M. Bordelon et al., "Westinghouse Emergency Core Cooling System Evaluation Model–Summary," WCAP-8339, Westinghouse Electric Corporation (1974).

96. C. T. Walters, J. M. Genco, and G. Raines, "Heat Transfer Analysis in Loss-of-Coolant Accidents," *Nucl. Eng. Des.*, 7, 123 (1968).

97. J. S. Iyer, "ECCSA-I: A Digital Computer Program for Thermal and Hydraulic Analysis of Core Channels in the Event of a Nuclear Reactor Loss-of-Coolant Accident," BMI-1832, Battelle Memorial Institute (1968).

98. P. Cybulskis, W. A. Carbiener, R. E. Holmes, and R. A. Cudnik, "Application of the ECCSA-4 and MUCHA Computer Codes to Emergency Core-Cooling Analyses," *Trans. Am. Nucl. Soc.*, **12**, 353 (1969).

99. R. W. Shumway, "Core Reflood Dynamics Code–FLOOD 4," *Proc. Two-Phase Flow and Heat Transfer Symp. Workshop*, October 18-20, 1976, University of Miami (1976).

100. J. A. Dearien, L. J. Steffin, M. P. Bohn, R. C. Young, and R. L. Benedetti, "FRAP-T2: A Computer Code for the Transient Analysis of Oxide Fuel Rods, Vol. I: Analytical Models and Input," Aerojet Nuclear Company (1976).

101. S. Banerjee and W. T. Hancox, "On the Development of the Methods for Analyzing Transient Two-Phase Flow," paper presented at the Fourth Water Reactor Safety Research Information Mtg., September 1976, Gaithersburg, Maryland (1976).

102. "Technical Report on Anticipated Transients Without Scram in Water-Cooled Power Reactors," WASH-1270, U.S. Atomic Energy Commission, Washington, D.C. (1973).

103. D. W. LaBelle and C. D. Russell, "Response of Current PWR Design to ATWS Conditions," TP-582, Babcock & Wilcox Company (1975).

104. "CADDS–Computer Application to Direct Digital Simulation of Anticipated Transients Without Scram in Water Reactors," BAW-10098, Babcock & Wilcox Company (1974).

105. N. Rasmussen, S. Levine et al., "An Assessment of Accident Risks in U.S. Commercial Nuclear Power Plants," WASH-1400, U.S. Nuclear Regulatory Commission, Washington, D.C. (1975).

Author Index

Subject Index

NUCLEAR SCIENCE AND TECHNOLOGY SERIES

prepared under the direction of the
Special Publications Committee of the
American Nuclear Society

The Chemistry of Plutonium by J. M. Cleveland

Engineering for Nuclear Fuel Reprocessing by Justin T. Long

Thermal Analysis of Liquid-Metal Fast Breeder Reactors
by Y. S. Tang, R. D. Coffield, Jr., and R. A. Markley

Reactivity Coefficients in Large Fast Power Reactors
by Harry H. Hummel and David Okrent

The Thermal-Hydraulics of a Boiling Water Nuclear Reactor
by R. T. Lahey, Jr. and F. J. Moody

Isotope Separation by Stelio Villani

Fusion Energy Conversion by George H. Miley

Boiling Liquid-Metal Heat Transfer by O. E. Dwyer

Nuclear Materials–Accountability Management Safeguards by James E. Lovett

Promethium Technology by Earl J. Wheelwright, Ed.

Small-Sample Reactivity Measurements in Nuclear Reactors by Wesley K. Foell

Direct Conversion of Nuclear Radiation Energy by George H. Miley

Fabrication of Thorium Fuel Elements by L. R. Weissert and G. Schileo